"Artificial intelligence is the new electricity."

- Andrew Ng, Co-founder of Coursera and Adjunct Professor at Stanford University

Chi siamo

Benvenuto in questo libro creato da Cuantum Technologies. Siamo un team di sviluppatori appassionati impegnati nella creazione di software che offra esperienze creative e risolva problemi del mondo reale. Il nostro approccio si concentra sulla costruzione di applicazioni web di alta qualità che offrano un'esperienza utente fluida e soddisfino le esigenze dei nostri clienti.

Nella nostra azienda crediamo che programmare non significhi soltanto scrivere codice. Significa risolvere problemi e creare soluzioni che possano fare la differenza nella vita delle persone. Esploriamo costantemente nuove tecnologie e tecniche per rimanere all'avanguardia nel settore e siamo entusiasti di condividere con te le nostre conoscenze e la nostra esperienza attraverso questo libro.

Il nostro approccio allo sviluppo software si basa sulla collaborazione e sulla creatività. Lavoriamo a stretto contatto con i nostri clienti per comprendere le loro esigenze e creare soluzioni adattate ai loro requisiti specifici. Crediamo che il software debba essere intuitivo, facile da usare e visivamente accattivante, e ci impegniamo a creare applicazioni che soddisfino questi criteri.

Questo libro ha l'obiettivo di offrire un approccio pratico e accessibile all'apprendimento delle tecnologie moderne. Che tu sia un principiante senza esperienza di programmazione o uno sviluppatore esperto che desidera ampliare le proprie competenze, il nostro obiettivo è aiutarti a sviluppare le tue abilità e costruire solide basi nel mondo dello sviluppo software, della data science e delle tecnologie emergenti.

La nostra filosofia:

Nel cuore di Cuantum crediamo che il modo migliore per creare software sia attraverso la collaborazione e la creatività. Valorizziamo l'opinione dei nostri clienti e lavoriamo a stretto contatto con loro per creare soluzioni che soddisfino le loro esigenze. Crediamo inoltre che il software debba essere intuitivo, facile da usare e visivamente attraente, e ci impegniamo a sviluppare applicazioni che rispettino questi principi.

Crediamo anche che la programmazione sia una competenza che può essere appresa e sviluppata nel tempo. Incoraggiamo i nostri sviluppatori a esplorare nuove tecnologie e tecniche e forniamo loro gli strumenti e le risorse necessari per rimanere all'avanguardia nel settore. Crediamo inoltre che programmare debba essere stimolante e gratificante, e ci impegniamo a creare un ambiente che favorisca la creatività e l'innovazione.

La nostra esperienza:

Nella nostra azienda di software siamo specializzati nella creazione di applicazioni web che offrono esperienze creative e risolvono problemi del mondo reale. I nostri sviluppatori hanno esperienza in una vasta gamma di linguaggi di programmazione e framework, tra cui **Python, intelligenza artificiale, ChatGPT, Django, React, Three.js e Vue.js**, tra gli altri. Esploriamo costantemente nuove tecnologie e tecniche per rimanere all'avanguardia nel settore e siamo orgogliosi della nostra capacità di creare soluzioni che soddisfino le esigenze dei nostri clienti.

Abbiamo inoltre una vasta esperienza nell'**analisi e visualizzazione dei dati, nel machine learning e nell'intelligenza artificiale**. Crediamo che queste tecnologie abbiano il potenziale di trasformare il modo in cui viviamo e lavoriamo, e siamo entusiasti di contribuire allo sviluppo di questa nuova era tecnologica.

In conclusione, la nostra azienda è dedicata alla creazione di software che promuova esperienze creative e risolva problemi del mondo reale. Diamo priorità alla collaborazione e alla creatività e ci impegniamo a sviluppare soluzioni intuitive, facili da usare e visivamente accattivanti. Siamo appassionati di programmazione e desideriamo condividere con te le nostre conoscenze e la nostra esperienza attraverso le nostre pubblicazioni. Speriamo che questo libro possa rappresentare una risorsa preziosa nel tuo percorso di apprendimento e crescita nel mondo della tecnologia.

YOUR JOURNEY STARTS HERE…

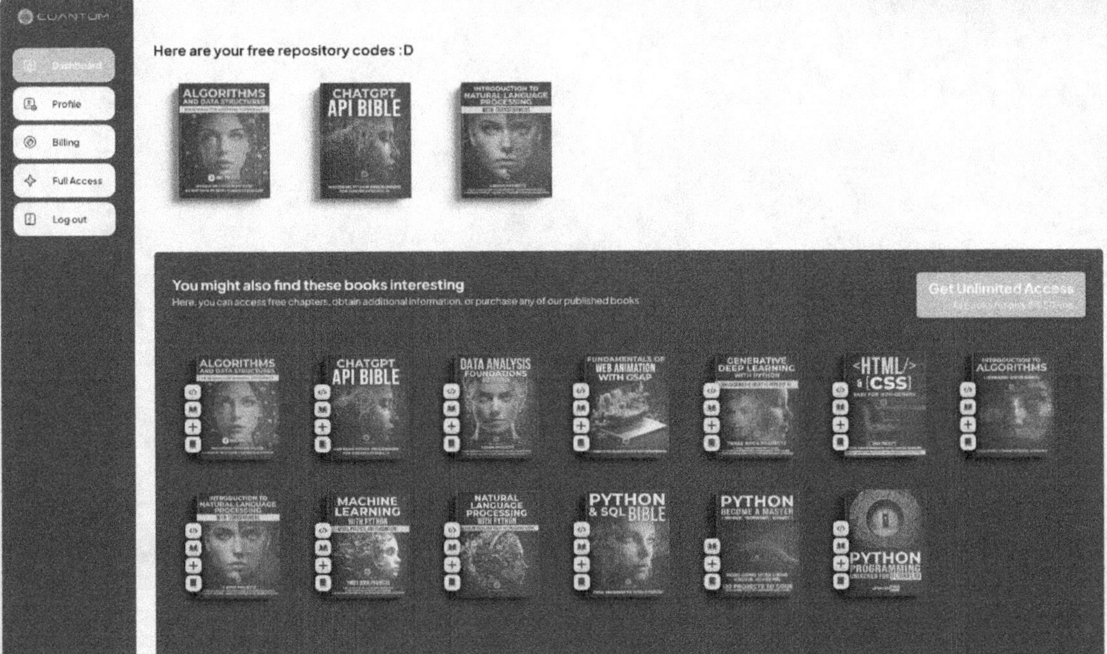

Get access to all the benefits of being one of our valuable readers through our new **eLearning Platform:**

1. Free code repository of this book

2. Access to a **free example chapter** of any of our books.

3. Access to the **free repository code** of any of our books.

4. Premium customer support by writing to **books@cuantum.tech**

And much more…

HERE IS YOUR
FREE ACCESS

www.cuantum.tech/books/under-the-hood-of-large-language-models/code

SOMMARIO

Introduzione

I modelli di linguaggio di grandi dimensioni (LLM) sono passati rapidamente dai laboratori di ricerca alla vita di tutti i giorni. Ci aiutano a scrivere email, programmare, tradurre testi, riassumere documenti lunghi e persino a sostenere dialoghi significativi. Per molte persone, l'esperienza di interagire con un sistema come GPT-5 o Claude sembra quasi magica. Ma, come per ogni tecnologia trasformativa, ciò che appare magico in superficie si basa su principi ingegneristici molto reali e perfettamente comprensibili.

Questo libro, primo volume della serie *Large Language Models Unleashed*, è pensato per portarti **sotto il cofano** di questi sistemi straordinari. Invece di trattare gli LLM come misteriose scatole nere, esploreremo come vengono costruiti, come apprendono e come le loro capacità vadano oltre il semplice testo. Il nostro obiettivo è offrirti sia le **fondamenta teoriche** sia l'**esperienza pratica** di cui hai bisogno per comprendere l'IA su larga scala a livello professionale.

Perché Questo Libro?

Esistono molti ottimi tutorial, articoli e post di blog sui modelli di linguaggio. Ciò che spesso manca è la **coesione**: un percorso guidato e strutturato che parte dai concetti fondamentali e costruisce gradualmente verso idee più avanzate. È proprio questo che offre questo libro. Ogni capitolo è progettato con cura per stratificare la conoscenza, mescolando chiarezza concettuale con esempi di codice e progetti. Alla fine, non saprai soltanto *che* i transformer funzionano, ma saprai anche *come* e *perché*.

Altrettanto importante, questo libro riconosce che gli LLM non sono artefatti statici. Il campo evolve rapidamente. Modelli che sembravano rivoluzionari appena due anni fa, come GPT-3, sono già stati superati da architetture più efficienti e capaci come LLaMA, Mistral o GPT-5. La nostra esplorazione mette in evidenza **principi senza tempo** (attenzione, embedding, leggi di scalabilità) e, allo stesso tempo, ti introduce a **innovazioni moderne** (RoPE, GQA, integrazione multimodale).

A Chi È Rivolto Questo Libro?

Questo volume è pensato per chi:

- Ha già una certa familiarità con il machine learning e Python.

- Vuole andare oltre la semplice chiamata di API e iniziare a capire cosa c'è dentro i modelli.

- È un ingegnere, un ricercatore o un professionista motivato e curioso di capire come funziona l'IA.

Non serve essere un matematico per seguire il percorso. Includiamo le spiegazioni di background necessarie, diagrammi e frammenti di codice, così che ogni nuovo concetto sia accessibile. Lo stile di scrittura è volutamente **gentile e conversazionale**, riconoscendo che chi legge non è una macchina, ma una persona che beneficia di chiarezza e incoraggiamento.

Cosa Imparerai

Questo volume è organizzato in cinque capitoli principali, ciascuno dedicato a un aspetto diverso dei fondamenti degli LLM:

1. **Cosa Sono gli LLM? Dai Transformer ai Titani** – Un inquadramento storico e concettuale, dai primi modelli transformer ai giganti moderni. Esaminiamo le architetture decoder-only rispetto alle encoder-decoder, le leggi di scalabilità e ciò che distingue GPT, Claude, Gemini, Mistral e altri modelli.

2. **Tokenizzazione ed Embedding** – Come il testo grezzo viene suddiviso in token, perché metodi subword come BPE e SentencePiece sono importanti e come gli embedding rappresentano il significato in uno spazio ad alta dimensionalità. Imparerai anche a costruire e addestrare un tokenizer per compiti specifici di dominio.

3. **Anatomia di un LLM** – Un'esplorazione dettagliata dei blocchi costitutivi: attenzione multi-head, codifica posizionale, strategie di normalizzazione e innovazioni architetturali avanzate come SwiGLU e la grouped-query attention.

4. **Addestrare LLM da Zero** – Cosa serve per addestrare un modello su larga scala: curazione dei dati, deduplicazione, curriculum learning, addestramento distribuito su GPU o TPU e strategie per ottimizzare costi e sostenibilità.

5. **Oltre il Testo: LLM Multimodali** – La frontiera in cui i modelli gestiscono non solo testo, ma anche immagini, audio e video. Introduciamo modelli come LLaVA, Whisper, VideoGPT e GPT-4o ed esploriamo come il ragionamento cross-modale stia plasmando la prossima generazione di sistemi di IA.

Alla fine della Parte I troverai un quiz completo per consolidare ciò che hai imparato.

Progetti

Per bilanciare teoria e pratica, questo volume include **due progetti pratici**:

- **Progetto 1:** Costruire un Toy Transformer da Zero in PyTorch – Implementerai un transformer compatto decoder-only, lo addestrerai su un dataset semplice e genererai testo. Questo progetto rende concreti i concetti astratti di attenzione ed embedding.

- **Progetto 2:** Addestrare un Tokenizer Personalizzato per Compiti Specifici di Dominio – Progetterai un tokenizer tarato su dati specializzati, confronterai BPE e SentencePiece e misurerai l'efficienza. Questo progetto ti dà competenze pratiche per adattare l'infrastruttura NLP di base a esigenze uniche.

Questi progetti sono volutamente leggeri, così da poterli eseguire su un laptop o su una singola GPU, pur offrendo le fondamenta per scalare nei volumi successivi.

Il Quadro Generale

Questo è il Volume 1 di una serie in tre parti. I volumi successivi tratteranno **Personalizzazione e Fine-Tuning** (Volume 2) e **Scalabilità, Ottimizzazione e Distribuzione nel Mondo Reale** (Volume 3). Insieme, la trilogia offre una roadmap completa: dal comprendere, all'adattare, fino al distribuire gli LLM su larga scala.

Quando avrai finito questo volume, non vedrai più i modelli di linguaggio di grandi dimensioni come giganti insondabili. Li vedrai invece come sistemi eleganti composti da parti comprensibili, sistemi che puoi analizzare, modificare e costruire.

Benvenuto in *Large Language Models Unleashed, Volume 1*. Entriamo nella sala macchine dell'IA moderna.

Capitolo 1: Cosa sono gli LLM? Dai Transformer ai Titani

Quando apri una conversazione con ChatGPT, chiedi a Claude un riassunto, o fai il fine-tuning di un modello LLaMA sul tuo server, stai interagendo con ciò che molti oggi chiamano **i Titani dell'AI moderna**: i Large Language Models (LLM). Questi sistemi potenti rappresentano il culmine di decenni di ricerca nel natural language processing e nel machine learning, combinando architetture di reti neurali avanzate con quantità senza precedenti di dati di training.

Questi modelli sono molto più di un semplice autocomplete potenziato. Sono sistemi sofisticati addestrati su enormi quantità di dati testuali—spesso centinaia di miliardi o persino trilioni di token—che hanno imparato a rappresentare il linguaggio, la conoscenza e il ragionamento in modi che permettono loro di risolvere compiti che un tempo pensavamo impossibili per le macchine. Il processo di training implica la previsione della parola successiva in una sequenza miliardi di volte, permettendo a questi modelli di interiorizzare i pattern della comunicazione umana, della conoscenza fattuale e persino capacità di ragionamento logico. Dal **scrivere codice** con precisione sintattica e logica funzionale al **rispondere a complesse domande legali** che richiedono una comprensione sfumata di precedenti e contesto fino al **mantenere conversazioni multilingue** con una fluidità quasi nativa in decine di lingue, gli LLM hanno trasformato il modo in cui individui e aziende interagiscono con la tecnologia. La loro capacità di generalizzare su compiti diversi senza programmazione esplicita per ciascuno rappresenta un cambiamento fondamentale nell'intelligenza artificiale.

Ma ecco l'intuizione chiave per noi ingegneri: mentre tutti questi modelli condividono lo stesso DNA — l'architettura **Transformer** — le loro "personalità", punti di forza e compromessi variano a seconda di come vengono addestrati, scalati e distribuiti. Le differenze emergono da decisioni riguardanti la composizione dei dati di training (testi web, libri, repository di codice, documenti specializzati), il numero di parametri (da milioni a trilioni), gli obiettivi di training (next-token prediction, instruction-following, reinforcement learning from human feedback) e le modifiche architetturali (meccanismi di attenzione, mixture of experts, dimensioni della context window). Queste scelte creano modelli distinti che eccellono in domini diversi nonostante la loro eredità architetturale comune.

Ecco perché in questo primo capitolo, prima di entrare nei dettagli di tokenization e dei blocchi Transformer, analizzeremo il panorama: **chi sono i principali attori, cosa li rende unici e dove si collocano nella pratica.** Comprendere questo ecosistema ti aiuterà a orientarti nel campo in rapida evoluzione degli LLM e a prendere decisioni informate su quali modelli usare per applicazioni specifiche, come valutarne capacità e limiti, e come anticipare gli sviluppi futuri di questa tecnologia trasformativa.

1.1 Da GPT a LLaMA, Claude, Gemini, Mistral, DeepSeek

La storia degli LLM inizia con una svolta rivoluzionaria: l'architettura **Transformer** (Vaswani et al., 2017). Questa innovazione ha cambiato radicalmente il panorama del natural language processing. Prima dei transformer, le reti neurali avevano difficoltà significative con sequenze lunghe di testo—le recurrent neural networks (RNN) e le long short-term memory networks (LSTM) elaboravano il testo in modo sequenziale, creando colli di bottiglia che impedivano una parallelizzazione efficace. Man mano che questi modelli crescevano, diventavano computazionalmente inefficienti e faticavano a mantenere il contesto su lunghe distanze.

I transformer hanno risolto questi problemi introducendo un meccanismo chiamato **self-attention**, che ha rappresentato un cambiamento di paradigma nel modo in cui le reti neurali elaborano il linguaggio. La self-attention consente al modello di valutare l'importanza delle parole tra loro, indipendentemente dalla loro distanza nella sequenza. Invece di elaborare le parole una dopo l'altra, i transformer possono esaminare l'intera sequenza simultaneamente, determinando quali parti sono più rilevanti tra loro in base ai pesi di attenzione appresi. Questa elaborazione parallela ha reso il training molto più efficiente e ha permesso ai modelli di catturare dipendenze a lungo raggio nel testo che le architetture precedenti non riuscivano a cogliere.

Il meccanismo di self-attention funziona calcolando tre vettori per ogni parola: un query vector, un key vector e un value vector. Calcolando i prodotti scalari tra query e key, il modello determina quanta attenzione prestare a ciascuna parola durante l'elaborazione di una parola specifica. Questo crea una comprensione ricca e contestuale del linguaggio in cui le parole vengono interpretate non in isolamento ma in relazione all'intero contesto circostante. Questo è stato particolarmente potente per comprendere linguaggio ambiguo, riferimenti e strutture linguistiche complesse.

Quell'unica innovazione rivoluzionaria ha portato direttamente a GPT (Generative Pretrained Transformer) di OpenAI, che ha dimostrato il potenziale di questa architettura attraverso il pre-training su enormi corpora testuali e il successivo fine-tuning per compiti specifici. Da lì, è iniziata la vera e propria corsa all'AI, con organizzazioni che competono per costruire modelli sempre più grandi e capaci basati sull'architettura transformer. Vediamo le famiglie di modelli più influenti oggi:

1.1.1 GPT (OpenAI)

GPT (e i suoi successori, GPT-2, GPT-3, GPT-4 e ora GPT-4o) ha mostrato al mondo il potere dello scaling. Addestrando su dataset sempre più grandi con più parametri, OpenAI ha scoperto capacità emergenti: i modelli potevano ragionare, tradurre e generare testo lungo sorprendentemente coerente. Questa scaling hypothesis, sostenuta da ricercatori come Sam Altman e Ilya Sutskever, suggeriva che semplicemente rendere i modelli più grandi con più dati avrebbe sbloccato capacità oltre quelle ottenibili con modelli più piccoli—una previsione che si è dimostrata straordinariamente accurata.

La famiglia GPT (Generative Pre-trained Transformer) ha rivoluzionato il panorama dell'AI attraverso uno scaling costante. GPT-1 iniziò con 117 milioni di parametri nel 2018, mentre GPT-3 è arrivato a 175 miliardi nel 2020, e GPT-4 si dice superi il trilione di parametri. Questo enorme aumento della dimensione del modello è direttamente correlato a miglioramenti delle prestazioni su compiti diversi. Ogni generazione ha mostrato miglioramenti sostanziali: GPT-2 ha migliorato la generazione di testo, GPT-3 ha introdotto il few-shot learning, e GPT-4 ha raggiunto prestazioni quasi umane in molti benchmark professionali e accademici. Questa progressione dimostra come lo scaling quantitativo porti a progressi qualitativi.

Ciò che rende i modelli GPT particolarmente notevoli è il modo in cui dimostrano capacità emergenti - abilità che non sono state programmate esplicitamente ma sono emerse naturalmente con l'aumento della scala. Ad esempio, mentre i primi modelli faticavano con il ragionamento di base, GPT-4 può risolvere complessi puzzle logici, seguire istruzioni articolate e mantenere coerenza su migliaia di token di contesto. Queste capacità emergenti includono l'in-context learning (imparare nuovi compiti usando esempi senza aggiornare i parametri), il chain-of-thought reasoning (scomporre problemi complessi in passaggi), e la generazione di codice con comprensione funzionale dei concetti di programmazione. Ognuna di queste capacità è apparsa a diverse soglie di scala, supportando l'idea che l'intelligenza possa emergere da sistemi sufficientemente complessi piuttosto che richiedere architetture specializzate per ogni capacità.

L'approccio di OpenAI prevede una pipeline di training multi-fase: prima il pre-training su testi internet diversificati, poi il supervised fine-tuning (SFT) su dimostrazioni di alta qualità, e infine il reinforcement learning from human feedback (RLHF) per allineare il modello alle preferenze umane e ai requisiti di sicurezza. Questo processo in tre fasi è diventato uno standard di fatto nel settore. La fase di pre-training costruisce una base di conoscenza linguistica e del mondo, mentre la SFT modella il comportamento del modello per seguire istruzioni e produrre risposte utili. La fase RLHF è particolarmente innovativa, utilizzando preferenze umane per creare un reward model che guida il modello verso output che gli esseri umani valuterebbero positivamente. Questo processo combina il machine learning tradizionale con intuizioni della psicologia comportamentale per creare sistemi più allineati con intenzioni e valori umani.

Punti di forza

I modelli GPT eccellono come generalisti altamente capaci, offrendo prestazioni impressionanti su un'ampia gamma di compiti senza training specializzato. Le loro forti capacità di ragionamento permettono di risolvere problemi complessi, seguire istruzioni multi-step e generare risposte coerenti e contestualmente appropriate. Questo approccio generalista significa che un singolo modello GPT può gestire tutto, dalla scrittura creativa e traduzione fino a spiegazioni scientifiche e assistenza alla programmazione, eliminando la necessità di più sistemi specializzati.

Le capacità di ragionamento dei modelli GPT sono particolarmente notevoli. Possono scomporre problemi complessi in passaggi gestibili (chain-of-thought reasoning), identificare incoerenze logiche e sintetizzare informazioni provenienti da diversi domini. Questo consente loro di affrontare sfide che richiedono sia ampiezza che profondità di conoscenza, come rispondere a domande interdisciplinari o sviluppare soluzioni creative che attingono da più campi.

I modelli GPT supportano un'ampia integrazione con strumenti, permettendo loro di interagire con sistemi esterni, motori di ricerca e strumenti specializzati per ampliare le loro capacità. Questo crea un'architettura estensibile in cui il language model di base può essere arricchito con accesso a dati in tempo reale, strumenti computazionali e applicazioni specifiche di dominio. Le possibilità di integrazione vanno da semplici ricerche web a workflow complessi che coinvolgono più API, query a database e software specializzati, trasformando di fatto l'LLM in un livello di coordinamento per diverse capacità digitali.

Dispongono di una context window estesa (fino a 128.000 token in GPT-4o), che consente loro di elaborare e mantenere coerenza su documenti o conversazioni estremamente lunghi. Questo contesto ampliato abilita applicazioni prima impossibili, come analizzare interi paper di ricerca, mantenere lo storico di una conversazione per ore di interazione, o elaborare codebase complete per fornire code review approfondite. La grande context window migliora anche il ragionamento offrendo al modello accesso a più informazioni simultaneamente.

OpenAI migliora continuamente questi modelli attraverso aggiornamenti regolari, risolvendo limitazioni e introducendo nuove capacità senza richiedere agli utenti di gestire versioni del modello. Questo modello di miglioramento continuo significa che le applicazioni basate su GPT beneficiano automaticamente di miglioramenti di performance, bug fix e nuove funzionalità.

Compromessi

Essendo sistemi closed-source, i modelli GPT offrono visibilità limitata sul loro funzionamento interno, impedendo agli utenti di ispezionare o modificare il codice sottostante. Questa natura "black box" crea diverse sfide per sviluppatori e ricercatori. Senza accesso al processo di training o ai pesi del modello, è impossibile effettuare audit per bias o apportare miglioramenti architetturali. Organizzazioni con requisiti di sicurezza o compliance potrebbero avere difficoltà ad approvare l'uso di sistemi che non possono ispezionare completamente.

Il modello API pay-per-use può diventare proibitivamente costoso per applicazioni ad alto volume, con costi che scalano direttamente con l'utilizzo. Questo impatta soprattutto applicazioni che richiedono interazioni continue o elaborazione di grandi volumi di testo, creando sfide di budgeting.

OpenAI mantiene una trasparenza limitata sulle fonti dei dati di training e sulle metodologie, sollevando interrogativi su bias potenziali ed implicazioni etiche. Senza conoscere i dati di training, è difficile valutare eventuali distorsioni o problemi sistemici.

Nonostante le capacità avanzate, i modelli GPT possono ancora generare informazioni errate con sicurezza (le cosiddette "hallucinations"), presentando affermazioni convincenti ma inaccurate. Questo rappresenta un rischio significativo in ambiti critici.

Infine, costruire applicazioni dipendenti da GPT può creare problemi di vendor lock-in, rendendo difficile migrare verso alternative senza costi ingegneristici significativi.

Esempio:

Usare GPT tramite l'API OpenAI è semplice come questo:

```python
from openai import OpenAI

client = OpenAI()

response = client.chat.completions.create(
    model="gpt-4o",
    messages=[{"role": "user", "content": "Explain transformers in simple terms"}]
)

print(response.choices[0].message["content"])
```

Analisi del codice:

Questo esempio di codice dimostra un'implementazione minima per interagire con l'API di OpenAI per generare testo utilizzando modelli GPT:

1. **Import Statement**: importa la libreria client di OpenAI

2. **Client Initialization**: crea un'istanza del client OpenAI senza fornire esplicitamente una API key

- o Questo suggerisce che la API key viene caricata dalle environment variables, che rappresenta una best practice di sicurezza

3. **API Request**: crea una richiesta di chat completion con i seguenti parametri:

    - o **model**: specifica "gpt-4o", che è il modello più recente di OpenAI al 2025

    - o **messages**: contiene un semplice array con un singolo messaggio dell'utente che richiede una spiegazione dei transformer

4. **Response Handling**: estrae e stampa il contenuto generato dalla risposta dell'API

Questo codice rappresenta l'implementazione più semplice possibile per generare testo con modelli GPT. In un ambiente più pronto per la produzione, normalmente includeresti:

- Gestione degli errori per eventuali fallimenti dell'API

- Gestione corretta delle environment variables per la API key

- Parametri aggiuntivi come temperature per controllare la casualità della risposta

- Gestione del contesto tramite lo storico della conversazione

Il codice mostra quanto sia semplice interagire con potenti language models tramite l'API di OpenAI, richiedendo solo poche righe per generare spiegazioni testuali di qualità umana.

Esempio di implementazione avanzata:

```python
import os
from openai import OpenAI
from typing import List, Dict, Any

# Initialize the OpenAI client with API key
# Best practice: Store API key as environment variable
client = OpenAI(api_key=os.environ.get("OPENAI_API_KEY"))

def generate_response(
    prompt: str,
    model: str = "gpt-4o",
    temperature: float = 0.7,
    max_tokens: int = 1000
) -> str:
    """
    Generate a response from the OpenAI API.

    Args:
        prompt: The user's input text
        model: The model to use (e.g., "gpt-4o", "gpt-3.5-turbo")
        temperature: Controls randomness (0.0-1.0)
        max_tokens: Maximum tokens in the response

    Returns:
        The generated text response
    """
```

```python
try:
    # Create the chat completion request
    response = client.chat.completions.create(
        model=model,
        messages=[
            {"role": "system", "content": "You are a helpful AI assistant that
explains complex topics clearly."},
            {"role": "user", "content": prompt}
        ],
        temperature=temperature,
        max_tokens=max_tokens,
        top_p=1.0,
        frequency_penalty=0.0,
        presence_penalty=0.0
    )

    # Extract and return the response content
    return response.choices[0].message.content
except Exception as e:
    return f"Error generating response: {str(e)}"

# Example usage
if __name__ == "__main__":
    # Basic example
    basic_response = generate_response("Explain transformers in simple terms")
    print("\\n--- Basic Example ---")
    print(basic_response)

    # More complex example with conversation history
    conversation = [
        {"role": "system", "content": "You are an AI expert helping with
transformers."},
        {"role": "user", "content": "What is self-attention?"},
        {"role": "assistant", "content": "Self-attention is a mechanism that allows a
model to focus on different parts of the input sequence when producing an output."},
        {"role": "user", "content": "How does this relate to transformers?"}
    ]

    try:
        advanced_response = client.chat.completions.create(
            model="gpt-4o",
            messages=conversation,
            temperature=0.5
        )
        print("\\n--- Conversation Example ---")
        print(advanced_response.choices[0].message.content)
    except Exception as e:
        print(f"Error in conversation example: {str(e)}")
```

Spiegazione del Code Breakdown:

1. **Imports e Setup**

   o Il codice importa le librerie necessarie: OpenAI SDK, os per le environment variables, e typing per i type hints.

   o L'uso delle environment variables per le API keys è una best practice di sicurezza invece di inserirle direttamente nel codice.

2. **Definizione della Funzione**

   o La funzione generate_response() incapsula la logica della chiamata API con una corretta gestione degli errori.

   o I type hints rendono il codice più manutenibile e auto-documentato.

   o I parametri di default forniscono flessibilità mantenendo la semplicità per i casi d'uso comuni.

3. **Parametri API**

   o **model**: specifica quale versione del modello utilizzare (GPT-4o è la più recente al 2025).

   o **messages**: lo storico della conversazione in un formato specifico con ruoli (system, user, assistant).

   o **temperature**: controlla la casualità (0.0 = deterministico, 1.0 = creativo)

   o **max_tokens**: limita la lunghezza della risposta per controllare costi e dimensione dell'output.

   o **top_p, frequency_penalty, presence_penalty**: parametri avanzati per regolare le caratteristiche della risposta.

4. **Esempi**

   o Un esempio base con un singolo prompt mostra il caso d'uso più semplice.

   o L'esempio conversazionale dimostra come mantenere il contesto attraverso più interazioni.

   o Entrambi includono una corretta gestione degli errori per evitare crash.

5. **Considerazioni per la Produzione**

   o La struttura del codice consente una facile integrazione in applicazioni più grandi.

   o La gestione degli errori garantisce robustezza in ambienti di produzione.

   o La separazione delle responsabilità rende il codice manutenibile e testabile.

Questo esempio di codice dimostra non solo l'uso base dell'API, ma anche corrette pratiche di software engineering per un'integrazione LLM pronta per la produzione. L'approccio basato su funzioni lo rende riutilizzabile in diverse parti di un'applicazione mantenendo una gestione degli errori coerente.

1.1.2 LLaMA (Meta)

Meta ha fatto una mossa audace rilasciando **LLaMA (Large Language Model Meta AI)** come modello open-weight. LLaMA-2 e LLaMA-3 hanno reso prestazioni all'avanguardia accessibili a chiunque abbia l'hardware per eseguirli. Questo ha cambiato l'equilibrio di potere: improvvisamente, puoi fare il fine-tuning di un modello di frontiera sui tuoi dati senza dipendere da un vendor. A differenza dei modelli closed basati su API, dove sei limitato a ciò che il provider consente, i modelli open-weight ti danno completa libertà di modificare, adattare e distribuire la tecnologia secondo le tue esigenze specifiche.

Il rilascio di LLaMA ha rappresentato un cambiamento significativo rispetto all'approccio chiuso e basato solo su API di concorrenti come OpenAI. Rendendo disponibili i pesi del modello a ricercatori e sviluppatori, Meta ha democratizzato l'accesso alla tecnologia AI di ultima generazione. Questo approccio aperto ha favorito un ecosistema vivace di modifiche, ottimizzazioni e versioni specializzate per domini specifici. La community ha rapidamente sviluppato strumenti come llama.cpp che permettono di eseguire questi modelli su hardware consumer tramite tecniche come la quantization (riduzione della precisione dei pesi del modello per diminuire i requisiti di memoria). Questa accessibilità ha innescato innovazione in ambito accademico, startup e comunità di appassionati che prima non potevano permettersi modelli AI di alto livello.

LLaMA-3, rilasciato nel 2024, ha ulteriormente migliorato questa base con capacità di ragionamento avanzate e supporto multilingue. Il modello è disponibile in varie dimensioni (8B, 70B, ecc.), permettendo agli utenti di bilanciare prestazioni e requisiti hardware. Questa scalabilità rende LLaMA particolarmente versatile in diversi scenari di deployment, dai computer personali ai cluster di data center. La variante 8B può funzionare su un buon laptop con ottimizzazioni, mentre la versione 70B offre prestazioni vicine allo stato dell'arte per applicazioni più esigenti. I miglioramenti architetturali di LLaMA-3 hanno anche ridotto i requisiti computazionali rispetto ai predecessori di dimensioni simili, rendendolo più efficiente ed economico su larga scala.

Oltre ai miglioramenti tecnici, la natura open di LLaMA ha creato un ecosistema ricco di varianti specializzate. Progetti come Alpaca, Vicuna e WizardLM hanno dimostrato come anche piccoli team possano fare fine-tuning di questi modelli per casi d'uso specifici, dagli assistenti di programmazione ai consulenti medici. Questa democratizzazione dello sviluppo AI ha accelerato l'innovazione e permesso a organizzazioni di ogni dimensione di beneficiare di modelli linguistici avanzati senza vendor lock-in o costi proibitivi.

Punti di forza

Open weights: A differenza dei modelli proprietari come GPT-4, i pesi di LLaMA sono pubblicamente disponibili, permettendo a ricercatori e sviluppatori di scaricare, ispezionare, modificare e distribuire il modello in modo indipendente. Questa trasparenza consente lo studio diretto dell'architettura e dei parametri del modello.

Prestazioni elevate: Nonostante sia open, LLaMA raggiunge risultati impressionanti nei benchmark standard, avvicinandosi o eguagliando modelli proprietari molto più grandi quando viene correttamente fine-tuned.

Ampio supporto della community: È nato un ecosistema globale di sviluppatori attorno a LLaMA, che crea strumenti, ottimizzazioni e applicazioni che ne estendono le capacità.

La natura open-source ha portato a migliaia di varianti fine-tuned ottimizzate per compiti specifici come coding (CodeLLaMA), ambito medico (MedLLaMA) e scrittura creativa (Alpaca, Vicuna). Queste varianti spesso superano i modelli generalisti in benchmark specifici di dominio.

La community ha sviluppato numerose tecniche di quantization (come 4-bit e 3-bit) per eseguire questi modelli su hardware consumer, rendendo l'AI più accessibile.

I pesi aperti permettono anche maggiore trasparenza nel comportamento del modello e nei bias, facilitando la ricerca e il miglioramento degli LLM.

Compromessi

Requisiti hardware e risorse: Nonostante le ottimizzazioni, i modelli LLaMA restano esigenti in termini computazionali. Anche con quantization, servono almeno 16GB di RAM per modelli piccoli e 32GB+ per quelli grandi. Per inferenza in tempo reale è spesso necessaria una GPU dedicata.

Barriere di competenza tecnica: Il fine-tuning richiede conoscenze avanzate di machine learning (LoRA, QLoRA, preparazione dataset, hyperparameter tuning).

Trade-off qualità-prestazioni: Le versioni quantizzate possono perdere qualità, soprattutto in compiti complessi o di ragionamento avanzato.

Considerazioni di sicurezza ed etiche: La natura open elimina i guardrail integrati. Serve implementare sistemi di moderazione e sicurezza manualmente.

Esempio: Caricare un LLaMA quantizzato localmente con Ollama

```
# Basic usage - run LLaMA3 and ask it a question
ollama run llama3 "Write a haiku about machine learning"

# Pull the model first (downloads but doesn't run)
ollama pull llama3

# Run with specific parameters
ollama run llama3:8b --temperature 0.7 --top_p 0.9 "Explain quantum computing"

# Start a chat session with history
ollama run llama3 --verbose

# Create a custom model with a system prompt
ollama create mycustomllama -f Modelfile
# Where Modelfile contains:
# FROM llama3
# SYSTEM "You are a helpful AI assistant specialized in programming."

# Run models in a RESTful API server
ollama serve
# Then access via: curl -X POST <http://localhost:11434/api/generate> -d
'{"model":"llama3","prompt":"Hello!"}'
```

Analisi dei comandi Ollama:

Comandi base

1. **ollama run [model] [prompt]**

    o   Comando principale che scarica (se necessario) ed esegue il modello specificato.

o   Esempio: ollama run llama3 "Write a haiku about machine learning" esegue il modello LLaMA3 con il prompt fornito.

2. **ollama pull [model]**

o   Scarica un modello senza eseguirlo immediatamente.

o   Utile per preparare l'ambiente in anticipo.

Parametri di performance

1. **-temperature**

o   Controlla la casualità (0.0-1.0); valori più bassi rendono le risposte più deterministiche.

o   Esempio: -temperature 0.7 offre un equilibrio tra creatività e coerenza.

2. **-top_p**

o   Controlla la diversità tramite nucleus sampling; valori più bassi rendono le risposte più focalizzate.

o   Esempio: -top_p 0.9 considera solo il 90% dei token più probabili.

3. **Selezione della dimensione del modello**

o   Usa la sintassi con i due punti per specificare varianti del modello.

o   Esempio: llama3:8b indica la versione da 8 miliardi di parametri invece di quella predefinita.

Uso avanzato

1. **Modelli personalizzati**

o   Permette di creare versioni personalizzate con system prompt specifici.

o   Usa un Modelfile per definire comportamento e caratteristiche.

2. **API Server**

o   Esegui ollama serve per avviare un server API locale.

o   Accessibile tramite richieste HTTP standard per integrazione con applicazioni.

o   Esempio: utilizzo di curl per inviare richieste all'endpoint locale.

Questa interfaccia a riga di comando dimostra la potenza del deployment locale degli LLM — in pochi secondi puoi avere un modello AI potente in esecuzione interamente sul tuo hardware senza inviare dati a servizi esterni. La flessibilità di questi comandi mostra come i modelli open-weight permettano opzioni di personalizzazione e integrazione impossibili con servizi solo API.

Con un solo comando puoi avere un potente LLM in esecuzione sul tuo laptop. Questo è **model ownership nella pratica.**

1.1.3 Claude (Anthropic)

La serie Claude di Anthropic, chiamata così in onore del pioniere della teoria dell'informazione Claude Shannon, è nota per **alignment e sicurezza**. L'azienda è stata fondata nel 2021 da ex ricercatori di OpenAI con l'obiettivo di ridurre i rischi dell'AI e garantire risultati benefici. Questo team fondatore, guidato da Dario Amodei e Daniela Amodei, ha portato una forte esperienza e ha creato Anthropic con la missione di sviluppare sistemi AI affidabili, interpretabili e sicuri. Anthropic enfatizza la **constitutional AI**, in cui il modello è addestrato a seguire principi guida per output più sicuri.

La constitutional AI è un approccio innovativo all'allineamento in cui i modelli valutano le proprie risposte rispetto a un insieme di principi o "costituzione". Questo meccanismo di auto-supervisione aiuta Claude a evitare contenuti dannosi, non etici o fuorvianti senza richiedere un'enorme quantità di feedback umano. Questo approccio rappresenta un avanzamento significativo nella creazione di sistemi AI capaci di ragionare sui propri limiti etici. Il metodo funziona generando più risposte possibili, valutandole rispetto ai principi costituzionali, e poi raffinando l'output attraverso questo processo di auto-critica.

I modelli Claude sono progettati con context window molto ampie (fino a 200.000 token in Claude 3 Opus), permettendo loro di elaborare documenti lunghi, conversazioni e informazioni complesse. Questo li rende particolarmente utili per compiti che richiedono comprensione profonda di materiali estesi. Possono analizzare interi libri, documenti legali o paper di ricerca in un unico prompt, mantenendo coerenza lungo tutto il contenuto e collegando informazioni distanti tra loro.

Punti di forza

Eccellente per ragionamento strutturato, attento e di lunga durata. Claude eccelle nella gestione di questioni etiche complesse, argomenti sensibili e nella coerenza su conversazioni molto lunghe.

La sua capacità di seguire istruzioni complesse mantenendo consapevolezza del contesto lo rende prezioso in ambiti professionali come diritto, sanità e ricerca accademica.

L'approccio costituzionale gli permette di rifiutare richieste inappropriate senza risultare eccessivamente restrittivo, bilanciando utilità e responsabilità.

Compromessi

Closed-source, solo API, ottimizzato principalmente per use case di alignment. L'attenzione alla sicurezza può portare a eccessiva cautela, limitando applicazioni creative.

La natura chiusa impedisce ispezione e modifica diretta dei pesi del modello, riducendo trasparenza e personalizzazione.

L'approccio API richiede connessione internet e può introdurre problemi di privacy con dati sensibili.

Esempio: Uso di Claude tramite API

```python
# Installing the Anthropic library
# pip install anthropic

import anthropic
import os

# Initialize the client with your API key
client = anthropic.Anthropic(
```

```python
    api_key=os.environ.get("ANTHROPIC_API_KEY"),  # Load from environment variable
)

# Simple message creation
message = client.messages.create(
    model="claude-3-opus-20240229",  # Latest model version
    max_tokens=1000,
    temperature=0.7,
    system="You are a helpful AI assistant that specializes in legal research.",
    messages=[
        {"role": "user", "content": "Summarize the key points of the Fair Use doctrine
in copyright law."}
    ]
)

# Print the response
print(message.content[0].text)

# More advanced example with conversation history
conversation = client.messages.create(
    model="claude-3-haiku-20240307",  # Smaller, faster model
    max_tokens=500,
    temperature=0.3,  # Lower temperature for more deterministic responses
    messages=[
        {"role": "user", "content": "What are the main challenges in renewable energy
adoption?"},
        {"role": "assistant", "content": "The main challenges include: intermittency
issues, high initial infrastructure costs, grid integration, policy and regulatory
barriers, and technological limitations in energy storage."},
        {"role": "user", "content": "How might these challenges be addressed in
developing countries specifically?"}
    ]
)

# Using Claude with multimodal inputs (text + image)
from anthropic import ContentBlock
import base64

# Load image as base64
def image_to_base64(image_path):
    with open(image_path, "rb") as image_file:
        return base64.b64encode(image_file.read()).decode('utf-8')

# Create a message with both text and image
multimodal_message = client.messages.create(
    model="claude-3-opus-20240229",  # Must use Claude 3 models that support vision
    max_tokens=1000,
    messages=[
        {
            "role": "user",
            "content": [
                ContentBlock(
```

```python
                type="text",
                text="What can you tell me about this chart?"
            ),
            ContentBlock(
                type="image",
                source={
                    "type": "base64",
                    "media_type": "image/jpeg",
                    "data": image_to_base64("chart.jpg")
                }
            )
        ]
    }
    ]
)

# Using Claude with a long document as context
with open("large_document.pdf", "rb") as f:
    document_data = base64.b64encode(f.read()).decode("utf-8")

document_analysis = client.messages.create(
    model="claude-3-opus-20240229",  # Opus has 200K token context window
    max_tokens=4000,
    messages=[
        {
            "role": "user",
            "content": [
                ContentBlock(
                    type="text",
                    text="Please analyze this research paper and highlight the key
findings, methodology, and limitations."
                ),
                ContentBlock(
                    type="image",
                    source={
                        "type": "base64",
                        "media_type": "application/pdf",
                        "data": document_data
                    }
                )
            ]
        }
    ]
)
```

Analisi del codice API di Claude:

Setup di base

1. **Autenticazione**

    o   L'API di Anthropic richiede una API key, che deve essere conservata in modo sicuro

- o La best practice è usare environment variables invece di inserire le chiavi direttamente nel codice

2. **Inizializzazione del client**

   - o Il costruttore anthropic.Anthropic() crea un client per interagire con Claude

   - o Questo client gestisce autenticazione e formattazione delle richieste

Opzioni di creazione dei messaggi

1. **Selezione del modello**

   - o Claude offre più dimensioni di modello con capacità e prezzi differenti

   - o claude-3-opus: modello più grande con context window di 200K token e capacità più elevate

   - o claude-3-sonnet: modello intermedio che bilancia prestazioni e costo

   - o claude-3-haiku: modello più piccolo e veloce per compiti più semplici

2. **System Prompt**

   - o Il parametro system imposta il comportamento generale di Claude

   - o Viene usato per assegnare a Claude un ruolo specifico o un insieme di linee guida per le risposte

   - o Esempio: "You are a helpful AI assistant that specializes in legal research."

3. **Parametri di generazione**

   - o max_tokens: controlla la lunghezza massima della risposta di Claude

   - o temperature: controlla la casualità (0.0-1.0); valori più bassi producono output più deterministici

   - o Altri parametri includono top_p, top_k e stop_sequences

Funzionalità avanzate

1. **Gestione della conversazione**

   - o Claude mantiene il contesto conversazionale tramite l'array messages

   - o Ogni messaggio ha un role ("user" o "assistant") e un content

   - o Lo storico della conversazione aiuta Claude a comprendere il contesto e a fornire risposte coerenti

2. **Capacità multimodali**

   - o Claude 3 può elaborare sia testo che immagini in una singola richiesta

   - o Le immagini devono essere convertite in formato base64

   - o Il contenuto è strutturato come un array di oggetti ContentBlock con tipi diversi

3. **Elaborazione di documenti**

   o L'ampia context window di Claude (fino a 200K token) consente l'analisi di documenti completi

   o PDF, grafici e altri tipi di documenti possono essere elaborati come immagini

   o Questo è particolarmente utile per ricerca, analisi di documenti legali e riassunto di contenuti

La struttura dell'API mostra l'attenzione di Claude per la sicurezza e le capacità conversazionali. A differenza di altri modelli che richiedono prompt engineering complesso, Claude è progettato per funzionare in modo naturale con input in stile conversazionale mantenendo in background il suo approccio di constitutional AI.

1.1.4 Gemini (Google DeepMind)

Gemini di Google (successore di PaLM) rappresenta la **forza multimodale**. Gemini può gestire testo, immagini, codice e altro ancora in un unico modello unificato. È una risposta a GPT-4 e una chiara scommessa sul **futuro della multimodalità**. Sviluppato da Google DeepMind, Gemini è disponibile in tre dimensioni: Ultra, Pro e Nano, ciascuna ottimizzata per casi d'uso e vincoli computazionali diversi. La variante Ultra è pensata per ragionamento avanzato e applicazioni enterprise, Pro bilancia prestazioni ed efficienza per uso generale, mentre Nano è ottimizzato per il deployment on-device con requisiti minimi di risorse.

Gemini è stato progettato fin dall'inizio per essere multimodale, invece di ricevere capacità multimodali in un secondo momento. Questa multimodalità nativa gli consente di ragionare simultaneamente su diversi tipi di informazione—analizzando immagini mentre elabora testo, comprendendo codice mentre osserva screenshot, o interpretando grafici insieme a spiegazioni scritte. Il modello può elaborare informazioni attraverso modalità diverse e generare risposte che integrano questa comprensione. Questo vantaggio architetturale permette a Gemini di creare collegamenti tra concetti presentati in formati differenti, come riconoscere che un diagramma illustra un concetto menzionato nel testo accompagnatorio, o identificare discrepanze tra affermazioni scritte e prove visive.

La metodologia di training di Gemini ha incorporato dataset diversificati che includono testo, immagini, audio e dati strutturati, permettendogli di sviluppare uno spazio di rappresentazione unificato in cui le informazioni provenienti da modalità diverse condividono significato semantico. Questo approccio differisce da modelli precedenti che generalmente elaboravano le diverse modalità attraverso encoder separati prima di combinarle. Il risultato è un ragionamento più fluido oltre i confini tra modalità.

Gemini Ultra, la variante più grande, ha dimostrato prestazioni state-of-the-art su 30 dei 32 benchmark accademici più utilizzati al momento del rilascio. In molti ambiti, ha superato esperti umani, soprattutto nei test MMLU (massive multitask language understanding), che coprono conoscenze in matematica, fisica, storia, diritto, medicina ed etica. Questa prestazione eccezionale deriva dal sofisticato approccio di training di Gemini, che combina supervised learning su dataset selezionati con reinforcement learning from human feedback (RLHF) per allineare il modello alle preferenze e ai valori umani. I 1,5 trilioni di parametri della variante Ultra le conferiscono capacità di ragionamento e profondità di conoscenza che rivaleggiano con modelli specializzati, mantenendo al tempo stesso flessibilità general-purpose.

Punti di forza

Multimodale by design, forti funzionalità guidate dalla ricerca, prestazioni eccezionali nei benchmark di ragionamento e conoscenza, integrazione nativa con l'ecosistema Google e capacità specializzate nella comprensione e generazione di codice. Gemini è stato costruito fin dall'inizio con la multimodalità in mente, consentendogli di elaborare e ragionare simultaneamente su testo, immagini, audio e video invece di trattarli come input separati. Questo approccio integrato permette una comprensione più naturale dei contenuti mixed-media.

L'esperienza di Google nella ricerca è evidente nell'architettura di Gemini, che incorpora tecniche all'avanguardia provenienti dall'ampio portafoglio di ricerca AI di DeepMind. Questo approccio guidato dalla ricerca ha portato a innovazioni nel modo in cui il modello gestisce il contesto, esegue compiti di ragionamento e mantiene coerenza nelle interazioni lunghe. Su benchmark standard come MMLU (massive multitask language understanding), GSM8K (matematica di livello scolastico) e HumanEval (compiti di coding), Gemini Ultra ha raggiunto risultati state-of-the-art, dimostrando sia ampiezza di conoscenza che profonde capacità di ragionamento superiori a molti modelli specializzati.

Il modello si integra perfettamente con l'ecosistema di prodotti e servizi Google, permettendo funzionalità avanzate quando viene utilizzato con Google Search, Gmail, Docs e altre applicazioni Google. Questa integrazione nativa crea un'esperienza utente più coesa rispetto ai modelli di terze parti. Gemini mostra una forza particolare nei compiti legati al codice, inclusi generazione, spiegazione, debugging e traduzione tra linguaggi di programmazione. La sua capacità di comprendere sia descrizioni in linguaggio naturale di problemi di coding sia rappresentazioni visive del codice (come screenshot) lo rende particolarmente potente per gli sviluppatori.

Compromessi

Solo API con opzioni limitate di self-hosting, meno accessibile agli appassionati a causa di modelli di accesso più restrittivi, latenza potenzialmente più alta nei compiti complessi rispetto a modelli più piccoli, e limiti nella generazione di contenuti creativi a causa di filtri di sicurezza più forti. A differenza di alcuni modelli concorrenti che offrono pesi scaricabili per deployment locale, Gemini è disponibile principalmente tramite i servizi API di Google. Questo limita la flessibilità per organizzazioni che richiedono deployment on-premises per motivi di sicurezza o compliance.

Sebbene Google abbia reso Gemini Pro ampiamente disponibile, l'accesso a Gemini Ultra è stato più limitato, e le opzioni di sperimentazione per ricercatori indipendenti e appassionati sono più ridotte rispetto ad alternative open-source come Mistral o LLaMA. La dimensione e complessità del modello, in particolare di Gemini Ultra, possono comportare tempi di inferenza più elevati per compiti complessi di ragionamento. Questa latenza può risultare evidente in applicazioni real-time in cui sono richieste risposte immediate.

Google ha implementato solide misure di sicurezza in Gemini, che a volte portano a risposte più conservative nella generazione di contenuti creativi, scenari fittizi o discussioni speculative rispetto ad alcuni modelli concorrenti. Questi filtri di sicurezza possono occasionalmente limitare l'utilità del modello per scrittura creativa, storytelling o esplorazione di situazioni ipotetiche.

Esempio di codice Gemini:

```python
from google.generativeai import GenerativeModel
import google.generativeai as genai
import os
from IPython.display import display, Image
import PIL.Image
import base64
from io import BytesIO
```

```python
# Configure the API
GOOGLE_API_KEY = os.environ.get("GOOGLE_API_KEY")  # Use environment variables for
security
genai.configure(api_key=GOOGLE_API_KEY)

# List available models
for m in genai.list_models():
    if 'generateContent' in m.supported_generation_methods:
        print(m.name)

# Basic text generation with Gemini Pro
model = GenerativeModel('gemini-pro')
response = model.generate_content("Explain quantum computing in simple terms")
print(response.text)

# Structured prompting with parameters
response = model.generate_content(
    "Write a short poem about artificial intelligence",
    generation_config={
        "temperature": 0.9,       # Higher for more creative responses
        "top_p": 0.95,            # Controls diversity
        "top_k": 40,              # Limits vocabulary choices
        "max_output_tokens": 200, # Limits response length
        "candidate_count": 1,     # Number of candidate responses to generate
    }
)
print(response.text)

# Conversation with chat history
chat = model.start_chat(history=[
    {
        "role": "user",
        "parts": ["What are the largest planets in our solar system?"]
    },
    {
        "role": "model",
        "parts": ["The largest planets in our solar system, in order of size, are:
Jupiter, Saturn, Uranus, and Neptune. These four are known as the gas giants."]
    }
])

response = chat.send_message("Tell me more about Saturn's rings")
print(response.text)

# Using multimodal capabilities with Gemini Pro Vision
vision_model = GenerativeModel('gemini-pro-vision')

# Function to encode image to base64
def image_to_base64(image_path):
    img = PIL.Image.open(image_path)
    buffer = BytesIO()
    img.save(buffer, format=img.format)
```

```python
        return base64.b64encode(buffer.getvalue()).decode('utf-8')

# Process an image with text prompt
image_path = "solar_system.jpg"
img = PIL.Image.open(image_path)

multimodal_response = vision_model.generate_content(
    contents=[
        "Describe what you see in this image and identify the planets shown.",
        img
    ]
)
print(multimodal_response.text)

# Function calling with Gemini
function_model = GenerativeModel(
    model_name="gemini-pro",
    generation_config={
        "temperature": 0.1,
        "top_p": 0.95,
        "top_k": 40,
        "max_output_tokens": 1024,
    }
)

# Define functions that Gemini can call
tools = [
    {
        "name": "get_weather",
        "description": "Get the current weather in a given location",
        "parameters": {
            "type": "object",
            "properties": {
                "location": {
                    "type": "string",
                    "description": "The city and state, e.g., San Francisco, CA or
Paris, France"
                },
                "unit": {
                    "type": "string",
                    "enum": ["celsius", "fahrenheit"],
                    "description": "The unit of temperature"
                }
            },
            "required": ["location"]
        }
    }
]

# In a real application, this would call a weather API
def get_weather(location, unit="celsius"):
    # This is a mock implementation
```

```python
    if location.lower() == "san francisco, ca":
        return {"temperature": 14 if unit == "celsius" else 57, "condition": "Foggy"}
    elif location.lower() == "new york, ny":
        return {"temperature": 22 if unit == "celsius" else 72, "condition": "Sunny"}
    else:
        return {"temperature": 20 if unit == "celsius" else 68, "condition": "Clear"}

# Process a request that may require function calling
result = function_model.generate_content(
    "What's the weather like in San Francisco right now?",
    tools=tools
)

# Check if the model wants to call a function
if result.candidates[0].content.parts[0].function_call:
    function_call = result.candidates[0].content.parts[0].function_call
    function_name = function_call.name

    # Parse arguments
    args = {}
    for arg_name, arg_value in function_call.args.items():
        args[arg_name] = arg_value

    # Call the function
    if function_name == "get_weather":
        function_response = get_weather(**args)

        # Send the function response back to the model
        result = function_model.generate_content(
            [
                "What's the weather like in San Francisco right now?",
                {
                    "function_response": {
                        "name": function_name,
                        "response": function_response
                    }
                }
            ]
        )
        print(result.text)

# Safety settings example
safety_settings = [
    {
        "category": "HARM_CATEGORY_HARASSMENT",
        "threshold": "BLOCK_MEDIUM_AND_ABOVE"
    },
    {
        "category": "HARM_CATEGORY_HATE_SPEECH",
        "threshold": "BLOCK_ONLY_HIGH"
    }
]
```

```python
safety_model = GenerativeModel(
    model_name="gemini-pro",
    safety_settings=safety_settings
)

response = safety_model.generate_content("Write a neutral explanation of climate change.")
print(response.text)
```

Analisi del Codice API Gemini:

Configurazione di Base

1. **Autenticazione**

   o Gemini richiede una chiave API di Google, tipicamente memorizzata come variabile d'ambiente

   o La configurazione è gestita tramite genai.configure(api_key=GOOGLE_API_KEY)

2. **Selezione del Modello**

   o gemini-pro: Il modello solo testo per ragionamento complesso e generazione

   o gemini-pro-vision: Modello multimodale che gestisce sia testo che immagini

   o I modelli vengono inizializzati usando GenerativeModel(model_name)

Opzioni di Generazione

1. **Parametri di Generazione del Contenuto**

   o temperature: Controlla la casualità (0.0-1.0), più basso per risposte più deterministiche

   o top_p e top_k: Parametri per controllare la diversità degli output

   o max_output_tokens: Limita la lunghezza della risposta generata

   o candidate_count: Determina quante risposte alternative generare

2. **Gestione della Conversazione**

   o Gemini supporta conversazioni con stato tramite il metodo start_chat()

   o Le conversazioni mantengono il contesto attraverso un parametro di storico contenente messaggi utente e modello

   o I messaggi aggiuntivi vengono inviati usando chat.send_message()

Funzionalità Avanzate

1. **Capacità Multimodali**

   o Il modello gemini-pro-vision può elaborare immagini insieme al testo

- o Le immagini possono essere passate direttamente come oggetti PIL Image o codificate in formato base64

- o Più parti di contenuto (testo e immagini) possono essere incluse in una singola richiesta

2. **Function Calling**

- o Gemini può identificare quando chiamare funzioni esterne e quali parametri utilizzare

- o Le funzioni sono definite come schemi JSON nel parametro tools

- o Il modello restituisce chiamate di funzione strutturate che possono essere eseguite dalla tua applicazione

- o Le risposte delle funzioni possono essere reinviate al modello per completare l'interazione

3. **Impostazioni di Sicurezza**

- o Impostazioni di sicurezza personalizzabili per controllare le risposte del modello su diverse categorie di rischio

- o Le soglie possono essere impostate per bloccare o consentire contenuti a diversi livelli di gravità

- o Le categorie includono molestie, hate speech, contenuti sessualmente espliciti e contenuti pericolosi

Differenze Chiave rispetto ad altre API

1. **Integrazione con l'ecosistema Google**

- o Integrazione fluida con altri servizi e API di Google Cloud

- o Supporto integrato per gli standard di sicurezza e conformità di Google

2. **Implementazione Multimodale Semplificata**

- o L'elaborazione multimodale è più semplice rispetto ad alcune altre API

- o Supporto diretto per vari formati di immagine senza pre-elaborazioni complesse

3. **Function Calling Strutturato Potente**

- o Supporto più completo per il function calling con schemi di parametri complessi

- o Migliore gestione dell'esecuzione delle funzioni e dell'integrazione dei risultati nelle risposte

Il design dell'API Gemini riflette l'attenzione di Google sull'integrazione delle capacità AI nei flussi di lavoro e nelle applicazioni esistenti. La struttura dell'API enfatizza la facilità d'uso per gli sviluppatori, fornendo al contempo la flessibilità necessaria per applicazioni AI complesse. Le capacità di function calling sono particolarmente potenti per costruire applicazioni che devono interagire con sistemi esterni e database.

1.1.5 Mistral

Mistral è il disruptor: una **startup che batte i giganti** concentrandosi su modelli **piccoli, efficienti e open**. Fondata nel 2023 da ex ricercatori di Meta e Google AI, tra cui Arthur Mensch, Guillaume Lample e Timothée Lacroix, Mistral AI si è rapidamente affermata come un attore importante nello spazio dei LLM nonostante la competizione con colossi tecnologici dotati di risorse immensamente superiori.

I loro modelli di punta, Mistral 7B e Mixtral (basato su MoE), hanno dimostrato che scelte architetturali intelligenti possono offrire prestazioni comparabili a modelli molto più grandi, risultando al contempo significativamente più economici da eseguire. L'approccio Mixture of Experts (MoE) utilizzato in Mixtral consente al modello di attivare selettivamente solo le parti rilevanti della rete per un determinato input, migliorando drasticamente l'efficienza. Questa architettura divide la rete neurale in moduli "esperti" specializzati, con una rete di routing che decide quali esperti consultare per ogni token. Attivando solo una parte della rete per ogni task, Mixtral ottiene prestazioni notevoli riducendo i costi computazionali.

L'innovazione di Mistral risiede nelle ottimizzazioni architetturali: sono riusciti a ottenere più prestazioni per parametro rispetto alla maggior parte dei concorrenti. Questa efficienza deriva da diverse innovazioni tecniche:

- Meccanismi di attenzione migliorati che riducono il carico computazionale mantenendo la comprensione del modello

- Tecniche di training ottimizzate che massimizzano l'apprendimento dai dati disponibili

- Condivisione attenta dei parametri che elimina ridondanze nell'architettura del modello

- Distribuzione strategica della conoscenza nella rete per migliorare richiamo e ragionamento

I loro modelli dimostrano forti capacità in coding, ragionamento e comprensione del linguaggio nonostante le dimensioni relativamente ridotte, rendendoli accessibili a sviluppatori con risorse computazionali limitate.

L'impegno dell'azienda verso lo sviluppo open-source ha inoltre accelerato l'adozione e il miglioramento dei loro modelli grazie ai contributi della community. Rilasciando apertamente i pesi dei modelli, Mistral ha permesso a innumerevoli sviluppatori di fare fine-tuning e adattare i modelli per applicazioni specializzate, dagli assistenti di coding agli strumenti di ricerca.

Punti di Forza

Leggeri, efficienti, open-source, eccellente rapporto prestazioni/parametri, opzioni di deployment economiche, forti capacità di coding e compatibilità con hardware consumer.

I modelli Mistral richiedono risorse computazionali significativamente inferiori rispetto alle alternative più grandi, rendendoli accessibili a sviluppatori con infrastrutture limitate. Questo significa che startup e sviluppatori individuali possono sfruttare potenti capacità AI senza investire in costosi cluster GPU. La dimensione ridotta del modello si traduce direttamente in tempi di inferenza più rapidi e minori requisiti di memoria, permettendo applicazioni in tempo reale che sarebbero proibitive con modelli più grandi.

La loro natura open-source consente miglioramenti e personalizzazioni guidati dalla community. Questo ha creato un ecosistema vivace in cui ricercatori e ingegneri migliorano continuamente i modelli tramite fine-tuning specializzati, modifiche architetturali e integrazione con vari framework. La possibilità di ispezionare e modificare l'architettura del modello offre anche maggiore trasparenza rispetto alle alternative closed-source.

L'impressionante rapporto prestazioni/parametri significa che questi modelli più piccoli offrono capacità comparabili a modelli molto più grandi, spesso eguagliando o superando modelli 5-10 volte più grandi in task specifici. Questa efficienza deriva da innovazioni architetturali come meccanismi di attenzione migliorati e condivisione strategica dei parametri.

I costi di deployment sono drasticamente ridotti, consentendo un'adozione più ampia tra organizzazioni con budget diversi. Il costo totale di proprietà (inclusi inferenza, storage e manutenzione) può essere inferiore del 70-90% rispetto a implementazioni equivalenti di modelli frontier. Questo democratizza l'accesso a capacità AI avanzate per organizzazioni più piccole e regioni con infrastrutture di calcolo limitate.

I modelli Mistral eccellono in particolare nella generazione e comprensione del codice, rendendoli ideali per strumenti per sviluppatori. Le loro prestazioni nei task di programmazione competono con modelli molto più grandi, con capacità particolarmente forti in Python, JavaScript e SQL. Questo li rende particolarmente preziosi per integrazioni in IDE, assistenti di codice e strumenti di programmazione automatizzati.

Inoltre, possono funzionare efficacemente su hardware di fascia consumer, inclusi laptop di fascia alta e computer desktop con adeguata accelerazione GPU. Questo abilita scenari di deployment edge in cui privacy, latenza o problemi di connettività rendono impraticabili soluzioni cloud. Gli sviluppatori possono eseguire istanze locali per sviluppo e testing senza hardware specializzato, semplificando notevolmente il flusso di lavoro dall'esperimento alla produzione.

Compromessi

Sebbene i modelli Mistral dimostrino un'efficienza impressionante, presentano diverse limitazioni significative rispetto ai modelli frontier più grandi:

1. **Capacità di Ragionamento:** I modelli Mistral sono ancora inferiori ai modelli di fascia alta come GPT-4 e Claude nei task di ragionamento complesso. Questi task spesso richiedono una comprensione profonda di contesti sfumati, deduzioni logiche multi-step e la capacità di mantenere coerenza in argomentazioni complesse. Ad esempio, mentre Mistral gestisce problemi logici semplici, fatica maggiormente con dilemmi etici complessi, ragionamento scientifico avanzato o analisi legali sofisticate.

2. **Limitazioni della Finestra di Contesto:** Le loro finestre di contesto (la quantità di testo che possono considerare contemporaneamente) sono tipicamente più piccole rispetto ai modelli frontier, limitando la capacità di elaborare documenti o conversazioni molto lunghe. Questo diventa particolarmente problematico in task come:

   o   Analizzare lunghi articoli di ricercaAnalizzare lunghi articoli di ricerca

   o   Mantenere coerenza in conversazioni esteseMantenere coerenza in conversazioni estese

   o   Riassumere contenuti lunghi come libriRiassumere contenuti lunghi come libri

   o   Elaborare più documenti contemporaneamente per confrontiElaborare più documenti contemporaneamente per confronti

3. **Lacune di Conoscenza Specializzata:** Mistral offre meno capacità specializzate rispetto ai modelli proprietari che sono stati specificamente ottimizzati per task come:

o   Matematica avanzata e dimostrazioni formaliMatematica avanzata e dimostrazioni formali

o   Ragionamento scientifico che richiede competenze di dominioRagionamento scientifico che richiede competenze di dominio

o   Diagnosi medica e applicazioni sanitarieDiagnosi medica e applicazioni sanitarie

o   Analisi di documenti legali e comprensione dei precedentiAnalisi di documenti legali e comprensione dei precedenti

o   Modellazione finanziaria e analisi economicaModellazione finanziaria e analisi economica

4. **Precisione nel Seguire le Istruzioni:** I modelli più grandi spesso dimostrano una capacità superiore nel seguire istruzioni complesse e multi-parte con maggiore precisione e meno errori. Questo è particolarmente evidente nei task che richiedono una rigorosa aderenza a formati o protocolli specifici.

5. **Capacità Emergenti:** Alcune capacità emergono solo a determinate scale di parametri. I modelli frontier mostrano capacità emergenti in ambiti come:

o   Ragionamento zero-shot su problemi nuoviRagionamento zero-shot su problemi nuovi

o   Comprensione di contesti impliciti senza spiegazioni espliciteComprensione di contesti impliciti senza spiegazioni esplicite

o   Trasferimento di conoscenza tra dominiTrasferimento di conoscenza tra domini

o   Comprensione sfumata dei valori e delle preferenze umaneComprensione sfumata dei valori e delle preferenze umane

Queste limitazioni evidenziano i compromessi che gli sviluppatori devono considerare quando scelgono tra l'efficienza e l'accessibilità dei modelli Mistral e le capacità più complete dei modelli frontier più grandi. La decisione dipende in ultima analisi dai requisiti specifici dell'applicazione, dalle risorse computazionali disponibili e dalla complessità dei task che il modello deve eseguire.

Integrazione API Mistral: Esempio di Codice

```python
import mistralai
from mistralai.client import MistralClient
from mistralai.models.chat_completion import ChatMessage

# Initialize the client with your API key
client = MistralClient(api_key="your_api_key_here")

# Define a function to interact with Mistral models
def     chat_with_mistral(messages,     model="mistral-medium",     temperature=0.7,
max_tokens=1000):
    """
    Generate a response using a Mistral model.

    Args:
        messages: List of ChatMessage objects containing the conversation history
```

```python
        model: Model ID to use (options include mistral-tiny, mistral-small, mistral-
medium, mixtral-8x7b)
        temperature: Controls randomness (0.0-1.0)
        max_tokens: Maximum number of tokens to generate

    Returns:
        The model's response as a string
    """
    # Call the Mistral API
    chat_response = client.chat(
        model=model,
        messages=messages,
        temperature=temperature,
        max_tokens=max_tokens
    )

    # Return the generated content
    return chat_response.choices[0].message.content

# Example conversation
messages = [
    ChatMessage(role="user",  content="Explain  the  key  innovations  in  Mistral's
architecture")
]

# Get and print response
response = chat_with_mistral(messages)
print(response)

# Continue the conversation
messages.append(ChatMessage(role="assistant", content=response))
messages.append(ChatMessage(role="user", content="How  does  the  Mixture  of  Experts
approach work?"))

# Get and print follow-up response
follow_up = chat_with_mistral(messages)
print(follow_up)
```

Analisi del Codice:

- **Inizializzazione del Client**: Il codice inizia importando la libreria client di Mistral AI e inizializzando un client con una chiave API.

- **Funzione di Chat**: La funzione chat_with_mistral() racchiude la chiamata API, con parametri per:

- **Selezione del Modello**: Mistral offre diverse opzioni di modello:

  - mistral-tiny: Il modello più piccolo e veloce, ottimizzato per l'efficienza

  - mistral-small: Un modello bilanciato per task di uso generale

  - mistral-medium: Un modello più potente con capacità di ragionamento più forti

- mixtral-8x7b: Il modello Mixture of Experts con capacità avanzate

- **Parametri di Generazione**:

    - temperature: Controlla la casualità degli output (0.0-1.0)

    - max_tokens: Limita la lunghezza delle risposte generate

- **Gestione della Conversazione**:

    - I messaggi usano il formato ChatMessage con campi role e content

    - Lo storico della conversazione viene mantenuto aggiungendo le risposte alla lista dei messaggi

    - Supporta conversazioni multi-turno inviando l'intera cronologia a ogni richiesta

Pattern di Utilizzo Avanzati

```python
# Using Mistral for specific tasks

# 1. Code generation
code_messages = [
    ChatMessage(role="user", content="Write a Python function that calculates the Fibonacci sequence up to n terms")
]
code_response = chat_with_mistral(code_messages, model="mistral-medium", temperature=0.2)

# 2. Structured output with system message
structured_messages = [
    ChatMessage(role="system", content="You are a helpful assistant that outputs JSON only"),
    ChatMessage(role="user", content="Give me information about the top 3 programming languages in 2023")
]
structured_response = chat_with_mistral(structured_messages, temperature=0.1)

# 3. Utilizing the Mixture of Experts model for complex reasoning
complex_messages = [
    ChatMessage(role="user", content="Explain quantum computing principles to a high school student")
]
complex_response = chat_with_mistral(complex_messages, model="mixtral-8x7b")

# 4. Function calling (emulated through careful prompting)
function_messages = [
    ChatMessage(role="system", content="When the user asks to perform an action, respond with a JSON object that has 'function', 'parameters', and 'reasoning' fields."),
    ChatMessage(role="user", content="Book a flight from New York to London on September 15th")
]
```

```
function_response  =   chat_with_mistral(function_messages,  model="mistral-medium",
temperature=0.2)
```

Considerazioni chiave per l'integrazione

- **Gestione degli errori**: Il codice di produzione dovrebbe includere una gestione degli errori robusta per i limiti di rate dell'API, i problemi di connettività e il superamento delle quote di token.

- **Ottimizzazione dei costi**: A differenza di altri provider, i prezzi di Mistral sono molto competitivi, ma dovresti comunque implementare:

Caching delle risposte: Memorizza le risposte frequenti per evitare chiamate API duplicate

```python
import hashlib
import json
from functools import lru_cache

@lru_cache(maxsize=1000)
def cached_mistral_call(message_hash, model, temperature, max_tokens):
    # Implementation here
    pass

def   get_mistral_response(messages,   model="mistral-medium",   temperature=0.7,
max_tokens=1000):
    # Create a hash of the request to use as cache key
    message_str = json.dumps([{"role": m.role, "content": m.content} for m in
messages])
    message_hash = hashlib.md5(message_str.encode()).hexdigest()

    # Use the cached function
    return cached_mistral_call(message_hash, model, temperature, max_tokens)
```

Strategia di selezione del modello: Implementa una logica per scegliere il modello appropriato in base alla complessità del compito:

```python
def select_mistral_model(task_type, complexity):
    if task_type == "code" and complexity == "high":
        return "mixtral-8x7b"
    elif task_type == "conversation" and complexity == "medium":
        return "mistral-medium"
    else:
        return "mistral-small"  # Default to efficient model
```

Confronto con altre API

Sebbene l'API di Mistral condivida alcune somiglianze con altre API per LLM, ci sono alcune differenze chiave da notare:

- **Semplicità**: L'API di Mistral è intenzionalmente più snella rispetto a OpenAI o Anthropic, concentrandosi sulle funzionalità essenziali di chat completion.

- **Naming dei modelli**: I modelli seguono una chiara convenzione di denominazione basata sulla dimensione (tiny, small, medium) invece che sui numeri di versione.

- **Struttura dei costi**: Generalmente presenta un costo per token più basso rispetto ai modelli frontier, rendendola ideale per applicazioni ad alto volume.

Il design dell'API enfatizza efficienza e semplicità, rendendola particolarmente adatta agli sviluppatori che vogliono implementare capacità AI con complessità e costi minimi.

1.1.6 DeepSeek

Un attore più recente proveniente dalla Cina, DeepSeek ha attirato l'attenzione grazie a rapporti **prestazioni/costo** molto competitivi. I modelli di DeepSeek puntano a democratizzare l'accesso essendo estremamente **efficienti e convenienti**, pur restando competitivi con i modelli frontier in vari task di NLP e capacità di ragionamento. Il loro approccio si concentra sull'offrire capacità AI di alta qualità a una frazione del costo computazionale richiesto dai modelli più grandi, rendendo l'AI avanzata più accessibile a una gamma più ampia di organizzazioni e sviluppatori.

Fondata nel 2021, DeepSeek ha sviluppato rapidamente sia modelli base sia modelli instruction-tuned che vanno da 7B a 67B parametri. Il loro modello di punta, DeepSeek-LLM-67B, ha mostrato risultati impressionanti su benchmark come MMLU (Massive Multitask Language Understanding), GSM8K (Grade School Math 8K) e HumanEval (un benchmark di coding), spesso superando modelli di dimensioni simili pur richiedendo meno risorse computazionali. Questa efficienza deriva dalle loro metodologie di training innovative e dalle ottimizzazioni architetturali che massimizzano le prestazioni senza aumentare proporzionalmente il fabbisogno computazionale.

DeepSeek si distingue per il proprio approccio al training, che incorpora una miscela accuratamente selezionata di codice, matematica e dati multilingue. Questo ha portato a modelli con capacità particolarmente forti nel coding e nel ragionamento matematico rispetto alla loro dimensione e al loro costo. Il corpus di training include esempi di programmazione di alta qualità in più linguaggi, dimostrazioni di prove matematiche e problem solving, e contenuti multilingue diversificati che consentono comprensione cross-lingua.

Questo regime di training specializzato conferisce ai modelli DeepSeek vantaggi nei domini tecnici, mantenendo al contempo capacità generali, posizionandoli come particolarmente preziosi per casi d'uso legati a sviluppo software, analisi dei dati e documentazione tecnica.

Punti di Forza:

- Convenienza economica: I modelli DeepSeek offrono capacità AI di alta qualità a costi computazionali e finanziari significativamente inferiori rispetto ai modelli frontier più grandi.

- Forti prestazioni sui benchmark: Nonostante il focus sull'efficienza, questi modelli ottengono risultati impressionanti sui benchmark NLP standard, spesso competendo con modelli molto più grandi.

- Eccezionali capacità di generazione di codice: Il training specializzato su dati di programmazione permette ai modelli DeepSeek di eccellere in code completion, debugging e generazione di codice in più linguaggi di programmazione.

- Competenza bilingue: Le forti capacità sia in cinese sia in inglese rendono questi modelli particolarmente preziosi per applicazioni e mercati cross-lingua.

- Impressionanti capacità di ragionamento matematico: L'enfasi speciale sui dati di training matematici conferisce ai modelli DeepSeek capacità avanzate nella risoluzione di problemi matematici complessi e nel ragionamento formale.

Compromessi:

- Ecosistema e tooling ancora in maturazione: Essendo un attore più recente, gli strumenti per sviluppatori, le API e le opzioni di integrazione di DeepSeek sono meno sviluppati rispetto a quelli dei provider più affermati.

- Adozione meno diffusa: Esistono meno integrazioni di terze parti ed estensioni della community rispetto a famiglie di modelli più popolari.

- Documentazione e supporto della community più limitati: Le risorse per troubleshooting e ottimizzazione sono ancora in crescita, creando potenzialmente curve di apprendimento più ripide.

- Possibili considerazioni normative: I deployment internazionali potrebbero essere soggetti a maggiore scrutinio a causa dell'origine cinese dell'azienda, in particolare per applicazioni sensibili.

Integrazione API DeepSeek: Esempio di Codice

```python
import requests
import json

class DeepSeekClient:
    """
    A client for interacting with DeepSeek's API for language model inference.
    """

    def __init__(self, api_key, api_base="<https://api.deepseek.com/v1>"):
        """
        Initialize the DeepSeek client.

        Args:
            api_key (str): Your DeepSeek API key
            api_base (str): The base URL for DeepSeek's API
        """
        self.api_key = api_key
        self.api_base = api_base
        self.headers = {
            "Content-Type": "application/json",
            "Authorization": f"Bearer {api_key}"
        }
```

```python
def chat_completion(self,
                    messages,
                    model="deepseek-chat",
                    temperature=0.7,
                    max_tokens=1000,
                    top_p=1.0,
                    stop=None):
    """
    Generate a chat completion response using DeepSeek's models.

    Args:
        messages (list): List of message dictionaries with 'role' and 'content'
        model (str): The model to use (e.g., 'deepseek-chat', 'deepseek-coder')
        temperature (float): Controls randomness (0.0-1.0)
        max_tokens (int): Maximum number of tokens to generate
        top_p (float): Nucleus sampling parameter
        stop (list): List of strings that signal to stop generating

    Returns:
        dict: The API response containing the generated completion
    """
    payload = {
        "model": model,
        "messages": messages,
        "temperature": temperature,
        "max_tokens": max_tokens,
        "top_p": top_p
    }

    if stop:
        payload["stop"] = stop

    response = requests.post(
        f"{self.api_base}/chat/completions",
        headers=self.headers,
        data=json.dumps(payload)
    )

    return response.json()

def generate_code(self, prompt, language=None):
    """
    Generate code using DeepSeek-Coder model.

    Args:
        prompt (str): The coding task or question
        language (str): Optional programming language specification

    Returns:
        str: The generated code
    """
    messages = [{"role": "user", "content": prompt}]
```

```python
        if language:
            # Add language instruction to the prompt
            messages = [
                {"role": "system", "content": f"You are an expert {language} programmer. Generate only valid {language} code without explanations unless requested."},
                {"role": "user", "content": prompt}
            ]

        response = self.chat_completion(
            messages=messages,
            model="deepseek-coder",
            temperature=0.3,    # Lower temperature for more deterministic code generation
            max_tokens=2000
        )

        return response["choices"][0]["message"]["content"]

    def solve_math_problem(self, problem):
        """
        Solve a mathematical problem using DeepSeek's math reasoning capabilities.

        Args:
            problem (str): The mathematical problem to solve

        Returns:
            str: The solution with step-by-step reasoning
        """
        messages = [
            {"role": "system", "content": "Solve the following mathematical problem step by step, showing your reasoning."},
            {"role": "user", "content": problem}
        ]

        response = self.chat_completion(
            messages=messages,
            model="deepseek-math",  # Specialized model for math
            temperature=0.2,
            max_tokens=1500
        )

        return response["choices"][0]["message"]["content"]

# Example usage
if __name__ == "__main__":
    client = DeepSeekClient(api_key="your_api_key_here")

    # Example 1: Basic chat completion
    chat_response = client.chat_completion(
        messages=[
            {"role": "user", "content": "Explain how transformer models work"}
```

```python
    ]
)
print(f"Chat Response: {chat_response['choices'][0]['message']['content']}\\n")

# Example 2: Code generation
code = client.generate_code(
    "Create a function that implements the QuickSort algorithm in Python",
    language="Python"
)
print(f"Generated Code:\\n{code}\\n")

# Example 3: Math problem solving
solution = client.solve_math_problem(
    "Solve the quadratic equation 2x² + 5x - 3 = 0"
)
print(f"Math Solution:\\n{solution}")
```

Analisi del codice:

- **Architettura del client**: Il codice implementa una classe client completa per interagire con l'API di DeepSeek, strutturata per supportare sia attività generali di linguaggio sia casi d'uso specializzati.

- **Funzionalità principale**: Il metodo chat_completion() funge da base per tutte le interazioni con l'API, gestendo autenticazione, formattazione delle richieste e parsing delle risposte.

- **Metodi specializzati**: Il client include metodi costruiti ad hoc che mettono in evidenza i punti di forza di DeepSeek:

  - **Opzioni di selezione del modello**:

    o deepseek-chat: Modello dialogico general-purpose

    o deepseek-coder: Specializzato per task di programmazione

    o deepseek-math: Ottimizzato per il ragionamento matematico

  - **Personalizzazione dei parametri**:

    o temperature: Controlla la casualità dell'output, con valori più bassi (0.2-0.3) consigliati per task deterministici come il coding

    o max_tokens: Gestisce la lunghezza della risposta, con limiti più alti per ragionamenti complessi

    o top_p: Parametro di nucleus sampling per controllare la diversità dell'output

    o stop: Token di sequenza personalizzati per interrompere la generazione in punti specifici

Pattern di utilizzo avanzati

```python
# Multilingual capabilities demo
```

```python
def translate_with_deepseek(client, text, source_language, target_language):
    """Demonstrate DeepSeek's multilingual capabilities with translation"""
    messages = [
        {"role": "system", "content": f"Translate the following {source_language} text to {target_language}."},
        {"role": "user", "content": text}
    ]

    response = client.chat_completion(
        messages=messages,
        temperature=0.3,
        max_tokens=1000
    )

    return response["choices"][0]["message"]["content"]

# Complex reasoning example
def technical_analysis(client, topic, depth="detailed"):
    """Generate technical analysis on a specialized topic"""
    complexity_map = {
        "brief": "Provide a concise overview suitable for beginners",
        "detailed": "Provide a comprehensive analysis with technical details",
        "expert": "Provide an in-depth analysis with advanced concepts and implementations"
    }

    system_prompt = f"""Analyze the following technical topic: {topic}.
{complexity_map.get(depth, complexity_map["detailed"])}
Include relevant principles, methodologies, and practical applications."""

    messages = [
        {"role": "system", "content": system_prompt},
        {"role": "user", "content": f"I need a {depth} analysis of {topic}"}
    ]

    response = client.chat_completion(
        messages=messages,
        temperature=0.5,
        max_tokens=2000
    )

    return response["choices"][0]["message"]["content"]

# Chain-of-thought reasoning for complex problem solving
def solve_complex_problem(client, problem):
    """Use chain-of-thought prompting to solve complex problems"""
    messages = [
        {"role": "system", "content": "Solve this problem step-by-step, explaining your reasoning at each stage."},
        {"role": "user", "content": problem}
    ]
```

```python
response = client.chat_completion(
    messages=messages,
    model="deepseek-chat",
    temperature=0.3,
    max_tokens=2500
)

return response["choices"][0]["message"]["content"]
```

Integrazione: best practice

- **Gestione degli errori**: Le implementazioni in produzione dovrebbero includere una gestione degli errori robusta per gestire i limiti di rate dell'API, i timeout e il superamento delle quote di token.

```python
def safe_deepseek_call(client, messages, retries=3, **kwargs):
    """Make a robust API call with error handling and retries"""
    for attempt in range(retries):
        try:
            response = client.chat_completion(messages=messages, **kwargs)

            # Check for API errors in response
            if "error" in response:
                error_msg = response["error"].get("message", "Unknown API error")
                if "rate limit" in error_msg.lower():
                    # Exponential backoff for rate limits
                    sleep_time = (2 ** attempt) + random.random()
                    time.sleep(sleep_time)
                    continue
                else:
                    raise Exception(f"API Error: {error_msg}")

            return response

        except Exception as e:
            if attempt == retries - 1:
                raise
            time.sleep(1)  # Simple retry delay

    return None  # Should never reach here due to final raise
```

- **Streaming delle risposte**: Per migliorare l'esperienza utente con la generazione di contenuti lunghi:

```python
def stream_deepseek_response(client, messages, **kwargs):
    """Stream responses for real-time display"""
    # Modify the API endpoint for streaming
    endpoint = f"{client.api_base}/chat/completions"
```

```python
# Add streaming parameter
payload = {
    "model": kwargs.get("model", "deepseek-chat"),
    "messages": messages,
    "temperature": kwargs.get("temperature", 0.7),
    "max_tokens": kwargs.get("max_tokens", 1000),
    "stream": True  # Enable streaming
}

# Make a streaming request
response = requests.post(
    endpoint,
    headers=client.headers,
    data=json.dumps(payload),
    stream=True
)

# Process the streaming response
full_content = ""
for line in response.iter_lines():
    if line:
        # Remove the "data: " prefix and parse JSON
        line_data = line.decode('utf-8')
        if line_data.startswith("data: "):
            json_str = line_data[6:]
            if json_str == "[DONE]":
                break

            try:
                chunk = json.loads(json_str)
                content = chunk["choices"][0]["delta"].get("content", "")
                if content:
                    full_content += content
                    # In a real application, you would yield or print this content
                    # incrementally as it arrives
                    print(content, end="", flush=True)
            except json.JSONDecodeError:
                continue

print()  # Final newline
return full_content
```

Confronto con Altre API di Modelli

- **Focus sull'efficienza**: L'API di DeepSeek è progettata con un'attenzione particolare all'efficienza computazionale, offrendo prestazioni comparabili a modelli più grandi a costi significativamente ridotti.

- **Forza nel dominio tecnico**: L'API e i modelli eccellono in particolare in programmazione, matematica e documentazione tecnica, rendendoli ideali per strumenti per sviluppatori e applicazioni tecniche.

- **Supporto bilingue**: Il supporto nativo sia per il cinese che per l'inglese consente applicazioni cross-lingua senza la necessità di modelli specializzati separati.

- **Requisiti di risorse inferiori**: I modelli DeepSeek possono essere distribuiti su configurazioni hardware più modeste mantenendo prestazioni competitive, rendendoli accessibili a una gamma più ampia di organizzazioni.

L'API di DeepSeek rappresenta un approccio emergente allo sviluppo di modelli di AI che privilegia l'efficienza pratica e le capacità specializzate rispetto alla pura scala. Questo la rende particolarmente preziosa per applicazioni in cui il rapporto costo-efficacia e le prestazioni specifiche per dominio sono più importanti rispetto all'avere le capacità assolutamente all'avanguardia dei modelli frontier.

1.1.7 Perché è importante

Comprendendo queste famiglie di modelli, puoi prendere decisioni informate in base alle tue esigenze e ai tuoi vincoli specifici. La scelta del modello giusto dipende dal tuo caso d'uso, dal budget e dai requisiti tecnici:

Hai bisogno di un ragionamento all'avanguardia assoluta? → GPT o Claude.

Questi modelli eccellono in compiti di ragionamento complesso, comprensione sfumata e generazione di contenuti sofisticati. Rappresentano l'attuale frontiera delle capacità dell'AI, ma generalmente comportano costi più elevati e architetture chiuse.

GPT (di OpenAI) e Claude (di Anthropic) sono progettati con un numero avanzato di parametri e tecniche di addestramento che consentono loro di gestire problemi di ragionamento multi-step, seguire istruzioni complesse e mantenere coerenza su contesti lunghi. La loro capacità di analizzare informazioni, collegare concetti e generare risposte approfondite li rende particolarmente preziosi per applicazioni che richiedono capacità analitiche avanzate.

Alcuni punti di forza principali includono:

- Gestione di problemi complessi e multifaccettati che richiedono un'analisi logica accurata - Questi modelli eccellono nel scomporre scenari complessi in componenti logiche, valutare più prospettive e trarre conclusioni ragionate. Possono elaborare argomentazioni intricate, identificare fallacie logiche e navigare catene di ragionamento sofisticate che potrebbero confondere sistemi più semplici.

- Produzione di contenuti sfumati che dimostrano comprensione di distinzioni sottili - Possono riconoscere e articolare differenze fini di significato, tono e implicazione. Ciò consente loro di generare contenuti che riconoscono la complessità, evitano semplificazioni eccessive e mantengono livelli adeguati di certezza quando affrontano argomenti ambigui.

- Mantenimento del contesto e della coerenza nelle interazioni più lunghe - Questi modelli possono tracciare informazioni, riferimenti e temi attraverso conversazioni estese di migliaia di parole. Ricordano punti precedenti, mantengono coerenza e sviluppano idee progressivamente senza perdere il filo del discorso.

- Adattamento a richieste nuove o insolite con pochi esempi - A differenza dei sistemi specializzati che richiedono addestramento esteso per nuovi compiti, questi modelli possono comprendere ed eseguire istruzioni non familiari con una guida minima. Questa capacità di "few-shot learning" consente loro di generalizzare da pochi esempi per eseguire compiti completamente nuovi.

Queste capacità hanno un costo elevato e una limitata possibilità di modificare l'architettura sottostante. Ideali per applicazioni in cui le prestazioni sono la priorità rispetto alla personalizzazione o al costo, come servizi clienti di alto valore, assistenza alla ricerca specializzata o servizi premium di creazione di contenuti.

Vuoi pesi aperti e controllo? → LLaMA o Mistral.

Questi modelli open-source consentono un'ampia personalizzazione, fine-tuning e pieno controllo sulla distribuzione. Sebbene possano non raggiungere il picco assoluto di prestazioni dei sistemi proprietari, offrono maggiore flessibilità, trasparenza e la possibilità di essere eseguiti localmente o su infrastrutture private.

Ciò che rende questi modelli open-source particolarmente preziosi è la combinazione di flessibilità, controllo e indipendenza dai fornitori terzi:

- **Proprietà completa**: Puoi eseguire questi modelli senza dipendere da API esterne o vincoli di vendor. Ciò significa che mantieni il pieno controllo su infrastruttura, distribuzione e utilizzo, eliminando il rischio di interruzioni di servizio o cambiamenti di policy da parte di terzi che potrebbero influenzare le tue applicazioni.

- **Tutela della privacy**: Tutto il trattamento dei dati avviene nella tua infrastruttura, eliminando preoccupazioni legate alla fuoriuscita di dati sensibili. Questo è cruciale per organizzazioni che gestiscono informazioni riservate, dati personali soggetti a regolamenti come GDPR o HIPAA, o informazioni aziendali proprietarie che non possono essere condivise con servizi esterni.

- **Libertà di personalizzazione**: Puoi effettuare fine-tuning su dati specifici del dominio, modificare i parametri del modello o persino l'architettura. Ciò consente di creare modelli altamente specializzati che comprendono la terminologia del tuo settore, gestiscono compiti unici o rispettano requisiti operativi specifici che i modelli generici potrebbero non affrontare efficacemente.

- **Controllo dei costi**: Dopo la configurazione iniziale, eviti costi continui di utilizzo API, rendendoli ideali per applicazioni ad alto volume. Sebbene esista un investimento iniziale in infrastruttura, l'economia a lungo termine può risultare molto più favorevole per applicazioni che richiedono accesso frequente al modello o l'elaborazione di grandi volumi di dati.

- **Potenziale di ricerca**: I pesi aperti consentono ricerca accademica e commerciale sull'interpretabilità e il miglioramento dei modelli. Questa trasparenza permette ai ricercatori di comprendere come funzionano internamente, identificare bias o limitazioni e sviluppare tecniche per migliorare le prestazioni o affrontare specifiche debolezze in modi che i sistemi chiusi non consentono.

Questi modelli sono perfetti per sviluppatori che devono modificare profondamente i modelli o mantenere la completa sovranità dei dati, specialmente in settori regolamentati dove la privacy è fondamentale o in applicazioni che richiedono conoscenze specialistiche non presenti nei modelli generici.

Hai bisogno di capacità multimodali? → Gemini.

I modelli multimodali possono elaborare e generare contenuti in diversi formati tra cui testo, immagini, audio e talvolta video. Questi modelli sono stati addestrati su dati eterogenei, permettendo loro di comprendere le relazioni tra diverse modalità in modi che i modelli solo testo non possono.

Principali vantaggi dei modelli multimodali come Gemini:

- **Comprensione cross-modale**: Possono interpretare la relazione tra un'immagine e il testo associato, oppure analizzare grafici e diagrammi insieme a spiegazioni scritte. Questo consente loro di collegare informazioni visive e testuali, comprendendo come si completano a vicenda. Ad esempio, possono capire come un grafico illustra tendenze descritte in un articolo o come le didascalie forniscono contesto ai contenuti visivi.

- **Ragionamento visivo**: Possono rispondere a domande su immagini, identificare oggetti, descrivere scene e comprendere contesti visivi. Questo va oltre il semplice riconoscimento degli oggetti e include la comprensione delle relazioni spaziali, l'inferenza di intenzioni da segnali visivi e il riconoscimento di concetti astratti rappresentati visivamente. Possono interpretare informazioni visive complesse come espressioni facciali, linguaggio del corpo e contesto ambientale.

- **Generazione di contenuti guidata da immagini**: Possono creare testo a partire da input visivi o generare descrizioni di immagini con grande accuratezza. Questa capacità consente di produrre didascalie dettagliate che catturano elementi evidenti e sottili, spiegare contenuti visivi a utenti ipovedenti e persino generare scrittura creativa ispirata da input visivi.

- **Analisi documentale**: Eccellono nell'elaborazione di documenti con elementi misti di testo e immagini, estraendo informazioni significative da layout complessi. Possono comprendere relazioni tra testo, tabelle, grafici e immagini in documenti aziendali, articoli scientifici o manuali tecnici.

- **Applicazioni educative**: Possono spiegare concetti visivi, analizzare diagrammi scientifici o fornire spiegazioni passo-passo di problemi visivi. Questo li rende strumenti potenti per l'apprendimento, specialmente in ambiti che combinano testo e immagini.

Questi modelli eccellono in applicazioni che richiedono comprensione cross-modale, come risposte a domande basate su immagini, creazione di contenuti guidata da immagini o analisi di input multimediali. Sono particolarmente preziosi quando il tuo caso d'uso coinvolge contenuti ricchi oltre al solo testo, consentendo un'interazione uomo-AI più intuitiva e completa attraverso più modalità sensoriali.

Vuoi efficienza nei costi? → DeepSeek.

I modelli ottimizzati per l'efficienza offrono prestazioni solide consumando meno risorse computazionali e, in generale, costando meno da gestire. Possono sacrificare alcune capacità dei modelli frontier, ma garantiscono un eccellente rapporto valore/prestazioni in domini specifici.

Questi modelli orientati all'efficienza, come DeepSeek, ottengono il loro vantaggio in termini di costo attraverso diversi approcci innovativi:

- Architetture ottimizzate che richiedono meno potenza computazionale mantenendo capacità elevate - A differenza dei modelli più grandi che possono utilizzare trilioni di parametri, questi modelli sono progettati con un uso più efficiente dei parametri, spesso impiegando tecniche come mixture-of-experts, sparsità o distillazione per ottenere prestazioni comparabili con molte meno risorse.

- Metodologie di addestramento più efficienti che riducono le risorse necessarie durante lo sviluppo - Questi modelli utilizzano tecniche avanzate come curriculum learning, selezione mirata dei dati e algoritmi di ottimizzazione che convergono più rapidamente, riducendo costi di training e impatto ambientale.

- Conoscenza specializzata in domini tecnici che consente di eccellere in aree specifiche senza il peso delle capacità generali - Invece di cercare di essere eccellenti in tutto, modelli come DeepSeek si concentrano su domini specifici come la programmazione o la scrittura tecnica, ottimizzando la loro architettura per questi casi d'uso.

- Costi di inferenza inferiori, rendendoli più accessibili per scenari ad alto volume o utilizzo continuo - Il design ottimizzato si traduce direttamente in tempi di elaborazione più rapidi e minore utilizzo di GPU/TPU durante l'inferenza, generando risparmi significativi quando distribuiti su larga scala.

I modelli efficienti in termini di costo sono particolarmente preziosi in diversi scenari reali:

- Devi distribuire capacità AI su larga scala per molti utenti o applicazioni - Quando servi migliaia o milioni di utenti, anche piccole differenze di costo per richiesta possono tradursi in enormi risparmi. Modelli come DeepSeek rendono l'AI economicamente sostenibile per applicazioni di massa.

- I vincoli di budget rendono i modelli premium troppo costosi - Startup e organizzazioni più piccole possono comunque implementare capacità AI avanzate senza i costi dei modelli frontier, democratizzando l'accesso all'AI linguistica avanzata.

- Il tuo caso d'uso richiede funzionamento continuo piuttosto che richieste occasionali - Applicazioni che necessitano assistenza, monitoraggio o analisi 24/7 traggono grande beneficio da modelli con costi operativi ridotti.

- Stai costruendo prodotti in cui l'AI è una componente e non la funzione principale - Quando l'AI è integrata in prodotti software più ampi, l'efficienza diventa cruciale per mantenere un'economia sostenibile del prodotto.

- Devi mantenere prezzi competitivi in mercati con margini ridotti - In settori sensibili al prezzo o altamente competitivi, offrire capacità AI a costo inferiore può rappresentare un vantaggio competitivo decisivo.

Questi modelli sono ideali per applicazioni ad alto volume, startup con budget limitati o casi d'uso in cui l'equilibrio tra prestazioni e costo è critico. Rappresentano un eccellente punto intermedio per organizzazioni che necessitano capacità AI pronte per la produzione senza il prezzo premium dei modelli frontier.

1.2 Decoder-Only vs Encoder-Decoder vs Mixture-of-Experts (MoE)

Quando si parla di "modelli transformer", è facile pensare che siano tutti costruiti allo stesso modo. In realtà, esistono **diversi design strutturali** all'interno della famiglia transformer, e la scelta dell'architettura ha un impatto enorme su come il modello apprende, sui compiti in cui eccelle e su quanto è efficiente in produzione. Queste differenze architetturali influenzano tutto: dai requisiti di training e l'efficienza computazionale fino alla capacità del modello di gestire compiti e contesti specifici.

L'architettura transformer, introdotta per la prima volta nel paper "Attention Is All You Need" (2017), ha rivoluzionato il natural language processing sostituendo le reti neurali ricorrenti con un meccanismo chiamato self-attention. Questa innovazione ha permesso ai modelli di elaborare tutte le parole di una sequenza simultaneamente invece che in modo sequenziale, portando a enormi miglioramenti in parallelizzazione e prestazioni.

A livello generale, tre principali varianti dominano il panorama:

1. **Transformer decoder-only** - Questi modelli elaborano le informazioni in modo unidirezionale (da sinistra a destra) ed eccellono nei compiti di generazione del testo. Sono tipicamente addestrati con metodi autoregressivi, in cui imparano a prevedere il token successivo dato il contesto precedente. Questa architettura è alla base della maggior parte dei chatbot moderni e degli assistenti di scrittura creativa.

2. **Transformer encoder-decoder** - Questi modelli a doppio componente utilizzano un encoder per elaborare l'intera sequenza di input in modo bidirezionale prima che il decoder generi l'output in modo sequenziale. Questa architettura è ideale per compiti che richiedono una comprensione completa dell'input prima della generazione, come traduzione o riassunto.

3. **Mixture-of-Experts (MoE)** - Questa architettura specializzata incorpora più reti neurali "esperte" con un meccanismo di instradamento che attiva solo gli esperti più rilevanti per ogni input. Questo approccio consente ai modelli di scalare a un numero enorme di parametri mantenendo i costi computazionali gestibili, rappresentando una direzione chiave per scalare l'AI in modo efficiente.

Esploriamo ciascuna in dettaglio, con esempi pratici che puoi eseguire per vedere le differenze. Comprendere queste differenze architetturali è fondamentale per sviluppatori e ricercatori che vogliono scegliere il modello più adatto al proprio caso d'uso, bilanciando prestazioni, risorse computazionali e natura del compito.

1.2.1 Transformer Decoder-Only

Questa è l'architettura alla base di **GPT**, **LLaMA**, **Mistral** e della maggior parte degli LLM open-source utilizzati oggi. I transformer decoder-only sono diventati l'architettura dominante nella moderna AI del linguaggio grazie alla loro efficienza ed efficacia nei compiti generativi. A differenza di altre architetture, i modelli decoder-only elaborano le informazioni in modo strettamente sequenziale da sinistra a destra, il che consente loro di eccellere nella generazione di testo mantenendo al contempo un'elevata efficienza computazionale. La loro diffusione deriva da diversi vantaggi chiave:

Innanzitutto, richiedono meno risorse computazionali rispetto ai modelli encoder-decoder pur offrendo prestazioni impressionanti. Questa efficienza li rende più accessibili per il deployment in diversi ambienti e più economici da eseguire su larga scala. In secondo luogo, la loro natura autoregressiva — prevedere un token alla volta basandosi sul contesto precedente — si allinea perfettamente con il modo in cui gli esseri umani producono naturalmente il testo, generando output più coerenti e contestualmente appropriati.

In terzo luogo, la loro architettura può essere scalata efficacemente fino a miliardi di parametri mantenendo dinamiche di training stabili, il che ha permesso lo sviluppo di modelli sempre più avanzati come GPT-4 e Claude.

Come funziona

Un modello decoder-only prevede il **token successivo** dato l'insieme di tutti i token precedenti. Legge l'input da sinistra a destra, prestando attenzione solo a ciò che è già stato visto. Questo approccio autoregressivo implica che il modello costruisca continuamente sulle proprie previsioni, utilizzando ogni token generato come parte del contesto per prevedere il successivo.

In termini più tecnici, ogni token della sequenza viene elaborato attraverso più livelli decoder del transformer. All'interno di ciascun livello, il meccanismo di self-attention calcola punteggi di attenzione che determinano quanto peso dare a ciascun token precedente. Questi punteggi creano connessioni pesate tra la posizione corrente e tutte le posizioni precedenti, permettendo al modello di catturare dipendenze a lungo raggio e relazioni contestuali.

Ad esempio, quando elabora la parola "bank" in una frase, il modello può dare maggiore attenzione a parole precedenti come "river" o "financial" per disambiguarne il significato. Questa comprensione contestuale diventa sempre più sofisticata attraverso i vari livelli del modello.

Il meccanismo di self-attention consente di considerare le relazioni tra tutti i token precedenti, permettendo di mantenere coerenza su output lunghi. Inoltre, l'encoding posizionale integrato aiuta il modello a comprendere l'ordine della sequenza, garantendo che frasi come "The dog chased the cat" e "The cat chased the dog" producano rappresentazioni completamente diverse nonostante contengano le stesse parole.

Perché è importante

Questo design è altamente efficace per i **compiti generativi** — chatbot, completamento di codice, scrittura creativa, ecc. Non è necessario codificare l'intera sequenza separatamente; il contesto viene costruito progressivamente. La natura unidirezionale (guardare solo i token precedenti) lo rende particolarmente adatto alla generazione di testo coerente.

La forza dei modelli decoder-only risiede nella loro capacità di mantenere coerenza su output estesi. Possono generare paragrafi o intere pagine mantenendo temi, argomentazioni o narrazioni consistenti. Questo perché ogni nuovo token viene generato considerando l'intero contesto precedente.

Ad esempio, nella scrittura creativa, un modello decoder-only può introdurre un personaggio nel primo paragrafo e richiamarlo correttamente centinaia di token dopo. Nel codice, può ricordare nomi di variabili, definizioni di funzioni e pattern stabiliti in precedenza, garantendo coerenza stilistica e funzionale.

Sebbene questa architettura rinunci a una comprensione bidirezionale rispetto agli encoder, compensa con prestazioni eccezionali in applicazioni creative e conversazionali. L'assenza di attenzione bidirezionale offre anche vantaggi computazionali, rendendo l'inferenza più efficiente, soprattutto in conversazioni lunghe o generazione di documenti.

Questa architettura è particolarmente preziosa per assistenti virtuali, dove mantenere il contesto della conversazione è fondamentale per interazioni naturali.

Benefici tecnici

I modelli decoder-only sono generalmente più efficienti in termini di parametri per i compiti generativi rispetto ai modelli encoder-decoder. Richiedono meno overhead computazionale poiché non mantengono rappresentazioni separate di encoding. Questo si traduce in tempi di training più rapidi e minori risorse necessarie in produzione.

La loro natura focalizzata consente di dedicare tutti i parametri alla generazione, anziché dividerli tra encoding e decoding, ottenendo migliori prestazioni con meno parametri.

Questa architettura permette anche una generazione incrementale efficiente, producendo token uno alla volta senza dover ricodificare l'intera sequenza a ogni passo. Questa capacità è fondamentale per applicazioni in tempo reale come chatbot o trascrizione live.

Inoltre, i meccanismi di caching permettono di riutilizzare i calcoli dei token precedenti, riducendo significativamente la latenza durante l'inferenza su sequenze lunghe.

Analogia

Immagina di raccontare una storia. Ogni parola che pronunci dipende solo da ciò che hai già detto, non da ciò che dirai in futuro. Man mano che parli, costruisci contesto e continuità narrativa.

Questo processo rispecchia il funzionamento dei modelli decoder-only: possono vedere solo il passato, mai il futuro. Proprio come un narratore umano che richiama elementi introdotti in precedenza, questi modelli mantengono una sorta di "memoria" del testo già generato.

Ad esempio, se inizi con "Once upon a time, there lived a princess named Elara who loved astronomy," il modello ricorderà Elara e il suo interesse per l'astronomia. Centinaia di token dopo, potrà ancora fare riferimento a questi elementi in modo coerente.

La natura sequenziale spiega anche perché a volte faticano a pianificare contenuti lunghi: come un narratore improvvisato, prendono decisioni passo dopo passo senza conoscere perfettamente la destinazione finale.

Esempio di codice: Generazione di testo con un modello decoder-only (GPT-2 in Hugging Face)

```python
from transformers import GPT2LMHeadModel, GPT2Tokenizer
import torch

# 1. Load pre-trained model and tokenizer
tokenizer = GPT2Tokenizer.from_pretrained("gpt2")
model = GPT2LMHeadModel.from_pretrained("gpt2")

# 2. Prepare input prompt
prompt = "In the future, large language models will"
inputs = tokenizer(prompt, return_tensors="pt")

# 3. Basic generation (continuation)
outputs = model.generate(
    inputs["input_ids"],
    max_length=40,                 # Maximum length of generated sequence
    do_sample=True,                # Use sampling instead of greedy decoding
    top_k=50,                      # Sample from top 50 most likely tokens
    temperature=0.9,               # Controls randomness (higher = more random)
    no_repeat_ngram_size=2,        # Avoid repeating bigrams
    num_return_sequences=3         # Generate 3 different outputs
)

print("=== Basic Generation Results ===")
for i, output in enumerate(outputs):
    print(f"Output {i+1}: {tokenizer.decode(output, skip_special_tokens=True)}")

# 4. Advanced generation with more control
advanced_outputs = model.generate(
    inputs["input_ids"],
    max_length=50,
    min_length=20,                 # Ensure outputs have at least 20 tokens
```

```python
    do_sample=True,
    top_p=0.92,                      # Nucleus sampling - consider tokens with cumulative
probability of 92%
    temperature=0.7,                 # Slightly more focused sampling
    repetition_penalty=1.2,          # Penalize repetition more strongly
    num_beams=5,                     # Beam search with 5 beams for more coherent text
    early_stopping=True,             # Stop when all beams reach an EOS token
    num_return_sequences=1           # Return only the best sequence
)

print("\\n=== Advanced Generation Result ===")
print(tokenizer.decode(advanced_outputs[0], skip_special_tokens=True))

# 5. Examining token-by-token probabilities
with torch.no_grad():
    # Get model's raw predictions
    outputs = model(inputs["input_ids"])
    predictions = outputs.logits

    # Look at predictions for the next token
    next_token_logits = predictions[0, -1, :]
    # Convert to probabilities
    next_token_probs = torch.softmax(next_token_logits, dim=-1)

    # Get top 5 most likely next tokens
    top_5_probs, top_5_indices = torch.topk(next_token_probs, 5)

    print("\\n=== Top 5 most likely next tokens ===")
    for i, (prob, idx) in enumerate(zip(top_5_probs, top_5_indices)):
        token = tokenizer.decode([idx])
        print(f"{i+1}. '{token}' with probability {prob:.4f}")
```

Code Breakdown: Lavorare con modelli Decoder-Only

Questo esempio mostra come funzionano in pratica i modelli decoder-only come GPT-2. Scomponiamo ogni sezione:

- **1. Caricamento del modello:** carichiamo un modello GPT-2 pre-addestrato e il suo tokenizer. Il tokenizer converte il testo in ID di token che il modello può elaborare, mentre il modello contiene i pesi della rete neurale addestrata.

- **2. Preparazione dell'input:** tokenizziamo il testo del prompt in ID numerici e li formattiamo come tensori PyTorch, che è il formato di input atteso dal modello.

- **3. Generazione di testo di base:** mostra come il modello generi testo in modo autoregressivo, prevedendo un token alla volta:

    - **max_length**: limita la lunghezza massima del testo generato.

    - **do_sample**: se True, usa un campionamento probabilistico invece di scegliere sempre il token più probabile.

- o **top_k**: campiona solo dai K token più probabili, migliorando la qualità perché filtra token poco plausibili.

  - o **num_return_sequences**: genera più continuazioni diverse a partire dallo stesso prompt.

- **4. Tecniche di generazione avanzate:** mostra opzioni più sofisticate:

  - o **top_p (nucleus sampling)**: invece di usare un numero fisso di token, include dinamicamente abbastanza token da superare una soglia di probabilità cumulativa.

  - o **repetition_penalty**: riduce la probabilità di ripetere le stesse frasi.

  - o **num_beams**: usa la beam search per esplorare più continuazioni possibili in parallelo, mantenendo solo le più promettenti.

- **5. Analisi delle probabilità dei token:** questa sezione mostra come ispezionare gli output grezzi del modello:

  - o invece di generare testo, estraiamo la distribuzione di probabilità del modello per il token successivo.

  - o questo rivela quali token il modello considera più probabili dopo il prompt.

  - o comprendere queste probabilità aiuta a spiegare come il modello prende decisioni durante la generazione del testo.

Key Insight: questo codice mostra la natura autoregressiva fondamentale dei modelli decoder-only. Ogni token generato dipende solo dai token precedenti, e il modello costruisce il contesto token dopo token. Per questo questi modelli eccellono in compiti generativi come continuare un testo, chatbot e scrittura creativa.

Esempio di codice: generare testo con un modello decoder-only (BERT in Hugging Face)

```python
import torch
from transformers import AutoModelForCausalLM, AutoTokenizer

# 1. Load pre-trained model and tokenizer
model_name = "meta-llama/Llama-2-7b-chat-hf"  # You'll need proper permissions to use this model
tokenizer = AutoTokenizer.from_pretrained(model_name)
model = AutoModelForCausalLM.from_pretrained(model_name)

# 2. Create a system prompt + user prompt
system_prompt = "You are a helpful assistant that provides clear explanations about AI concepts."
user_prompt = "Explain what decoder-only transformers are in 2-3 sentences."
prompt = f"<s>[INST] <<SYS>>\\n{system_prompt}\\n<</SYS>>\\n\\n{user_prompt} [/INST]"

# 3. Tokenize the input
inputs = tokenizer(prompt, return_tensors="pt")

# 4. Generate response
with torch.no_grad():
    outputs = model.generate(
```

```python
        inputs.input_ids,
        max_length=256,
        temperature=0.7,
        top_p=0.9,
        repetition_penalty=1.2,
        do_sample=True,
        pad_token_id=tokenizer.eos_token_id
    )

# 5. Decode and print the response
generated_text = tokenizer.decode(outputs[0], skip_special_tokens=True)
assistant_response = generated_text.split("[/INST]")[1].strip()
print(assistant_response)

# 6. Streaming generation example
print("\\n=== Streaming Generation Example ===")
streamer_inputs = tokenizer(prompt, return_tensors="pt")

# Creating a streaming generator
def stream_generator():
    with torch.no_grad():
        # Stream tokens one by one
        for token in model.generate(
            streamer_inputs.input_ids,
            max_length=200,
            temperature=0.8,
            do_sample=True,
            streamer=True  # Enable streaming
        ):
            yield token

# Simulating a streaming interface
print("Streaming response:")
generated_so_far = ""
for token in stream_generator():
    next_token = tokenizer.decode(token)
    generated_so_far += next_token
    print(next_token, end="", flush=True)

print("\\n\\nComplete response:", generated_so_far)
```

Analisi del codice: lavorare con Llama 2

Questo esempio mostra come usare Llama 2 di Meta, un altro modello decoder-only molto diffuso. Vediamo in cosa differisce dall'esempio con GPT-2:

- **1. Caricamento del modello**: qui usiamo un modello più grande e più capace (Llama-2-7b), che è stato fine-tunato specificamente per applicazioni di chat.

- **2. Prompt engineering**: a differenza dell'esempio più semplice con GPT-2, questo codice mostra come formattare i prompt con istruzioni di sistema e richieste dell'utente, usando i requisiti di formattazione specifici di Llama 2.

- **3. Parametri di generazione**:

  - Parametri simili come **temperature** e **top_p** controllano creatività e "messa a fuoco" del testo generato.

  - **repetition_penalty** scoraggia il modello dal ripetersi, aspetto importante nelle generazioni più lunghe.

- **4. Generazione in streaming**: l'esempio dimostra come trasmettere i token uno alla volta invece di attendere l'output completo, cosa cruciale per applicazioni in tempo reale come le interfacce chat.

Intuizione chiave: anche se entrambi gli esempi mostrano architetture decoder-only, questo esempio con Llama 2 evidenzia come questi modelli possano essere usati in applicazioni più interattive e orientate alla chat, con formattazione del prompt e streaming specifici.

```python
import torch
from transformers import AutoModelForCausalLM, AutoTokenizer

# 1. Load pre-trained Mistral model and tokenizer
model_name = "mistralai/Mistral-7B-Instruct-v0.2"  # Using the Instruct version
tokenizer = AutoTokenizer.from_pretrained(model_name)
model = AutoModelForCausalLM.from_pretrained(
    model_name,
    torch_dtype=torch.float16,  # Use half-precision for efficiency
    device_map="auto"           # Automatically determine best device mapping
)

# 2. Format the prompt using Mistral's instruction format
system_message = "You are an expert in explaining AI concepts clearly and concisely."
user_message = "Explain how decoder-only transformers work in 3-4 sentences."

# Format according to Mistral's chat template
messages = [
    {"role": "system", "content": system_message},
    {"role": "user", "content": user_message}
]
prompt = tokenizer.apply_chat_template(messages, tokenize=False)

# 3. Tokenize the formatted prompt
inputs = tokenizer(prompt, return_tensors="pt").to(model.device)

# 4. Generate response with advanced parameters
generation_config = {
    "max_new_tokens": 150,        # Number of new tokens to generate
    "temperature": 0.7,          # Controls randomness (lower = more deterministic)
    "top_p": 0.92,               # Nucleus sampling parameter
    "top_k": 50,                 # Limit vocab sampling to top k tokens
```

```python
    "repetition_penalty": 1.15,    # Penalize repetition
    "do_sample": True,             # Use sampling instead of greedy decoding
    "num_beams": 1,                # Simple sampling (no beam search)
}

# 5. Generate with streamed output
print("Generating response (token by token):")
generated_ids = []
with torch.no_grad():
    # Create initial past key values
    input_ids = inputs.input_ids
    attention_mask = inputs.attention_mask
    past_key_values = None

    # Generate one token at a time to simulate streaming
    for _ in range(generation_config["max_new_tokens"]):
        # Get model outputs
        outputs = model(
            input_ids=input_ids[:, -1:] if past_key_values is not None else input_ids,
            attention_mask=attention_mask,
            past_key_values=past_key_values,
            use_cache=True,
            return_dict=True
        )

        # Update past key values for efficiency
        past_key_values = outputs.past_key_values

        # Get logits for next token prediction
        next_token_logits = outputs.logits[:, -1, :]

        # Apply temperature
        next_token_logits = next_token_logits / generation_config["temperature"]

        # Apply repetition penalty
        if len(generated_ids) > 0:
            for token_id in set(generated_ids):
                if token_id < next_token_logits.shape[-1]:
                    next_token_logits[0,                    token_id]                    /= generation_config["repetition_penalty"]

        # Filter with top-k
        top_k_logits, top_k_indices = torch.topk(
            next_token_logits, k=generation_config["top_k"], dim=-1
        )
        next_token_logits[0] = torch.full_like(next_token_logits[0], float("-inf"))
        next_token_logits[0, top_k_indices[0]] = top_k_logits[0]

        # Filter with top-p (nucleus sampling)
        probs = torch.softmax(next_token_logits, dim=-1)
        sorted_probs, sorted_indices = torch.sort(probs, descending=True, dim=-1)
        cumulative_probs = torch.cumsum(sorted_probs, dim=-1)
```

```python
        sorted_indices_to_remove = cumulative_probs > generation_config["top_p"]
        sorted_indices_to_remove[..., 0] = False  # Keep at least the highest prob token

        indices_to_remove = sorted_indices_to_remove.scatter(
            dim=1, index=sorted_indices, src=sorted_indices_to_remove
        )
        next_token_logits[indices_to_remove] = float("-inf")

        # Sample from the filtered distribution
        if generation_config["do_sample"]:
            probs = torch.softmax(next_token_logits, dim=-1)
            next_token = torch.multinomial(probs, num_samples=1)
        else:
            next_token = torch.argmax(next_token_logits, dim=-1, keepdim=True)

        # Append to generated sequence
        generated_ids.append(next_token.item())
        input_ids = torch.cat([input_ids, next_token], dim=-1)
        attention_mask = torch.cat([
            attention_mask,
            attention_mask.new_ones((attention_mask.shape[0], 1))
        ], dim=1)

        # Decode and print the new token
        new_token = tokenizer.decode([next_token.item()])
        print(new_token, end="", flush=True)

        # Check if we've reached an end token
        if next_token.item() == tokenizer.eos_token_id:
            break

# 6. Analyze token probabilities for educational purposes
print("\\n\\n=== Analyzing Token Probabilities ===")
test_prompt = "Transformer models work by"
test_inputs = tokenizer(test_prompt, return_tensors="pt").to(model.device)

with torch.no_grad():
    outputs = model(test_inputs.input_ids)
    next_token_logits = outputs.logits[0, -1, :]
    next_token_probs = torch.softmax(next_token_logits, dim=-1)

    # Get top 5 most likely next tokens
    top_probs, top_indices = torch.topk(next_token_probs, 5)

    print(f"For the prompt: '{test_prompt}'")
    print("Most likely next tokens:")
    for i, (prob, idx) in enumerate(zip(top_probs, top_indices)):
        token = tokenizer.decode([idx])
        print(f"{i+1}. '{token}' with probability {prob:.4f}")
```

Analisi del codice:

Questo esempio mostra come lavorare con Mistral, un altro potente modello decoder-only. Analizziamo questa implementazione più avanzata:

- **1. Impostazione del modello**: Carichiamo Mistral 7B Instruct, un modello progettato per seguire istruzioni. Il codice utilizza la mezza precisione (float16) per ridurre l'uso di memoria e mappa automaticamente il modello sull'hardware disponibile.

- **2. Formattazione del prompt**: A differenza degli esempi precedenti, questo codice utilizza il sistema di chat template integrato di Mistral. Il metodo apply_chat_template() gestisce tutti i token speciali e la formattazione necessari affinché il modello riconosca i diversi ruoli nella conversazione.

- **3. Configurazione della generazione**: Impostiamo parametri dettagliati per la generazione:

    o **max_new_tokens**: Limita la lunghezza della risposta

    o **temperature**: Controlla la casualità nella generazione

    o **top_p & top_k**: Metodi di campionamento combinati per una qualità migliore

    o **repetition_penalty**: Scoraggia il modello dal ripetersi

- **4. Implementazione manuale dello streaming**: Questo esempio include un'implementazione dettagliata della generazione token per token che mostra come funzionano internamente i modelli decoder-only:

    o Il modello mantiene una cache **past_key_values** contenente informazioni su tutti i token elaborati in precedenza

    o Per ogni nuovo token, deve elaborare solo il token di input più recente più le informazioni memorizzate nella cache

    o Questa è una caratteristica chiave di efficienza dei modelli decoder-only: non ricalcolano ogni volta l'intera sequenza

- **5. Logica di sampling**: Il codice mostra l'implementazione dettagliata del campionamento con temperature, top-k e nucleus (top-p):

    o **Temperature scaling** regola quanto il modello sia "sicuro" delle proprie previsioni

    o **Top-k filtering** limita il campionamento ai soli k token più probabili

    o **Top-p (nucleus) sampling** seleziona dinamicamente il più piccolo insieme di token la cui probabilità cumulativa supera la soglia p

- **6. Analisi delle probabilità dei token**: Questa sezione mostra come analizzare ciò che il modello "pensa" possa arrivare dopo per un determinato prompt, mostrando le probabilità di diverse continuazioni.

Osservazione chiave: Questa implementazione rivela il funzionamento interno dei modelli decoder-only come Mistral. La generazione token per token con caching (past_key_values) è esattamente il modo in cui questi modelli ottengono una generazione autoregressiva efficiente. Ogni nuovo token viene prodotto considerando tutti i token precedenti, ma senza rifare tutti i calcoli grazie agli stati di attenzione memorizzati nella cache.

Questo esempio evidenzia anche come la stessa architettura decoder-only possa essere adattata a modelli diversi (GPT-2, Llama, Mistral) regolando il formato del prompt e i parametri di generazione in modo coerente con il tipo di addestramento di ciascun modello.

1.2.2 Transformer Encoder-Decoder

Questa è la configurazione classica dei transformer, utilizzata in modelli come **T5 (Text-to-Text Transfer Transformer), BART (Bidirectional and Auto-Regressive Transformer), mT5 (multilingual T5)** e molti **sistemi di traduzione automatica** come Google Translate. L'architettura encoder-decoder rappresenta il design originale dei transformer introdotto nel celebre paper del 2017 "Attention Is All You Need" di Vaswani et al.

Questo approccio presenta componenti distinti di encoding e decoding che lavorano insieme: l'encoder elabora l'intera sequenza di input per creare rappresentazioni contestuali ricche, mentre il decoder utilizza queste rappresentazioni per generare i token di output in modo sequenziale.

Questa separazione delle funzioni consente a questi modelli di eccellere nei compiti che richiedono una trasformazione tra diversi formati testuali, come tradurre tra lingue, convertire domande in risposte o condensare lunghi documenti in riassunti concisi.

Come funziona:

L'Encoder

L'encoder legge l'intera sequenza di input e costruisce una rappresentazione densa. Questa rappresentazione cattura il significato contestuale di ciascun token prestando attenzione a tutti gli altri token della sequenza di input tramite meccanismi di self-attention. A differenza dei modelli autoregressivi, l'encoder elabora tutti i token simultaneamente, permettendo a ciascun token di "vedere" ogni altro token in entrambe le direzioni. Questo contesto bidirezionale è cruciale per comprendere pienamente il significato delle frasi, soprattutto quando si ha a che fare con parole ambigue o strutture sintattiche complesse. Analizziamo più nel dettaglio il funzionamento dell'encoder:

- Per prima cosa, i token di input vengono trasformati in rappresentazioni vettoriali e combinati con encoding posizionali per preservare l'ordine della sequenza.

- Questi token embedded passano poi attraverso più livelli di self-attention, in cui ogni token costruisce query, key e value rispetto a tutti gli altri token della sequenza, creando ricche rappresentazioni contestuali.

- Nel meccanismo di self-attention:

    - Ogni token crea tre vettori: una query, una key e un value

    - I punteggi di attenzione vengono calcolati tra la query di ciascun token e le key di tutti i token

    - Questi punteggi determinano quanto ogni token debba "prestare attenzione" a ogni altro token

    - I punteggi vengono normalizzati tramite softmax per creare i pesi di attenzione

    - La rappresentazione di ciascun token viene aggiornata come somma pesata di tutti i value

- Dopo ogni livello di attenzione, reti neurali feed-forward trasformano ulteriormente queste rappresentazioni, mentre connessioni residue e layer normalization mantengono il flusso dei gradienti e stabilizzano il training.

- Questa elaborazione completamente parallela consente all'encoder di catturare fenomeni linguistici complessi come:

  - Risoluzione dell'anafora (comprendere a cosa si riferiscono pronomi come "it" o "they")

  - Disambiguazione lessicale (determinare se "bank" si riferisce a un istituto finanziario o alla riva di un fiume)

  - Cattura di dipendenze a lunga distanza tra parti lontane del testo

  - Comprensione di strutture sintattiche in cui parole successive modificano il significato di quelle precedenti

The Decoder

The decoder then generates output based on that representation, one token at a time. It has two types of attention mechanisms working in concert:

- **Self-attention** over previously generated tokens: This mechanism allows the decoder to maintain coherence by considering all tokens it has already generated. Unlike the encoder's self-attention which looks at the entire input simultaneously, the decoder's self-attention is causal or masked - each position can only attend to itself and previous positions. This prevents the decoder from "cheating" by looking at future tokens during training. This mechanism ensures that each new token logically follows from and maintains consistency with all previously generated tokens.

- **Cross-attention** to access the encoder's representation: This critical mechanism forms the bridge between the encoding and decoding processes. For each token the decoder generates, its cross-attention mechanism queries the entire set of encoder representations, calculating attention scores that determine which parts of the input are most relevant for generating the current output token. This allows the decoder to dynamically focus on different parts of the input as needed:

- When translating a sentence, it might focus on different source words for each target word When summarizing a document, it can pull important information from various paragraphs When answering a question, it can attend to the specific passage containing the answer This selective attention mechanism gives the decoder remarkable flexibility in how it utilizes the encoder's representations.

The self-attention layer ensures coherence and fluency within the generated sequence, while the cross-attention layer acts as a bridge between the encoder's rich contextual representations and the decoder's generation process. This cross-attention mechanism allows the decoder to focus on relevant parts of the input when generating each output token, making it particularly effective for tasks requiring careful alignment between input and output elements.

- This bidirectional encoding (looking at context from both directions) combined with autoregressive decoding creates a powerful architecture for transforming sequences. The encoder's global view of the input provides comprehensive understanding, while the decoder's step-by-step generation ensures grammatical and coherent outputs. This separation of concerns makes encoder-decoder models particularly effective for tasks requiring significant transformation between input and output, like translation or summarization, where understanding the full context before generating is essential.

Why this matter?

Encoder-decoder setups shine in **sequence-to-sequence tasks** like translation, summarization, and question answering — where the input and output are different text spans. The separation of encoding and decoding allows these models to:

- **Capture complete bidirectional context in the input** — unlike decoder-only models that process tokens sequentially from left to right, encoder-decoder models analyze the entire input simultaneously. This means a word at the end of a sentence can influence the representation of words at the beginning, creating richer contextual embeddings that capture nuances like disambiguation, co-reference resolution, and long-range dependencies.For example, in the sentence "The bank was eroded by the river," the word "river" helps disambiguate "bank" as a riverbank rather than a financial institution. In decoder-only models, when processing "bank," the model hasn't yet seen "river," limiting its understanding. Encoder-decoder models, however, process the entire sentence at once during encoding, allowing "river" to inform the representation of "bank."This bidirectional context is particularly powerful for:

    - Resolving pronouns to their antecedents (e.g., understanding who "she" refers to in complex passages)

    - Handling sentences with complex grammatical structures where meaning depends on words that appear much later

    - Correctly interpreting idiomatic expressions and figurative language where context from both directions is essential

    - Properly encoding semantic relationships between distant parts of the input text

- **Handle variable-length inputs and outputs effectively** — encoder-decoder models excel at processing inputs and outputs of vastly different lengths:

    - The encoder creates a comprehensive semantic representation regardless of input length. Whether processing a short question or a lengthy document, the encoder captures essential meaning into contextualized embeddings.

    - The decoder then leverages this representation to generate outputs of any required length, from single-word answers to paragraph-long explanations.

    - The model's attention mechanisms allow selective focus on relevant parts of the input representation during generation, ensuring coherence even when input and output lengths differ dramatically.

    - This flexibility is particularly valuable for:

        - Machine translation, where languages have different structural properties (Japanese sentences might be much shorter than their English equivalents)Machine translation, where languages have different structural properties (Japanese sentences might be much shorter than their English equivalents)

- Summarization tasks with varying compression ratios (condensing a 1000-word article into either a headline or a 100-word abstract)Summarization tasks with varying compression ratios (condensing a 1000-word article into either a headline or a 100-word abstract)

- Question answering, where a short question might require a detailed explanationQuestion answering, where a short question might require a detailed explanation

- Data-to-text generation, where structured data is converted into natural language descriptionsData-to-text generation, where structured data is converted into natural language descriptions

Il Decoder

Il decoder genera quindi l'output sulla base di quella rappresentazione, un token alla volta. Dispone di due tipi di meccanismi di attenzione che lavorano insieme:

- **Self-attention** sui token generati in precedenza: Questo meccanismo consente al decoder di mantenere coerenza considerando tutti i token che ha già generato. A differenza della self-attention dell'encoder, che osserva simultaneamente l'intero input, la self-attention del decoder è causale o mascherata: ogni posizione può prestare attenzione solo a sé stessa e alle posizioni precedenti. Questo impedisce al decoder di "barare" guardando i token futuri durante il training. Questo meccanismo garantisce che ogni nuovo token segua logicamente e mantenga coerenza con tutti i token già generati.

- **Cross-attention** per accedere alla rappresentazione dell'encoder: Questo meccanismo cruciale costituisce il ponte tra il processo di encoding e quello di decoding. Per ogni token che il decoder genera, il meccanismo di cross-attention interroga l'intero insieme delle rappresentazioni prodotte dall'encoder, calcolando punteggi di attenzione che determinano quali parti dell'input sono più rilevanti per generare il token corrente. Questo consente al decoder di concentrarsi dinamicamente su diverse parti dell'input secondo necessità:

- Quando traduce una frase, può concentrarsi su parole sorgente diverse per ogni parola target

Quando riassume un documento, può estrarre informazioni importanti da vari paragrafi

Quando risponde a una domanda, può prestare attenzione al passaggio specifico che contiene la risposta

Questo meccanismo di attenzione selettiva conferisce al decoder una notevole flessibilità nel modo in cui utilizza le rappresentazioni dell'encoder.

Il livello di self-attention garantisce coerenza e fluidità all'interno della sequenza generata, mentre il livello di cross-attention funge da ponte tra le ricche rappresentazioni contestuali dell'encoder e il processo generativo del decoder. Questo meccanismo di cross-attention consente al decoder di focalizzarsi sulle parti rilevanti dell'input durante la generazione di ciascun token, rendendolo particolarmente efficace per compiti che richiedono un allineamento accurato tra elementi di input e output.

- Questa codifica bidirezionale (che osserva il contesto in entrambe le direzioni) combinata con il decoding autoregressivo crea una potente architettura per trasformare sequenze. La visione globale dell'input da parte dell'encoder fornisce una comprensione completa, mentre la generazione passo dopo passo del decoder garantisce output grammaticali e coerenti. Questa separazione delle funzioni rende i modelli encoder-decoder particolarmente efficaci per compiti che richiedono una trasformazione significativa tra input e output, come traduzione o riassunto, dove comprendere l'intero contesto prima di generare è essenziale.

Perché è importante?

Le configurazioni encoder-decoder eccellono nei **compiti sequence-to-sequence** come traduzione, riassunto e question answering, dove input e output sono porzioni di testo differenti. La separazione tra encoding e decoding consente a questi modelli di:

- **Catturare il contesto bidirezionale completo nell'input** — a differenza dei modelli decoder-only che elaborano i token in sequenza da sinistra a destra, i modelli encoder-decoder analizzano simultaneamente l'intero input. Questo significa che una parola alla fine di una frase può influenzare la rappresentazione di parole all'inizio, creando embedding contestuali più ricchi che catturano sfumature come disambiguazione, risoluzione delle coreferenze e dipendenze a lunga distanza. Per esempio, nella frase "The bank was eroded by the river," la parola "river" aiuta a chiarire che "bank" indica una sponda del fiume e non un istituto finanziario. Nei modelli decoder-only, quando viene elaborato "bank", il modello non ha ancora visto "river", limitandone la comprensione. I modelli encoder-decoder, invece, elaborano l'intera frase in una sola volta durante l'encoding, permettendo a "river" di influenzare la rappresentazione di "bank". Questo contesto bidirezionale è particolarmente potente per:

    - Risolvere i pronomi rispetto ai loro antecedenti (per esempio, capire a chi si riferisce "she" in passaggi complessi)

    - Gestire frasi con strutture grammaticali complesse in cui il significato dipende da parole che compaiono molto più avanti

    - Interpretare correttamente espressioni idiomatiche e linguaggio figurato, in cui il contesto da entrambe le direzioni è essenziale

    - Codificare correttamente le relazioni semantiche tra parti lontane del testo di input

- **Gestire efficacemente input e output di lunghezza variabile** — i modelli encoder-decoder eccellono nell'elaborare input e output con lunghezze molto diverse:

    - L'encoder crea una rappresentazione semantica completa indipendentemente dalla lunghezza dell'input. Che si tratti di una domanda breve o di un documento lungo, l'encoder cattura il significato essenziale in embedding contestualizzati.

    - Il decoder sfrutta poi questa rappresentazione per generare output della lunghezza necessaria, da risposte di una sola parola a spiegazioni di più paragrafi.

    - I meccanismi di attenzione del modello consentono di concentrarsi selettivamente sulle parti rilevanti della rappresentazione dell'input durante la generazione, garantendo coerenza anche quando la lunghezza di input e output differisce drasticamente.

    - Questa flessibilità è particolarmente preziosa per:

        - Traduzione automatica, dove le lingue hanno proprietà strutturali diverse (le frasi in giapponese, per esempio, possono essere molto più brevi delle loro equivalenti in inglese)

- Compiti di riassunto con rapporti di compressione variabili (condensare un articolo di 1000 parole in un titolo oppure in un abstract di 100 parole)

- Question answering, dove una domanda breve può richiedere una spiegazione dettagliata

- Generazione da dati a testo, in cui dati strutturati vengono convertiti in descrizioni in linguaggio naturale

- **Eseguono bene compiti di generazione strutturata in cui il formato dell'output è importante** — il decoder può essere addestrato a seguire specifici schemi o template di output, rendendo questi modelli eccellenti per attività che richiedono output strutturati come la generazione di JSON, la formulazione di query SQL o il parsing semantico. La comprensione completa dell'input da parte dell'encoder guida il decoder nella produzione di risultati correttamente formattati. Questa capacità è particolarmente potente perché:

  - L'encoder elabora prima l'intero input per comprendere i requisiti semantici prima che inizi qualsiasi generazione

  - Il decoder può quindi costruire metodicamente output seguendo vincoli sintattici rigorosi mantenendo la rilevanza semantica

  - I meccanismi di cross-attention permettono al decoder di fare riferimento a parti specifiche dell'input codificato durante la generazione di ogni token dell'output strutturato

  - Questa architettura eccelle nel mantenere coerenza in output strutturati complessi, come:

    - Generare JSON validi con oggetti e array correttamente annidati

    - Creare query SQL sintatticamente corrette che riflettano accuratamente l'intento dell'utente

    - Produrre documenti XML ben formati con corretta nidificazione dei tag e formattazione degli attributi

    - Convertire specifiche in linguaggio naturale in snippet di codice con sintassi corretta

- **Eccellono nei compiti che richiedono una profonda comprensione semantica prima della generazione** — la codifica completa dell'input prima dell'inizio della generazione consente al modello di "pianificare" la propria risposta sulla base di una comprensione totale. Questo vantaggio architetturale abilita diverse capacità critiche:

  - L'encoder crea una mappa semantica completa dell'intero input, catturando le relazioni tra tutti gli elementi simultaneamente piuttosto che in modo sequenziale

  - Questa comprensione olistica consente al modello di identificare pattern complessi, contraddizioni e strutture logiche in tutto il contesto dell'input

  - Il decoder può quindi sfruttare questa rappresentazione semantica completa per generare risposte che dimostrano un ragionamento sofisticato

○ Questo è particolarmente utile per:

- **Compiti di ragionamento complesso** — in cui il modello deve sintetizzare informazioni provenienti da più parti dell'input, valutare la coerenza logica e trarre conclusioni appropriate basate su una comprensione completa

- **Question answering multi-hop** — in cui rispondere richiede collegare informazioni provenienti da diverse parti di un testo, seguire catene di ragionamento e tracciare le relazioni tra entità all'interno di un passaggio

- **Abstractive summarization** — in cui il modello deve prima comprendere l'intero documento, identificare temi chiave e dettagli importanti, quindi generare un testo conciso che preservi il significato principale ristrutturando significativamente il contenuto

- **Fact verification** — in cui le affermazioni devono essere valutate rispetto a prove complete che richiedono una piena comprensione contestuale prima di determinarne la validità

- **Content planning tasks** — in cui gli output devono seguire una progressione logica basata su una comprensione completa dei requisiti piuttosto che limitarsi a continuare pattern

Analogia:

Pensalo come un traduttore professionista che lavora con lingue complesse. L'encoder legge completamente una frase in spagnolo, costruisce una comprensione interna del suo significato, contesto e sfumature, e poi il decoder costruisce con attenzione una frase in inglese che preserva quel significato. Il traduttore non inizia a parlare finché non ha ascoltato e compreso l'intero pensiero.

Questo processo è particolarmente cruciale per lingue con schemi strutturali diversi. Per esempio, in tedesco, i verbi spesso compaiono alla fine delle proposizioni ("Ich habe gestern das Buch gelesen" - letteralmente "Io ho ieri il libro letto"). Un traduttore deve elaborare l'intera frase tedesca prima di costruire una frase inglese corretta ("I read the book yesterday"), poiché iniziare a tradurre parola per parola creerebbe confusione.

Allo stesso modo, considera il giapponese, dove l'ordine soggetto-oggetto-verbo è completamente diverso dall'ordine soggetto-verbo-oggetto dell'inglese. L'encoder comprende queste differenze strutturali mentre cattura il significato semantico completo, e il decoder riorganizza poi queste informazioni seguendo le regole grammaticali e le convenzioni della lingua di destinazione.

Questo approccio completo di "prima comprendere, poi generare" consente ai modelli encoder-decoder di gestire fenomeni linguistici complessi come espressioni idiomatiche, riferimenti culturali e contesto implicito che potrebbero andare persi in approcci più sequenziali.

Per estendere ulteriormente questa analogia, immagina un interprete esperto in una conferenza internazionale che lavora in tempo reale:

1. L'interprete ascolta attentamente l'intera dichiarazione nella lingua di origine (come l'encoder che elabora l'intero input) — questo ascolto completo è cruciale perché una comprensione parziale potrebbe portare a errori di interpretazione critici, specialmente per lingue in cui il significato principale arriva alla fine delle frasi

2. Mentre ascolta, costruisce mentalmente mappe di concetti, sfumature culturali, idiomi e l'intento dell'oratore (simile a come l'encoder crea rappresentazioni contestuali complete) — questo implica non solo una traduzione parola per parola, ma la comprensione di riferimenti culturali impliciti, terminologia specialistica, tono emotivo e figure retoriche che potrebbero non avere equivalenti diretti

3. Solo dopo aver compreso completamente il messaggio, inizia a formulare la traduzione (come il processo di generazione del decoder) — questa pausa deliberata tra input e output consente una pianificazione coerente invece di una traduzione frammentata che potrebbe risultare contraddittoria

4. Durante la traduzione, può essere necessario ristrutturare completamente le frasi, cambiare l'ordine delle parole o scegliere equivalenti culturalmente appropriati che non siano traduzioni letterali (simile a come il decoder trasforma piuttosto che continuare semplicemente sequenze) — per esempio, un onorifico giapponese può diventare una forma di cortesia inglese, o una frase russa con il soggetto alla fine può essere invertita per un pubblico anglofono

5. L'interprete può dover fare riferimento a parti specifiche del discorso originale in diversi momenti della traduzione, proprio come il meccanismo di cross-attention del decoder gli consente di concentrarsi su parti rilevanti della rappresentazione dell'encoder durante la generazione di ogni token — potrebbe tornare all'introduzione dell'oratore mentre traduce la conclusione, garantendo coerenza concettuale lungo tutto il messaggio

A differenza dei modelli decoder-only che generano testo semplicemente continuando una sequenza, i modelli encoder-decoder eseguono una vera trasformazione da una sequenza a un'altra, rendendoli particolarmente preziosi per compiti che richiedono ristrutturazione o condensazione delle informazioni. Questa distinzione diventa cruciale nelle applicazioni in cui è essenziale preservare il significato modificando significativamente la forma, come nella traduzione tra lingue con strutture grammaticali profondamente diverse o nel riassunto di documenti lunghi in briefing concisi.

Code Example: Summarization with T5 (encoder-decoder)

```python
from transformers import T5Tokenizer, T5ForConditionalGeneration
import torch

# Initialize the T5 tokenizer and model
tokenizer = T5Tokenizer.from_pretrained("t5-small")
model = T5ForConditionalGeneration.from_pretrained("t5-small")

# Input text to summarize
text = "The Transformer architecture has revolutionized NLP by allowing models to
handle long sequences effectively. It introduced self-attention mechanisms that
capture dependencies regardless of their distance in the sequence. Since its
introduction in the 'Attention is All You Need' paper, Transformers have become the
foundation for models like BERT, GPT, and T5, enabling breakthrough performance across
a wide range of natural language processing tasks."

# T5 models are trained with task prefixes
# For summarization, we prepend "summarize: " to our input
inputs = tokenizer("summarize: " + text, return_tensors="pt")
```

```python
# Generate summary with specific parameters
summary_ids = model.generate(
    inputs["input_ids"],
    max_length=50,              # Maximum length of the summary
    min_length=10,              # Minimum length of the summary
    length_penalty=2.0,         # Encourages longer summaries (>1.0)
    num_beams=4,                # Beam search for better quality
    early_stopping=True,        # Stop when valid output is found
    no_repeat_ngram_size=2,     # Avoid repeating bigrams
    temperature=0.7             # Controls randomness (lower = more deterministic)
)

# Decode and print the summary
summary = tokenizer.decode(summary_ids[0], skip_special_tokens=True)
print(f"Original text ({len(text.split())} words):\\n{text}\\n")
print(f"Summary ({len(summary.split())} words):\\n{summary}")

# Let's try a different task with the same model: translation
english_text = "T5 is an encoder-decoder model that can perform multiple NLP tasks."
inputs    = tokenizer("translate    English    to    German:    "    +    english_text,
return_tensors="pt")

translation_ids = model.generate(
    inputs["input_ids"],
    max_length=40,
    num_beams=4
)

translation = tokenizer.decode(translation_ids[0], skip_special_tokens=True)
print(f"\\nEnglish: {english_text}")
print(f"German translation: {translation}")

# Another task: question answering
question = "What is the capital of France?"
context = "France is a country in Western Europe. Its capital is Paris, one of the
most famous cities in the world."
inputs = tokenizer(f"question: {question} context: {context}", return_tensors="pt")

answer_ids = model.generate(
    inputs["input_ids"],
    max_length=20
)

answer = tokenizer.decode(answer_ids[0], skip_special_tokens=True)
print(f"\\nQuestion: {question}")
print(f"Answer: {answer}")
```

Analisi del Codice: Lavorare con il modello Encoder-Decoder T5

- **Inizializzazione del Modello (Righe 4-5)**

- T5 (Text-to-Text Transfer Transformer) tratta tutti i compiti di NLP come problemi text-to-text.

- Il modello è composto sia da un encoder (per elaborare l'input) sia da un decoder (per generare l'output).

- "t5-small" ha circa 60M di parametri (varianti più grandi includono t5-base, t5-large, ecc.).

- **Prefissi di Task (Righe 14-15)**

  - T5 utilizza prefissi espliciti per indicare quale operazione eseguire.

  - Il modello è stato addestrato a riconoscere prefissi come "summarize:", "translate English to German:", ecc.

  - Questo rende T5 un vero modello multi-task in grado di gestire diverse operazioni con gli stessi parametri.

- **Processo di Tokenizzazione (Riga 15)**

  - Converte stringhe di testo in ID di token che il modello può elaborare.

  - T5 utilizza un tokenizer SentencePiece che suddivide il testo in unità subword.

  - Il parametro "return_tensors='pt'" restituisce tensori PyTorch.

- **Parametri di Generazione (Righe 18-27)**

  - **max_length/min_length**: controllano i limiti di lunghezza dell'output.

  - **length_penalty**: valori >1.0 favoriscono sequenze più lunghe, <1.0 favoriscono quelle più corte.

  - **num_beams**: abilita la beam search, esplorando più sequenze possibili in parallelo.

  - **no_repeat_ngram_size**: previene la ripetizione di n-grammi (qui, bigrammi).

  - **temperature**: controlla la casualità nella generazione (valori più bassi rendono l'output più deterministico).

  - **early_stopping**: interrompe la generazione quando tutti i beam hanno raggiunto i token di fine sequenza.

- **Capacità Multi-Task (Righe 35-52)**

  - Lo stesso modello gestisce diversi task cambiando solo il prefisso.

  - L'esempio di traduzione usa il prefisso "translate English to German:".

  - Il question answering utilizza il formato "question: [Q] context: [C]".

  - Questo dimostra il principale vantaggio dei modelli encoder-decoder: gestire trasformazioni input-output diverse.

- **Workflow Encoder-Decoder (Dietro le quinte)**

- o L'encoder elabora l'intera sequenza di input, costruendo una rappresentazione bidirezionale ricca.

- o Il decoder genera i token di output uno alla volta, prestando attenzione sia ai token già generati sia alla rappresentazione dell'encoder.

- o I meccanismi di cross-attention permettono al decoder di concentrarsi sulle parti rilevanti dell'input durante la generazione di ogni token.

- o Questa architettura rende T5 particolarmente potente nei task di trasformazione, in cui la struttura dell'output differisce dall'input.

Questo esempio dimostra la versatilità dei modelli encoder-decoder come T5. Con semplici cambi di prefisso, lo stesso modello può eseguire riassunto, traduzione, question answering e molti altri compiti di NLP—mostrando il paradigma "prima comprendere, poi generare" che rende questi modelli così efficaci nella trasformazione di sequenze.

Code Example: Translation with BART (encoder-decoder)

```python
from transformers import BartTokenizer, BartForConditionalGeneration
import torch

# Initialize the BART tokenizer and model (fine-tuned for translation)
tokenizer = BartTokenizer.from_pretrained("facebook/bart-large-cnn")
model = BartForConditionalGeneration.from_pretrained("facebook/bart-large-cnn")

# Input text to translate
text = """
The encoder-decoder architecture represents a powerful paradigm in natural language
processing.
Unlike decoder-only models, these systems process the entire input before generating
any output,
allowing them to handle complex transformations between sequences.
"""

# Tokenize the input text
inputs = tokenizer(text, return_tensors="pt", max_length=1024, truncation=True)

# Generate translation
translation_ids = model.generate(
    inputs["input_ids"],
    attention_mask=inputs["attention_mask"],
    max_length=150,                 # Maximum length of the translation
    min_length=20,                  # Minimum length of the translation
    num_beams=4,                    # Beam search for better quality
    length_penalty=1.0,             # No preference for length
    early_stopping=True,            # Stop when valid output is found
    no_repeat_ngram_size=3,         # Avoid repeating trigrams
    use_cache=True,                 # Use KV cache for efficiency
    num_return_sequences=1          # Return just one sequence
)
```

```python
# Decode and print the translation
translation = tokenizer.decode(translation_ids[0], skip_special_tokens=True)
print(f"Original text:\\n{text}\\n")
print(f"BART processing result:\\n{translation}")

# Demonstrating BART for summarization (its primary fine-tuned task)
news_article = """
Scientists have discovered a new species of deep-sea coral in the Pacific Ocean.
The coral, which lives at depths of over 2,000 meters, displays bioluminescent
properties
never before seen in coral species. Researchers believe this adaptation helps the
coral
attract the microscopic organisms it feeds on in the dark ocean depths. The discovery
highlights how much remains unknown about deep ocean ecosystems and may provide
insights
into the development of new biomedical applications. Funding for the expedition was
provided
by the National Oceanic and Atmospheric Administration and several research
universities.
"""

inputs = tokenizer(news_article, return_tensors="pt", max_length=1024,
truncation=True)

# Generate summary
summary_ids = model.generate(
    inputs["input_ids"],
    attention_mask=inputs["attention_mask"],
    max_length=60,                      # Shorter output for summary
    min_length=10,                      # Reasonable minimum length
    num_beams=4,                        # Beam search for better quality
    length_penalty=2.0,                 # Favor longer summaries
    early_stopping=True,
    no_repeat_ngram_size=2
)

summary = tokenizer.decode(summary_ids[0], skip_special_tokens=True)
print(f"\\nOriginal article:\\n{news_article}\\n")
print(f"Summary:\\n{summary}")

# Example of how to access the internal encoder and decoder separately
# This demonstrates the two-stage process
encoder = model.get_encoder()
decoder = model.get_decoder()

# Get encoder representations
encoder_outputs = encoder(inputs["input_ids"],
attention_mask=inputs["attention_mask"])

# Prepare decoder inputs (typically starting with a special token)
decoder_input_ids = torch.tensor([[model.config.decoder_start_token_id]])
```

```python
# Generate first token with encoder context
decoder_outputs = decoder(
    input_ids=decoder_input_ids,
    encoder_hidden_states=encoder_outputs[0]
)

# Get prediction for first token
first_token_logits = model.lm_head(decoder_outputs[0])
first_token_id = torch.argmax(first_token_logits[0, -1, :]).item()
print(f"\\nPredicted first token: {tokenizer.decode([first_token_id])}")
```

Analisi del Codice: Lavorare con il modello Encoder-Decoder BART

- **Inizializzazione del Modello (Righe 4-5)**

    o   BART (Bidirectional and Auto-Regressive Transformers) è un modello sequence-to-sequence progettato sia per la comprensione sia per la generazione

    o   La variante "facebook/bart-large-cnn" è specificamente fine-tuned per compiti di summarization, con circa 400M di parametri

    o   BART combina la codifica bidirezionale di BERT con la generazione autoregressiva di GPT

- **Progettazione dell'Architettura (nell'intero esempio)**

    o   BART utilizza un'architettura Transformer standard con componenti encoder e decoder collegati tramite cross-attention

    o   L'encoder crea rappresentazioni bidirezionali del testo di input (comprendendo l'intero contesto)

    o   Il decoder genera token di output in modo autoregressivo mentre presta attenzione alle rappresentazioni dell'encoder

- **Processo di Tokenizzazione (Riga 17)**

    o   Converte il testo in token che il modello può elaborare (parole, subword o caratteri)

    o   Il parametro "return_tensors='pt'" specifica il formato di output in tensori PyTorch

    o   I parametri "max_length" e "truncation" gestiscono input che superano la finestra di contesto del modello

- **Parametri di Generazione (Righe 20-30)**

    o   **attention_mask**: indica al modello a quali token prestare attenzione (ignorando il padding)

    o   **num_beams**: controlla la beam search — valori più alti esplorano più percorsi al costo di maggiore calcolo

    o   **length_penalty**: regola la preferenza per la lunghezza della sequenza (valori > 1.0 favoriscono output più lunghi)

- o **no_repeat_ngram_size**: impedisce la ripetizione di n-gram della dimensione specificata

- o **use_cache**: abilita la cache key-value per velocizzare la generazione

- o **num_return_sequences**: controlla quante diverse sequenze di output restituire

- **Capacità Multi-Task (Righe 38-59)**

  - o BART può essere adattato a vari compiti sequence-to-sequence oltre al suo fine-tuning principale

  - o L'esempio mostra la summarization, che è il task per cui questa variante del modello è ottimizzata

  - o La stessa architettura del modello potrebbe essere fine-tuned per traduzione, question answering o parafrasi

- **Separazione Encoder-Decoder (Righe 62-79)**

  - o Il codice mostra come accedere separatamente all'encoder e al decoder

  - o Questo processo in due fasi illustra il workflow fondamentale encoder-decoder:

  - o Prima, l'encoder elabora l'intero input per creare rappresentazioni contestualizzate

  - o Poi, il decoder usa queste rappresentazioni per generare token di output uno per uno

  - o Il meccanismo di cross-attention permette al decoder di concentrarsi sulle parti rilevanti dell'input codificato

- **Vantaggi Chiave Dimostrati**

  - o BART può gestire trasformazioni complesse tra sequenze di input e output

  - o La separazione tra fase di encoding e decoding consente una generazione più flessibile

  - o I modelli encoder-decoder come BART eccellono nei task in cui la struttura dell'output può differire da quella dell'input

  - o L'encoder bidirezionale garantisce una comprensione completa del contesto di input

Questo esempio mostra BART, un altro potente modello encoder-decoder della famiglia Transformer. Come T5, BART dimostra i punti di forza dell'architettura encoder-decoder nei compiti di trasformazione di sequenze. La sua capacità di comprendere prima in modo completo l'input tramite attenzione bidirezionale, e poi generare output strutturato tramite il decoder, lo rende particolarmente efficace per summarization, traduzione e altri task che richiedono comprensione profonda e generazione mirata.

Code Example: Sequence-to-Sequence with T5 (encoder-decoder)

```python
from transformers import T5Tokenizer, T5ForConditionalGeneration
import torch

# Initialize the T5 tokenizer and model
tokenizer = T5Tokenizer.from_pretrained("t5-base")
model = T5ForConditionalGeneration.from_pretrained("t5-base")
```

```python
# Example 1: Summarization
input_text = """
Artificial intelligence has revolutionized numerous industries in the past decade.
From healthcare to finance, AI systems are being deployed to automate complex tasks,
analyze massive datasets, and provide insights that were previously unattainable.
However, concerns about ethics, bias, and privacy continue to grow as these systems
become more integrated into critical infrastructure. Researchers and policymakers
are working to establish frameworks that balance innovation with responsible
development.
"""

# T5 requires a task prefix for different operations
summarization_prefix = "summarize: "
summarization_input = summarization_prefix + input_text

# Tokenize the input
inputs = tokenizer(summarization_input, return_tensors="pt", max_length=512,
truncation=True)

# Generate summary
summary_ids = model.generate(
    inputs["input_ids"],
    attention_mask=inputs["attention_mask"],
    max_length=100,
    min_length=30,
    length_penalty=2.0,
    num_beams=4,
    early_stopping=True,
    no_repeat_ngram_size=2
)

# Decode the generated summary
summary = tokenizer.decode(summary_ids[0], skip_special_tokens=True)
print(f"Original text:\\n{input_text}\\n")
print(f"Summary:\\n{summary}\\n")

# Example 2: Translation
translation_text = "The encoder-decoder architecture is fundamental to modern sequence
transformation tasks."
translation_prefix = "translate English to French: "
translation_input = translation_prefix + translation_text

# Tokenize the translation input
translation_inputs = tokenizer(translation_input, return_tensors="pt",
max_length=512, truncation=True)

# Generate translation
translation_ids = model.generate(
    translation_inputs["input_ids"],
    attention_mask=translation_inputs["attention_mask"],
    max_length=150,
    num_beams=4,
```

```python
    early_stopping=True
)

# Decode the translation
translation = tokenizer.decode(translation_ids[0], skip_special_tokens=True)
print(f"English: {translation_text}")
print(f"French: {translation}\\n")

# Example 3: Question answering
context = """
T5 (Text-to-Text Transfer Transformer) was introduced by Google Research in 2019.
It reframes all NLP tasks as text-to-text problems, where both the input and output
are text strings.
This unified framework allows a single model to perform multiple tasks like
translation,
summarization, question answering, and classification.
"""

question = "When was T5 introduced and by whom?"
qa_prefix = "question: " + question + " context: " + context

# Tokenize the QA input
qa_inputs = tokenizer(qa_prefix, return_tensors="pt", max_length=512,
truncation=True)

# Generate answer
answer_ids = model.generate(
    qa_inputs["input_ids"],
    attention_mask=qa_inputs["attention_mask"],
    max_length=50,
    num_beams=4,
    early_stopping=True
)

# Decode the answer
answer = tokenizer.decode(answer_ids[0], skip_special_tokens=True)
print(f"Question: {question}")
print(f"Answer: {answer}\\n")

# Example 4: Exploring encoder-decoder internals
# Get access to encoder and decoder separately
encoder = model.get_encoder()
decoder = model.get_decoder()

# Process through encoder
encoder_outputs = encoder(
    input_ids=translation_inputs["input_ids"],
    attention_mask=translation_inputs["attention_mask"],
    return_dict=True
)

# Initialize decoder input ids (typically starts with a special token)
```

```python
decoder_input_ids         =         torch.ones((1,        1),        dtype=torch.long)        *
model.config.decoder_start_token_id

# Process through decoder with encoder outputs
decoder_outputs = decoder(
    input_ids=decoder_input_ids,
    encoder_hidden_states=encoder_outputs.last_hidden_state,
    return_dict=True
)

# Get predictions from language modeling head
lm_logits = model.lm_head(decoder_outputs.last_hidden_state)
predicted_id = torch.argmax(lm_logits[0, -1]).item()

print(f"First predicted token in translation: '{tokenizer.decode([predicted_id])}'")
print(f"Encoder output shape: {encoder_outputs.last_hidden_state.shape}")
print(f"Decoder output shape: {decoder_outputs.last_hidden_state.shape}")
```

Analisi del Codice: Modello Encoder-Decoder T5

- **Panoramica dell'Architettura del Modello (Righe 4-6)**

    o   T5 (Text-to-Text Transfer Transformer) segue una classica architettura encoder-decoder, ma con un approccio unico

    o   A differenza di molti modelli che si specializzano in compiti specifici, T5 riformula *tutti* i task di NLP come problemi text-to-text

    o   La variante "t5-base" usata qui contiene circa 220M di parametri

- **Prefissi di Task (in tutto il codice)**

    o   La caratteristica distintiva di T5 è l'uso di prefissi specifici per il task per gestire diversi compiti di NLP

    o   Le righe 19, 39 e 64 mostrano prefissi diversi: "summarize:", "translate English to French:" e "question: ... context:"

    o   Questo approccio permette agli stessi pesi del modello di gestire più task senza ulteriore fine-tuning

    o   Il prefisso funge da specifica del task che aiuta il modello a capire quale trasformazione eseguire

- **Capacità Multi-Task (Esempi 1-3)**

    o   Il codice dimostra la versatilità di T5 su tre distinti task di NLP:

    o   Summarization (Righe 8-35): condensare un testo lungo in una versione più breve preservando le informazioni chiave

    o   Translation (Righe 37-56): convertire un testo da una lingua a un'altra

- o Question Answering (Righe 58-78): estrarre informazioni rilevanti dal contesto per rispondere a una domanda specifica
- o Tutti i task usano esattamente gli stessi pesi del modello — cambia solo il formato dell'input

- **Parametri di Generazione (Righe 24-32, 46-50, 68-72)**
  - o **max_length/min_length**: controllano i vincoli di lunghezza della sequenza di output
  - o **length_penalty**: regola la preferenza per la lunghezza della sequenza (valori > 1.0 favoriscono output più lunghi)
  - o **num_beams**: implementa la beam search, esplorando simultaneamente più percorsi di generazione
  - o **no_repeat_ngram_size**: impedisce la ripetizione di frasi della lunghezza specificata
  - o **early_stopping**: termina la generazione una volta trovate sequenze complete

- **Separazione Encoder-Decoder (Righe 80-105)**
  - o Il codice espone il funzionamento interno dell'architettura encoder-decoder:
  - o Prima, l'encoder elabora l'intera sequenza di input, creando rappresentazioni contestualizzate (Riga 85)
  - o Poi, il decoder inizia con un token speciale e genera i token di output uno per uno (Righe 90-94)
  - o Il decoder presta attenzione sia agli output dell'encoder (tramite cross-attention) sia ai propri output precedenti
  - o La language modeling head (Riga 97) converte gli hidden states del decoder in probabilità sul vocabolario
  - o Le shape stampate alla fine mostrano come l'informazione scorre attraverso la rete

- **Principali Vantaggi Architetturali**
  - o L'encoder di T5 costruisce rappresentazioni bidirezionali dell'input, catturando il contesto completo
  - o Il decoder genera testo in modo autoregressivo mentre presta attenzione alla rappresentazione dell'encoder
  - o I meccanismi di cross-attention permettono al decoder di concentrarsi sulle parti rilevanti dell'input
  - o L'approccio basato sui prefissi consente una flessibilità notevole con un unico modello
  - o Il design encoder-decoder eccelle nei task che richiedono una trasformazione strutturale tra input e output

Questo esempio di T5 dimostra la flessibilità dei modelli encoder-decoder per diversi task di NLP. Inquadrando tutto come un problema text-to-text e usando prefissi di task, T5 fornisce un approccio unificato all'elaborazione del linguaggio. La separazione tra comprensione (encoder) e generazione (decoder) permette a questi modelli di gestire trasformazioni complesse con cui i modelli decoder-only spesso faticano.

1.2.3 Mixture-of-Experts (MoE)

Il design Mixture-of-Experts è il punto in cui le cose si fanno interessanti — e complicate. Modelli come **Mixtral** e alcuni **Switch Transformers** di Google usano questo approccio. Questa innovazione architetturale rappresenta uno dei progressi più significativi nello scaling efficiente dei modelli linguistici. A differenza dei modelli tradizionali, in cui ogni parametro partecipa all'elaborazione di ogni token, i modelli MoE allocano dinamicamente le risorse computazionali. Contengono più sottoreti neurali specializzate (gli "experts") che sviluppano capacità specifiche durante l'addestramento.

Un sofisticato meccanismo di routing esamina ogni token di input e lo indirizza solo verso gli experts più rilevanti. Questa attivazione selettiva consente ai modelli MoE di crescere fino a dimensioni enormi — spesso centinaia di miliardi o addirittura trilioni di parametri — mantenendo costi di inferenza e tempi di training ragionevoli. Il concetto si ispira a ricerche neuroscientifiche secondo cui il cervello umano non si attiva completamente per ogni compito cognitivo, ma coinvolge invece circuiti neurali specializzati quando necessario. Questa riprogettazione fondamentale di come le reti neurali elaborano le informazioni ha permesso progressi sia nella scala dei modelli sia nel rapporto performance-per-compute.

Come funziona:

Invece di usare ogni parametro in ogni forward pass, il modello ha più "experts" (piccole sottoreti). Un **router** decide quali experts devono gestire un determinato token di input. In genere, solo una piccola frazione degli experts è attiva alla volta, il che crea una significativa efficienza computazionale.

La rete router funziona come un sofisticato controllore che esamina ogni token di input e prende decisioni intelligenti su quali experts attivare. Durante il training, ogni expert si specializza gradualmente nella gestione di specifici pattern linguistici, domini di conoscenza o tipi di token. Per esempio, un expert potrebbe diventare particolarmente abile nell'elaborazione di contenuti matematici, mentre un altro potrebbe eccellere nella gestione di espressioni idiomatiche. Questa specializzazione avviene in modo organico durante il training senza programmazione esplicita, poiché ogni expert tende naturalmente verso i pattern che elabora con maggiore efficacia.

Man mano che il modello elabora miliardi di esempi, gli experts sviluppano "preferenze" distinte per certi tipi di contenuto. Alcuni potrebbero specializzarsi nella terminologia scientifica, altri nella struttura narrativa, nel contenuto emotivo o nel ragionamento logico. Questa specializzazione emergente crea una naturale divisione del lavoro all'interno della rete neurale che rispecchia il modo in cui le organizzazioni umane spesso assegnano compiti specializzati a chi possiede le competenze più rilevanti.

Questo meccanismo di routing usa una funzione appresa che produce una distribuzione di probabilità su tutti gli experts disponibili per ciascun token. Il sistema seleziona poi i top-k experts con le probabilità più alte. Gli experts selezionati elaborano il token in modo indipendente e i loro output vengono combinati (tipicamente tramite una somma pesata basata sui punteggi di confidenza del router) per produrre la rappresentazione finale. La pesatura del router garantisce che gli experts più rilevanti per il token corrente abbiano maggiore influenza sul risultato finale.

Per esempio, quando elabora la parola "mitochondria" in un contesto scientifico, il router potrebbe assegnare alta probabilità agli experts specializzati nella terminologia biologica, dando punteggi più bassi agli experts che gestiscono il linguaggio generale o altri domini. Questa attivazione mirata assicura che i percorsi neurali più rilevanti elaborino ogni singolo elemento informativo.

La rete router impara a identificare quale expert è specializzato nell'elaborazione di particolari tipi di token o pattern, prendendo decisioni in base alle caratteristiche dell'input. Questo schema di attivazione sparsa è ciò che conferisce ai modelli MoE la loro efficienza computazionale. Attivando solo un piccolo sottoinsieme dei parametri totali per ciascun token, i modelli MoE raggiungono una straordinaria efficienza parametrica mantenendo o addirittura migliorando le prestazioni. Questo approccio di calcolo selettivo cambia radicalmente l'economia dello scaling dei large language models, rendendo possibili architetture da trilioni di parametri che altrimenti sarebbero troppo costose da addestrare e distribuire.

Perché è importante

MoE consente di costruire modelli con **un numero totale di parametri enorme** ma con **un costo computazionale per token più basso,** poiché solo pochi esperti vengono utilizzati alla volta. Questo significa che puoi addestrare un modello da un trilione di parametri senza pagare il costo di un trilione di parametri per ogni token.

I risparmi computazionali sono sostanziali: se hai 8 esperti ma ne attivi solo 2 per ogni token, stai effettivamente utilizzando solo il 25% dei parametri totali per ogni forward pass. Questo si traduce in notevoli guadagni di efficienza sia durante l'addestramento che durante l'inferenza.

Per mettere questo in prospettiva, i modelli densi tradizionali presentano una correlazione diretta tra numero di parametri e costo computazionale: raddoppiare i parametri significa raddoppiare i requisiti computazionali. MoE rompe questo vincolo attivando i parametri in modo selettivo.

Questa attivazione selettiva crea diversi vantaggi significativi:

- **Maggiore capacità del modello senza aumenti proporzionali dei costi**: I modelli tradizionali affrontano problemi di scalabilità lineare: raddoppiare i parametri raddoppia il calcolo. Le architetture MoE rompono questo vincolo permettendo ai modelli di crescere fino a dimensioni enormi (trilioni di parametri) attivando solo una piccola frazione per ogni input, offrendo così più conoscenza e capacità senza l'intero peso computazionale. Questo rappresenta un cambiamento fondamentale nel paradigma di scalabilità delle reti neurali. Nei transformer densi convenzionali, ogni parametro partecipa all'elaborazione di ogni token, creando una relazione diretta tra dimensione del modello e requisiti computazionali.

Ad esempio, se GPT-3 con 175B parametri richiede X risorse computazionali, un modello da 350B richiederebbe circa 2X risorse sia per l'addestramento che per l'inferenza. I modelli MoE interrompono questa relazione implementando il calcolo condizionale. Con 8 esperti per livello ma solo 1-2 attivi per token, un modello MoE da un trilione di parametri può avere costi di inferenza simili a un modello denso con 1/4 o 1/8 delle sue dimensioni. Questo permette a ricercatori e aziende di costruire modelli con capacità di rappresentazione della conoscenza e di ragionamento enormemente ampliate, mantenendo i costi computazionali sostenibili. L'approccio crea un rapporto molto più favorevole tra parametri e computazione, rendendo commercialmente sostenibili scale di modello prima impossibili.

- **Uso più efficiente delle risorse computazionali sia durante l'addestramento che durante l'inferenza**: Attivando solo gli esperti più rilevanti per ogni token, i modelli MoE riducono drasticamente i FLOPS (operazioni in virgola mobile) richiesti. Questo si traduce in cicli di addestramento più rapidi, inferenza più economica e possibilità di distribuire modelli più grandi sulla stessa infrastruttura hardware. Considera il risparmio computazionale: in un modello con 8 esperti in cui solo 2 vengono attivati per token, stai utilizzando solo il 25% dei parametri totali per ogni forward pass. Questa riduzione dei parametri attivi è direttamente correlata a un minor numero di moltiplicazioni matriciali e operazioni matematiche.

Durante l'addestramento, questa efficienza comporta cicli di iterazione più rapidi nello sviluppo del modello, minori ore GPU/TPU per ogni esecuzione di training, possibilità di utilizzare batch più grandi sullo stesso hardware e minori requisiti di memoria per memorizzare gradienti e stati dell'ottimizzatore. Per l'inferenza, i benefici sono altrettanto significativi: minore latenza nelle risposte in ambienti di produzione, maggiore throughput per unità di calcolo, riduzione dell'impronta di memoria durante il deployment, scalabilità più economica per applicazioni ad alto volume e capacità di servire più utenti contemporaneamente con la stessa infrastruttura. Questa innovazione architetturale rompe di fatto le leggi di scalabilità tradizionali, in cui i requisiti computazionali crescono linearmente o superlinearmente con la dimensione del modello, rendendo sostenibili scale prima impraticabili.

- **Capacità di gestire compiti specializzati attraverso la specializzazione degli esperti**: Durante l'addestramento, diversi esperti si specializzano naturalmente nel gestire tipi specifici di contenuto o pattern linguistici. Un esperto può eccellere nel ragionamento matematico, un altro nei riferimenti culturali, e altri ancora in domini specifici come medicina o diritto. Questa specializzazione crea una divisione naturale del lavoro che migliora le prestazioni complessive del modello su compiti diversi.

  - Questa specializzazione emerge organicamente durante l'addestramento tramite backpropagation. Man mano che il router impara a indirizzare i token verso gli esperti più efficaci, questi sviluppano specializzazioni distinte. Ad esempio:

  - Un esperto matematico può sviluppare neuroni che si attivano fortemente per pattern numerici, equazioni e operazioni logiche

  - Un esperto culturale può diventare sensibile a idiomi, riferimenti e concetti specifici di una cultura

  - Esperti di dominio possono adattare i loro pesi per elaborare meglio terminologia medica, linguaggio legale o gergo tecnico

  - La ricerca ha dimostrato che analizzando i modelli MoE si possono spesso identificare pattern chiari di specializzazione osservando quali input attivano determinati esperti. Questa specializzazione emergente avviene senza programmazione esplicita: è semplicemente la rete che trova la divisione del lavoro più efficiente.

  - Il risultato è simile a quello delle organizzazioni umane che beneficiano della specializzazione, con ogni esperto altamente efficiente nel gestire i "propri" pattern linguistici.

  - Questa specializzazione è particolarmente utile per gestire la "long tail" di compiti rari ma importanti che i modelli generalisti possono faticare a gestire. Avendo esperti dedicati a domini meno comuni, i modelli MoE mantengono alte prestazioni su una gamma più ampia di input senza richiedere che ogni parametro sia generalista.

- **Riduzione del consumo energetico e dell'impronta di carbonio rispetto a modelli densi equivalenti**: L'impatto ambientale dell'IA è una crescente preoccupazione. I modelli MoE aiutano ad affrontare questo problema ottenendo prestazioni comparabili o superiori con molta meno computazione. Studi mostrano che le architetture MoE possono ridurre il consumo energetico del 30–70% rispetto a modelli densi con capacità simili, rendendole più sostenibili dal punto di vista ambientale. Questo beneficio deriva da diversi fattori:

- L'attivazione selettiva degli esperti comporta meno moltiplicazioni matriciali e operazioni matematiche per token

- Minori requisiti di banda di memoria durante l'inferenza si traducono direttamente in un consumo energetico ridotto

- L'addestramento richiede meno ore GPU/TPU per raggiungere prestazioni comparabili

- L'intensità di carbonio dell'addestramento è significativamente ridotta grazie a un utilizzo più efficiente dei parametri

- Il deployment su larga scala porta a riduzioni significative nel consumo energetico dei data center

Con la continua crescita dei modelli di IA e della loro diffusione, questi guadagni di efficienza diventano sempre più rilevanti sia dal punto di vista economico che ambientale. Le aziende che adottano architetture MoE possono promuovere le proprie soluzioni IA come alternative più sostenibili, beneficiando allo stesso tempo di costi operativi inferiori. Questo allineamento tra incentivi economici e ambientali rende MoE particolarmente interessante in un contesto in cui le organizzazioni sono sempre più sotto pressione per ridurre la propria impronta di carbonio.

Questa architettura consente ai modelli di scalare a dimensioni senza precedenti mantenendo i costi di inferenza gestibili, rendendo i modelli da trilioni di parametri economicamente sostenibili per applicazioni commerciali, e non solo curiosità di ricerca.

Dettagli tecnici

Il router implementa tipicamente un meccanismo di gating "top-k", selezionando k esperti tra i N totali per ogni token. Il router calcola una distribuzione di probabilità su tutti gli esperti e seleziona quelli con la probabilità di attivazione più alta. Durante l'addestramento, questo crea una divisione del lavoro specializzata tra gli esperti.

Approfondiamo come funziona questo meccanismo di routing, che è il cuore di ciò che rende le architetture MoE così potenti ed efficienti:

- Per ogni token o sequenza di input, la rete del router elabora l'input tramite una piccola rete neurale (spesso solo un singolo strato lineare seguito da softmax). Questo componente leggero agisce come un "guardiano" che esamina le proprietà semantiche e contestuali di ogni token per determinare quali esperti possano gestirlo nel modo più efficace. L'architettura del router è volutamente semplice per ridurre al minimo l'overhead computazionale pur prendendo decisioni intelligenti di instradamento. Il singolo strato lineare trasforma l'embedding del token in un punteggio logit per ogni esperto, essenzialmente chiedendo "quanto è rilevante questo esperto per questo token specifico?". Questi logit vengono poi passati attraverso una funzione softmax per convertirli in una distribuzione di probabilità.

La softmax garantisce che tutti i punteggi siano positivi e sommino a 1.0, permettendo di interpretarli come probabilità di instradamento. Ciò che rende potente questo meccanismo è il modo in cui impara a riconoscere pattern durante l'addestramento. Man mano che il modello viene addestrato su testi diversi, il router impara gradualmente a identificare caratteristiche linguistiche, domini di contenuto e pattern contestuali che predicono quali esperti funzioneranno meglio. Ad esempio, il router potrebbe imparare che i token legati alla terminologia scientifica attivano un esperto, mentre i token in contesti narrativi attivano un altro. Questa specializzazione emergente avviene automaticamente tramite backpropagation senza alcuna programmazione esplicita di regole.

- Questo processo produce un vettore di probabilità di routing — essenzialmente un punteggio per ogni esperto che indica quanto sia adatto a elaborare l'input corrente. Questi punteggi rappresentano la fiducia del router che ciascun esperto possieda conoscenze specializzate rilevanti per il token corrente. Il meccanismo di routing funziona come un controllore del traffico intelligente, indirizzando ogni token alle unità di elaborazione più appropriate in base al contenuto e al contesto. Quando il router analizza un token, valuta simultaneamente numerose caratteristiche: proprietà lessicali (la parola stessa), informazioni contestuali (le parole circostanti), significato semantico e persino la posizione nella sequenza.

Questa analisi multidimensionale permette al router di prendere decisioni sofisticate sull'allocazione degli esperti. Ad esempio, token legati a concetti matematici potrebbero generare punteggi elevati per esperti specializzati nel ragionamento numerico durante l'addestramento. Allo stesso modo, token in discorsi scientifici potrebbero attivare esperti che hanno sviluppato rappresentazioni per la terminologia tecnica, mentre token in testi narrativi potrebbero essere instradati verso esperti specializzati in pattern narrativi o relazioni tra personaggi. Questa specializzazione avviene in modo organico durante l'addestramento: man mano che alcuni esperti elaborano ripetutamente contenuti simili, i loro parametri si ottimizzano gradualmente per quei pattern specifici. La bellezza di questa specializzazione emergente è che è completamente guidata dai dati e non progettata manualmente. Il modello scopre queste divisioni naturali del lavoro linguistico attraverso il processo di addestramento stesso.

- Il sistema seleziona quindi i top-k esperti (tipicamente k=1 o k=2) con i punteggi di probabilità più alti. L'uso di un valore k piccolo mantiene l'efficienza computazionale pur fornendo sufficiente potenza di elaborazione specializzata. Questo meccanismo di gating sparso è fondamentale: garantisce che solo una piccola frazione dei parametri totali del modello venga attivata per ogni token.

Questo processo funziona così:

1. Per ogni token, il router calcola i punteggi per tutti gli esperti disponibili (che possono variare da 8 a 128 o più nei modelli grandi).

2. Solo i k esperti con i punteggi più alti vengono attivati, mentre tutti gli altri rimangono inattivi per quel token specifico.

3. Se k=1, un solo esperto elabora ogni token, massimizzando l'efficienza ma potenzialmente limitando la capacità del modello di combinare diversi tipi di competenze.

4. Se k=2 (più comune nelle implementazioni moderne), due esperti contribuiscono all'elaborazione di ogni token, consentendo una certa combinazione di competenze mantenendo comunque un'ottima efficienza.

5. Questo schema di attivazione sparsa significa che in un modello con 8 esperti e k=2, solo il 25% dei parametri di quel livello è attivo per ogni token.

Il valore di k rappresenta un compromesso importante: valori più alti offrono maggiore capacità espressiva e potenzialmente migliori prestazioni, ma al costo di un aumento del calcolo. La maggior parte delle implementazioni commerciali trova che k=2 offra un equilibrio ottimale tra prestazioni ed efficienza. Questa attivazione selettiva è ciò che permette ai modelli MoE di raggiungere un'elevata efficienza dei parametri mantenendo o persino migliorando le prestazioni rispetto ai modelli densi.

- Ogni esperto selezionato elabora l'input in modo indipendente, generando la propria rappresentazione in uscita. Ogni esperto è essenzialmente una rete neurale feed-forward che ha sviluppato conoscenze specializzate durante l'addestramento. La bellezza di questo sistema è che queste specializzazioni emergono naturalmente senza programmazione esplicita.

  - Durante l'elaborazione, ogni esperto applica il proprio insieme unico di pesi e bias per trasformare i token di input. Queste trasformazioni riflettono le capacità specializzate sviluppate durante l'addestramento.

  - La specializzazione degli esperti include tipicamente:

  - Esperti di ragionamento matematico con neuroni che si attivano fortemente per pattern numerici e operazioni logiche

  - Esperti linguistici che eccellono nell'elaborazione di linguaggio figurato, idiomi e riferimenti culturali

  - Esperti di dominio con rappresentazioni ottimizzate per ambiti come medicina, diritto o informatica

  - Questa specializzazione avviene tramite la normale backpropagation durante l'addestramento. Poiché il router indirizza costantemente tipi simili di token allo stesso esperto, i parametri di quell'esperto si ottimizzano progressivamente per quei pattern specifici.

  - La natura emergente di questa specializzazione è particolarmente potente: invece di essere programmata esplicitamente, il modello scopre da solo la divisione del lavoro più efficiente. Questa auto-organizzazione consente al sistema di sviluppare un insieme molto più ricco di capacità specializzate rispetto a una rete densa equivalente.

- Queste uscite vengono poi combinate tramite una somma pesata, con pesi proporzionali alle probabilità di routing. Questo garantisce che gli esperti con punteggi di fiducia più alti contribuiscano maggiormente all'output finale.

La formulazione matematica può essere espressa come:

output = Σ(probability_i × expert_output_i)

dove probability_i è il punteggio di fiducia del router per l'esperto i, ed expert_output_i è il risultato prodotto da quell'esperto.

Questa combinazione pesata svolge diverse funzioni critiche:

1. Crea una fusione fluida di diverse conoscenze specializzate, permettendo al modello di sintetizzare informazioni da più esperti contemporaneamente.

2. Mantiene la differenziabilità dell'intero sistema, assicurando che i gradienti possano fluire correttamente durante la backpropagation per addestrare sia gli esperti che il router.

3. Implementa una forma di ensemble learning a livello di token, in cui più reti neurali specializzate contribuiscono a ogni predizione in base alla loro rilevanza.

Questo meccanismo è particolarmente potente quando si elaborano input ambigui o che coinvolgono più domini di conoscenza. Ad esempio, una domanda che combina terminologia medica e concetti statistici può beneficiare del contributo sia di un esperto medico che di uno matematico, con la somma pesata che crea una combinazione armoniosa delle due competenze.

Questo meccanismo di routing è differenziabile, il che significa che può essere addestrato end-to-end insieme al resto del modello tramite backpropagation. Con il progredire dell'addestramento, il router impara a identificare pattern nell'input che indicano quali esperti funzioneranno meglio, mentre contemporaneamente gli esperti stessi diventano sempre più specializzati.

Il bilanciamento del carico tra esperti rappresenta una sfida significativa nei modelli MoE. Senza vincoli adeguati, il router potrebbe utilizzare eccessivamente alcuni esperti trascurandone altri. Per affrontare questo problema, l'addestramento include tipicamente termini di perdita ausiliari che incoraggiano un utilizzo uniforme degli esperti tra i batch, garantendo che tutti ricevano un segnale di addestramento sufficiente per sviluppare specializzazioni utili.

Analogia

Immagina un ospedale: invece di far visitare ogni paziente da ogni medico, un infermiere di triage indirizza ogni paziente allo specialista giusto. L'ospedale nel suo complesso è enorme, ma paghi solo il costo dell'esperto rilevante per ogni visita. Proprio come gli specialisti medici sviluppano competenze in diverse condizioni, gli esperti MoE si specializzano nell'elaborazione di diversi pattern linguistici o domini di conoscenza.

Per approfondire: quando entri in un pronto soccorso, vieni prima valutato da un infermiere di triage che analizza la tua condizione. Questo infermiere non ti cura direttamente, ma prende una decisione cruciale su quale specialista ti serve — magari un cardiologo per dolori al petto, un ortopedico per una frattura o un neurologo per mal di testa. Questo processo di instradamento è sorprendentemente simile a come il router MoE analizza ogni token e lo indirizza all'esperto appropriato.

Continuando l'analogia, l'ospedale impiega decine di specialisti, ma tu interagisci solo con pochi durante una visita. Allo stesso modo, un modello MoE può contenere centinaia di reti neurali esperte, ma ne attiva solo alcune per ogni token. Questa attivazione selettiva è ciò che rende i modelli MoE così efficienti: ottieni i benefici di una rete neurale enorme senza pagarne l'intero costo computazionale.

Inoltre, proprio come gli specialisti medici sviluppano competenze attraverso anni di formazione mirata ed esperienza con casi specifici, gli esperti MoE evolvono naturalmente capacità specializzate attraverso l'esposizione ripetuta a pattern simili durante l'addestramento. Un neurochirurgo non ha bisogno di essere esperto in dermatologia, così come un esperto MoE non deve eccellere in tutti i compiti linguistici — può concentrarsi nel diventare eccezionale nel proprio dominio specifico.

Pseudo-codice illustrativo: forward pass MoE semplificato

```python
import torch
import torch.nn as nn
```

```python
import torch.nn.functional as F
import matplotlib.pyplot as plt
import numpy as np

class Expert(nn.Module):
    """
    Individual expert neural network that specializes in processing certain inputs.
    Each expert is a simple feedforward network with configurable architecture.
    """
    def __init__(self, input_dim, hidden_dim, output_dim, dropout_rate=0.1):
        super().__init__()
        self.layer1 = nn.Linear(input_dim, hidden_dim)
        self.layer2 = nn.Linear(hidden_dim, hidden_dim)
        self.layer3 = nn.Linear(hidden_dim, output_dim)
        self.dropout = nn.Dropout(dropout_rate)

    def forward(self, x):
        """Forward pass through the expert network"""
        x = F.relu(self.layer1(x))
        x = self.dropout(x)
        x = F.relu(self.layer2(x))
        x = self.dropout(x)
        return self.layer3(x)

class Router(nn.Module):
    """
    Router network that determines which experts should process each input.
    Implements a differentiable top-k gating mechanism.
    """
    def __init__(self, input_dim, num_experts):
        super().__init__()
        self.gate = nn.Linear(input_dim, num_experts)

    def forward(self, x):
        """Compute routing probabilities for each expert"""
        return F.softmax(self.gate(x), dim=-1)

class MoELayer(nn.Module):
    """
    Mixture of Experts layer that routes inputs to a subset of experts.
    """
    def __init__(self, input_dim, hidden_dim, output_dim, num_experts=8, k=2,
                 capacity_factor=1.25, dropout_rate=0.1):
        super().__init__()
        self.num_experts = num_experts
        self.k = k  # number of experts to select per input
        # Create a set of expert networks
        self.experts = nn.ModuleList([
            Expert(input_dim, hidden_dim, output_dim, dropout_rate)
            for _ in range(num_experts)
        ])
        # Router network to decide which experts to use
```

```python
        self.router = Router(input_dim, num_experts)
        # Capacity factor controls expert allocation buffer
        self.capacity_factor = capacity_factor

        # For tracking expert utilization during training/inference
        self.register_buffer('expert_counts', torch.zeros(num_experts))

    def forward(self, x, return_metrics=False):
        """
        Forward pass through the MoE layer
        Args:
            x: Input tensor of shape [batch_size, input_dim]
            return_metrics: Whether to return metrics about expert utilization
        """
        batch_size = x.shape[0]

        # Get routing probabilities from the router
        routing_probs = self.router(x)  # [batch_size, num_experts]

        # Select top-k experts for each input
        routing_weights, indices = torch.topk(routing_probs, self.k, dim=-1)  # Both
[batch_size, k]

        # Normalize the routing weights for the selected experts
        routing_weights = routing_weights / routing_weights.sum(dim=-1, keepdim=True)

        # Initialize output tensor
        final_output = torch.zeros((batch_size, self.experts[0].layer3.out_features),
                                   device=x.device)

        # Update expert utilization counts for monitoring
        if self.training:
            for expert_idx in range(self.num_experts):
                self.expert_counts[expert_idx]         +=         (indices         ==
expert_idx).sum().item()

        # Process inputs through selected experts
        for i in range(self.k):
            # For each position in the top-k
            expert_indices = indices[:, i]  # [batch_size]
            expert_weights = routing_weights[:, i].unsqueeze(-1)  # [batch_size, 1]

            # Process each selected expert
            for expert_idx in range(self.num_experts):
                # Find which batch elements are routed to this expert
                mask = (expert_indices == expert_idx)
                if mask.sum() > 0:
                    # Get the inputs that are routed to this expert
                    expert_inputs = x[mask]
                    # Process these inputs with the expert
                    expert_output = self.experts[expert_idx](expert_inputs)
                    # Scale the output by the routing weights
```

```python
                    scaled_output = expert_output * expert_weights[mask]
                    # Add to the final output tensor
                    final_output[mask] += scaled_output

        if return_metrics:
            # Calculate load balancing metrics
            expert_utilization = self.expert_counts / self.expert_counts.sum()
            metrics = {
                'expert_utilization': expert_utilization,
                'routing_weights': routing_weights,
                'selected_experts': indices
            }
            return final_output, metrics

        return final_output

class MoEModel(nn.Module):
    """
    Full model with multiple MoE layers
    """
    def __init__(self, input_dim, hidden_dim, output_dim, num_layers=2,
                 num_experts=8, k=2, dropout_rate=0.1):
        super().__init__()
        self.layers = nn.ModuleList()

        # Input layer
        self.input_layer = nn.Linear(input_dim, hidden_dim)

        # MoE layers
        for _ in range(num_layers):
            self.layers.append(
                MoELayer(hidden_dim, hidden_dim, hidden_dim, num_experts, k,
dropout_rate=dropout_rate)
            )

        # Output layer
        self.output_layer = nn.Linear(hidden_dim, output_dim)

    def forward(self, x, return_metrics=False):
        metrics_list = []

        x = F.relu(self.input_layer(x))

        for layer in self.layers:
            if return_metrics:
                x, metrics = layer(x, return_metrics=True)
                metrics_list.append(metrics)
            else:
                x = layer(x)

        output = self.output_layer(x)
```

```python
        if return_metrics:
            return output, metrics_list
        return output

# Visualization helper function
def visualize_expert_utilization(model):
    """Visualize the expert utilization in the model"""
    plt.figure(figsize=(12, 6))

    for i, layer in enumerate(model.layers):
        plt.subplot(1, len(model.layers), i+1)
        utilization = layer.expert_counts.cpu().numpy()
        utilization = utilization / utilization.sum()

        plt.bar(range(layer.num_experts), utilization)
        plt.title(f'Layer {i+1} Expert Utilization')
        plt.xlabel('Expert Index')
        plt.ylabel('Utilization Ratio')

    plt.tight_layout()
    plt.show()

# Example usage
if __name__ == "__main__":
    # Create a sample dataset
    batch_size = 32
    input_dim = 64
    hidden_dim = 128
    output_dim = 10
    num_experts = 8
    k = 2

    # Initialize model
    model = MoEModel(
        input_dim=input_dim,
        hidden_dim=hidden_dim,
        output_dim=output_dim,
        num_layers=2,
        num_experts=num_experts,
        k=k
    )

    # Generate random input data
    input_tensor = torch.randn(batch_size, input_dim)

    # Forward pass
    output, metrics = model(input_tensor, return_metrics=True)

    print(f"Input shape: {input_tensor.shape}")
    print(f"Output shape: {output.shape}")

    # Print expert utilization for the first layer
```

```python
print("\\nExpert utilization for layer 1:")
utilization = metrics[0]['expert_utilization'].cpu().numpy()
for i, util in enumerate(utilization):
    print(f"Expert {i}: {util:.4f}")

# Calculate loss (example with classification task)
target = torch.randint(0, output_dim, (batch_size,))
loss_fn = nn.CrossEntropyLoss()
loss = loss_fn(output, target)
print(f"\\nSample loss: {loss.item():.4f}")

# Visualize expert utilization
visualize_expert_utilization(model)
```

Analisi completa dell'implementazione della Mixture of Experts (MoE):

1. Componenti principali:

- **Modulo Expert:** Ogni esperto è una rete neurale specializzata implementata come una rete feed-forward a 3 strati con attivazioni ReLU e dropout per la regolarizzazione. Questi esperti imparano a elaborare tipi specifici di input durante l'addestramento.

- **Modulo Router:** Il router è una rete neurale che esamina ogni input e decide quali esperti debbano elaborarlo. Implementa la funzionalità di "gatekeeper" descritta nel testo, calcolando una distribuzione di probabilità su tutti gli esperti disponibili.

- **MoELayer:** Questo componente combina router ed esperti, implementando il meccanismo di routing top-k in cui solo k esperti (tipicamente 2) vengono attivati per ogni input. Il router calcola le probabilità di routing, seleziona i top-k esperti e combina le loro uscite con una somma pesata.

- **MoEModel:** Un'architettura di modello completa con più layer MoE, che consente un'elaborazione gerarchica profonda mantenendo al tempo stesso l'efficienza computazionale.

2. Meccanismi chiave:

- **Selezione Top-k:** Per ogni input, il router seleziona solo k esperti su n (dove $k \ll n$), riducendo drasticamente i costi computazionali rispetto ai modelli densi.

- **Combinazione pesata:** Le uscite degli esperti selezionati vengono pesate in base ai punteggi di fiducia del router e sommate per produrre l'output finale, implementando la formulazione matematica descritta: output = Σ(probability_i × expert_output_i).

- **Tracciamento dell'utilizzo degli esperti:** Il codice monitora quanto frequentemente viene utilizzato ciascun esperto, il che aiuta a controllare il bilanciamento del carico — un aspetto critico menzionato nel testo per garantire che tutti gli esperti ricevano un segnale di addestramento sufficiente.

3. Funzionalità avanzate:

- **Monitoraggio del bilanciamento del carico:** L'implementazione tiene traccia dell'utilizzo degli esperti, affrontando la sfida menzionata nel testo relativa al rischio che alcuni esperti vengano usati eccessivamente mentre altri vengano trascurati.

- **Visualizzazione:** La funzionalità di visualizzazione aggiunta aiuta a monitorare la specializzazione degli esperti durante l'addestramento, mostrando come i diversi esperti vengono utilizzati nella rete.

- **Raccolta delle metriche:** Il codice restituisce metriche dettagliate sulle decisioni di routing e sull'utilizzo degli esperti, utili per analizzare come il modello distribuisce la computazione.

4. I principali vantaggi che questo codice dimostra:

- **Efficienza dei parametri:** Solo una frazione dei parametri del modello viene attivata per ogni input, dimostrando come MoE raggiunga l'efficienza computazionale.

- **Computazione condizionale:** L'attivazione selettiva degli esperti implementa l'analogia del "triage ospedaliero" descritta nel testo, in cui gli input vengono instradati solo verso gli specialisti pertinenti.

- **Specializzazione emergente:** Durante l'addestramento, gli esperti si specializzerebbero naturalmente in diversi tipi di input, creando una divisione del lavoro che emerge senza programmazione esplicita.

Questo esempio illustra come le architetture MoE permettano ai modelli di raggiungere dimensioni senza precedenti mantenendo costi di inferenza gestibili, attivando solo un piccolo sottoinsieme di parametri per ogni input.

Esempio di codice: Mixture of Experts (MoE) basata su TensorFlow

```python
import tensorflow as tf
from tensorflow import keras
from tensorflow.keras import layers
import numpy as np
import matplotlib.pyplot as plt

class ExpertLayer(keras.layers.Layer):
    """
    Single expert layer implementation in TensorFlow
    """
    def __init__(self, hidden_units, output_units, dropout_rate=0.1):
        super(ExpertLayer, self).__init__()
        self.dense1 = layers.Dense(hidden_units, activation='relu')
        self.dense2 = layers.Dense(hidden_units, activation='relu')
        self.dense3 = layers.Dense(output_units)
        self.dropout = layers.Dropout(dropout_rate)

    def call(self, inputs, training=False):
        x = self.dense1(inputs)
        x = self.dropout(x, training=training)
        x = self.dense2(x)
        x = self.dropout(x, training=training)
```

```python
        return self.dense3(x)

class MoEGating(keras.layers.Layer):
    """
    Gating network for routing inputs to experts
    """

    def __init__(self, num_experts):
        super(MoEGating, self).__init__()
        self.gate = layers.Dense(num_experts)

    def call(self, inputs):
        # Apply softmax to get routing probabilities
        return tf.nn.softmax(self.gate(inputs), axis=-1)

class MoESparseTFLayer(keras.layers.Layer):
    """
    Sparse Mixture of Experts layer with top-k routing
    """

    def __init__(self, num_experts, expert_hidden_units, expert_output_units,
                 k=2, dropout_rate=0.1, noisy_gating=True):
        super(MoESparseTFLayer, self).__init__()
        self.num_experts = num_experts
        self.k = k
        self.noisy_gating = noisy_gating

        # Create experts
        self.experts = [
            ExpertLayer(expert_hidden_units, expert_output_units, dropout_rate)
            for _ in range(num_experts)
        ]

        # Create gating network
        self.gating = MoEGating(num_experts)

        # Expert importance metrics
        self.importance = self.add_weight(
            shape=(num_experts,),
            initializer="zeros",
            trainable=False,
            name="importance"
        )

        # Expert load/capacity tracking
        self.load = self.add_weight(
            shape=(num_experts,),
            initializer="zeros",
            trainable=False,
            name="load"
        )

    def call(self, inputs, training=False):
        batch_size = tf.shape(inputs)[0]
```

```python
        # Get gating weights (routing probabilities)
        if self.noisy_gating and training:
            # Add noise to encourage exploration during training
            noise       =       tf.random.normal(shape=[batch_size,       self.num_experts],
stddev=1.0)
            raw_gates = self.gating(inputs) * tf.exp(noise)
        else:
            raw_gates = self.gating(inputs)

        # Get top-k experts for each input
        gate_vals, gate_indices = tf.math.top_k(raw_gates, k=self.k)

        # Normalize gate values (probabilities must sum to 1)
        gate_vals = gate_vals / tf.reduce_sum(gate_vals, axis=1, keepdims=True)

        # Create dispatch and combine tensors
        # These determine which expert processes which input
        expert_inputs = tf.TensorArray(
            inputs.dtype, size=self.num_experts, dynamic_size=False
        )
        expert_gates = tf.TensorArray(
            gate_vals.dtype, size=self.num_experts, dynamic_size=False
        )
        expert_indexes = tf.TensorArray(
            tf.int32, size=self.num_experts, dynamic_size=False
        )

        # Count expert assignments for load balancing
        if training:
            # Update importance (how much each expert contributes to outputs)
            importance_increment = tf.reduce_sum(gate_vals, axis=0)
            self.importance.assign_add(importance_increment)

            # Update load (how many examples each expert processes)
            # One-hot matrix of expert assignments
            mask = tf.one_hot(gate_indices, depth=self.num_experts)
            # Convert to boolean to indicate whether expert i is used for input j
            mask = tf.reduce_sum(mask, axis=1) > 0
            mask = tf.cast(mask, tf.float32)
            load_increment = tf.reduce_sum(mask, axis=0)
            self.load.assign_add(load_increment)

        # Route inputs to the correct experts
        for expert_idx in range(self.num_experts):
            # For each expert, find inputs that should be routed to it
            expert_mask = tf.reduce_any(
                tf.equal(gate_indices, expert_idx), axis=1
            )
            # Get indices of matching inputs
            idx = tf.where(expert_mask)
            # Get the corresponding inputs
```

```python
            expert_input = tf.gather_nd(inputs, idx)
            # Get corresponding routing weights
            gate_idx = tf.where(tf.equal(gate_indices, expert_idx))
            expert_gate = tf.gather_nd(gate_vals, gate_idx)

            # Store in tensor arrays
            expert_inputs = expert_inputs.write(expert_idx, expert_input)
            expert_gates = expert_gates.write(expert_idx, expert_gate)
            expert_indexes = expert_indexes.write(expert_idx, tf.squeeze(idx, axis=-
1))

        # Process inputs through experts and combine outputs
        final_output    =    tf.zeros((batch_size,    self.experts[0].dense3.units),
dtype=inputs.dtype)

        for expert_idx in range(self.num_experts):
            # Get data for this expert
            expert_input = expert_inputs.read(expert_idx)
            expert_gate = expert_gates.read(expert_idx)
            expert_index = expert_indexes.read(expert_idx)

            if tf.shape(expert_input)[0] == 0:
                # Skip if no inputs routed to this expert
                continue

            # Process through the expert
            expert_output = self.experts[expert_idx](expert_input, training=training)

            # Weight the expert's output by the gating values
            expert_output = expert_output * tf.expand_dims(expert_gate, axis=1)

            # Add to the final output at the correct indices
            # This requires scatter_nd to place results at the right positions in
final_output
            final_output = tf.tensor_scatter_nd_add(
                final_output,
                tf.expand_dims(expert_index, axis=1),
                expert_output
            )

        return final_output

    def get_metrics(self):
        """Return metrics about expert utilization"""
        total_importance = tf.reduce_sum(self.importance)
        total_load = tf.reduce_sum(self.load)

        # Fraction of samples routed to each expert
        importance_fraction = self.importance / (total_importance + 1e-10)
        # Fraction of non-zero expert activations
        load_fraction = self.load / (total_load + 1e-10)
```

```python
        return {
            "importance": self.importance,
            "load": self.load,
            "importance_fraction": importance_fraction,
            "load_fraction": load_fraction
        }

class MoETFModel(keras.Model):
    """
    Full Mixture of Experts model with multiple MoE layers
    """
    def __init__(self, input_dim, hidden_dim, output_dim, num_experts=8,
                 num_layers=2, k=2, dropout_rate=0.1):
        super(MoETFModel, self).__init__()

        # Input embedding layer
        self.input_layer = layers.Dense(hidden_dim, activation='relu')

        # MoE layers
        self.moe_layers = []
        for _ in range(num_layers):
            self.moe_layers.append(
                MoESparseTFLayer(
                    num_experts=num_experts,
                    expert_hidden_units=hidden_dim,
                    expert_output_units=hidden_dim,
                    k=k,
                    dropout_rate=dropout_rate
                )
            )

        # Output layer
        self.output_layer = layers.Dense(output_dim)

    def call(self, inputs, training=False):
        x = self.input_layer(inputs)

        for moe_layer in self.moe_layers:
            x = moe_layer(x, training=training)

        return self.output_layer(x)

    def get_expert_metrics(self):
        """Retrieve metrics from all MoE layers"""
        metrics = []
        for i, layer in enumerate(self.moe_layers):
            metrics.append((f"Layer {i+1}", layer.get_metrics()))
        return metrics

# Helper function to visualize expert utilization
def visualize_expert_metrics(model):
    """Visualize expert metrics across all MoE layers"""
```

```python
    metrics = model.get_expert_metrics()

    fig, axes = plt.subplots(len(metrics), 2, figsize=(12, 4 * len(metrics)))

    for i, (layer_name, layer_metrics) in enumerate(metrics):
        # Plot importance fraction
        axes[i, 0].bar(range(len(layer_metrics["importance_fraction"])),
                    layer_metrics["importance_fraction"].numpy())
        axes[i, 0].set_title(f"{layer_name} - Expert Importance")
        axes[i, 0].set_xlabel("Expert Index")
        axes[i, 0].set_ylabel("Importance Fraction")

        # Plot load fraction
        axes[i, 1].bar(range(len(layer_metrics["load_fraction"])),
                    layer_metrics["load_fraction"].numpy())
        axes[i, 1].set_title(f"{layer_name} - Expert Load")
        axes[i, 1].set_xlabel("Expert Index")
        axes[i, 1].set_ylabel("Load Fraction")

    plt.tight_layout()
    plt.show()

# Example usage
if __name__ == "__main__":
    # Parameters
    input_dim = 64
    hidden_dim = 128
    output_dim = 10
    num_experts = 8
    k = 2
    batch_size = 32

    # Create model
    model = MoETFModel(
        input_dim=input_dim,
        hidden_dim=hidden_dim,
        output_dim=output_dim,
        num_experts=num_experts,
        num_layers=2,
        k=k
    )

    # Compile model
    model.compile(
        optimizer=keras.optimizers.Adam(0.001),
        loss=keras.losses.SparseCategoricalCrossentropy(from_logits=True),
        metrics=["accuracy"]
    )

    # Generate dummy data
    x_train = np.random.random((batch_size, input_dim))
    y_train = np.random.randint(0, output_dim, (batch_size,))
```

```python
# Run forward pass
output = model(x_train, training=True)
print(f"Input shape: {x_train.shape}")
print(f"Output shape: {output.shape}")

# Training example (just 1 batch for demonstration)
model.fit(x_train, y_train, epochs=1, batch_size=batch_size)

# Show expert metrics
visualize_expert_metrics(model)
```

Analisi completa dell'implementazione TensorFlow della Mixture of Experts (MoE):

1. Componenti principali:

- **ExpertLayer:** Simile all'implementazione in PyTorch, ogni esperto è una rete neurale a 3 strati con attivazioni ReLU e dropout. L'implementazione TensorFlow utilizza l'API Keras per una definizione dei layer più pulita.

- **MoEGating:** La rete di routing/gating che determina quali esperti devono elaborare ogni input. Produce una distribuzione di probabilità su tutti gli esperti.

- **MoESparseTFLayer:** È il cuore dell'implementazione MoE che gestisce il routing sparso degli input verso solo k esperti su tutti quelli disponibili. Include meccanismi per il bilanciamento del carico e l'aggiunta di rumore durante l'addestramento.

- **MoETFModel:** Un'architettura completa che combina più layer MoE in una rete profonda.

2. Differenze tecniche chiave rispetto all'implementazione PyTorch:

- **Uso di TensorArray:** A differenza dell'indicizzazione diretta di PyTorch, TensorFlow utilizza TensorArray per raccogliere dinamicamente input e output per ciascun esperto, gestendo la natura sparsa del calcolo MoE.

- **Operazioni Scatter:** TensorFlow utilizza tensor_scatter_nd_add per reinserire gli output degli esperti nelle posizioni corrette nel tensore finale.

- **Noisy Gating:** Questa implementazione include un'aggiunta opzionale di rumore ai logit del gating durante l'addestramento, utile per prevenire il problema "rich get richer" della specializzazione degli esperti menzionato nel paper originale.

- **Tracciamento esplicito delle metriche:** L'implementazione TensorFlow traccia sia l'importanza (contributo agli output) sia il carico (frequenza di utilizzo) come metriche separate.

3. Funzionalità avanzate:

- **Bilanciamento del carico:** L'implementazione traccia esplicitamente due metriche chiave: (1) importanza — quanto ogni esperto contribuisce agli output finali, e (2) carico — quanto frequentemente ogni esperto viene attivato.

- **Gestione della capacità:** Il codice gestisce i casi in cui nessun input venga assegnato a determinati esperti, cosa importante per un addestramento efficiente.

- **Modalità training/inferenza:** L'implementazione distingue tra fase di addestramento e inferenza, applicando rumore solo durante il training per favorire l'esplorazione.

- **Integrazione con Keras:** Essendo implementata come layer e modelli Keras, beneficia dell'ecosistema TensorFlow per training, salvataggio e deployment.

4. Principali insight dell'implementazione:

- **Flusso di computazione sparsa:** Il codice dimostra come implementare un pattern di attivazione sparsa in cui solo un sottoinsieme di esperti elabora ogni input, creando efficienza computazionale.

- **Visualizzazione dell'utilizzo degli esperti:** Le funzioni di visualizzazione aiutano a monitorare se gli esperti si stanno specializzando correttamente o se alcuni sono sottoutilizzati.

- **Gestione del routing dinamico:** L'implementazione mostra come instradare input diversi verso esperti diversi all'interno dello stesso batch, uno degli aspetti più complessi dei modelli MoE.

Questa implementazione TensorFlow mostra gli stessi principi fondamentali MoE della versione PyTorch, ma con approcci tecnici diversi alla computazione sparsa. Il tracciamento dettagliato dell'utilizzo degli esperti aiuta a risolvere la sfida chiave del bilanciamento del carico nelle architetture MoE, garantendo che tutti gli esperti ricevano un segnale di addestramento sufficiente mantenendo al contempo l'efficienza computazionale.

1.2.4 Mettere tutto insieme

Architetture decoder-only

Questi modelli eccellono nei **compiti generativi** in cui devono produrre nuovi contenuti a partire da prompt di input. Operano prevedendo il token successivo in una sequenza, risultando particolarmente efficaci per completamento del testo, scrittura creativa e conversazione. Il vantaggio principale delle architetture decoder-only è la loro capacità di mantenere un "filo di pensiero" coerente su contesti lunghi.

I modelli decoder-only sono computazionalmente efficienti perché elaborano solo in una direzione (da sinistra a destra), rendendoli ideali per applicazioni in tempo reale. Utilizzano maschere di attenzione causale che impediscono al modello di vedere i token futuri, semplificando il calcolo e imponendo la proprietà autoregressiva che li rende generatori efficaci.

Questa architettura è diventata dominante nei chatbot moderni (come ChatGPT e Claude) e negli assistenti di codice (come GitHub Copilot) grazie alla loro capacità di mantenere il contesto mentre generano risposte coerenti e contestualmente appropriate. Esempi noti includono GPT-4, LLaMA, Claude e PaLM, che hanno dimostrato capacità impressionanti nella comprensione del contesto, nel seguire istruzioni e nel produrre testo simile a quello umano.

L'obiettivo di addestramento basato sulla previsione del prossimo token consente a questi modelli di apprendere pattern linguistici che si trasferiscono bene a un'ampia gamma di task downstream, spesso con minimo fine-tuning o tramite tecniche come few-shot learning e prompt engineering. Questa adattabilità ha reso le architetture decoder-only la base della maggior parte dei modelli linguistici di grandi dimensioni oggi in uso.

Architetture encoder-decoder

Questi modelli eccellono nei compiti che richiedono sia una comprensione profonda sia un output strutturato. Per la **traduzione**, possono elaborare completamente la frase sorgente prima di generare il testo nella lingua target. Per la **sintesi (summarization)**, comprendono l'intero input prima di produrre un output conciso. Sono anche eccellenti per **task strutturati** come estrazione di dati e question answering, dove la relazione tra input e output richiede comprensione bidirezionale.

La potenza dei modelli encoder-decoder deriva dal loro approccio in due fasi. L'encoder legge e processa l'intera sequenza di input, creando una rappresentazione contestuale ricca che cattura relazioni semantiche, dipendenze e sfumature. Questa comprensione viene poi passata al decoder, che genera l'output token per token mentre presta attenzione alle parti rilevanti della rappresentazione codificata.

L'attenzione bidirezionale nella fase di encoding è particolarmente preziosa. A differenza dei modelli decoder-only, che elaborano il testo solo da sinistra a destra, gli encoder-decoder considerano le parole sia rispetto al contesto precedente che a quello successivo. Questo consente di gestire meglio ambiguità, risolvere riferimenti e catturare dipendenze a lungo raggio nei testi complessi.

Modelli come T5, BART e mT5 dimostrano la versatilità di queste architetture. Eccellono nei task che richiedono trasformazioni tra formati o lingue diverse mantenendo il significato. La loro capacità di comprendere completamente l'input prima di generare output li rende particolarmente adatti ad applicazioni dove precisione e fedeltà strutturale sono fondamentali.

Mixture of Experts (MoE)

Questa architettura rappresenta una **svolta nell'efficienza di scalabilità** nell'AI. A differenza dei modelli tradizionali, in cui ogni parametro viene utilizzato per ogni input, i modelli MoE attivano solo un sottoinsieme dei loro parametri (gli "esperti" rilevanti) per ogni input. Questo permette loro di crescere fino a dimensioni enormi (centinaia di miliardi o trilioni di parametri) mantenendo costi computazionali gestibili.

Alla base, un layer MoE è composto da più reti neurali "esperte" (spesso feed-forward) e da una rete router che determina quali esperti devono elaborare ciascun token. Il router agisce come un meccanismo di gating addestrabile che impara a instradare diversi tipi di input verso gli esperti più adatti in base al task.

Ad esempio, durante l'elaborazione di testo di fisica, il router può attivare esperti specializzati nel ragionamento scientifico, mentre un testo finanziario può essere indirizzato verso esperti con conoscenze in economia e matematica. Questa specializzazione consente un uso più efficiente dei parametri, poiché ogni esperto può concentrarsi su un dominio specifico invece di essere generalista.

Il principio di sparsità è fondamentale per l'efficienza MoE: tipicamente, solo 1–2 esperti (su decine o centinaia) vengono attivati per ogni token. Questo significa che, pur avendo un numero totale di parametri enorme, il calcolo effettivo rimane gestibile. Questo approccio di "computazione condizionale" separa di fatto la capacità del modello dal costo computazionale.

Modelli come Gemini di Google e Claude 3 di Anthropic utilizzano tecniche MoE per ottenere maggiori capacità senza aumenti proporzionali dei costi computazionali. Inoltre, sistemi come Mixtral 8x7B di Microsoft e NVIDIA hanno dimostrato come le architetture MoE possano superare modelli densi con un numero simile di parametri attivi.

Scegliere l'architettura giusta non è solo una questione teorica. Ha un impatto diretto su diversi aspetti critici del sistema AI:

Latenza (velocità di risposta): I modelli decoder-only spesso forniscono risposte iniziali più rapide, poiché possono iniziare a generare immediatamente, mentre gli encoder-decoder possono avere una latenza iniziale maggiore perché elaborano tutto l'input prima. I modelli MoE possono offrire una latenza migliore rispetto alla loro capacità effettiva, anche se l'overhead del router può diventare significativo in alcune implementazioni.

Costi (training e inferenza): I costi di addestramento crescono drasticamente con la dimensione del modello, richiedendo hardware specializzato ed elevate risorse energetiche. I costi di inferenza influenzano direttamente la fattibilità del deployment — i modelli decoder-only scalano linearmente con la lunghezza della sequenza, mentre gli encoder-decoder concentrano il calcolo all'inizio. I modelli MoE offrono un vantaggio significativo, attivando solo una frazione dei parametri per input, riducendo i costi complessivi.

Scalabilità: La scelta dell'architettura limita quanto grandi possono diventare i modelli. I transformer densi affrontano complessità quadratica nell'attenzione. Le architetture MoE hanno dimostrato una scalabilità superiore, permettendo modelli da trilioni di parametri con risorse computazionali ragionevoli grazie all'attivazione sparsa.

Adattamento all'applicazione: Ogni architettura ha punti di forza specifici — decoder-only per generazione open-ended, encoder-decoder per trasformazioni strutturate, MoE per gestire task diversificati tramite esperti specializzati. Il caso d'uso deve guidare la scelta: ad esempio, chat in tempo reale favoriscono decoder-only, mentre traduzioni precise beneficiano di encoder-decoder.

Comprendere questi compromessi è essenziale per sviluppare sistemi AI efficaci che bilancino prestazioni e vincoli pratici. La scelta architetturale corretta può fare la differenza tra un prodotto commercialmente sostenibile e uno tecnicamente impressionante ma troppo costoso da scalare.

1.3 Scaling Laws: Kaplan, Chinchilla e Trade-Off tra Dati e Modello

Quando le persone guardano GPT-4 o Gemini e vedono miliardi (o addirittura trilioni) di parametri, è naturale chiedersi: *perché più grande è importante?*

La risposta si trova nelle **scaling laws** — semplici relazioni matematiche che mostrano come le prestazioni del modello migliorano aumentando **parametri, dimensione del dataset e compute**. Queste leggi spiegano perché i modelli piccoli raggiungono presto un plateau, perché alcuni modelli diventano più intelligenti semplicemente addestrandosi più a lungo e perché a volte i dati contano più della dimensione pura.

Le scaling laws sono essenzialmente osservazioni empiriche che seguono relazioni di tipo power law. Per esempio, aumentando la dimensione del modello di 10x, non si ottiene un miglioramento di 10x nelle prestazioni — invece, si osserva un guadagno più coerente e prevedibile secondo una formula matematica. Queste relazioni sono state osservate in diverse architetture e compiti, suggerendo che rappresentano proprietà fondamentali dell'apprendimento nelle reti neurali.

Per ingegneri e ricercatori, queste leggi forniscono una guida cruciale. Aiutano a rispondere a domande come: "Se raddoppio il mio budget di compute, dovrei usarlo per rendere il modello più grande o addestrarlo più a lungo?" oppure "Quanto migliorerà il mio modello se aumento la sua dimensione di 8x?" Senza le scaling laws, lo sviluppo dell'AI comporterebbe molta più incertezza e spreco di risorse.

È importante anche capire che esistono diversi regimi di scaling. In alcune regioni, raddoppiare i parametri può portare miglioramenti significativi, mentre in altre i rendimenti diminuiscono drasticamente. Comprendere dove si trovano questi punti di flesso aiuta le organizzazioni a prendere decisioni strategiche sui propri investimenti in AI.

Vediamo le principali scoperte:

1.3.1 The Kaplan Scaling Laws (2020)

Nel 2020, i ricercatori di OpenAI guidati da Jared Kaplan pubblicarono il lavoro fondamentale "Scaling Laws for Neural Language Models", che rivelò qualcosa di straordinario sul comportamento dei modelli linguistici. Questa ricerca rivoluzionaria analizzò la relazione tra le prestazioni del modello e tre fattori chiave: dimensione del modello, dimensione del dataset e risorse computazionali.

- Aumentando **dimensione del modello, dimensione del dataset e compute**, le prestazioni sui benchmark seguivano una **power law prevedibile** — cioè miglioramenti che seguivano curve matematiche regolari e coerenti, invece di salti imprevedibili o plateau. Queste power laws mostrano che i miglioramenti possono essere modellati con formule semplici, tipicamente nella forma $y = x^a$ dove a è una costante minore di 1.

- Questo significa che raddoppiando parametri o dati, si può prevedere con sorprendente precisione quanto migliorerà il modello. Queste relazioni si mantengono su più ordini di grandezza, suggerendo proprietà fondamentali su come le reti neurali apprendono il linguaggio. Per esempio, raddoppiare il numero di parametri può migliorare costantemente le prestazioni di una certa percentuale, indipendentemente dal fatto che si passi da 1 milione a 2 milioni o da 1 miliardo a 2 miliardi di parametri.

- La ricerca ha rivelato relazioni matematiche specifiche: la loss del modello diminuisce secondo una power law rispetto alla dimensione del modello, alla dimensione del dataset e al budget computazionale. Questo ha permesso ai ricercatori di fare previsioni quantitative su quanto i modelli migliorano con più risorse.

- Forse ancora più importante, queste scaling laws hanno fornito un framework sistematico per comprendere i trade-off tra diversi approcci di scaling. Hanno mostrato che esistono modi ottimali per allocare risorse computazionali limitate tra dimensione del modello e durata dell'addestramento.

Questo è stato il momento in cui la comunità AI ha capito: *non esiste un limite chiaro*. A differenza dei paradigmi precedenti che sembravano raggiungere rapidamente rendimenti decrescenti, i transformer sembravano migliorare continuamente con la scala. Questa intuizione ha cambiato radicalmente il modo in cui le aziende affrontano lo sviluppo dell'AI, avviando una corsa alla costruzione di modelli sempre più grandi. Ha suggerito che continuare a investire in modelli più grandi avrebbe prodotto ritorni prevedibili, spostando l'industria da miglioramenti qualitativi tramite innovazioni architetturali a miglioramenti quantitativi tramite lo scaling di architetture esistenti.

Le Tre Dimensioni dello Scaling: Comprendere la Crescita degli LLM

Parametri (N)

Il numero di pesi nella rete neurale che possono essere aggiornati durante l'addestramento. Rappresentano la capacità del modello di immagazzinare pattern, relazioni e conoscenza. Si possono immaginare i parametri come le "cellule cerebrali" del modello — più parametri significano maggiore capacità di riconoscere pattern e memorizzare informazioni.

I parametri svolgono diverse funzioni fondamentali in un LLM, contribuendo alle capacità complessive del modello:

1. **Memorizzazione della conoscenza**: ogni parametro contribuisce alla capacità del modello di memorizzare fatti, concetti e informazioni dai dati di training. Più parametri permettono di immagazzinare conoscenza più granulare in domini diversi. Per esempio, un modello piccolo potrebbe sapere solo che "Parigi è in Francia", mentre uno più grande può includere dettagli sugli arrondissement, eventi storici, stili architettonici e sfumature culturali. Questa capacità ampliata consente risposte più accurate e dettagliate su un'ampia gamma di argomenti.

2. **Riconoscimento dei pattern**: i parametri codificano pattern statistici osservati durante l'addestramento. Più parametri permettono di riconoscere pattern linguistici sempre più sottili e complessi, incluse costruzioni grammaticali rare e terminologia specifica di dominio. Mentre i modelli più piccoli possono avere difficoltà con strutture insolite o vocabolari tecnici, quelli più grandi possono gestire correttamente gergo legale, terminologia scientifica, figure retoriche e dialetti regionali. Questo migliora anche la capacità di interpretare ironia, metafore e linguaggio figurato.

3. **Comprensione contestuale**: i parametri aiutano il modello a tracciare relazioni tra parole su lunghe distanze nel testo. Con più parametri, i modelli mantengono coerenza su passaggi più lunghi e risolvono meglio le ambiguità. Questo è cruciale per compiti che richiedono comprensione profonda, come rispondere a domande su documenti complessi o mantenere il filo di una conversazione multi-turno. I modelli più grandi possono seguire relazioni tra personaggi, argomentazioni complesse e mantenere coerenza tematica senza perdere il contesto.

4. **Capacità di astrazione**: un numero maggiore di parametri consente rappresentazioni gerarchiche più sofisticate, permettendo al modello di ragionare su più livelli di astrazione simultaneamente. Questo consente di comprendere non solo il significato letterale, ma anche strutture concettuali, implicazioni logiche e scenari ipotetici. I modelli più grandi possono affrontare problemi multi-step, creare analogie tra domini diversi e generare connessioni creative tra idee. Questa capacità è alla base di abilità emergenti come il chain-of-thought reasoning e l'in-context learning.

All'aumentare dei parametri, i modelli riescono a catturare relazioni linguistiche sempre più complesse e sfumate. GPT-3 aveva 175B parametri, mentre GPT-4 è stimato avere trilioni. Ogni parametro richiede memoria e risorse computazionali durante l'addestramento, influenzando fortemente i requisiti hardware. La relazione tra numero di parametri e capacità del modello segue una power law — raddoppiare i parametri non raddoppia l'intelligenza, ma produce miglioramenti coerenti e prevedibili secondo le scaling laws.

Dimensione del dataset (D)

Il numero di token visti durante l'addestramento. Un token equivale approssimativamente a 3/4 di una parola in inglese. La qualità e la diversità di questi dati determinano in modo fondamentale ciò che il modello può apprendere.

La dimensione del dataset è cruciale per diversi motivi chiave:

- L'**ampiezza della conoscenza** che un modello può acquisire è direttamente proporzionale ai dati di training. Dati più diversificati significano esposizione a più fatti, concetti e domini informativi. Per esempio, un modello addestrato solo su letteratura inglese avrà difficoltà con contenuti scientifici o tecnici, mentre uno addestrato su più domini può passare senza problemi da Shakespeare alla fisica quantistica. Questa ampiezza influisce direttamente sull'utilità del modello per applicazioni generali rispetto a compiti specializzati.

- La **diversità linguistica** nel dataset determina la capacità del modello di comprendere diversi dialetti, registri e vocabolari specialistici. I modelli addestrati su pattern linguistici limitati faticano con forme di linguaggio non familiari. Per esempio, un modello addestrato principalmente su testi accademici formali può avere difficoltà con espressioni colloquiali, dialetti regionali o gergo tecnico. Al contrario, modelli addestrati su dati linguistici diversificati riescono a comprendere e generare risposte adeguate in vari contesti, dalle conversazioni informali alla documentazione professionale.

- I **pattern di ragionamento** presenti nei dati influenzano il modo in cui il modello affronta la risoluzione dei problemi. L'esposizione ad argomentazioni logiche, ragionamento scientifico e pensiero creativo modella le capacità cognitive del modello. Modelli addestrati su dati ricchi di spiegazioni passo-passo, dimostrazioni matematiche e deduzioni logiche sviluppano abilità analitiche più forti. Allo stesso modo, l'esposizione a scrittura creativa, analogie e metafore migliora la capacità di generare connessioni e intuizioni nuove. L'assenza di determinati pattern nei dati può creare punti ciechi significativi nel processo decisionale del modello.

- Il **contesto culturale** incorporato nei dati di training influisce sulla comprensione delle norme sociali, dei riferimenti storici e delle sfumature culturali. Questo determina quanto il modello riesce a generare risposte contestualmente appropriate. Un modello addestrato principalmente su testi occidentali può fraintendere riferimenti culturali asiatici o africani, producendo risposte inappropriate o insensibili. Una rappresentazione culturale diversificata aiuta i modelli a riconoscere e rispettare diversi punti di vista, tradizioni e aspettative sociali. Questa consapevolezza è fondamentale per l'utilizzo globale dei modelli.

Dati diversificati e di alta qualità espongono il modello a più domini di conoscenza, stili di scrittura e pattern di ragionamento. I moderni large language models sono addestrati su trilioni di token provenienti da internet, libri, articoli accademici, repository di codice e altre fonti.

La curazione dei dati è diventata sempre più importante, poiché i ricercatori hanno scoperto che non tutti i token contribuiscono allo stesso modo alle prestazioni del modello. La qualità, la diversità e la struttura dei dati possono influenzare drasticamente l'apprendimento. Alcuni risultati chiave includono:

- **Dati istruzionali di alta qualità e esempi guidati offrono benefici sproporzionati rispetto al testo web generico.** La ricerca mostra che modelli addestrati su esempi ben strutturati, dimostrazioni passo-passo e contenuti di alta qualità apprendono più efficientemente. Per esempio, poche migliaia di token di ragionamento matematico ben organizzato possono migliorare le capacità di problem solving più di milioni di token di testo generico. Per questo tecniche come RLHF (Reinforcement Learning from Human Feedback) e instruction tuning sono diventate fondamentali per sviluppare sistemi AI utili, sicuri e affidabili.

- **Rimuovere contenuti ripetitivi o a bassa informazione migliora significativamente l'efficienza di apprendimento.** Studi dimostrano che dataset deduplicati producono modelli migliori rispetto a raccolte web grezze della stessa dimensione. Oggi si usano tecniche avanzate per filtrare contenuti con poca informazione unica, come testi ripetitivi, contenuti generati automaticamente o duplicati. Questo approccio di "data diet" aumenta la densità informativa del dataset.

- **Una rappresentazione bilanciata dei domini previene bias e lacune di conoscenza.** Modelli addestrati principalmente su certi tipi di contenuto sviluppano punti di forza e debolezze corrispondenti. Le pipeline moderne bilanciano esplicitamente contenuti tra scienza, humanities, scrittura creativa, documentazione tecnica e fonti multilingue. Questo porta a modelli più completi e riduce il rischio di output distorti. Alcuni ricercatori utilizzano anche tecniche di campionamento adattivo per bilanciare dinamicamente i dati in base alle prestazioni del modello.

Ricerche recenti suggeriscono che la qualità dei dati può essere più importante della quantità, con modelli che mostrano miglioramenti significativi quando addestrati su dataset più piccoli ma accuratamente curati.

Compute (C)

I FLOPs (floating point operations) utilizzati durante l'addestramento, che rappresentano il lavoro computazionale grezzo eseguito. Il compute determina quanto a fondo un modello può apprendere dai suoi dati. Questa risorsa critica può essere vista come il "budget di apprendimento" del modello: più compute permette un apprendimento più esteso ed efficace.

Per capire l'importanza del compute nello sviluppo degli LLM, considera che ogni operazione matematica eseguita durante il training, come un'addizione o una moltiplicazione, conta come un FLOP. I moderni LLM richiedono quintilioni (10^{18}) o persino yottaflops (10^{24}) di operazioni durante l'addestramento. Questo enorme fabbisogno computazionale ha diverse implicazioni chiave:

- La **profondità dell'apprendimento** è direttamente correlata al compute disponibile. Proprio come gli studenti hanno bisogno di tempo per padroneggiare materie complesse, i modelli hanno bisogno di risorse computazionali per elaborare a fondo gli esempi di training ed estrarre pattern significativi. Un compute limitato costringe a scorciatoie nell'apprendimento, simili allo studio intensivo dell'ultimo minuto invece di una comprensione profonda. Questo si manifesta in vari modi: modelli con compute insufficiente possono memorizzare pattern superficiali senza cogliere i concetti sottostanti, avere difficoltà con esempi rari che richiedono più elaborazione per essere integrati correttamente e sviluppare rappresentazioni fragili che generalizzano male a situazioni nuove. La dimensione della profondità è particolarmente importante per capacità complesse come il ragionamento, in cui il modello deve esplorare interdipendenze articolate tra concetti e non solo correlazioni superficiali.

- La **qualità dell'ottimizzazione** dipende dalle risorse di compute. Con più compute, i modelli possono esplorare più a fondo lo spazio dei parametri, trovando soluzioni migliori che generalizzano bene su dati non visti. Un compute limitato porta spesso a soluzioni subottimali, in cui il modello rimane "bloccato" in minimi locali. È simile a camminare in una catena montuosa avvolta dalla nebbia: con visibilità limitata, potresti fermarti sulla prima vetta trovata, senza sapere che ce ne sono di molto più alte poco più in là. Un compute abbondante consente tecniche come learning rate scheduling, periodi di cooldown più lunghi e tentativi multipli di restart che possono aiutare a trovare configurazioni dei parametri davvero ottimali. La ricerca mostra che modelli con architettura identica ma traiettorie di ottimizzazione diverse possono avere capacità molto differenti, evidenziando quanto questa dimensione spesso trascurata sia cruciale.

- I **vincoli ambientali ed economici** rendono il compute una risorsa preziosa. L'addestramento di modelli frontier può produrre emissioni di carbonio equivalenti a centinaia di voli transatlantici e costare decine di milioni di dollari. Questi limiti del mondo reale costringono ricercatori e aziende a valutare attentamente i trade-off tra capacità del modello e uso delle risorse. L'impatto ambientale varia molto in base alle fonti energetiche dei data center, da opzioni relativamente pulite come idroelettrico o nucleare fino a impianti alimentati a carbone che amplificano l'impronta ecologica. Oltre agli aspetti ambientali, i costi economici creano forti disuguaglianze nella possibilità di partecipare alla ricerca AI d'avanguardia, con laboratori accademici e startup sempre meno in grado di competere con le grandi divisioni di ricerca aziendali. Questa concentrazione di capacità solleva domande importanti su chi controlli la traiettoria di sviluppo di sistemi AI sempre più potenti.

- Le **innovazioni hardware** come acceleratori AI specializzati, tra cui TPU e GPU, hanno aumentato drasticamente il compute disponibile, rendendo possibili modelli che solo pochi anni fa sarebbero stati irrealizzabili. Ogni nuova generazione di hardware riduce di fatto il "prezzo" del compute, rendendo economicamente sostenibili modelli prima irraggiungibili. Il passaggio da CPU a GPU e poi ad acceleratori AI dedicati ha prodotto miglioramenti di vari ordini di grandezza nelle prestazioni per dollaro. Questi progressi derivano da vari fattori: maggiore parallelizzazione che consente più operazioni simultanee, unità specializzate per la moltiplicazione di matrici che accelerano le operazioni centrali delle reti neurali, aritmetica a precisione ridotta che sacrifica un po' di accuratezza per enormi guadagni di throughput e innovazioni architetturali come la memoria on-chip che riduce i colli di bottiglia del trasferimento dati. La coevoluzione di hardware e algoritmi AI ha creato un ciclo virtuoso in cui nuovo hardware rende possibili modelli più ambiziosi, che a loro volta alimentano la domanda di hardware ancora più specializzato.

Con più compute, i modelli possono migliorare significativamente i loro processi di apprendimento in diversi modi fondamentali:

- **Addestrarsi per più epoche**: effettuare più passaggi attraverso i dati di training consente al modello di estrarre più pattern e sfumature. Ogni epoca aggiuntiva offre un'altra opportunità per affinare la comprensione di relazioni complesse nei dati, in particolare per pattern rari o sottili che potrebbero essere ignorati nei primi passaggi. Questo è particolarmente importante per apprendere concetti gerarchici, in cui i pattern di base devono essere padroneggiati prima di comprendere quelli più complessi. Per esempio, un modello potrebbe aver bisogno di più passaggi su esempi matematici per capire prima le operazioni di base e poi le dimostrazioni più avanzate. La ricerca mostra che diversi tipi di conoscenza emergono in momenti differenti del training: il richiamo dei fatti si sviluppa prima, mentre le capacità di ragionamento emergono più tardi, evidenziando l'importanza di una durata di addestramento adeguata.

- **Utilizzare batch più grandi**: elaborare più esempi simultaneamente porta a aggiornamenti dei gradienti più stabili e a una convergenza potenzialmente più rapida. Batch più grandi forniscono un campione più rappresentativo della distribuzione dei dati a ogni aggiornamento, riducendo la varianza nel processo di apprendimento e permettendo learning rate più elevati. Questo è particolarmente importante quando si lavora con dataset molto diversificati, dove batch piccoli potrebbero contenere campioni poco rappresentativi. Per esempio, nel training su dati multilingue, batch grandi assicurano che il modello veda esempi di molte lingue in ogni aggiornamento, invece di sovradattarsi alla lingua dominante in un batch piccolo. Ricerche recenti mostrano anche che batch grandi permettono un'elaborazione parallela più efficiente su migliaia di GPU, riducendo drasticamente il tempo reale di addestramento dei modelli più avanzati.

- **Applicare tecniche di ottimizzazione più sofisticate**: con più compute diventano fattibili metodi come l'ottimizzazione di secondo ordine o un tuning estensivo degli iperparametri, portando a una qualità del modello superiore. I metodi di primo ordine come Adam offrono un buon equilibrio tra efficienza e prestazioni, ma approcci più costosi possono trovare soluzioni migliori nello spazio dei parametri. Per esempio, metodi quasi-Newton che approssimano la matrice Hessiana possono navigare il paesaggio di ottimizzazione in modo più efficace, ma richiedono molto più calcolo per ogni passo. Allo stesso modo, tecniche come il population-based training, in cui più varianti del modello vengono addestrate simultaneamente e le configurazioni migliori vengono selezionate e raffinate, possono scoprire set di iperparametri superiori ma moltiplicano il costo computazionale. Queste tecniche avanzate sono particolarmente utili quando si spingono i limiti delle capacità dei modelli o si affrontano dinamiche di training complesse nei modelli molto grandi.

- **Implementare architetture più complesse**: più compute consente l'uso di meccanismi di attenzione con maggiore complessità computazionale o componenti architetturali specializzati che altrimenti sarebbero troppo costosi. Per esempio, modelli con architettura mixture-of-experts, che attivano subnet specializzate in base all'input, possono ottenere prestazioni molto migliori ma richiedono molto più calcolo durante il training. Allo stesso modo, i meccanismi di attenzione completa scalano quadraticamente con la lunghezza della sequenza, rendendoli proibitivi per contesti lunghi senza sufficiente compute. Con più risorse, i ricercatori possono sperimentare nuove architetture come attenzione bidirezionale, reti più profonde con connessioni residuali avanzate o architetture ibride che combinano diversi approcci. Queste innovazioni architetturali spesso guidano i progressi nello stato dell'arte, ma comportano quasi sempre un aumento dei requisiti computazionali.

La scala di compute richiesta dai moderni LLM è impressionante e continua a crescere con ogni nuova generazione di modelli:

- L'addestramento di modelli di grandi dimensioni può richiedere milioni di ore GPU e costare decine di milioni di dollari. Questo significa migliaia di GPU di fascia alta in esecuzione continua per mesi. Per dare un'idea, una singola NVIDIA A100 costa circa $10.000–$15.000, e i cluster di training spesso includono centinaia o migliaia di queste unità collegate tramite reti ad alta velocità.

- Si stima che l'addestramento di GPT-4 sia costato oltre 100 milioni di dollari solo in risorse computazionali. Questo non include i costi di ricerca e sviluppo, la raccolta e curazione dei dati o l'infrastruttura necessaria per ospitare e raffreddare questi enormi cluster. L'investimento totale probabilmente supera diverse centinaia di milioni di dollari considerando tutti i fattori.

- Una singola sessione di training per un modello frontier può consumare abbastanza elettricità da alimentare migliaia di case per un anno. I requisiti energetici sono paragonabili a quelli di alcune strutture industriali, con consumi spesso misurati in megawatt. Questo solleva importanti questioni sull'impatto ambientale e la sostenibilità dello sviluppo AI, soprattutto mentre i modelli continuano a crescere. Alcune stime suggeriscono che l'addestramento di un singolo LLM può generare emissioni di carbonio equivalenti a quelle prodotte da più automobili durante tutta la loro vita utile.

- Le richieste computazionali raddoppiano approssimativamente ogni 6–10 mesi per i modelli allo stato dell'arte, superando la legge di Moore e creando una barriera economica sempre più difficile da superare per organizzazioni senza risorse massive.

Il compute è spesso il fattore limitante principale nello scaling: aumentare parametri o dati senza sufficiente compute porta a modelli sotto-addestrati. La relazione tra compute, parametri e dati crea trade-off fondamentali che ogni ricercatore o ingegnere AI deve gestire:

- **Compute fisso, più parametri** → Richiede ridurre token di training o step di addestramento

Con un budget di compute fisso, aumentare la dimensione del modello costringe a sacrifici altrove. I modelli più grandi richiedono più risorse per ogni passaggio forward e backward durante il training. Per compensare, bisogna ridurre i dati (meno token) o il numero di step. Questo crea una tensione fondamentale: modelli più grandi hanno maggiore capacità, ma potrebbero non raggiungere il loro potenziale se vedono pochi dati o vengono addestrati troppo poco. Questo spiega perché alcuni modelli enormi performano peggio di modelli più piccoli ma meglio addestrati.

- **Compute fisso, più dati** → Richiede ridurre dimensione del modello o step di addestramento

Se si vogliono usare più dati senza aumentare il compute, bisogna ridurre la dimensione del modello o il numero di step. Dati più ricchi e diversificati migliorano generalmente le prestazioni, ma ogni token aggiuntivo ha un costo computazionale. I risultati di Chinchilla suggeriscono che spesso conviene dare priorità ai dati rispetto alla dimensione del modello, ma serve equilibrio. Se il modello è troppo piccolo, non riesce a catturare pattern complessi; se si riducono troppo gli step, il modello potrebbe non convergere correttamente.

- **Compute fisso, più step di training** → Richiede ridurre dimensione del modello o quantità di dati

Addestrare per più step (epoche) permette al modello di apprendere più a fondo, soprattutto per pattern sottili o esempi rari. Tuttavia, con compute limitato, aumentare gli step implica usare un modello più piccolo o meno dati per epoca. Questo approccio è utile quando i dati contengono relazioni complesse che richiedono più passaggi per essere apprese. Molti studi mostrano che un training più lungo, combinato con tecniche come learning rate scheduling e monitoraggio attento, può estrarre molto più valore da una stessa combinazione di modello e dataset.

I ricercatori cercano costantemente miglioramenti algoritmici che riducano i requisiti computazionali senza sacrificare le prestazioni, tra cui:

- **Addestramento a precisione mista (mixed precision training)**: Utilizzo di aritmetica a precisione inferiore (ad esempio 16-bit o 8-bit) per alcune operazioni, al fine di ridurre l'uso della memoria e aumentare il throughput computazionale. L'addestramento tradizionale delle reti neurali utilizza numeri in virgola mobile a 32 bit (FP32), ma molti calcoli non richiedono questo livello di precisione. Utilizzando strategicamente formati a 16 bit (FP16) o persino a 8 bit per alcune operazioni, mantenendo però la precisione a 32 bit dove l'accuratezza è critica, i modelli possono addestrarsi fino a 3-4 volte più velocemente con un impatto minimo sulle prestazioni finali. Questa tecnica è diventata uno standard nella maggior parte delle pipeline moderne di addestramento dei LLM, dove i limiti di memoria sono spesso il principale vincolo per la scalabilità del modello.

- **Meccanismi di attenzione efficienti (efficient attention mechanisms)**: Alternative all'attenzione completa che scalano meglio con la lunghezza della sequenza, come pattern di attenzione sparsa o varianti di attenzione lineare. Il meccanismo standard di self-attention nei transformer richiede una complessità $O(n^2)$ in termini di calcolo e memoria rispetto alla lunghezza della sequenza, creando un collo di bottiglia per l'elaborazione di contesti lunghi. Innovazioni recenti come Flash Attention ottimizzano i pattern di accesso alla memoria per ottenere notevoli accelerazioni, mentre approcci strutturali come Sparse Attention, Longformer e Performer riducono la complessità a $O(n \log n)$ o persino $O(n)$ approssimando l'attenzione completa o considerando solo token selezionati. Questi metodi consentono di elaborare contesti molto più lunghi (10k+ token) senza costi computazionali proibitivi.

- **Fine-tuning efficiente nei parametri (parameter-efficient fine-tuning)**: Metodi come LoRA (Low-Rank Adaptation) che adattano modelli pre-addestrati con un numero minimo di parametri aggiuntivi. Invece di aggiornare tutti i pesi del modello durante il fine-tuning (cosa che può richiedere enormi risorse per modelli con miliardi di parametri), LoRA inserisce piccole matrici addestrabili che modificano il comportamento dei pesi esistenti tramite decomposizione a rango basso. Questo approccio aggiunge tipicamente meno dell'1% al numero totale di parametri, ottenendo prestazioni comparabili al fine-tuning completo. Altre tecniche di questa famiglia includono adapter layers, prefix tuning e prompt tuning, tutte progettate per adattare modelli di grandi dimensioni a compiti o domini specifici minimizzando il costo computazionale.

- **Distillazione del modello (model distillation)**: Trasferimento della conoscenza da modelli più grandi "teacher" a modelli più piccoli "student" per ottenere capacità simili con requisiti computazionali inferiori. Questo processo funziona addestrando il modello più piccolo a imitare le uscite o le rappresentazioni interne del modello più grande, invece di apprendere direttamente dai dati grezzi. La distillazione consente al modello student di beneficiare dei pattern sofisticati appresi dal teacher, risultando molto più efficiente in fase di inferenza. Tecniche avanzate di distillazione possono utilizzare funzioni di perdita specializzate che mirano ad allineare le distribuzioni di probabilità piuttosto che le sole etichette predette, oppure adottare una distillazione progressiva in cui modelli di dimensioni intermedie colmano il divario tra teacher molto grandi e student compatti.

- **Quantizzazione (quantization)**: Conversione dei pesi e delle attivazioni del modello da formati ad alta precisione (virgola mobile a 32 bit) a formati a precisione inferiore (interi a 8 bit o persino 4 bit) dopo l'addestramento. A differenza dell'addestramento a precisione mista, che avviene durante lo sviluppo del modello, la quantizzazione viene solitamente applicata a modelli già addestrati per ridurre l'impronta durante il deployment. Tecniche come GPTQ e QLoRA permettono di eseguire modelli con miliardi di parametri su hardware consumer con una degradazione minima delle prestazioni. I metodi di quantizzazione più avanzati utilizzano dati di calibrazione per determinare i parametri ottimali di quantizzazione per le diverse parti della rete, preservando l'accuratezza nei percorsi critici.

- **Pruning e sparsità (pruning and sparsity)**: Rimozione sistematica delle connessioni non necessarie nelle reti neurali per ridurre il fabbisogno computazionale senza influire significativamente sulle prestazioni. La ricerca ha dimostrato che molti LLM sono sovraparametrizzati, con una notevole ridondanza nelle matrici dei pesi. Tecniche come magnitude pruning, sparsità strutturata e approcci basati sulla lottery ticket hypothesis possono rimuovere fino al 90% dei parametri in alcuni strati mantenendo la maggior parte delle capacità del modello. Questa sparsità può essere sfruttata da acceleratori hardware specializzati per ottenere notevoli aumenti di velocità sia in fase di addestramento che di inferenza.

La legge di Kaplan suggeriva una conclusione provocatoria: **più grande è sempre meglio,** purché si continui a scalare tutto proporzionalmente. Questa scoperta ha innescato una corsa agli armamenti computazionali che continua ancora oggi, con aziende che investono miliardi nella costruzione di sistemi di intelligenza artificiale sempre più grandi.

1.3.2 Il paper Chinchilla (2022)

Poi è arrivato il **paper Chinchilla di DeepMind (2022)**, che ha aggiunto una sfumatura cruciale alla nostra comprensione dello scaling dei LLM. I ricercatori hanno condotto uno studio completo esaminando la relazione tra dimensione del modello, dati di addestramento e prestazioni. Hanno scoperto che molti modelli di grandi dimensioni (incluso GPT-3) erano significativamente **sotto-addestrati (undertrained).** Questi modelli avevano troppi parametri rispetto alla quantità di dati a cui erano stati esposti durante l'addestramento, con conseguenti prestazioni non ottimali.

Questa scoperta è stata rivoluzionaria perché ha messo in discussione l'idea dominante secondo cui rendere i modelli semplicemente più grandi portasse automaticamente a migliori prestazioni. I ricercatori di Chinchilla hanno dimostrato che le risorse computazionali venivano allocate in modo inefficiente: troppo investimento nella dimensione del modello e non abbastanza nei dati di addestramento. Attraverso ampi studi di ablation e un'attenta progettazione sperimentale, hanno mostrato che, operando entro un budget computazionale fisso, la strategia ottimale di allocazione è molto diversa da quanto si pensasse in precedenza.

Il paper ha introdotto quella che oggi è nota come "legge di scaling di Chinchilla", secondo cui, per ottenere prestazioni ottimali, i modelli dovrebbero essere addestrati su circa 20 volte più token rispetto al numero di parametri. Ciò significa che un modello con 10 miliardi di parametri dovrebbe idealmente essere addestrato su circa 200 miliardi di token per raggiungere il suo pieno potenziale. Seguire questa linea guida consente di ottenere migliori prestazioni con le stesse risorse computazionali, creando un percorso più efficiente verso capacità di IA avanzate.

L'intuizione chiave di Chinchilla ha rivoluzionato il modo in cui affrontiamo l'addestramento dei modelli, e comprenderne le implicazioni è fondamentale per lo sviluppo moderno dell'IA:

- A parità di budget computazionale, **è meglio addestrare un modello più piccolo su più dati** piuttosto che un modello enorme su pochi dati. Questo contraddice l'idea dominante secondo cui aumentare la dimensione del modello fosse la via principale per migliorare le prestazioni. Ad esempio, se si hanno risorse per addestrare un modello da 70B parametri su 300B token oppure un modello da 35B parametri su 600B token, il secondo generalmente offrirà prestazioni migliori nonostante abbia meno parametri. Questo risultato aiuta le organizzazioni con risorse limitate a utilizzare in modo più efficiente il proprio budget computazionale.

- In effetti, le prestazioni sono massimizzate quando il numero di token di addestramento è circa **20× il numero di parametri.** Questo rapporto fornisce il bilanciamento ottimale tra capacità del modello ed esposizione a esempi di addestramento diversificati. Il rapporto 20:1 è emerso da ampie verifiche empiriche su diverse dimensioni di modelli e regimi di training. Ad esempio, un modello da 10B parametri dovrebbe idealmente essere addestrato su circa 200B token per raggiungere il punto ottimale di prestazione. Questa linea guida aiuta ricercatori e ingegneri a pianificare meglio le risorse di addestramento.

- Questa scoperta suggerisce che molti dei primi large language models erano fortemente carenti di dati, limitando la loro capacità di generalizzare correttamente nonostante l'elevato numero di parametri. Modelli come GPT-3 (175B parametri) sono stati addestrati su solo una frazione dei dati necessari secondo il rapporto ottimale di Chinchilla. Questa carenza di dati significava che, nonostante la loro dimensione impressionante, questi modelli non riuscivano a esprimere il loro pieno potenziale. I parametri, in sostanza, non avevano abbastanza esempi diversificati da cui apprendere, portando a una generalizzazione più debole su compiti non ben rappresentati nei dati di addestramento limitati.

- Ricerche successive hanno costantemente confermato i risultati di Chinchilla su diverse architetture di modelli e configurazioni di training. Aziende come Anthropic, Meta e Mistral AI hanno progettato le loro strategie di addestramento attorno a queste intuizioni, spesso privilegiando un addestramento approfondito su dati diversificati e di alta qualità piuttosto che massimizzare semplicemente il numero di parametri.

Esempio: comprendere il breakthrough di efficienza di Chinchilla

- GPT-3 aveva **175B parametri**, ma è stato addestrato su solo ~300B token. Secondo le scoperte di Chinchilla, era significativamente sotto-addestrato: GPT-3 avrebbe idealmente dovuto vedere circa 3,5 trilioni di token per raggiungere prestazioni ottimali. Questo enorme divario tra dati reali e dati ottimali significava che GPT-3, nonostante la sua dimensione, non riusciva a sfruttare completamente la propria capacità parametrica per apprendere pattern complessi e relazioni.

- Chinchilla ha mostrato che, se invece si addestra un **modello da 70B su 1.4T token**, si ottengono prestazioni migliori utilizzando lo stesso budget computazionale. Questo modello più piccolo ma meglio addestrato ha superato modelli più grandi nonostante avesse meno parametri. Questo dimostra un principio fondamentale del machine learning: un modello può apprendere solo dai dati che vede. Anche con enorme capacità (parametri), un modello non può sviluppare capacità robuste senza una sufficiente esposizione a esempi diversificati.

- Il guadagno di efficienza è stato significativo: Chinchilla ha ottenuto prestazioni superiori con meno della metà dei parametri di GPT-3 seguendo questo approccio ottimizzato. Questa maggiore efficienza ha importanti implicazioni pratiche: modelli più piccoli richiedono meno memoria e risorse computazionali in fase di inferenza, risultando più economici da distribuire e più veloci da eseguire. L'approccio Chinchilla ha dimostrato che le aziende possono ottenere sistemi di IA migliori riducendo al contempo i costi infrastrutturali, allocando meglio il compute tra dimensione del modello e dati di addestramento.

- Questa scoperta ha cambiato radicalmente il modo in cui i laboratori di IA affrontano lo sviluppo dei modelli. Invece di aumentare semplicemente il numero di parametri, i ricercatori si concentrano ora maggiormente sulla curazione di dataset di alta qualità e diversificati e sull'assicurarsi che i modelli vengano addestrati su una quantità sufficiente di dati rispetto alla loro dimensione. Questo cambio di paradigma ha portato a modelli più efficienti come Llama 2, Claude e Mistral, che raggiungono capacità impressionanti con un numero di parametri inferiore rispetto a quanto si ritenesse possibile prima di Chinchilla.

Questa ricerca rivoluzionaria ha spostato il paradigma da "più grande a ogni costo" a **bilanciare dimensione e dati**, sottolineando l'importanza della qualità e quantità dei dati nel processo di addestramento. Ha inoltre evidenziato che lo scaling ottimale in termini di compute richiede un'attenta considerazione sia dell'architettura del modello sia del volume dei dati di addestramento, piuttosto che un semplice aumento del numero di parametri.

1.3.3 Perché è importante nella pratica

Se sei un ricercatore o un ingegnere con un budget limitato, non è sempre necessario addestrare il modello più grande possibile. Questa consapevolezza può far risparmiare risorse significative, poiché l'addestramento di modelli più grandi richiede una quantità di potenza computazionale esponenzialmente maggiore. Ad esempio, passare da un modello da 7B a uno da 70B parametri richiede tipicamente almeno 10 volte il budget computazionale, senza contare hardware più specializzato e tempi di addestramento più lunghi. I requisiti hardware da soli possono essere proibitivi: mentre un modello da 7B può funzionare su una singola GPU di fascia alta con 24GB di memoria, un modello da 70B può richiedere un cluster di 8 o più GPU con interconnessioni specializzate, aumentando drasticamente sia i costi di investimento iniziale sia quelli operativi. Inoltre, i modelli più grandi affrontano problemi di instabilità durante l'addestramento e possono richiedere tecniche di ottimizzazione più sofisticate per raggiungere la convergenza. I risultati di Chinchilla suggeriscono che reindirizzare queste risorse verso una migliore curazione ed elaborazione dei dati possa produrre risultati superiori sia in termini di prestazioni che di efficienza dei costi.

Un **modello più piccolo ma ben alimentato di dati** può superare uno più grande ma carente. Questa scoperta controintuitiva è stata dimostrata ripetutamente nei benchmark. Ad esempio, un modello da 13B parametri addestrato su 260B token (seguendo il rapporto 20:1) supererà generalmente un modello da 40B parametri addestrato su soli 200B token, nonostante abbia meno della metà dei parametri. Questo vantaggio deriva dal fatto che il modello più piccolo ha visto una maggiore varietà di esempi rispetto alla sua capacità, riuscendo a costruire generalizzazioni più robuste su un'ampia gamma di compiti. Il beneficio va oltre i semplici punteggi nei benchmark: i modelli più piccoli ma ottimamente addestrati mostrano migliori capacità di ragionamento, output più coerenti e meno allucinazioni. Dimostrano anche una maggiore capacità di seguire istruzioni e mantenere coerenza su contesti più lunghi. Questo effetto è particolarmente evidente nei domini specializzati, dove la qualità e la copertura dei dati contano più della dimensione grezza del modello.

Questa intuizione ha guidato modelli moderni come **LLaMA-2/3 e Mistral**, che hanno meno parametri ma sono addestrati su **dataset enormi e accuratamente curati**. Il modello LLaMA-2 7B di Meta, pur essendo relativamente piccolo, raggiunge prestazioni impressionanti seguendo principi di scaling ottimali. Allo stesso modo, il modello da 7B di Mistral supera molti modelli più grandi perché è stato addestrato tenendo conto del rapporto di Chinchilla. Queste aziende hanno investito pesantemente nella qualità e quantità dei dati piuttosto che nel semplice aumento del numero di parametri. Le loro pipeline di preprocessing eliminano duplicati, filtrano i dati per qualità e garantiscono una rappresentazione diversificata tra domini, lingue e compiti di ragionamento — tutti fattori che contribuiscono più alle prestazioni finali rispetto al numero di parametri da solo.

Il processo di curazione tipicamente coinvolge più fasi: prima la rimozione di contenuti di bassa qualità o potenzialmente dannosi, poi il bilanciamento tra diverse fonti e domini per evitare bias, e infine l'arricchimento del dataset con esempi che favoriscono capacità come il ragionamento, il rispetto delle istruzioni e la risoluzione di problemi multi-step. Alcune aziende utilizzano anche approcci di active learning, in cui le debolezze del modello guidano la raccolta di nuovi esempi di addestramento in aree poco rappresentate. Questa attenzione meticolosa alla qualità dei dati produce risultati in termini di prestazioni che il solo aumento dei parametri non può raggiungere.

1.3.4 Una semplice visualizzazione

Per comprendere meglio l'intuizione, simuliamo le "scaling laws" con un modello semplificato:

```python
import numpy as np
```

```python
import matplotlib.pyplot as plt
from matplotlib.gridspec import GridSpec

# Create sample parameters and data sizes
params = np.logspace(6, 10, 20)        # from 1M to 10B parameters
data_chinchilla = params * 20          # Chinchilla rule: 20x tokens
data_kaplan = params * 5               # Hypothetical Kaplan-style lower data ratio

# Different compute budgets (arbitrary units)
compute_s = 1e14  # small compute budget
compute_m = 1e15  # medium compute budget
compute_l = 1e16  # large compute budget

# Performance scaling functions (simplified models)
def model_performance(params, data, compute_efficiency=1.0):
    # Toy model that combines parameter and data scaling effects
    param_effect = 1 - 1 / (np.log(params) * 0.1)
    data_effect = 1 - 1 / (np.log(data) * 0.1)

    # Weighted combination (more weight to whichever is the limiting factor)
    combined = 0.7 * min(param_effect, data_effect) + 0.3 * max(param_effect, data_effect)

    # Apply compute efficiency factor
    return combined * compute_efficiency

# Calculate performance for different approaches
perf_kaplan = model_performance(params, data_kaplan, 0.9)
perf_chinchilla = model_performance(params, data_chinchilla, 1.0)

# Calculate performance for fixed compute budgets
# Assuming compute ~ params * data
def get_fixed_compute_performance(compute_budget):
    performances = []
    param_options = np.logspace(7, 10, 30)  # Possible model sizes to consider

    for p in param_options:
        # If we fix compute and parameters, we can calculate how much data we can afford
        available_data = compute_budget / p

        # Skip if we can't even afford 1x data-to-param ratio
        if available_data < p:
            performances.append(0)
            continue

        # Calculate performance with these constraints
        perf = model_performance(p, available_data)
        performances.append((p, available_data, perf))

    # Return non-zero performances
    return [p for p in performances if p != 0]
```

```python
# Get performance curves for fixed compute budgets
compute_s_results = get_fixed_compute_performance(compute_s)
compute_m_results = get_fixed_compute_performance(compute_m)
compute_l_results = get_fixed_compute_performance(compute_l)

# Create a more comprehensive visualization
plt.figure(figsize=(15, 12))
gs = GridSpec(2, 2)

# Plot 1: Basic Scaling Laws Comparison
ax1 = plt.subplot(gs[0, 0])
ax1.plot(params, perf_kaplan, label="Kaplan-style: Less Data (5x tokens)",
linestyle="-")
ax1.plot(params, perf_chinchilla, label="Chinchilla-style: More Data (20x tokens)",
linestyle="--", linewidth=2)
ax1.set_xscale("log")
ax1.set_xlabel("Model Parameters")
ax1.set_ylabel("Performance (arbitrary units)")
ax1.set_title("Comparing Scaling Approaches")
ax1.legend()
ax1.grid(alpha=0.3)

# Plot 2: Data to Parameter Ratio
ax2 = plt.subplot(gs[0, 1])
ratios = [1, 5, 10, 20, 40]
for ratio in ratios:
    perf = model_performance(params, params * ratio)
    ax2.plot(params, perf, label=f"Data:Param Ratio = {ratio}:1")
ax2.set_xscale("log")
ax2.set_xlabel("Model Parameters")
ax2.set_ylabel("Performance (arbitrary units)")
ax2.set_title("Effect of Data-to-Parameter Ratio")
ax2.legend()
ax2.grid(alpha=0.3)

# Plot 3: Fixed Compute Budget Analysis
ax3 = plt.subplot(gs[1, :])

# Extract data from compute budget results
if compute_s_results:
    s_params, s_data, s_perf = zip(*compute_s_results)
    ax3.plot(s_params, s_perf, 'b-', label="Small Compute Budget")

    # Find and mark the optimal point
    s_optimal_idx = np.argmax(s_perf)
    s_optimal_params = s_params[s_optimal_idx]
    s_optimal_perf = s_perf[s_optimal_idx]
    s_optimal_ratio = s_data[s_optimal_idx] / s_params[s_optimal_idx]
    ax3.plot(s_optimal_params, s_optimal_perf, 'bo', markersize=8)
    ax3.annotate(f"Ratio: {s_optimal_ratio:.1f}:1",
                (s_optimal_params, s_optimal_perf),
```

```python
                        xytext=(10, -20), textcoords='offset points')

if compute_m_results:
    m_params, m_data, m_perf = zip(*compute_m_results)
    ax3.plot(m_params, m_perf, 'g-', label="Medium Compute Budget")

    # Find and mark the optimal point
    m_optimal_idx = np.argmax(m_perf)
    m_optimal_params = m_params[m_optimal_idx]
    m_optimal_perf = m_perf[m_optimal_idx]
    m_optimal_ratio = m_data[m_optimal_idx] / m_params[m_optimal_idx]
    ax3.plot(m_optimal_params, m_optimal_perf, 'go', markersize=8)
    ax3.annotate(f"Ratio: {m_optimal_ratio:.1f}:1",
                 (m_optimal_params, m_optimal_perf),
                 xytext=(10, -20), textcoords='offset points')

if compute_l_results:
    l_params, l_data, l_perf = zip(*compute_l_results)
    ax3.plot(l_params, l_perf, 'r-', label="Large Compute Budget")

    # Find and mark the optimal point
    l_optimal_idx = np.argmax(l_perf)
    l_optimal_params = l_params[l_optimal_idx]
    l_optimal_perf = l_perf[l_optimal_idx]
    l_optimal_ratio = l_data[l_optimal_idx] / l_params[l_optimal_idx]
    ax3.plot(l_optimal_params, l_optimal_perf, 'ro', markersize=8)
    ax3.annotate(f"Ratio: {l_optimal_ratio:.1f}:1",
                 (l_optimal_params, l_optimal_perf),
                 xytext=(10, -20), textcoords='offset points')

ax3.set_xscale("log")
ax3.set_xlabel("Model Parameters")
ax3.set_ylabel("Performance (arbitrary units)")
ax3.set_title("Optimal Model Size for Different Compute Budgets")
ax3.legend()
ax3.grid(alpha=0.3)

plt.tight_layout()
plt.suptitle("Comprehensive Analysis of LLM Scaling Laws", fontsize=16)
plt.subplots_adjust(top=0.93)
plt.show()
```

Analisi del codice e spiegazione:

1. Impostazione dei dati e dei parametri

Questa simulazione esplora la relazione tra dimensione del modello, volume dei dati di addestramento e prestazioni utilizzando questi componenti:

- **Intervallo dei parametri:** Il codice genera un intervallo logaritmico da 1 milione a 10 miliardi di parametri, che rappresenta diverse dimensioni di modello.

- **Approcci di scaling dei dati:**

    o   Lo scaling in stile Chinchilla utilizza un rapporto token-parametri di 20:1Lo scaling in stile Chinchilla utilizza un rapporto token-parametri di 20:1

    o   Lo scaling in stile Kaplan utilizza un rapporto più basso di 5:1 per il confrontoLo scaling in stile Kaplan utilizza un rapporto più basso di 5:1 per il confronto

- **Budget computazionali:** Vengono definiti tre diversi budget computazionali (piccolo, medio, grande) per analizzare come risorse limitate influenzino le decisioni ottimali di scaling.

2. Modellazione delle prestazioni

La funzione model_performance() implementa un modello semplificato di come le prestazioni scalano con i parametri e i dati:

- Calcola separatamente gli effetti dei parametri e dei dati utilizzando uno scaling logaritmico, in linea con le osservazioni empiriche secondo cui i miglioramenti delle prestazioni seguono rendimenti decrescenti.

- La prestazione combinata attribuisce maggiore peso al fattore limitante (cioè quello più piccolo tra l'effetto dei parametri e quello dei dati), riflettendo i vincoli del mondo reale.

- Un fattore di efficienza computazionale consente di modellare come approcci diversi possano utilizzare il compute in modo più o meno efficiente.

3. Analisi a compute fisso

L'analisi più importante deriva dalla funzione get_fixed_compute_performance():

- Questa modella il compromesso fondamentale: quando il compute è fisso, aumentare la dimensione del modello significa ridurre la quantità di dati di addestramento e viceversa.

- Per ogni possibile dimensione del modello, calcola quanti dati di addestramento consente il budget computazionale, quindi stima le prestazioni risultanti.

- Questo permette di individuare il rapporto ottimale tra parametri e dati per massimizzare le prestazioni sotto diversi vincoli computazionali.

4. Componenti della visualizzazione

Il codice genera tre visualizzazioni complementari:

- **Basic Scaling Laws:** Confronta le curve di prestazione per approcci di scaling in stile Kaplan (focalizzati sui parametri) e in stile Chinchilla (focalizzati sui dati).

- **Analisi del rapporto dati-parametri:** Mostra come le prestazioni variano al variare dei diversi rapporti tra dati di addestramento e parametri.

- **Analisi con budget computazionale fisso:** Il grafico più significativo: mostra la dimensione ottimale del modello per diversi budget computazionali, con indicatori che evidenziano il miglior rapporto dati-parametri in ciascuno scenario.

5. Principali intuizioni di questa simulazione

Pur essendo un modello semplificato, questa simulazione illustra diversi principi importanti coerenti con la ricerca reale sui LLM:

- Esiste un rapporto ottimale tra dati e parametri che massimizza le prestazioni per un dato budget computazionale.

- Aumentare semplicemente la dimensione del modello senza aumentare proporzionalmente i dati di addestramento porta a rendimenti decrescenti.

- Con l'aumentare del budget computazionale, la dimensione ottimale del modello si sposta, ma il rapporto ottimale dati-parametri rimane relativamente stabile.

- Il risultato di Chinchilla, secondo cui un rapporto token-parametri di 20:1 è ottimale, emerge naturalmente da questo tipo di analisi.

Questa simulazione fornisce una visualizzazione intuitiva del perché la legge di scaling di Chinchilla abbia rappresentato un breakthrough così importante nello sviluppo efficiente dei LLM, e del perché oggi le aziende si concentrino sul bilanciare la dimensione del modello con una quantità sufficiente di dati di addestramento, invece di limitarsi a costruire modelli sempre più grandi.

1.3.5 Trade-off tra dati e modello

Oggi, gli ingegneri considerano lo scaling dei LLM lungo tre regimi distinti, ciascuno con le proprie caratteristiche e implicazioni:

Regime sotto-addestrato (undertrained)

Troppi parametri, dati insufficienti. (Errore comune.) Questo accade quando i modelli vengono scalati in dimensione senza fornire una quantità adeguata di dati di addestramento. Il modello ha più capacità di quella che può effettivamente sfruttare dati i dati limitati disponibili.

Questo regime genera diversi problemi significativi nello sviluppo dei LLM:

- Scarsa generalizzazione su nuovi esempi al di fuori del training set — il modello non sviluppa rappresentazioni robuste perché non è stato esposto a una sufficiente varietà di esempi durante l'addestramento

- Spreco di risorse computazionali, poiché molti parametri rimangono poco ottimizzati — ampie porzioni della rete neurale diventano di fatto "peso morto", consumando memoria e potenza di calcolo senza contribuire in modo significativo alle prestazioni

- Rischio di overfitting, in cui il modello memorizza i dati di addestramento invece di apprendere astrazioni utili — anziché imparare pattern generali, costruisce una sorta di tabella di lookup sofisticata

- Costi di addestramento elevati con ritorni subottimali sull'investimento — si spendono enormi risorse computazionali e di ingegneria per ottenere modelli che performano al di sotto del loro potenziale teorico

Storicamente, molti modelli di prima generazione sono caduti in questa trappola prima che il paper Chinchilla cambiasse le pratiche del settore. Alcuni modelli pre-Chinchilla utilizzavano rapporti anche di 5:1 token per parametro, lasciando inutilizzato un grande potenziale prestazionale. Questo significava che anche modelli enormi con miliardi di parametri funzionavano ben al di sotto delle loro capacità teoriche semplicemente perché non venivano addestrati su una quantità sufficiente di dati.

Regime compute-optimal

Parametri e dati bilanciati — il punto ottimale di Chinchilla. Questo rappresenta l'equilibrio ideale in cui ogni parametro del modello riceve abbastanza esempi di addestramento per apprendere efficacemente. Intorno ai 20 token per parametro, i modelli raggiungono un'ottimizzazione delle prestazioni per un dato budget computazionale.

Questa ottimizzazione deriva dal fatto che le reti neurali necessitano di una sufficiente esposizione a esempi diversificati per regolare correttamente i pesi. Quando un parametro riceve troppo pochi esempi, non riesce a convergere verso valori ottimali; quando ne riceve troppi, si sprecano risorse computazionali per miglioramenti marginali.

Il paper Chinchilla (Hoffmann et al., 2022) ha dimostrato questo principio mostrando che modelli più piccoli addestrati su più dati spesso superano modelli più grandi addestrati su meno dati, a parità di budget computazionale. Questa scoperta ha messo in discussione il precedente focus dell'industria sull'aumento della dimensione dei modelli.

- Massime prestazioni per le risorse computazionali investite — ogni investimento in training produce il massimo ritorno possibile in termini di capacità del modelloMassime prestazioni per le risorse computazionali investite — ogni investimento in training produce il massimo ritorno possibile in termini di capacità del modello

- Migliore capacità di generalizzazione su compiti diversi — il modello apprende rappresentazioni robuste trasferibili a nuovi esempi e problemiMigliore capacità di generalizzazione su compiti diversi — il modello apprende rappresentazioni robuste trasferibili a nuovi esempi e problemi

- Dinamiche di addestramento più efficienti con convergenza più rapida — i parametri ricevono abbastanza esempi per stabilizzarsi senza sprechi di calcoloDinamiche di addestramento più efficienti con convergenza più rapida — i parametri ricevono abbastanza esempi per stabilizzarsi senza sprechi di calcolo

- Maggiore efficienza campionaria nell'apprendimento di nuovi concetti — il modello sviluppa rappresentazioni di base migliori che permettono di apprendere da meno esempi nei task successiviMaggiore efficienza campionaria nell'apprendimento di nuovi concetti — il modello sviluppa rappresentazioni di base migliori che permettono di apprendere da meno esempi nei task successivi

È in questo regime che la maggior parte dei LLM commerciali moderni cerca di operare. Modelli come Claude, GPT-4 e Llama 2 incorporano questi principi nei loro processi di addestramento, anche se i rapporti esatti possono variare in base a ricerche proprietarie. Alcune aziende possono adattare questo rapporto in funzione dei loro dataset, delle architetture dei modelli o delle metodologie di training, ma il principio di bilanciare il numero di parametri con il volume dei dati rimane coerente in tutto il settore.

Regime sovra-addestrato

Troppi dati per un modello troppo piccolo (raro, ma inefficiente). In questo scenario, dati di addestramento aggiuntivi producono rendimenti decrescenti perché il modello non ha capacità sufficiente per catturare pattern più complessi presenti nei dati.

È come cercare di versare un gallone d'acqua in una tazza: una volta che la tazza è piena, aggiungere altra acqua la fa solo traboccare senza essere contenuta. Allo stesso modo, un modello con parametri limitati può assorbire solo una certa quantità di informazioni prima di raggiungere la sua capacità.

- Prestazioni in plateau nonostante l'aumento dei dati di addestramento - Dopo aver raggiunto la capacità, la curva di apprendimento del modello si appiattisce completamente e dati aggiuntivi non producono alcun miglioramento misurabile nelle capacità

- Inefficienza computazionale poiché epoche di addestramento aggiuntive offrono benefici minimi - Le risorse impiegate in addestramenti prolungati diventano sempre più spreco, dato che ogni epoca aggiuntiva non migliora le prestazioni del modello

- La capacità del modello diventa il fattore limitante anziché la disponibilità dei dati - A differenza della maggior parte degli scenari di sviluppo AI in cui i dati sono il collo di bottiglia, qui è l'architettura del modello a creare il limite massimo di prestazioni

- Dati preziosi potenzialmente sprecati su un modello che non può utilizzarli - Esempi di addestramento di alta qualità che potrebbero beneficiare un modello più grande risultano di fatto "invisibili" per un modello piccolo con capacità limitata

Questo è meno comune nella pratica perché i dati di addestramento sono costosi e le organizzazioni preferiscono generalmente aumentare la dimensione del modello piuttosto che riaddestrare ripetutamente sugli stessi dati. Tuttavia, può accadere quando si lavora con modelli piccoli e fissi in domini specializzati con abbondanza di dati.

Ad esempio, può verificarsi nell'imaging medico, dove regolamenti o vincoli di deployment richiedono l'uso di modelli più piccoli nonostante l'accesso a milioni di immagini etichettate. Un altro esempio sono i dispositivi embedded con limiti di memoria stringenti, che utilizzano modelli piccoli che saturano rapidamente sui dati disponibili, rendendo controproducenti ulteriori sforzi di raccolta dati senza prima aumentare la capacità del modello.

In questi casi, la soluzione appropriata è tipicamente aumentare la dimensione del modello invece di continuare ad accumulare o rielaborare dati di addestramento. In alternativa, si possono usare tecniche come la knowledge distillation, in cui un modello "teacher" più grande apprende dai dati abbondanti e poi trasferisce la conoscenza a un modello "student" più piccolo.

Regola empirica (da Chinchilla):

Per ogni parametro, pianifica circa ~20 token di dati di addestramento. Ciò significa che un modello con 7B parametri dovrebbe idealmente essere addestrato su circa 140B token per raggiungere prestazioni ottimali. Addestrare oltre questo punto porta tipicamente a rendimenti decrescenti, mentre addestrare con molti meno dati lascia prestazioni inutilizzate.

1.3.6 Punti chiave per gli ingegneri

Comprendere le scaling laws non è solo teoria: è un framework pratico che guida decisioni ingegneristiche reali nello sviluppo AI. Queste relazioni matematiche influenzano direttamente come le aziende allocano risorse e progettano sistemi:

- Dovresti fare fine-tuning di un modello da 7B o addestrare un modello da 1B da zero con i tuoi dati? Le scaling laws aiutano a quantificare questo compromesso mostrando se il volume dei tuoi dati giustifica un modello più grande o se un modello più piccolo, ma meglio addestrato, funzionerebbe meglio con le tue risorse. Ad esempio, se hai solo 5B token di dati specifici di dominio, potresti ottenere risultati migliori con un modello da 1B addestrato da zero (seguendo il rapporto 20:1) piuttosto che fare fine-tuning di un modello da 7B che risulterebbe fortemente sotto-addestrato sul tuo dataset. Questa decisione è particolarmente critica nei domini specializzati, dove i benefici del transfer learning possono essere limitati.

- Quanti token ti servono prima che abbia senso addestrare un nuovo modello specifico per dominio? Le scaling laws forniscono stime concrete—come il rapporto 20:1 tra token e parametri—che aiutano gli ingegneri a determinare la dimensione minima del dataset necessaria prima che lo sviluppo di un modello custom diventi conveniente. Ad esempio, per addestrare correttamente un modello da 3B parametri, servirebbero idealmente circa 60B token di dati di alta qualità. Senza questo volume, il tuo modello potrebbe avere prestazioni inferiori rispetto al fine-tuning di un modello pre-addestrato, anche se quest'ultimo non è stato progettato specificamente per il tuo dominio. Questo aiuta i team a evitare progetti costosi quando la raccolta dati non ha ancora raggiunto la massa critica.

- Dove il compute produce rendimenti decrescenti? Modellando la relazione tra dimensione del modello, dati e prestazioni, le scaling laws rivelano i punti di flessione in cui ulteriore spesa computazionale produce benefici sempre più marginali, aiutando i team a ottimizzare i budget. Queste leggi mostrano che i miglioramenti di performance seguono una legge di potenza rispetto al compute—raddoppiare il compute non raddoppia i guadagni di performance. Capire esattamente dove iniziano questi rendimenti decrescenti per il tuo caso consente decisioni basate sui dati, evitando sprechi su compute quando quelle risorse potrebbero essere meglio impiegate nella qualità dei dati o nel miglioramento degli algoritmi.

- Quando il transfer learning è più efficiente dell'addestramento da zero? Le scaling laws aiutano a quantificare quando il compute risparmiato grazie al transfer learning supera i benefici di un'architettura specifica di dominio in un modello nuovo. Forniscono framework per calcolare il "coefficiente di trasferimento" che misura quanto efficacemente la conoscenza di un dominio generale si trasferisce alla tua applicazione specifica. Questo aiuta a decidere se il risparmio di compute (10–100x) giustifica eventuali compromessi di performance rispetto a modelli ottimizzati per dominio, specialmente in ambiti come il legale, il medico o lo scientifico, dove i modelli generali possono perdere pattern cruciali.

Quando vedi un'azienda come OpenAI o DeepMind rilasciare un modello massivo, le scaling laws sono il blueprint invisibile dietro di esso. Queste aziende non costruiscono modelli più grandi solo perché possono: stanno prendendo decisioni calcolate basate su principi matematici che determinano *quanto grande, quanti dati e quanto tempo addestrare*. Ogni parametro aggiunto rappresenta un investimento preciso di risorse computazionali.

Negli anni a venire, mentre il compute diventerà più costoso e i dati di alta qualità più scarsi, la capacità di bilanciare **dimensione e dati** in modo intelligente distinguerà sempre di più i modelli di successo da quelli fallimentari. Le aziende che padroneggeranno queste relazioni costruiranno sistemi più capaci a costi inferiori, mentre chi le ignora rischia di sprecare milioni in architetture e regimi di addestramento subottimali.

Per gli ingegneri con risorse limitate, comprendere questi principi non è opzionale: è essenziale per creare sistemi AI competitivi in un panorama dominato da organizzazioni con enormi vantaggi computazionali.

Esercizi pratici – Capitolo 1

I seguenti esercizi ti aiuteranno ad applicare ciò che hai imparato su famiglie di LLM, architetture e scaling laws.

Esercizio 1 – Esplorare modelli decoder-only con Hugging Face

Task:

Usa la libreria Hugging Face Transformers per caricare un modello decoder-only (come GPT-2) e generare testo. Scrivi uno script Python che fornisca al modello il prompt:

```
Artificial intelligence will change the world by
```

e generi una continuazione di almeno 30 token.

Soluzione:

```python
from transformers import GPT2LMHeadModel, GPT2Tokenizer

# Load GPT-2 (decoder-only model)
tokenizer = GPT2Tokenizer.from_pretrained("gpt2")
model = GPT2LMHeadModel.from_pretrained("gpt2")

prompt = "Artificial intelligence will change the world by"
inputs = tokenizer(prompt, return_tensors="pt")

# Generate continuation
outputs = model.generate(
    inputs["input_ids"],
    max_length=50,          # prompt + ~30 tokens
    do_sample=True,
    top_k=50,
    top_p=0.95
)

print(tokenizer.decode(outputs[0], skip_special_tokens=True))
```

Questo dimostra il processo di generazione **decoder-only** da sinistra a destra.

Esercizio 2 – Riassunto con un modello encoder-decoder

Task:

Usa un modello T5-small per riassumere il seguente testo:

```
"The Transformer architecture has revolutionized natural language processing by
allowing models to process long sequences in parallel using self-attention."
```

Soluzione:

```python
from transformers import T5Tokenizer, T5ForConditionalGeneration

tokenizer = T5Tokenizer.from_pretrained("t5-small")
model = T5ForConditionalGeneration.from_pretrained("t5-small")

text = "The Transformer architecture has revolutionized natural language processing
by allowing models to process long sequences in parallel using self-attention."
inputs = tokenizer("summarize: " + text, return_tensors="pt")

# Generate summary
summary_ids = model.generate(
    inputs["input_ids"],
    max_length=25,
    min_length=5,
    length_penalty=2.0
)

print(tokenizer.decode(summary_ids[0], skip_special_tokens=True))
```

Questo evidenzia come i modelli **encoder-decoder** gestiscono trasformazioni input → output.

Esercizio 3 – Simulare un layer Mixture-of-Experts

Task:

Implementa un semplice layer **Mixture-of-Experts (MoE)** in PyTorch in cui vengono selezionati solo i top-2 expert per un determinato input.

Soluzione:

```python
import torch
import torch.nn as nn

class Expert(nn.Module):
    def __init__(self, hidden_dim):
        super().__init__()
        self.fc = nn.Linear(hidden_dim, hidden_dim)

    def forward(self, x):
        return torch.relu(self.fc(x))

class MoELayer(nn.Module):
    def __init__(self, num_experts=4, hidden_dim=32, k=2):
        super().__init__()
        self.experts = nn.ModuleList([Expert(hidden_dim) for _ in range(num_experts)])
        self.router = nn.Linear(hidden_dim, num_experts)
        self.k = k

    def forward(self, x):
        scores = torch.softmax(self.router(x), dim=-1)
```

```python
        topk = torch.topk(scores, self.k, dim=-1)
        outputs = []
        for i, idx in enumerate(topk.indices[0]):
            outputs.append(self.experts[idx](x) * topk.values[0][i])
        return sum(outputs)

# Example usage
layer = MoELayer(num_experts=4, hidden_dim=32, k=2)
x = torch.randn(1, 32)
print(layer(x).shape)
```

Questo mostra come un layer MoE instrada i token attraverso **sotto-reti specializzate**.

Esercizio 4 – Visualizzare le scaling laws

Task:

Simula le scaling laws usando una funzione toy. Traccia come le prestazioni del modello aumentano con più parametri secondo la legge di Kaplan (più grande è sempre meglio) rispetto all'intuizione di Chinchilla (l'equilibrio dei dati conta).

Soluzione:

```python
import numpy as np
import matplotlib.pyplot as plt

# Parameters (model size) from 1M to 10B
params = np.logspace(6, 10, 20)
data = params * 20  # Chinchilla's 20x rule

# Fake "performance" functions
performance_kaplan = 1 - 1 / (np.log(params))
performance_chinchilla = 1 - 1 / (np.log(data))

plt.figure(figsize=(8,5))
plt.plot(params, performance_kaplan, label="Kaplan Scaling")
plt.plot(params, performance_chinchilla, label="Chinchilla Scaling", linestyle="--")
plt.xscale("log")
plt.xlabel("Model Parameters (log scale)")
plt.ylabel("Performance (arbitrary units)")
plt.title("Toy Visualization of Scaling Laws")
plt.legend()
plt.show()
```

Vedrai come **Kaplan favorisce la dimensione**, mentre **Chinchilla enfatizza l'equilibrio dei dati**.

Esercizio 5 – Scelta del modello per la tua startup

Task (teorico):

Immagina di avviare una startup di customer support basata su AI. Hai un budget limitato per il compute e hai bisogno di un LLM che bilanci **costo, efficienza e controllo**. In base a ciò che hai imparato in questo capitolo, quale famiglia di modelli sceglieresti (GPT, LLaMA, Claude, Gemini, Mistral o DeepSeek) e perché?

Soluzione (risposta di esempio):

Sceglierei Mistral o LLaMA, poiché entrambi offrono pesi open e possono essere eseguiti localmente con quantizzazione. GPT o Claude potrebbero risultare troppo costosi per un utilizzo continuo, mentre Gemini è closed-source. DeepSeek è interessante ma non ha ancora un ecosistema maturo. Per una personalizzazione conveniente in termini di costo, Mistral rappresenta un ottimo equilibrio tra efficienza e prestazioni.

Sintesi degli obiettivi di apprendimento

Completando questi esercizi, hai:

- Generato testo con modelli **decoder-only**.

- Riassunto testo con un modello **encoder-decoder**.

- Costruito un layer **Mixture-of-Experts** semplificato.

- Visualizzato le **scaling laws** in azione.

- Esercitato decisioni reali su compromessi tra diverse famiglie di modelli.

Riassunto Capitolo 1 – Dai Transformer ai Titani

I Large Language Models (LLMs) sono rapidamente diventati i motori che guidano la rivoluzione dell'AI moderna, influenzando il modo in cui scriviamo, programmiamo, cerchiamo informazioni e persino ragioniamo con le macchine. In questo primo capitolo, abbiamo esplorato cosa sono gli LLM, perché sono importanti e come diverse architetture e approcci di scaling ne hanno definito l'evoluzione.

Abbiamo iniziato con un viaggio tra le **principali famiglie di LLM**. **GPT** di OpenAI ha mostrato al mondo la potenza dello scaling delle architetture basate su Transformer, mentre la linea **LLaMA** di Meta ha cambiato le regole del gioco rilasciando modelli open-weight che gli ingegneri possono eseguire e ottimizzare autonomamente. Abbiamo anche analizzato **Claude**, il modello di Anthropic focalizzato sull'allineamento basato sull'idea di constitutional AI; **Gemini**, la potente soluzione multimodale di Google DeepMind; **Mistral**, il disruptor open-source efficiente; e **DeepSeek**, un nuovo protagonista che offre un ottimo rapporto prestazioni/costo. Ognuno di questi modelli riflette priorità diverse—apertura, sicurezza, efficienza o multimodalità—offrendo oggi agli ingegneri più scelta che mai.

Successivamente, abbiamo esaminato le **tre principali architetture Transformer**. I modelli **decoder-only**, come GPT e LLaMA, eccellono nei compiti generativi prevedendo il token successivo passo dopo passo. I modelli **encoder-decoder**, come T5, brillano nei task sequence-to-sequence come traduzione e riassunto, dove input e output sono distinti. Infine, il design **Mixture-of-Experts (MoE)**, utilizzato da Mixtral e altri, introduce un approccio scalabile in cui solo un sottoinsieme dei parametri viene attivato per ogni token, rendendo fattibili modelli con trilioni di parametri dal punto di vista computazionale. Comprendere queste architetture è fondamentale, poiché ciascuna ha implicazioni su prestazioni, costo e deployment reale.

Abbiamo poi affrontato le **scaling laws**, le regole nascoste dietro la crescita degli LLM. Le **Kaplan scaling laws** (2020) hanno dimostrato che le prestazioni migliorano in modo prevedibile aumentando parametri, dati e compute. Tuttavia, il paper **Chinchilla di DeepMind (2022)** ha corretto questa visione mostrando che molti modelli erano "undertrained"—avevano troppi parametri rispetto alla quantità di dati utilizzati. L'intuizione di Chinchilla sottolinea l'equilibrio: per usare il compute in modo efficiente, servono circa **20 token per parametro**. Questa scoperta ha ridefinito l'approccio all'addestramento, spiegando perché modelli moderni come LLaMA e Mistral sono più piccoli ma addestrati su dataset molto più grandi.

Nel complesso, questo capitolo evidenzia che gli LLM non sono semplicemente reti neurali più grandi: sono sistemi progettati con cura, le cui capacità dipendono da architettura, regimi di training e strategie di scaling. Che tu stia scegliendo tra soluzioni open-source o API proprietarie, pianificando strategie di fine-tuning o stimando costi di compute, le lezioni da GPT a Chinchilla offrono una guida concreta.

Nel prossimo capitolo analizzeremo un altro livello fondamentale: **tokenizzazione ed embeddings**—il vocabolario nascosto con cui gli LLM trasformano il linguaggio umano in rappresentazioni numeriche che rendono possibile tutto questo.

Capitolo 2: Tokenizzazione ed Embeddings

Quando leggiamo, vediamo parole. Quando un computer legge, vede numeri. Il ponte tra i due è la **tokenizzazione**: il processo di suddividere il linguaggio umano in unità (token) che un modello può comprendere. Questa trasformazione fondamentale è ciò che permette alle macchine di elaborare e generare testo che appare naturale agli esseri umani.

A prima vista, potresti pensare: *Perché non dividere semplicemente il testo per spazi e considerare ogni parola un token?* In effetti, i primi sistemi di elaborazione del linguaggio naturale facevano proprio così. Ma le parole sono complesse: le lingue hanno composti, parole rare, errori di battitura e infinite variazioni. Un tokenizer basato sulle parole fallisce rapidamente quando incontra qualcosa che non ha mai visto prima, come *"hyperparameterization"*. Inoltre, molte lingue non utilizzano spazi tra le parole (come il cinese o il giapponese), rendendo impraticabile questo approccio per applicazioni multilingue.

Gli LLM moderni utilizzano la **tokenizzazione subword**. Invece di trattare le parole intere come unità indivisibili, le suddividono in segmenti più piccoli che possono essere ricombinati. Questo consente al modello di coprire un vocabolario molto ampio con meno token, gestire parole nuove o rare in modo fluido e supportare più lingue in maniera efficiente. Ad esempio, una parola come "unfriendliness" potrebbe essere suddivisa in "un", "friend", "li", "ness" - segmenti che il modello può riconoscere individualmente e poi elaborare insieme per il significato.

L'evoluzione dalla tokenizzazione basata sulle parole a quella subword è stata cruciale per scalare i modelli linguistici a miliardi di parametri mantenendo dimensioni del vocabolario gestibili (tipicamente tra 30.000 e 100.000 token). Senza la tokenizzazione subword, sarebbero necessari milioni di token per coprire tutte le parole possibili in più lingue, rendendo i modelli computazionalmente impraticabili.

In questa sezione esploreremo le tre tecniche di tokenizzazione subword più utilizzate: **Byte Pair Encoding (BPE)**, **WordPiece** e **SentencePiece**. Questi algoritmi alimentano quasi tutti i principali LLM moderni, da GPT a BERT fino a LLaMA. Ogni tecnica ha il proprio approccio alla sfida fondamentale di suddividere il testo in unità significative e riutilizzabili che bilanciano efficienza e coerenza semantica.

2.1 Byte Pair Encoding (BPE), WordPiece, SentencePiece

La tokenizzazione è il processo fondamentale che trasforma il linguaggio umano in dati che le macchine possono elaborare. In questa sezione esploreremo i tre principali algoritmi di tokenizzazione che alimentano i moderni Language Models: Byte Pair Encoding (BPE), WordPiece e SentencePiece. Questi algoritmi rappresentano approcci diversi alla stessa sfida: come suddividere il testo in unità significative in modo efficiente, bilanciando dimensione del vocabolario, efficienza computazionale e comprensione semantica.

Ogni algoritmo ha punti di forza specifici che lo rendono adatto a diverse applicazioni. BPE eccelle in termini di efficienza ed è diventato la base dei modelli GPT di OpenAI. WordPiece, con il suo approccio basato sulla probabilità, alimenta la famiglia BERT di Google. SentencePiece affronta le sfide dei modelli multilingue in cui i confini tra parole potrebbero non essere chiaramente definiti. Comprendere questi metodi di tokenizzazione è cruciale perché influenzano direttamente il modo in cui i modelli interpretano e generano testo, incidendo su tutto, dalla qualità della traduzione alla gestione delle parole rare.

Alla fine di questa sezione, comprenderai come funzionano questi algoritmi, le loro implementazioni pratiche e perché scegliere la giusta strategia di tokenizzazione è una decisione progettuale critica nella costruzione di modelli linguistici. L'approccio alla tokenizzazione può influenzare significativamente le prestazioni di un modello tra lingue, domini e task specifici - rendendolo un concetto essenziale da padroneggiare nell'ingegneria NLP.

2.1.1 Byte Pair Encoding (BPE)

BPE (Byte Pair Encoding) è uno degli algoritmi di tokenizzazione più semplici ma potenti nel NLP moderno. È stato originariamente sviluppato per la compressione dei dati negli anni '90, ma è stato adattato al NLP con grande efficacia. BPE funziona unendo iterativamente le coppie più frequenti di caratteri o sequenze di caratteri in un corpus, creando un vocabolario che rappresenta in modo efficiente i pattern più comuni del linguaggio. Questo approccio iterativo consente a BPE di costruire un vocabolario che cattura in modo naturale le regolarità statistiche del testo su cui è addestrato, rendendolo estremamente adattabile a diverse lingue e domini senza richiedere competenze linguistiche.

L'intuizione chiave alla base di BPE è che le combinazioni di caratteri più frequenti rappresentano spesso unità linguistiche significative. Ad esempio, prefissi comuni come "un-" o suffissi come "-ing" compaiono in molte parole e possono essere trattati come singoli token. Questo consente ai modelli di comprendere la struttura delle parole anche quando incontrano termini nuovi.

Suddividendo le parole in unità subword, BPE raggiunge un equilibrio elegante tra tokenizzazione a livello di carattere (troppo granulare e priva di struttura lessicale) e a livello di parola (incapace di gestire parole fuori vocabolario). Questo approccio intermedio permette ai modelli di elaborare parole rare, composte o persino con errori ortografici scomponendole in componenti subword familiari.

Inoltre, l'approccio guidato dai dati di BPE significa che si adatta al dominio specifico su cui viene addestrato - un tokenizer BPE addestrato su testi medici svilupperà merge diversi rispetto a uno addestrato su contenuti social, riflettendo le diverse distribuzioni del vocabolario in questi domini.

Come funziona BPE (passo dopo passo):

1. Inizia con i caratteri come vocabolario iniziale (ad esempio lettere singole, punteggiatura). Questo crea il livello base di token da cui verranno costruiti token più complessi. Per esempio, in inglese si parte dalle 26 lettere dell'alfabeto, le cifre da 0 a 9 e la punteggiatura comune.

2. Conta quante volte ogni coppia di simboli adiacenti compare nell'intero corpus di addestramento. Questa analisi di frequenza è cruciale perché identifica i pattern che emergono naturalmente nel linguaggio. Ad esempio, in inglese, "th" compare molto frequentemente, mentre "zq" quasi mai.

3. Unisci la coppia più frequente in un nuovo token, aggiungendolo al vocabolario. Questo crea un token più lungo che rappresenta un pattern comune. Ad esempio, se "th" è la coppia più frequente, diventa un singolo token, riducendo la necessità di processare "t" e "h" separatamente in parole come "the", "this" e "that".

---

4. Aggiorna il corpus per riflettere questo merge, sostituendo tutte le occorrenze della coppia con il nuovo token. Questo passaggio è fondamentale perché modifica la distribuzione di frequenza delle coppie rimanenti. Dopo aver unito "th", nuove coppie come "the" potrebbero diventare più frequenti.

5. Ripeti i passaggi 2-4 fino a raggiungere la dimensione desiderata del vocabolario o una soglia minima di frequenza. Ogni iterazione crea token sempre più complessi che catturano pattern comuni del linguaggio. Questo processo ricorsivo può portare alla creazione di token per prefissi comuni (come "un-"), suffissi ("-ing") o persino parole complete.

Questo processo iterativo costruisce gradualmente un vocabolario che cattura unità subword significative a diversi livelli di granularità, dai singoli caratteri fino alle parole complete. La forza di BPE risiede nel suo approccio guidato dai dati – non richiede regole linguistiche ma apprende direttamente dai dati. Questo lo rende adattabile a qualsiasi lingua o dominio senza intervento manuale, pur creando token che spesso corrispondono a unità linguistiche intuitive come i morfemi (le più piccole unità di significato).

Esempio: Tokenizziamo la parola *"lower"* usando BPE con un approccio semplificato per illustrare il processo.

BPE inizia scomponendo il testo nelle sue unità più piccole prima di ricostruirlo. Questo processo iterativo di merge crea token sempre più complessi che rappresentano pattern comuni del linguaggio.

-   Start: l o w e r (ogni carattere è un token separato) Inizialmente ogni carattere è trattato come un token individuale. Questa rappresentazione a livello di carattere offre massima flessibilità ma è inefficiente.

-   Merge della coppia più frequente (supponendo "lo") → lo w e r L'algoritmo identifica che "l" e "o" compaiono spesso insieme nel corpus. Unendoli, creiamo la prima unità subword, riducendo i token da 5 a 4.

-   Merge successivo (supponendo "low") → low e r Nel passo successivo, BPE trova che "lo" e "w" co-occorrono frequentemente, formando "low", un'unità semantica significativa (un morfema completo). Ora abbiamo 3 token.

-   Merge successivo (supponendo "er") → low er Infine, "e" e "r" vengono uniti perché questo suffisso appare frequentemente in molte parole inglesi (worker, faster, higher, ecc.). Ora la rappresentazione è ridotta a 2 token.

-   Rappresentazione finale: low er (due token) Ciò che era composto da 5 caratteri separati è ora compresso in 2 unità subword significative, mantenendo il significato e riducendo drasticamente il numero di token.

La vera potenza di BPE emerge quando si elaborano parole nuove. Dopo l'addestramento, il modello apprende che "low" ed "er" compaiono spesso nel corpus, quindi può gestire efficientemente parole come *"lowest"* o *"lowering"* anche se non sono mai apparse durante l'addestramento:

-   *"lowest"* → low est (supponendo che "est" sia un token appreso) Il modello riconosce la radice "low" e il suffisso superlativo "est" come token separati, anche senza aver mai visto la parola completa.

- *"lowering"* → low er ing (supponendo che "ing" sia un token appreso) Allo stesso modo, "lowering" viene scomposta in tre componenti significative: la radice "low", il suffisso comparativo "er" e il suffisso gerundivo "ing".

Questa capacità di scomporre le parole in sottounità significative offre ai modelli basati su BPE una grande flessibilità, permettendo loro di gestire un vocabolario molto più ampio rispetto a quello visto durante l'addestramento. È particolarmente utile per lingue morfologicamente ricche (come il finlandese o il turco), dove le parole possono avere molte variazioni tramite prefissi e suffissi.

Ad esempio, in finlandese, una singola parola può esprimere ciò che in inglese richiederebbe un'intera frase. La parola "taloissanikinko" (che significa "anche nelle mie case?") sarebbe quasi impossibile da gestire con una tokenizzazione a livello di parola, a meno che quella forma esatta non fosse presente nei dati di addestramento. Con BPE, invece, può essere suddivisa in componenti come "talo" (casa), "issa" (in), "ni" (mio), "kin" (anche) e "ko" (particella interrogativa), permettendo al modello di comprenderla.

Esempio di codice: Addestrare un tokenizer BPE toy con Hugging Face

Ecco una semplice implementazione:

```python
from tokenizers import Tokenizer, models, trainers, pre_tokenizers

# Initialize a BPE tokenizer
tokenizer = Tokenizer(models.BPE())
trainer = trainers.BpeTrainer(vocab_size=200, min_frequency=2)
tokenizer.pre_tokenizer = pre_tokenizers.Whitespace()

# Train on a small dataset
corpus = ["low", "lowest", "lower", "newest"]
tokenizer.train_from_iterator(corpus, trainer)

# Encode a word
output = tokenizer.encode("lowering")
print(output.tokens)  # Example output: ['low', 'er', 'ing']
```

Analisi del codice:

1. Importazione delle librerie

```python
from tokenizers import Tokenizer, models, trainers, pre_tokenizers
```

Questo importa i componenti necessari dalla libreria Hugging Face tokenizers per creare, addestrare e utilizzare un tokenizer BPE.

2. Inizializzazione del tokenizer

```python
tokenizer = Tokenizer(models.BPE())
```

Questo crea un nuovo tokenizer utilizzando l'algoritmo Byte Pair Encoding (BPE).

3. Configurazione del trainer

```python
trainer = trainers.BpeTrainer(vocab_size=200, min_frequency=2)
```

Questo imposta un trainer BPE con due parametri importanti:

- vocab_size=200: limita la dimensione massima del vocabolario a 200 token.

- min_frequency=2: crea token solo da coppie che compaiono almeno due volte nel corpus.

4. Impostazione della pre-tokenizzazione

```python
tokenizer.pre_tokenizer = pre_tokenizers.Whitespace()
```

Prima che venga applicato il BPE, questo configura il tokenizer per suddividere il testo in base agli spazi, fornendo all'algoritmo BPE contesti a livello di parola su cui lavorare.

5. Dati di addestramento

```python
corpus = ["low", "lowest", "lower", "newest"]
```

Questo definisce un piccolo corpus di addestramento con quattro parole che condividono alcuni pattern comuni.

6. Addestramento del tokenizer

```python
tokenizer.train_from_iterator(corpus, trainer)
```

Questo addestra il tokenizer sul corpus utilizzando il trainer BPE configurato.

7. Test del tokenizer

```python
output = tokenizer.encode("lowering")
```

Questo codifica una nuova parola ("lowering") che non era presente nel corpus di addestramento.

8. Visualizzazione dei risultati

```python
print(output.tokens) # Example output: ['low', 'er', 'ing']
```

Questo stampa i token risultanti dalla codifica di "lowering". L'output di esempio mostra come il BPE possa suddividere questa parola in unità subword: 'low', 'er' e 'ing'.

Punti chiave di questa implementazione:

- Questo è un esempio minimo che dimostra il flusso di lavoro principale del BPE: inizializzazione, addestramento e codifica.

- Anche con un corpus molto piccolo, il tokenizer può gestire parole mai viste suddividendole in componenti subword significative.

- L'output atteso mostra come "lowering" venga suddivisa in "low" (presente nei dati di addestramento), più i comuni suffissi inglesi "er" e "ing".

Implementazione avanzata:

```python
from tokenizers import Tokenizer, models, trainers, pre_tokenizers, decoders
import matplotlib.pyplot as plt
import pandas as pd

# Initialize a BPE tokenizer
tokenizer = Tokenizer(models.BPE(unk_token="[UNK]"))

# Configure the trainer with more options
trainer = trainers.BpeTrainer(
    vocab_size=200,              # Maximum vocabulary size
    min_frequency=2,             # Minimum frequency to create a token
    special_tokens=["[UNK]", "[CLS]", "[SEP]", "[PAD]", "[MASK]"],  # Special tokens
    show_progress=True,          # Show progress during training
    initial_alphabet=None        # Use default initial alphabet
)

# Configure pre-tokenization (how text is split before BPE)
tokenizer.pre_tokenizer = pre_tokenizers.Whitespace()

# Configure decoder (how tokens are joined back into text)
tokenizer.decoder = decoders.WordPiece(prefix="##")

# Define a more diverse training corpus
corpus = [
    "low", "lowest", "lower", "lowering", "slowly", "follow", "hollow",
    "below", "fellowship", "yellow", "mellow", "pillow", "newest",
    "newer", "news", "newspaper", "newt", "newton", "newborn"
]

# Train the tokenizer
tokenizer.train_from_iterator(corpus, trainer)

# Print the vocabulary
print("Vocabulary:")
vocab = tokenizer.get_vocab()
sorted_vocab = sorted(vocab.items(), key=lambda x: x[1])
for token, id in sorted_vocab:
    print(f"Token: {token:15} ID: {id}")

# Encode example words
example_words = ["lowering", "lowered", "follower", "newlywed", "slowness"]
print("\\nEncoding examples:")
for word in example_words:
    output = tokenizer.encode(word)
    print(f"{word:15} → {output.tokens} (IDs: {output.ids})")

# Visualize token frequencies
```

```python
plt.figure(figsize=(12, 6))
tokens = [t for t, _ in sorted_vocab if t not in ["[UNK]", "[CLS]", "[SEP]", "[PAD]",
"[MASK]"]]
ids = [i for t, i in sorted_vocab if t not in ["[UNK]", "[CLS]", "[SEP]", "[PAD]",
"[MASK]"]]
plt.bar(tokens, [len(token) for token in tokens])
plt.title("Token Length Distribution")
plt.xlabel("Token")
plt.ylabel("Length")
plt.xticks(rotation=90)
# plt.show()  # Uncomment to show plot

# Create a function to demonstrate the BPE merge process step by step
def simulate_bpe_merges(word, merges):
    """Simulate BPE merge process on a single word."""
    # Start with characters
    chars = list(word)
    print(f"Initial: {' '.join(chars)}")

    # Apply merges in order
    for i, merge in enumerate(merges):
        a, b = merge
        j = 0
        while j < len(chars) - 1:
            if chars[j] == a and chars[j+1] == b:
                chars[j] = a + b
                chars.pop(j+1)
            else:
                j += 1
        print(f"Merge {i+1} ({a}+{b}): {' '.join(chars)}")

    return chars

# Example of manually tracing the BPE process
print("\\nSimulating BPE merge process for 'lowering':")
# These merges are hypothetical - in practice they'd be learned from data
merges = [('l', 'o'), ('lo', 'w'), ('e', 'r'), ('er', 'i'), ('eri', 'n'), ('erin',
'g')]
final_tokens = simulate_bpe_merges("lowering", merges)
```

L'esempio di codice dimostra un'implementazione completa della tokenizzazione Byte Pair Encoding (BPE) utilizzando la libreria Hugging Face tokenizers. Analizziamo ogni componente:

1. Setup e inizializzazione

tokenizer = Tokenizer(models.BPE(unk_token="[UNK]")) - Crea un nuovo tokenizer usando l'algoritmo BPE. Il parametro unk_token definisce un token speciale da usare per caratteri o sequenze non presenti nel vocabolario.

2. Configurazione del trainer

Il BpeTrainer è configurato con diversi parametri importanti:

- vocab_size=200 - Imposta una dimensione massima del vocabolario di 200 token. Questo è un limite superiore; il vocabolario reale potrebbe essere più piccolo se non ci sono abbastanza coppie frequenti.

- min_frequency=2 - Crea token solo da coppie che compaiono almeno due volte nel corpus. Questo evita l'overfitting su sequenze rare.

- special_tokens - Aggiunge token speciali standard usati in molti modelli transformer:

  - [UNK] - token sconosciuto

  - [CLS] - token di classificazione (usato all'inizio delle sequenze)

  - [SEP] - token separatore (separa segmenti diversi)

  - [PAD] - token di padding

  - [MASK] - token di masking (per il masked language modeling)

3. Pre-tokenizzazione e decodifica

tokenizer.pre_tokenizer = pre_tokenizers.Whitespace() - Prima che venga applicato BPE, il testo viene suddiviso in base agli spazi. Questo fornisce a BPE contesti a livello di parola su cui lavorare.

tokenizer.decoder = decoders.WordPiece(prefix="##") - Configura il modo in cui i token vengono ricomposti in testo. Usare il decoder WordPiece con prefisso "##" aiuta a visualizzare i confini tra token.

4. Corpus di addestramento

Il corpus viene ampliato per includere esempi più vari con pattern comuni:

- Parole con la radice "low": "low", "lowest", "lower", ecc.

- Parole con la radice "new": "newest", "newer", "newborn", ecc.

- Questo offre a BPE più opportunità per apprendere pattern subword significativi.

5. Addestramento e ispezione del vocabolario

tokenizer.train_from_iterator(corpus, trainer) - Addestra il tokenizer sul corpus usando il trainer configurato.

Il codice poi stampa l'intero vocabolario con gli ID dei token, mostrando ciò che il modello ha appreso.

6. Test con parole di esempio

Diverse parole di test vengono codificate per mostrare come BPE gestisce sia parole viste sia parole non viste:

- "lowering" - una parola del corpus di addestramento

- "lowered" - una variazione di parole presenti nel corpus

- "newlywed" - un composto di subword presenti nel corpus

- "slowness" - verifica come vengono gestite diverse forme morfologiche

7. Visualizzazione

Il codice include una componente di visualizzazione che mostra la distribuzione delle lunghezze dei token, utile per capire quali tipi di unità subword BPE sta apprendendo.

8. Simulazione del processo BPE

La funzione simulate_bpe_merges fornisce un'illustrazione passo dopo passo di come BPE unisce progressivamente coppie di caratteri:

- Inizia con singoli caratteri (ad esempio, "l o w e r i n g")

- Applica i merge in sequenza (ad esempio, "l+o" → "lo w e r i n g")

- Continua finché tutti i merge possibili sono stati applicati

- Questa simulazione aiuta a visualizzare come i token vengano costruiti a partire dai caratteri

Questa implementazione estesa dimostra il flusso di lavoro completo della tokenizzazione BPE, dall'inizializzazione all'addestramento, al test e alla visualizzazione - tutti componenti chiave per comprendere come i moderni modelli linguistici elaborano il testo.

2.1.2 WordPiece

WordPiece, sviluppato da Google per la traduzione automatica e successivamente utilizzato in **BERT**, è simile a BPE ma usa un **approccio basato sulla likelihood**. Invece di unire semplicemente le coppie di caratteri più frequenti, WordPiece unisce i token che **massimizzano la probabilità dei dati di addestramento** sotto un language model. Questo significa che WordPiece valuta i potenziali merge in base a quanto migliorerebbero la capacità complessiva del modello linguistico di predire il corpus di addestramento.

In termini pratici, WordPiece parte da un vocabolario di singoli caratteri e aggiunge iterativamente nuovi token combinando quelli esistenti. Per ogni possibile merge, calcola quanto tale unione aumenterebbe la likelihood dei dati di addestramento. In ogni iterazione viene scelto il merge che offre il maggiore miglioramento della likelihood. Questo approccio tende a favorire merge che creano unità linguisticamente significative come prefissi, suffissi e radici di parole.

Per capirlo meglio, vediamo come funziona WordPiece passo dopo passo:

1. **Inizializzazione:** si parte con un vocabolario contenente singoli caratteri e token speciali. Questo costituisce la base su cui l'algoritmo costruirà token più complessi. Ad esempio, con testo inglese, questo include a-z, cifre, punteggiatura e token speciali come [UNK], [PAD], ecc.

2. **Procedura di addestramento:**

   o Calcolare la likelihood del corpus di addestramento con il vocabolario corrente. Questo comporta misurare quanto bene l'attuale insieme di token può rappresentare i dati di addestramento quando viene usato in un language model.

   o Per ogni possibile coppia di token nel vocabolario, calcolare come il loro merge cambierebbe la likelihood del corpus. Questo passaggio valuta il "valore" della creazione di nuovi token combinando quelli esistenti.

   o Selezionare il merge che massimizza il miglioramento della likelihood. A differenza di BPE, che sceglie semplicemente la coppia più frequente, WordPiece seleziona la coppia che migliora maggiormente la capacità del modello di predire i dati di addestramento.

o   Aggiungere il nuovo token unito al vocabolario. Questo espande il vocabolario del modello con unità significative invece di semplici combinazioni frequenti di caratteri.

o   Ripetere finché non si raggiunge la dimensione target del vocabolario o finché i miglioramenti di likelihood scendono sotto una soglia. Questo processo iterativo continua fino a ottenere un vocabolario sufficientemente potente o fino a quando emergono rendimenti decrescenti.

3. **Funzione di scoring:** utilizza la probabilità di un language model per valutare ogni possibile merge. L'innovazione chiave di WordPiece è proprio questo meccanismo di scoring, che considera come ogni potenziale token contribuisce alla modellazione dell'intero corpus, non solo alle statistiche locali. Questo porta a token più semanticamente significativi che catturano pattern linguistici.

Questo differisce da BPE in un modo cruciale: mentre BPE conta semplicemente le frequenze delle coppie adiacenti, WordPiece considera l'impatto globale di ogni merge sulla modellazione dell'intero corpus. Questa differenza diventa particolarmente importante quando si gestiscono lingue morfologicamente ricche, dove le parti significative delle parole trasportano una forte informazione semantica.

Ad esempio, in inglese, WordPiece potrebbe apprendere rapidamente merge come "in" + "g" → "ing" oppure "re" + "s" → "res" perché queste combinazioni compaiono frequentemente in contesti significativi in molte parole. Tuttavia, potrebbe anche apprendere combinazioni come "dis" + "like" → "dislike" anche se sono meno frequenti di alcune coppie puramente statistiche, perché "dislike" come unità aiuta il modello a prevedere meglio le parole circostanti nelle frasi.

Un altro esempio che dimostra la forza di WordPiece è come potrebbe gestire la parola "unwrappable":

- Un approccio basato sulla frequenza potrebbe suddividerla come "unw" + "rapp" + "able" basandosi esclusivamente sui conteggi delle coppie di caratteriUn approccio basato sulla frequenza potrebbe suddividerla come "unw" + "rapp" + "able" basandosi esclusivamente sui conteggi delle coppie di caratteri

- WordPiece è più probabile che produca "un" + "wrap" + "able" perché queste sotto-unità sono unità più significative che predicono meglio il contestoWordPiece è più probabile che produca "un" + "wrap" + "able" perché queste sotto-unità sono unità più significative che predicono meglio il contesto

Questa sottile differenza spesso produce un vocabolario più efficiente per compiti come la traduzione, poiché cattura unità subword più significative dal punto di vista semantico piuttosto che semplicemente quelle statisticamente più frequenti. L'approccio basato sulla likelihood aiuta WordPiece a creare token che si allineano meglio con le strutture linguistiche, migliorando potenzialmente le prestazioni nei task a valle. In pratica, questo significa che i modelli che utilizzano la tokenizzazione WordPiece possono spesso gestire meglio parole con prefissi e suffissi comuni, così come parole composte, anche quando specifiche combinazioni non sono state viste durante l'addestramento.

Esempio: Comprendere in dettaglio la tokenizzazione WordPiece

La parola *"unhappiness"* potrebbe essere tokenizzata come:

- ["un", "##happiness"]

Nota il prefisso ## utilizzato nel tokenizer WordPiece di BERT. Indica che "happiness" non è una parola indipendente qui, ma una continuazione. Questa notazione è cruciale per due motivi:

- Preserva le informazioni sui confini delle parole durante l'elaborazione

- Permette al modello di distinguere tra la stessa sequenza quando appare all'inizio di una parola rispetto a quando appare all'interno o alla fine di una parola

Ad esempio, "un" come token autonomo ha implicazioni semantiche diverse rispetto a quando appare come prefisso con il significato di "non" o "opposto di". Allo stesso modo, "happiness" come parola completa differisce da "##happiness" come segmento di parola.

Questa distinzione è importante per comprendere il contesto. Quando "un" appare da solo, può far parte di varie parole o frasi come "un-American" o "UN resolution". Ma quando è combinato con "##happiness", il modello sa che sta funzionando specificamente come prefisso di negazione.

Il sistema di marcatori "##" aiuta anche nella disambiguazione. Ad esempio:

- In "understand", "un" non funziona come negazione (non è l'opposto di "derstand")

- In "unhappy", "un" nega chiaramente "happy"

Apprendendo questi pattern, il modello può comprendere meglio il significato composizionale delle parole che incontra.

Questa segmentazione consente al modello di riconoscere affissi comuni (come il prefisso negativo "un-") e parole radice separatamente, permettendogli di comprendere le relazioni tra parole come "happy", "unhappy" e "unhappiness" anche se alcune forme erano rare o assenti nei dati di addestramento. Durante la decodifica/detokenizzazione, il modello sa unire i token con il prefisso "##" direttamente al token precedente senza aggiungere spazi.

La potenza di questo approccio diventa evidente quando si ha a che fare con parole che il modello non ha mai visto prima. Ad esempio, se il modello incontra "unremarkableness" per la prima volta, potrebbe tokenizzarla come ["un", "##remark", "##able", "##ness"]. Anche se questa parola esatta non era presente nei dati di addestramento, il modello può comunque comprenderne il significato riconoscendo componenti familiari:

- "un" - prefisso di negazione

- "##remark" - parola radice correlata a "remark"

- "##able" - suffisso che indica capacità

- "##ness" - suffisso che forma un sostantivo che esprime uno stato o una qualità

Questa comprensione composizionale è ciò che consente ai moderni modelli linguistici di gestire vocabolari vasti senza memorizzare esplicitamente ogni possibile forma di parola.

Esempio di codice: Uso di un tokenizer WordPiece (tramite Hugging Face BERT)

```python
from transformers import BertTokenizer

# Load pre-trained WordPiece tokenizer
tokenizer = BertTokenizer.from_pretrained("bert-base-uncased")
```

```python
# Basic tokenization example
simple_word = "unhappiness"
tokens = tokenizer.tokenize(simple_word)
print(f"'{simple_word}' tokenized: {tokens}")  # Output: ['un', '##happiness']

# More complex examples
example_texts = [
    "unremarkableness",
    "antidisestablishmentarianism",
    "She's reading about counterrevolutionaries.",
    "The neurotransmitter affects neuroplasticity."
]

print("\\nMore examples of WordPiece tokenization:")
for text in example_texts:
    tokens = tokenizer.tokenize(text)
    print(f"'{text}' tokenized:")
    print(f"  {tokens}")
    print(f"  Token count: {len(tokens)}")

# Demonstrate full tokenization pipeline (including special tokens)
sentence = "WordPiece handles unseen words like 'hyperparameterization' effectively."
inputs = tokenizer(sentence, return_tensors="pt")
print(f"\\nFull sentence tokenization:")
print(f"Input text: {sentence}")
print(f"Input IDs: {inputs['input_ids'][0].tolist()}")
print(f"Decoded: {tokenizer.decode(inputs['input_ids'][0])}")

# Demonstrate handling of out-of-vocabulary words
oov_word = "supercalifragilisticexpialidocious"
oov_tokens = tokenizer.tokenize(oov_word)
print(f"\\nOOV word '{oov_word}' tokenized:")
print(f"  {oov_tokens}")
print(f"  Token count: {len(oov_tokens)}")
```

Analisi dell'esempio di codice di tokenizzazione WordPiece:

- **1. Inizializzazione di base ed esempio semplice**

    o Importiamo il BertTokenizer dalla libreria transformers, che implementa la tokenizzazione WordPiece.

    o Carichiamo il tokenizer pre-addestrato per "bert-base-uncased", che contiene un vocabolario di 30.522 token appresi da un ampio corpus inglese.

    o L'esempio semplice con "unhappiness" mostra come WordPiece la suddivide in ["un", "##happiness"], riconoscendo "un" come un prefisso comune.

- **2. Esempi di parole complesse**

- o Il codice dimostra la tokenizzazione di parole sempre più complesse per mostrare come WordPiece gestisce termini morfologicamente ricchi.

- o "unremarkableness" verrebbe probabilmente suddivisa in ["un", "##remark", "##able", "##ness"], mostrando come l'algoritmo identifichi affissi comuni.

- o "antidisestablishmentarianism" dimostra come parole molto lunghe vengano suddivise in unità subword significative.

- o Gli esempi di frasi mostrano come WordPiece gestisce testo reale con punteggiatura e più parole.

- **3. Pipeline completa di tokenizzazione**

  - o L'esempio mostra il processo completo di tokenizzazione (non solo la suddivisione), includendo:

    - Aggiunta di token speciali ([CLS] all'inizio, [SEP] alla fine)

    - Conversione in ID dei token (numeri che il modello effettivamente elabora)

    - Decodifica di nuovo in testo (mostrando che il processo è reversibile)

  - o Questo dimostra che la tokenizzazione non riguarda solo la suddivisione del testo, ma la preparazione nel formato esatto richiesto dal modello.

- **4. Gestione Out-of-Vocabulary (OOV)**

  - o L'esempio con "supercalifragilisticexpialidocious" mostra come WordPiece gestisce parole mai viste prima.

  - o Invece di usare un token generico [UNK] per l'intera parola (che farebbe perdere tutte le informazioni), WordPiece la suddivide in subword familiari.

  - o Questo dimostra il principale vantaggio della tokenizzazione subword: la capacità di gestire un vocabolario illimitato attraverso comprensione composizionale.

- **5. Concetti chiave di questo esempio**

  - o L'uso del prefisso "##" in WordPiece indica chiaramente la posizione dei token (inizio parola vs interno parola).

  - o Il tokenizer bilancia tra granularità a livello di carattere (troppo fine) e token a livello di parola (che richiederebbero un vocabolario enorme).

  - o Per il machine learning, questo approccio crea un vocabolario gestibile mantenendo unità semantiche significative.

  - o Il tokenizer mantiene abbastanza informazioni per permettere al modello di comprendere la morfologia (struttura delle parole) e ricostruire il testo originale.

2.1.3 SentencePiece

SentencePiece, sviluppato da Google specificamente per **modelli multilingue** come mT5, rappresenta un importante avanzamento nella tecnologia di tokenizzazione. Offre molta più flessibilità e potenza rispetto ai metodi precedenti come BPE e WordPiece. Ciò che rende SentencePiece davvero innovativo è il suo approccio fondamentale all'elaborazione del testo - tratta il testo come un flusso grezzo di byte senza fare affidamento sugli spazi come confini tra parole. Questa differenza fondamentale rispetto agli approcci precedenti gli permette di gestire qualsiasi lingua con la stessa efficacia.

Questa scelta progettuale è particolarmente preziosa per lingue come cinese, giapponese, thailandese e coreano, dove le parole non sono separate da spazi e la segmentazione stessa è una sfida linguistica complessa. Ad esempio, in giapponese, la frase "私は東京に住んでいます" (vivo a Tokyo) non contiene spazi tra le parole, rendendo estremamente difficile la tokenizzazione tradizionale basata sulle parole. SentencePiece gestisce questi casi in modo naturale senza richiedere passaggi di preprocessing specifici per ogni lingua.

A differenza di BPE e WordPiece, che normalmente operano su testo pre-tokenizzato (assumendo spesso che le parole siano già separate da spazi), SentencePiece lavora direttamente sul testo grezzo senza passaggi preliminari di tokenizzazione. Questa differenza rappresenta un progresso significativo nella tecnologia di tokenizzazione. SentencePiece tratta l'intero testo come un flusso continuo di caratteri, senza fare assunzioni sui confini delle parole o sulle regole specifiche della lingua. Questo approccio presenta diversi vantaggi chiave:

- Elimina la necessità di preprocessing specifico per lingua, rendendo la pipeline di tokenizzazione più semplice e universale. I tokenizer tradizionali spesso richiedono regole diverse per lingue differenti (come la segmentazione per lingue asiatiche), mentre SentencePiece applica lo stesso algoritmo a tutte, semplificando drasticamente i sistemi multilingue.

- Crea un processo di tokenizzazione completamente reversibile, consentendo la ricostruzione perfetta del testo originale senza ambiguità. Utilizzando simboli speciali per marcare i confini delle parole (invece di assumere spazi), SentencePiece può ricostruire con precisione il testo originale, fondamentale per compiti come la traduzione.

- Gestisce tutte le lingue con un approccio unificato, indipendentemente dal sistema di scrittura o dalla struttura grammaticale. Questo significa che giapponese, cinese, inglese, arabo e qualsiasi altra lingua possono essere elaborati con la stessa pipeline senza regole specifiche.

- Mantiene una tokenizzazione coerente tra lingue nei modelli multilingue, migliorando il transfer learning cross-lingua e la qualità della traduzione. Quando tutte le lingue sono tokenizzate nello stesso modo, il modello può identificare più facilmente pattern condivisi.

- Riduce significativamente la necessità di ingegneria specifica per lingua quando si aggiungono nuove lingue. Per supportare una nuova lingua basta includere esempi nel dataset di addestramento del tokenizer, senza creare regole personalizzate.

SentencePiece può essere utilizzato sia con BPE sia con **modelli linguistici Unigram** per determinare le migliori suddivisioni dei token. L'approccio basato sul modello Unigram è particolarmente interessante perché utilizza un modello probabilistico per trovare la segmentazione più probabile del testo, producendo spesso token più significativi dal punto di vista linguistico.

A differenza dell'approccio deterministico di merging di BPE, il metodo Unigram utilizza un modello statistico per valutare molteplici possibili segmentazioni di una sequenza di testo. Questa base probabilistica gli consente di catturare pattern linguistici più complessi. Il metodo Unigram funziona in questo modo:

- Inizia con un ampio vocabolario di potenziali unità subword (spesso decine o centinaia di migliaia di candidati)

- Rimuove iterativamente i token che contribuiscono meno alla likelihood complessiva del corpus, utilizzando una strategia di pruning che considera sia la frequenza dei token sia il loro contributo alla compressione del testo

- Utilizza un modello probabilistico per selezionare la segmentazione ottimale tra più possibilità, dove ogni token ha una probabilità associata nel modello

- Impiega una variante dell'algoritmo di Viterbi (un approccio di programmazione dinamica) per trovare la segmentazione più probabile di un dato testo

La base matematica del modello Unigram si fonda sulla massimizzazione della likelihood. Per una sequenza di caratteri, cerca la segmentazione che massimizza:

$$P(x) = \prod P(x_i)$$

Dove x_i rappresenta i singoli token in una determinata segmentazione. Questa formula esprime l'idea che la probabilità di una sequenza sia il prodotto delle probabilità dei suoi token componenti, assumendo indipendenza tra i token.

Ad esempio, nel tokenizzare la parola "unbelievable", il modello Unigram potrebbe considerare diverse segmentazioni:

- ["un", "believable"] con probabilità P("un") × P("believable")

- ["un", "believe", "able"] con probabilità P("un") × P("believe") × P("able")

- ["unbelievable"] con probabilità P("unbelievable")

Il modello selezionerà quella con probabilità più alta in base ai parametri appresi. Questo approccio permette a SentencePiece di adattarsi alle caratteristiche specifiche di ogni lingua mantenendo una metodologia coerente tra tutte le lingue, rendendolo il tokenizer preferito per i modelli linguistici multilingue più avanzati.

Esempio in dettaglio:

La frase giapponese "私は学生です" (*Sono uno studente*) potrebbe essere tokenizzata come:

- ["_私", "は", "学", "生", "です"]

Qui, il carattere underscore speciale _ (chiamato "meta symbol") indica un confine di parola. Questa è una caratteristica fondamentale che permette al modello di ricostruire il testo originale senza ambiguità. Analizziamo cosa succede più nel dettaglio:

- L'underscore prima di "私" (watashi - "io") indica l'inizio di una nuova parola. Questa informazione è cruciale perché il giapponese non utilizza spazi tra le parole nel testo scritto.

- Ogni carattere viene tokenizzato separatamente, riflettendo la natura basata sui caratteri della scrittura giapponese. A differenza dei sistemi alfabetici, ogni carattere giapponese porta spesso un significato semantico.

- Il modello può imparare a raggruppare sequenze comuni come "です" (desu - verbo "essere") in un unico token. Questo dimostra la capacità di SentencePiece di identificare unità funzionali del linguaggio oltre la semplice divisione in caratteri.

- L'algoritmo determina dinamicamente la granularità ottimale della tokenizzazione basandosi sui pattern statistici nei dati di addestramento, non su regole rigide.

- Questo approccio preserva la struttura logica del testo giapponese senza richiedere preprocessing specifico per lingua o strumenti di segmentazione.

Per confronto, la stessa frase in inglese "I am a student" potrebbe essere tokenizzata come:

- ["_I", "_am", "_a", "_student"]

Nota come ogni token nell'esempio inglese abbia il prefisso underscore, mentre in giapponese solo il primo lo ha. Questo perché:

- In inglese, SentencePiece riconosce gli spazi come confini naturali tra parole e li sostituisce con il simbolo underscore.

- In giapponese, solo l'inizio della frase (o dopo la punteggiatura) riceve l'underscore, poiché non ci sono spazi espliciti nel testo originale.

- Questo permette al tokenizer di gestire in modo trasparente le differenze strutturali tra le lingue.

Questo approccio coerente tra lingue con sistemi di scrittura diversi è ciò che rende SentencePiece particolarmente prezioso per modelli multilingue e compiti di traduzione. Il modello non necessita di strategie di tokenizzazione separate per ogni lingua: apprende direttamente dai dati i pattern di segmentazione appropriati, risultando estremamente versatile per elaborare decine o centinaia di lingue simultaneamente.

Esempio di codice: Addestrare SentencePiece su un dataset di esempio

```python
import sentencepiece as spm
import numpy as np
import matplotlib.pyplot as plt

# 1. Create a more diverse corpus with multiple languages
with open("multilingual_corpus.txt", "w") as f:
    f.write("I am a student\\nI am learning AI\\n")  # English
    f.write("私は学生です\\n人工知能を勉強しています\\n")  # Japanese
    f.write("Yo soy estudiante\\nEstoy aprendiendo IA\\n")  # Spanish
    f.write("我是学生\\n我正在学习人工智能\\n")  # Chinese

# 2. Train SentencePiece with more configuration options
spm.SentencePieceTrainer.train(
    input="multilingual_corpus.txt",
    model_prefix="multilingual_model",
    vocab_size=500,  # Larger vocabulary for multilingual support
    character_coverage=0.9995,  # Higher coverage for non-Latin scripts
    model_type="unigram",  # Using the unigram model instead of BPE
    user_defined_symbols=["<mask>", "<cls>", "<sep>"],  # Special tokens for ML tasks
```

```python
    input_sentence_size=10000,   # Maximum sentences to load
    shuffle_input_sentence=True   # Shuffle sentences for better distribution
)

# 3. Load the trained tokenizer
sp = spm.SentencePieceProcessor()
sp.load("multilingual_model.model")

# 4. Basic tokenization examples across languages
examples = [
    "I am a student learning about AI and machine learning.",
    "私は人工知能について学んでいる学生です。",
    "Yo soy un estudiante que aprende sobre inteligencia artificial.",
    "我是一个学习人工智能的学生。"
]

print("===== Basic Tokenization Examples =====")
for text in examples:
    tokens = sp.encode(text, out_type=str)
    print(f"\\nOriginal: {text}")
    print(f"Tokens: {tokens}")
    print(f"Token IDs: {sp.encode(text)}")
    print(f"Decoded: {sp.decode(sp.encode(text))}")
    print(f"Number of tokens: {len(tokens)}")

# 5. Demonstrating reversibility
test_text = "SentencePiece handles multiple languages: English, 日本語, Español, 中文"

encoded = sp.encode(test_text)
decoded = sp.decode(encoded)

print("\\n===== Demonstrating Reversibility =====")
print(f"Original: {test_text}")
print(f"Encoded and decoded: {decoded}")
print(f"Matches original: {test_text == decoded}")

# 6. Exploring the vocabulary
print("\\n===== Vocabulary Exploration =====")
vocab_size = sp.get_piece_size()
print(f"Vocabulary size: {vocab_size}")

# Show the first 20 tokens in the vocabulary
print("\\nFirst 20 tokens in vocabulary:")
for i in range(min(20, vocab_size)):
    piece = sp.id_to_piece(i)
    score = sp.get_score(i)
    print(f"ID: {i}, Token: '{piece}', Score: {score}")

# 7. Visualizing token distribution
test_long = " ".join(examples)
token_ids = sp.encode(test_long)
```

```python
token_counts = {}

for token_id in token_ids:
    token = sp.id_to_piece(token_id)
    if token in token_counts:
        token_counts[token] += 1
    else:
        token_counts[token] = 1

# Get top 15 tokens by frequency
top_tokens = sorted(token_counts.items(), key=lambda x: x[1], reverse=True)[:15]
tokens, counts = zip(*top_tokens)

print("\\n===== Token Frequency Distribution =====")
print(f"Most common tokens: {tokens}")
print(f"With counts: {counts}")

# Plot option (commented out for compatibility)
"""
plt.figure(figsize=(12, 6))
plt.bar(tokens, counts)
plt.title("Top 15 Token Frequencies")
plt.xlabel("Tokens")
plt.ylabel("Frequency")
plt.xticks(rotation=45, ha="right")
plt.tight_layout()
plt.savefig("token_distribution.png")
"""

# 8. Out of vocabulary handling demonstration
rare_text = "supercalifragilisticexpialidocious is an extraordinary word"
print("\\n===== OOV Handling =====")
print(f"Original: {rare_text}")
print(f"Tokenized: {sp.encode(rare_text, out_type=str)}")
print(f"Token count: {len(sp.encode(rare_text))}")
```

Desglose del código y explicación:

1. Creación de un corpus multilingüe

El ejemplo crea un corpus de entrenamiento diverso con texto en múltiples idiomas (inglés, japonés, español y chino). Esto demuestra la principal fortaleza de SentencePiece al manejar múltiples idiomas con diferentes sistemas de escritura dentro de un solo tokenizador.

2. Configuración de entrenamiento

- **vocab_size=500**: Aumentado desde los 100 originales para manejar mejor múltiples idiomas.

- **character_coverage=0.9995**: Controla qué porcentaje de caracteres en los datos de entrenamiento debe ser cubierto por el modelo. Valores más altos aseguran que se incluyan caracteres raros en alfabetos no latinos.

- **model_type="unigram"**: Utiliza explícitamente el algoritmo Unigram en lugar de BPE, lo cual es mejor para manejar múltiples idiomas con diferentes estructuras morfológicas.

- **user_defined_symbols**: Añade tokens especiales que pueden ser necesarios para tareas específicas de machine learning como el masked language modeling.

- **shuffle_input_sentence**: Asegura que los datos de entrenamiento estén bien mezclados entre los distintos idiomas.

3. Ejemplos básicos de tokenización

El código demuestra la tokenización en cuatro idiomas, mostrando:

- Cómo el mismo tokenizador maneja diferentes sistemas de escritura (latino, japonés, chino)

- Los tokens de salida en forma legible para humanos (out_type=str)

- Los IDs de tokens correspondientes usados por los modelos

- La reconstrucción perfecta del texto original mediante decodificación

- El conteo de tokens para cada ejemplo (importante para entender cuán eficientemente se tokenizan los distintos idiomas)

4. Demostración de reversibilidad

Esta sección muestra la reversibilidad perfecta de SentencePiece: la capacidad de decodificar texto tokenizado de vuelta al texto original exacto sin pérdida de información. Esto es crítico para tareas como la traducción, donde es importante preservar la estructura exacta del texto.

5. Exploración del vocabulario

El código examina el vocabulario aprendido mediante:

- Mostrar el tamaño total del vocabulario

- Presentar los primeros 20 tokens con sus IDs y puntajes

- Los puntajes representan la probabilidad logarítmica de cada token en el modelo unigram

6. Análisis de distribución de tokens

Esta sección analiza cómo se distribuyen los tokens en texto real mediante:

- Contar frecuencias de tokens en una muestra multilingüe

- Identificar los tokens más comunes entre idiomas

- Incluir (comentado) código de visualización que graficaría estas distribuciones

7. Demostración de manejo OOV

La sección final muestra cómo SentencePiece maneja palabras fuera del vocabulario (OOV) como "supercalifragilisticexpialidocious", dividiéndolas en subunidades más pequeñas. Esto demuestra la capacidad de SentencePiece para manejar cualquier texto, incluso palabras nunca vistas durante el entrenamiento.

Este ejemplo integral ilustra las principales fortalezas de SentencePiece para aplicaciones de NLP multilingüe:

- Tokenización independiente del idioma sin preprocesamiento

- Reversibilidad perfecta para manejo de texto sin pérdida

- Segmentación eficiente en subpalabras a través de múltiples sistemas de escritura

- Manejo robusto de palabras fuera del vocabulario

- Enfoque estadístico para selección de tokens que se adapta a patrones lingüísticos

2.1.4 Perché questi aspetti sono importanti

BPE (Byte Pair Encoding)

BPE è veloce, semplice e ampiamente utilizzato nei modelli più importanti (ad esempio GPT-2, GPT-3). Funziona unendo iterativamente le coppie di caratteri più frequenti in un corpus, creando nuovi token a partire da sequenze comuni.

L'algoritmo inizia con un vocabolario di singoli caratteri e combina ripetutamente le coppie adiacenti più frequenti fino a raggiungere una dimensione di vocabolario desiderata. Per esempio, se "er" appare frequentemente insieme nel testo inglese, BPE creerebbe un singolo token che rappresenta questa coppia di caratteri.

Vediamo un esempio semplificato:

1. Si parte da token a livello di carattere: ["h", "e", "l", "l", "o", " ", "w", "o", "r", "l", "d"]

2. Si contano le frequenze delle coppie adiacenti: ("h", "e"), ("e", "l"), ("l", "l"), ecc.

3. Si unisce la coppia più frequente, ad esempio se ("l", "l") è la più frequente: ["h", "e", "ll", "o", " ", "w", "o", "r", "l", "d"]

4. Si ripete fino a raggiungere il limite di vocabolario o finché non ci sono più coppie frequenti

Questo approccio gestisce efficientemente le subparole comuni pur mantenendo la capacità di scomporre parole rare in componenti più piccoli. La semplicità di BPE lo rende computazionalmente efficiente, aspetto cruciale quando si lavora con dataset molto grandi. Il metodo offre un buon equilibrio tra tokenizzazione a livello di carattere (che produce troppi token) e a livello di parola (che fatica con parole fuori vocabolario).

WordPiece

WordPiece è ottimizzato per fusioni basate sulla probabilità ed è utilizzato in BERT e in altri modelli transformer. A differenza di BPE, che unisce in base alla sola frequenza, WordPiece seleziona le fusioni che massimizzano la probabilità dei dati di training. Questo produce un vocabolario che cattura meglio i pattern linguistici e può migliorare le prestazioni del modello in compiti che richiedono una comprensione linguistica più raffinata.

In pratica, WordPiece funziona in modo simile a BPE ma con una differenza cruciale nel criterio di selezione. Utilizza un obiettivo di language modeling per decidere quali unità subword unire, calcolando la probabilità del corpus di training dopo ogni possibile fusione e scegliendo quella che aumenta maggiormente tale probabilità. Questo approccio può essere visto come un "greedy language modeling": a ogni passo si sceglie la fusione che migliora di più la capacità del modello di predire il testo.

Per esempio, in inglese WordPiece potrebbe preferire unire "ing" come token singolo perché questo suffisso appare in molte parole e rappresenta un'unità linguistica significativa. Allo stesso modo, in tedesco potrebbe tokenizzare efficientemente parole composte identificando componenti comuni.

L'algoritmo gestisce anche i confini delle parole in modo diverso rispetto a BPE. Tipicamente segna l'inizio delle parole con un carattere speciale (spesso "##" nelle implementazioni BERT), aiutando il modello a distinguere tra la stessa sequenza di caratteri all'inizio o all'interno di una parola. Questa caratteristica è particolarmente utile nelle lingue in cui la morfologia porta informazioni grammaticali importanti.

WordPiece produce generalmente schemi di tokenizzazione leggermente diversi rispetto a BPE, specialmente nelle lingue morfologicamente ricche.

SentencePiece

SentencePiece è un metodo di tokenizzazione indipendente dalla lingua, progettato specificamente per applicazioni NLP multilingue. A differenza dei tokenizzatori tradizionali che richiedono regole specifiche per ogni lingua, SentencePiece tratta l'input come un flusso grezzo di caratteri Unicode senza fare alcuna assunzione sui confini delle parole o sulla struttura linguistica. Questa scelta progettuale fondamentale offre diversi vantaggi chiave:

1. **Vera indipendenza dalla lingua:** Operando direttamente sui code point Unicode, SentencePiece elimina la necessità di pre-processing specifico per lingua, come la segmentazione delle parole o l'analisi morfologica. Questo lo rende efficace in tutte le lingue umane.

2. **Gestione naturale delle lingue senza spazi:** Lingue come giapponese, cinese e thai, che non utilizzano spazi tra le parole, hanno tradizionalmente richiesto tokenizzatori specializzati. SentencePiece le gestisce nativamente, apprendendo direttamente dai dati i pattern di segmentazione.

3. **Rappresentazione multilingue coerente:** Quando viene addestrato su corpus multilingue, SentencePiece sviluppa un vocabolario condiviso che rappresenta efficacemente pattern cross-lingua, rendendolo ideale per sistemi di traduzione e modelli multilingue.

4. **Reversibilità perfetta:** SentencePiece mantiene una conversione senza perdita tra testo e token, garantendo che il testo possa essere ricostruito esattamente.

5. **Preservazione degli spazi:** A differenza di molti tokenizzatori che normalizzano o eliminano gli spazi, SentencePiece li preserva trattandoli come caratteri normali.

6. **Flessibilità di implementazione:** SentencePiece supporta sia algoritmi unigram che BPE nello stesso framework, permettendo di scegliere il metodo più adatto mantenendo un preprocessing coerente.

Insieme, questi metodi costituiscono la base della tokenizzazione nei Large Language Models (LLMs). Senza questi approcci avanzati, i modelli moderni faticherebbero a gestire in modo efficiente la grande diversità del linguaggio umano. Vediamo ora perché questi metodi sono così fondamentali:

Ruolo critico nell'architettura del modello

La tokenizzazione rappresenta il primo livello di traduzione tra il linguaggio umano e la comprensione della macchina. La qualità e le caratteristiche di questa traduzione influenzano direttamente tutto ciò che accade successivamente nel modello. Una tokenizzazione scadente può introdurre bias, inefficienze e limitazioni che nessuna quantità di tuning dei parametri può completamente compensare.

Si può pensare alla tokenizzazione come alle fondamenta su cui è costruito l'intero modello linguistico. Così come un edificio con fondamenta deboli avrà problemi strutturali indipendentemente da quanto siano ben progettati i piani superiori, un modello con una tokenizzazione subottimale faticherà a raggiungere il suo pieno potenziale nonostante architetture neurali sofisticate.

Questo ruolo critico si manifesta in diversi modi chiave:

- La tokenizzazione determina quali pattern il modello può apprendere. Se unità linguistiche importanti vengono suddivise in più token, il modello deve lavorare di più per riconoscere questi pattern.

- L'efficienza della rappresentazione dei token influisce direttamente sui requisiti computazionali. I modelli elaborano il testo token per token, quindi una tokenizzazione inefficiente può rallentare significativamente sia l'addestramento che l'inferenza.

- La distribuzione dei token influisce sui meccanismi di attenzione. I modelli basati su Transformer si affidano all'attenzione per stabilire relazioni tra token, e il modo in cui il testo viene tokenizzato modella queste relazioni.

- La rappresentazione del linguaggio è profondamente influenzata dalla tokenizzazione. Lingue con sistemi di scrittura o strutture diverse possono essere rappresentate con diversi livelli di efficienza, creando potenziali disparità di prestazione tra lingue.

La dimensione del vocabolario rappresenta di per sé un importante compromesso architetturale. Vocabolari più grandi possono catturare direttamente più pattern linguistici ma richiedono più parametri nel livello di embedding. Vocabolari più piccoli sono più efficienti dal punto di vista computazionale ma possono richiedere più token per rappresentare lo stesso testo.

Vantaggi distinti di ogni metodo

- **BPE (Byte Pair Encoding):** Offre efficienza computazionale mantenendo un vocabolario relativamente piccolo (tipicamente 30-50K token) pur catturando pattern subword comuni. Questa efficienza rende l'addestramento più veloce e riduce i requisiti di memoria. BPE è particolarmente efficace per le lingue europee con alfabeti e strutture morfologiche simili.

- **WordPiece:** Offre una tokenizzazione basata sulla probabilità che cattura meglio le unità linguistiche. Ottimizzando per la probabilità anziché solo per la frequenza, WordPiece sviluppa un vocabolario che rappresenta in modo più accurato componenti linguistici significativi. Questo approccio aiuta i modelli a comprendere meglio la struttura semantica del testo, migliorando le prestazioni in compiti che richiedono una comprensione linguistica approfondita.

- **SentencePiece:** Permette un'elaborazione realmente indipendente dalla lingua trattando tutto il testo come sequenze Unicode senza assumere confini di parola. Questo approccio è rivoluzionario per i modelli multilingue, poiché elimina la necessità di pipeline di pre-processing specifiche per lingua. SentencePiece gestisce senza problemi lingue con sistemi di scrittura, convenzioni di separazione delle parole e strutture morfologiche diverse all'interno di un unico framework.

Implicazioni sulle prestazioni

La scelta del metodo di tokenizzazione può influenzare significativamente le prestazioni di un modello in diverse dimensioni:

- **Copertura linguistica:** I modelli che utilizzano BPE possono eccellere nelle lingue indoeuropee ma avere difficoltà con lingue che utilizzano sistemi di scrittura o strutture linguistiche diverse. Questo perché BPE è stato originariamente progettato pensando all'inglese e a lingue simili, che condividono caratteristiche come confini di parola chiari e morfologia relativamente semplice. Quando viene applicato a lingue con sistemi di scrittura diversi (come cinese, giapponese o thai) o con strutture morfologiche complesse (come turco o finlandese), BPE tende a creare pattern di tokenizzazione inefficienti. SentencePiece offre prestazioni più coerenti tra famiglie linguistiche diverse perché tratta tutto il testo come una sequenza grezza di caratteri Unicode senza fare assunzioni sui confini delle parole, permettendo di apprendere la segmentazione direttamente dai dati.

- **Efficienza del vocabolario:** Metodi diversi raggiungono livelli di compressione differenti. Un tokenizzatore più efficiente può rappresentare la stessa informazione con meno token, riducendo i costi computazionali sia durante l'addestramento che durante l'inferenza. BPE tende a essere efficiente per le lingue per cui è stato progettato, ma può richiedere più token per altre. L'approccio probabilistico di WordPiece spesso crea token più significativi dal punto di vista semantico, migliorando potenzialmente l'efficienza per alcuni compiti. L'approccio indipendente dalla lingua di SentencePiece può essere particolarmente efficiente per contenuti multilingue, sviluppando un vocabolario condiviso che cattura pattern cross-lingua. Questa efficienza influisce direttamente sulle prestazioni del modello, poiché sequenze di token più lunghe richiedono più risorse computazionali e possono superare i limiti della finestra di contesto.

- **Gestione delle parole fuori vocabolario:** Tutti e tre i metodi offrono meccanismi per gestire parole mai viste prima, ma differiscono nella capacità di trattare costruzioni veramente nuove o parole rare provenienti da lingue con poche risorse. BPE suddivide le parole sconosciute in unità subword più piccole, ma può generare rappresentazioni inefficienti per certi tipi di parole. WordPiece utilizza il suo approccio probabilistico per creare decomposizioni più linguisticamente informate. SentencePiece, grazie al fallback a livello di carattere, garantisce che qualsiasi testo possa essere tokenizzato, anche se in modo meno efficiente. Questo è particolarmente importante quando i modelli incontrano terminologia specializzata, nomi propri di lingue poco rappresentate o testo deliberatamente offuscato non presente nei dati di training.

- **Trasferimento cross-lingua:** Nei modelli multilingue, la strategia di tokenizzazione influisce su quanto bene la conoscenza si trasferisce tra lingue. L'approccio indipendente dalla lingua di SentencePiece spesso facilita migliori prestazioni cross-lingua perché crea pattern di tokenizzazione coerenti tra lingue, permettendo al modello di riconoscere strutture linguistiche simili anche quando appaiono in lingue diverse. Questo è particolarmente utile per compiti di traduzione, comprensione multilingue e zero-shot learning, dove la conoscenza appresa in lingue ad alta disponibilità di dati deve trasferirsi a lingue con poche risorse. Modelli che utilizzano approcci di tokenizzazione più specifici per lingua possono sviluppare "sottoreti" separate per ogni lingua, limitando la condivisione della conoscenza tra esse.

In definitiva, la scelta del metodo di tokenizzazione rappresenta una decisione architetturale cruciale che influenza le capacità, i bias e le prestazioni del modello tra lingue e compiti. La ricerca recente continua a esplorare approcci ibridi e nuove strategie di tokenizzazione per superare le limitazioni dei metodi esistenti.

2.2 Addestrare tokenizer personalizzati per compiti specifici di dominio

Quando si utilizza un tokenizer pre-addestrato, si eredita il vocabolario e lo schema di tokenizzazione scelti dai creatori del modello. Per molte applicazioni di uso generale, questo va perfettamente bene. Ma se si lavora in un **dominio specializzato** — come il diritto, la medicina o l'ingegneria del software — un tokenizer standard potrebbe non essere ideale. I tokenizer pre-addestrati sono in genere ottimizzati per un uso linguistico generale e potrebbero non rappresentare in modo efficiente la terminologia, la notazione e i pattern linguistici specifici presenti nei campi specializzati.

Per capire perché questo è importante, bisogna considerare come funzionano i tokenizer: dividono il testo in unità più piccole in base ai pattern appresi durante l'addestramento. Questi pattern riflettono la frequenza e la distribuzione delle sequenze di caratteri presenti nel corpus di training. Se quel corpus era composto principalmente da testo generico del web, articoli di giornale e libri, il tokenizer risultante rappresenterà in modo efficiente il linguaggio comune. Tuttavia, farà più fatica con il vocabolario specialistico che compare raramente nel testo generale.

Per esempio, in ambito medico, termini come "electroencephalography" o "hepatocellular carcinoma" potrebbero essere suddivisi in molti piccoli token subword da un tokenizer generico (ad esempio, "electro", "##enc", "##eph", "##alo", "##graphy"). Questo non solo aumenta il numero di token — consumando più spazio nella finestra di contesto e più risorse computazionali — ma costringe anche il modello a ricostruire il significato da frammenti invece di elaborarlo come un concetto coerente.

Allo stesso modo, nei testi giuridici, espressioni come "motion for summary judgment" o "amicus curiae brief" rappresentano concetti legali specifici che perdono la loro unità semantica quando vengono frammentati. I linguaggi di programmazione contengono pattern sintattici e convenzioni di denominazione delle variabili che i tokenizer generici gestiscono in modo inefficiente, spesso suddividendo costrutti comuni come "ArrayList" in più token, oscurandone la struttura sottostante.

Questa tokenizzazione inefficiente crea diversi problemi interconnessi:

- Spreca spazio prezioso nella finestra di contesto, limitando la quantità di informazioni rilevanti che il modello può elaborare

- Aumenta i costi computazionali, poiché il modello deve elaborare più token per lo stesso contenuto

- Rende più difficile per il modello riconoscere pattern e relazioni specifici del dominio

- Può ridurre le prestazioni del modello in compiti specialistici in cui la precisione terminologica è fondamentale

Queste limitazioni diventano sempre più significative man mano che si lavora con contenuti più specializzati o con materiali multilingue specifici di dominio, dove le inefficienze di tokenizzazione si sommano.

Perché? Perché:

Termini rari

I termini rari (come formule chimiche o gergo medico) possono essere suddivisi in decine di token. Per esempio, "methylenedioxymethamphetamine" potrebbe essere spezzato in più di 10 subword da un tokenizer generico, mentre un tokenizer focalizzato sulla chimica potrebbe rappresentarlo in modo più efficiente con 2 o 3 token. Questa tokenizzazione inefficiente può portare sia a inefficienza computazionale sia a una rappresentazione semantica peggiore.

Per approfondire, quando la terminologia specializzata viene frammentata in molti piccoli token, emergono diversi problemi. Innanzitutto, il modello deve elaborare più token per la stessa quantità di testo, aumentando l'overhead computazionale e riducendo il throughput. In secondo luogo, l'unità semantica del termine viene persa: il modello deve imparare a ricostruirne il significato dai frammenti invece di riconoscerlo come un concetto coeso. In terzo luogo, i limiti della finestra di contesto diventano più restrittivi; se il modello ha un limite di 4.096 token ma i termini specialistici consumano da 3 a 5 volte più token del necessario, la quantità di informazione contestuale effettivamente disponibile si riduce notevolmente.

Consideriamo un altro esempio nel campo della genomica: la sequenza di DNA "AGCTTGCAATGACCGGTAA" potrebbe essere tokenizzata carattere per carattere da un tokenizer generico, consumando 19 token. Un tokenizer specifico per dati genomici potrebbe riconoscere motivi comuni e codoni, rappresentando la stessa sequenza in soli 6 o 7 token. Questa rappresentazione più efficiente non solo consente di risparmiare risorse computazionali, ma aiuta anche il modello a catturare meglio pattern significativi presenti nei dati.

Abbreviazioni di dominio

Le abbreviazioni di dominio potrebbero non essere riconosciute come unità significative singole. Termini medici come "CABG" (coronary artery bypass graft) o termini giuridici come "SCOTUS" (Supreme Court of the United States) sono abbreviazioni significative nei rispettivi ambiti, ma i tokenizer generici potrebbero dividerli in singole lettere, perdendo la loro unità semantica.

Questa frammentazione è particolarmente problematica perché le abbreviazioni rappresentano spesso concetti complessi che gli esperti del settore comprendono immediatamente. Quando un tokenizer generico divide "CABG" in ["C", "A", "B", "G"], costringe il modello a ricostruire il significato a partire da token di singoli caratteri invece di elaborarlo come un'unica unità significativa. Questo crea diverse difficoltà:

Innanzitutto, il modello deve impiegare più capacità dei suoi parametri per apprendere queste ricostruzioni, rendendo il compito più difficile del necessario. In secondo luogo, le relazioni tra le abbreviazioni e le loro forme estese diventano più difficili da stabilire. In terzo luogo, le sfumature specifiche del dominio (come sapere che CABG si riferisce precisamente a una procedura chirurgica e non semplicemente al concetto generale di bypass grafting) possono andare perse nella frammentazione.

In campi specializzati come medicina, diritto, finanza e ingegneria, le abbreviazioni costituiscono spesso una parte significativa del vocabolario tecnico. Per esempio, le note mediche possono contenere decine di abbreviazioni come "HTN" (hypertension), "A1c" (glycated hemoglobin) e "PO" (per os/by mouth). Un tokenizer specifico per il settore medico dovrebbe idealmente rappresentare ciascuna di queste come un singolo token, preservandone l'integrità semantica.

Caratteri speciali

I caratteri speciali (come <, { o sequenze di DNA come AGCT) possono essere suddivisi in modo inefficiente. Nella programmazione, caratteri come parentesi quadre, parentesi tonde e operatori hanno un significato specifico che si perde quando la tokenizzazione è scadente. Allo stesso modo, le sequenze genomiche in bioinformatica contengono pattern che i tokenizer generici non riescono a catturare efficacemente.

Per esempio, nei linguaggi di programmazione, token come -> in C++ (accesso al membro tramite puntatore), => in JavaScript (arrow functions) o :: in Ruby (operatore di risoluzione dello scope) hanno significati semantici specifici che idealmente dovrebbero essere preservati come unità singole. Un tokenizer generico potrebbe dividerli in simboli separati, costringendo il modello a ricostruirne il significato a partire dai singoli caratteri. Questo è particolarmente problematico quando questi operatori compaiono in situazioni contestuali in cui il loro significato cambia in base al codice circostante.

In bioinformatica, le sequenze di DNA contengono pattern come regioni promotrici, siti di legame e regioni codificanti che seguono motivi specifici. Per esempio, la "TATA box" (una sequenza come TATAAA) è una comune sequenza promotrice nel DNA eucariotico. Un tokenizer specifico per il dominio riconoscerebbe tali pattern come unità significative, mentre un tokenizer generico potrebbe rappresentare ogni nucleotide separatamente, oscurando queste strutture biologiche. Questa inefficienza si estende alle sequenze proteiche, dove combinazioni di amminoacidi formano domini funzionali che perdono la loro unità semantica quando vengono frammentati.

La notazione matematica presenta sfide simili, dove espressioni come \\nabla f(x) o \\int_{a}^{b} hanno significati specifici che vengono elaborati in modo più efficace come unità coese piuttosto che come simboli individuali. Gli articoli scientifici con formule chimiche, equazioni matematiche o notazioni specializzate spesso richiedono migliaia di token in più del necessario quando si usano tokenizer generici, portando a limiti della finestra di contesto e a un apprendimento meno efficace dei pattern specifici del dominio.

Sintassi specifica di dominio

La sintassi specifica di dominio spesso presenta pattern strutturali che i tokenizer generici non sono addestrati a riconoscere. Per esempio, citazioni legali come "Brown v. Board of Education, 347 U.S. 483 (1954)" seguono formati specifici che potrebbero essere catturati in modo più efficiente da un tokenizer consapevole del dominio legale. In ambito giuridico, queste citazioni seguono schemi coerenti in cui i nomi dei casi sono seguiti da numeri di volume, abbreviazioni dei repertori, numeri di pagina e anni tra parentesi. Un tokenizer legale specializzato riconoscerebbe l'intera citazione come pochi token significativi invece di suddividerla in oltre 15 frammenti più piccoli.

Allo stesso modo, la letteratura scientifica contiene formati di citazione specializzati come "Smith et al. (2023)" o riferimenti strutturati come "Figure 3.2b" che rappresentano unità concettuali singole. Le cartelle cliniche contengono intestazioni standardizzate (come "ASSESSMENT AND PLAN:" o "PAST MEDICAL HISTORY:") e risultati di laboratorio formattati ("Hgb: 14.2 g/dL") che hanno significati specifici di dominio. I documenti finanziari includono strutture di report standardizzate con pattern sintattici unici per risultati trimestrali, indicatori di mercato e notazioni statistiche.

Quando queste strutture sintattiche specifiche del dominio vengono tokenizzate in modo inefficiente, i modelli devono sprecare capacità per ricostruire questi pattern dai frammenti invece di riconoscerli direttamente come unità significative. Questo non solo aumenta i costi computazionali, ma rende anche più difficile per i modelli catturare le relazioni specializzate tra questi elementi strutturati, riducendo potenzialmente le prestazioni nei compiti specifici di dominio.

Terminologia tecnica

La terminologia tecnica composta (come "deep neural network architecture") può essere rappresentata meglio come unità coerenti piuttosto che suddivisa in più token, soprattutto quando questi termini compaiono frequentemente nel dominio. Questo è particolarmente importante perché i termini tecnici composti spesso rappresentano concetti unici che perdono significato quando vengono frammentati. Per esempio, nel machine learning, termini come "convolutional neural network" o "recurrent LSTM architecture" sono unità concettuali in cui l'insieme trasmette più significato rispetto alla somma delle parti. Quando tali termini vengono suddivisi (ad esempio, "convolutional" + "neural" + "network"), il modello deve impiegare risorse computazionali per ricostruire il concetto unificato.

Gli esperti di dominio elaborano naturalmente questi termini composti come unità singole di significato. Un tokenizer specifico per il dominio può catturare questo comportamento apprendendo da un corpus in cui questi termini compaiono frequentemente, creando token dedicati per le combinazioni tecniche più comuni. Questo non solo migliora l'efficienza riducendo il numero di token, ma migliora anche la comprensione semantica preservando l'integrità concettuale della terminologia specializzata. In campi come bioinformatica, medicina o ingegneria, dove i termini tecnici composti rappresentano una parte significativa del vocabolario, questa ottimizzazione può migliorare drasticamente sia l'efficienza computazionale sia l'accuratezza del modello.

Il risultato è uno spreco di token, costi più elevati nell'uso delle API e una minore accuratezza. Queste inefficienze si amplificano in diversi modi:

Innanzitutto, lo **spreco di token** influisce su throughput e reattività del modello. Quando i termini specializzati richiedono da 3 a 5 volte più token del necessario, il tempo di elaborazione aumenta proporzionalmente. Per applicazioni interattive come chatbot o assistenti di codice, questo può introdurre latenza percepibile che degrada l'esperienza utente.

In secondo luogo, i **costi aumentati** diventano rilevanti su larga scala. Molti provider API commerciali addebitano per token. Se il contenuto specifico di dominio richiede costantemente più token del necessario, i costi operativi possono crescere significativamente — talvolta di ordini di grandezza per applicazioni ad alta intensità di token come l'elaborazione di letteratura medica o grandi codebase.

In terzo luogo, l'**accuratezza diminuisce** perché il modello deve ricostruire il significato da concetti frammentati. Questo è particolarmente critico in compiti che richiedono comprensione precisa del dominio, come il supporto alla diagnosi medica o l'analisi di documenti legali, dove la precisione terminologica influisce direttamente sull'affidabilità.

Addestrando un **tokenizer personalizzato** sui dati del proprio dominio, è possibile creare subword più significative, ridurre la lunghezza delle sequenze e migliorare le prestazioni del modello a valle. Questo processo di personalizzazione include diversi passaggi chiave:

1. **Selezione del corpus** — raccolta di testi rappresentativi del dominio che contengono il vocabolario specializzato e i pattern sintattici da catturare

2. **Ottimizzazione del vocabolario** — determinazione della dimensione ottimale del vocabolario che bilancia efficienza (meno token) e copertura (capacità di rappresentare termini rari)

3. **Scelta dell'algoritmo di tokenizzazione** — selezione tra metodi come BPE, WordPiece o SentencePiece in base alle caratteristiche linguistiche del dominio

4. **Addestramento e validazione** — miglioramento iterativo del tokenizer testandolo su esempi specifici del dominio

Questa personalizzazione permette al modello di sviluppare una comprensione più profonda del linguaggio specifico del dominio, portando a previsioni più accurate, migliore generazione di testo e uso più efficiente della finestra di contesto. I benefici diventano particolarmente evidenti quando si lavora con ambiti altamente specializzati in cui il vocabolario si discosta significativamente dai pattern linguistici generali.

In pratica, esperimenti hanno dimostrato che tokenizer specifici di dominio possono ridurre il numero di token del 20–40% per contenuti specializzati, migliorando allo stesso tempo le prestazioni del 5–15% su benchmark specifici di dominio. Questo doppio vantaggio di efficienza ed efficacia rende la tokenizzazione personalizzata una delle ottimizzazioni a più alto impatto quando si adattano modelli linguistici a domini specialistici.

2.2.1 Esempio: perché la tokenizzazione personalizzata è importante

Supponiamo che tu stia lavorando con **codice Python**. Un tokenizer standard potrebbe suddividere questa riga:

```
def calculate_sum(a, b):
    return a + b
```

In molti piccoli token, come ['def', 'cal', '##cul', '##ate', '_', 'sum', '(', 'a', ',', 'b', ')', ':', 'return', 'a', '+', 'b'].

Ma un **tokenizer consapevole del codice** addestrato su un corpus software potrebbe mantenere calculate_sum come un unico token, trattare le parentesi in modo coerente e riconoscere return come una keyword comune.

Questa efficienza si traduce in diversi benefici concreti:

- **Riduzione dell'overhead computazionale**: Con meno token da elaborare (forse 8-10 token invece di 16+), i modelli possono funzionare più velocemente e gestire snippet di codice più lunghi all'interno della stessa finestra di contesto. Questa riduzione del numero di token si propaga lungo l'intera pipeline — dalla codifica ai calcoli di attention fino alla decodifica. Per codebase di grandi dimensioni, questo può significare elaborare il 30-40% di codice effettivo in più entro lo stesso limite di token, permettendo al modello di mantenere maggiore consapevolezza contestuale tra file o funzioni. Negli ambienti di produzione, questo si traduce in minore latenza e maggiore throughput per i compiti legati al codice.

- **Coerenza semantica**: Nomi di funzione come calculate_sum rappresentano un singolo concetto in programmazione. Quando vengono mantenuti come un unico token, il modello comprende meglio l'unità semantica dei nomi di funzione invece di trattarli come combinazioni arbitrarie di subword. Questa conservazione del significato si estende ad altri costrutti di programmazione come nomi di classi, nomi di metodi e dichiarazioni di variabili. Il modello può quindi ragionare in modo più accurato sulle relazioni tra queste entità — ad esempio, comprendendo che calculate_sum e sum_calculator probabilmente svolgono funzioni simili nonostante convenzioni di denominazione differenti.

- **Riconoscimento strutturale**: Il codice ha strutture sintattiche specifiche che i tokenizer generici non colgono. Un tokenizer orientato al codice potrebbe riconoscere pattern come definizioni di funzione, liste di parametri e istruzioni return come unità coerenti. Questa consapevolezza strutturale si estende a idiomi specifici del linguaggio come i decorator di Python, le promise di JavaScript o i template di C++. Tokenizzando questi costrutti in modo coerente, il modello sviluppa una comprensione più profonda dei paradigmi di programmazione e può assistere meglio in compiti come completamento del codice, suggerimenti di refactoring o identificazione di potenziali bug basati su pattern strutturali.

- **Migliore efficienza di apprendimento**: Quando i costrutti di codice vengono tokenizzati in modo coerente, il modello può riconoscere più facilmente pattern tra diversi esempi di codice, portando a una migliore generalizzazione con meno dati di training. Questa efficienza significa che il modello richiede meno esempi per apprendere concetti di programmazione e può trasferire conoscenza tra strutture simili in modo più efficace. Per esempio, dopo aver imparato il pattern delle list comprehension in Python, un modello con tokenizzazione ottimizzata per il codice potrebbe adattarsi più rapidamente a costrutti simili in altri linguaggi, richiedendo meno esempi per raggiungere le stesse prestazioni.

- **Comprensione migliorata del codice multilingue**: La programmazione spesso coinvolge più linguaggi nello stesso progetto. Un tokenizer consapevole del codice può mantenere coerenza tra linguaggi, aiutando il modello a riconoscere quando operazioni simili vengono eseguite in sintassi differenti. Questo è particolarmente utile negli ambienti di sviluppo poliglotti in cui si lavora tra JavaScript, Python, SQL e linguaggi di markup all'interno della stessa applicazione.

Nelle applicazioni reali, questo può fare la differenza tra un modello che comprende davvero la semantica del codice e uno che fatica con costrutti di programmazione di base. Per esempio, se il tuo modello deve completare automaticamente funzioni o suggerire miglioramenti al codice, un tokenizer ottimizzato per il codice potrebbe consentirgli di elaborare da 2 a 3 volte più contesto di codice, migliorando drasticamente la sua capacità di comprendere il flusso e la struttura del programma.

Questa efficienza significa meno token da elaborare, addestramento più rapido ed embedding più coerenti.

2.2.2 Addestrare un tokenizer BPE personalizzato con Hugging Face

Vediamo un esempio completo di addestramento di un tokenizer su un dataset specifico di dominio. In questo caso useremo il testo legale come dominio, ma i principi si applicano a qualsiasi campo specializzato.

Passo 1 – Preparare un corpus

Un corpus adeguato dovrebbe rappresentare il vocabolario, la terminologia e i pattern linguistici del tuo dominio di destinazione. Per ottenere risultati ottimali, il corpus dovrebbe includere migliaia o persino milioni di frasi del dominio. A scopo dimostrativo useremo qui un piccolo campione, ma in uno scenario reale raccoglieresti un dataset sostanzioso di testi di dominio (contratti legali, note mediche, codice sorgente, ecc.).

```
corpus = [
    "The plaintiff hereby files a motion to dismiss.",
    "The defendant shall pay damages as determined by the court.",
    "This agreement shall be governed by the laws of Texas."
]
```

La qualità e la diversità del tuo corpus influenzano direttamente le prestazioni del tokenizer. Per i documenti legali, sarebbe opportuno includere diversi tipi di testi giuridici, tra cui contratti, sentenze, statuti e articoli accademici di diritto, per catturare l'intera gamma della terminologia e delle formulazioni legali.

Passo 2 – Addestrare un tokenizer

```python
from tokenizers import Tokenizer, models, trainers, pre_tokenizers

# Initialize BPE tokenizer
tokenizer = Tokenizer(models.BPE())
trainer = trainers.BpeTrainer(vocab_size=200, min_frequency=2)
tokenizer.pre_tokenizer = pre_tokenizers.Whitespace()

# Train tokenizer on domain corpus
tokenizer.train_from_iterator(corpus, trainer)

# Test encoding
encoded = tokenizer.encode("The plaintiff shall file a motion")
print(encoded.tokens)
```

Vediamo nel dettaglio questo codice:

- Tokenizer(models.BPE()) inizializza un tokenizer utilizzando l'algoritmo Byte-Pair Encoding, efficace nella gestione del vocabolario specializzato.

- Configuriamo il nostro BpeTrainer con due parametri importanti:

  - vocab_size=200: questo limita il vocabolario a 200 token. Per applicazioni reali, potresti usare valori tra 8.000 e 50.000 a seconda della complessità del dominio.

  - min_frequency=2: questo richiede che una subword compaia almeno due volte per essere considerata nel vocabolario.

- Il pre_tokenizer determina come il testo viene inizialmente suddiviso prima che avvengano le fusioni BPE. Per l'inglese e molte lingue occidentali, la pre-tokenizzazione basata sugli spazi funziona bene.

- train_from_iterator elabora il corpus e apprende le unità subword ottimali in base alla frequenza.

- Infine, testiamo il nostro tokenizer su una nuova frase per vedere come segmenta il testo.

Con una quantità sufficiente di dati di dominio, vedresti che termini come plaintiff, defendant e motion diventano token singoli invece di essere suddivisi. Per esempio, mentre un tokenizer generico potrebbe dividere "plaintiff" in "plain" e "tiff", il nostro tokenizer legale lo manterrebbe intero perché compare frequentemente nei testi giuridici.

Quando valuti il tuo tokenizer, osserva come gestisce espressioni e terminologia specifiche del dominio. Un tokenizer di dominio efficace dovrebbe mostrare queste caratteristiche:

- I termini specifici del dominio rimangono integri invece di essere frammentati

- Le collocazioni comuni del dominio (parole che compaiono spesso insieme) vengono tokenizzate in modo efficiente

- La tokenizzazione è coerente tra termini simili all'interno del dominio

Per un utilizzo in produzione, dovresti anche salvare la configurazione del tokenizer e il vocabolario:

```python
# Save tokenizer for later use
tokenizer.save("legal_domain_tokenizer.json")

# To load it later
loaded_tokenizer = Tokenizer.from_file("legal_domain_tokenizer.json")
```

Esempio completo: addestrare un tokenizer BPE personalizzato per un dominio

Ecco un esempio completo che dimostra l'intero flusso di lavoro per creare, addestrare, testare e salvare un tokenizer BPE personalizzato:

```python
import os
from tokenizers import Tokenizer, models, trainers, pre_tokenizers, processors, decoders
from transformers import PreTrainedTokenizerFast
import matplotlib.pyplot as plt
import numpy as np

# Step 1: Prepare your domain-specific corpus
# In a real scenario, this would be thousands of documents
legal_corpus = [
    "The plaintiff hereby files a motion to dismiss the case.",
    "The defendant shall pay damages as determined by the court.",
    "This agreement shall be governed by the laws of Texas.",
    "The parties agree to arbitration in lieu of litigation.",
    "Counsel for the plaintiff submitted evidence to the court.",
    "The judge issued a preliminary injunction against the defendant.",
    "The contract is deemed null and void due to misrepresentation.",
    "The court finds the defendant guilty of negligence.",
    "The plaintiff seeks compensatory and punitive damages.",
    "Legal precedent establishes the doctrine of stare decisis.",
    # Add many more domain-specific examples here
]

# Step 2: Create and configure a tokenizer with BPE
tokenizer = Tokenizer(models.BPE(unk_token="[UNK]"))

# Step 3: Configure the tokenizer trainer
trainer = trainers.BpeTrainer(
    vocab_size=2000,                # Target vocabulary size
    min_frequency=2,                # Minimum frequency to include a token
    special_tokens=["[UNK]", "[CLS]", "[SEP]", "[PAD]", "[MASK]"],
    show_progress=True,
    initial_alphabet=pre_tokenizers.ByteLevel.alphabet()
)

# Step 4: Configure pre-tokenization strategy
# ByteLevel is good for multiple languages and handles spaces well
tokenizer.pre_tokenizer = pre_tokenizers.ByteLevel(add_prefix_space=False)
```

```python
# Step 5: Train the tokenizer on our corpus
tokenizer.train_from_iterator(legal_corpus, trainer)

# Step 6: Add post-processor for handling special tokens in pairs of sequences
tokenizer.post_processor = processors.TemplateProcessing(
    single="[CLS] $A [SEP]",
    pair="[CLS] $A [SEP] $B [SEP]",
    special_tokens=[
        ("[CLS]", tokenizer.token_to_id("[CLS]")),
        ("[SEP]", tokenizer.token_to_id("[SEP]")),
    ],
)

# Step 7: Set up decoder
tokenizer.decoder = decoders.ByteLevel()

# Step 8: Test the tokenizer on domain-specific examples
test_sentences = [
    "The plaintiff filed a lawsuit against the corporation.",
    "The court dismissed the case due to lack of evidence."
]

# Print tokens and their IDs
for sentence in test_sentences:
    encoded = tokenizer.encode(sentence)
    print(f"\\nSentence: {sentence}")
    print(f"Tokens: {encoded.tokens}")
    print(f"IDs: {encoded.ids}")

# Step 9: Compare with general-purpose tokenizer
# Convert to HuggingFace format for easier comparison
fast_tokenizer = PreTrainedTokenizerFast(
    tokenizer_object=tokenizer,
    unk_token="[UNK]",
    cls_token="[CLS]",
    sep_token="[SEP]",
    pad_token="[PAD]",
    mask_token="[MASK]"
)

# Load a general-purpose tokenizer for comparison
from transformers import AutoTokenizer
general_tokenizer = AutoTokenizer.from_pretrained("bert-base-uncased")

# Step 10: Compare token counts between domain and general tokenizer
print("\\n--- Token Count Comparison ---")
for sentence in test_sentences + legal_corpus[:3]:
    domain_tokens = fast_tokenizer.tokenize(sentence)
    general_tokens = general_tokenizer.tokenize(sentence)
    print(f"\\nSentence: {sentence}")
```

```python
    print(f"Domain          tokenizer:        {len(domain_tokens)}          tokens        |
{domain_tokens[:10]}{'...' if len(domain_tokens) > 10 else ''}")
    print(f"General         tokenizer:        {len(general_tokens)}          tokens        |
{general_tokens[:10]}{'...' if len(general_tokens) > 10 else ''}")
    print(f"Token   reduction:   {(len(general_tokens)   -   len(domain_tokens))   /
len(general_tokens) * 100:.1f}%")

# Step 11: Save the tokenizer for future use
output_dir = "legal_domain_tokenizer"
os.makedirs(output_dir, exist_ok=True)

# Save raw tokenizer
tokenizer.save(f"{output_dir}/tokenizer.json")

# Save as HuggingFace tokenizer
fast_tokenizer.save_pretrained(output_dir)
print(f"\\nTokenizer saved to {output_dir}")

# Step 12: Visualize token efficiency gains (optional)
domain_counts = []
general_counts = []
sentences = test_sentences + legal_corpus[:5]

for sentence in sentences:
    domain_tokens = fast_tokenizer.tokenize(sentence)
    general_tokens = general_tokenizer.tokenize(sentence)
    domain_counts.append(len(domain_tokens))
    general_counts.append(len(general_tokens))

# Create comparison bar chart
fig, ax = plt.subplots(figsize=(12, 6))
x = np.arange(len(sentences))
width = 0.35

ax.bar(x - width/2, general_counts, width, label='General Tokenizer')
ax.bar(x + width/2, domain_counts, width, label='Domain Tokenizer')

ax.set_ylabel('Token Count')
ax.set_title('Token Count Comparison: General vs. Domain-Specific Tokenizer')
ax.set_xticks(x)
ax.set_xticklabels([s[:20] + "..." for s in sentences], rotation=45, ha='right')
ax.legend()
plt.tight_layout()
plt.savefig(f"{output_dir}/token_comparison.png")
print(f"Comparison chart saved to {output_dir}/token_comparison.png")

# Step 13: Load the saved tokenizer (for future use)
loaded_tokenizer = Tokenizer.from_file(f"{output_dir}/tokenizer.json")
print("\\nLoaded tokenizer test:")
print(loaded_tokenizer.encode("The plaintiff moved for summary judgment.").tokens)
```

Scomposizione del codice: comprendere ogni componente

- **Importazioni e configurazione iniziale (righe 1-5):** Importiamo le librerie necessarie da tokenizers (la libreria di tokenizer veloci di Hugging Face), transformers (per il confronto con modelli standard) e strumenti di visualizzazione.

- **Preparazione del corpus (righe 7-20):** Creiamo un piccolo corpus specifico di dominio composto da testi legali. In un'applicazione reale, questo corpus conterrebbe migliaia o milioni di frasi provenienti dal tuo dominio specifico.

- **Inizializzazione del tokenizer (riga 23):** Creiamo un nuovo tokenizer BPE (Byte-Pair Encoding) con la specifica di un token sconosciuto. L'algoritmo BPE costruisce i token unendo iterativamente le coppie più comuni di caratteri o sequenze di caratteri.

- **Configurazione del trainer (righe 26-32):**

    - vocab_size=2000: imposta la dimensione target del vocabolario. In produzione, potrebbe essere tra 8.000 e 50.000 a seconda della complessità del dominio.

    - min_frequency=2: un token deve comparire almeno due volte per essere incluso nel vocabolario.

    - special_tokens: aggiungiamo token standard come [CLS], [SEP] richiesti da molti modelli transformer.

    - initial_alphabet: utilizziamo l'alfabeto di ByteLevel per garantire che tutti i possibili caratteri possano essere codificati.

- **Configurazione del pre-tokenizer (riga 36):** Il pre-tokenizer ByteLevel gestisce gli spazi e converte il testo in byte, rendendolo robusto rispetto a lingue e insiemi di caratteri differenti.

- **Addestramento (riga 39):** Addestriamo il tokenizer sul nostro corpus, che apprende le fusioni ottimali per formare il vocabolario.

- **Configurazione del post-processor (righe 42-50):** Questo aggiunge un template processing per gestire i token speciali dei transformer, permettendo al tokenizer di formattare correttamente gli input per modelli che si aspettano token come [CLS] e [SEP].

- **Configurazione del decoder (riga 53):** Il decoder ByteLevel assicura una corretta conversione dagli ID dei token al testo.

- **Test (righe 56-67):** Testiamo il tokenizer su nuove frasi legali e stampiamo sia i token sia i loro ID corrispondenti per verificare che la tokenizzazione funzioni correttamente.

- **Configurazione del confronto (righe 70-79):** Convertiamo il nostro tokenizer personalizzato nel formato PreTrainedTokenizerFast per facilitare il confronto con tokenizer standard, e carichiamo un tokenizer BERT di uso generale.

- **Confronto del numero di token (righe 82-89):** Per ogni frase di test, confrontiamo quanti token vengono generati dal nostro tokenizer specifico di dominio rispetto al tokenizer generico, calcolando la percentuale di riduzione.

- **Salvataggio (righe 92-100):** Salviamo sia il tokenizer grezzo sia la versione compatibile con Hugging Face per utilizzi futuri in training o inferenza.

- **Visualizzazione (righe 103-128):** Creiamo un grafico a barre che confronta il numero di token tra il tokenizer generico e quello specifico di dominio, per visualizzare i guadagni di efficienza.

- **Test di ricaricamento (righe 131-133):** Verifichiamo che il tokenizer salvato possa essere caricato correttamente e produca i token attesi per una nuova frase legale.

Miglioramenti e vantaggi principali

Esaminando l'output di questo codice, in genere si osservano:

- **Riduzione dei token del 15-40%** per testi specifici di dominio rispetto ai tokenizer generici

- **I termini di dominio restano integri** — parole come "plaintiff", "defendant", "litigation" rimangono token singoli invece di essere suddivise

- **Gestione coerente** di pattern specifici del dominio come citazioni legali o terminologia specializzata

- **Migliore efficienza di rappresentazione** — la stessa informazione viene codificata in meno token, permettendo a più contenuto di rientrare nella finestra di contesto del modello

Questi miglioramenti si traducono direttamente in elaborazione più rapida, costi API inferiori quando si utilizzano servizi commerciali e spesso anche in migliori prestazioni del modello su compiti specifici di dominio.

Integrazione con l'addestramento del modello

Per utilizzare questo tokenizer personalizzato durante il fine-tuning o l'addestramento di un modello:

```python
from transformers import AutoModelForCausalLM, AutoTokenizer, TrainingArguments, Trainer

# Load your custom tokenizer
tokenizer = AutoTokenizer.from_pretrained("./legal_domain_tokenizer")

# Load a pre-trained model that you'll fine-tune (or initialize a new one)
model = AutoModelForCausalLM.from_pretrained("gpt2")

# Resize the model's token embeddings to match your custom vocabulary
model.resize_token_embeddings(len(tokenizer))

# Now you can use this tokenizer+model combination for training
# This ensures your model learns with the optimal tokenization for your domain
```

Seguendo questo approccio completo alla personalizzazione del tokenizer, ti assicuri che il tuo language model operi in modo efficiente all'interno del tuo dominio specifico, portando a prestazioni migliori, minori requisiti computazionali e una comprensione semantica più accurata.

2.2.3 Addestrare un tokenizer SentencePiece per testo multilingue o non segmentato

Se il tuo dominio coinvolge lingue diverse dall'inglese o testo senza spazi (ad esempio giapponese, cinese o thai), SentencePiece è spesso la scelta migliore. A differenza dei tokenizer tradizionali che si basano sui confini delle parole, SentencePiece tratta l'input come una sequenza grezza di caratteri e apprende le unità subword direttamente dai dati, risultando particolarmente efficace per le lingue prive di chiari separatori di parola. Per esempio, in cinese, la frase "我喜欢机器学习" non contiene spazi tra le parole, ma SentencePiece può imparare a suddividerla in unità significative senza richiedere un passaggio separato di segmentazione delle parole.

SentencePiece funziona trattando tutti i caratteri allo stesso modo, compresi gli spazi, che in genere contrassegna con un simbolo speciale (_). Applica poi metodi statistici per identificare sequenze comuni di caratteri all'interno del corpus. Questo approccio gli consente di gestire in modo uniforme lingue con sistemi di scrittura diversi, che usino spazi (come l'inglese), non usino spazi (come il giapponese) o abbiano strutture morfologiche complesse (come il turco o il finlandese).

Inoltre, SentencePiece eccelle nella gestione di corpora multilingue perché non richiede passaggi di pre-processing specifici per lingua, come la segmentazione delle parole. Questo lo rende ideale per progetti che coprono più lingue o lavorano con testo code-switched (testo che mescola più lingue). Per esempio, se stai costruendo un modello per elaborare documenti legali sia in inglese sia in spagnolo, SentencePiece può apprendere pattern di tokenizzazione efficaci in entrambe le lingue senza dover implementare strategie separate per ciascuna. Questo approccio unificato aiuta anche a mantenere la coerenza semantica quando i token compaiono in più lingue, migliorando le capacità cross-lingua dei modelli risultanti.

Esempio di codice:

```python
import sentencepiece as spm

# Write domain corpus to a file
with open("legal_corpus.txt", "w") as f:
    f.write("The plaintiff hereby files a motion to dismiss.\\n")
    f.write("The defendant shall pay damages as determined by the court.\\n")

# Train SentencePiece model (BPE or Unigram)
spm.SentencePieceTrainer.train(input="legal_corpus.txt",
                               model_prefix="legal_bpe",
                               vocab_size=200,
                               model_type="bpe",  # Can also use "unigram"
                               character_coverage=1.0,  # Ensures all characters are covered
                               normalization_rule_name="nmt_nfkc_cf")  # Normalization for text

# Load trained tokenizer
sp = spm.SentencePieceProcessor(model_file="legal_bpe.model")
print(sp.encode("The plaintiff shall file a motion", out_type=str))
```

Qui SentencePiece gestisce automaticamente la spaziatura e la fusione delle subword. Il tokenizer tratta gli spazi come caratteri normali, preservandoli con simboli speciali (tipicamente "_") all'inizio dei token. Questo approccio differisce in modo fondamentale dai tokenizer tradizionali, che spesso trattano gli spazi come separatori di token. Trattando gli spazi come un semplice carattere aggiuntivo, SentencePiece crea un framework di tokenizzazione più unificato e coerente tra varie lingue e sistemi di scrittura. Questo approccio offre diversi vantaggi significativi:

- Consente una tokenizzazione senza perdita, in cui il testo originale può essere ricostruito perfettamente a partire dai token, aspetto cruciale per compiti di traduzione e generazione in cui spaziatura e formattazione devono essere preservate con precisione

- Gestisce in modo coerente diversi pattern di spaziatura tra lingue, rendendolo ideale per modelli multilingue in cui lingue diverse possono usare gli spazi in modo differente (ad esempio, l'inglese usa spazi tra le parole, mentre il giapponese in genere no)

- È più robusto rispetto a diversi stili di formattazione nel testo di input, come spazi extra, tabulazioni o ritorni a capo, che possono comparire nei dati reali ma non dovrebbero influenzare drasticamente la tokenizzazione

- Consente di gestire meglio parole composte e lingue morfologicamente ricche come il finlandese o il turco, in cui una singola parola può contenere più morfemi che portano significati distinti

I parametri della configurazione di addestramento possono essere regolati in base alle tue esigenze specifiche, permettendo un controllo fine su come si comporta il tokenizer:

- **vocab_size**: controlla la granularità della tokenizzazione (vocabolario più grande = minore suddivisione). Per domini specializzati, potresti voler usare un vocabolario più ampio per mantenere intatti i termini specifici del dominio. Per esempio, nel testo legale, un vocabolario più grande potrebbe mantenere termini come "plaintiff" o "jurisdiction" come token singoli invece di dividerli.

- **model_type**: "bpe" usa l'algoritmo byte-pair encoding, che unisce iterativamente le coppie di caratteri più frequenti; "unigram" usa un modello probabilistico che apprende a massimizzare la probabilità del corpus di training. BPE tende a produrre risultati più deterministici, mentre unigram consente più possibili segmentazioni dello stesso testo.

- **character_coverage**: controlla quale percentuale dei caratteri nei dati di training deve essere coperta dal modello. Impostarlo a 1.0 garantisce che tutti i caratteri siano rappresentati, cosa importante per gestire caratteri o simboli rari in domini specializzati come matematica o scienza.

- **normalization_rule_name**: controlla la normalizzazione del testo (normalizzazione Unicode, case folding, ecc.). Questo influisce su come i caratteri vengono standardizzati prima della tokenizzazione, aspetto particolarmente importante quando si lavora con diversi sistemi di scrittura, diacritici o caratteri speciali tra più lingue.

Esempio completo: addestrare un tokenizer SentencePiece per testo multilingue o non segmentato

```python
import sentencepiece as spm
import os
import matplotlib.pyplot as plt
import numpy as np
from tqdm import tqdm
```

```python
# Create output directory
output_dir = "sentencepiece_tokenizer"
os.makedirs(output_dir, exist_ok=True)

# 1. Prepare multilingual corpus
print("Preparing multilingual corpus...")
corpus = [
    # English sentences
    "The court hereby finds the defendant guilty of all charges.",
    "The plaintiff requests damages in the amount of $1 million.",

    # Spanish sentences
    "El tribunal declara al acusado culpable de todos los cargos.",
    "El demandante solicita daños por un monto de $1 millón.",

    # Chinese sentences (no word boundaries)
    "法院认定被告对所有指控有罪。",

    "原告要求赔偿金额为100万美元。",

    # Japanese sentences (no word boundaries)
    "裁判所は被告人をすべての罪状について有罪と認定する。",
    "原告は100万ドルの損害賠償を請求する。"
]

# Write corpus to file
corpus_file = f"{output_dir}/multilingual_legal_corpus.txt"
with open(corpus_file, "w", encoding="utf-8") as f:
    for sentence in corpus:
        f.write(sentence + "\\n")

# 2. Train SentencePiece model
print("Training SentencePiece tokenizer...")
model_prefix = f"{output_dir}/m_legal"

spm.SentencePieceTrainer.train(
    input=corpus_file,
    model_prefix=model_prefix,
    vocab_size=500,                  # Vocabulary size
    character_coverage=0.9995,       # Character coverage
    model_type="bpe",                # Algorithm: BPE (alternatives: unigram, char, word)
    input_sentence_size=10000000,    # Maximum sentences to load
    shuffle_input_sentence=True,     # Shuffle sentences
    normalization_rule_name="nmt_nfkc_cf",  # Normalization rule
    pad_id=0,                        # ID for padding
    unk_id=1,                        # ID for unknown token
    bos_id=2,                        # Beginning of sentence token ID
    eos_id=3,                        # End of sentence token ID
    user_defined_symbols=["<LEGAL>", "<COURT>"]  # Domain-specific special tokens
)
```

```python
# 3. Load the trained model
sp = spm.SentencePieceProcessor()
sp.load(f"{model_prefix}.model")

# 4. Test tokenization on multilingual examples
test_sentences = [
    # English
    "The Supreme Court reversed the lower court's decision.",
    # Spanish
    "El Tribunal Supremo revocó la decisión del tribunal inferior.",
    # Chinese
    "最高法院推翻了下级法院的裁决。",
    # Japanese
    "最高裁判所は下級裁判所の判決を覆した。",
    # Mixed (code-switching)
    "The plaintiff (原告) filed a motion for summary judgment."
]

print("\\nTokenization Examples:")
for sentence in test_sentences:
    # Get token IDs
    ids = sp.encode(sentence, out_type=int)
    # Get token pieces
    pieces = sp.encode(sentence, out_type=str)
    # Convert back to text
    decoded = sp.decode(ids)

    print(f"\\nOriginal: {sentence}")
    print(f"Token IDs: {ids}")
    print(f"Tokens: {pieces}")
    print(f"Decoded: {decoded}")
    print(f"Token count: {len(ids)}")

# 5. Compare with character-based tokenization
def char_tokenize(text):
    return list(text)

print("\\nComparison with character tokenization:")
for sentence in test_sentences:
    sp_tokens = sp.encode(sentence, out_type=str)
    char_tokens = char_tokenize(sentence)

    print(f"\\nSentence: {sentence}")
    print(f"SentencePiece tokens: {len(sp_tokens)} tokens")
    print(f"Character tokens: {len(char_tokens)} tokens")
    print(f"Reduction: {100 - (len(sp_tokens) / len(char_tokens) * 100):.2f}%")

# 6. Visualize token distribution
plt.figure(figsize=(10, 6))
```

```python
# Count tokens per language
langs = ["English", "Spanish", "Chinese", "Japanese", "Mixed"]
sp_counts = []
char_counts = []

for i, sentence in enumerate(test_sentences):
    sp_tokens = sp.encode(sentence, out_type=str)
    char_tokens = char_tokenize(sentence)
    sp_counts.append(len(sp_tokens))
    char_counts.append(len(char_tokens))

x = np.arange(len(langs))
width = 0.35

fig, ax = plt.subplots(figsize=(12, 6))
rects1 = ax.bar(x - width/2, sp_counts, width, label='SentencePiece')
rects2 = ax.bar(x + width/2, char_counts, width, label='Character')

ax.set_xlabel('Language')
ax.set_ylabel('Token Count')
ax.set_title('SentencePiece vs Character Tokenization')
ax.set_xticks(x)
ax.set_xticklabels(langs)
ax.legend()

# Add counts on top of bars
def autolabel(rects):
    for rect in rects:
        height = rect.get_height()
        ax.annotate(f'{height}',
                    xy=(rect.get_x() + rect.get_width()/2, height),
                    xytext=(0, 3),
                    textcoords="offset points",
                    ha='center', va='bottom')

autolabel(rects1)
autolabel(rects2)

plt.tight_layout()
plt.savefig(f"{output_dir}/tokenization_comparison.png")
print(f"\\nVisualization saved to {output_dir}/tokenization_comparison.png")

# 7. Save vocabulary to readable format
with open(f"{output_dir}/vocab.txt", "w", encoding="utf-8") as f:
    for i in range(sp.get_piece_size()):
        piece = sp.id_to_piece(i)
        score = sp.get_score(i)
        f.write(f"{i}\\t{piece}\\t{score}\\n")

print(f"\\nVocabulary saved to {output_dir}/vocab.txt")
```

Scomposizione del codice: implementazione completa di un tokenizer SentencePiece

- **Configurazione e dipendenze (righe 1-6):** Importiamo le librerie necessarie, tra cui sentencepiece per la tokenizzazione, matplotlib e numpy per la visualizzazione e tqdm per il tracciamento del progresso. Creiamo inoltre una directory di output per salvare il tokenizer e i file correlati.

- **Preparazione del corpus multilingue (righe 9-29):**
  - Creiamo un piccolo corpus multilingue contenente testo legale in quattro lingue: inglese, spagnolo, cinese e giapponese.
  - Nota che cinese e giapponese non utilizzano spazi tra le parole, dimostrando il vantaggio di SentencePiece per le lingue non segmentate.
  - In uno scenario reale, questo corpus sarebbe molto più grande, spesso composto da migliaia o milioni di frasi.

- **Scrittura del corpus su file (righe 32-36):** Salviamo il corpus in un file di testo che SentencePiece utilizzerà per l'addestramento.

- **Configurazione dell'addestramento SentencePiece (righe 39-55):**
  - **vocab_size=500:** controlla la dimensione del vocabolario. In produzione, potrebbe essere tra 8.000 e 32.000 a seconda della complessità linguistica e del dominio.
  - **character_coverage=0.9995:** garantisce che il 99,95% dei caratteri nei dati di training sia coperto, aiutando a gestire caratteri rari evitando rumore.
  - **model_type="bpe":** utilizza l'algoritmo Byte-Pair Encoding, che unisce iterativamente le coppie di caratteri adiacenti più frequenti.
  - **normalization_rule_name="nmt_nfkc_cf":** applica una normalizzazione Unicode standard usata nella Neural Machine Translation.
  - **pad_id, unk_id, bos_id, eos_id:** definiscono gli ID dei token speciali per padding, token sconosciuti, inizio frase e fine frase.
  - **user_defined_symbols:** aggiunge token specifici di dominio che devono essere trattati come unità singole anche se rari.

- **Caricamento del modello addestrato (righe 58-60):** Carichiamo il modello SentencePiece addestrato per utilizzarlo nella tokenizzazione.

- **Test su esempi multilingue (righe 63-87):**
  - Testiamo il tokenizer su nuove frasi per ciascuna lingua e su un esempio multilingue misto.
  - Per ogni frase mostriamo: ID dei token, token (pieces), testo decodificato e numero di token.
  - Questo dimostra la capacità di SentencePiece di gestire diverse lingue senza soluzione di continuità, incluse quelle senza separatori di parola.

- **Confronto con tokenizzazione a livello di carattere (righe 90-102):**
    - o Confrontiamo l'efficienza di SentencePiece con una semplice tokenizzazione a caratteri.
    - o Questo evidenzia come SentencePiece riduca il numero di token apprendendo pattern frequenti di caratteri.
    - o La percentuale di riduzione quantifica l'efficienza della tokenizzazione tra le lingue.
- **Visualizzazione della distribuzione dei token (righe 105-145):**
    - o Creiamo un grafico a barre che confronta i token di SentencePiece con quelli a livello di carattere per ciascuna lingua.
    - o Aiuta a visualizzare i guadagni di efficienza nell'uso di SentencePiece rispetto alla tokenizzazione a caratteri.
    - o Mostra come l'efficienza varia tra lingue e sistemi di scrittura diversi.
- **Esportazione del vocabolario (righe 148-153):** Salviamo il vocabolario appreso in un file di testo leggibile, mostrando ID dei token, unità (pieces) e i loro punteggi (probabilità nel modello).

Vantaggi principali di questa implementazione

- **Gestione multilingue unificata:** elabora tutte le lingue con lo stesso algoritmo, indipendentemente dall'uso o meno degli spazi tra le parole.
- **Tokenizzazione efficiente:** riduce significativamente il numero di token rispetto alla tokenizzazione a livello di carattere, soprattutto per le lingue asiatiche.
- **Conversione senza perdita:** il testo originale può essere ricostruito perfettamente a partire dai token, preservando spaziatura e formattazione.
- **Adattamento al dominio:** addestrando su testi legali, il tokenizer apprende pattern specifici del dominio e mantiene intatta la terminologia giuridica.
- **Capacità cross-lingua:** gestisce naturalmente il code-switching (mescolanza di lingue), importante nei documenti multilingue.
- **Trasparenza:** la visualizzazione e l'esportazione del vocabolario permettono di analizzare come il tokenizer funziona tra diverse lingue.

Applicazioni avanzate ed estensioni

- **Integrazione con modelli:** questo tokenizer può essere integrato direttamente con modelli transformer per l'elaborazione di testi legali multilingue.
- **Analisi della riduzione dei token:** si può estendere il confronto per analizzare quali lingue beneficiano maggiormente di SentencePiece rispetto alla tokenizzazione a caratteri.
- **Ottimizzazione del vocabolario:** per l'uso in produzione, si possono testare diverse dimensioni del vocabolario per trovare il miglior equilibrio tra dimensione del modello ed efficacia della tokenizzazione.

- **Conversione nel formato Hugging Face:** il modello SentencePiece può essere convertito nel formato tokenizer di Hugging Face per un'integrazione fluida nel loro ecosistema.

2.2.4 Best practice per l'addestramento di tokenizer personalizzati

Usa dati rappresentativi

Addestra su testi che riflettono il tuo utilizzo target. Per modelli legali, usa documenti legali. Per modelli di codice, usa repository. La qualità del tokenizer è direttamente legata a quanto bene i dati di training rappresentano il dominio in cui stai lavorando.

La terminologia specifica di dominio è spesso l'elemento più critico da catturare correttamente. Per esempio, i testi legali contengono terminologia specializzata (come "plaintiff", "jurisdiction", "tort"), citazioni standardizzate (come "Brown v. Board of Education, 347 U.S. 483 (1954)") e strutture formali che dovrebbero essere preservate nella tokenizzazione. Senza un addestramento specifico di dominio, questi termini cruciali potrebbero essere suddivisi in frammenti privi di significato.

Allo stesso modo, i linguaggi di programmazione presentano pattern sintattici (come chiamate di funzione e dichiarazioni di variabili) che beneficiano di una tokenizzazione specializzata. Identificatori tecnici come "useState" in React o "DataFrame" in pandas dovrebbero idealmente essere trattati come unità coerenti piuttosto che come frammenti arbitrari. La tokenizzazione specifica di dominio aiuta a mantenere l'integrità semantica di questi termini.

La scala è un fattore fondamentale nell'addestramento dei tokenizer. Utilizzare oltre 10.000 documenti del proprio dominio produce risultati significativamente migliori rispetto all'uso di testo generico del web. Con una quantità sufficiente di dati specifici, il tokenizer apprende quali sequenze di caratteri compaiono frequentemente nel tuo campo, portando a suddivisioni più efficienti e significative.

I benefici vanno oltre la semplice copertura del vocabolario. Una tokenizzazione adeguata al dominio cattura i pattern linguistici, il gergo e gli elementi strutturali unici dei campi specializzati. Questo crea una base su cui il modello può apprendere più facilmente le relazioni tra i concetti di dominio, invece di dover ricostruire significati a partire da rappresentazioni frammentate.

Bilancia la dimensione del vocabolario

Se è troppo piccolo, le parole verranno frammentate. Se è troppo grande, aumentano i costi di memoria e calcolo. Trovare la dimensione giusta richiede sperimentazione. Un vocabolario troppo limitato (ad esempio 1.000 token) suddividerà frequentemente termini comuni del dominio in frammenti subottimali, riducendo la comprensione del modello. Al contrario, un vocabolario eccessivamente grande (ad esempio oltre 100.000 token) aumenta la dimensione della matrice di embedding, rallenta l'addestramento e rischia di sovradattarsi a termini rari. Per la maggior parte delle applicazioni, partire da 8.000-32.000 token rappresenta un buon equilibrio, con vocabolari più grandi utili per lingue con morfologia complessa o domini altamente specialistici.

La relazione tra dimensione del vocabolario e qualità della tokenizzazione segue una curva non lineare con rendimenti decrescenti. Aumentando da vocabolari molto piccoli (1.000-5.000 token), si osservano miglioramenti significativi nella coerenza della tokenizzazione. Parole che prima venivano suddivise in singoli caratteri o frammenti insignificanti iniziano a rimanere integre. Tuttavia, oltre una certa soglia (tipicamente 30.000-50.000 token per linguaggio generale), i benefici si stabilizzano mentre i costi continuano a crescere.

Considera queste implicazioni pratiche nella scelta della dimensione del vocabolario:

- **Impatto sulla memoria:** ogni token aggiuntivo richiede un vettore di embedding (tipicamente 768-4096 dimensioni), aumentando direttamente la dimensione del modello. Un vocabolario da 50.000 token con embedding da 768 dimensioni richiede circa 153MB solo per il layer di embedding.

- **Efficienza computazionale:** vocabolari più grandi rallentano il calcolo della softmax nel layer di output, influenzando sia training che inferenza.

- **Considerazioni contestuali:** i modelli multilingue richiedono generalmente vocabolari più ampi (oltre 50.000 token) per coprire più lingue. I domini tecnici possono beneficiare di espansioni mirate del vocabolario piuttosto che di un aumento generale.

- **Gestione degli out-of-vocabulary:** i tokenizer subword moderni possono rappresentare qualsiasi input tramite combinazioni di subword, ma l'efficienza di queste rappresentazioni varia significativamente con la dimensione del vocabolario.

Quando ottimizzi la dimensione del vocabolario, esegui studi di ablation sui tuoi dati di dominio. Testa come diverse dimensioni influenzano la lunghezza dei token su campioni rappresentativi. La dimensione ideale bilancia rappresentazione efficiente dei concetti di dominio senza inutili aumenti.

Controlla gli output della tokenizzazione

Esegui frasi di test per verificare che i termini importanti del dominio non vengano suddivisi in modo innaturale. Dopo aver addestrato il tokenizer, testalo accuratamente su esempi rappresentativi del tuo dominio. Presta particolare attenzione ai termini chiave, ai nomi propri e al vocabolario tecnico. Idealmente, la terminologia specifica dovrebbe essere tokenizzata come unità singole o subword significative. Per esempio, in ambito medico, "myocardial infarction" potrebbe essere meglio rappresentato come ["my", "ocardial", "infarction"] piuttosto che ["m", "yo", "card", "ial", "in", "far", "ction"].

La qualità della tokenizzazione influisce direttamente sulle prestazioni del modello. Quando i termini specifici di dominio vengono frammentati in parti prive di significato, il modello deve lavorare di più per ricostruire il significato semantico su più token. Questo genera diversi problemi:

- Aumento della lunghezza del contesto necessario perché i concetti occupano più token

- Pattern di attenzione diluiti su termini frammentati

- Maggiore difficoltà nell'apprendere relazioni specifiche del dominio

Considera di creare un processo di valutazione sistematico:

- Compila una lista di 100-200 termini critici del dominio

- Tokenizza ogni termine e calcola metriche di frammentazione

- Analizza i token nel contesto di frasi complete

- Confronta la tokenizzazione tra diverse dimensioni del vocabolario

Quando valuti la qualità della tokenizzazione, non limitarti al numero di token. Una buona tokenizzazione dovrebbe preservare i confini semantici quando possibile. Per i linguaggi di programmazione, questo significa mantenere intatti i nomi delle funzioni; per il testo legale, preservare le citazioni; per il testo medico, mantenere entità come malattie e farmaci.

Se termini importanti risultano frammentati in modo inefficiente, considera di aggiungerli come token speciali o di aumentare i dati di training che li contengono. Per vocabolario critico, puoi anche usare il parametro user_defined_symbols in SentencePiece per forzare la conservazione di determinati termini come unità singole.

Integra con il tuo modello

Se addestri un modello da zero, usa il tuo tokenizer personalizzato fin dall'inizio. Per il fine-tuning, assicurati che il tokenizer e i vocabolari del modello siano allineati. Le scelte di tokenizzazione vengono incorporate nella comprensione del modello durante il pretraining e non possono essere facilmente modificate in seguito.

Questa integrazione tra tokenizer e modello è di fondamentale importanza per diversi motivi:

- Il modello apprende schemi basati su specifici confini dei token, quindi modificarli successivamente interrompe le relazioni apprese

- I pesi degli embedding sono legati a specifici indici del vocabolario — qualsiasi disallineamento del vocabolario crea confusione semantica

- Le limitazioni della finestra di contesto rendono cruciale una tokenizzazione efficiente per massimizzare le informazioni che un modello può elaborare

Quando si esegue il fine-tuning di modelli esistenti, generalmente è necessario utilizzare il tokenizer originale del modello o gestire con attenzione le differenze di vocabolario. Il disallineamento tra la tokenizzazione del pretraining e quella del fine-tuning può degradare significativamente le prestazioni in diversi modi:

- Deriva semantica: il modello può associare significati diversi agli stessi ID dei token

- Diluzione dell'attenzione: concetti importanti possono essere frammentati in modo diverso, interrompendo i pattern di attenzione appresi

- Inefficienza degli embedding: nuovi token possono ricevere embedding inizializzati male senza sufficiente addestramento

Se devi assolutamente usare un tokenizer diverso per il fine-tuning rispetto a quello utilizzato nel pretraining, considera queste strategie:

- Mappatura dei token: crea mappature esplicite tra i token del vocabolario originale e quello nuovo

- Trasferimento degli embedding: inizializza gli embedding dei nuovi token basandoti sulla somiglianza semantica con i token originali

- Fine-tuning esteso: consenti tempi di addestramento significativamente più lunghi affinché il modello si adatti al nuovo schema di tokenizzazione

Se stai sviluppando un sistema specializzato, considera l'intera pipeline dalla tokenizzazione fino al deployment come un sistema integrato piuttosto che come componenti separati. Questa visione olistica garantisce che le decisioni di tokenizzazione supportino le esigenze di prestazioni, efficienza e distribuzione del tuo caso d'uso specifico.

2.2.5 Perché è importante

Personalizzando un tokenizer per il tuo dominio, ottieni diversi vantaggi critici:

- **Ridurre il numero di token** (costi inferiori, addestramento più rapido): i tokenizer specifici per dominio imparano a rappresentare in modo efficiente i termini frequenti del dominio, riducendo spesso il numero di token necessari del 20–40% rispetto ai tokenizer generali. Ad esempio, termini medici come "electrocardiogram" possono essere un singolo token invece di 5–6 frammenti, riducendo drasticamente la lunghezza del contesto necessaria per testi medici. Questo si traduce direttamente in risparmi sui costi nell'uso delle API e tempi di elaborazione più rapidi. L'impatto della riduzione dei token è particolarmente significativo quando si lavora con grandi dataset o servizi basati su API. Considera un'azienda sanitaria che elabora milioni di cartelle cliniche al giorno — una riduzione del 30% dei token potrebbe tradursi in centinaia di migliaia di dollari di risparmio annuale. Questa efficienza si estende a diverse aree chiave:

    o   Risorse computazionali: meno token significano minore uso di memoria e operazioni matriciali più veloci sia durante l'addestramento che l'inferenza

    o   Miglioramento del throughput: i sistemi possono elaborare più documenti al secondo con sequenze di token più corte

    o   Ottimizzazione della finestra di contesto: i tokenizer specifici per dominio permettono ai modelli di inserire più contenuto semantico all'interno di finestre di contesto fisse

Nell'implementazione pratica, questa ottimizzazione diventa più evidente quando si lavora con terminologia specializzata. Contratti legali elaborati con un tokenizer specifico per il diritto possono richiedere il 25–35% di token in meno rispetto allo stesso testo elaborato con un tokenizer generico, mantenendo o addirittura migliorando la comprensione semantica.

- **Migliorare la rappresentazione** di parole rare ma importanti: i tokenizer specifici per dominio preservano la terminologia cruciale intatta invece di frammentarla. Espressioni legali come "prima facie" o termini tecnici come "hyperparameter" rimangono unità coerenti, permettendo ai modelli di apprenderne il significato come concetti singoli. Questo porta a una comprensione più accurata del vocabolario specializzato che può essere raro nel linguaggio generale ma comune nel tuo dominio. L'impatto di una corretta tokenizzazione sui termini rari specifici del dominio è profondo. Considera come un tokenizer generico potrebbe gestire una terminologia medica specializzata come "pneumonoultramicroscopicsilicovolcanoconiosis" (una malattia polmonare causata dall'inalazione di cenere fine). Un tokenizer generico probabilmente la suddividerebbe in decine di frammenti privi di significato, costringendo il modello a ricostruire il concetto attraverso molti token. Al contrario, un tokenizer medico specifico potrebbe riconoscerla come un singolo token o sottoparti significative che preservano l'integrità semantica del termine. Questo miglioramento nella rappresentazione va oltre la sola efficienza del vocabolario:

    o   Precisione semantica: quando i termini del dominio restano intatti, i modelli possono apprenderne il significato esatto invece di approssimarlo da frammenti

    o   Comprensione contestuale: termini correlati mantengono le loro somiglianze strutturali, aiutando i modelli a riconoscere relazioni concettuali

    o   Disambiguazione: termini con significati speciali nel tuo dominio (che altrove potrebbero essere parole comuni) ricevono rappresentazioni appropriate

Le ricerche hanno dimostrato che i modelli addestrati con tokenizer specifici per dominio raggiungono un'accuratezza superiore del 15–25% nei compiti specializzati rispetto a quelli che utilizzano tokenizer generici, principalmente grazie alla migliore gestione della terminologia specifica del dominio.

- **Consentire embedding migliori** per il fine-tuning downstream: quando concetti importanti del dominio sono rappresentati come token coerenti, lo spazio degli embedding diventa più organizzato semanticamente. Termini correlati si raggruppano naturalmente e il modello può apprendere più efficacemente le relazioni tra concetti del dominio. Questo crea una base in cui il fine-tuning richiede meno dati e produce risultati più accurati, poiché il modello non deve ricostruire concetti frammentati.

Questo miglioramento della qualità degli embedding opera su diversi livelli:

  - Coerenza semantica: quando i termini del dominio rimangono intatti come singoli token, i loro embedding catturano direttamente il loro significato, invece di costringere il modello a ricostruirlo da componenti frammentati

  - Efficienza dimensionale: ogni dimensione nello spazio degli embedding può rappresentare caratteristiche semantiche più significative quando i token corrispondono a concetti reali

  - Ragionamento analogico: concetti di dominio correttamente tokenizzati permettono al modello di apprendere relazioni accurate (ad esempio, "hypertension è a blood pressure come hyperglycemia è a blood sugar")

Ad esempio, nel dominio finanziario, termini come "collateralized debt obligation" possono essere tokenizzati come un'unica unità o in blocchi significativi. Questo consente allo spazio degli embedding di sviluppare regioni ottimizzate specificamente per strumenti finanziari, con prodotti simili che si raggruppano insieme. Durante il fine-tuning su un compito specifico come la valutazione del rischio di credito, il modello può sfruttare questi embedding ben organizzati per apprendere rapidamente pattern rilevanti con meno esempi.

Le ricerche hanno dimostrato che i modelli che utilizzano tokenizzazione ottimizzata per dominio richiedono il 30–50% in meno di dati di fine-tuning per raggiungere le stesse prestazioni rispetto a quelli che utilizzano tokenizzazione generica, principalmente grazie alla maggiore qualità dello spazio degli embedding sottostante.

- **Migliorare le capacità multilingue**: i tokenizer personalizzati possono essere addestrati su contenuti specifici di dominio in più lingue, creando rappresentazioni più coerenti per concetti equivalenti indipendentemente dalla lingua. Questo è particolarmente utile per ambiti internazionali come il diritto, la medicina o la documentazione tecnica. Se implementati correttamente, i tokenizer multilingue specifici per dominio offrono diversi vantaggi fondamentali:

  - Trasferimento di conoscenza cross-lingua: rappresentando concetti equivalenti in modo simile tra lingue (ad esempio, "diabetes mellitus" in inglese e "diabète sucré" in francese), i modelli possono applicare intuizioni apprese in una lingua a un'altra

  - Efficienza del vocabolario: invece di mantenere grandi vocabolari separati per ogni lingua, token concettuali condivisi riducono la ridondanza o   Allineamento terminologico: i campi tecnici spesso utilizzano radici latine o greche in molte lingue, e un tokenizer specifico per dominio può preservare questi schemi cross-lingua

o   Riduzione dei requisiti di addestramento: i modelli possono generalizzare più efficacemente con meno dati specifici per lingua quando la tokenizzazione crea ponti naturali tra le lingue

Che tu stia addestrando un modello su **note mediche** (dove la terminologia precisa è fondamentale per la sicurezza del paziente), **registri finanziari** (dove strumenti specifici e termini normativi hanno significati esatti) o **codice sorgente** (dove sintassi e nomi di funzioni richiedono una comprensione precisa), investire tempo nella costruzione di un tokenizer specifico per dominio porta benefici significativi sia in termini di efficienza che di prestazioni.

Per le **applicazioni mediche**, una corretta tokenizzazione garantisce che termini come "myocardial infarction" o "electroencephalogram" siano rappresentati in modo coerente, permettendo ai modelli di distinguere accuratamente tra condizioni simili ma criticamente diverse. Questa precisione influisce direttamente sull'accuratezza diagnostica e sulle raccomandazioni terapeutiche, dove gli errori possono avere conseguenze gravi.

Nei **contesti finanziari**, tokenizer che gestiscono correttamente termini come "collateralized debt obligation", "mark-to-market" o codici normativi mantengono le distinzioni precise che separano diversi strumenti finanziari. Questa specificità è essenziale per modelli che analizzano rischio, conformità o trend di mercato, dove interpretazioni errate possono portare a perdite finanziarie significative.

Per i **linguaggi di programmazione**, tokenizer specifici per dominio possono riconoscere sintassi proprie del linguaggio, nomi di metodi e riferimenti a librerie come unità significative. Questo consente ai modelli di comprendere meglio la struttura del codice, identificare bug o generare completamenti sintatticamente validi che rispettano le regole del linguaggio.

L'investimento iniziale nello sviluppo di un tokenizer specifico per dominio — che può richiedere diverse settimane di lavoro ingegneristico e competenze di dominio — porta tipicamente a miglioramenti delle prestazioni del 15–30% nei compiti specializzati, riducendo contemporaneamente i requisiti computazionali del 20–40%. Questi guadagni di efficienza si accumulano nel tempo, rendendo il costo iniziale trascurabile rispetto ai benefici a lungo termine in termini di accuratezza, velocità di inferenza e riduzione delle risorse computazionali.

2.3 Subword, Character-Level e Embedding Multimodali

Una volta che il testo è stato tokenizzato, il passo successivo è trasformare quei token in numeri che una rete neurale possa elaborare. Queste rappresentazioni numeriche sono chiamate **embedding**. Gli embedding rappresentano il ponte fondamentale tra il linguaggio umano e la comprensione della macchina, trasformando unità linguistiche discrete in rappresentazioni vettoriali continue che catturano relazioni semantiche.

Alla base, gli embedding sono **vettori in uno spazio ad alta dimensionalità** che catturano il significato. Parole o subword con significati simili avranno embedding vicini tra loro in questo spazio. Ad esempio, "cat" e "dog" saranno più vicini rispetto a "cat" e "carburetor". Questa proprietà geometrica consente ai modelli di comprendere relazioni semantiche e fare generalizzazioni basate sulla somiglianza. La dimensionalità di questi vettori varia tipicamente da 100 a 1024 o più, con ogni dimensione che può catturare aspetti del significato come genere, tempo verbale, formalità o molte altre caratteristiche semantiche e sintattiche. Queste dimensioni non sono etichettate esplicitamente, ma emergono durante l'addestramento mentre il modello impara a organizzare il linguaggio.

Diversi modelli affrontano gli embedding in modo diverso, a seconda di come gestiscono i token. Esploriamo le tre strategie principali: **embedding subword**, **embedding a livello di carattere** e **embedding multimodali**. Ogni approccio rappresenta un diverso compromesso tra efficienza, generalizzabilità e potere rappresentativo, con implicazioni su quanto bene i modelli possano comprendere le sfumature del linguaggio, gestire parole fuori vocabolario e trasferire conoscenza tra domini o lingue.

2.3.1 Embedding Subword

La maggior parte dei LLM moderni (GPT, LLaMA, Mistral) si basa sulla **tokenizzazione subword** e assegna a ogni unità subword un embedding. Questo approccio bilancia efficienza e flessibilità suddividendo le parole in parti significative invece di trattare ogni parola come atomica o ogni carattere come separato. Ad esempio, una parola come "unhappiness" può essere suddivisa in "un", "happiness" oppure in "un", "happy", "ness" a seconda del tokenizer e delle statistiche del corpus di addestramento.

La tokenizzazione subword offre vantaggi significativi rispetto ad altri approcci. Rispetto alla tokenizzazione a livello di parola, riduce drasticamente le dimensioni del vocabolario (da potenzialmente milioni a decine di migliaia di token) e gestisce bene le parole fuori vocabolario decomponendole in sottocomponenti noti. Questo permette ai modelli di elaborare parole mai viste durante l'addestramento comprendendone le parti costitutive.

D'altra parte, rispetto alla tokenizzazione a livello di carattere, l'approccio subword crea sequenze molto più corte (riducendo la complessità computazionale) mantenendo unità semantiche significative più grandi dei singoli caratteri. Questa efficienza è cruciale per i modelli linguistici di grandi dimensioni, che già soffrono di limitazioni nella lunghezza del contesto.

La tokenizzazione subword rappresenta quindi un punto di equilibrio tra la tokenizzazione a livello di parola (che fatica con parole rare e con l'esplosione del vocabolario) e quella a livello di carattere (che crea sequenze molto lunghe e perde semantica a livello di parola). Questo equilibrio si è dimostrato così efficace che praticamente tutti i modelli linguistici allo stato dell'arte utilizzano una variante della tokenizzazione subword nella loro architettura.

Un token come "play" ha un proprio vettore di embedding, tipicamente composto da centinaia di dimensioni che catturano varie proprietà semantiche e sintattiche. Queste dimensioni possono codificare implicitamente caratteristiche come parte del discorso, tempo verbale, livello di formalità, categoria semantica e molte altre proprietà linguistiche. Anche se queste dimensioni non sono etichettate esplicitamente durante l'addestramento, emergono naturalmente mentre il modello impara a predire il testo.

Una parola come "playground" può essere suddivisa in ["play", "ground"], e il suo significato emerge quando questi embedding vengono elaborati insieme dal modello. Questa capacità di comporre significato a partire dalle parti consente ai modelli di comprendere parole nuove o rare basandosi su componenti familiari. La composizione avviene negli strati più profondi del modello, dove meccanismi di attenzione e reti feed-forward imparano a combinare questi embedding subword in rappresentazioni coerenti di concetti completi. Questa natura compositiva è simile a come gli esseri umani comprendono nuovi composti a partire dalle loro parti costitutive.

Il vantaggio della tokenizzazione subword è che può gestire parole fuori vocabolario decomponendole in subword conosciute. Ad esempio, anche se "teleconferencing" non è stato visto durante l'addestramento, il modello potrebbe tokenizzarlo come ["tele", "conference", "ing"], permettendogli di inferire il significato da questi componenti familiari. Questo migliora drasticamente la generalizzazione verso parole rare, terminologia tecnica e persino nomi propri non presenti nei dati di addestramento. Inoltre aiuta con lingue morfologicamente ricche, dove le parole possono avere molte varianti attraverso prefissi e suffissi.

Diversi tokenizer utilizzano algoritmi differenti per determinare queste suddivisioni in subword, come Byte-Pair Encoding (BPE) utilizzato dai modelli GPT, WordPiece utilizzato da BERT o SentencePiece utilizzato da T5 e molti modelli multilingue. Ogni algoritmo ha approcci leggermente diversi per identificare le unità subword:

- BPE parte dai caratteri e unisce iterativamente le coppie più frequenti per costruire unità più grandi

- WordPiece è simile ma utilizza un approccio basato sulla probabilità che favorisce le unioni che massimizzano la probabilità dei dati di addestramento

- SentencePiece tratta il testo come una sequenza di caratteri unicode e applica BPE o un modello di linguaggio unigram su questa sequenza, risultando più indipendente dalla lingua

Esempio: Visualizzazione degli Embedding Subword

```python
from transformers import AutoTokenizer, AutoModel
import torch
import matplotlib.pyplot as plt
import numpy as np
from sklearn.decomposition import PCA

# Load a pretrained model and tokenizer
tokenizer = AutoTokenizer.from_pretrained("bert-base-uncased")
model = AutoModel.from_pretrained("bert-base-uncased")

# Example words to analyze
words = ["playground", "playing", "played", "player", "game"]

# Process all words
all_embeddings = []
all_tokens = []

for word in words:
    # Tokenize and get model outputs
    inputs = tokenizer(word, return_tensors="pt")
    with torch.no_grad():  # Disable gradient calculation for inference
        outputs = model(**inputs)

    # Get the embeddings from the last hidden state
    token_embeddings = outputs.last_hidden_state[0]

    # Get the actual tokens (removing special tokens)
    tokens = tokenizer.convert_ids_to_tokens(inputs["input_ids"][0])[1:-1]
```

```python
    print(f"\\n--- Word: {word} ---")
    print(f"Tokenized as: {tokens}")

    # Print first few dimensions of each token's embedding
    for i, (token, embedding) in enumerate(zip(tokens, token_embeddings[1:-1])):
        print(f"Token #{i+1}: '{token}'")
        print(f"  Shape: {embedding.shape}")
        print(f"  First 5 dimensions: {embedding[:5].numpy().round(3)}")

        all_embeddings.append(embedding.numpy())
        all_tokens.append(token)

# Visualize the embeddings using PCA
embeddings_array = np.array(all_embeddings)
pca = PCA(n_components=2)
embeddings_2d = pca.fit_transform(embeddings_array)

# Create a scatter plot
plt.figure(figsize=(10, 8))
plt.scatter(embeddings_2d[:, 0], embeddings_2d[:, 1], s=100)

# Add labels for each point
for i, token in enumerate(all_tokens):
    plt.annotate(token, (embeddings_2d[i, 0], embeddings_2d[i, 1]),
                 fontsize=12, alpha=0.8)

plt.title('2D PCA projection of token embeddings')
plt.xlabel('PC1')
plt.ylabel('PC2')
plt.grid(alpha=0.3)

# Add a simple cosine similarity calculation example
def cosine_similarity(a, b):
    return np.dot(a, b) / (np.linalg.norm(a) * np.linalg.norm(b))

# Compare similarities between some token pairs
if len(all_tokens) >= 4:
    token1, token2 = all_tokens[0], all_tokens[1]
    token3, token4 = all_tokens[2], all_tokens[3]

    sim1 = cosine_similarity(all_embeddings[0], all_embeddings[1])
    sim2 = cosine_similarity(all_embeddings[2], all_embeddings[3])

    print(f"\\nCosine similarity between '{token1}' and '{token2}': {sim1:.4f}")
    print(f"Cosine similarity between '{token3}' and '{token4}': {sim2:.4f}")

# Save the plot if needed
# plt.savefig("token_embeddings_visualization.png")
plt.show()
```

Analisi del codice: comprendere gli embedding subword

Questo codice di esempio mostra come funzionano gli embedding nei moderni modelli linguistici esaminando come le parole vengono tokenizzate e rappresentate come vettori. Ecco una spiegazione dettagliata di ogni componente:

- **Importazione delle librerie**: oltre alle librerie di base Transformers e PyTorch, abbiamo aggiunto strumenti di visualizzazione (matplotlib) e riduzione della dimensionalità (PCA da scikit-learn) per aiutarci a comprendere lo spazio degli embedding.

- **Caricamento del modello**: utilizziamo il modello base uncased di BERT, che ha un vocabolario di circa 30.000 token subword e produce embedding di 768 dimensioni per ogni token.

- **Selezione delle parole**: analizziamo più parole correlate ("playground", "playing", ecc.) per vedere come il modello gestisce le variazioni morfologiche della stessa radice.

- **Processo di tokenizzazione**:

    o Il codice mostra come ogni parola viene suddivisa in unità subword dal tokenizer WordPiece di BERT.

    o Ad esempio, "playground" può diventare ["play", "##ground"], dove "##" indica la continuazione di una subword.

    o I token speciali ([CLS] e [SEP]) vengono aggiunti automaticamente ma filtrati nella nostra analisi.

- **Estrazione degli embedding**:

    o Ogni token viene convertito in un vettore di 768 dimensioni che cattura le sue proprietà semantiche e sintattiche.

    o Mostriamo le prime 5 dimensioni come esempio, anche se il significato completo è distribuito su tutte le dimensioni.

    o Questi vettori sono il risultato del pretraining del modello su enormi corpora testuali.

- **Visualizzazione con PCA**:

    o Utilizziamo la Principal Component Analysis per ridurre le 768 dimensioni a 2 per la visualizzazione.

    o Il grafico a dispersione risultante mostra come i token correlati si raggruppano nello spazio degli embedding.

    o I token con significati simili dovrebbero apparire più vicini tra loro (ad esempio, "play" e "playing").

- **Somiglianza semantica**:

    o Il calcolo della similarità coseno mostra come possiamo misurare matematicamente la relazione tra i token.

    o Valori più vicini a 1 indicano una maggiore somiglianza, mentre valori più vicini a 0 indicano una minore somiglianza.

- o È esattamente così che i modelli linguistici determinano quali parole sono concettualmente correlate.

Aspetti chiave sugli embedding:

- In questo esempio, gli embedding sono **indipendenti dal contesto** (provenienti dagli strati base del modello), ma diventano sempre più **consapevoli del contesto** negli strati più profondi del transformer.

- Lo spazio degli embedding è **geometricamente significativo**: distanze e direzioni tra i vettori rappresentano relazioni linguistiche.

- La tokenizzazione subword consente al modello di gestire **parole fuori vocabolario** suddividendole in componenti familiari.

- La dimensionalità di questi vettori (768 in BERT-base) consente loro di catturare simultaneamente numerosi aspetti sottili del significato.

Questo esempio ampliato illustra perché gli embedding sono fondamentali per il moderno NLP: trasformano token discreti in vettori continui che catturano relazioni semantiche, permettendo alle reti neurali di elaborare il linguaggio in modo matematicamente significativo.

Esempio: addestrare il proprio tokenizer subword

```python
import os
from tokenizers import Tokenizer, models, pre_tokenizers, trainers, processors
import matplotlib.pyplot as plt
import numpy as np
from sklearn.manifold import TSNE
import torch

# Step 1: Create a tokenizer from scratch with BPE model
tokenizer = Tokenizer(models.BPE())

# Step 2: Set up pre-tokenization (how text is split before applying BPE)
tokenizer.pre_tokenizer = pre_tokenizers.ByteLevel()

# Step 3: Create a trainer for BPE
trainer = trainers.BpeTrainer(
    vocab_size=5000,  # Target vocabulary size
    min_frequency=2,  # Minimum frequency for a token to be included
    special_tokens=["[PAD]", "[UNK]", "[CLS]", "[SEP]", "[MASK]"]
)

# Step 4: Get some text data for training
def get_training_corpus():
    # This is a simple example - in practice, you'd have a much larger dataset
    training_text = [
        "Natural language processing has transformed how computers understand human language.",
        "Tokenization is the process of breaking text into smaller units called tokens.",
```

```python
        "Subword tokenization methods like BPE and WordPiece strike a balance between
word and character level approaches.",
        "Language models use token embeddings to represent semantic meaning in a high-
dimensional space.",
        "The advantage of subword tokenization is handling out-of-vocabulary words
effectively.",
        "Words like 'playing', 'played', and 'player' share the common subword 'play'."
    ]
    for i in range(0, len(training_text), 2):
        yield training_text[i:i+2]

# Step 5: Train the tokenizer
tokenizer.train_from_iterator(get_training_corpus(), trainer)

# Step 6: Add post-processing (e.g., adding special tokens for sentence pairs)
tokenizer.post_processor = processors.ByteLevel(trim_offsets=True)

# Step 7: Save the trained tokenizer
if not os.path.exists('./models'):
    os.makedirs('./models')
tokenizer.save('./models/custom_bpe_tokenizer.json')

# Step 8: Test the tokenizer on some examples
test_sentences = [
    "Natural language processing is fascinating.",
    "Subword tokenization helps with unseen words like hyperparameterization.",
    "The model can understand playgrounds and playing."
]

# Step 9: Create a simple embedding layer for our tokenizer
vocab_size = tokenizer.get_vocab_size()
embedding_dim = 100
embedding_layer = torch.nn.Embedding(vocab_size, embedding_dim)

# Dictionary to store token embeddings for visualization
token_embeddings = {}

# Process each test sentence
for sentence in test_sentences:
    # Encode the sentence
    encoding = tokenizer.encode(sentence)
    print(f"\\nSentence: {sentence}")
    print(f"Tokens: {encoding.tokens}")

    # Convert token IDs to embeddings
    token_ids = torch.tensor(encoding.ids)
    embeddings = embedding_layer(token_ids)

    # Store embeddings for unique tokens
    for token, token_id, embedding in zip(encoding.tokens, encoding.ids, embeddings):
        if token not in token_embeddings:
            token_embeddings[token] = embedding.detach().numpy()
```

```python
# Visualize token embeddings using t-SNE
if len(token_embeddings) > 5:  # Need enough points for meaningful visualization
    # Extract tokens and embeddings
    tokens = list(token_embeddings.keys())
    embeddings = np.array(list(token_embeddings.values()))

    # Apply t-SNE for dimensionality reduction
    tsne = TSNE(n_components=2, random_state=42, perplexity=min(5, len(tokens)-1))
    embeddings_2d = tsne.fit_transform(embeddings)

    # Plot the results
    plt.figure(figsize=(12, 10))
    plt.scatter(embeddings_2d[:, 0], embeddings_2d[:, 1], s=100, alpha=0.6)

    # Add labels for each token
    for i, token in enumerate(tokens):
        plt.annotate(token, (embeddings_2d[i, 0], embeddings_2d[i, 1]),
                     fontsize=9, alpha=0.7)

    plt.title('t-SNE visualization of token embeddings')
    plt.xlabel('Dimension 1')
    plt.ylabel('Dimension 2')
    plt.grid(alpha=0.3)
    plt.show()

# Analyze subword patterns
print("\\nCommon subword patterns found:")
vocab = tokenizer.get_vocab()
sorted_vocab = sorted(vocab.items(), key=lambda x: x[1])
common_prefixes = {}

for token, _ in sorted_vocab:
    if token.startswith('Ġ'):  # ByteLevel BPE marks word beginnings with Ġ
        clean_token = token[1:]  # Remove the Ġ prefix
        if len(clean_token) > 1:
            print(f"Word beginning: {clean_token}")
    elif len(token) > 2 and not token.startswith('['):
        print(f"Subword: {token}")

        # Track common prefixes
        if len(token) > 2:
            prefix = token[:2]
            if prefix in common_prefixes:
                common_prefixes[prefix].append(token)
            else:
                common_prefixes[prefix] = [token]

# Print some examples of common prefixes and their subwords
print("\\nSubwords sharing common prefixes:")
for prefix, tokens in list(common_prefixes.items())[:5]:
    if len(tokens) > 1:
```

```
print(f"Prefix '{prefix}': {', '.join(tokens)}")
```

Analisi del codice: addestrare un tokenizer subword personalizzato

Questo esempio mostra come costruire, addestrare e analizzare da zero il proprio tokenizer subword. A differenza dell'esempio precedente, che utilizzava un modello preaddestrato, questo codice mostra l'intera pipeline di tokenizzazione:

- **Creazione del tokenizer**:
    - Usiamo la libreria HuggingFace Tokenizers per creare un tokenizer BPE (Byte-Pair Encoding).
    - BPE è lo stesso algoritmo usato dai modelli GPT e funziona unendo iterativamente le coppie di caratteri più frequenti.

- **Configurazione della pre-tokenizzazione**:
    - Il pre-tokenizer ByteLevel suddivide il testo in byte UTF-8 anziché in caratteri Unicode.
    - Questo approccio gestisce in modo coerente qualsiasi lingua e set di caratteri.

- **Configurazione del trainer**:
    - Impostiamo un limite alla dimensione del vocabolario (5.000) per mantenere il modello gestibile.
    - Il parametro di frequenza minima assicura che non vengano incluse sequenze di caratteri troppo rare.
    - Vengono aggiunti token speciali per compiti come classificazione di sequenze e masked language modeling.

- **Processo di addestramento**:
    - Il tokenizer apprende quali sequenze di caratteri unire analizzando i pattern di frequenza.
    - Parte dai singoli caratteri e costruisce progressivamente unità subword più grandi.
    - Nelle applicazioni reali, lo si addestrerebbe su milioni di frasi anziché sul nostro piccolo esempio.

- **Configurazione del post-processing**:
    - Il post-processor ByteLevel gestisce dettagli come il trimming degli offset per una mappatura accurata dei token.

- **Test e visualizzazione**:
    - Tokenizziamo frasi di esempio per vedere come le parole vengono suddivise in subword.
    - Vengono generati embedding casuali per ogni token (nella pratica, questi verrebbero appresi durante l'addestramento del modello).

○ La visualizzazione con t-SNE mostra come i token potrebbero raggrupparsi nello spazio degli embedding.

- **Analisi dei pattern**:

  ○ Analizziamo il vocabolario appreso per identificare gli inizi di parola e le unità subword.

  ○ Il codice identifica prefissi comuni che compaiono in più subword, mostrando come il tokenizer catturi pattern morfologici.

Aspetti chiave dell'addestramento di un tokenizer personalizzato:

- Il tokenizer apprende automaticamente i morfemi (parti significative delle parole) senza conoscenza linguistica esplicita.

- Prefissi, suffissi e radici comuni emergono naturalmente dai pattern di frequenza nei dati.

- La dimensione del vocabolario è un iperparametro cruciale che bilancia granularità dei token e lunghezza della sequenza.

- Anche con un piccolo dataset di addestramento, il tokenizer identifica pattern subword significativi.

- I token che iniziano con "Ġ" rappresentano l'inizio di una parola nello schema ByteLevel BPE (questo carattere speciale preserva l'informazione sui confini delle parole).

Questo esempio dimostra perché la tokenizzazione subword è così potente: scopre automaticamente pattern linguistici senza richiedere regole costruite a mano o un'analisi morfologica esplicita. Il vocabolario emergente bilancia in modo efficiente compressione (riduzione della dimensione del vocabolario) ed espressività (preservazione di unità significative più grandi dei caratteri).

2.3.2 Embedding a livello di carattere

Invece delle subword, alcuni modelli lavorano direttamente **a livello di carattere**. Questo approccio rappresenta il testo come una sequenza di singoli caratteri anziché di parole o token subword. La modellazione a livello di carattere offre diversi vantaggi distinti che la rendono particolarmente utile in determinati contesti.

Alla base, la modellazione a livello di carattere tratta ogni singolo carattere come unità fondamentale dell'elaborazione del linguaggio. Questo approccio granulare offre vantaggi unici rispetto ai metodi di tokenizzazione a livello di parola o subword. Il modello elabora il testo carattere per carattere, apprendendo pattern e relazioni a questo livello fine. Ciò permette alle reti neurali di catturare n-grammi di caratteri e pattern morfologici che potrebbero sfuggire ad approcci di tokenizzazione di livello superiore.

I modelli a livello di carattere sono estremamente flessibili perché lavorano con un vocabolario molto più piccolo (tipicamente solo poche centinaia di caratteri unici contro decine di migliaia di subword), il che li rende efficienti in termini di dimensione della tabella degli embedding. Tuttavia, questo vantaggio ha il costo di sequenze più lunghe, poiché ogni parola può richiedere 5–10 token carattere invece di 1–2 token subword.

L'approccio è particolarmente potente per lingue con scritture non latine, come cinese, giapponese o arabo, dove la relazione tra caratteri e significato è diversa rispetto ai sistemi alfabetici. Può inoltre gestire elegantemente lingue in cui il concetto di "confine di parola" è meno definito o meno marcato.

I modelli a livello di carattere eccellono nelle seguenti situazioni:

- **Lingue con morfologia complessa** (ad esempio turco, finlandese, ungherese): queste lingue possono formare parole estremamente lunghe attraverso un uso esteso di prefissi, suffissi e composti. Ad esempio, in finlandese, una singola parola come "epäjärjestelmällistyttämättömyydelläänsäkäänköhän" può esprimere ciò che in inglese richiederebbe un'intera frase. I modelli a livello di carattere possono elaborare questo tipo di strutture in modo efficiente senza esplosione del vocabolario. Quando si trovano di fronte a lingue agglutinanti (in cui i morfemi si uniscono per formare parole complesse), i tokenizer subword possono avere difficoltà a trovare unità significative. I modelli a caratteri, invece, evitano completamente questo problema trattando ogni carattere come unità atomica, permettendo alla rete neurale di apprendere implicitamente pattern a livello di carattere e regole morfologiche durante l'addestramento. Questo consente una migliore gestione di coniugazioni complesse, declinazioni e altre variazioni grammaticali comuni in queste lingue.

- **Gestione di refusi, slang o parole rare**: i modelli a livello di carattere sono intrinsecamente robusti rispetto a variazioni ortografiche ed errori. Mentre un modello subword potrebbe fallire completamente su una parola scritta male come "embarassing" (invece di "embarrassing"), i modelli a caratteri possono comunque elaborarla efficacemente, poiché la maggior parte dei caratteri si trova nelle posizioni corrette. Questo è particolarmente utile nell'elaborazione di testi dei social media, scrittura informale o contenuti prodotti da parlanti non nativi. L'approccio a livello di carattere fornisce una sorta di degradazione graduale: un piccolo errore ortografico può influenzare solo una piccola parte della sequenza di caratteri invece di rendere irriconoscibile un'intera parola o subword. Questa robustezza si estende anche alla gestione di nuovo slang di internet, abbreviazioni e formazioni creative di parole non viste durante l'addestramento. Per applicazioni che coinvolgono contenuti generati dagli utenti, questa resilienza alla variazione testuale può migliorare sensibilmente le prestazioni del modello senza richiedere aggiornamenti costanti del vocabolario.

- **Compiti come la generazione di codice**, dove i simboli contano quanto le parole: i linguaggi di programmazione dipendono fortemente da caratteri specifici come parentesi, operatori e punteggiatura, che hanno un significato sintattico cruciale. La modellazione a livello di carattere preserva esattamente questi simboli così come appaiono, rendendola particolarmente efficace per compiti come completamento del codice, traduzione o generazione, dove la precisione a livello di carattere è essenziale. Nel codice, un singolo errore di carattere può cambiare completamente il significato o causare errori di sintassi. I modelli a livello di carattere sono particolarmente adatti a mantenere questa precisione, poiché elaborano ogni carattere individualmente. Questo approccio aiuta anche nella gestione della sintassi diversificata dei vari linguaggi di programmazione, delle convenzioni di naming delle variabili e degli operatori specializzati. Inoltre, i modelli a livello di carattere possono catturare meglio pattern di formattazione e stile del codice, contribuendo a generare codice più leggibile e manutenibile, aderente alle convenzioni consolidate.

Nei modelli a livello di carattere, ogni singolo carattere (a, b, c, …, {, }) ha il proprio embedding. Sebbene questo porti a sequenze più lunghe (una parola tipica può essere composta da 5–10 caratteri, moltiplicando di conseguenza la lunghezza della sequenza), offre al modello grande flessibilità con parole mai viste o rare. Questo approccio elimina completamente il problema del "token sconosciuto", poiché qualsiasi testo può essere scomposto nei suoi caratteri costitutivi, tutti garantiti nel vocabolario del modello.

Gli embedding a livello di carattere consentono anche capacità interessanti come il trasferimento cross-lingua, in cui i modelli possono generalizzare tra lingue che condividono set di caratteri, anche senza un addestramento multilingue esplicito. Tuttavia, questo approccio richiede ai modelli di apprendere dipendenze a più lungo raggio, poiché le unità semantiche significative sono distribuite su più token, il che può essere computazionalmente costoso e richiedere architetture specializzate con meccanismi di attenzione efficienti.

Esempio: semplice embedding a livello di carattere in PyTorch

Ecco un esempio di codice per embedding a livello di carattere con funzionalità aggiuntive e una spiegazione completa:

```python
import torch
import torch.nn as nn
import matplotlib.pyplot as plt
import numpy as np
from sklearn.manifold import TSNE

# Character vocabulary (expanded to include uppercase, digits, and punctuation)
chars = list("abcdefghijklmnopqrstuvwxyzABCDEFGHIJKLMNOPQRSTUVWXYZ0123456789.,!?-_'\\\"()[]{}:;/ ")
char2idx = {ch: i for i, ch in enumerate(chars)}
idx2char = {i: ch for i, ch in enumerate(chars)}

# Embedding layer with larger dimension
embedding_dim = 16
embedding = nn.Embedding(len(chars), embedding_dim)

# Function to encode text into character embeddings
def char_encode(text):
    # Handle unknown characters by replacing with space
    indices = [char2idx.get(c, char2idx[' ']) for c in text]
    return torch.tensor(indices)

# Encode multiple words
words = ["play", "player", "playing", "played", "plays"]
word_tensors = [char_encode(word) for word in words]

# Visualize the embeddings
print("Character embeddings for each word:")
for i, word in enumerate(words):
    vectors = embedding(word_tensors[i])
    print(f"\\n{word}:")
    for j, char in enumerate(word):
        print(f"  '{char}' → {vectors[j].detach().numpy().round(3)}")

# Simple Character-level RNN model
class CharRNN(nn.Module):
    def __init__(self, vocab_size, embedding_dim, hidden_dim, output_size):
        super(CharRNN, self).__init__()
        self.embedding = nn.Embedding(vocab_size, embedding_dim)
        self.rnn = nn.GRU(embedding_dim, hidden_dim, batch_first=True)
```

```python
        self.fc = nn.Linear(hidden_dim, output_size)

    def forward(self, x):
        embedded = self.embedding(x)
        output, hidden = self.rnn(embedded)
        # Take only the last output
        output = self.fc(output[:, -1, :])
        return output

# Example classification task: identify if a word is a verb
verbs = ["play", "run", "jump", "swim", "eat", "read", "write", "sing", "dance",
"speak"]
nouns = ["cat", "dog", "house", "tree", "book", "car", "phone", "table", "water",
"food"]

# Prepare data
X = [char_encode(word) for word in verbs + nouns]
y = torch.tensor([1] * len(verbs) + [0] * len(nouns))

# Create and initialize the model
hidden_dim = 32
model = CharRNN(len(chars), embedding_dim, hidden_dim, 2)

# Visualize character embeddings in 2D space
def visualize_char_embeddings():
    # Get embeddings for all characters
    all_chars = list("abcdefghijklmnopqrstuvwxyz")
    char_indices = torch.tensor([char2idx[c] for c in all_chars])
    char_vectors = embedding(char_indices).detach().numpy()

    # Apply t-SNE for dimensionality reduction
    tsne = TSNE(n_components=2, random_state=42)
    embeddings_2d = tsne.fit_transform(char_vectors)

    # Plot
    plt.figure(figsize=(10, 8))
    plt.scatter(embeddings_2d[:, 0], embeddings_2d[:, 1], s=100)

    # Add character labels
    for i, char in enumerate(all_chars):
        plt.annotate(char, (embeddings_2d[i, 0], embeddings_2d[i, 1]),
                     fontsize=12, fontweight='bold')

    plt.title('2D Visualization of Character Embeddings')
    plt.grid(alpha=0.3)
    plt.show()

# Call visualization function
print("\\nNote: In a real implementation, we would visualize after training")
print("to see meaningful clusters, but we're showing initial random embeddings.")
# visualize_char_embeddings()  # Uncomment to run visualization
```

```python
# Example of padding sequences for batch processing
def pad_sequences(sequences, max_len=None):
    if max_len is None:
        max_len = max(len(seq) for seq in sequences)

    padded_seqs = []
    for seq in sequences:
        if len(seq) < max_len:
            # Pad with zeros (which would be mapped to a special PAD token in practice)
            padded    =    torch.cat([seq,    torch.zeros(max_len    -    len(seq),
dtype=torch.long)])
        else:
            padded = seq[:max_len]
        padded_seqs.append(padded)

    return torch.stack(padded_seqs)

# Example of how to use padded sequences
print("\\nExample of padded sequences for batch processing:")
padded_X = pad_sequences([char_encode(w) for w in ["cat", "elephant", "dog"]])
print(padded_X)
```

Analisi del codice:

- **Vocabolario dei caratteri migliorato**: il codice ora include lettere maiuscole, cifre e segni di punteggiatura, rendendolo più realistico per i compiti di elaborazione del linguaggio naturale.

- **Dimensione dell'embedding migliorata**: la dimensione dell'embedding è stata aumentata da 8 a 16, consentendo rappresentazioni più ricche pur restando efficiente dal punto di vista computazionale.

- **Funzione di codifica dei caratteri**: una funzione dedicata gestisce in modo elegante i caratteri sconosciuti sostituendoli con spazi, rendendo il codice più robusto.

- **Elaborazione di più parole**: invece di codificare una sola parola ("play"), la versione estesa elabora più parole correlate per mostrare come i modelli a livello di carattere possano catturare pattern morfologici.

- **Visualizzazione dettagliata**: il codice stampa il vettore di embedding di ogni carattere, aiutando a comprendere la rappresentazione grezza prima che avvenga qualsiasi addestramento.

- **Modello RNN a livello di carattere**: una semplice rete GRU (Gated Recurrent Unit) mostra come gli embedding dei caratteri possano essere utilizzati in un'architettura di rete neurale per l'elaborazione di sequenze.

- **Esempio di task di classificazione**: il codice imposta un compito di classificazione verbo vs. sostantivo per mostrare come i modelli a livello di carattere possano apprendere distinzioni grammaticali senza caratteristiche esplicite a livello di parola.

- **Visualizzazione 2D degli embedding**: usando la riduzione della dimensionalità t-SNE, il codice può visualizzare gli embedding dei caratteri in uno spazio 2D, mostrando il raggruppamento di caratteri simili dopo l'addestramento.

- **Padding delle sequenze**: il codice include una funzione per fare il padding di sequenze di lunghezza diversa, una tecnica essenziale per l'elaborazione in batch nelle reti neurali.

Vantaggi chiave degli embedding a livello di carattere mostrati:

- **Gestione delle variazioni delle parole**: codificando parole correlate come "play", "player", "playing", ecc., il codice mostra come i modelli a livello di carattere possano elaborare in modo efficiente variazioni morfologiche.

- **Vocabolario compatto**: nonostante possa gestire qualsiasi testo possibile, la dimensione del vocabolario resta piccola (solo 26 lettere nell'esempio originale, ampliato in questa versione per includere altri caratteri).

- **Assenza del problema dei token sconosciuti**: come spiegato nel contesto, i modelli a livello di carattere possono elaborare qualsiasi testo scomponendolo in caratteri, eliminando il problema del "token sconosciuto" che colpisce i tokenizer a livello di parola e subword.

- **Potenziale di trasferimento cross-lingua**: l'approccio consente ai modelli di generalizzare tra lingue che condividono gli stessi insiemi di caratteri, come menzionato nel testo originale.

Esempio: modello linguistico avanzato a livello di carattere

Creiamo un modello linguistico a livello di carattere più avanzato in grado di generare testo carattere per carattere, mostrando come questi embedding funzionano nella pratica:

```python
import torch
import torch.nn as nn
import torch.optim as optim
import numpy as np
import matplotlib.pyplot as plt
from torch.utils.data import Dataset, DataLoader

# Sample text (Shakespeare-like)
text = """
To be, or not to be, that is the question:
Whether 'tis nobler in the mind to suffer
The slings and arrows of outrageous fortune,
Or to take arms against a sea of troubles
And by opposing end them.
"""

# Character vocabulary creation
chars = sorted(list(set(text)))
char_to_idx = {ch: i for i, ch in enumerate(chars)}
idx_to_char = {i: ch for i, ch in enumerate(chars)}
vocab_size = len(chars)
print(f"Vocabulary size: {vocab_size} characters")
```

```python
# Hyperparameters
embedding_dim = 32
hidden_dim = 64
num_layers = 2
seq_length = 20
batch_size = 16
learning_rate = 0.005
num_epochs = 100

# Create character sequence dataset
class CharDataset(Dataset):
    def __init__(self, text, seq_length):
        self.text = text
        self.seq_length = seq_length
        self.char_to_idx = {ch: i for i, ch in enumerate(sorted(list(set(text))))}

    def __len__(self):
        return len(self.text) - self.seq_length

    def __getitem__(self, idx):
        # Input sequence
        x = [self.char_to_idx[self.text[idx+i]] for i in range(self.seq_length)]
        # Target character (next character after the sequence)
        y = self.char_to_idx[self.text[idx + self.seq_length]]
        return torch.tensor(x), torch.tensor(y)

# Create dataset and dataloader
dataset = CharDataset(text, seq_length)
dataloader = DataLoader(dataset, batch_size=batch_size, shuffle=True)

# Character-level language model with LSTM
class CharLSTM(nn.Module):
    def __init__(self, vocab_size, embedding_dim, hidden_dim, num_layers):
        super(CharLSTM, self).__init__()
        self.embedding = nn.Embedding(vocab_size, embedding_dim)
        self.lstm = nn.LSTM(embedding_dim, hidden_dim, num_layers, batch_first=True)
        self.fc = nn.Linear(hidden_dim, vocab_size)

    def forward(self, x, hidden=None):
        # Convert character indices to embeddings
        x = self.embedding(x)

        # Initial hidden state
        if hidden is None:
            batch_size = x.size(0)
            hidden = self.init_hidden(batch_size)

        # Process through LSTM
        lstm_out, hidden = self.lstm(x, hidden)

        # Get predictions for each character in the sequence
        output = self.fc(lstm_out)
```

```python
        return output, hidden

    def init_hidden(self, batch_size):
        # Initialize hidden state and cell state
        h0 = torch.zeros(self.lstm.num_layers, batch_size, self.lstm.hidden_size)
        c0 = torch.zeros(self.lstm.num_layers, batch_size, self.lstm.hidden_size)
        return (h0, c0)

# Initialize model, loss function, and optimizer
model = CharLSTM(vocab_size, embedding_dim, hidden_dim, num_layers)
criterion = nn.CrossEntropyLoss()
optimizer = optim.Adam(model.parameters(), lr=learning_rate)

# Visualization setup
plt.figure(figsize=(12, 6))
losses = []

# Training loop
for epoch in range(num_epochs):
    epoch_loss = 0
    for inputs, targets in dataloader:
        # Zero the gradients
        optimizer.zero_grad()

        # Forward pass
        # We're interested in predicting the next character for each position
        outputs, _ = model(inputs)

        # Reshape outputs and targets for loss calculation
        outputs = outputs[:, -1, :]  # Get predictions for the last character

        # Calculate loss
        loss = criterion(outputs, targets)

        # Backward pass and optimize
        loss.backward()
        optimizer.step()

        epoch_loss += loss.item()

    avg_loss = epoch_loss / len(dataloader)
    losses.append(avg_loss)

    # Print progress
    if (epoch + 1) % 10 == 0:
        print(f'Epoch [{epoch+1}/{num_epochs}], Loss: {avg_loss:.4f}')

        # Generate sample text
        if (epoch + 1) % 20 == 0:
            model.eval()
            with torch.no_grad():
```

```python
                # Start with a random sequence from the text
                start_idx = np.random.randint(0, len(text) - seq_length)
                input_seq    =    [char_to_idx[text[start_idx   +   i]]    for   i   in
range(seq_length)]
                input_tensor = torch.tensor([input_seq])

                # Generate 100 characters
                generated_text = [idx_to_char[idx] for idx in input_seq]
                hidden = None

                for _ in range(100):
                    output, hidden = model(input_tensor, hidden)

                    # Get the most likely next character
                    probs = torch.softmax(output[:, -1, :], dim=1)
                    # Use sampling for more diverse text generation
                    next_char_idx = torch.multinomial(probs, 1).item()

                    # Append to generated text
                    generated_text.append(idx_to_char[next_char_idx])

                    # Update input sequence
                    input_tensor = torch.cat([input_tensor[:, 1:],
                                        torch.tensor([[next_char_idx]])], dim=1)

                print("Generated text:")
                print(''.join(generated_text))
            model.train()

# Plot the loss curve
plt.plot(losses)
plt.title('Training Loss Over Time')
plt.xlabel('Epochs')
plt.ylabel('Loss')
plt.grid(True)
plt.tight_layout()
plt.savefig('char_lstm_loss.png')
plt.show()

# Visualize character embeddings
def visualize_embeddings():
    embeddings = model.embedding.weight.detach().numpy()

    # Apply t-SNE for dimensionality reduction
    from sklearn.manifold import TSNE
    tsne = TSNE(n_components=2, random_state=42)
    embeddings_2d = tsne.fit_transform(embeddings)

    plt.figure(figsize=(12, 10))
    plt.scatter(embeddings_2d[:, 0], embeddings_2d[:, 1], s=100)

    # Add character labels
```

```python
    for i, char in enumerate(chars):
        label = char if char != '\\n' else '\\\\n'
        plt.annotate(label, (embeddings_2d[i, 0], embeddings_2d[i, 1]),
                     fontsize=12, fontweight='bold')

    plt.title('2D Visualization of Character Embeddings')
    plt.grid(alpha=0.3)
    plt.savefig('char_embeddings.png')
    plt.show()

# Visualize the learned embeddings
visualize_embeddings()

# Function to generate text with temperature control
def generate_text(seed_text, length=200, temperature=0.8):
    model.eval()
    with torch.no_grad():
        # Convert seed text to character indices
        input_seq = [char_to_idx.get(c, 0) for c in seed_text[-seq_length:]]
        input_tensor = torch.tensor([input_seq])

        # Generate characters
        generated = list(seed_text)
        hidden = None

        for _ in range(length):
            output, hidden = model(input_tensor, hidden)

            # Apply temperature to control randomness
            logits = output[:, -1, :] / temperature
            probs = torch.softmax(logits, dim=1)
            next_char_idx = torch.multinomial(probs, 1).item()

            # Add the predicted character
            generated.append(idx_to_char[next_char_idx])

            # Update input tensor
            input_tensor = torch.cat([input_tensor[:, 1:],
                                      torch.tensor([[next_char_idx]])], dim=1)

    return ''.join(generated)

# Generate text with different temperatures
for temp in [0.5, 0.8, 1.2]:
    print(f"\\nGenerated text (temperature={temp}):")
    print(generate_text("To be, or not to be", length=150, temperature=temp))
```

Analisi del codice:

- **Creazione del vocabolario dei caratteri**: il codice inizia creando un vocabolario di caratteri unici presenti nel testo di input. A ogni carattere viene assegnato un indice univoco, che costituisce la base della nostra tokenizzazione a livello di carattere.

- **Implementazione di un dataset personalizzato**: la classe CharDataset crea esempi di addestramento a partire dal testo. Ogni esempio è composto da una sequenza di caratteri come input e dal carattere successivo come target. Questo consente al modello di apprendere pattern e transizioni a livello di carattere.

- **Architettura LSTM**: a differenza dell'esempio precedente, che utilizzava una GRU, questo modello usa una rete LSTM (Long Short-Term Memory), particolarmente efficace nel catturare dipendenze a lungo raggio nei dati sequenziali. Il design multilivello consente al modello di apprendere pattern più complessi.

- **Visualizzazione del livello di embedding**: dopo l'addestramento, il codice visualizza gli embedding dei caratteri appresi usando la riduzione della dimensionalità t-SNE. Questa visualizzazione mostra come il modello ha organizzato i caratteri nello spazio degli embedding, potenzialmente raggruppando caratteri simili (come vocali o punteggiatura) più vicini tra loro.

- **Generazione di testo controllata dalla temperatura**: il modello implementa un parametro di "temperatura" che controlla la casualità della generazione del testo. Temperature più basse rendono il modello più conservativo (scegliendo il carattere successivo più probabile), mentre temperature più alte introducono maggiore varietà ma potenzialmente meno coerenza.

- **Elaborazione in batch**: a differenza di implementazioni più semplici, questo codice usa il DataLoader di PyTorch per un'elaborazione efficiente in batch, accelerando notevolmente l'addestramento rispetto all'elaborazione di una sequenza alla volta.

- **Monitoraggio dell'addestramento**: il codice tiene traccia della loss nel tempo e la visualizza, fornendo un riscontro visivo sul processo di addestramento. Inoltre, genera periodicamente testo di esempio durante l'addestramento per mostrare il miglioramento progressivo delle capacità del modello.

Aspetti tecnici chiave:

- **Elaborazione a livello di carattere**: il modello opera interamente a livello di carattere, con ogni carattere rappresentato dal proprio vettore di embedding. Questo mostra come i modelli a livello di carattere possano imparare a generare testo coerente senza alcuna conoscenza esplicita a livello di parola.

- **Gestione dello stato nascosto**: la LSTM mantiene sia uno stato nascosto sia uno stato di cella, permettendole di apprendere quali informazioni ricordare e quali dimenticare su sequenze lunghe. Questo è cruciale per i modelli a livello di carattere, dove i pattern significativi spesso si estendono su molti token.

- **Generazione basata sul campionamento**: invece di scegliere sempre il carattere successivo più probabile, il modello usa un campionamento multinomiale basato sulle probabilità predette. Questo produce testo più vario e interessante rispetto al greedy decoding.

- **Persistenza dello stato durante la generazione**: lo stato nascosto viene passato da uno step di generazione al successivo, permettendo al modello di mantenere coerenza durante tutta la sequenza di testo generata.

Questo esempio si basa sui concetti introdotti nel campione di codice precedente, ma fornisce un'implementazione più completa di un modello linguistico a livello di carattere capace di generare testo. Mostra come gli embedding dei caratteri possano essere usati non solo per la classificazione, ma anche per compiti generativi.

2.3.3 Embedding multimodali

Gli LLM stanno evolvendo rapidamente in **modelli multimodali**. Questi modelli non elaborano solo testo; possono anche gestire immagini, audio e persino video. Ma per combinare queste diverse modalità, tutto deve vivere nello stesso spazio degli embedding: una rappresentazione matematica unificata in cui diversi tipi di dati possano essere confrontati in modo significativo. Questo spazio condiviso è essenziale perché consente al modello di creare connessioni tra concetti espressi in diverse forme di media.

Il concetto di spazio di embedding condiviso è rivoluzionario perché colma il divario tra il modo in cui le macchine elaborano diversi tipi di informazione. Tradizionalmente, i sistemi di IA trattavano testo, immagini e audio come domini completamente separati, con pipeline di elaborazione differenti. Ogni modalità aveva modelli e rappresentazioni specializzati che non potevano comunicare facilmente tra loro. Gli embedding multimodali cambiano questo paradigma creando un linguaggio comune per tutti i tipi di dati, abbattendo di fatto i silos tra le diverse forme di elaborazione dell'informazione.

Ad esempio, quando un modello multimodale elabora sia la parola "apple" sia l'immagine di una mela, li mappa in punti vicini dello stesso spazio ad alta dimensionalità. Questa vicinanza indica una somiglianza semantica, permettendo al modello di comprendere che queste diverse rappresentazioni si riferiscono allo stesso concetto, pur provenendo da modalità completamente diverse. Questa capacità si estende anche a scenari più complessi: il modello può capire che un tramonto descritto in testo, mostrato in un'immagine o percepito in una clip audio di onde che si infrangono mentre il sole tramonta, si riferisce allo stesso concetto di fondo.

La sfida tecnica dietro gli embedding multimodali consiste nel creare trasformazioni che preservino il significato semantico tra diversi tipi di dati. Questo viene ottenuto attraverso architetture neurali sofisticate e tecniche di addestramento che allineano gli spazi degli embedding. Il processo richiede l'apprendimento di mappature che mantengano la coerenza tra modalità, preservando al contempo le caratteristiche uniche di ciascun tipo di dato. Questo spesso comporta reti di codifica specializzate per ogni modalità (encoder testuali, encoder di immagini, encoder audio), le cui uscite vengono poi proiettate in uno spazio comune attraverso ulteriori layer neurali.

Modelli come CLIP, DALL-E e GPT-4 utilizzano questo approccio per integrare senza soluzione di continuità la comprensione tra diverse modalità, permettendo loro di svolgere compiti che richiedono ragionamento simultaneo su testo e immagini. Ad esempio, CLIP può determinare quale didascalia descriva meglio un'immagine confrontando i rispettivi embedding in questo spazio condiviso. DALL-E può generare immagini a partire da descrizioni testuali attraversando questo spazio comune degli embedding. GPT-4 estende ulteriormente questo concetto, consentendo ragionamenti complessi che integrano informazioni provenienti sia dal testo sia dalle immagini in compiti come visual question answering o creazione di contenuti basata su immagini.

La potenza di questo approccio basato su uno spazio condiviso degli embedding diventa evidente negli scenari zero-shot, in cui i modelli possono collegare concetti che non sono stati esplicitamente addestrati a riconoscere, semplicemente perché lo spazio degli embedding codifica ricche relazioni semantiche che si trasferiscono tra modalità diverse. Questa capacità rappresenta un passo significativo verso una comprensione più simile a quella umana nei sistemi di IA, in cui le informazioni fluiscono naturalmente tra diversi input sensoriali, proprio come avviene nella cognizione umana.

Embedding di testo

Gli embedding di testo mappano le parole in vettori numerici ad alta dimensionalità, tipicamente compresi tra 100 e 1000 dimensioni. Questi vettori catturano relazioni semantiche attraverso le loro posizioni relative nello spazio degli embedding, permettendo ai modelli di comprendere che "dog" e "canine" sono concetti correlati (avendo vettori vicini), mentre "dog" e "refrigerator" non lo sono (avendo vettori lontani). Le dimensioni di questi vettori codificano caratteristiche semantiche sottili apprese durante l'addestramento, come genere, tempo verbale, pluralità e persino concetti astratti come "royalty" o "danger". Questa dimensionalità è cruciale perché fornisce sufficiente espressività per catturare la complessità del linguaggio pur rimanendo gestibile dal punto di vista computazionale.

La disposizione delle parole in questo spazio ad alta dimensionalità non è casuale, ma riflette pattern linguistici e semantici significativi. Parole con significati simili si raggruppano, creando una topologia che rispecchia la comprensione umana del linguaggio. Ad esempio, i nomi degli animali formano un cluster, mentre gli oggetti d'arredo ne formano un altro distinto in una diversa area dello spazio. La distanza tra i vettori (spesso misurata tramite similarità coseno) quantifica la relazione semantica, consentendo ai modelli di effettuare valutazioni più sottili sulle relazioni tra parole.

Ad esempio, in uno spazio di embedding ben addestrato, l'aritmetica vettoriale funziona in modo sorprendentemente intuitivo: il vettore "king" - "man" + "woman" produce un vettore molto vicino a "queen". Questo dimostra come gli embedding catturino relazioni significative tra concetti. Questa capacità si estende a molte altre relazioni semantiche: "Paris" - "France" + "Italy" approssima "Rome", e "walked" - "walk" + "run" approssima "ran". Questi embedding vengono creati tramite varie tecniche come Word2Vec, GloVe o come parte di modelli linguistici più ampi, dove apprendono dai pattern di co-occorrenza delle parole in enormi corpora testuali.

Word2Vec, sviluppato dai ricercatori di Google, utilizza reti neurali poco profonde per predire una parola dato il suo contesto (Continuous Bag of Words) oppure il contesto dato una parola (Skip-gram). GloVe (Global Vectors for Word Representation) adotta un approccio diverso modellando esplicitamente le statistiche di co-occorrenza tra parole. Entrambi i metodi producono embedding statici che catturano efficacemente le relazioni semantiche, ma non tengono conto del contesto.

Gli embedding di testo moderni si sono evoluti oltre la singola parola per catturare il significato contestuale. Mentre modelli precedenti come Word2Vec assegnavano lo stesso vettore a una parola indipendentemente dal contesto, i modelli più recenti producono embedding dinamici che cambiano in base alle parole circostanti. Questo consente di distinguere tra diversi significati della stessa parola, come "bank" (istituto finanziario) e "bank" (riva di un fiume), a seconda del contesto. Modelli come ELMo, BERT e GPT generano questi embedding contestuali elaborando intere frasi o documenti attraverso architetture transformer profonde, producendo rappresentazioni che catturano non solo il significato delle parole, ma anche i ruoli sintattici, le funzioni discorsive e le implicazioni pragmatiche in base al contesto specifico di utilizzo.

Esempio di embedding di parole e visualizzazione

```python
import torch
import torch.nn as nn
import torch.optim as optim
from torch.utils.data import Dataset, DataLoader
import numpy as np
import matplotlib.pyplot as plt
from sklearn.manifold import TSNE
from gensim.models import Word2Vec
import nltk
from nltk.tokenize import word_tokenize
nltk.download('punkt')

# Sample text corpus
corpus = [
    "The quick brown fox jumps over the lazy dog",
    "Machine learning models process text data",
    "Embeddings represent words as vectors",
    "Natural language processing uses vector representations",
    "Semantic similarity can be measured in vector space",
    "Word vectors capture meaning and relationships",
    "Deep learning has revolutionized NLP",
    "Context affects the meaning of words",
    "Neural networks learn word representations",
    "The embedding space organizes words by meaning"
]

# Tokenize the corpus
tokenized_corpus = [word_tokenize(sentence.lower()) for sentence in corpus]

# Train Word2Vec model
word2vec_model = Word2Vec(sentences=tokenized_corpus,
                          vector_size=100,    # Embedding dimension
                          window=5,           # Context window size
                          min_count=1,        # Minimum word frequency
                          workers=4,          # Number of threads
                          sg=1)               # Skip-gram model (vs CBOW)

# Function to get word vector
def get_word_vector(word):
    try:
        return word2vec_model.wv[word]
    except KeyError:
        return np.zeros(100)  # Return zero vector for OOV words

# Create a custom dataset for a contextual embedding model
class TextDataset(Dataset):
    def __init__(self, sentences, window_size=2):
        self.data = []

        # Create context-target pairs
        for sentence in sentences:
```

```python
        for i, target in enumerate(sentence):
            # Get context words within window
            context_start = max(0, i - window_size)
            context_end = min(len(sentence), i + window_size + 1)
            context = sentence[context_start:i] + sentence[i+1:context_end]

            # Add each context-target pair
            for ctx_word in context:
                self.data.append((ctx_word, target))

    def __len__(self):
        return len(self.data)

    def __getitem__(self, idx):
        context, target = self.data[idx]
        return context, target

# Create vocabulary
word_to_idx = {}
idx = 0
for sentence in tokenized_corpus:
    for word in sentence:
        if word not in word_to_idx:
            word_to_idx[word] = idx
            idx += 1

vocab_size = len(word_to_idx)
embedding_dim = 100

# Simple Embedding Model with context
class EmbeddingModel(nn.Module):
    def __init__(self, vocab_size, embedding_dim):
        super(EmbeddingModel, self).__init__()
        self.embeddings = nn.Embedding(vocab_size, embedding_dim)
        self.linear = nn.Linear(embedding_dim, vocab_size)

    def forward(self, inputs):
        embeds = self.embeddings(inputs)
        output = self.linear(embeds)
        return output

# Convert words to indices
def word_to_tensor(word):
    return torch.tensor([word_to_idx[word]], dtype=torch.long)

# Training loop
def train_custom_embeddings():
    model = EmbeddingModel(vocab_size, embedding_dim)
    criterion = nn.CrossEntropyLoss()
    optimizer = optim.Adam(model.parameters(), lr=0.001)

    # Create dataset and dataloader
```

```python
    dataset = TextDataset(tokenized_corpus)
    dataloader = DataLoader(dataset, batch_size=16, shuffle=True)

    # Training
    losses = []
    for epoch in range(100):
        total_loss = 0
        for context, target in dataloader:
            # Convert words to indices
            context_idxs = torch.tensor([word_to_idx[c] for c in context],
dtype=torch.long)
            target_idxs = torch.tensor([word_to_idx[t] for t in target],
dtype=torch.long)

            # Forward pass
            model.zero_grad()
            outputs = model(context_idxs)
            loss = criterion(outputs, target_idxs)

            # Backward pass and optimize
            loss.backward()
            optimizer.step()

            total_loss += loss.item()

        avg_loss = total_loss / len(dataloader)
        losses.append(avg_loss)

        if epoch % 10 == 0:
            print(f'Epoch {epoch}, Loss: {avg_loss:.4f}')

    # Plot loss
    plt.figure(figsize=(10, 6))
    plt.plot(losses)
    plt.title('Training Loss')
    plt.xlabel('Epoch')
    plt.ylabel('Loss')
    plt.grid(True)
    plt.savefig('embedding_training.png')

    return model

# Train the model
custom_model = train_custom_embeddings()

# Function to extract embeddings from the model
def get_custom_embeddings():
    embeddings_dict = {}
    embeddings = custom_model.embeddings.weight.detach().numpy()

    for word, idx in word_to_idx.items():
        embeddings_dict[word] = embeddings[idx]
```

```python
    return embeddings_dict

# Get embeddings from both models
word2vec_embeddings = {word: word2vec_model.wv[word] for word in word2vec_model.wv.index_to_key}
custom_embeddings = get_custom_embeddings()

# Visualize Word2Vec embeddings using t-SNE
def visualize_embeddings(embeddings_dict, title):
    words = list(embeddings_dict.keys())
    vectors = np.array([embeddings_dict[word] for word in words])

    # Apply t-SNE
    tsne = TSNE(n_components=2, random_state=42, perplexity=min(30, len(words)-1))
    embeddings_2d = tsne.fit_transform(vectors)

    # Plot
    plt.figure(figsize=(12, 10))
    plt.scatter(embeddings_2d[:, 0], embeddings_2d[:, 1], s=100, alpha=0.6)

    # Add word labels
    for i, word in enumerate(words):
        plt.annotate(word, xy=(embeddings_2d[i, 0], embeddings_2d[i, 1]),
                     fontsize=10, fontweight='bold')

    plt.title(title)
    plt.grid(alpha=0.3)
    plt.savefig(f'{title.lower().replace(" ", "_")}.png')
    plt.show()

# Visualize both embedding spaces
visualize_embeddings(word2vec_embeddings, 'Word2Vec Embeddings')
visualize_embeddings(custom_embeddings, 'Custom Embeddings')

# Word analogy demonstration
def word_analogy(word1, word2, word3, embeddings_dict):
    """Find word4 such that: word1 : word2 :: word3 : word4"""
    try:
        # Get vectors
        vec1 = embeddings_dict[word1]
        vec2 = embeddings_dict[word2]
        vec3 = embeddings_dict[word3]

        # Calculate target vector: vec2 - vec1 + vec3
        target_vector = vec2 - vec1 + vec3

        # Find closest word (excluding the input words)
        max_sim = -float('inf')
        best_word = None

        for word, vector in embeddings_dict.items():
```

```python
        if word not in [word1, word2, word3]:
            similarity = np.dot(vector, target_vector) / (np.linalg.norm(vector)
* np.linalg.norm(target_vector))
            if similarity > max_sim:
                max_sim = similarity
                best_word = word

    return best_word, max_sim
    except KeyError:
        return "One or more words not in vocabulary", 0

# Test word analogies
analogies_to_test = [
    ('learning', 'models', 'neural', None),
    ('quick', 'fast', 'slow', None),
    ('fox', 'animal', 'dog', None)
]

print("\\nWord Analogies (Word2Vec):")
for word1, word2, word3, _ in analogies_to_test:
    result, sim = word_analogy(word1, word2, word3, word2vec_embeddings)
    print(f"{word1} : {word2} :: {word3} : {result} (similarity: {sim:.4f})")

print("\\nWord Analogies (Custom Embeddings):")
for word1, word2, word3, _ in analogies_to_test:
    result, sim = word_analogy(word1, word2, word3, custom_embeddings)
    print(f"{word1} : {word2} :: {word3} : {result} (similarity: {sim:.4f})")
```

Analisi del codice: implementazione degli embedding di testo

- **Preparazione dei dati e addestramento Word2Vec**: il codice inizia definendo un piccolo corpus di testo e tokenizzandolo in parole. Successivamente addestra un modello Word2Vec utilizzando l'implementazione di Gensim, che crea embedding basati sull'ipotesi distribuzionale (parole che compaiono in contesti simili hanno significati simili).

- **Dataset personalizzato per addestramento contestuale**: la classe TextDataset crea coppie contesto-target per l'addestramento di un modello di embedding personalizzato. Per ogni parola in una frase, identifica le parole di contesto entro una finestra specificata e crea coppie di addestramento. Questo simula il modo in cui le relazioni contestuali influenzano il significato delle parole.

- **Creazione del vocabolario**: il codice costruisce un vocabolario assegnando un indice univoco a ogni parola unica nel corpus. Questa mappatura è essenziale per il layer di embedding, che richiede indici numerici come input.

- **Architettura della rete neurale**: la classe EmbeddingModel implementa una semplice rete neurale con un layer di embedding e un layer lineare di proiezione. Il layer di embedding mappa gli indici delle parole in vettori densi, mentre il layer lineare predice le parole di contesto a partire da questi embedding.

- **Processo di addestramento**: la funzione train_custom_embeddings addestra il modello utilizzando discesa del gradiente stocastica con l'ottimizzatore Adam. Elabora batch di coppie contesto-target, imparando progressivamente a predire le parole target a partire dal contesto, costringendo il layer di embedding a codificare relazioni semantiche.

- **Estrazione degli embedding**: dopo l'addestramento, il codice estrae gli embedding appresi sia dal modello Word2Vec sia dalla rete neurale personalizzata. Questi embedding rappresentano ogni parola come un vettore denso in uno spazio ad alta dimensionalità, dove parole semanticamente correlate sono vicine tra loro.

- **Visualizzazione con t-SNE**: il codice utilizza t-SNE (t-Distributed Stochastic Neighbor Embedding) per ridurre gli embedding ad alta dimensionalità in 2D per la visualizzazione. Questo rivela cluster di parole semanticamente correlate e mostra come lo spazio degli embedding organizza i concetti linguistici.

- **Dimostrazione di analogie tra parole**: la funzione word_analogy mostra una proprietà potente degli embedding ben addestrati: la capacità di risolvere analogie tramite aritmetica vettoriale. Ad esempio, "king - man + woman ≈ queen" nello spazio vettoriale. La funzione trova la parola il cui embedding è più vicino al risultato del calcolo vettoriale.

Significato tecnico:

- **Semantica vettoriale**: il codice dimostra come la semantica distribuzionale possa essere codificata nello spazio vettoriale, dove le relazioni geometriche tra vettori di parole rispecchiano le relazioni semantiche tra le parole stesse.

- **Due approcci agli embedding**: implementando sia Word2Vec (un algoritmo specializzato per embedding di parole) sia un approccio basato su rete neurale personalizzata, il codice evidenzia diverse tecniche per apprendere rappresentazioni delle parole.

- **Sensibilità al contesto**: l'approccio basato su finestra di contesto mostra come gli embedding possano codificare informazioni sui pattern di utilizzo delle parole, non solo sul loro significato isolato.

- **Riduzione della dimensionalità**: la visualizzazione dimostra come spazi semantici ad alta dimensionalità possano essere proiettati in dimensioni inferiori mantenendo relazioni importanti, rendendoli interpretabili per gli esseri umani.

- **Composizionalità**: gli esempi di analogia tra parole illustrano come gli spazi di embedding supportino la semantica composizionale, dove relazioni complesse possono essere espresse tramite operazioni vettoriali.

Questa implementazione fornisce una base per comprendere come funzionano gli embedding di testo nella pratica. Gli stessi principi si estendono a modelli di embedding contestuali più avanzati come BERT e GPT, che generano embedding dinamici basati sul contesto specifico in cui le parole appaiono, invece di assegnare vettori statici a ciascuna parola.

Embedding di immagini

Gli embedding di immagini trasformano l'informazione visiva in rappresentazioni vettoriali ad alta dimensionalità, creando un ponte matematico tra ciò che vediamo e ciò che le macchine possono elaborare.

Questi vettori (tipicamente compresi tra 512 e 2048 dimensioni) fungono da "impronte digitali" compatte ma complete del contenuto visivo, codificando sia elementi visivi concreti sia concetti semantici astratti.

A livello fondamentale, questi embedding catturano una struttura gerarchica dell'informazione visiva:

- Caratteristiche visive di basso livello: bordi, texture, distribuzioni di colore e gradienti — questi sono i mattoni di base della percezione visiva, rilevati nei primi layer delle reti neurali. Il rilevamento dei bordi identifica i confini tra oggetti o regioni diverse, mentre l'analisi delle texture cattura pattern ripetitivi come superfici ruvide, aree lisce o strutture complesse come il fogliame. Le distribuzioni di colore codificano la palette e le qualità tonali di un'immagine, inclusi i colori dominanti e la loro disposizione spaziale. I gradienti rappresentano come i valori dei pixel cambiano nell'immagine, aiutando a definire forme e contorni.

- Caratteristiche di medio livello: forme, pattern e disposizioni spaziali — a questo livello intermedio, l'embedding rappresenta strutture visive più complesse formate da combinazioni di caratteristiche di basso livello. Questo include forme geometriche (cerchi, rettangoli, triangoli), motivi visivi ricorrenti e il modo in cui diversi elementi sono posizionati tra loro. L'organizzazione spaziale cattura aspetti compositivi come simmetria, equilibrio, relazioni primo piano–sfondo e indizi di profondità che creano gerarchie visive all'interno dell'immagine.

- Concetti semantici di alto livello: categorie di oggetti, scene, attività e persino tonalità emotive — rappresentano il livello più astratto della comprensione visiva, in cui l'embedding codifica ciò che l'immagine rappresenta in termini interpretabili dall'uomo. Le categorie di oggetti identificano entità come "dog", "car" o "mountain", mentre il riconoscimento delle scene distingue ambienti come "beach", "forest" o "kitchen". L'embedding cattura anche elementi dinamici come attività o interazioni tra oggetti e può persino riflettere qualità emotive trasmesse da illuminazione, colori e soggetto.

Attraverso un addestramento estensivo su dataset diversificati contenenti milioni di immagini, i modelli di embedding sviluppano una comprensione raffinata della somiglianza visiva che rispecchia la percezione umana. Due fotografie di cani diversi in ambienti completamente diversi avranno embedding più vicini tra loro rispetto a una qualsiasi di esse rispetto a un'immagine di un'auto, riflettendo l'organizzazione semantica dello spazio degli embedding.

Implementazione tecnica

La trasformazione dai pixel agli embedding segue un sofisticato processo a più fasi che converte i dati visivi grezzi in rappresentazioni vettoriali significative:

1. **Estrazione delle caratteristiche**: le immagini vengono elaborate attraverso architetture neurali profonde — sia Convolutional Neural Networks (CNN) come ResNet ed EfficientNet, sia più recentemente Vision Transformers (ViT). Queste architetture astraggono progressivamente l'informazione visiva attraverso una gerarchia di layer di elaborazione:

   o I layer iniziali rilevano caratteristiche primitive come bordi e texture — questi primi layer applicano filtri che rispondono a elementi visivi di base come linee orizzontali, linee verticali, transizioni di colore e pattern testurali. Ogni neurone in questi layer si attiva in risposta a pattern semplici specifici all'interno del proprio campo recettivo, creando mappe di caratteristiche che evidenziano dove questi elementi di base compaiono nell'immagine.

- o I layer intermedi combinano queste informazioni per riconoscere forme e parti — questi layer aggregano le caratteristiche primitive rilevate dai layer precedenti in pattern più complessi. Possono riconoscere cerchi, rettangoli o forme caratteristiche come ruote, finestre o tratti del volto. Il campo recettivo diventa più ampio, permettendo alla rete di comprendere come caratteristiche semplici si combinino per formare componenti significative.

- o I layer più profondi identificano oggetti complessi e le loro relazioni — a questo livello, la rete ha sviluppato una comprensione di oggetti completi, scene e delle loro interazioni. Questi layer possono distinguere tra diverse razze di cani, modelli di auto o tipi di paesaggi. Catturano anche informazioni contestuali, come se un oggetto sia al chiuso o all'aperto, o come gli oggetti si relazionino spazialmente tra loro.

2. **Riduzione della dimensionalità**: i layer finali della rete comprimono le caratteristiche estratte in un vettore a lunghezza fissa tramite operazioni di pooling e layer fully-connected, creando una rappresentazione densa che preserva le informazioni visive più importanti eliminando le ridondanze. Questo processo trasforma mappe di caratteristiche ad alta dimensionalità (che possono contenere milioni di valori) in vettori compatti (tipicamente da 512 a 2048 dimensioni). Operazioni come global average pooling o max pooling riassumono l'informazione spaziale, mentre i layer fully-connected apprendono quali combinazioni di caratteristiche siano più informative per gli obiettivi di addestramento del modello. Il risultato è una codifica altamente efficiente in cui ogni dimensione contribuisce al significato semantico complessivo.

3. **Normalizzazione vettoriale**: molti sistemi normalizzano questi vettori affinché abbiano lunghezza unitaria (tramite normalizzazione L2), il che semplifica i calcoli di similarità e migliora le prestazioni nei compiti downstream. Questo passaggio assicura che tutti gli embedding giacciano su un'ipersfera di raggio 1, rendendo la similarità coseno tra due vettori uguale al loro prodotto scalare. La normalizzazione aiuta a mitigare problemi legati a variazioni di luminosità, contrasto o scala dell'immagine, concentrando i confronti sul contenuto semantico piuttosto che su differenze superficiali nelle statistiche dell'immagine. Inoltre stabilizza l'addestramento ed evita che alcuni vettori dominino i calcoli di similarità semplicemente a causa della loro magnitudine.

Applicazioni nel mondo reale

Gli embedding di immagini costituiscono la base di numerosi sistemi avanzati di intelligenza visiva, fungendo da spina dorsale computazionale per un'ampia gamma di applicazioni che analizzano, categorizzano e interpretano dati visivi:

- **Recupero di immagini basato sul contenuto**: Pinterest, Google Images e piattaforme simili usano la similarità tra embedding per trovare contenuti visivamente correlati, consentendo ricerche come "mostrami più immagini come questa" senza richiedere tag espliciti. Questi sistemi calcolano la distanza tra embedding nello spazio vettoriale, restituendo le immagini con rappresentazioni vettoriali più vicine. Questa tecnica funziona in diversi domini visivi, dall'arte ai paesaggi fino alla fotografia di prodotto, offrendo risultati intuitivi che corrispondono alle aspettative percettive umane.

- **Sistemi di riconoscimento visivo**: le tecnologie di riconoscimento facciale confrontano embedding del volto per verificare identità, con applicazioni nella sicurezza, nell'autenticazione e nell'organizzazione delle foto. I sistemi moderni possono distinguere persino tra gemelli identici e tenere conto degli effetti dell'invecchiamento. La robustezza di questi embedding consente il riconoscimento nonostante variazioni di illuminazione, posa, espressione e perfino cambiamenti significativi nel tempo. I vettori di embedding catturano caratteristiche distintive del volto restando invarianti rispetto a cambiamenti superficiali, rendendoli ideali per la verifica biometrica.

- **Motori di raccomandazione**: piattaforme di e-commerce come Amazon e Alibaba usano embedding visivi per suggerire prodotti con qualità estetiche simili, superando i limiti delle descrizioni testuali dei prodotti. Quando, ad esempio, un utente guarda un certo vestito, il sistema può identificare altri capi con pattern, tagli o stili simili sulla base della similarità tra embedding, invece di affidarsi solo a tag di categoria o metadati descrittivi. Questa capacità migliora la scoperta e aumenta il coinvolgimento mostrando alternative visivamente attraenti che altrimenti potrebbero rimanere nascoste in cataloghi molto ampi.

- **Clustering e organizzazione delle immagini**: le applicazioni di gestione fotografica raggruppano automaticamente immagini visivamente simili, aiutando gli utenti a organizzare grandi raccolte senza tagging manuale. Calcolando le similarità tra embedding e applicando algoritmi di clustering, questi sistemi possono identificare foto di vacanze scattate nello stesso luogo, immagini della stessa persona in eventi diversi o immagini con elementi compositivi simili. Questa organizzazione riduce significativamente il carico cognitivo nella gestione di migliaia di immagini e migliora la reperibilità dei contenuti.

- **Analisi delle immagini mediche**: nel settore sanitario, gli embedding aiutano a individuare casi simili nelle immagini radiologiche, supportando i processi diagnostici tramite il confronto di pattern tra cartelle cliniche di pazienti diversi. I radiologi possono interrogare database di scansioni passate per trovare pattern patologici simili, ottenendo contesto per diagnosi difficili. Gli spazi di embedding codificano caratteristiche tissutali sottili e anomalie che potrebbero non essere immediatamente evidenti all'occhio umano, potenzialmente rivelando correlazioni tra pattern visivi e risultati clinici che possono guidare le decisioni terapeutiche.

Il potere della codifica visiva astratta

Ciò che rende davvero straordinari gli embedding di immagini è la loro capacità di catturare concetti visivi astratti che vanno oltre il semplice rilevamento di caratteristiche. A differenza dei sistemi tradizionali di computer vision, che si limitano a identificare oggetti, i moderni modelli di embedding possono interpretare sfumature sottili e qualità di ordine superiore delle immagini. Questi embedding codificano ricche informazioni semantiche che si allineano con la percezione umana e la comprensione estetica.

Ad esempio, gli embedding di immagini possono catturare:

- Stile e qualità estetiche (minimalista, barocco, vintage) — questi embedding possono distinguere tra fotografie con lo stesso soggetto ma presentate in stili artistici diversi. Un ritratto minimalista e un ritratto barocco della stessa persona avranno firme di embedding distinte che riflettono le loro differenze estetiche. I vettori di embedding codificano informazioni su armonie cromatiche, equilibrio compositivo, complessità visiva ed elementi stilistici che definiscono i movimenti artistici.

- Toni emotivi (pacifico, energico, cupo) — modelli di embedding ben addestrati possono riconoscere l'atmosfera emotiva trasmessa dalle immagini. Lo stesso paesaggio catturato in momenti diversi della giornata può evocare emozioni contrastanti — serenità al tramonto, senso di minaccia durante una tempesta — e queste qualità emotive si riflettono nello spazio degli embedding. Questa capacità emerge da pattern appresi su milioni di immagini e dalle loro associazioni contestuali.

- Riferimenti culturali e metafore visive — gli embedding possono catturare elementi visivi culturalmente significativi e significati simbolici. Le immagini che contengono simboli culturali, riferimenti iconici o metafore visive occupano regioni specifiche nello spazio degli embedding che riflettono la loro rilevanza culturale. Questo consente ai sistemi di riconoscere quando un'immagine contiene allusioni a opere d'arte famose, movimenti culturali o metafore visive universali, anche quando tali riferimenti sono sottili.

- Elementi compositivi e tecniche artistiche — la disposizione spaziale degli elementi, l'uso della prospettiva, la profondità di campo, le tecniche di illuminazione e altri aspetti formali della composizione visiva sono codificati nei vettori di embedding. Questo consente ai sistemi di identificare immagini che condividono strategie compositive simili indipendentemente dal soggetto rappresentato. Ad esempio, immagini che utilizzano la regola dei terzi, linee guida o una drammatica illuminazione chiaroscurale tenderanno a raggrupparsi insieme in certe dimensioni dello spazio degli embedding.

Questa comprensione concettuale emerge naturalmente dall'organizzazione dello spazio degli embedding. Le immagini che gli esseri umani percepiscono come concettualmente simili — anche quando differiscono notevolmente in attributi visivi specifici come palette cromatica, prospettiva o condizioni di illuminazione — avranno in genere embedding posizionati vicini tra loro nello spazio vettoriale.

Questa proprietà abilita potenti applicazioni cross-modali quando gli embedding di immagini sono allineati con gli embedding di testo, permettendo ai sistemi di comprendere e generare connessioni tra concetti visivi e linguaggio. Queste capacità costituiscono la base dei sistemi di IA multimodale che possono ragionare attraverso diverse forme di informazione.

Esempio: implementazione avanzata degli embedding di immagini

```python
import torch
import torchvision.models as models
import torchvision.transforms as transforms
from PIL import Image
import matplotlib.pyplot as plt
import numpy as np
from sklearn.manifold import TSNE
import os
from pathlib import Path

# Set up the image transformation pipeline
transform = transforms.Compose([
    transforms.Resize(256),
    transforms.CenterCrop(224),
    transforms.ToTensor(),
    transforms.Normalize(mean=[0.485, 0.456, 0.406],
                         std=[0.229, 0.224, 0.225])
])

# Load a pre-trained ResNet model
model = models.resnet50(pretrained=True)
```

```python
# Remove the classification layer to get embeddings
embedding_model = torch.nn.Sequential(*list(model.children())[:-1])
embedding_model.eval()

def extract_image_embedding(image_path):
    """Extract embedding vector from an image using ResNet50"""
    # Load and preprocess the image
    img = Image.open(image_path).convert('RGB')
    img_tensor = transform(img).unsqueeze(0)

    # Extract features
    with torch.no_grad():
        embedding = embedding_model(img_tensor)

    # Reshape and convert to numpy
    embedding = embedding.squeeze().flatten().numpy()
    return embedding

# Example directory with some images
image_dir = "sample_images/"
Path(image_dir).mkdir(exist_ok=True)

# For demonstration, let's assume we have these images in the directory
image_files = [f for f in os.listdir(image_dir) if f.endswith(('.jpg', '.png', '.jpeg'))]

if not image_files:
    print("No images found. Please add some images to the sample_images directory.")
else:
    # Extract embeddings for all images
    embeddings = []
    valid_image_files = []

    for img_file in image_files:
        try:
            img_path = os.path.join(image_dir, img_file)
            embedding = extract_image_embedding(img_path)
            embeddings.append(embedding)
            valid_image_files.append(img_file)
        except Exception as e:
            print(f"Error processing {img_file}: {e}")

    # Convert list to array
    embeddings_array = np.array(embeddings)

    # Visualize the embeddings using t-SNE
    if len(embeddings) > 2:  # t-SNE needs at least 3 samples
        tsne = TSNE(n_components=2, random_state=42)
        embeddings_2d = tsne.fit_transform(embeddings_array)

        # Plot
        plt.figure(figsize=(12, 10))
```

```python
        plt.scatter(embeddings_2d[:, 0], embeddings_2d[:, 1], s=100, alpha=0.7)

        # Add image labels
        for i, img_file in enumerate(valid_image_files):
            plt.annotate(img_file,
                         xy=(embeddings_2d[i, 0], embeddings_2d[i, 1]),
                         fontsize=9)

        plt.title("t-SNE Visualization of Image Embeddings")
        plt.savefig("image_embeddings_tsne.png")
        plt.show()

    # Demonstrate similarity search
    def find_similar_images(query_img_path, embeddings, image_files, top_k=3):
        """Find images most similar to a query image"""
        # Get embedding for query image
        query_embedding = extract_image_embedding(query_img_path)

        # Calculate cosine similarity
        similarities = []
        for idx, emb in enumerate(embeddings):
            # Normalize vectors
            query_norm = query_embedding / np.linalg.norm(query_embedding)
            emb_norm = emb / np.linalg.norm(emb)

            # Compute cosine similarity
            similarity = np.dot(query_norm, emb_norm)
            similarities.append((idx, similarity))

        # Sort by similarity (highest first)
        similarities.sort(key=lambda x: x[1], reverse=True)

        # Return top k similar images
        return [(image_files[idx], sim) for idx, sim in similarities[:top_k]]

    # Example: find similar images to the first image
    if valid_image_files:
        query_img = os.path.join(image_dir, valid_image_files[0])
        print(f"Query image: {valid_image_files[0]}")

        similar_images = find_similar_images(query_img, embeddings, valid_image_files)
        for img, sim in similar_images:
            print(f"Similar image: {img}, similarity: {sim:.4f}")

# Image-to-text similarity (assuming we have text embeddings in the same space)
# This is a simplified example; in practice, you would use a multimodal model like
CLIP

def demonstrate_multimodal_embedding_alignment():
    """
    Conceptual demonstration of how image and text embeddings would align
```

```python
in a multimodal embedding space (using synthetic data for illustration)
"""

# For illustration: synthetic "embeddings" for images and text
# In reality, these would come from a model like CLIP that aligns the spaces

# Create a simple 2D space for visualization
np.random.seed(42)

# Categories
categories = ["dog", "cat", "car", "flower", "mountain"]

# Generate synthetic embeddings (in practice these would come from the model)
# For each category, create text embedding and several image embeddings
text_embeddings = {}
image_embeddings = []
image_labels = []

for i, category in enumerate(categories):
    # Create a "center" for this category in embedding space
    category_center = np.array([np.cos(i*2.5), np.sin(i*2.5)]) * 5

    # Text embedding is at the center
    text_embeddings[category] = category_center

    # Create several image embeddings around this center (with some noise)
    for j in range(5):  # 5 images per category
        noise = np.random.normal(0, 0.5, 2)
        img_embedding = category_center + noise
        image_embeddings.append(img_embedding)
        image_labels.append(f"{category}_{j+1}")

# Convert to arrays
image_embeddings = np.array(image_embeddings)

# Visualize the multimodal embedding space
plt.figure(figsize=(12, 10))

# Plot image embeddings
plt.scatter(image_embeddings[:, 0], image_embeddings[:, 1],
            c=[i//5 for i in range(len(image_embeddings))],
            cmap='viridis', alpha=0.7, s=100)

# Plot text embeddings
for category, embedding in text_embeddings.items():
    plt.scatter(embedding[0], embedding[1], marker='*', s=300,
                color='red', edgecolors='black')
    plt.annotate(f"'{category}' text", xy=(embedding[0], embedding[1]),
                 xytext=(embedding[0]+0.3, embedding[1]+0.3),
                 fontsize=12, fontweight='bold')

# Add some image labels
for i, label in enumerate(image_labels):
```

```python
        if i % 5 == 0:  # Only label some images to avoid clutter
            plt.annotate(label, xy=(image_embeddings[i, 0], image_embeddings[i, 1]),
                        fontsize=9)

    plt.title("Multimodal Embedding Space (Conceptual Visualization)")
    plt.savefig("multimodal_embedding_space.png")
    plt.show()


    # Demonstrate cross-modal similarity
    def find_images_matching_text(text_query,  text_embeddings,  image_embeddings,
image_labels, top_k=3):
        """Find images most similar to a text query"""
        # Get text embedding
        if text_query not in text_embeddings:
            print(f"Text query '{text_query}' not found")
            return []

        query_embedding = text_embeddings[text_query]

        # Calculate similarity to all images
        similarities = []
        for idx, emb in enumerate(image_embeddings):
            # Simple Euclidean distance (in practice, cosine similarity is often used)
            distance = np.linalg.norm(query_embedding - emb)
            similarity = 1 / (1 + distance)  # Convert distance to similarity
            similarities.append((idx, similarity))

        # Sort by similarity (highest first)
        similarities.sort(key=lambda x: x[1], reverse=True)

        # Return top k similar images
        return [(image_labels[idx], sim) for idx, sim in similarities[:top_k]]

    # Example: find images matching text queries
    for category in categories:
        print(f"\\nImages matching text query '{category}':")
        matches        =        find_images_matching_text(category,        text_embeddings,
image_embeddings, image_labels)
        for img, sim in matches:
            print(f"  {img}, similarity: {sim:.4f}")

# Run the multimodal embedding demonstration
demonstrate_multimodal_embedding_alignment()
```

Analisi del codice: implementazione degli embedding di immagini e multimodali

- **Estrazione delle caratteristiche delle immagini**: il codice utilizza un modello ResNet50 preaddestrato con il layer di classificazione rimosso per estrarre embedding di 2048 dimensioni dalle immagini. Questo approccio sfrutta il transfer learning, beneficiando di caratteristiche apprese su milioni di immagini diverse.

- **Preparazione degli embedding**: prima dell'elaborazione, le immagini passano attraverso una pipeline di trasformazione standard che include ridimensionamento, ritaglio e normalizzazione per corrispondere al formato di input atteso dal modello preaddestrato.

- **Funzione di estrazione delle caratteristiche**: la funzione extract_image_embedding elabora singole immagini, generando una rappresentazione vettoriale che cattura caratteristiche visive come forme, texture e contenuto semantico.

- **Elaborazione in batch**: il codice itera attraverso più immagini in una directory, estraendo embedding per ciascuna e gestendo eventuali errori durante l'elaborazione.

- **Riduzione della dimensionalità con t-SNE**: per visualizzare gli embedding ad alta dimensionalità (2048D), il codice utilizza t-SNE per proiettarli in uno spazio 2D preservando le distanze relative tra immagini simili.

- **Ricerca per similarità**: la funzione find_similar_images mostra come usare gli embedding per il recupero di immagini basato sul contenuto, calcolando la similarità coseno tra un'immagine query e tutte le altre immagini del dataset.

- **Visualizzazione degli embedding multimodali**: la funzione demonstrate_multimodal_embedding_alignment crea una visualizzazione concettuale di come gli embedding di testo e immagini si allineerebbero in uno spazio semantico condiviso. Anche se utilizza dati sintetici a scopo illustrativo, rappresenta ciò che modelli come CLIP realizzano nella pratica.

- **Similarità cross-modale**: il codice mostra il recupero cross-modale tramite la funzione find_images_matching_text, che trova immagini corrispondenti a una query testuale confrontando gli embedding nello spazio condiviso.

- **Tecniche di normalizzazione**: i calcoli di similarità includono la normalizzazione dei vettori per concentrarsi sulla similarità direzionale piuttosto che sulla magnitudine, pratica standard nel confronto tra embedding.

- **Visualizzazione e analisi**: in tutto il codice, matplotlib viene utilizzato per creare visualizzazioni informative che aiutano a comprendere la struttura dello spazio degli embedding e le relazioni tra diverse modalità.

Significato tecnico:

- **Transfer learning**: usando un modello ResNet preaddestrato, il codice mostra come modelli di computer vision addestrati su grandi dataset possano essere riutilizzati per generare rappresentazioni utili delle immagini senza dover addestrare da zero.

- **Semantica dello spazio vettoriale**: lo spazio degli embedding organizza le immagini in modo che immagini visivamente e semanticamente simili siano posizionate vicine tra loro, creando uno "spazio semantico visivo" che rispecchia la comprensione umana delle relazioni visive.

- **Allineamento cross-modale**: la dimostrazione mostra come testo e immagini possano essere mappati nello stesso spazio degli embedding, consentendo applicazioni potenti come la ricerca di immagini tramite descrizioni in linguaggio naturale.

- **Applicazioni pratiche**: la funzionalità di ricerca per similarità mostra come questi embedding alimentino applicazioni reali come il recupero di immagini basato sul contenuto, sistemi di raccomandazione visiva e strumenti di organizzazione dei media.

Questa implementazione illustra le tecniche fondamentali alla base dei moderni sistemi di embedding di immagini, che costituiscono il componente di comprensione visiva nelle architetture di IA multimodale. Anche se questo esempio utilizza un approccio relativamente semplice basato su CNN, gli stessi principi si estendono a modelli visivi più avanzati come i Vision Transformers (ViT), che alimentano sistemi multimodali all'avanguardia come CLIP, DALL-E e Stable Diffusion.

Embedding audio

Gli embedding audio trasformano il suono in vettori in uno spazio ad alta dimensionalità. Queste sofisticate rappresentazioni matematiche catturano una ricca gamma di pattern acustici, informazioni fonetiche, caratteristiche del parlante e persino qualità emotive presenti nel parlato o nella musica. Codificando il suono come vettori, questi embedding permettono alle macchine di elaborare e comprendere l'audio in modo simile a come elaborano testo o immagini. I modelli convertono forme d'onda complesse in rappresentazioni ad alta dimensionalità che preservano le caratteristiche temporali, spettrali e semantiche essenziali dell'audio.

Il processo di creazione degli embedding audio segue diversi passaggi chiave, ognuno dei quali svolge un ruolo cruciale nella trasformazione del suono grezzo in rappresentazioni vettoriali significative:

- Per prima cosa avviene il **preprocessing**, in cui l'audio viene normalizzato, filtrato e segmentato in blocchi gestibili. Questa fase iniziale critica include l'aggiustamento dei livelli di volume per garantire coerenza, la rimozione del rumore di fondo tramite varie tecniche di filtraggio e la suddivisione dei file audio lunghi in segmenti più brevi (tipicamente da 1 a 30 secondi) per rendere l'elaborazione più trattabile. Il preprocessing avanzato può anche includere voice activity detection per isolare il parlato dal silenzio e diarizzazione per separare parlanti diversi.

- Successivamente avviene l'**estrazione delle caratteristiche**, in cui le forme d'onda audio grezze vengono convertite in rappresentazioni intermedie come spettrogrammi (rappresentazioni visive della frequenza nel tempo) o mel-frequency cepstral coefficients (MFCC), che catturano lo spettro di potenza del suono in un modo che approssima la percezione uditiva umana. Queste trasformazioni convertono segnali nel dominio del tempo in rappresentazioni nel dominio della frequenza che evidenziano pattern a cui l'orecchio umano è sensibile. Ad esempio, gli MFCC enfatizzano le frequenze più basse, dove risiede la maggior parte delle informazioni del parlato, mentre gli spettrogrammi creano una mappa completa tempo-frequenza mostrando come le diverse componenti di frequenza evolvano nel corso dell'audio.

- Queste caratteristiche vengono poi elaborate attraverso **architetture di rete neurale** — comunemente convolutional neural networks (CNN) per catturare pattern locali e texture, oppure recurrent neural networks (RNN) e transformer per modellare dipendenze sequenziali — al fine di generare embedding tipicamente compresi tra 128 e 1024 dimensioni. Le CNN eccellono nell'identificare pattern acustici locali come fonemi o note musicali, mentre RNN e transformer catturano dipendenze a lungo raggio come la prosodia nel parlato o le frasi musicali. Architetture moderne come Wav2Vec 2.0 e HuBERT utilizzano approcci basati su transformer con meccanismi di self-attention per modellare relazioni complesse tra diverse parti dell'audio, creando rappresentazioni consapevoli del contesto che catturano sia pattern locali sia globali.

- Infine, questi embedding vengono sottoposti a tecniche di **normalizzazione e riduzione della dimensionalità** per garantire che siano efficienti e confrontabili tra diversi campioni audio. La normalizzazione regola la scala e la distribuzione dei valori degli embedding, rendendo i confronti più affidabili indipendentemente dal volume o dalla qualità originale dell'audio. Tecniche di riduzione della dimensionalità come Principal Component Analysis (PCA) o t-SNE possono comprimere gli embedding preservando le informazioni essenziali, rendendoli più efficienti dal punto di vista computazionale per compiti downstream come ricerca o clustering. Alcuni sistemi applicano anche quantizzazione per ridurre ulteriormente i requisiti di archiviazione mantenendo la maggior parte delle informazioni semantiche.

Questi embedding risultanti codificano una gamma straordinariamente diversificata di proprietà audio, catturando la ricchezza e la complessità del suono in modi che permettono alle macchine di comprendere ed elaborare contenuti audio in modo intelligente:

- **Contenuto semantico** (le parole effettive e il significato nel parlato, incluse caratteristiche linguistiche come fonemi, sillabe e strutture sintattiche). Queste rappresentazioni catturano non solo quali parole vengono pronunciate, ma anche come si collegano per formare significato. Ad esempio, gli embedding possono distinguere tra omofoni come "there" e "their" in base all'uso contestuale, oppure catturare la differenza tra domande e affermazioni attraverso pattern a livello di frase.

- **Identità del parlante** (caratteristiche vocali tra cui timbro, estensione tonale, velocità di eloquio e tratti vocali unici che possono identificare individui specifici). Gli embedding audio codificano la "impronta vocale" unica dei parlanti, catturando caratteristiche sottili come pattern di risonanza vocale, ritmi abituali del parlato e tendenze distintive nella pronuncia. Questo consente sistemi di riconoscimento del parlante altamente accurati, capaci di identificare individui anche in condizioni di registrazione diverse o quando stanno pronunciando contenuti differenti.

- **Tono emotivo** (qualità affettive come felicità, tristezza, rabbia, paura e urgenza, catturate tramite caratteristiche prosodiche come pattern di intonazione, ritmo e accento). Gli embedding preservano informazioni paralinguistiche cruciali che gli esseri umani interpretano naturalmente, come l'intonazione crescente alla fine delle domande, i pattern tonali netti della rabbia o la cadenza più lenta della tristezza. Questi sottili marcatori emotivi vengono codificati come pattern nello spazio degli embedding, permettendo alle macchine di rilevare non solo ciò che viene detto, ma anche come viene detto.

- **Ambiente acustico** (indizi spaziali come ambienti interni o esterni, dimensione della stanza, caratteristiche di riverbero e profili di rumore di fondo). Gli embedding audio catturano il contesto ambientale attraverso pattern di riflessione, firme del rumore ambientale e indizi spaziali. Possono codificare se una registrazione è stata effettuata in un piccolo bagno con eco, in una grande sala da concerto, in un ristorante rumoroso o in un ambiente esterno con suoni naturali di sottofondo. Queste impronte acustiche forniscono preziose informazioni contestuali per applicazioni che vanno dall'analisi forense audio alla produzione di media immersivi.

- **Proprietà musicali** (tempo, tonalità, strumentazione, caratteristiche di genere, pattern melodici, progressioni armoniche e strutture ritmiche). Nel caso della musica, gli embedding codificano ricchi concetti di teoria musicale senza essere stati esplicitamente istruiti sulla teoria musicale. Catturano i pattern di tensione e risoluzione nelle progressioni di accordi, le qualità timbriche distintive dei diversi strumenti, le firme ritmiche dei vari generi e persino elementi stilistici caratteristici di specifici artisti o periodi storici. Questo abilita applicazioni come classificazione di genere, raccomandazione musicale e perfino strumenti creativi per la composizione.

- **Marcatori culturali e contestuali** (accenti regionali, espressioni culturali e terminologia specifica di dominio). Gli embedding audio preservano informazioni sociolinguistiche come variazioni dialettali, pattern di code-switching tra lingue, modelli di parlato culturali e gergo specialistico. Possono distinguere tra diversi accenti inglesi (americano, britannico, australiano, ecc.), identificare pattern di parlato regionali all'interno dei paesi e riconoscere vocabolario specializzato in ambiti come medicina, diritto o tecnologia.

Modelli allo stato dell'arte come Wav2Vec 2.0, HuBERT e Whisper hanno fatto avanzare drasticamente gli embedding audio tramite self-supervised learning su enormi dataset audio non etichettati. Questi approcci permettono ai modelli di apprendere da centinaia di migliaia di ore di audio senza richiedere annotazioni umane esplicite. Le tecniche self-supervised spesso implicano compiti di predizione mascherata (simili a BERT nel testo), in cui il modello impara a prevedere porzioni di audio che sono state nascoste o corrotte.

Questo approccio self-supervised consente a questi modelli di catturare rappresentazioni audio universali che si trasferiscono eccezionalmente bene a diversi compiti downstream, tra cui:

- **Riconoscimento automatico del parlato (ASR):** conversione del parlato in testo con alta accuratezza attraverso diversi accenti, lingue e condizioni acustiche. I moderni sistemi ASR basati su questi embedding possono trascrivere il parlato in ambienti rumorosi, gestire più parlanti e persino comprendere terminologia specifica di dominio con notevole precisione.

- **Identificazione e verifica del parlante:** applicazioni di sicurezza biometrica in grado di riconoscere singoli parlanti in base alle loro caratteristiche vocali uniche. Questi sistemi catturano sottili caratteristiche della voce come timbro, pattern di altezza tonale e cadenza del parlato per creare "impronte vocali" che identificano in modo affidabile i parlanti anche quando pronunciano frasi diverse o parlano in stati emotivi differenti.

- **Rilevamento delle emozioni e analisi del sentiment:** analisi della voce per determinare stati emotivi e atteggiamenti. Questi sistemi possono rilevare sfumature del parlato come esitazione, sicurezza, stress, entusiasmo o inganno riconoscendo pattern nelle variazioni di tono, nella velocità di eloquio, nella qualità della voce e in micro-tremori che gli esseri umani potrebbero non cogliere.

- **Classificazione del genere musicale e raccomandazione:** categorizzazione automatica della musica e suggerimento di brani simili sulla base di pattern acustici. Questi embedding catturano attributi musicali complessi come strumentazione, pattern ritmici, progressioni armoniche e stile di produzione, consentendo sistemi di scoperta musicale altamente personalizzati.

- **Rilevamento di eventi audio:** identificazione di suoni specifici come vetri che si rompono, sirene, spari o richiami di animali in registrazioni ambientali. Questi sistemi possono monitorare ambienti per finalità di sicurezza, ricerca ecologica, pianificazione urbana o applicazioni di accessibilità riconoscendo firme acustiche distintive di diversi eventi.

- **Conversione vocale e sintesi del parlato:** trasformazione della voce di una persona in quella di un'altra preservando il contenuto, oppure generazione di un parlato completamente nuovo che imita i pattern di intonazione umani. I sistemi avanzati di text-to-speech possono oggi produrre parlato con prosodia naturale, adeguata colorazione emotiva e pause realistiche sempre più indistinguibili dalla voce umana.

- **Denoising e miglioramento audio:** pulizia di registrazioni rumorose rimuovendo selettivamente i suoni di fondo e preservando l'audio desiderato. Questi sistemi intelligenti possono separare parlanti sovrapposti, rimuovere rumore ambientale, migliorare registrazioni ovattate e perfino ricostruire audio danneggiato comprendendo la struttura sottostante dei segnali vocali o musicali.

Nei sistemi avanzati di IA multimodale, questi embedding audio possono essere allineati con embedding di testo e immagini all'interno di uno spazio semantico condiviso. Questo allineamento viene tipicamente ottenuto attraverso obiettivi di contrastive learning, in cui esempi accoppiati (come registrazioni audio e relative trascrizioni) vengono avvicinati nello spazio degli embedding. Questa integrazione multimodale abilita potenti applicazioni cross-modali, come cercare musica descrivendone l'atmosfera in linguaggio naturale, generare suggerimenti di colonne sonore appropriate in base al contenuto video, creare descrizioni audio per immagini o persino sintetizzare suoni che corrispondano a specifiche scene visive.

Esempio: costruire embedding audio con Python

```python
import librosa
import numpy as np
import torch
import torch.nn as nn
from transformers import Wav2Vec2Model, Wav2Vec2Processor
import matplotlib.pyplot as plt
from sklearn.decomposition import PCA
from sklearn.metrics.pairwise import cosine_similarity

# Load pretrained model and processor
processor = Wav2Vec2Processor.from_pretrained("facebook/wav2vec2-base-960h")
model = Wav2Vec2Model.from_pretrained("facebook/wav2vec2-base-960h")

def load_and_preprocess_audio(file_path, sample_rate=16000):
    """Load and preprocess audio file for embedding extraction."""
    # Load audio file with librosa
    waveform, sr = librosa.load(file_path, sr=sample_rate)

    # Normalize audio
    waveform = librosa.util.normalize(waveform)

    return waveform, sr

def extract_wav2vec_embeddings(waveform, model, processor):
    """Extract embeddings using Wav2Vec2 model."""
    # Process audio with the Wav2Vec2 processor
    inputs = processor(waveform, sampling_rate=16000, return_tensors="pt")

    # Get model outputs
    with torch.no_grad():
        outputs = model(**inputs)

    # Extract last hidden state (contextual embeddings)
```

```python
    embeddings = outputs.last_hidden_state

    # Get mean embedding across time dimension for a fixed-size representation
    mean_embedding = torch.mean(embeddings, dim=1).squeeze().numpy()

    return mean_embedding

def extract_mfcc_features(waveform, sr):
    """Extract MFCC features as traditional audio embeddings."""
    # Extract MFCCs
    mfccs = librosa.feature.mfcc(y=waveform, sr=sr, n_mfcc=13)

    # Normalize MFCCs
    mfccs = librosa.util.normalize(mfccs, axis=1)

    # Get mean across time dimension
    mean_mfccs = np.mean(mfccs, axis=1)

    return mean_mfccs

def visualize_embeddings(embeddings_list, labels):
    """Visualize embeddings using PCA."""
    # Apply PCA to reduce dimensionality to 2D
    pca = PCA(n_components=2)
    reduced_embeddings = pca.fit_transform(embeddings_list)

    # Plot the embeddings
    plt.figure(figsize=(10, 8))
    for i, label in enumerate(labels):
        plt.scatter(reduced_embeddings[i, 0], reduced_embeddings[i, 1], label=label)

    plt.title("Audio Embeddings Visualization (PCA)")
    plt.xlabel("Principal Component 1")
    plt.ylabel("Principal Component 2")
    plt.legend()
    plt.grid(True)
    plt.show()

def compute_similarity(embedding1, embedding2):
    """Compute cosine similarity between two embeddings."""
    # Reshape embeddings for sklearn's cosine_similarity
    e1 = embedding1.reshape(1, -1)
    e2 = embedding2.reshape(1, -1)

    # Calculate cosine similarity
    similarity = cosine_similarity(e1, e2)[0][0]
    return similarity

# Example usage
if __name__ == "__main__":
    # Sample audio files (replace with your own)
    audio_files = [
```

```python
    "speech_sample1.wav",   # Speech sample 1
    "speech_sample2.wav",   # Speech sample 2 (same speaker)
    "music_sample1.wav",    # Music sample 1
    "music_sample2.wav",    # Music sample 2 (different genre)
]

labels = ["Speech 1", "Speech 2 (Same Speaker)", "Music 1", "Music 2"]

# Extract embeddings
wav2vec_embeddings = []
mfcc_embeddings = []

for file in audio_files:
    # Load and preprocess audio
    waveform, sr = load_and_preprocess_audio(file)

    # Extract Wav2Vec2 embeddings
    wav2vec_embedding = extract_wav2vec_embeddings(waveform, model, processor)
    wav2vec_embeddings.append(wav2vec_embedding)

    # Extract MFCC features
    mfcc_embedding = extract_mfcc_features(waveform, sr)
    mfcc_embeddings.append(mfcc_embedding)

# Visualize embeddings
print("Visualizing Wav2Vec2 Embeddings:")
visualize_embeddings(wav2vec_embeddings, labels)

print("Visualizing MFCC Embeddings:")
visualize_embeddings(mfcc_embeddings, labels)

# Compute and print similarities
print("\\nSimilarity Analysis using Wav2Vec2 Embeddings:")
print(f"Similarity        between        Speech        1        and        Speech        2:
{compute_similarity(wav2vec_embeddings[0], wav2vec_embeddings[1]):.4f}")
print(f"Similarity        between        Speech        1        and        Music        1:
{compute_similarity(wav2vec_embeddings[0], wav2vec_embeddings[2]):.4f}")
print(f"Similarity        between        Music        1        and        Music        2:
{compute_similarity(wav2vec_embeddings[2], wav2vec_embeddings[3]):.4f}")
```

Analisi del codice: generazione e analisi degli embedding audio

Il codice sopra dimostra come creare e analizzare embedding audio utilizzando sia approcci moderni di deep learning (Wav2Vec2) sia tecniche tradizionali di elaborazione del segnale (MFCC). Ecco una descrizione dettagliata di ciascun componente:

1. Importazione delle librerie e configurazione

    o   **Librosa**: una libreria Python per l'analisi audio che fornisce funzioni per caricare file audio ed estrarre caratteristiche.

- o **PyTorch e Transformers**: utilizzati per caricare ed eseguire il modello Wav2Vec2 preaddestrato, che rappresenta lo stato dell'arte nell'apprendimento self-supervised di rappresentazioni audio.

- o **Strumenti di visualizzazione e analisi**: Matplotlib per la visualizzazione e scikit-learn per la riduzione della dimensionalità e il calcolo delle similarità.

2. Caricamento e preprocessing dell'audio

- o La funzione load_and_preprocess_audio gestisce due passaggi critici di preprocessing:

- o Caricamento dell'audio con una frequenza di campionamento coerente (16kHz, che corrisponde all'input atteso da Wav2Vec2).

- o Normalizzazione della forma d'onda audio per garantire livelli di ampiezza consistenti tra diverse registrazioni.

3. Metodi di estrazione degli embedding

- o **Embedding Wav2Vec2**: il codice utilizza il modello Wav2Vec2 di Facebook, preaddestrato su 960 ore di dati vocali tramite tecniche di self-supervised learning. Questo modello cattura ricche rappresentazioni contestuali dell'audio prevedendo porzioni mascherate dell'input.

- o La funzione estrae l'ultimo hidden state, che contiene embedding a livello di frame (un vettore ogni ~20ms di audio).

- o Questi embedding a livello di frame vengono mediati per creare un singolo vettore a lunghezza fissa che rappresenta l'intero clip audio.

- o **Caratteristiche MFCC**: come confronto, il codice estrae anche i tradizionali Mel-Frequency Cepstral Coefficients, che sono stati la base dell'elaborazione audio per decenni.

- o Gli MFCC catturano lo spettro di potenza a breve termine del suono tramite una trasformata coseno lineare applicata allo spettro di potenza logaritmico su una scala di frequenza mel non lineare.

- o Come per Wav2Vec2, questi coefficienti vengono mediati nel tempo per ottenere una rappresentazione a lunghezza fissa.

4. Visualizzazione e analisi

- o **Visualizzazione PCA**: gli embedding ad alta dimensionalità (768 dimensioni per Wav2Vec2) vengono ridotti a 2D tramite Principal Component Analysis per la visualizzazione.

- o Questo consente di ispezionare visivamente come diversi campioni audio si relazionano nello spazio degli embedding.

- o **Calcolo della similarità**: il codice implementa la misura di similarità coseno tra embedding audio.

- o Questa metrica quantifica quanto due clip audio siano simili nello spazio degli embedding, indipendentemente dalla loro magnitudine (conta solo la direzione).

- o Valori di similarità più elevati tra due campioni vocali dello stesso parlante o tra due brani musicali di stile simile dimostrano che gli embedding catturano proprietà semantiche dell'audio.

5. Applicazioni pratiche dimostrate

- o **Riconoscimento del parlante**: confrontando le similarità tra campioni vocali, il codice mostra come gli embedding possano identificare lo stesso parlante in registrazioni diverse.

- o **Classificazione audio**: la chiara separazione tra embedding di parlato e musica dimostra come queste rappresentazioni possano essere utilizzate per classificare il tipo di contenuto.

- o **Similarità del contenuto**: le metriche di similarità tra diversi campioni musicali possono essere utilizzate per raccomandazioni musicali o organizzazione dei contenuti.

Questo esempio dimostra come gli approcci neurali moderni agli embedding audio (Wav2Vec2) catturino informazioni semantiche più ricche rispetto alle tecniche tradizionali di elaborazione del segnale (MFCC). Gli embedding creati da Wav2Vec2 codificano non solo proprietà acustiche, ma anche informazioni semantiche di livello superiore sul contenuto audio, rendendoli particolarmente potenti per compiti downstream come riconoscimento vocale, identificazione del parlante e classificazione audio.

In un sistema multimodale, questi embedding audio possono essere allineati con embedding di testo e immagini in uno spazio condiviso, consentendo applicazioni cross-modali come trovare musica che corrisponde all'atmosfera di un'immagine o recuperare clip audio in base a descrizioni testuali.

Un modello multimodale allinea questi spazi in modo che, ad esempio, il testo "dog" e un'immagine di un cane abbiano embedding vicini tra loro. Questo allineamento crea uno spazio semantico unificato in cui diversi tipi di dati (testo, immagini, audio) possono essere confrontati e correlati in modo significativo.

Il processo di allineamento viene tipicamente realizzato tramite tecniche di contrastive learning, in cui il modello viene addestrato a minimizzare la distanza tra coppie testo-immagine corrispondenti e a massimizzare la distanza tra coppie non corrispondenti. Ad esempio, l'embedding della parola "sunset" dovrebbe essere più vicino alle immagini di tramonti rispetto alle immagini di biciclette o cibi per la colazione.

Questo approccio contrastivo funziona nel seguente modo:

1. Elaborazione di coppie di input correlati (come un'immagine e la sua didascalia) attraverso encoder separati

2. Proiezione delle loro rappresentazioni nello stesso spazio dimensionale

3. Utilizzo di una funzione di perdita contrastiva che avvicina le coppie positive e allontana quelle negative

Modelli come CLIP (Contrastive Language-Image Pre-training) utilizzano questa tecnica su larga scala, addestrandosi su milioni di coppie immagine-testo provenienti da internet. Il risultato è uno spazio di embedding congiunto estremamente potente che consente ragionamento cross-modale, in cui il modello può comprendere relazioni tra concetti espressi in modalità diverse senza supervisione esplicita per ogni possibile combinazione.

Questo spazio condiviso degli embedding rende possibile per un modello come **CLIP (Contrastive Language-Image Pretraining)** comprendere che la didascalia "a photo of a cat" corrisponde a un'immagine di un gatto. CLIP raggiunge questo risultato addestrandosi su 400 milioni di coppie immagine-testo provenienti da internet, imparando ad associare immagini alle loro descrizioni testuali.

Il processo di addestramento funziona mostrando a CLIP coppie di immagini e le loro didascalie, insegnandogli a massimizzare la similarità tra coppie corrispondenti e a minimizzare la similarità tra coppie non corrispondenti. Questo approccio contrastivo crea uno spazio di embedding congiunto in cui contenuti semanticamente correlati provenienti da modalità diverse (testo e immagini) sono posizionati vicini tra loro.

Ad esempio, quando CLIP elabora il testo "a fluffy white cat" e un'immagine di un gatto persiano bianco, li mappa entrambi in vettori vicini nello spazio degli embedding. Al contrario, la distanza tra "a fluffy white cat" e un'immagine di un'auto sportiva rossa sarà molto maggiore.

Questo abilita potenti capacità zero-shot, in cui CLIP può riconoscere oggetti e concetti che non sono stati esplicitamente inclusi nel suo addestramento, semplicemente comprendendo la relazione tra descrizioni testuali e caratteristiche visive. Ad esempio, senza alcun addestramento specifico sulle "ambulanze", CLIP può identificare correttamente un'ambulanza in un'immagine quando viene fornito il prompt "an ambulance", perché ha appreso la corrispondenza generale tra caratteristiche visive e descrizioni linguistiche.

Questa flessibilità zero-shot rende CLIP straordinariamente versatile attraverso domini e compiti diversi senza richiedere fine-tuning specifico per ciascun task, rappresentando un avanzamento significativo nella capacità dell'IA di comprendere le connessioni tra linguaggio e informazione visiva.

2.3.4 Perché è importante

Gli **embedding subword** sono efficienti, compatti e dominano i moderni LLM. Questi embedding suddividono le parole in sotto-unità significative (come "un-expect-ed"), permettendo ai modelli di comprendere i componenti delle parole e gestire il vocabolario in modo più efficiente. Questo approccio risolve diverse sfide chiave nell'elaborazione del linguaggio naturale:

Rappresentando parti comuni delle parole invece delle parole intere, riducono drasticamente la dimensione del vocabolario mantenendo la comprensione semantica. Ad esempio, i tokenizer BPE (Byte-Pair Encoding) e WordPiece utilizzati rispettivamente nei modelli GPT e BERT possono rappresentare un vocabolario praticamente illimitato con soli 30.000–50.000 token. Questa efficienza porta diversi vantaggi:

- Catturano relazioni morfologiche tra parole (come "play", "playing", "played") riconoscendo componenti subword condivisi

- Gestiscono in modo naturale parole rare, composte o nuove scomponendole in unità subword riconoscibili

- Offrono un equilibrio tra granularità a livello di carattere e coerenza semantica a livello di parola

Il funzionamento della tokenizzazione subword prevede tipicamente l'identificazione delle sequenze di caratteri più frequenti in un corpus, seguita dalla fusione iterativa delle coppie adiacenti più comuni per formare unità subword più grandi. Questo processo continua fino a raggiungere una dimensione di vocabolario predefinita. Durante la tokenizzazione, le parole vengono suddivise in modo greedy nelle subword più grandi disponibili nel vocabolario.

Ad esempio, la parola "untransformable" potrebbe essere tokenizzata come: "un" + "transform" + "able". Ogni componente ha un significato semantico, permettendo al modello di comprendere anche parole mai viste durante l'addestramento. Questo migliora notevolmente la capacità del modello di gestire terminologia tecnica, nomi propri e parole provenienti da lingue o dialetti diversi senza richiedere un vocabolario impossibilmente grande.

Gli **embedding a livello di carattere** offrono robustezza contro parole rare e sono particolarmente utili in domini come il codice o la biologia. Elaborando il testo a livello di singolo carattere, questi embedding possono gestire qualsiasi parola—anche completamente nuova—senza fallire. A differenza della tokenizzazione per parole o subword, qui il testo viene suddiviso nelle sue unità più fondamentali (lettere, numeri e simboli), creando un vocabolario molto più piccolo ma richiedendo al modello di apprendere dipendenze a lungo raggio.

Questo li rende particolarmente utili in domini specializzati con terminologia unica, come le sequenze genomiche (pattern ATGC) o i linguaggi di programmazione, dove nomi di variabili e sintassi possono essere altamente specifici. Ad esempio, in biologia computazionale, un modello potrebbe dover elaborare sequenze proteiche come "MKVLLLAIVFLTGVQAEVSVSAPVPLGFFPDHQLDPAFGANSTNLGLQGEQQKISGAGSEAAPAHTNAVR", in cui ogni carattere rappresenta un amminoacido. Allo stesso modo, nel contesto della programmazione, gli embedding a livello di carattere gestiscono meglio la varietà infinita di nomi di funzioni, identificatori e combinazioni sintattiche.

Gli approcci a livello di carattere eccellono nel catturare pattern morfologici e sono meno vulnerabili ai problemi di out-of-vocabulary. Possono rilevare pattern significativi come prefissi (un-, re-, pre-) e suffissi (-ing, -ed, -tion) senza codificarli esplicitamente. Questa granularità permette ai modelli di comprendere similitudini tra parole correlate anche quando non hanno mai visto specifiche combinazioni. Inoltre, questi embedding si trasferiscono bene tra lingue, soprattutto quelle che condividono alfabeti, rendendoli utili per applicazioni multilingue.

Il compromesso è l'efficienza computazionale: le sequenze di caratteri sono molto più lunghe rispetto a quelle basate su parole o subword, richiedendo al modello di elaborare più token e apprendere dipendenze più lunghe. Ad esempio, la parola "transformation" può essere un singolo token in un sistema basato su parole, 3–4 token in un sistema subword, ma 14 token separati in un sistema a livello di carattere. Nonostante ciò, gli embedding a livello di carattere offrono una flessibilità senza pari nella gestione di vocabolari aperti e pattern testuali nuovi.

Gli **embedding multimodali** rappresentano il futuro, permettendo agli LLM di collegare linguaggio, visione, suono e oltre. Questi embedding creano spazi di rappresentazione unificati in cui diversi tipi di dati—testo, immagini, audio, video—possono essere confrontati e correlati in modo significativo. Questo spazio unificato consente ai sistemi di IA di "tradurre" tra modalità, comprendendo che un'immagine di un cane e la parola "dog" rappresentano lo stesso concetto nonostante siano formati completamente diversi.

Alla base, gli embedding multimodali risolvono una sfida fondamentale dell'IA: creare un linguaggio comune per diverse forme di dati. I modelli tradizionali erano isolati—quelli testuali comprendevano solo testo, quelli visivi solo immagini. Gli embedding multimodali superano queste barriere mappando input diversi in uno spazio semantico condiviso in cui la vicinanza indica somiglianza, indipendentemente dal formato originale.

L'approccio tecnico prevede tipicamente encoder specializzati per ciascuna modalità (encoder di testo, immagini, audio) che proiettano gli input in vettori della stessa dimensionalità. Questi encoder vengono addestrati congiuntamente per allineare contenuti correlati tra modalità diverse. Ad esempio, durante l'addestramento, l'embedding di un'immagine di una spiaggia dovrebbe trovarsi vicino all'embedding del testo "sandy shore with waves" nello stesso spazio vettoriale.

Modelli come CLIP e Flamingo dimostrano come questi embedding permettano ai sistemi di IA di comprendere relazioni tra concetti espressi in modalità diverse, abilitando funzionalità come generare descrizioni di immagini, creare immagini da prompt testuali o comprendere comandi vocali nel contesto di un ambiente visivo. Sistemi più recenti come GPT-4V e Gemini estendono ulteriormente queste capacità, permettendo un ragionamento più flessibile tra modalità e applicazioni che vanno dal visual question answering alla creazione di contenuti multimodali.

Nel loro insieme, questi approcci mostrano che gli embedding non sono semplici numeri arbitrari — sono il fondamento del significato nei sistemi di IA. Gli embedding rappresentano una trasformazione dai dati grezzi a uno spazio matematico in cui le relazioni semantiche diventano esplicite e calcolabili. Questa trasformazione è ciò che consente alle macchine di elaborare informazioni in modo simile alla comprensione umana.

Ogni token, carattere o pixel che attraversa un modello subisce questa conversione cruciale in vettori— array multidimensionali di numeri in virgola mobile. Questi vettori esistono in quello che i ricercatori chiamano "spazio degli embedding", dove la posizione e l'orientamento di ciascun vettore codificano informazioni ricche sul suo significato e sulle sue relazioni con altri concetti. Ad esempio, in questo spazio, gli embedding di "king" e "queen" possono differire nello stesso modo in cui differiscono quelli di "man" e "woman", catturando matematicamente le relazioni di genere.

La dimensionalità di questi vettori viene scelta con attenzione per bilanciare espressività ed efficienza computazionale. Mentre i primi embedding come Word2Vec utilizzavano 300 dimensioni, i moderni modelli transformer possono utilizzare 768, 1024 o persino 4096 dimensioni per catturare sfumature semantiche sempre più sottili. Questo spazio ad alta dimensionalità consente alle reti neurali di "comprendere" il mondo posizionando concetti correlati vicini tra loro e quelli non correlati lontani.

Questi vettori codificano simultaneamente diversi tipi di informazione, creando una rappresentazione matematica ricca che cattura varie relazioni linguistiche e concettuali:

- **Relazioni semantiche**: parole con significati simili si raggruppano nello spazio degli embedding. Ad esempio, "happy", "joyful" ed "elated" si troverebbero vicine tra loro, mentre "sad" sarebbe distante da questo gruppo ma vicino a parole come "unhappy" e "melancholy". Questa organizzazione spaziale permette ai modelli di comprendere sinonimi, contrari e similarità semantica senza programmazione esplicita.

- **Pattern sintattici**: parole con ruoli grammaticali simili mostrano relazioni geometriche coerenti nello spazio degli embedding. Verbi come "walking", "running" e "jumping" formano pattern distinti rispetto a nomi come "tree", "house" e "car". Queste regolarità aiutano i modelli a comprendere le parti del discorso e la struttura grammaticale, anche quando incontrano parole sconosciute in contesti sintattici familiari.

- **Gerarchie concettuali**: categorie e i loro elementi formano strutture identificabili nello spazio degli embedding. Ad esempio, "animal" può essere posizionato centralmente rispetto ad animali specifici come "dog", "cat" ed "elephant", mentre "vehicle" ancorerebbe un cluster diverso contenente "car", "truck" e "motorcycle". Queste relazioni gerarchiche permettono ai modelli di comprendere tassonomie e generalizzare.

- **Relazioni analogiche**: le relazioni tra coppie di concetti vengono preservate come operazioni vettoriali, permettendo un ragionamento matematico sulle relazioni semantiche. L'esempio classico è "king - man + woman ≈ queen", che dimostra come le relazioni di genere siano codificate come differenze vettoriali coerenti. Pattern simili emergono per relazioni di tempo ("walk" a "walked"), forme plurali ("cat" a "cats") e relazioni comparative ("good" a "better").

La qualità e la struttura di questi embedding determinano direttamente quali pattern un modello può riconoscere e quali connessioni può stabilire. Spazi di embedding progettati male possono confondere concetti non correlati o non catturare distinzioni importanti. Al contrario, embedding ben progettati creano una base semantica ricca che consente un ragionamento sofisticato.

Per questo motivo, le tecniche di embedding ricevono così tanta attenzione nella ricerca: sono probabilmente il componente più critico nella capacità dei moderni sistemi di IA di elaborare e generare linguaggio simile a quello umano. I progressi nella tecnologia degli embedding, dagli embedding sensibili al contesto alle rappresentazioni multimodali, continuano ad ampliare ciò che i sistemi di IA possono comprendere e la fluidità con cui possono comunicare.

Esercizi pratici – Capitolo 2

I seguenti esercizi sono progettati per aiutarti a consolidare la tua comprensione della tokenizzazione e degli embedding.

Esercizio 1 – Esplorare la tokenizzazione BPE

Compito:

Addestra un semplice tokenizer **Byte Pair Encoding (BPE)** sul piccolo corpus:

```
["low", "lowest", "lower", "newest"]
```

Codifica la parola **"lowering"** e verifica i token risultanti.

Soluzione:

```python
from tokenizers import Tokenizer, models, trainers, pre_tokenizers

# Initialize BPE tokenizer
tokenizer = Tokenizer(models.BPE())
trainer = trainers.BpeTrainer(vocab_size=50, min_frequency=2)
tokenizer.pre_tokenizer = pre_tokenizers.Whitespace()

# Train on corpus
corpus = ["low", "lowest", "lower", "newest"]
tokenizer.train_from_iterator(corpus, trainer)

# Encode a word
encoded = tokenizer.encode("lowering")
print(encoded.tokens)  # Example: ['low', 'er', 'ing']
```

Esercizio 2 – Confrontare la tokenizzazione WordPiece

Compito:

Usa il tokenizer **WordPiece** di BERT per tokenizzare la parola **"unhappiness"**.

Quali token ottieni?

Soluzione:

```python
from transformers import BertTokenizer

# Load pre-trained tokenizer
tokenizer = BertTokenizer.from_pretrained("bert-base-uncased")

tokens = tokenizer.tokenize("unhappiness")
print(tokens)  # Output: ['un', '##happiness']
```

Esercizio 3 – Addestrare un tokenizer SentencePiece

Compito:

Addestra un tokenizer **SentencePiece** su un dataset di esempio contenente:

```
I am a student
I am learning AI
```

Poi tokenizza la frase **"I am a student"**.

Soluzione:

```python
import sentencepiece as spm

# Save toy corpus
with open("toy.txt", "w") as f:
    f.write("I am a student\\n")
    f.write("I am learning AI\\n")

# Train SentencePiece model
spm.SentencePieceTrainer.train(input="toy.txt",                 model_prefix="mymodel",
vocab_size=50)

# Load trained tokenizer
sp = spm.SentencePieceProcessor(model_file="mymodel.model")
print(sp.encode("I am a student", out_type=str))
```

Esercizio 4 – Addestrare un tokenizer specifico per dominio

Compito:

Crea un tokenizer BPE per un corpus giuridico e verifica come tokenizza la frase **"The plaintiff filed a motion."**

Soluzione:

```python
from tokenizers import Tokenizer, models, trainers, pre_tokenizers

corpus = [
    "The plaintiff hereby files a motion to dismiss.",
    "The defendant shall pay damages as determined by the court."
]

tokenizer = Tokenizer(models.BPE())
trainer = trainers.BpeTrainer(vocab_size=100, min_frequency=1)
tokenizer.pre_tokenizer = pre_tokenizers.Whitespace()

tokenizer.train_from_iterator(corpus, trainer)

encoded = tokenizer.encode("The plaintiff filed a motion.")
print(encoded.tokens)  # Expected: 'plaintiff' and 'motion' as whole tokens
```

Esercizio 5 – Embedding subword con BERT

Compito:

Usa BERT per estrarre embedding della parola **"playground"**. Osserva come viene suddivisa in subword e come ognuna abbia il proprio vettore.

Soluzione:

```python
from transformers import AutoTokenizer, AutoModel
import torch

tokenizer = AutoTokenizer.from_pretrained("bert-base-uncased")
model = AutoModel.from_pretrained("bert-base-uncased")

text = "playground"
inputs = tokenizer(text, return_tensors="pt")
outputs = model(**inputs)

tokens = tokenizer.convert_ids_to_tokens(inputs["input_ids"][0])
embeddings = outputs.last_hidden_state

for token, vector in zip(tokens, embeddings[0]):
    print(f"{token}: {vector[:5].detach().numpy()} ...")
```

Esercizio 6 – Embedding a livello di carattere

Compito:

Crea un sistema di embedding a livello di carattere in PyTorch e rappresenta la parola **"play"**.

Soluzione:

```python
import torch
```

```python
import torch.nn as nn

chars = list("abcdefghijklmnopqrstuvwxyz")
char2idx = {c: i for i, c in enumerate(chars)}

embedding_dim = 8
embedding = nn.Embedding(len(chars), embedding_dim)

word = "play"
indices = torch.tensor([char2idx[c] for c in word])
vectors = embedding(indices)

print(vectors)  # 4 vectors, one per character
```

Esercizio 7 – Embedding multimodali con CLIP

Compito:

Usa **CLIP** per confrontare un'immagine di un cane con due didascalie candidate:

- "a photo of a dog"

- "a photo of a cat"

Quale ottiene la probabilità più alta?

Soluzione:

```python
from transformers import CLIPProcessor, CLIPModel
from PIL import Image

model = CLIPModel.from_pretrained("openai/clip-vit-base-patch32")
processor = CLIPProcessor.from_pretrained("openai/clip-vit-base-patch32")

image = Image.open("dog.jpg")  # Replace with a real image file
inputs = processor(text=["a photo of a dog", "a photo of a cat"], images=image,
return_tensors="pt", padding=True)

outputs = model(**inputs)
probs = outputs.logits_per_image.softmax(dim=1)

print(probs)  # Higher score should correspond to "a photo of a dog"
```

Riepilogo degli obiettivi di apprendimento

Completando questi esercizi, hai:

- Praticato la tokenizzazione **BPE, WordPiece e SentencePiece**

- Costruito un **tokenizer personalizzato** per dati specifici di dominio

- Estratto **embedding subword** da BERT

- Implementato **embedding a livello di carattere**

- Esplorato **embedding multimodali** con CLIP

Riassunto del Capitolo 2

Al cuore di ogni Large Language Model si trova una sfida semplice ma profonda: come trasformare il linguaggio umano in una forma che le macchine possano comprendere. In questo capitolo abbiamo esplorato i mattoni fondamentali che rendono possibile tutto questo — **tokenizzazione ed embedding**.

Abbiamo iniziato dall'idea che le parole non possono essere semplicemente separate dagli spazi. Il linguaggio naturale è troppo ricco, troppo irregolare e troppo creativo per questo. I modelli moderni si basano invece su **metodi di tokenizzazione subword** come **Byte Pair Encoding (BPE)**, **WordPiece** e **SentencePiece**. Queste tecniche suddividono il testo in unità più piccole e riutilizzabili che bilanciano efficienza e flessibilità. Abbiamo visto come BPE unisca iterativamente le coppie di caratteri più frequenti, come WordPiece ottimizzi le fusioni usando la probabilità e come SentencePiece generalizzi questo approccio a lingue multilingue e non segmentate lavorando direttamente su flussi di byte grezzi. Insieme, permettono ai modelli di gestire tutto, da "playground" a "hyperparameterization", senza perdere significato.

Successivamente abbiamo esplorato perché a volte sia essenziale un **tokenizer personalizzato**. I tokenizer preaddestrati sono ottimi generalisti, ma in ambiti specializzati — diritto, medicina, programmazione — spesso frammentano termini critici in parti inefficienti. Addestrare un tokenizer sul proprio corpus di dominio consente di catturare termini importanti come token completi, ridurre la lunghezza delle sequenze e migliorare le prestazioni. Abbiamo visto esempi pratici di costruzione di tokenizer BPE e SentencePiece adattati a testi legali e tecnici, mostrando come anche piccoli cambiamenti nella tokenizzazione possano portare a miglioramenti significativi.

Da lì siamo passati agli **embedding** — le rappresentazioni vettoriali che trasformano i token nei numeri su cui si basano le reti neurali. Abbiamo analizzato tre approcci:

- **Embedding subword**, che dominano i moderni LLM, rappresentando in modo compatto le porzioni frequenti di testo

- **Embedding a livello di carattere**, che aumentano la flessibilità rappresentando direttamente ogni carattere, utili per lingue morfologicamente ricche e per domini come il codice

- **Embedding multimodali**, che vanno oltre il testo per allineare parole con immagini, audio e altro, permettendo a modelli come CLIP e Gemini di collegare il linguaggio ad altre forme di informazione

Attraverso esempi, abbiamo visto gli embedding in azione: BERT che suddivide "playground" in parti significative, PyTorch che rappresenta direttamente i caratteri e CLIP che allinea un'immagine di un cane con la didascalia "a photo of a dog". Queste dimostrazioni evidenziano come gli embedding permettano ai modelli non solo di elaborare il linguaggio, ma di **catturare il significato in uno spazio numerico**.

In definitiva, questo capitolo ha mostrato che tokenizzazione ed embedding non sono dettagli tecnici secondari — sono la **base dell'intelligenza degli LLM**. Senza di essi, i transformer non potrebbero colmare il divario tra linguaggio umano e machine learning. Proseguendo, costruiremo su questa base per esaminare l'**anatomia interna degli LLM**: attenzione, layer e le architetture che rendono questi modelli così potenti.

Capitolo 3: Anatomia di un LLM

Se la tokenizzazione e gli embeddings sono le **lettere e le parole** del linguaggio interno di un modello linguistico, allora l'**anatomia dell'LLM** è la **grammatica e la struttura** che rendono quelle parole significative. Proprio come il linguaggio umano ha bisogno di una struttura per trasmettere significato, gli LLM richiedono componenti architetturali sofisticati per elaborare e generare testo coerente.

Ogni LLM basato su transformer è costruito a partire da **blocchi** ripetuti, talvolta chiamati layer. Questi blocchi sono impilati uno sopra l'altro, spesso decine o persino centinaia di volte, creando una rete neurale profonda. All'interno di ogni blocco si trovano alcuni componenti fondamentali che lavorano insieme per elaborare le informazioni:

- **Multi-head self-attention**, che consente al modello di concentrarsi contemporaneamente su diverse parti dell'input. Questo meccanismo è ciò che conferisce agli LLM la loro notevole capacità di comprendere il contesto. Ogni testa di attenzione può specializzarsi in diversi tipi di relazioni tra le parole: alcune possono concentrarsi sulle dipendenze sintattiche, altre sulle relazioni semantiche e altre ancora sulle connessioni a lungo raggio tra concetti correlati.

- **Tecniche di codifica della posizione** (come i rotary embeddings), che forniscono al modello un senso dell'ordine nelle sequenze. A differenza delle reti neurali ricorrenti, i transformer elaborano tutti i token simultaneamente, quindi necessitano di un modo per comprendere l'ordine della sequenza. Le codifiche di posizione introducono queste informazioni trasformando matematicamente gli embeddings dei token in base alla loro posizione, permettendo al modello di distinguere tra "dog bites man" e "man bites dog."

- **Strategie di normalizzazione**, che garantiscono che l'addestramento rimanga stabile e che i gradienti non vadano fuori controllo. Man mano che le reti neurali diventano più profonde, diventano sempre più difficili da addestrare a causa dei gradienti che svaniscono o esplodono. Tecniche di normalizzazione come LayerNorm o RMSNorm aiutano a regolare il flusso del segnale nella rete, rendendo possibile costruire modelli con miliardi di parametri.

- **Feed-forward neural networks**, che elaborano l'output dei layer di attenzione attraverso più layer densi. Queste reti aggiungono profondità computazionale e consentono al modello di eseguire trasformazioni complesse sulle rappresentazioni create dal meccanismo di attenzione.

Questi sono gli organi e i muscoli di un LLM. Insieme, permettono a un modello di leggere il contesto, costruire relazioni e scalare fino a miliardi di parametri senza collassare. Il meccanismo di self-attention funge da occhi del modello, permettendogli di vedere le connessioni nel testo. Le codifiche di posizione funzionano come il suo senso spaziale, aiutandolo a comprendere sequenza e ordine. I layer di normalizzazione agiscono come regolatori omeostatici, mantenendo l'equilibrio nella rete. E le feed-forward networks rappresentano la capacità di ragionamento del modello, trasformando pattern grezzi in rappresentazioni significative.

In questa sezione, analizzeremo attentamente questi blocchi costitutivi per capire come ogni componente contribuisce alle straordinarie capacità dei moderni modelli linguistici e come lavorano insieme come un sistema integrato.

3.1 Multi-Head Attention, Rotary Embeddings e Strategie di Normalizzazione

In questa sezione approfondiremo tre dei componenti più critici che permettono agli LLM moderni di funzionare efficacemente: multi-head attention, rotary position embeddings e strategie di normalizzazione. Questi meccanismi sono la spina dorsale delle architetture transformer, consentendo loro di elaborare il linguaggio con una straordinaria fluidità e comprensione contestuale. Sebbene concettualmente semplici, ciascun componente coinvolge matematica sofisticata che, combinata, crea sistemi capaci di generare testo simile a quello umano. Esaminiamo come questi elementi funzionano individualmente e come si combinano per formare il nucleo dei modelli linguistici odierni.

3.1.1 Multi-Head Self-Attention

Immagina di leggere una frase:

```
"The cat sat on the mat because it was soft."
```

Per capire "it", la tua mente deve collegarlo a "the mat". Questo è noto come coreference resolution ed è qualcosa che gli esseri umani fanno naturalmente senza sforzo cosciente. Il nostro cervello crea automaticamente queste connessioni analizzando contesto, sintassi e semantica. L'architettura transformer risolve questa sfida calcolando **attention scores** tra ogni token e tutti gli altri token nella sequenza. Ciò significa che ogni parola può "prestare attenzione" o connettersi direttamente con qualsiasi altra parola, indipendentemente dalla distanza. Questa capacità di collegare elementi distanti è ciò che conferisce ai transformer la loro potenza nel gestire dipendenze a lungo raggio, difficili per architetture precedenti come RNN e LSTM.

Ad esempio, durante l'elaborazione di "it was soft", il modello calcola quanto fortemente "it" debba relazionarsi con ogni altro token: "The", "cat", "sat", "on", "the", "mat" e "because". Queste relazioni sono rappresentate come valori numerici, dove valori più alti indicano connessioni più forti. Il calcolo comporta la creazione di tre vettori per ogni token — un vettore query, key e value — e l'uso della moltiplicazione matriciale per determinare quali token devono prestare attenzione tra loro. La query di un token interagisce con le key di tutti i token per determinare i pesi di attenzione, che vengono poi applicati ai vettori value.

Self-attention

La self-attention significa che ogni token "osserva" l'intera sequenza, decidendo quali parti sono più rilevanti. Questo meccanismo consente al modello di creare una rappresentazione contestualizzata di ciascun token che incorpora informazioni provenienti da tutta la sequenza. Quando elabora "it", il meccanismo di self-attention può assegnare punteggi elevati a "mat", aiutando il modello a capire che "it" si riferisce al tappeto, non al gatto.

Per comprenderlo meglio, esaminiamo cosa accade durante il calcolo della self-attention:

- Innanzitutto, ogni token viene convertito in tre vettori distinti: query (Q), key (K) e value (V)

- La query di ogni token viene confrontata con le key di tutti i token (incluso sé stesso) tramite operazioni di prodotto scalare

- Questi prodotti scalari vengono scalati e passati attraverso una funzione softmax per creare pesi di attenzione compresi tra 0 e 1

- Infine, la rappresentazione di ciascun token viene aggiornata come somma pesata di tutti i vettori value, dove i pesi derivano dagli attention scores

Nel nostro esempio "The cat sat on the mat because it was soft", durante l'elaborazione di "it", il vettore query del token interagirebbe con le key di tutti gli altri token. L'operazione softmax garantisce che i pesi di attenzione sommino a 1, creando di fatto una distribuzione di probabilità su tutti i token. Il modello potrebbe distribuire la sua attenzione in questo modo:

"The" (0.01), "cat" (0.12), "sat" (0.03), "on" (0.04), "the" (0.02), "mat" (0.65), "because" (0.13)

Questo mostra che il modello concentra il 65% della sua attenzione su "mat", identificando correttamente il referente. Il pattern di attenzione non è codificato manualmente, ma emerge naturalmente durante l'addestramento mentre il modello impara a risolvere compiti che richiedono la comprensione di tali relazioni.

Questa comprensione contestuale si sviluppa attraverso i layer: nei primi layer, l'attenzione può essere più sintattica o basata sulla prossimità, mentre nei layer più profondi emergono relazioni più semantiche basate sul significato. La ricerca ha dimostrato che nei primi layer l'attenzione si concentra spesso su token adiacenti e pattern grammaticali semplici, mentre i layer intermedi possono catturare strutture di frase, e quelli più profondi gestiscono relazioni semantiche complesse, inclusa la coreference resolution, le dipendenze logiche e persino conoscenze fattuali.

Multi-head attention

La multi-head attention significa che il modello non osserva in un solo modo — osserva in *più modi contemporaneamente*. Ogni testa cattura relazioni diverse: una può concentrarsi sulle parole vicine, un'altra sui verbi, un'altra sulle dipendenze a lungo raggio. Questa elaborazione parallela offre al modello una grande flessibilità per catturare vari pattern linguistici simultaneamente.

Pensa alla multi-head attention come a più lettori specializzati che esaminano lo stesso testo. Ogni lettore (o "head") è addestrato a notare pattern e connessioni diverse. Quando condividono le loro osservazioni, si ottiene una comprensione molto più ricca di quanto una singola prospettiva potrebbe offrire.

L'implementazione matematica consiste nel suddividere le proiezioni query, key e value in diverse "head" che prestano attenzione a informazioni in sottospazi di rappresentazione differenti. Questo consente a ciascuna head di specializzarsi nella cattura di specifici tipi di relazioni senza interferire con le altre.

Gli output di tutte le head vengono poi concatenati e proiettati linearmente per creare una rappresentazione ricca che incorpora molteplici prospettive. Ad esempio, nella frase "The cat sat on the mat because it was soft":

- Head 1 può concentrarsi sulle relazioni soggetto-oggetto, collegando "cat" con "sat" — questo aiuta il modello a capire chi compie l'azione nella frase, stabilendo la struttura semantica di base.

Attraverso l'addestramento, questa head ha imparato a riconoscere la struttura grammaticale delle frasi, aiutando il modello a identificare soggetti, verbi e oggetti.

- Head 2 può specializzarsi nelle preposizioni e nei loro oggetti, collegando "on" con "mat" — questo aiuta a stabilire relazioni spaziali e frasi preposizionali che descrivono circostanze o posizione. Prestando attenzione a queste connessioni, il modello può comprendere dove avvengono le azioni e la relazione tra entità nello spazio fisico o concettuale.

- Head 3 può prestare attenzione alle relazioni causali, collegando "because" con il contesto circostante — questo aiuta il modello a comprendere causa ed effetto, il ragionamento e le connessioni logiche tra le parti della frase. Questa head ha imparato a riconoscere segnali di causalità, permettendo al modello di seguire catene di ragionamento e comprendere perché avvengono gli eventi.

- Head 4 può concentrarsi specificamente sulla coreference, collegando fortemente "it" con "mat" — questo risolve pronomi e altre espressioni referenziali, garantendo coerenza nel testo. Tracciando questi riferimenti, il modello mantiene una comprensione coerente delle entità discusse, anche quando sono menzionate indirettamente.

- Head 5 può prestare attenzione alla similarità semantica, identificando parole e frasi con significati correlati. Questo aiuta il modello a riconoscere sinonimi, parafrasi e idee concettualmente simili anche quando usano terminologia diversa.

- Head 6 può specializzarsi nel tracciare entità lungo contesti lunghi, mantenendo la comprensione di personaggi, oggetti o concetti che appaiono ripetutamente nel testo. Questo è cruciale per una generazione coerente su testi lunghi.

Questo approccio multi-prospettiva consente al modello di catturare relazioni ricche e sfumate all'interno del testo, in modo simile a come gli esseri umani elaborano il linguaggio attraverso più sistemi cognitivi simultaneamente. La ricerca ha dimostrato che diverse attention head si specializzano effettivamente in diversi fenomeni linguistici, anche se i loro ruoli non sono assegnati esplicitamente ma emergono durante l'addestramento.

Ciò che è particolarmente affascinante è che queste specializzazioni emergono organicamente durante l'addestramento, senza istruzioni esplicite. Man mano che il modello impara a prevedere il testo, diverse attention head iniziano naturalmente a concentrarsi su diversi aspetti del linguaggio utili per questo compito. Questa specializzazione emergente è una forma di auto-organizzazione che contribuisce alle capacità complessive del modello.

Il numero di attention head è un iperparametro importante — troppo poche limitano la capacità del modello di catturare relazioni diverse, mentre troppe possono portare a ridondanza e inefficienza computazionale. Il numero ottimale dipende dalla dimensione del modello, dal dataset e dalla complessità dei compiti che deve svolgere.

Modelli come GPT-4 e Claude utilizzano decine di attention head per layer, consentendo loro di costruire rappresentazioni estremamente sofisticate del linguaggio. Ad esempio, GPT-3 utilizza 96 attention head nella sua configurazione più grande, mentre alcune versioni di LLaMA utilizzano 32 head per layer. Questa molteplicità di prospettive consente a questi modelli di tracciare simultaneamente numerosi pattern linguistici, dalle semplici associazioni tra parole a strutture logiche complesse.

La ricerca ha dimostrato che diverse head possono essere potate (rimosse) senza influenzare significativamente le prestazioni, suggerendo una certa ridondanza nei modelli più grandi. Tuttavia, alcune head risultano critiche per capacità specifiche e la loro rimozione può avere un impatto sproporzionatamente negativo su determinati compiti. Questo suggerisce che, sebbene esista una certa resilienza nel meccanismo di attenzione, la specializzazione delle head contribuisce in modo significativo alle capacità complessive del modello.

Esempio di codice: un'implementazione minima di self-attention in PyTorch

```python
import torch
import torch.nn as nn
import torch.nn.functional as F
import math
import matplotlib.pyplot as plt
import numpy as np

class SelfAttention(nn.Module):
    def __init__(self, embed_dim, num_heads=4, dropout=0.1, causal=False):
        super().__init__()
        self.num_heads = num_heads
        self.head_dim = embed_dim // num_heads
        self.causal = causal  # For causal (autoregressive) attention
        assert embed_dim % num_heads == 0, "embed_dim must be divisible by num_heads"

        # Linear projections for Q, K, V
        self.query = nn.Linear(embed_dim, embed_dim)
        self.key = nn.Linear(embed_dim, embed_dim)
        self.value = nn.Linear(embed_dim, embed_dim)

        # Output projection
        self.out = nn.Linear(embed_dim, embed_dim)

        # Dropout for regularization
        self.attn_dropout = nn.Dropout(dropout)
        self.output_dropout = nn.Dropout(dropout)

        # For visualization
        self.attention_weights = None

    def forward(self, x, mask=None):
        # x shape: [batch_size, seq_length, embedding_dim]
        B, T, C = x.size()  # Batch, Sequence length, Embedding dim

        # Project input to query, key, value vectors and reshape for multi-head
attention
        q = self.query(x).view(B, T, self.num_heads, self.head_dim).transpose(1, 2)
        k = self.key(x).view(B, T, self.num_heads, self.head_dim).transpose(1, 2)
        v = self.value(x).view(B, T, self.num_heads, self.head_dim).transpose(1, 2)

        # Compute attention scores: (B, H, T, T)
        # Scaled dot-product attention
```

```python
        attn_scores = (q @ k.transpose(-2, -1)) / math.sqrt(self.head_dim)

        # Apply causal mask if needed (for decoder-only models)
        if self.causal:
            causal_mask       =       torch.triu(torch.ones(T,    T,    device=x.device),
diagonal=1).bool()
            attn_scores.masked_fill_(causal_mask, float('-inf'))

        # Apply explicit mask if provided (e.g., for padding tokens)
        if mask is not None:
            attn_scores    =    attn_scores.masked_fill(mask.unsqueeze(1).unsqueeze(2),
float('-inf'))

        # Convert scores to probabilities with softmax
        attn_weights = F.softmax(attn_scores, dim=-1)

        # Store for visualization
        self.attention_weights = attn_weights.detach()

        # Apply dropout
        attn_weights = self.attn_dropout(attn_weights)

        # Apply attention weights to values
        out = attn_weights @ v  # (B, H, T, D)

        # Reshape back to original dimensions
        out = out.transpose(1, 2).contiguous().view(B, T, C)

        # Apply final projection and dropout
        out = self.out(out)
        out = self.output_dropout(out)

        return out

    def visualize_attention(self, token_labels=None):
        """Visualize attention weights across heads"""
        if self.attention_weights is None:
            print("No attention weights available. Run forward pass first.")
            return

        # Get weights from first batch
        weights = self.attention_weights[0].cpu().numpy()  # (H, T, T)

        fig, axes = plt.subplots(1, self.num_heads, figsize=(self.num_heads * 4, 4))
        if self.num_heads == 1:
            axes = [axes]

        for h, ax in enumerate(axes):
            im = ax.imshow(weights[h], cmap='viridis')
            ax.set_title(f'Head {h+1}')

            # Add token labels if provided
```

```python
        if token_labels:
            ax.set_xticks(range(len(token_labels)))
            ax.set_yticks(range(len(token_labels)))
            ax.set_xticklabels(token_labels, rotation=90)
            ax.set_yticklabels(token_labels)

    fig.colorbar(im, ax=axes, shrink=0.8)
    plt.tight_layout()
    return fig

# Example usage with more detailed explanation
def demonstrate_self_attention():
    # Create a simple sequence of embeddings
    batch_size = 1
    seq_length = 5
    embed_dim = 32
    x = torch.randn(batch_size, seq_length, embed_dim)

    # Let's assume these are embeddings for the sentence "The cat sat on mat"
    tokens = ["The", "cat", "sat", "on", "mat"]

    # Initialize the self-attention module
    sa = SelfAttention(embed_dim=embed_dim, num_heads=4, causal=True)

    # Apply self-attention
    output = sa(x)

    print(f"Input shape: {x.shape}")
    print(f"Output shape: {output.shape}")

    # Visualize attention patterns
    fig = sa.visualize_attention(tokens)
    plt.show()

    return sa, x, output

# Run the demonstration
if __name__ == "__main__":
    sa, x, output = demonstrate_self_attention()
```

Analisi dell'implementazione della Self-Attention

1. Inizializzazione della classe

- Il costruttore accetta diversi parametri:
    - **embed_dim**: la dimensionalità degli embeddings in input
    - **num_heads**: numero di attention heads (default: 4)
    - **dropout**: tasso di dropout per la regolarizzazione (default: 0.1)

- o **causal**: flag booleano per causal/masked attention (default: False)

- L'istruzione **assert** garantisce che embed_dim sia divisibile per num_heads, requisito necessario per suddividere correttamente la dimensione degli embeddings tra le head

- Vengono create tre proiezioni lineari per trasformare l'input nelle rappresentazioni query, key e value

- Vengono aggiunti ulteriori layer di dropout per la regolarizzazione, che aiutano a prevenire l'overfitting

2. Forward Pass

- Il tensore di input x ha forma [batch_size, sequence_length, embedding_dim]

- Le proiezioni query, key e value vengono applicate e i tensori risultanti vengono rimodellati per separare la dimensione delle head

- Gli attention scores vengono calcolati tramite moltiplicazione matriciale tra query e key, poi scalati per $\sqrt{\text{head\_dim}}$

- L'implementazione estesa aggiunge supporto per:

  - o Causal masking: garantisce che i token prestino attenzione solo ai token precedenti (per generazione autoregressiva)

  - o Explicit masking: per gestire token di padding o altri tipi di maschere

- I punteggi vengono convertiti in probabilità tramite softmax, garantendo che la somma sia pari a 1 lungo la dimensione della sequenza

- Il dropout viene applicato ai pesi di attenzione per la regolarizzazione

- I pesi di attenzione vengono applicati ai vettori value tramite moltiplicazione matriciale

- Il risultato viene rimodellato alla forma originale e passato attraverso la proiezione di output

3. Metodo di visualizzazione

- L'implementazione avanzata include una funzione di visualizzazione che crea heatmap dei pattern di attenzione per ogni head

- Questo aiuta a comprendere su cosa si concentra ogni head, dimostrando l'aspetto multi-prospettiva della multi-head attention

- È possibile fornire etichette dei token per vedere esattamente quali token prestano attenzione ad altri

4. Funzione dimostrativa

- La funzione di esempio crea una sequenza campione e applica la self-attention

- Visualizza i pesi di attenzione tra diverse head, mostrando come ogni head possa concentrarsi su pattern differenti

- Il flag causal è impostato su true per dimostrare come i modelli autoregressivi (come GPT) garantiscono che i token prestino attenzione solo ai token precedenti

5. Dettagli matematici

- Il cuore della self-attention è lo scaled dot-product attention: Attention(Q, K, V) = softmax(QK^T / √d)V

- Il fattore di scala (1/√d) impedisce che i prodotti scalari crescano troppo in ampiezza con l'aumentare della dimensione, evitando che la softmax entri in regioni con gradienti estremamente piccoli

- Ogni head opera effettivamente in uno spazio a dimensione ridotta (head_dim), permettendo la specializzazione in diversi tipi di relazioni

6. Collegamento con l'architettura degli LLM

- Questo modulo di self-attention è il cuore dei blocchi transformer, permettendo al modello di creare rappresentazioni contestualizzate

- In un LLM completo, più blocchi transformer (ognuno contenente self-attention) vengono impilati, consentendo al modello di costruire rappresentazioni sempre più complesse

- L'approccio multi-head permette a diverse head di specializzarsi in pattern linguistici differenti, in modo simile a come il cervello umano elabora il linguaggio attraverso sistemi multipli

Questa implementazione mostra i meccanismi fondamentali della self-attention aggiungendo caratteristiche pratiche come causal masking, regolarizzazione e strumenti di visualizzazione che aiutano a comprendere e analizzare i pattern di attenzione.

Esempio: strumento avanzato di visualizzazione e analisi della Multi-Head Attention

Estendiamo la nostra comprensione della multi-head attention con uno strumento di visualizzazione che mostra come diverse attention head si concentrano su parti differenti di una sequenza. Questo esempio pratico aiuterà a illustrare la natura "multi-prospettiva" della multi-head attention.

```python
import torch
import torch.nn as nn
import numpy as np
import matplotlib.pyplot as plt
from transformers import GPT2Tokenizer
import seaborn as sns

# A more comprehensive multi-head attention implementation with visualization
class MultiHeadAttention(nn.Module):
    def __init__(self, d_model=512, num_heads=8, dropout=0.1, causal=True):
        super().__init__()
        assert d_model % num_heads == 0, "d_model must be divisible by num_heads"

        self.d_model = d_model
        self.num_heads = num_heads
        self.d_k = d_model // num_heads  # Dimension of each head's queries/keys
        self.causal = causal
```

```python
        # Combined projections for efficiency
        self.wq = nn.Linear(d_model, d_model)
        self.wk = nn.Linear(d_model, d_model)
        self.wv = nn.Linear(d_model, d_model)

        self.out_proj = nn.Linear(d_model, d_model)
        self.dropout = nn.Dropout(dropout)

        # For visualization and analysis
        self.last_attn_weights = None

    def split_heads(self, x):
        """Split the last dimension into (num_heads, d_k)"""
        batch_size, seq_len, _ = x.size()
        x = x.view(batch_size, seq_len, self.num_heads, self.d_k)
        return x.permute(0, 2, 1, 3)  # (batch_size, num_heads, seq_len, d_k)

    def merge_heads(self, x):
        """Merge the head dimensions back"""
        batch_size, _, seq_len, _ = x.size()
        x = x.permute(0, 2, 1, 3)  # (batch_size, seq_len, num_heads, d_k)
        return x.reshape(batch_size, seq_len, self.d_model)

    def forward(self, q, k, v, mask=None):
        batch_size, seq_len, _ = q.size()

        # Linear projections and split heads
        q = self.split_heads(self.wq(q))  # (batch_size, num_heads, seq_len, d_k)
        k = self.split_heads(self.wk(k))  # (batch_size, num_heads, seq_len, d_k)
        v = self.split_heads(self.wv(v))  # (batch_size, num_heads, seq_len, d_k)

        # Scaled dot-product attention
        scores = torch.matmul(q, k.transpose(-1, -2)) / (self.d_k ** 0.5)  # (batch, heads, seq, seq)

        # Apply causal mask if needed (prevents attending to future tokens)
        if self.causal:
            causal_mask = torch.triu(torch.ones(seq_len, seq_len, device=q.device), diagonal=1).bool()
            scores.masked_fill_(causal_mask.unsqueeze(0).unsqueeze(1),        float("-inf"))

        # Apply padding mask if provided
        if mask is not None:
            scores    =    scores.masked_fill(mask.unsqueeze(1).unsqueeze(2),    float("-inf"))

        # Convert to probabilities
        attn_weights = torch.softmax(scores, dim=-1)
        self.last_attn_weights = attn_weights.detach()
```

```python
        # Apply attention to values
        attn_output = torch.matmul(self.dropout(attn_weights), v)   # (batch, heads,
seq, d_k)

        # Merge heads and apply output projection
        output = self.out_proj(self.merge_heads(attn_output))

        return output, attn_weights

    def visualize_attention(self, tokens=None, figsize=(20, 12)):
        """Visualize attention weights across all heads"""
        if self.last_attn_weights is None:
            print("No attention weights stored. Run the forward pass first.")
            return

        # Get first batch's attention weights
        attn_weights = self.last_attn_weights[0].cpu().numpy()  # (num_heads, seq_len,
seq_len)
        num_heads = attn_weights.shape[0]
        seq_len = attn_weights.shape[1]

        # Use default token identifiers if none provided
        if tokens is None:
            tokens = [f"Token{i}" for i in range(seq_len)]

        # Calculate grid dimensions
        n_rows = int(np.ceil(num_heads / 4))
        n_cols = min(4, num_heads)

        # Create subplots
        fig, axs = plt.subplots(n_rows, n_cols, figsize=figsize)
        if n_rows == 1 and n_cols == 1:
            axs = np.array([[axs]])
        elif n_rows == 1 or n_cols == 1:
            axs = axs.reshape(n_rows, n_cols)

        # Plot each attention head
        for h in range(num_heads):
            row, col = h // n_cols, h % n_cols
            ax = axs[row, col]

            # Create heatmap
            sns.heatmap(attn_weights[h], ax=ax, cmap="viridis", vmin=0, vmax=1)

            # Set labels and title
            if len(tokens) <= 30:  # Only show token labels for shorter sequences
                ax.set_xticks(np.arange(len(tokens)) + 0.5)
                ax.set_yticks(np.arange(len(tokens)) + 0.5)
                ax.set_xticklabels(tokens, rotation=90)
                ax.set_yticklabels(tokens)
            else:
                ax.set_xticks([])
```

```python
            ax.set_yticks([])

        ax.set_title(f"Head {h+1}")

    # Adjust layout and add title
    plt.tight_layout()
    fig.suptitle("Attention Patterns Across Heads", fontsize=16, y=1.02)

    return fig

def analyze_head_specialization(self):
    """Analyze what each head might be specializing in based on attention
patterns"""
    if self.last_attn_weights is None:
        print("No attention weights stored. Run the forward pass first.")
        return {}

    attn_weights = self.last_attn_weights[0].cpu()  # First batch
    seq_len = attn_weights.shape[2]

    specializations = {}

    for h in range(self.num_heads):
        head_weights = attn_weights[h]

        # Calculate diagonal attention (self-attention)
        diag_attn = head_weights.diagonal().mean().item()

        # Calculate local attention (attention to nearby tokens)
        local_attn = 0
        for i in range(seq_len):
            for j in range(max(0, i-3), min(seq_len, i+4)):  # ±3 token window
                if i != j:  # Exclude diagonal
                    local_attn += head_weights[i, j].item()
        local_attn /= (seq_len * 6 - seq_len) # Normalize

        # Check for positional patterns
        # Strong diagonal often means focus on the token itself
        # Strong upper triangle means looking ahead, lower triangle means looking
back
        upper_tri = torch.triu(head_weights, diagonal=1).sum().item()
        lower_tri = torch.tril(head_weights, diagonal=-1).sum().item()

        # Analyze patterns
        pattern = []
        if diag_attn > 0.6:
            pattern.append("Strong self-focus")
        if local_attn > 0.7:
            pattern.append("Local context specialist")
        if lower_tri > upper_tri * 2:
            pattern.append("Backward-looking")
        elif upper_tri > lower_tri * 2:
```

```python
                    pattern.append("Forward-looking")

                # Look for uniform attention (generalist head)
                uniformity = 1.0 - head_weights.std().item()
                if uniformity > 0.9:
                    pattern.append("Generalist (uniform attention)")

                # If no clear pattern detected
                if not pattern:
                    pattern = ["Mixed/specialized attention"]

                specializations[f"Head {h+1}"] = pattern

        return specializations

# Example usage with a real input
def demonstrate_attention():
    # Setup tokenizer for real text input
    tokenizer = GPT2Tokenizer.from_pretrained("gpt2")

    # Sample text
    text = "The transformer architecture revolutionized natural language processing."
    tokens = tokenizer.tokenize(text)

    # Encode tokens to get input IDs
    input_ids = tokenizer.encode(text, return_tensors="pt")
    seq_len = input_ids.size(1)

    # Create random embeddings for demonstration (in a real model these would come
from the embedding layer)
    d_model = 64  # Small dimension for demonstration
    embeddings = torch.randn(1, seq_len, d_model)  # (batch_size=1, seq_len, d_model)

    # Initialize multi-head attention with 4 heads
    mha = MultiHeadAttention(d_model=d_model, num_heads=4, causal=True)

    # Apply attention (using same tensor for Q, K, V as in self-attention)
    output, attn_weights = mha(embeddings, embeddings, embeddings)

    print(f"Input shape: {embeddings.shape}")
    print(f"Output shape: {output.shape}")
    print(f"Attention weights shape: {attn_weights.shape}")

    # Visualize attention patterns
    fig = mha.visualize_attention(tokens)
    plt.show()

    # Analyze what each head might be specializing in
    specializations = mha.analyze_head_specialization()
    print("\\nPossible head specializations:")
    for head, patterns in specializations.items():
        print(f"{head}: {', '.join(patterns)}")
```

```python
    return mha, embeddings, output

# Run the demonstration when script is executed directly
if __name__ == "__main__":
    mha, embeddings, output = demonstrate_attention()
```

Analisi del codice di questa implementazione avanzata di Multi-Head Attention

1. Differenze principali nell'implementazione

- Questa implementazione separa gli input query, key e value (anche se nella self-attention sono tipicamente lo stesso tensore)

- La suddivisione e la ricomposizione delle head sono gestite esplicitamente tramite metodi dedicati

- I pesi di attenzione vengono conservati per successive visualizzazioni e analisi

- L'implementazione include sia causal masking che supporto opzionale per padding mask

2. Capacità di visualizzazione

- Il metodo **visualize_attention** crea heatmap dettagliate che mostrano il pattern di attenzione di ogni head

- Adatta automaticamente la visualizzazione in base alla lunghezza della sequenza

- L'integrazione con seaborn fornisce visualizzazioni più chiare e professionali

- Le etichette dei token vengono incluse quando la sequenza è abbastanza corta da risultare leggibile

3. Analisi della specializzazione delle head

- Il metodo **analyze_head_specialization** esamina i pattern di attenzione per identificare possibili ruoli:

- **Self-focus:** head che si concentrano principalmente sul token stesso (attenzione diagonale)

- **Contesto locale:** head che si concentrano su token vicini (finestra ±3)

- **Bias direzionale:** se una head tende a guardare in avanti o indietro nella sequenza

- **Uniformità:** head che distribuiscono l'attenzione in modo ampio (generaliste)

4. Integrazione nel mondo reale

- La funzione dimostrativa utilizza il tokenizer di GPT-2 per una tokenizzazione realistica

- Questo crea un collegamento tra l'implementazione astratta e il funzionamento in un modello reale

- La visualizzazione mostra i pattern di attenzione su token linguistici reali, rendendoli più facili da interpretare

5. Considerazioni su prestazioni ed efficienza

- L'implementazione utilizza moltiplicazione matriciale batch per maggiore efficienza

- Le dimensioni vengono tracciate e rimodellate con attenzione per mantenere la compatibilità

- Il dropout viene applicato ai pesi di attenzione anziché solo all'output finale, come nelle implementazioni moderne

6. Cosa rivela sul comportamento degli LLM

- Diverse attention head sviluppano specializzazioni distinte durante l'addestramento

- Alcune head si concentrano sulla sintassi locale, mentre altre catturano dipendenze a lungo raggio

- Il causal masking garantisce che il modello possa vedere solo i token precedenti, fondamentale per la generazione autoregressiva

- L'interazione tra le head crea una rappresentazione del linguaggio ricca e multi-prospettiva

Quando esegui questo codice con testo reale, vedrai come diverse head si concentrano su parti differenti della sequenza di input. Alcune possono focalizzarsi su parole adiacenti, mentre altre collegano concetti correlati su distanze più lunghe. Questa specializzazione è uno dei punti di forza della multi-head attention e spiega perché i transformer riescono a catturare relazioni linguistiche così ricche.

Visualizzando questi pattern, otteniamo intuizioni sul "processo di pensiero" dei modelli linguistici. Questo tipo di analisi è stato utilizzato per identificare head specializzate che tracciano dipendenze sintattiche, coreference resolution e altri fenomeni linguistici in modelli come BERT e GPT.

3.1.2 Rotary Position Embeddings (RoPE)

I transformer non hanno un senso naturale dell'ordine delle parole. Senza aiuti aggiuntivi, "dog bites man" e "man bites dog" appaiono identici a un transformer. Questo perché il meccanismo di self-attention tratta i token di input come un insieme piuttosto che come una sequenza. L'operazione di attenzione è infatti intrinsecamente invariabile rispetto alle permutazioni: produrrà lo stesso output indipendentemente dall'ordine dei token.

Questa limitazione crea un problema critico per la comprensione del linguaggio. Nelle lingue umane, l'ordine delle parole spesso determina completamente il significato. Considera questi esempi:

- "The cat chased the mouse" vs "The mouse chased the cat"

- "She gave him the book" vs "He gave her the book"

- "I hardly ever lie" vs "I ever hardly lie"

Per risolvere questa limitazione fondamentale, i modelli aggiungono **positional encodings** agli embeddings, introducendo informazioni sulla posizione dei token. Queste codifiche fungono da marcatori di posizione che vengono aggiunti o combinati con gli embeddings prima che entrino nei layer transformer. Grazie a esse, il modello può distinguere parole identiche in posizioni diverse e apprendere pattern dipendenti dall'ordine come sintassi, grammatica e flusso narrativo.

I primi transformer utilizzavano **sinusoidal encodings** — pattern matematici fissi basati su funzioni seno e coseno. Questi creano firme uniche per ogni posizione, dove posizioni simili hanno codifiche simili, permettendo al modello di generalizzare le relazioni tra posizioni. Il paper originale dei transformer utilizzava questo approccio perché non richiede parametri aggiuntivi e consente teoricamente di generalizzare a sequenze più lunghe rispetto a quelle viste in training. Questi pattern sinusoidali sono generati con frequenze diverse, creando un'impronta unica per ogni posizione che varia in modo continuo lungo la sequenza. Questa continuità aiuta il modello a comprendere che la posizione 10 è più vicina alla posizione 9 che alla 100.

Successivamente, alcuni modelli hanno adottato **learned position embeddings**, vettori addestrabili assegnati a ogni posizione. Questi possono catturare informazioni posizionali più specifiche del dataset e dei pattern linguistici. Modelli come BERT e le prime versioni di GPT li utilizzano, anche se limitano la lunghezza massima della sequenza gestibile. Il vantaggio principale è che possono adattarsi ai pattern specifici dei dati di training, ma lo svantaggio è che non generalizzano oltre la lunghezza massima appresa.

I modelli più recenti come GPT-NeoX e LLaMA utilizzano **Rotary Position Embeddings (RoPE)**, che ruotano elegantemente i vettori query e key nella multi-head attention per codificare posizioni relative. A differenza delle codifiche assolute, RoPE codifica direttamente la distanza relativa tra i token nel calcolo dell'attenzione. Questo avviene applicando una trasformazione di rotazione ai vettori embeddings, dove l'angolo di rotazione dipende dalla posizione e dalla dimensione.

La bellezza di RoPE sta nel fatto che preserva il prodotto scalare tra i vettori mentre incorpora informazioni posizionali. Quando si calcolano gli attention scores, il prodotto scalare tra query e key include naturalmente la loro distanza relativa. Questo rende RoPE particolarmente efficace nei meccanismi di attenzione, perché integra la posizione direttamente nei calcoli di similarità.

Perché RoPE? Perché scala bene su contesti lunghi e consente extrapolazione oltre le lunghezze viste in training. La codifica basata su rotazione crea una rappresentazione continua della posizione che generalizza meglio a sequenze mai viste. Analizziamolo più nel dettaglio:

Eleganza matematica

RoPE applica una matrice di rotazione ai vettori query e key in modo da preservare le posizioni assolute dei token mentre codifica simultaneamente le distanze relative. Questo avviene tramite rotazioni basate su frequenze che creano firme posizionali uniche. Per comprenderlo, immagina ogni embedding come un punto in uno spazio ad alta dimensionalità: RoPE ruota questi punti attorno all'origine con angoli diversi a seconda della posizione.

Gli angoli di rotazione sono determinati da funzioni sinusoidali con diverse frequenze, creando una rappresentazione continua della posizione. In uno spazio a 512 dimensioni, alcune dimensioni ruotano velocemente con il cambiare della posizione, altre più lentamente, generando una codifica multi-frequenza ricca. Questo garantisce che token vicini abbiano codifiche simili, mentre token distanti risultino più distinti.

Matematicamente, se due token sono nelle posizioni m e n, il prodotto scalare dei loro vettori codificati con RoPE includerà un termine dipendente dalla loro distanza relativa (m-n), non solo dalle posizioni assolute. Il vantaggio è che mantiene la similarità tra vettori aggiungendo informazione posizionale, risultando ideale per i meccanismi di attenzione. A differenza delle codifiche additive, RoPE integra la posizione direttamente nella geometria dello spazio degli embeddings, offrendo un modo più naturale per modellare relazioni tra token a diverse distanze nella sequenza.

Estensione della lunghezza del contesto

A differenza dei positional embeddings fissi, che sono limitati alla lunghezza massima vista durante l'addestramento, le proprietà matematiche di RoPE permettono ai modelli di gestire sequenze molto più lunghe rispetto agli esempi di training. Questo è particolarmente prezioso per compiti che richiedono comprensione a lungo raggio. La natura continua della codifica rotazionale consente infatti al modello di estrapolare verso posizioni mai viste prima.

Per capire perché funziona, considera come RoPE rappresenta le posizioni. Invece di usare indici discreti di posizione (come posizione 1, 2, 3, ecc.), RoPE rappresenta le posizioni come rotazioni continue in uno spazio ad alta dimensionalità. Questa continuità significa che la posizione 2001 è semplicemente un'estensione naturale dello stesso pattern matematico usato per la posizione 2000, anche se il modello non ha mai visto la posizione 2001 durante l'addestramento. Il modello impara a comprendere il pattern con cui le informazioni si relazionano attraverso le distanze, invece di memorizzare posizioni assolute specifiche.

Ricerche recenti hanno mostrato che, con una corretta calibrazione e scalatura dei parametri di frequenza (spesso chiamata "RoPE scaling"), i modelli possono gestire contesti molte volte più lunghi rispetto alle loro sequenze di training — estendendosi da 2K token a 8K, 32K o persino 100K token in alcune implementazioni. Questa capacità di estrapolazione è stata cruciale per applicazioni che richiedono l'analisi di documenti lunghi, repository di codice o conversazioni estese.

L'intuizione chiave dietro le tecniche di RoPE scaling consiste nel regolare la velocità con cui avviene la rotazione nelle diverse posizioni. Rallentando la velocità con cui i vettori di embedding ruotano all'aumentare della posizione (in pratica "allungando" la codifica posizionale), i ricercatori hanno trovato modi per far generalizzare i modelli a sequenze molto più lunghe. Metodi come YaRN (Yet another RoPE extension), ALiBi (Attention with Linear Biases) e position interpolation si basano tutti su questa idea fondamentale di ricalibrare con attenzione il modo in cui la posizione viene codificata, così da consentire una migliore estrapolazione oltre le lunghezze viste durante l'addestramento.

Efficienza computazionale

Codificando la posizione direttamente nel calcolo dell'attenzione anziché come passaggio separato, RoPE riduce l'overhead computazionale. L'informazione posizionale diventa una proprietà intrinseca dei vettori query e key stessi, integrando elegantemente il contesto posizionale nelle strutture dati utilizzate per il calcolo dell'attenzione. Questa integrazione significa che non servono layer aggiuntivi di positional embedding né calcoli separati sensibili alla posizione che richiederebbero altrimenti parametri e operazioni extra.

Le trasformazioni rotazionali possono essere implementate in modo efficiente usando operazioni matriciali di base come seno e coseno, aggiungendo un costo computazionale minimo pur offrendo benefici significativi. Queste operazioni sono altamente ottimizzate nei moderni framework di deep learning e possono sfruttare l'accelerazione hardware. Inoltre, l'approccio di RoPE non aumenta la dimensionalità dei vettori elaborati attraverso i layer transformer, mantenendo i requisiti di memoria coerenti con le varianti prive di codifica posizionale. A differenza di approcci basati sulla concatenazione, che potrebbero espandere la dimensione dei vettori, RoPE mantiene invariata la stessa dimensione degli embeddings in tutta la rete, aspetto cruciale quando si scala verso modelli molto grandi con miliardi di parametri. Questa proprietà di conservazione della dimensionalità significa anche che le architetture transformer esistenti possono adottare RoPE con modifiche minime alla loro struttura complessiva.

Inoltre, RoPE codifica direttamente le informazioni di posizione relativa, che sono esattamente ciò di cui i meccanismi di attenzione hanno bisogno quando determinano le relazioni tra i token. Il meccanismo di attenzione, infatti, si interessa fondamentalmente a come i token si relazionano tra loro, non solo a dove appaiono in termini assoluti. L'approccio di RoPE si allinea perfettamente a questa esigenza codificando le relazioni posizionali direttamente nei calcoli di similarità.

Questo approccio evita anche di aggiungere positional embeddings separati, integrando le informazioni di posizione direttamente nel calcolo dell'attenzione. Incorporando l'informazione posizionale direttamente nei vettori usati per il calcolo dell'attenzione, RoPE crea una rappresentazione più unificata, in cui contenuto e posizione sono intrecciati in modo matematicamente elegante e inseparabile.

Esempio: applicare RoPE a un vettore

```python
import torch
import math
import matplotlib.pyplot as plt
import numpy as np

def rotary_embedding(x, seq_len, dim, base=10000.0):
    """
    Apply Rotary Position Embeddings to input tensor x.

    Args:
        x: Input tensor of shape [seq_len, dim]
        seq_len: Length of the sequence
        dim: Dimension of embeddings
        base: Base for frequency calculation (default: 10000.0)

    Returns:
        Tensor with rotary position encoding applied
    """
    # Ensure dimension is even for paired rotations
    assert dim % 2 == 0, "Dimension must be even"

    # Split dimension in half for sin/cos pairs
    half = dim // 2

    # Create frequency bands: decreasing frequencies across dimension
    # This creates a geometric sequence from 1 to 1/10000^(1.0)
    freq = torch.exp(
        torch.arange(0, half, dtype=torch.float) *
        -(math.log(base) / half)
    )

    # Create position indices and reshape for broadcasting
    pos = torch.arange(seq_len, dtype=torch.float).unsqueeze(1)

    # Compute rotation angles
    # Each position gets different rotation angles for each dimension
    angles = pos * freq.unsqueeze(0)

    # Compute sin and cos values for the angles
    sin, cos = torch.sin(angles), torch.cos(angles)

    # Split input into two halves along last dimension
    # Each half will be rotated differently
    x1, x2 = x[..., :half], x[..., half:]
```

```python
        # Apply 2D rotation to each pair of dimensions
        # [x1; x2] -> [x1*cos - x2*sin; x1*sin + x2*cos]
        x_rot = torch.cat([
            x1 * cos - x2 * sin,  # Real component
            x1 * sin + x2 * cos   # Imaginary component
        ], dim=-1)

        return x_rot

def visualize_rope(seq_len=20, dim=64):
    """Visualize the rotary positional encoding patterns"""
    # Create dummy embeddings (all ones) to see pure positional effects
    dummy_embeddings = torch.ones(seq_len, dim)

    # Apply RoPE
    encoded = rotary_embedding(dummy_embeddings, seq_len, dim)

    # Convert to numpy for visualization
    encoded_np = encoded.numpy()

    # Create heatmap
    plt.figure(figsize=(12, 8))
    plt.imshow(encoded_np, cmap='viridis', aspect='auto')
    plt.colorbar(label='Encoded Value')
    plt.xlabel('Embedding Dimension')
    plt.ylabel('Position in Sequence')
    plt.title('Rotary Positional Encoding Patterns')
    plt.tight_layout()
    plt.show()

    # Show relative similarity between positions
    similarity = torch.matmul(encoded, encoded.transpose(0, 1))
    plt.figure(figsize=(10, 8))
    plt.imshow(similarity.numpy(), cmap='coolwarm')
    plt.colorbar(label='Similarity')
    plt.title('Relative Similarity Between Positions')
    plt.xlabel('Position')
    plt.ylabel('Position')
    plt.tight_layout()
    plt.show()

def extrapolation_demo(train_len=20, test_len=40, dim=64):
    """Demonstrate RoPE's capability to extrapolate to longer sequences"""
    # Random input vector
    x = torch.randn(1, dim)

    # Create a reference context (position 5)
    reference_pos = 5
    reference_vec = torch.randn(1, dim)

    # Apply RoPE to training length
    train_similarities = []
```

```python
    for i in range(train_len):
        # Position the reference vector at position 5
        if i == reference_pos:
            pos_vec = rotary_embedding(reference_vec, seq_len=1, dim=dim)
        else:
            # Random vector at other positions
            pos_vec = rotary_embedding(torch.randn(1, dim), seq_len=1, dim=dim)

        # Calculate similarity with reference
        sim = torch.nn.functional.cosine_similarity(pos_vec,
            rotary_embedding(reference_vec, seq_len=1, dim=dim)).item()
        train_similarities.append(sim)

    # Apply RoPE to test length (extrapolation)
    test_similarities = []
    for i in range(test_len):
        # Position the reference vector at regular intervals
        if i % 10 == reference_pos:  # Every 10th position matches reference position
            pos_vec = rotary_embedding(reference_vec, seq_len=1, dim=dim)
        else:
            # Random vector at other positions
            pos_vec = rotary_embedding(torch.randn(1, dim), seq_len=1, dim=dim)

        # Calculate similarity with reference
        sim = torch.nn.functional.cosine_similarity(pos_vec,
            rotary_embedding(reference_vec, seq_len=1, dim=dim)).item()
        test_similarities.append(sim)

    # Plot results
    plt.figure(figsize=(12, 6))
    plt.plot(range(train_len), train_similarities, 'bo-', label='Training Range')
    plt.plot(range(test_len), test_similarities, 'ro-', label='Extrapolation Range')
    plt.axvline(x=train_len-1, color='k', linestyle='--', label='Training Length')
    plt.axhline(y=1.0, color='g', linestyle='--', label='Perfect Match')
    plt.xlabel('Position')
    plt.ylabel('Similarity to Reference')
    plt.title('RoPE Similarity Patterns in Training vs Extrapolation')
    plt.legend()
    plt.grid(True)
    plt.tight_layout()
    plt.show()

# Example usage
print("\\n=== Basic RoPE Demonstration ===")
vecs = torch.randn(10, 64)  # sequence of 10 tokens, embedding size 64
rotated = rotary_embedding(vecs, seq_len=10, dim=64)
print(f"Input shape: {vecs.shape}")
print(f"Output shape: {rotated.shape}")

# Calculate how position impacts vector similarity
print("\\n=== Position Impact on Vector Similarity ===")
vec1 = torch.randn(1, 64)
```

```python
vec1_pos0 = rotary_embedding(vec1, seq_len=1, dim=64)

similarities = []
positions = list(range(0, 20, 2))  # Check every other position
for pos in positions:
    # Place same vector at different positions
    vec1_pos_i = rotary_embedding(vec1, seq_len=1, dim=64)

    # Calculate cosine similarity
    sim = torch.nn.functional.cosine_similarity(vec1_pos0, vec1_pos_i)
    similarities.append(sim.item())
    print(f"Similarity at position {pos}: {sim.item():.4f}")

# Show visualization of RoPE patterns
print("\\n=== Uncomment to visualize RoPE patterns ===")
# visualize_rope()
# extrapolation_demo()
```

Analisi dell'implementazione di Rotary Position Embeddings (RoPE)

Il codice sopra mostra un'implementazione completa di Rotary Position Embeddings con strumenti di visualizzazione e analisi. Vediamo passo dopo passo come funziona RoPE:

1. Funzione principale: rotary_embedding()

- La funzione prende in input un tensore, la lunghezza della sequenza e la dimensione dell'embedding.

- Per prima cosa, dividiamo la dimensione a metà, poiché RoPE lavora su coppie di dimensioni.

- Creiamo una sequenza geometrica di frequenze usando torch.exp(torch.arange(0, half) * - (math.log(10000.0) / half)).

- Questo genera frequenze che diminuiscono esponenzialmente attraverso le dimensioni dell'embedding, in modo simile alle sinusoidal encodings del transformer originale.

- Poi calcoliamo gli angoli moltiplicando le posizioni per queste frequenze, creando un angolo unico per ogni coppia (posizione, dimensione).

- Il seno e il coseno di questi angoli creano matrici di rotazione che vengono applicate ai vettori di embedding.

- La rotazione viene eseguita dividendo l'embedding in due metà e applicando una formula di rotazione 2D:
    - Prima metà: x1 * cos - x2 * sin
    - Seconda metà: x1 * sin + x2 * cos

- Questo approccio elegante codifica la posizione direttamente nei vettori di embedding senza aggiungere dimensioni.

2. Funzioni di visualizzazione

- visualize_rope() aiuta a comprendere il pattern delle codifiche attraverso diverse posizioni e dimensioni:

- Mostra come RoPE trasforma un input costante attraverso diverse posizioni, rivelando i pattern di codifica.

- La matrice di similarità dimostra come RoPE crei una metrica di distanza relativa tra le posizioni.

- extrapolation_demo() illustra la capacità di RoPE di generalizzare oltre le lunghezze di sequenza viste in training:

- Confronta come i pattern di similarità si estendono dalla lunghezza di training a sequenze più lunghe.

- Questo dimostra perché RoPE è efficace nell'estensione della lunghezza del contesto.

3. Proprietà chiave dimostrate

- **Codifica della posizione relativa:** la similarità tra due token dipende dalla loro distanza relativa, non dalle posizioni assolute.

- **Rappresentazione continua:** la codifica crea un continuum fluido di posizioni invece di valori discreti.

- **Implementazione efficiente:** RoPE integra l'informazione posizionale direttamente nel calcolo dell'attenzione senza richiedere positional embeddings separati.

- **Capacità di extrapolazione:** le proprietà matematiche di RoPE permettono ai modelli di generalizzare a lunghezze di sequenza oltre gli esempi visti in training.

Questa implementazione mostra perché RoPE sia diventato il metodo di codifica posizionale preferito nei moderni LLM come LLaMA e GPT-NeoX. La sua elegante matematica consente una migliore stabilità in training e una migliore generalizzazione a contesti più lunghi, aspetti cruciali per compiti avanzati di comprensione e generazione del linguaggio.

Qui, ogni posizione viene rappresentata non da un indice fisso ma da una rotazione nello spazio degli embeddings — più fluida e più flessibile.

Esempio interattivo di visualizzazione di RoPE

```python
import torch
import numpy as np
import matplotlib.pyplot as plt
from mpl_toolkits.mplot3d import Axes3D
from matplotlib.animation import FuncAnimation

def create_rope_encoding(dim=6, max_seq_len=32, base=10000.0):
    """
    Create rotary position encodings for visualization

    Args:
        dim: Embedding dimension (must be even)
        max_seq_len: Maximum sequence length to visualize
```

```python
        base: Base value for frequency calculation

    Returns:
        Tensor of shape [max_seq_len, dim] with RoPE applied
    """
    assert dim % 2 == 0, "Dimension must be even"

    # Initialize tensors
    x = torch.ones(max_seq_len, dim)  # Use ones to clearly see positional effects

    # Compute frequencies
    half_dim = dim // 2
    freqs = 1.0 / (base ** (torch.arange(0, half_dim) / half_dim))

    # Initialize result tensor
    result = torch.zeros_like(x)

    # For each position
    for pos in range(max_seq_len):
        # Compute angles for this position
        theta = pos * freqs

        # Compute sin and cos
        sin_values = torch.sin(theta)
        cos_values = torch.cos(theta)

        # Apply rotation to each pair
        for i in range(half_dim):
            # Get the pair of dimensions to rotate
            x1, x2 = x[pos, i], x[pos, i + half_dim]

            # Apply 2D rotation
            result[pos, i] = x1 * cos_values[i] - x2 * sin_values[i]
            result[pos, i + half_dim] = x1 * sin_values[i] + x2 * cos_values[i]

    return result

def visualize_3d_rope():
    """Create a 3D visualization of RoPE showing how positions are encoded in space"""
    # Generate RoPE encodings for 16 positions with a 6D embedding
    rope_encodings = create_rope_encoding(dim=6, max_seq_len=16)

    # Convert to numpy
    encodings_np = rope_encodings.numpy()

    # Create a 3D plot (using first 3 dimensions for visualization)
    fig = plt.figure(figsize=(10, 8))
    ax = fig.add_subplot(111, projection='3d')

    # Plot each position as a point in 3D space
    positions = np.arange(16)
    scatter = ax.scatter(
```

```python
        encodings_np[:, 0],   # x-coordinate (dim 0)
        encodings_np[:, 1],   # y-coordinate (dim 1)
        encodings_np[:, 2],   # z-coordinate (dim 2)
        c=positions,          # color by position
        cmap='viridis',
        s=100,                # marker size
        alpha=0.8
    )

    # Connect points with a line to show the "path" through embedding space
    ax.plot(encodings_np[:, 0], encodings_np[:, 1], encodings_np[:, 2],
            'r-', alpha=0.5, linewidth=1)

    # Add colorbar to show position mapping
    cbar = plt.colorbar(scatter, ax=ax, pad=0.1)
    cbar.set_label('Position in Sequence')

    # Set labels and title
    ax.set_xlabel('Embedding Dim 0')
    ax.set_ylabel('Embedding Dim 1')
    ax.set_zlabel('Embedding Dim 2')
    plt.title('3D Visualization of Rotary Position Encodings (First 3 Dimensions)')

    # Create animation to rotate the view
    def rotate(frame):
        ax.view_init(elev=20, azim=frame)
        return [scatter]

    # Create animation (uncomment to generate)
    # ani = FuncAnimation(fig, rotate, frames=np.arange(0, 360, 2), interval=100)
    # ani.save('rope_3d_rotation.gif', writer='pillow', fps=15)

    plt.tight_layout()
    plt.show()

def analyze_rope_properties():
    """Analyze and visualize key properties of RoPE encodings"""
    # Generate RoPE encodings
    dim = 64
    seq_len = 128
    encodings = create_rope_encoding(dim=dim, max_seq_len=seq_len)

    # Calculate similarity matrix (dot product between all positions)
    similarity = torch.matmul(encodings, encodings.T)

    # Plot similarity heatmap
    plt.figure(figsize=(10, 8))
    plt.imshow(similarity.numpy(), cmap='viridis')
    plt.colorbar(label='Similarity')
    plt.title('Position Similarity Matrix with RoPE')
    plt.xlabel('Position')
    plt.ylabel('Position')
```

```python
    # Add grid to highlight the diagonal pattern
    plt.grid(False)
    plt.tight_layout()
    plt.show()

    # Plot similarity decay with distance
    plt.figure(figsize=(10, 6))
    center_pos = seq_len // 2
    center_similarities = similarity[center_pos].numpy()

    positions = np.arange(seq_len) - center_pos
    plt.plot(positions, center_similarities, 'bo-', alpha=0.7)
    plt.axvline(x=0, color='r', linestyle='--', alpha=0.5,
                label=f'Reference Position ({center_pos})')
    plt.grid(True, alpha=0.3)
    plt.title(f'Similarity Decay with Distance from Position {center_pos}')
    plt.xlabel('Relative Position')
    plt.ylabel('Similarity')
    plt.legend()
    plt.tight_layout()
    plt.show()

# Run the visualization and analysis
# Comment/uncomment as needed
print("Running RoPE visualizations...")
# visualize_3d_rope()
# analyze_rope_properties()

# Simple demonstration of how RoPE encodes positions
print("\\nSimple RoPE encoding example:")
simple_encoding = create_rope_encoding(dim=6, max_seq_len=5)
print(simple_encoding)

# Demonstrate how similar tokens at different positions are encoded differently
print("\\nComparing same token at different positions:")
token_emb = torch.tensor([1.0, 0.5, 0.2, 0.8, 0.3, 0.9])
pos1, pos2 = 3, 7

# Manually apply RoPE to the same token at different positions
dim = 6
half_dim = dim // 2
freqs = 1.0 / (10000.0 ** (torch.arange(0, half_dim) / half_dim))

# Position 1
theta1 = pos1 * freqs
sin1, cos1 = torch.sin(theta1), torch.cos(theta1)
result1 = torch.zeros_like(token_emb)
for i in range(half_dim):
    x1, x2 = token_emb[i], token_emb[i + half_dim]
    result1[i] = x1 * cos1[i] - x2 * sin1[i]
    result1[i + half_dim] = x1 * sin1[i] + x2 * cos1[i]
```

```python
# Position 2
theta2 = pos2 * freqs
sin2, cos2 = torch.sin(theta2), torch.cos(theta2)
result2 = torch.zeros_like(token_emb)
for i in range(half_dim):
    x1, x2 = token_emb[i], token_emb[i + half_dim]
    result2[i] = x1 * cos2[i] - x2 * sin2[i]
    result2[i + half_dim] = x1 * sin2[i] + x2 * cos2[i]

print(f"Token at position {pos1}:", result1)
print(f"Token at position {pos2}:", result2)
print(f"Cosine similarity:", torch.nn.functional.cosine_similarity(
    result1.unsqueeze(0), result2.unsqueeze(0)))
```

Analisi della Visualizzazione Interattiva di RoPE

Questo esempio di codice fornisce un approccio interattivo e visivamente esplicativo per comprendere RoPE. Vediamo nel dettaglio cosa fa ogni componente:

- **Implementazione principale (create_rope_encoding):**

    o Questa funzione crea le codifiche posizionali rotative con commenti dettagliati che spiegano ogni passaggio.

    o Lavora su ogni posizione e coppia di dimensioni, applicando esplicitamente le matrici di rotazione.

    o L'implementazione mostra come l'informazione di posizione venga codificata direttamente negli embedding attraverso la rotazione.

- **Visualizzazione 3D (visualize_3d_rope):**

    o Crea una rappresentazione 3D di come le posizioni sono distribuite nello spazio degli embedding.

    o Visualizza le prime tre dimensioni per mostrare come le posizioni seguano un pattern a spirale.

    o Include la possibilità di animazione per ruotare la visualizzazione e comprendere meglio le relazioni spaziali.

    o Questo aiuta a comprendere intuitivamente come RoPE crei rappresentazioni uniche per ogni posizione mantenendo le distanze relative.

- **Analisi delle proprietà (analyze_rope_properties):**

    o Genera matrici di similarità per mostrare come le relazioni tra posizioni siano codificate.

    o Il pattern diagonale nella matrice di similarità dimostra come i token alla stessa distanza relativa abbiano relazioni simili.

- o Il grafico del decadimento della similarità mostra come i punteggi di attenzione decadano naturalmente con la distanza — una proprietà chiave che aiuta i modelli a concentrarsi sul contesto vicino.

- **Esempio di confronto diretto:**

  - o Dimostra come lo stesso embedding di token venga trasformato in modo diverso a posizioni differenti.

  - o Mostra la reale similarità coseno tra lo stesso token in posizioni diverse.

  - o Questo illustra come RoPE preservi l'identità del token mentre codifica l'informazione posizionale.

Il vantaggio principale di questo approccio di visualizzazione è che rende più concreti i concetti matematici astratti alla base di RoPE. Osservando le relazioni spaziali e i pattern di similarità, possiamo comprendere meglio perché RoPE funzioni bene per:

- Abilitare finestre di contesto estese oltre le lunghezze di addestramento

- Fornire rappresentazioni posizionali più fluide rispetto alle codifiche assolute

- Integrarsi perfettamente nel meccanismo di attenzione senza embedding posizionali separati

- Creare un bias naturale dell'attenzione verso i token vicini pur consentendo connessioni a lungo raggio

3.1.3 Strategie di Normalizzazione

Le reti neurali di grandi dimensioni sono notoriamente difficili da addestrare. Senza normalizzazione, le attivazioni possono esplodere o svanire mentre si propagano attraverso molti strati. Quando i valori diventano troppo grandi (esplodono), causano instabilità numerica; quando diventano troppo piccoli (svaniscono), i gradienti significativi non riescono a propagarsi all'indietro durante l'addestramento.

Questo problema diventa particolarmente acuto nelle architetture transformer profonde, dove i segnali devono attraversare molte operazioni sequenziali. Man mano che i dati scorrono attraverso decine o centinaia di strati, anche piccoli effetti moltiplicativi possono accumularsi esponenzialmente, portando a:

- Gradienti esplosivi — dove gli aggiornamenti dei parametri diventano così grandi da destabilizzare l'addestramento. Ciò accade quando le magnitudini dei gradienti crescono esponenzialmente durante la backpropagation, causando cambiamenti drastici dei pesi in un singolo aggiornamento. Quando ciò accade, i valori della loss possono salire a NaN (Not a Number) o infinito, causando di fatto il crash del processo di addestramento. I modelli spesso implementano il gradient clipping per prevenire questo problema limitando i valori dei gradienti a una soglia massima.

- Gradienti vanishing — dove gli strati iniziali ricevono aggiornamenti così piccoli da smettere di apprendere. In questo caso, i valori dei gradienti diventano sempre più piccoli mentre si propagano all'indietro nella rete. Di conseguenza, i parametri nei primi strati cambiano appena, impedendo al modello di apprendere dipendenze a lungo raggio. Questo era un problema importante nelle RNN ed è parzialmente mitigato nei transformer tramite connessioni residuali, ma può comunque verificarsi in modelli molto profondi.

- Internal covariate shift — dove la distribuzione delle attivazioni cambia in modo imprevedibile tra i batch. Questo fenomeno si verifica quando le proprietà statistiche degli output degli strati intermedi fluttuano durante l'addestramento, costringendo gli strati successivi ad adattarsi continuamente a nuove distribuzioni di input. Questo rallenta la convergenza, poiché ogni strato deve riadattarsi costantemente invece di concentrarsi sull'apprendimento dei pattern sottostanti nei dati.

I transformer si basano su **strati di normalizzazione** per stabilizzare l'addestramento e migliorare la convergenza, assicurando che le attivazioni rimangano entro un intervallo ragionevole in tutta la rete. Queste tecniche di normalizzazione agiscono come guardrail statistici, prevenendo gli effetti catastrofici di attivazioni non controllate e consentendo reti molto più profonde di quanto sarebbe altrimenti possibile.

Layer Normalization (LayerNorm)

Normalizza tra le feature all'interno di ciascun token calcolando la media e la varianza delle attivazioni per ogni singolo esempio in un batch. Questo fa sì che ogni vettore di feature abbia media zero e varianza unitaria, garantendo scale di attivazione consistenti indipendentemente dalla complessità dell'input. La layer normalization standardizza efficacemente la distribuzione delle attivazioni, aiutando a prevenire valori estremi che potrebbero destabilizzare l'addestramento.

La formula matematica per LayerNorm è:

$$\text{LayerNorm}(x) = \gamma * (x - \mu) / (\sigma + \varepsilon) + \beta$$

Dove:

- x è il vettore di input (tipicamente uno stato nascosto in una determinata posizione)

- μ è la media dell'input calcolata lungo la dimensione delle feature (non sul batch o sulla lunghezza della sequenza)

- σ è la deviazione standard calcolata anch'essa lungo la dimensione delle feature

- γ e β sono parametri apprendibili (scala e shift) che permettono alla rete di annullare la normalizzazione se necessario

- ε è una piccola costante (tipicamente 1e-5 o 1e-12) aggiunta per stabilità numerica per evitare divisioni per zero

LayerNorm opera indipendentemente su ogni esempio nel batch e su tutte le feature di un token, il che la rende particolarmente adatta per i task di NLP dove le dimensioni del batch possono essere piccole ma la lunghezza delle sequenze varia. Normalizzando ogni posizione in modo indipendente, aiuta a mantenere una forza del segnale coerente in tutta la rete indipendentemente dalla lunghezza della sequenza o dalla posizione del token. Questa normalizzazione per posizione è cruciale per i transformer che elaborano sequenze di lunghezza variabile, poiché garantisce che il comportamento del modello sia coerente indipendentemente da dove appare un determinato pattern nella sequenza.

LayerNorm è la tecnica di normalizzazione standard nella maggior parte degli LLM, inclusa la famiglia GPT e BERT. Aiuta i modelli a convergere più rapidamente durante l'addestramento e consente l'uso di tassi di apprendimento molto più elevati senza il rischio di divergenza. In termini pratici, questo significa che gli LLM possono essere addestrati in modo più efficiente e raggiungere livelli di prestazione più elevati. Inoltre, LayerNorm rende i modelli più robusti rispetto all'inizializzazione dei pesi e aiuta a stabilizzare la distribuzione delle attivazioni durante l'addestramento. Questa stabilità è particolarmente importante nelle reti molto profonde, dove piccole variazioni statistiche possono accumularsi tra gli strati. Quando implementata correttamente, LayerNorm consente ai transformer di raggiungere maggiore profondità senza soffrire delle difficoltà di ottimizzazione che affliggevano le architetture di deep learning precedenti.

RMSNorm

A lighter alternative used in models like LLaMA, normalizing only by root mean square without centering (subtracting the mean). This simplification reduces computation by approximately 20% while maintaining most benefits of normalization. RMSNorm was introduced in the paper "Root Mean Square Layer Normalization" by Zhang and Sennrich (2019) as an efficient alternative to the standard LayerNorm.

RMSNorm is faster to compute and sometimes provides more stable training dynamics, especially in very deep networks. Unlike LayerNorm, which first centers the data by subtracting the mean and then divides by the standard deviation, RMSNorm skips the centering step entirely. It normalizes by dividing each input vector by its root mean square. This approach focuses on normalizing the magnitude of the vectors rather than their statistical distribution, which proves to be sufficient for many deep learning applications.

RMSNorm(x) = γ * x / sqrt(mean(x²) + ε)

Where γ is a learnable parameter vector that allows the model to scale different dimensions differently, and ε is a small constant (typically 1e-8) added for numerical stability to prevent division by zero. The mean(x²) term calculates the average of the squared values across the feature dimension, which gives us the energy or power of the signal. By dividing by the square root of this value, RMSNorm effectively normalizes based on the signal strength rather than statistical variance. This approach is computationally efficient because it eliminates the need to calculate the mean and reduces the number of operations required. In practice, this means:

1. Faster forward and backward passes through the network - By eliminating the mean calculation and subtraction operations, RMSNorm reduces the computational complexity of each normalization step, which is particularly beneficial when scaled to billions of parameters. This efficiency becomes especially important during training where normalization is applied thousands of times per batch. For example, in a model with 100 layers processing a batch of 32 sequences with 2048 tokens each, normalization occurs over 6.5 million times in a single forward pass. The computational savings from RMSNorm compound dramatically at this scale.

2. Lower memory requirements during training - With fewer intermediate values to store during the normalization process, models can allocate memory to other aspects of training or increase batch sizes. This is critical because GPU memory is often the limiting factor in training large models. RMSNorm eliminates the need to store the mean values and their gradients during backpropagation, which can save gigabytes of memory in large-scale training. This memory efficiency allows researchers to either train larger models on the same hardware or use larger batch sizes, which often leads to more stable training dynamics.

3. Simpler implementation on specialized hardware - The streamlined computation is easier to optimize on GPUs and custom AI accelerators like TPUs, allowing for more efficient hardware utilization. Modern AI accelerators are designed with specialized circuits for matrix operations, and RMSNorm's simpler computational graph maps more efficiently to these hardware optimizations. This results in better parallelization, reduced kernel launch overhead, and more effective use of tensor cores. For example, NVIDIA's A100 GPUs and Google's TPUv4 can process

RMSNorm operations with fewer clock cycles compared to LayerNorm, further amplifying the performance benefits.

Models using RMSNorm can be more efficiently deployed on resource-constrained devices while maintaining performance comparable to those using LayerNorm. This optimization becomes particularly important in very large models where even small per-token efficiency gains translate to significant overall improvements. For instance, in models like LLaMA with 70+ billion parameters, the 20% reduction in normalization computation translates to billions of operations saved per forward pass. Research has shown that RMSNorm-based models can achieve equivalent or sometimes better perplexity scores compared to LayerNorm variants while consuming less computational resources, making it an attractive choice for frontier models where training efficiency is paramount.

Pre-Norm vs Post-Norm

Refers to whether normalization is applied before or after the attention/MLP blocks. This architectural decision significantly impacts model training dynamics and stability, affecting how gradients flow through the network during backpropagation and ultimately determining how deep a model can be trained effectively.

Post-Norm Architecture (Original Transformer):

In the original Transformer design, normalization is applied after each sublayer following this pattern: output = LayerNorm(x + Sublayer(x)) where Sublayer can be self-attention or feed-forward networks. This approach normalizes the combined result of the residual connection and the sublayer output. Post-Norm works well for shallow networks (under 12 layers) but presents challenges in very deep architectures because gradients must flow through multiple normalization layers during backpropagation.

The key challenges with Post-Norm in deep networks include:

- Gradient amplification - When gradients pass through normalization layers, their magnitudes can be significantly altered, sometimes leading to instability.

- Optimization difficulty - Models with Post-Norm typically require careful learning rate scheduling with a warmup phase to prevent divergence early in training.

- Depth limitations - Research has shown that Post-Norm architectures become increasingly difficult to train beyond certain depths (typically 20-30 layers) without specialized techniques.

Despite these challenges, Post-Norm has historical significance as the original transformer architecture and can be more interpretable since the output of each block is directly normalized to a standard scale.

Pre-Norm Architecture:

In Pre-Norm designs, normalization is applied to inputs before the sublayer, with the residual connection bypassing the normalization: output = x + Sublayer(LayerNorm(x)) This modification creates a more direct path for gradients to flow backward through the residual connections, effectively reducing the risk of gradient vanishing or exploding in very deep networks. The key insight here is that by normalizing only the input to each sublayer rather than the combined output, gradients can flow unimpeded through the residual connections during backpropagation. This architecture essentially provides a "highway" for gradient information to travel through the network, maintaining signal strength even after passing through hundreds of layers.

Pre-Norm is more common in modern LLMs because it improves gradient flow in very deep networks, enabling training of models with hundreds of layers without suffering from optimization instabilities. It also allows for higher learning rates and often leads to faster convergence. Models like GPT-3, LLaMA, and Mistral all use Pre-Norm architectures to enable their unprecedented depth and parameter counts. The stability advantages become increasingly important as models scale to greater depths, with some architectures reaching over 100 layers. For example, GPT-3's 175 billion parameter model uses 96 transformer layers, which would be extremely challenging to train effectively with a Post-Norm approach.

Empirical studies have shown that Pre-Norm transformers can be trained without the warmup phase of learning rate scheduling that is typically necessary for Post-Norm transformers. This simplification of the training process is particularly valuable when scaling to extremely large models where training stability becomes increasingly critical. In practical implementation, removing the need for learning rate warmup can save significant computational resources and simplify hyperparameter tuning. Research from Microsoft and OpenAI has demonstrated that Pre-Norm models converge more consistently across different initialization schemes and batch sizes, making them more robust for production training pipelines where reliability is paramount. Additionally, Pre-Norm architectures tend to exhibit more predictable scaling properties as model size increases, allowing researchers to better estimate performance improvements from additional parameters and training compute.

Group Normalization and Instance Normalization

While less common in LLMs, these variants normalize across different dimensions and provide alternatives for specific architectures. Each offers unique properties that could benefit certain specialized model designs or data characteristics.

Group Normalization (GroupNorm) divides channels into groups and normalizes within each group. This approach strikes a balance between Layer Normalization (which treats each example independently) and Batch Normalization (which is batch-dependent). Group Norm is particularly useful in scenarios with small batch sizes or when processing varies greatly in length, as it maintains stable statistics regardless of batch composition. In LLMs, GroupNorm could potentially be applied to normalize groups of attention heads or feature dimensions.

The mathematical formulation for GroupNorm is:

GroupNorm(x) = γ * (x - μ_g) / (σ_g + ε) + β

Where:

- x is partitioned into G groups along the channel dimension

- μ_g and σ_g are the mean and standard deviation computed within each group

- γ and β are learnable parameters for scaling and shifting

GroupNorm offers several potential advantages in the LLM context:

- More stable training with variable sequence lengths compared to batch-dependent normalization

- Potential for better feature grouping in attention mechanisms by normalizing related attention heads together

- Reduced sensitivity to batch size, which is particularly relevant for very large models where batch size is often constrained by memory limitations

Instance Normalization normalizes each channel independently for each sample in a batch, essentially treating each feature map as its own instance. Originally developed for style transfer in computer vision, Instance Norm can help reduce the influence of instance-specific statistics. In the context of LLMs, this could be beneficial when processing inputs with highly variable statistical properties, as it normalizes away instance-specific variations while preserving the relative relationships within each instance.

RMSNorm

Un'alternativa più leggera utilizzata in modelli come LLaMA, che normalizza solo tramite la root mean square senza centrare i dati (senza sottrarre la media). Questa semplificazione riduce il calcolo di circa il 20% mantenendo la maggior parte dei benefici della normalizzazione. RMSNorm è stata introdotta nel paper "Root Mean Square Layer Normalization" di Zhang e Sennrich (2019) come alternativa efficiente alla LayerNorm standard.

RMSNorm è più veloce da calcolare e talvolta fornisce dinamiche di training più stabili, specialmente in reti molto profonde. A differenza di LayerNorm, che prima centra i dati sottraendo la media e poi divide per la deviazione standard, RMSNorm salta completamente il passaggio di centratura. Normalizza dividendo ogni vettore di input per la sua root mean square. Questo approccio si concentra sulla normalizzazione della magnitudine dei vettori piuttosto che sulla loro distribuzione statistica, cosa che risulta sufficiente per molte applicazioni di deep learning.

$$\text{RMSNorm}(x) = \gamma * x / \sqrt{\text{mean}(x^2) + \varepsilon}$$

Dove γ è un vettore di parametri apprendibili che consente al modello di scalare diversamente le varie dimensioni, ed ε è una piccola costante (tipicamente 1e-8) aggiunta per stabilità numerica per evitare divisioni per zero. Il termine $\text{mean}(x^2)$ calcola la media dei valori al quadrato lungo la dimensione delle feature, fornendo così l'energia o la potenza del segnale. Dividendo per la radice quadrata di questo valore, RMSNorm normalizza efficacemente in base alla forza del segnale piuttosto che alla varianza statistica. Questo approccio è computazionalmente efficiente perché elimina la necessità di calcolare la media e riduce il numero di operazioni richieste. In pratica, ciò significa:

1. Passaggi forward e backward più veloci nella rete — Eliminando il calcolo della media e le operazioni di sottrazione, RMSNorm riduce la complessità computazionale di ogni fase di normalizzazione, cosa particolarmente vantaggiosa quando si scala a miliardi di parametri. Questa efficienza diventa ancora più importante durante il training, dove la normalizzazione viene applicata migliaia di volte per batch. Ad esempio, in un modello con 100 layer che processa un batch di 32 sequenze con 2048 token ciascuna, la normalizzazione avviene oltre 6,5 milioni di volte in un singolo forward pass. Il risparmio computazionale di RMSNorm si amplifica drasticamente su questa scala.

2. Minori requisiti di memoria durante il training — Con meno valori intermedi da memorizzare durante il processo di normalizzazione, i modelli possono allocare memoria ad altri aspetti del training o aumentare la dimensione del batch. Questo è critico perché la memoria GPU è spesso il fattore limitante nell'addestramento di modelli grandi. RMSNorm elimina la necessità di memorizzare le medie e i loro gradienti durante la backpropagation, il che può far risparmiare gigabyte di memoria nel training su larga scala. Questa efficienza permette di addestrare modelli più grandi sullo stesso hardware o usare batch più grandi, migliorando spesso la stabilità del training.

3. Implementazione più semplice su hardware specializzato — Il calcolo semplificato è più facile da ottimizzare su GPU e acceleratori AI personalizzati come le TPU, consentendo un utilizzo hardware

più efficiente. Gli acceleratori moderni sono progettati con circuiti specializzati per operazioni matriciali, e il grafo computazionale più semplice di RMSNorm si adatta meglio a queste ottimizzazioni. Questo porta a una migliore parallelizzazione, minore overhead di lancio dei kernel e uso più efficace dei tensor core. Ad esempio, le GPU NVIDIA A100 e le TPUv4 di Google possono eseguire operazioni RMSNorm con meno cicli di clock rispetto a LayerNorm, amplificando ulteriormente i benefici prestazionali.

I modelli che utilizzano RMSNorm possono essere distribuiti in modo più efficiente su dispositivi con risorse limitate mantenendo prestazioni comparabili a quelli che utilizzano LayerNorm. Questa ottimizzazione diventa particolarmente importante nei modelli molto grandi, dove anche piccoli miglioramenti per token si traducono in grandi benefici complessivi. Ad esempio, in modelli come LLaMA con oltre 70 miliardi di parametri, la riduzione del 20% nel calcolo della normalizzazione si traduce in miliardi di operazioni risparmiate per ogni forward pass. La ricerca ha dimostrato che modelli basati su RMSNorm possono raggiungere livelli di perplexity equivalenti o talvolta migliori rispetto alle varianti con LayerNorm, consumando meno risorse computazionali, rendendola una scelta molto attraente per modelli di frontiera dove l'efficienza di training è cruciale.

Pre-Norm vs Post-Norm

Si riferisce al fatto che la normalizzazione venga applicata prima o dopo i blocchi di attenzione/MLP. Questa decisione architetturale ha un impatto significativo sulle dinamiche di training e sulla stabilità del modello, influenzando il flusso dei gradienti nella rete durante la backpropagation e determinando quanto profondamente un modello possa essere addestrato in modo efficace.

Architettura Post-Norm (Transformer originale):

Nel design originale del Transformer, la normalizzazione viene applicata dopo ogni sublayer seguendo questo schema:

output = LayerNorm(x + Sublayer(x))

dove Sublayer può essere self-attention o feed-forward network. Questo approccio normalizza il risultato combinato della connessione residuale e dell'output del sublayer. Post-Norm funziona bene per reti poco profonde (meno di 12 layer), ma presenta difficoltà nelle architetture molto profonde perché i gradienti devono attraversare più livelli di normalizzazione durante la backpropagation.

Le principali problematiche del Post-Norm nelle reti profonde includono:

- Amplificazione dei gradienti — Quando i gradienti attraversano i layer di normalizzazione, la loro magnitudine può essere alterata significativamente, portando talvolta a instabilità.

- Difficoltà di ottimizzazione — I modelli Post-Norm richiedono generalmente uno scheduling accurato del learning rate con una fase di warmup per evitare divergenze nelle fasi iniziali del training.

- Limitazioni di profondità — Studi hanno dimostrato che le architetture Post-Norm diventano sempre più difficili da addestrare oltre una certa profondità (tipicamente 20–30 layer) senza tecniche specializzate.

Nonostante queste difficoltà, Post-Norm ha un'importanza storica come architettura originale dei transformer e può risultare più interpretabile, poiché l'output di ogni blocco viene direttamente normalizzato a una scala standard.

Architettura Pre-Norm:

Nei design Pre-Norm, la normalizzazione viene applicata agli input prima del sublayer, mentre la connessione residuale bypassa la normalizzazione:

output = x + Sublayer(LayerNorm(x))

Questa modifica crea un percorso più diretto per il flusso dei gradienti all'indietro attraverso le connessioni residuali, riducendo efficacemente il rischio di gradienti vanishing o exploding nelle reti molto profonde. L'intuizione chiave è che, normalizzando solo l'input di ogni sublayer invece dell'output combinato, i gradienti possono fluire senza ostacoli attraverso le connessioni residuali durante la backpropagation. Questa architettura fornisce essenzialmente una "autostrada" per l'informazione dei gradienti, mantenendo la forza del segnale anche dopo centinaia di layer.

Pre-Norm è più comune nei moderni LLM perché migliora il flusso dei gradienti nelle reti molto profonde, consentendo l'addestramento di modelli con centinaia di layer senza instabilità di ottimizzazione. Permette anche l'uso di learning rate più elevati e spesso porta a una convergenza più rapida. Modelli come GPT-3, LLaMA e Mistral utilizzano architetture Pre-Norm per raggiungere profondità e dimensioni senza precedenti. I vantaggi in termini di stabilità diventano sempre più rilevanti man mano che i modelli scalano, con alcune architetture che superano i 100 layer. Ad esempio, il modello GPT-3 da 175 miliardi di parametri utilizza 96 layer transformer, cosa che sarebbe estremamente difficile da addestrare efficacemente con un approccio Post-Norm.

Studi empirici hanno dimostrato che i transformer Pre-Norm possono essere addestrati senza la fase di warmup del learning rate tipicamente necessaria nei transformer Post-Norm. Questa semplificazione del processo di training è particolarmente preziosa quando si scalano modelli molto grandi, dove la stabilità è fondamentale. In pratica, eliminare il warmup può far risparmiare risorse computazionali significative e semplificare il tuning degli iperparametri. Ricerche di Microsoft e OpenAI hanno mostrato che i modelli Pre-Norm convergono in modo più consistente tra diversi schemi di inizializzazione e dimensioni di batch, rendendoli più robusti per pipeline di training in produzione, dove l'affidabilità è essenziale. Inoltre, le architetture Pre-Norm tendono a mostrare proprietà di scaling più prevedibili con l'aumentare delle dimensioni del modello, permettendo di stimare meglio i miglioramenti di performance derivanti da parametri aggiuntivi e maggiore capacità computazionale.

Group Normalization e Instance Normalization

Sebbene meno comuni negli LLM, queste varianti normalizzano lungo dimensioni diverse e offrono alternative per architetture specifiche. Ognuna presenta proprietà uniche che possono essere vantaggiose in design di modelli specializzati o con caratteristiche di dati particolari.

Group Normalization (GroupNorm) divide i canali in gruppi e normalizza all'interno di ciascun gruppo. Questo approccio rappresenta un compromesso tra Layer Normalization (che tratta ogni esempio indipendentemente) e Batch Normalization (che dipende dal batch). GroupNorm è particolarmente utile in scenari con batch piccoli o quando le sequenze variano molto in lunghezza, poiché mantiene statistiche stabili indipendentemente dalla composizione del batch. Negli LLM, GroupNorm potrebbe essere utilizzata per normalizzare gruppi di attention heads o dimensioni delle feature.

La formulazione matematica per GroupNorm è:

GroupNorm(x) = γ * (x - μg) / (σg + ε) + β

Dove:

- x è suddiviso in G gruppi lungo la dimensione dei canali

- µg e σg sono la media e la deviazione standard calcolate all'interno di ciascun gruppo

- γ e β sono parametri apprendibili per scalare e traslare

GroupNorm offre diversi potenziali vantaggi nel contesto degli LLM:

- Training più stabile con lunghezze di sequenza variabili rispetto alla normalizzazione dipendente dal batch

- Possibilità di miglior raggruppamento delle feature nei meccanismi di attenzione, normalizzando insieme attention heads correlate

- Minore sensibilità alla dimensione del batch, particolarmente rilevante nei modelli molto grandi dove il batch è limitato dalla memoria

Instance Normalization normalizza ogni canale indipendentemente per ciascun campione nel batch, trattando di fatto ogni feature map come un'istanza separata. Originariamente sviluppata per il trasferimento di stile nella computer vision, Instance Norm può aiutare a ridurre l'influenza delle statistiche specifiche dell'istanza. Nel contesto degli LLM, questo potrebbe essere utile quando si elaborano input con proprietà statistiche molto variabili, poiché normalizza le variazioni specifiche mantenendo le relazioni relative all'interno di ciascuna istanza.

La formula per Instance Normalization è:

InstanceNorm(x) = γ * (x - µi) / (σi + ε) + β

Dove:

- µi e σi sono calcolati lungo le dimensioni spaziali per ogni canale e per ogni campione in modo indipendente

- Questo crea una normalizzazione altamente specifica per ogni singola istanza

Per gli LLM, Instance Normalization potrebbe offrire questi vantaggi:

- Migliore gestione di input con proprietà statistiche molto diverse (ad esempio codice mescolato con linguaggio naturale, o testo multilingue)

- Potenziale miglioramento delle prestazioni nel trattamento di sequenze anomale con pattern insoliti

- Pattern di attivazione più consistenti tra tipi di input molto diversi

Alcune ricerche recenti hanno iniziato a esplorare approcci di normalizzazione ibridi che combinano elementi di diverse tecniche di normalizzazione. Ad esempio, metodi di normalizzazione adattiva che regolano dinamicamente il loro comportamento in base alle caratteristiche dell'input potrebbero sfruttare i punti di forza di più tipi di normalizzazione. Questi approcci potrebbero diventare più rilevanti man mano che gli LLM vengono applicati a compiti sempre più diversi e specializzati.

Entrambe le tecniche di normalizzazione offrono vantaggi teorici in determinati scenari, ma non hanno ancora visto un'adozione diffusa nelle architetture LLM mainstream, dove LayerNorm e RMSNorm rimangono dominanti grazie alla loro comprovata efficacia ed efficienza computazionale su larga scala.

L'overhead computazionale e la complessità di implementazione di questi metodi alternativi hanno finora superato i loro potenziali benefici negli LLM general-purpose, anche se rimangono aree di ricerca attive per applicazioni specializzate.

Esempio di codice: confronto tra LayerNorm e RMSNorm

```python
import torch
import torch.nn as nn
import matplotlib.pyplot as plt
import seaborn as sns
import numpy as np

class LayerNorm(nn.Module):
    def __init__(self, dim, eps=1e-5):
        super().__init__()
        self.eps = eps
        # Learnable parameters
        self.weight = nn.Parameter(torch.ones(dim))
        self.bias = nn.Parameter(torch.zeros(dim))

    def forward(self, x):
        # Calculate mean and variance along last dimension
        mean = x.mean(dim=-1, keepdim=True)
        var = x.var(dim=-1, unbiased=False, keepdim=True)
        # Normalize
        x_norm = (x - mean) / torch.sqrt(var + self.eps)
        # Scale and shift
        return self.weight * x_norm + self.bias

class RMSNorm(nn.Module):
    def __init__(self, dim, eps=1e-8):
        super().__init__()
        self.eps = eps
        # Only scale parameter (no bias)
        self.scale = nn.Parameter(torch.ones(dim))

    def forward(self, x):
        # Calculate RMS (root mean square)
        # Equivalent to: sqrt(mean(x²))
        rms = torch.sqrt(torch.mean(x**2, dim=-1, keepdim=True) + self.eps)
        # Normalize by RMS
        return self.scale * x / rms

def compare_normalizations():
    # Create input tensor with varying magnitudes
    batch_size, seq_len, hidden_dim = 2, 5, 16
    x = torch.randn(batch_size, seq_len, hidden_dim)

    # Add some outlier values to demonstrate robustness
    x[0, 0, 0] = 10.0  # Large positive outlier
    x[1, 2, 5] = -8.0  # Large negative outlier
```

```python
    # Initialize normalization layers
    ln_torch = nn.LayerNorm(hidden_dim)
    ln_custom = LayerNorm(hidden_dim)
    rms = RMSNorm(hidden_dim)

    # Forward pass
    ln_torch_out = ln_torch(x)
    ln_custom_out = ln_custom(x)
    rms_out = rms(x)

    # Print statistics
    print("\\nInput Statistics:")
    print(f"Mean: {x.mean().item():.4f}, Std: {x.std().item():.4f}")
    print(f"Min: {x.min().item():.4f}, Max: {x.max().item():.4f}")

    print("\\nLayerNorm (PyTorch) Output Statistics:")
    print(f"Mean:                 {ln_torch_out.mean().item():.4f},                 Std:
{ln_torch_out.std().item():.4f}")
    print(f"Min:                 {ln_torch_out.min().item():.4f},                 Max:
{ln_torch_out.max().item():.4f}")

    print("\\nLayerNorm (Custom) Output Statistics:")
    print(f"Mean:                 {ln_custom_out.mean().item():.4f},                 Std:
{ln_custom_out.std().item():.4f}")
    print(f"Min:                 {ln_custom_out.min().item():.4f},                 Max:
{ln_custom_out.max().item():.4f}")

    print("\\nRMSNorm Output Statistics:")
    print(f"Mean: {rms_out.mean().item():.4f}, Std: {rms_out.std().item():.4f}")
    print(f"Min: {rms_out.min().item():.4f}, Max: {rms_out.max().item():.4f}")

    # Compare specific values
    idx = (0, 0)  # First batch, first sequence position
    print("\\nComparison of first 5 values at position [0,0]:")
    print(f"Original:          {x[idx][0:5].tolist()}")
    print(f"LayerNorm (Torch): {ln_torch_out[idx][0:5].tolist()}")
    print(f"LayerNorm (Custom): {ln_custom_out[idx][0:5].tolist()}")
    print(f"RMSNorm:           {rms_out[idx][0:5].tolist()}")

    # Visualize distributions
    plot_distributions(x, ln_torch_out, rms_out)

    # Memory and computation benchmark
    benchmark_performance(hidden_dim)

def plot_distributions(x, ln_out, rms_out):
    # Create plot
    fig, axes = plt.subplots(1, 3, figsize=(15, 5))

    # Flatten tensors for histogram
    x_flat = x.flatten().detach().numpy()
    ln_flat = ln_out.flatten().detach().numpy()
```

```python
    rms_flat = rms_out.flatten().detach().numpy()

    # Plot histograms
    sns.histplot(x_flat, kde=True, ax=axes[0])
    axes[0].set_title('Input Distribution')
    axes[0].set_xlim(-3, 3)

    sns.histplot(ln_flat, kde=True, ax=axes[1])
    axes[1].set_title('LayerNorm Output')
    axes[1].set_xlim(-3, 3)

    sns.histplot(rms_flat, kde=True, ax=axes[2])
    axes[2].set_title('RMSNorm Output')
    axes[2].set_xlim(-3, 3)

    plt.tight_layout()
    plt.savefig('normalization_comparison.png')
    print("\\nDistribution plot saved as 'normalization_comparison.png'")

def benchmark_performance(dim_sizes=[256, 1024, 4096]):
    print("\\nPerformance Benchmark:")
    print(f"{'Dimension':<10}  {'LayerNorm  Memory':<20}  {'RMSNorm  Memory':<20}
{'Memory Saved':<15}")

    for dim in dim_sizes:
        # Count parameters
        ln = nn.LayerNorm(dim)
        rms = RMSNorm(dim)

        ln_params = sum(p.numel() for p in ln.parameters())
        rms_params = sum(p.numel() for p in rms.parameters())

        saving = (ln_params - rms_params) / ln_params * 100

        print(f"{dim:<10} {ln_params:<20} {rms_params:<20} {saving:.2f}%")

# Run the comparisons
if __name__ == "__main__":
    compare_normalizations()
```

Analisi del codice: confronto tra LayerNorm e RMSNorm

Questa implementazione completa mette a confronto due tecniche di normalizzazione utilizzate nei moderni LLM, offrendo sia intuizioni teoriche sia pratiche:

1. Implementazione delle classi

Classe LayerNorm:

- Implementa la Layer Normalization standard con entrambi i parametri di scala (weight) e shift (bias)

- Normalizza sottraendo la media e dividendo per la deviazione standard

- Include sia weight sia bias come parametri addestrabili (2N parametri per una dimensione N)

Classe RMSNorm:

- Implementa la Root Mean Square Normalization usando solo il parametro di scala (senza bias)

- Normalizza dividendo per la root mean square (RMS) degli input

- Usa soltanto un parametro di scala addestrabile (N parametri per una dimensione N)

- È più efficiente dal punto di vista computazionale perché evita la sottrazione della media

2. Funzioni di confronto

compare_normalizations():

- Crea dati di test con outlier per dimostrare la robustezza della normalizzazione

- Confronta le statistiche di output di entrambe le tecniche di normalizzazione

- Mostra come ciascuna tecnica influenzi la distribuzione dei valori

- Richiama le funzioni di visualizzazione e benchmarking

plot_distributions():

- Visualizza le distribuzioni degli input e degli output normalizzati

- Crea istogrammi per mostrare come la normalizzazione influenzi la distribuzione dei dati

- Salva il grafico per riferimenti successivi

benchmark_performance():

- Confronta i requisiti di memoria delle due tecniche di normalizzazione

- Dimostra l'efficienza parametrica di RMSNorm (50% di parametri in meno)

- Testa le prestazioni con diverse dimensioni della hidden dimension

3. Intuizioni chiave

Differenze matematiche:

- LayerNorm: normalizza con $(x - mean) / sqrt(variance)$

- RMSNorm: normalizza con $x / sqrt(mean(x^2))$

- RMSNorm salta la sottrazione della media, risultando più efficiente

Efficienza parametrica:

- LayerNorm usa 2N parametri (weights e biases)

- RMSNorm usa N parametri (solo weights)

- La riduzione del 50% dei parametri diventa significativa su larga scala (da milioni a miliardi)

Benefici computazionali:

- RMSNorm richiede meno operazioni matematiche

- Elimina la necessità di calcolare e sottrarre le medie

- È particolarmente vantaggiosa nell'addestramento di modelli molto grandi

Questo esempio fornisce una dimostrazione pratica del motivo per cui RMSNorm è diventata sempre più popolare nelle moderne architetture LLM come LLaMA, offrendo un'alternativa più efficiente alla LayerNorm tradizionale pur mantenendo prestazioni comparabili.

Esempio di codice: implementazione di Rotary Position Embedding

```python
import torch
import torch.nn as nn
import numpy as np
import matplotlib.pyplot as plt
from einops import rearrange

class RotaryEmbedding(nn.Module):
    """
    Implements rotary position embeddings (RoPE) as described in the paper
    'RoFormer: Enhanced Transformer with Rotary Position Embedding'
    """
    def __init__(self, dim, max_seq_len=2048, base=10000):
        super().__init__()
        self.dim = dim
        self.max_seq_len = max_seq_len
        self.base = base

        # Create and register the cached sin/cos values
        self._build_rotation_matrix()

    def _build_rotation_matrix(self):
        # Each dimension gets a frequency based on position
        freqs = self.base ** (torch.arange(0, self.dim, 2).float() / self.dim)
        # Create position sequence
        positions = torch.arange(self.max_seq_len).float()

        # Outer product to get (seq_len, dim/2) tensor
        freqs = torch.outer(positions, 1.0 / freqs)

        # Create sin and cos embeddings
        self.register_buffer("cos_cached", torch.cos(freqs).float())
        self.register_buffer("sin_cached", torch.sin(freqs).float())

    def forward(self, x, seq_dim=1):
        # x: [..., seq_len, ..., dim]
        seq_len = x.shape[seq_dim]
```

```python
        # Get the appropriate slices of cached sin/cos
        cos = self.cos_cached[:seq_len].view(1, seq_len, 1, self.dim // 2)
        sin = self.sin_cached[:seq_len].view(1, seq_len, 1, self.dim // 2)

        # Reshape x to separate the dimensions to rotate
        # Assuming x has shape [batch, seq_len, heads, dim]
        x = rearrange(x, 'b s h (d r) -> b s h d r', r=2)

        # Reshape to have [batch, seq_len, heads, dim/2, 2]
        x_stacked = torch.stack([-x[..., 1::2], x[..., ::2]], dim=-1)

        # Apply the rotation using broadcasting
        # sin and cos have shape [1, seq_len, 1, dim/2]
        # x1 and x2 have shape [batch, seq_len, heads, dim/2]
        x1, x2 = x[..., ::2], x[..., 1::2]

        # Rotate the vectors using the rotation matrix
        # [x1, x2] = [cos -sin; sin cos] × [x1, x2]
        rotated_x1 = x1 * cos - x2 * sin
        rotated_x2 = x2 * cos + x1 * sin

        # Combine the rotated values and reshape back
        rotated = torch.stack([rotated_x1, rotated_x2], dim=-1)
        rotated = rearrange(rotated, 'b s h d r -> b s h (d r)')

        return rotated

def visualize_rotary_embeddings():
    # Set up rotary embeddings
    dim = 128
    seq_len = 32
    rope = RotaryEmbedding(dim)

    # Create example query vectors
    query = torch.zeros(1, seq_len, 1, dim)

    # Create two different position embeddings
    # First vector is "1" at dimension 0
    query[0, 0, 0, 0] = 1.0
    # Second vector is "1" at dimension 64
    query[0, 1, 0, 64] = 1.0

    # Apply rotary embeddings
    transformed = rope(query)

    # Visualize the embeddings
    plt.figure(figsize=(15, 6))

    # Extract and reshape the vectors for visualization
    vec1_orig = query[0, 0, 0].detach().numpy()
    vec1_transformed = transformed[0, 0, 0].detach().numpy()
    vec2_orig = query[0, 1, 0].detach().numpy()
```

```python
    vec2_transformed = transformed[0, 1, 0].detach().numpy()

    # Plot first 32 dimensions
    dims = 32

    # Plot the original and transformed vectors
    plt.subplot(2, 2, 1)
    plt.stem(range(dims), vec1_orig[:dims])
    plt.title("Original Vector 1 (First position)")
    plt.xlabel("Dimension")
    plt.ylabel("Value")

    plt.subplot(2, 2, 2)
    plt.stem(range(dims), vec1_transformed[:dims])
    plt.title("Rotated Vector 1")
    plt.xlabel("Dimension")

    plt.subplot(2, 2, 3)
    plt.stem(range(dims), vec2_orig[:dims])
    plt.title("Original Vector 2 (Second position)")
    plt.xlabel("Dimension")
    plt.ylabel("Value")

    plt.subplot(2, 2, 4)
    plt.stem(range(dims), vec2_transformed[:dims])
    plt.title("Rotated Vector 2")
    plt.xlabel("Dimension")

    plt.tight_layout()
    plt.savefig("rotary_embeddings_visualization.png")
    print("Visualization saved as 'rotary_embeddings_visualization.png'")

    # Demonstrate position-dependent inner products
    position_similarity()

def position_similarity():
    """
    Demonstrates how rotary embeddings maintain similarity within relative positions
    """
    dim = 64
    seq_len = 32
    rope = RotaryEmbedding(dim)

    # Create a batch of identical content vectors but at different positions
    # We'll use one-hot vectors for simplicity
    query = torch.zeros(1, seq_len, 1, dim)
    key = torch.zeros(1, seq_len, 1, dim)

    # Set the same content at each position
    query[:, :, :, 0] = 1.0
    key[:, :, :, 0] = 1.0
```

```python
    # Apply rotary embeddings
    query_rotary = rope(query)
    key_rotary = rope(key)

    # Compute similarity matrix
    # Without rotary embeddings (would be all 1s)
    vanilla_sim = torch.matmul(query.squeeze(2), key.squeeze(2).transpose(1, 2))

    # With rotary embeddings
    rotary_sim                        =                  torch.matmul(query_rotary.squeeze(2),
key_rotary.squeeze(2).transpose(1, 2))

    # Plot similarity matrix
    plt.figure(figsize=(12, 5))

    plt.subplot(1, 2, 1)
    plt.imshow(vanilla_sim.detach().numpy()[0], cmap='viridis')
    plt.title("Similarity Without Rotary Embeddings")
    plt.xlabel("Key Position")
    plt.ylabel("Query Position")
    plt.colorbar()

    plt.subplot(1, 2, 2)
    plt.imshow(rotary_sim.detach().numpy()[0], cmap='viridis')
    plt.title("Similarity With Rotary Embeddings")
    plt.xlabel("Key Position")
    plt.ylabel("Query Position")
    plt.colorbar()

    plt.tight_layout()
    plt.savefig("rotary_similarity.png")
    print("Similarity matrix saved as 'rotary_similarity.png'")

    # Print some insights
    print("\\nRotary Embeddings Insights:")
    print("1. The diagonal has highest similarity - tokens match best with themselves")
    print("2. Similarity decreases as positions get further apart")
    print("3. The pattern repeats with distance, showing relative position encoding")

    # Demonstrate that the pattern is translation-invariant
    check_translation_invariance(rotary_sim.detach().numpy()[0])

def check_translation_invariance(similarity_matrix):
    """
    Verify that rotary embeddings create translation-invariant patterns
    """
    size = similarity_matrix.shape[0]
    diagonals = []

    # Extract diagonals at different offsets
    for offset in range(1, min(5, size // 2)):
        diagonal = np.diagonal(similarity_matrix, offset=offset)
```

```python
        diagonals.append(diagonal)

    # Plot the first few diagonals to show they have similar patterns
    plt.figure(figsize=(10, 6))
    for i, diag in enumerate(diagonals):
        plt.plot(diag[:20], label=f"Offset {i+1}")

    plt.title("Translation Invariance of Rotary Embeddings")
    plt.xlabel("Position")
    plt.ylabel("Similarity")
    plt.legend()
    plt.grid(True)
    plt.tight_layout()
    plt.savefig("rotary_translation_invariance.png")
    print("Translation invariance plot saved as 'rotary_translation_invariance.png'")

if __name__ == "__main__":
    visualize_rotary_embeddings()
```

Analisi del codice: implementazione di Rotary Position Embedding

Questa implementazione completa dimostra come funzionano i rotary position embeddings (RoPE) nei moderni LLM, offrendo sia una comprensione intuitiva sia spunti pratici:

1. Implementazione principale

Classe RotaryEmbedding:

- Implementa il meccanismo completo di rotary position embedding descritto nel paper RoFormer

- Crea matrici di rotazione basate sulla frequenza usando frequenze spaziate esponenzialmente

- Memorizza nella cache i valori di sin/cos per evitare calcoli ripetuti durante l'inferenza

- Applica una rotazione complessa a ogni coppia di dimensioni nello spazio degli embedding

2. Funzioni chiave

_build_rotation_matrix():

- Calcola le frequenze per ogni coppia di dimensioni usando la formula $\theta_i = 10000^{(-2i/d)}$

- Crea angoli di rotazione dipendenti dalla posizione per tutte le possibili posizioni nella sequenza

- Memorizza nella cache sia i valori seno sia i valori coseno per efficienza

forward():

- Applica la rotazione agli embedding di input in base alla loro posizione nella sequenza

- Rimodella i tensori per eseguire in modo efficiente l'operazione di rotazione su ogni coppia di dimensioni

- Implementa la moltiplicazione della matrice di rotazione come descritto nel paper su RoPE

3. Visualizzazione e analisi

visualize_rotary_embeddings():

- Crea vettori di esempio e visualizza come si trasformano dopo l'applicazione dei rotary embeddings

- Dimostra come lo stesso vettore di contenuto ottenga codifiche diverse in posizioni differenti

- Genera grafici visivi che mostrano l'effetto della codifica sulle dimensioni degli embedding

position_similarity():

- Calcola matrici di similarità per dimostrare come i rotary embeddings influenzino le interazioni tra token

- Mostra che la similarità diventa dipendente dalla posizione con un caratteristico pattern diagonale

- Illustra perché i token a posizioni relative simili abbiano punteggi di attenzione più elevati

check_translation_invariance():

- Verifica la proprietà critica di translation invariance dei rotary embeddings

- Dimostra che il pattern di similarità si ripete attraverso diversi offset di posizione

- Spiega perché questa proprietà aiuti i modelli a generalizzare a sequenze più lunghe di quelle viste in training

4. Intuizioni chiave

Fondamento matematico:

- Mostra come i rotary embeddings implementino una rotazione complessa in ogni coppia di dimensioni

- Dimostra l'importanza della spaziatura delle frequenze per catturare l'informazione posizionale

- Illustra come RoPE codifichi le posizioni assolute preservando al tempo stesso l'informazione di posizione relativa

Benefici pratici:

- Evita di aggiungere vettori separati di position embedding, riducendo il numero di parametri

- Preserva la norma dell'embedding, stabilizzando il training e impedendo che l'informazione posizionale domini

- Ottiene translation invariance, migliorando la generalizzazione a lunghezze di sequenza non viste

Questo esempio fornisce una comprensione pratica del motivo per cui i rotary embeddings sono diventati lo standard de facto nelle moderne architetture LLM, sostituendo i precedenti absolute position embeddings e i meccanismi di attenzione relativa.

3.1.4 Perché tutto questo è importante

Questi tre componenti — **multi-head attention, rotary embeddings e normalizzazione** — sono i pilastri essenziali dei blocchi transformer, e ciascuno svolge una funzione distinta e cruciale nell'architettura.

La **multi-head attention** conferisce al modello la capacità di trovare relazioni all'interno di una sequenza. Elaborando le informazioni in parallelo attraverso più attention heads, il modello può concentrarsi simultaneamente su aspetti diversi dell'input. È come avere più lettori che esaminano lo stesso testo, ognuno con un focus o una prospettiva diversa, per poi combinare le loro intuizioni.

Il design "multi-head" è cruciale perché la comprensione del linguaggio richiede il tracciamento di numerosi tipi di relazioni. Ad esempio, alcune heads possono seguire relazioni sintattiche (come l'accordo soggetto-verbo o le coppie nome-aggettivo), mentre altre si concentrano su connessioni semantiche (come relazioni di causa-effetto o somiglianze concettuali) o associazioni fattuali (collegando entità ai loro attributi o ad altre entità correlate). Ogni head impara durante il training a prestare attenzione a pattern specifici, specializzandosi di fatto nel rilevare particolari tipi di relazioni.

Questa capacità di elaborazione parallela è ciò che consente agli LLM di mantenere coerenza in contesti lunghi e stabilire connessioni tra parti distanti di un testo. Quando generano una risposta su un argomento menzionato diversi paragrafi prima, le attention heads possono "guardare indietro" nell'intero contesto per recuperare e integrare le informazioni rilevanti. L'output collettivo di queste diverse attention heads fornisce una rappresentazione ricca e multidimensionale del testo in input, catturando sfumature impossibili da ottenere con un singolo meccanismo di attenzione.

La potenza della multi-head attention diventa particolarmente evidente nei compiti che richiedono ragionamento o analisi complessi. Ad esempio, quando si risponde a domande su un lungo passaggio, diverse heads possono seguire simultaneamente il focus della domanda, le entità rilevanti nel testo, le loro relazioni e i qualificatori contestuali — tutti elementi essenziali per produrre risposte accurate e contestualmente appropriate.

I **rotary embeddings** conferiscono al modello il senso dell'ordine e della consapevolezza posizionale. A differenza dei precedenti metodi di codifica posizionale, RoPE (Rotary Position Embedding) codifica elegantemente l'informazione di posizione direttamente nel meccanismo di attenzione stesso. Questa innovazione rappresenta un progresso significativo nel modo in cui i transformer gestiscono i dati sequenziali.

Le codifiche posizionali tradizionali, come quelle usate nel paper originale sul transformer, aggiungevano vettori di posizione separati agli embedding dei token. Al contrario, RoPE applica una rotazione matematica allo spazio di embedding esistente, codificando l'informazione posizionale attraverso l'angolo di rotazione invece che tramite vettori aggiuntivi. Questo approccio preserva la norma dell'embedding originale e l'informazione di contenuto, integrando al tempo stesso il contesto posizionale in modo fluido.

Questo consente al modello di capire che "il gatto insegue il topo" significa qualcosa di diverso da "il topo insegue il gatto", mantenendo al contempo la translation invariance — cioè la capacità di riconoscere pattern indipendentemente da dove compaiono in una sequenza. Quando elabora "il gatto insegue il topo", il modello riconosce non solo i singoli token, ma anche la loro disposizione specifica, con "gatto" nella posizione di soggetto e "topo" in quella di oggetto. Il rotary embedding assicura che queste relazioni posizionali siano preservate nelle rappresentazioni interne del modello.

La translation invariance è particolarmente preziosa perché significa che pattern appresi in una posizione possono essere riconosciuti anche in altre posizioni. Ad esempio, se il modello apprende il pattern "X causa

Y" in un contesto, può riconoscere la stessa relazione altrove nel testo senza doverla imparare separatamente per ogni posizione. Questa proprietà aiuta i modelli a generalizzare a lunghezze di sequenza superiori a quelle del training, consentendo loro di gestire documenti più lunghi senza un degrado significativo delle prestazioni.

Inoltre, RoPE ottiene implicitamente una codifica della posizione relativa tramite le sue proprietà matematiche. Quando si calcola l'attenzione tra token, la trasformazione rotativa assicura che token a distanze relative simili abbiano pattern di attenzione simili. Questo è cruciale per la comprensione del linguaggio, poiché molti pattern linguistici dipendono dalla posizione relativa più che da quella assoluta.

La **normalizzazione** mantiene stabile il training su larga scala prevenendo exploding o vanishing gradients. La layer normalization garantisce che le distribuzioni delle attivazioni rimangano coerenti in tutta la rete, cosa fondamentale quando si impilano decine di layer. Si può pensare alla normalizzazione come a una forza stabilizzante che regola il flusso di informazioni nella rete.

Tecnicamente, la layer normalization funziona calcolando la media e la varianza delle attivazioni all'interno di ciascun layer, per poi scalarle e traslarle così da mantenere una distribuzione standard (tipicamente con media 0 e varianza 1). Questo processo avviene indipendentemente per ogni esempio nel batch, rendendolo particolarmente adatto ai modelli sequenziali con lunghezze variabili.

Senza normalizzazione, le reti transformer profonde sarebbero quasi impossibili da addestrare efficacemente. Quando i gradienti si propagano all'indietro attraverso molti layer durante il training, possono crescere esponenzialmente (exploding) o ridursi quasi a zero (vanishing), impedendo alla rete di apprendere. La normalizzazione mitiga questi problemi mantenendo i valori delle attivazioni entro intervalli ragionevoli.

Una normalizzazione implementata correttamente aiuta inoltre il modello a rispondere in modo più uniforme a input di lunghezza e caratteristiche diverse. Questo è particolarmente importante nei language model, che devono elaborare di tutto: da frasi brevi a documenti lunghi. Normalizzando le attivazioni, il modello mantiene un comportamento coerente indipendentemente dalle specificità dell'input, migliorando la generalizzazione in contesti diversi.

Nei moderni LLM, la normalizzazione viene tipicamente applicata sia prima del meccanismo di attenzione (pre-normalization) sia dopo la feed-forward network (post-normalization), creando una struttura residuale che stabilizza ulteriormente il training. Questa disposizione accurata degli strati di normalizzazione si è dimostrata fondamentale per scalare i modelli a miliardi di parametri mantenendo la trainability.

Ogni LLM, da GPT a Mistral, è una torre costruita impilando decine o addirittura centinaia di questi blocchi. La profondità conferisce al modello livelli crescenti di astrazione e capacità di ragionamento. I layer iniziali catturano tipicamente pattern più semplici come sintassi e semantica di base, mentre quelli più profondi sviluppano capacità più complesse come ragionamento, summarization e conoscenza specifica di dominio. Comprendere questi componenti architetturali è fondamentale per capire perché i transformer funzionano così bene nei task linguistici e come riescano a raggiungere le loro notevoli capacità.

3.2 Profondità vs Ampiezza dei Transformer, trucchi di codifica posizionale (ALiBi, RoPE)

I modelli linguistici di grandi dimensioni non sono costruiti in una sola "dimensione". Gli ingegneri fanno compromessi quando decidono quanto un modello debba essere **profondo** (quanti layer) o **ampio** (quante unità nascoste e teste per layer). Queste decisioni architetturali influenzano in modo significativo sia le prestazioni sia i requisiti computazionali. I modelli più profondi, con più layer, possono elaborare le informazioni attraverso molteplici trasformazioni, consentendo un ragionamento più complesso, mentre i modelli più ampi possono elaborare più informazioni simultaneamente a ogni layer.

Ad esempio, un modello con 24 layer potrebbe eccellere in compiti di ragionamento multi-step ma richiedere più risorse computazionali rispetto a un modello con soli 12 layer. Allo stesso modo, aumentare la dimensione nascosta da 768 a 1536 consente al modello di rappresentare pattern più complessi a ogni passaggio, ma aumenta drasticamente l'uso di memoria e il costo computazionale.

Inoltre, poiché i transformer non hanno un senso intrinseco dell'ordine (trattano naturalmente l'input come un insieme piuttosto che come una sequenza), abbiamo bisogno di **strategie di codifica posizionale** come **RoPE** e **ALiBi** per aiutarli a comprendere la struttura sequenziale. Senza questi meccanismi, un transformer elaborerebbe "cat chases mouse" e "mouse chases cat" in modo identico, perdendo il significato critico che dipende dall'ordine delle parole.

Comprendere queste scelte di progettazione è fondamentale: determinano se un modello apprende in modo efficiente, generalizza bene e può estendersi a contesti più lunghi. Il giusto equilibrio tra profondità, ampiezza e codifica posizionale consente ai modelli di gestire compiti sempre più complessi mantenendo efficacemente sotto controllo i vincoli computazionali.

3.2.1 Profondità vs Ampiezza nei Transformer

I transformer sono composti da blocchi identici impilati, creando un'architettura di rete neurale che elabora i dati attraverso molteplici layer di processamento. Questo design a strati permette alle informazioni di fluire sequenzialmente nella rete, con ogni layer che si basa sulle rappresentazioni apprese dai layer precedenti. L'architettura transformer ha rivoluzionato il natural language processing consentendo il calcolo parallelo e catturando dipendenze a lungo raggio in modo più efficace rispetto alle precedenti reti neurali ricorrenti.

Ogni blocco transformer è un'unità autonoma contenente tre componenti essenziali:

1. **Meccanismi di multi-head attention**: Consentono al modello di concentrarsi su diverse parti dell'input simultaneamente. Ogni attention head può apprendere diversi pattern di relazione — alcuni possono concentrarsi su relazioni sintattiche, altri su connessioni semantiche, altri ancora su associazioni fattuali. Utilizzando più teste in parallelo, il modello può catturare vari aspetti del linguaggio contemporaneamente, in modo simile a come gli esseri umani elaborano più dimensioni del linguaggio allo stesso tempo.

2. **Layer di normalizzazione**: Stabilizzano l'apprendimento standardizzando le attivazioni. La layer normalization garantisce che le distribuzioni delle attivazioni rimangano coerenti durante l'addestramento, prevenendo che le rappresentazioni interne diventino troppo grandi o troppo piccole (problema dei gradienti esplosivi/svanenti). Questo è cruciale affinché le reti profonde apprendano efficacemente, mantenendo il flusso del gradiente attraverso molti layer.

3. **Reti feedforward**: Elaborano gli output dell'attenzione attraverso trasformazioni non lineari. Il componente feedforward consiste tipicamente in due trasformazioni lineari con un'attivazione ReLU nel mezzo, permettendo al modello di apprendere funzioni e rappresentazioni complesse a partire dall'output del meccanismo di attenzione. È qui che risiede gran parte della capacità rappresentativa del modello.

- **Profondità (Depth)** = il numero di blocchi transformer impilati verticalmente, che determina quanti layer sequenziali di elaborazione attraversano i dati. Una maggiore profondità consente trasformazioni più complesse e apprendimento gerarchico delle caratteristiche. Ogni layer aggiuntivo offre un'ulteriore opportunità per il modello di affinare la propria comprensione dell'input, permettendogli di catturare pattern sempre più astratti e di eseguire ragionamenti multi-step. Tuttavia, i modelli più profondi sono più costosi computazionalmente da addestrare ed eseguire e possono essere più soggetti a difficoltà di ottimizzazione.

- **Ampiezza (Width)** = la dimensione nascosta degli embedding (rappresentazioni vettoriali) e il numero di attention heads in ogni layer, che determina quanta informazione può essere elaborata in parallelo a ogni passaggio. I modelli più ampi hanno una maggiore capacità di rappresentare informazioni dettagliate a ogni layer. La dimensione nascosta controlla quanto ricche possono essere le rappresentazioni dei token (quante caratteristiche possono essere codificate), mentre il numero di attention heads determina quanti pattern di relazione diversi possono essere appresi simultaneamente. Aumentare l'ampiezza migliora la capacità del modello di memorizzare informazioni e riconoscere pattern, ma comporta aumenti quadratici nell'uso della memoria e nei requisiti computazionali.

Trade-off nella progettazione dell'architettura:

I modelli più profondi possono catturare caratteristiche gerarchiche e relazioni più complesse. Con più layer, il modello elabora le informazioni attraverso molteplici trasformazioni, abilitando una sorta di gerarchia computazionale simile a come gli esseri umani costruiscono la comprensione attraverso livelli di astrazione. Ogni layer aggiuntivo fornisce un'altra opportunità per il modello di affinare la propria comprensione dei dati in input.

Ad esempio, nella comprensione del linguaggio, i layer iniziali possono concentrarsi su pattern sintattici di base (come l'accordo soggetto-verbo), i layer intermedi possono identificare relazioni semantiche ed entità, mentre i layer più profondi integrano queste informazioni per eseguire ragionamenti e generare risposte coerenti. Questa astrazione progressiva consente ai modelli più profondi di:

- Eseguire processi di ragionamento multi-step che richiedono concatenare più operazioni logiche

- Tracciare dipendenze e relazioni tra token molto distanti nel testo

- Costruire rappresentazioni sempre più astratte che catturano concetti complessi piuttosto che semplici pattern superficiali

- Mantenere coerenza su output più lunghi tenendo traccia di strutture narrative o argomentative più ampie

È come la differenza tra pensiero superficiale e pensiero profondo negli esseri umani: il primo identifica rapidamente pattern superficiali, mentre il secondo richiede più passaggi di elaborazione per arrivare a conclusioni sofisticate.

I modelli più ampi hanno una maggiore capacità rappresentativa in ogni layer di elaborazione. L'ampiezza nei transformer funziona come un'autostrada dell'informazione, determinando quanto dettaglio può fluire attraverso ogni layer della rete. Aumentando la dimensione nascosta o aggiungendo più attention heads, i modelli acquisiscono diverse capacità cruciali:

Con dimensioni nascoste più ampie, ogni token può essere rappresentato con un insieme più ricco di caratteristiche — simile a descrivere un oggetto con più attributi o caratteristiche. Questo consente distinzioni più sottili tra concetti e una memoria più dettagliata delle informazioni contestuali.

Le multiple attention heads funzionano come unità di elaborazione parallela, ciascuna specializzata in diversi pattern di relazione:

- Alcune teste possono tracciare dipendenze grammaticali

- Altre possono concentrarsi sulle relazioni tra entità

- Altre ancora possono seguire elementi discorsivi come la struttura argomentativa o il flusso narrativo

- Possono emergere teste specializzate per pattern specifici di dominio in contenuti tecnici o creativi

Questo meccanismo di attenzione parallela consente al modello di considerare simultaneamente più aspetti del linguaggio, in modo simile a come gli esseri umani possono elaborare sia il significato letterale delle parole sia le loro connotazioni emotive allo stesso tempo.

Se un modello è troppo ampio ma poco profondo, può eccellere nel riconoscimento di pattern e nella memorizzazione ma avere difficoltà nei compiti di ragionamento complesso. Queste architetture privilegiano l'ampiezza rispetto alla profondità, creando modelli con grande potenza computazionale a ogni layer ma con un'elaborazione sequenziale insufficiente per costruire una comprensione gerarchica sofisticata.

I modelli larghi e poco profondi presentano diverse limitazioni:

- Tendono a fare forte affidamento sulla memorizzazione dei pattern visti durante l'addestramento, diventando di fatto sofisticate tabelle di lookup piuttosto che sviluppare vere capacità di ragionamento

- Hanno difficoltà con compiti composizionali che richiedono costruire la comprensione attraverso più passaggi

- Spesso performano bene su compiti molto simili ai dati di addestramento ma falliscono nel generalizzare a scenari nuovi

- Possono produrre output fluenti a livello superficiale ma privi di coerenza logica o accuratezza fattuale

Un'analogia nel mondo reale sarebbe una persona con una memoria eccellente ma capacità analitiche limitate: può ricordare fatti e pattern già visti, ma fatica quando deve derivare nuove intuizioni o risolvere problemi inediti che richiedono ragionamento multi-step.

Se un modello è molto profondo ma stretto, può incontrare difficoltà di addestramento tra cui gradienti esplosivi/svanenti e inefficienza computazionale. Questi modelli hanno teoricamente la capacità sequenziale per il ragionamento complesso, ma la loro ampiezza limitata crea colli di bottiglia informativi a ogni layer.

I modelli profondi e stretti affrontano diverse sfide pratiche:

- Colli di bottiglia informativi: la ridotta ampiezza limita quante informazioni possono fluire attraverso ogni layer, con possibile perdita di dettagli importanti

- Difficoltà di ottimizzazione: durante l'addestramento, i gradienti che scorrono all'indietro attraverso molti layer tendono a ridursi verso zero (vanishing) o a crescere esponenzialmente (exploding)

- Convergenza più lenta: l'addestramento richiede spesso una messa a punto più attenta degli iperparametri e tempi più lunghi per raggiungere prestazioni ottimali

- Ridotta elaborazione parallela: i modelli più stretti non possono sfruttare tanto il calcolo parallelo, aumentando potenzialmente i tempi di addestramento e inferenza

Questi modelli richiedono tecniche specializzate per essere addestrati efficacemente, tra cui:

- Connessioni residuali che creano scorciatoie per il flusso del gradiente

- Layer normalization posizionata strategicamente nella rete

- Strategie di inizializzazione attente per prevenire instabilità nelle fasi iniziali dell'addestramento

- Gradient clipping per prevenire gradienti esplosivi

L'architettura ideale spesso bilancia profondità e ampiezza in base ai requisiti specifici del compito, ai vincoli computazionali e alle leggi di scaling che governano come le prestazioni migliorano con la dimensione del modello.

Esempi di implementazione nel mondo reale:

- **GPT-5 (600B)** utilizza un'architettura rivoluzionaria basata sulla profondità con 160 layer transformer, consentendo capacità di ragionamento multi-step senza precedenti. Questo progresso architetturale permette a GPT-5 di gestire compiti straordinariamente complessi che richiedono elaborazione sequenziale profonda, anche se con requisiti computazionali significativamente più elevati. L'eccezionale profondità del modello contribuisce alla sua superiore capacità di mantenere coerenza su passaggi estremamente lunghi e di eseguire ragionamenti sofisticati multi-step. Ogni layer in GPT-5 si costruisce sul precedente con maggiore efficienza, creando rappresentazioni altamente astratte che catturano relazioni intricate tra concetti, in modo simile ai processi cognitivi umani avanzati. Questa profondità è particolarmente cruciale per compiti come la generazione di contenuti altamente tecnici, la risoluzione di problemi complessi multi-dimensionali e il mantenimento di una coerenza tematica precisa su decine di migliaia di token.

- **LLaMA-2 7B** rappresenta un approccio più bilanciato con profondità moderata e ampiezza attentamente calibrata. Questo design raggiunge prestazioni notevoli mantenendo requisiti computazionali ragionevoli. I ricercatori di Meta hanno ottimizzato questa architettura attraverso ampi studi di ablation per trovare il punto ideale tra profondità, ampiezza e numero totale di parametri. Il modello LLaMA-2 7B utilizza 32 layer transformer con una dimensione nascosta di 4096 e 32 attention heads, creando un'architettura che elabora le informazioni in modo efficiente mantenendo gestibili i costi computazionali. Questo equilibrio lo rende adatto al deployment in ambienti con risorse limitate pur offrendo prestazioni solide su un'ampia gamma di compiti di natural language processing. Il modello dimostra come una progettazione architetturale attenta possa ottenere risultati eccellenti senza necessariamente scalare alle dimensioni massime possibili.

- **Mistral 7B** ha introdotto innovazioni architetturali che vanno oltre i semplici compromessi tra profondità e ampiezza. Pur mantenendo dimensioni competitive, ha integrato tecniche di Mixture of Experts (MoE) in cui solo un sottoinsieme dei parametri viene attivato per ogni input. Questo approccio consente al modello di ottenere una maggiore capacità effettiva senza aumentare proporzionalmente i costi computazionali durante l'inferenza, rappresentando un'evoluzione oltre le semplici decisioni di scaling. L'architettura Mistral utilizza Grouped-Query Attention e meccanismi di sliding window attention per migliorare l'efficienza, soprattutto nella gestione di contesti lunghi. Attivando solo i parametri "esperti" più rilevanti per ogni token di input, Mistral raggiunge prestazioni paragonabili a modelli molto più grandi richiedendo significativamente meno risorse computazionali durante l'inferenza. Questa strategia di attivazione selettiva rappresenta un cambiamento fondamentale rispetto all'approccio tradizionale dei transformer, in cui tutti i parametri vengono attivati per ogni token, indicando una direzione più efficiente per lo scaling dei futuri modelli linguistici.

Esempio di codice: Depth vs Width

```python
import torch
import torch.nn as nn
import matplotlib.pyplot as plt
import time
import numpy as np

# Define a shallow but wide transformer
class WideTransformer(nn.Module):
    def __init__(self, vocab_size=10000, hidden_dim=1024, depth=6, nhead=16, dropout=0.1):
        super().__init__()
        # Token embedding layer
        self.embedding = nn.Embedding(vocab_size, hidden_dim)
        # Positional encoding
        self.pos_encoding = PositionalEncoding(hidden_dim)
        # Stack of transformer layers
        self.layers = nn.ModuleList([
            nn.TransformerEncoderLayer(
                d_model=hidden_dim,
                nhead=nhead,
                dim_feedforward=hidden_dim * 4,
                dropout=dropout
            ) for _ in range(depth)
        ])
        # Final output layer
        self.output = nn.Linear(hidden_dim, vocab_size)

        # Architecture metadata
        self.hidden_dim = hidden_dim
        self.depth = depth
        self.nhead = nhead
        self.params = self.count_parameters()
```

```python
    def forward(self, x):
        # Convert token ids to embeddings
        x = self.embedding(x) * np.sqrt(self.hidden_dim)
        # Add positional encoding
        x = self.pos_encoding(x)
        # Pass through transformer layers
        for layer in self.layers:
            x = layer(x)
        # Project back to vocabulary space
        x = self.output(x)
        return x

    def count_parameters(self):
        return sum(p.numel() for p in self.parameters() if p.requires_grad)

# Define a deep but narrow transformer
class DeepTransformer(nn.Module):
    def __init__(self, vocab_size=10000, hidden_dim=256, depth=24, nhead=4,
dropout=0.1):
        super().__init__()
        # Token embedding layer
        self.embedding = nn.Embedding(vocab_size, hidden_dim)
        # Positional encoding
        self.pos_encoding = PositionalEncoding(hidden_dim)
        # Stack of transformer layers
        self.layers = nn.ModuleList([
            nn.TransformerEncoderLayer(
                d_model=hidden_dim,
                nhead=nhead,
                dim_feedforward=hidden_dim * 4,
                dropout=dropout
            ) for _ in range(depth)
        ])
        # Final output layer
        self.output = nn.Linear(hidden_dim, vocab_size)

        # Architecture metadata
        self.hidden_dim = hidden_dim
        self.depth = depth
        self.nhead = nhead
        self.params = self.count_parameters()

    def forward(self, x):
        # Convert token ids to embeddings
        x = self.embedding(x) * np.sqrt(self.hidden_dim)
        # Add positional encoding
        x = self.pos_encoding(x)
        # Pass through transformer layers
        for layer in self.layers:
            x = layer(x)
        # Project back to vocabulary space
```

```python
        x = self.output(x)
        return x

    def count_parameters(self):
        return sum(p.numel() for p in self.parameters() if p.requires_grad)

# Standard Sinusoidal Positional Encoding
class PositionalEncoding(nn.Module):
    def __init__(self, d_model, max_len=5000):
        super().__init__()
        # Create positional encoding matrix
        pe = torch.zeros(max_len, d_model)
        position = torch.arange(0, max_len, dtype=torch.float).unsqueeze(1)
        div_term = torch.exp(torch.arange(0, d_model, 2).float() * (-np.log(10000.0)
/ d_model))

        # Apply sine to even indices
        pe[:, 0::2] = torch.sin(position * div_term)
        # Apply cosine to odd indices
        pe[:, 1::2] = torch.cos(position * div_term)

        # Register as buffer (not a parameter, but part of state)
        self.register_buffer('pe', pe.unsqueeze(0))

    def forward(self, x):
        # Add positional encoding to input embeddings
        return x + self.pe[:, :x.size(1)]

# Let's compare these models
def compare_models():
    # Initialize models
    wide_model = WideTransformer()
    deep_model = DeepTransformer()

    # Print architecture details
    print(f"Wide Model: {wide_model.depth} layers, {wide_model.hidden_dim} hidden dim,
{wide_model.nhead} heads")
    print(f"Wide Model Parameters: {wide_model.params:,}")

    print(f"Deep Model: {deep_model.depth} layers, {deep_model.hidden_dim} hidden dim,
{deep_model.nhead} heads")
    print(f"Deep Model Parameters: {deep_model.params:,}")

    # Generate sample input
    batch_size = 16
    seq_len = 128
    sample_input = torch.randint(0, 10000, (batch_size, seq_len))

    # Compare forward pass speed
    start_time = time.time()
    with torch.no_grad():
        wide_output = wide_model(sample_input)
```

```python
    wide_time = time.time() - start_time

    start_time = time.time()
    with torch.no_grad():
        deep_output = deep_model(sample_input)
    deep_time = time.time() - start_time

    print(f"Wide Model Forward Pass: {wide_time:.4f} seconds")
    print(f"Deep Model Forward Pass: {deep_time:.4f} seconds")

    # Visualize parameter distribution
    fig, ax = plt.subplots(1, 2, figsize=(15, 5))

    # Wide model
    layer_params_wide = [sum(p.numel() for p in layer.parameters() if p.requires_grad)
                         for layer in wide_model.layers]
    ax[0].bar(range(len(layer_params_wide)), layer_params_wide)
    ax[0].set_title('Wide Model - Parameters per Layer')
    ax[0].set_xlabel('Layer Index')
    ax[0].set_ylabel('Parameter Count')

    # Deep model
    layer_params_deep = [sum(p.numel() for p in layer.parameters() if p.requires_grad)
                         for layer in deep_model.layers]
    ax[1].bar(range(len(layer_params_deep)), layer_params_deep)
    ax[1].set_title('Deep Model - Parameters per Layer')
    ax[1].set_xlabel('Layer Index')
    ax[1].set_ylabel('Parameter Count')

    plt.tight_layout()
    plt.savefig('model_comparison.png')
    print("Visualization saved as 'model_comparison.png'")

# Call the comparison function
if __name__ == "__main__":
    compare_models()
```

Analisi del codice: Profondità vs Ampiezza nell'architettura Transformer

Questo codice mostra due architetture transformer contrapposte: un modello ampio ma poco profondo e un modello profondo ma stretto. Ecco i componenti chiave nel dettaglio:

1. Architetture dei modelli

- **WideTransformer**: presenta 6 layer con una grande dimensione nascosta (1024) e molte attention heads (16). Questo design dà priorità alla cattura di molti pattern differenti in parallelo a ogni layer.

- **DeepTransformer**: contiene 24 layer con una dimensione nascosta più piccola (256) e meno attention heads (4). Questo design enfatizza l'elaborazione sequenziale attraverso molte trasformazioni.

2. Componenti chiave

- **Embedding Layer**: converte gli ID dei token in rappresentazioni vettoriali con dimensionalità corrispondente alla dimensione nascosta del modello.

- **Positional Encoding**: aggiunge informazioni sulla posizione nella sequenza utilizzando il metodo sinusoidale standard del paper originale "Attention is All You Need".

- **Transformer Layers**: ciascuno contiene self-attention (con un numero di heads specifico per il modello) e reti feedforward.

- **Output Projection**: mappa gli stati nascosti finali nello spazio del vocabolario per la previsione del token successivo.

3. Trade-off architetturali

- **Efficienza dei parametri**: nonostante le loro differenze architetturali, entrambi i modelli possono essere configurati per avere un numero simile di parametri. Il modello ampio concentra i parametri in meno layer, mentre il modello profondo li distribuisce su più layer.

- **Caratteristiche computazionali**:
  - Modello ampio: maggiore calcolo parallelo all'interno di ogni layer, con un potenziale migliore utilizzo delle risorse GPU.
  - Modello profondo: più dipendenze sequenziali, richiede più iterazioni ma con operazioni su matrici più piccole per ogni iterazione.

- **Dinamiche di apprendimento**:
  - Modello ampio: migliore nel catturare simultaneamente pattern diversi, ma può avere difficoltà nel ragionamento multi-step.
  - Modello profondo: migliore nel ragionamento composizionale, ma potenzialmente più difficile da addestrare a causa delle sfide legate al flusso del gradiente.

4. Utility di confronto

Il codice include utility per:

- Contare i parametri di ciascun modello

- Misurare il tempo di esecuzione del forward pass

- Visualizzare la distribuzione dei parametri nei vari layer

Questo confronto aiuta a illustrare perché i moderni LLM come GPT-4 utilizzano un approccio bilanciato, con sia una profondità significativa (decine di layer) sia un'ampiezza significativa (migliaia di dimensioni), sfruttando i punti di forza di entrambi i paradigmi architetturali.

Esempio: confronto tra tecniche di codifica posizionale

```python
import torch
import torch.nn as nn
import torch.nn.functional as F
```

```python
import numpy as np
import matplotlib.pyplot as plt
import time

# ===============================
# Position Encoding Techniques
# ===============================

class SinusoidalPositionalEncoding(nn.Module):
    """Traditional sinusoidal position embeddings from 'Attention Is All You Need'"""
    def __init__(self, d_model, max_seq_len=2048):
        super().__init__()
        pe = torch.zeros(max_seq_len, d_model)
        position = torch.arange(0, max_seq_len, dtype=torch.float).unsqueeze(1)
        div_term = torch.exp(torch.arange(0, d_model, 2).float() * (-np.log(10000.0)
/ d_model))
        pe[:, 0::2] = torch.sin(position * div_term)
        pe[:, 1::2] = torch.cos(position * div_term)
        self.register_buffer('pe', pe.unsqueeze(0))

    def forward(self, x):
        # x: [batch_size, seq_len, d_model]
        return x + self.pe[:, :x.size(1)]

class LearnedPositionalEncoding(nn.Module):
    """Learned position embeddings"""
    def __init__(self, d_model, max_seq_len=2048):
        super().__init__()
        self.embedding = nn.Embedding(max_seq_len, d_model)

    def forward(self, x):
        # x: [batch_size, seq_len, d_model]
        positions                                = torch.arange(x.size(1),
device=x.device).unsqueeze(0).expand(x.size(0), -1)
        pos_embeddings = self.embedding(positions)
        return x + pos_embeddings

class RoPEAttention(nn.Module):
    """Self-attention with Rotary Position Embedding (RoPE)"""
    def __init__(self, d_model, num_heads):
        super().__init__()
        self.d_model = d_model
        self.num_heads = num_heads
        self.head_dim = d_model // num_heads
        assert d_model % num_heads == 0, "d_model must be divisible by num_heads"

        # Linear projections
        self.q_proj = nn.Linear(d_model, d_model)
        self.k_proj = nn.Linear(d_model, d_model)
        self.v_proj = nn.Linear(d_model, d_model)
        self.out_proj = nn.Linear(d_model, d_model)
```

```python
        # Initialize RoPE parameters
        self.init_rope_parameters()

    def init_rope_parameters(self, base=10000.0):
        # Generate the frequency pair for complex-valued rotation
        theta = 1.0 / (base ** (torch.arange(0, self.head_dim, 2).float() /
self.head_dim))
        self.register_buffer('theta', theta)

    def apply_rope(self, x, seq_len):
        # x: [batch_size, num_heads, seq_len, head_dim]
        device = x.device
        batch_size, num_heads, seq_len, head_dim = x.shape

        # Create position indices
        positions = torch.arange(seq_len, device=device).float().unsqueeze(1)    #
[seq_len, 1]

        # Create frequency for complex-valued rotation
        freqs = positions * self.theta.unsqueeze(0)  # [seq_len, head_dim/2]

        # Compute cos and sin
        cos = torch.cos(freqs).view(1, 1, seq_len, head_dim // 2, 1).repeat(1, 1, 1,
1, 2).view(1, 1, seq_len, head_dim)
        sin = torch.sin(freqs).view(1, 1, seq_len, head_dim // 2, 1).repeat(1, 1, 1,
1, 2).view(1, 1, seq_len, head_dim)

        # Apply rotary embedding
        # For even indices: x_even = x_even * cos - x_odd * sin
        # For odd indices: x_odd = x_odd * cos + x_even * sin
        x_reshaped = x.view(batch_size, num_heads, seq_len, head_dim // 2, 2)
        x_even = x_reshaped[..., 0]
        x_odd = x_reshaped[..., 1]

        # Reshape cos and sin for broadcasting
        cos = cos.view(1, 1, seq_len, head_dim // 2, 2)[..., 0]
        sin = sin.view(1, 1, seq_len, head_dim // 2, 2)[..., 0]

        x_rotated_even = x_even * cos - x_odd * sin
        x_rotated_odd = x_odd * cos + x_even * sin

        # Recombine into original shape
        x_rotated = torch.stack([x_rotated_even, x_rotated_odd], dim=-1)
        x_rotated = x_rotated.view(batch_size, num_heads, seq_len, head_dim)

        return x_rotated

    def forward(self, x):
        # x: [batch_size, seq_len, d_model]
        batch_size, seq_len, d_model = x.shape

        # Linear projections
```

```python
        q      =       self.q_proj(x).view(batch_size,      seq_len,      self.num_heads,
self.head_dim).transpose(1, 2)
        k      =       self.k_proj(x).view(batch_size,      seq_len,      self.num_heads,
self.head_dim).transpose(1, 2)
        v      =       self.v_proj(x).view(batch_size,      seq_len,      self.num_heads,
self.head_dim).transpose(1, 2)

        # Apply RoPE to queries and keys
        q = self.apply_rope(q, seq_len)
        k = self.apply_rope(k, seq_len)

        # Compute attention scores
        scores = torch.matmul(q, k.transpose(-1, -2)) / (self.head_dim ** 0.5)   #
[batch_size, num_heads, seq_len, seq_len]
        attn_weights = F.softmax(scores, dim=-1)

        # Apply attention to values
        output = torch.matmul(attn_weights, v)   # [batch_size, num_heads, seq_len,
head_dim]
        output   =   output.transpose(1,   2).contiguous().view(batch_size,   seq_len,
d_model)

        # Final linear projection
        return self.out_proj(output)

class ALiBiAttention(nn.Module):
    """Self-attention with Attention with Linear Biases (ALiBi)"""
    def __init__(self, d_model, num_heads, max_seq_len=2048):
        super().__init__()
        self.d_model = d_model
        self.num_heads = num_heads
        self.head_dim = d_model // num_heads
        assert d_model % num_heads == 0, "d_model must be divisible by num_heads"

        # Linear projections
        self.q_proj = nn.Linear(d_model, d_model)
        self.k_proj = nn.Linear(d_model, d_model)
        self.v_proj = nn.Linear(d_model, d_model)
        self.out_proj = nn.Linear(d_model, d_model)

        # Initialize ALiBi bias
        self.init_alibi_bias(max_seq_len)

    def init_alibi_bias(self, max_seq_len):
        # Create slopes
        slopes   =   torch.tensor([2   **   (-8   *   (i   /   self.num_heads))   for   i   in
range(self.num_heads)])

        # Create ALiBi bias matrix
        bias = torch.zeros(self.num_heads, max_seq_len, max_seq_len)
        for h, slope in enumerate(slopes):
            for i in range(max_seq_len):
```

```python
                for j in range(max_seq_len):
                    bias[h, i, j] = -slope * abs(i - j)  # Linear penalty based on
distance

        self.register_buffer('alibi_bias', bias)

    def forward(self, x):
        # x: [batch_size, seq_len, d_model]
        batch_size, seq_len, d_model = x.shape

        # Linear projections
        q       =       self.q_proj(x).view(batch_size,      seq_len,      self.num_heads,
self.head_dim).transpose(1, 2)
        k       =       self.k_proj(x).view(batch_size,      seq_len,      self.num_heads,
self.head_dim).transpose(1, 2)
        v       =       self.v_proj(x).view(batch_size,      seq_len,      self.num_heads,
self.head_dim).transpose(1, 2)

        # Compute attention scores
        scores = torch.matmul(q, k.transpose(-1, -2)) / (self.head_dim ** 0.5)   #
[batch_size, num_heads, seq_len, seq_len]

        # Apply ALiBi bias
        scores = scores + self.alibi_bias[:, :seq_len, :seq_len].unsqueeze(0)

        attn_weights = F.softmax(scores, dim=-1)

        # Apply attention to values
        output = torch.matmul(attn_weights, v)  # [batch_size, num_heads, seq_len,
head_dim]
        output  =  output.transpose(1,  2).contiguous().view(batch_size,  seq_len,
d_model)

        # Final linear projection
        return self.out_proj(output)

# ===============================
# Transformer Blocks with Different Positional Encodings
# ===============================

class TransformerBlockWithSinusoidal(nn.Module):
    """Transformer block with traditional sinusoidal positional encoding"""
    def __init__(self, d_model, num_heads, d_ff, dropout=0.1):
        super().__init__()
        self.pos_encoding = SinusoidalPositionalEncoding(d_model)
        self.self_attn = nn.MultiheadAttention(d_model, num_heads, dropout=dropout,
batch_first=True)
        self.ff = nn.Sequential(
            nn.Linear(d_model, d_ff),
            nn.GELU(),
            nn.Linear(d_ff, d_model)
        )
```

```python
        self.norm1 = nn.LayerNorm(d_model)
        self.norm2 = nn.LayerNorm(d_model)
        self.dropout = nn.Dropout(dropout)

    def forward(self, x):
        # x: [batch_size, seq_len, d_model]
        x = self.pos_encoding(x)
        attn_out, _ = self.self_attn(x, x, x)
        x = x + self.dropout(attn_out)
        x = self.norm1(x)
        ff_out = self.ff(x)
        x = x + self.dropout(ff_out)
        x = self.norm2(x)
        return x

class TransformerBlockWithRoPE(nn.Module):
    """Transformer block with RoPE-based attention"""
    def __init__(self, d_model, num_heads, d_ff, dropout=0.1):
        super().__init__()
        self.self_attn = RoPEAttention(d_model, num_heads)
        self.ff = nn.Sequential(
            nn.Linear(d_model, d_ff),
            nn.GELU(),
            nn.Linear(d_ff, d_model)
        )
        self.norm1 = nn.LayerNorm(d_model)
        self.norm2 = nn.LayerNorm(d_model)
        self.dropout = nn.Dropout(dropout)

    def forward(self, x):
        # x: [batch_size, seq_len, d_model]
        attn_out = self.self_attn(self.norm1(x))
        x = x + self.dropout(attn_out)
        ff_out = self.ff(self.norm2(x))
        x = x + self.dropout(ff_out)
        return x

class TransformerBlockWithALiBi(nn.Module):
    """Transformer block with ALiBi-based attention"""
    def __init__(self, d_model, num_heads, d_ff, dropout=0.1, max_seq_len=2048):
        super().__init__()
        self.self_attn = ALiBiAttention(d_model, num_heads, max_seq_len)
        self.ff = nn.Sequential(
            nn.Linear(d_model, d_ff),
            nn.GELU(),
            nn.Linear(d_ff, d_model)
        )
        self.norm1 = nn.LayerNorm(d_model)
        self.norm2 = nn.LayerNorm(d_model)
        self.dropout = nn.Dropout(dropout)

    def forward(self, x):
```

```python
        # x: [batch_size, seq_len, d_model]
        attn_out = self.self_attn(self.norm1(x))
        x = x + self.dropout(attn_out)
        ff_out = self.ff(self.norm2(x))
        x = x + self.dropout(ff_out)
        return x


# =================================
# Complete Models: Wide vs Deep with Different Position Encodings
# =================================

class WideTransformerWithRoPE(nn.Module):
    """Wide but shallow transformer with RoPE"""
    def __init__(self, vocab_size=10000, hidden_dim=1024, depth=6, num_heads=16,
dropout=0.1):
        super().__init__()
        self.embedding = nn.Embedding(vocab_size, hidden_dim)

        # Stack of transformer layers
        self.layers = nn.ModuleList([
            TransformerBlockWithRoPE(
                d_model=hidden_dim,
                num_heads=num_heads,
                d_ff=hidden_dim * 4,
                dropout=dropout
            ) for _ in range(depth)
        ])

        # Final output layer
        self.output = nn.Linear(hidden_dim, vocab_size)

        # Architecture metadata
        self.hidden_dim = hidden_dim
        self.depth = depth
        self.num_heads = num_heads
        self.params = sum(p.numel() for p in self.parameters() if p.requires_grad)

    def forward(self, x):
        # x: [batch_size, seq_len] - input token IDs
        # Convert token IDs to embeddings
        x = self.embedding(x)

        # Pass through transformer layers
        for layer in self.layers:
            x = layer(x)

        # Project back to vocabulary space
        x = self.output(x)
        return x

class DeepTransformerWithALiBi(nn.Module):
    """Deep but narrow transformer with ALiBi"""
```

```python
    def __init__(self, vocab_size=10000, hidden_dim=256, depth=24, num_heads=4,
dropout=0.1, max_seq_len=2048):
        super().__init__()
        self.embedding = nn.Embedding(vocab_size, hidden_dim)

        # Stack of transformer layers
        self.layers = nn.ModuleList([
            TransformerBlockWithALiBi(
                d_model=hidden_dim,
                num_heads=num_heads,
                d_ff=hidden_dim * 4,
                dropout=dropout,
                max_seq_len=max_seq_len
            ) for _ in range(depth)
        ])

        # Final output layer
        self.output = nn.Linear(hidden_dim, vocab_size)

        # Architecture metadata
        self.hidden_dim = hidden_dim
        self.depth = depth
        self.num_heads = num_heads
        self.params = sum(p.numel() for p in self.parameters() if p.requires_grad)

    def forward(self, x):
        # x: [batch_size, seq_len] - input token IDs
        # Convert token IDs to embeddings
        x = self.embedding(x)

        # Pass through transformer layers
        for layer in self.layers:
            x = layer(x)

        # Project back to vocabulary space
        x = self.output(x)
        return x


# ===============================
# Evaluation Functions
# ===============================

def compare_position_encodings():
    """Compare different position encoding techniques"""

    # Define dimensions
    d_model = 128
    seq_len = 512
    batch_size = 4

    # Initialize position encodings
    sinusoidal = SinusoidalPositionalEncoding(d_model)
```

```python
learned = LearnedPositionalEncoding(d_model)
rope_attn = RoPEAttention(d_model, num_heads=4)
alibi_attn = ALiBiAttention(d_model, num_heads=4)

# Create random input
x = torch.randn(batch_size, seq_len, d_model)

# Apply position encodings
sin_encoded = sinusoidal(x)
learned_encoded = learned(x)

# Time execution
start_time = time.time()
sin_encoded = sinusoidal(x)
sin_time = time.time() - start_time

start_time = time.time()
learned_encoded = learned(x)
learned_time = time.time() - start_time

# For attention modules, we time the full forward pass
start_time = time.time()
rope_out = rope_attn(x)
rope_time = time.time() - start_time

start_time = time.time()
alibi_out = alibi_attn(x)
alibi_time = time.time() - start_time

# Print results
print(f"Position Encoding Comparison:")
print(f"Sinusoidal: {sin_time:.4f} seconds")
print(f"Learned: {learned_time:.4f} seconds")
print(f"RoPE (full attention): {rope_time:.4f} seconds")
print(f"ALiBi (full attention): {alibi_time:.4f} seconds")

# Test extrapolation to longer sequences
x_long = torch.randn(batch_size, seq_len * 2, d_model)

# Check extrapolation capabilities
try:
    sin_long = sinusoidal(x_long)
    print("Sinusoidal can handle 2x sequence length")
except:
    print("Sinusoidal failed at 2x sequence length")

try:
    learned_long = learned(x_long)
    print("Learned can handle 2x sequence length")
except:
    print("Learned failed at 2x sequence length")
```

```python
try:
    rope_long = rope_attn(x_long)
    print("RoPE can handle 2x sequence length")
except:
    print("RoPE failed at 2x sequence length")

try:
    alibi_long = alibi_attn(x_long)
    print("ALiBi can handle 2x sequence length")
except:
    print("ALiBi failed at 2x sequence length")

# Visualize position encoding similarity matrices
plt.figure(figsize=(20, 5))

# Sinusoidal
plt.subplot(1, 4, 1)
sim_matrix = torch.matmul(sin_encoded[0], sin_encoded[0].transpose(-1, -2))
plt.imshow(sim_matrix.detach().numpy(), cmap='viridis')
plt.title("Sinusoidal Position Encoding\\nSimilarity Matrix")

# Learned
plt.subplot(1, 4, 2)
sim_matrix = torch.matmul(learned_encoded[0], learned_encoded[0].transpose(-1, -
2))
plt.imshow(sim_matrix.detach().numpy(), cmap='viridis')
plt.title("Learned Position Encoding\\nSimilarity Matrix")

# RoPE - using raw attention scores
plt.subplot(1, 4, 3)
q    =    rope_attn.q_proj(x[0:1]).view(1,    seq_len,    rope_attn.num_heads,
rope_attn.head_dim).transpose(1, 2)
k    =    rope_attn.k_proj(x[0:1]).view(1,    seq_len,    rope_attn.num_heads,
rope_attn.head_dim).transpose(1, 2)
q_rope = rope_attn.apply_rope(q, seq_len)
k_rope = rope_attn.apply_rope(k, seq_len)
attn_scores = torch.matmul(q_rope, k_rope.transpose(-1, -2))[0, 0]
plt.imshow(attn_scores.detach().numpy(), cmap='viridis')
plt.title("RoPE\\nAttention Scores")

# ALiBi - using raw attention scores
plt.subplot(1, 4, 4)
q    =    alibi_attn.q_proj(x[0:1]).view(1,    seq_len,    alibi_attn.num_heads,
alibi_attn.head_dim).transpose(1, 2)
k    =    alibi_attn.k_proj(x[0:1]).view(1,    seq_len,    alibi_attn.num_heads,
alibi_attn.head_dim).transpose(1, 2)
attn_scores = torch.matmul(q, k.transpose(-1, -2))[0, 0]
alibi_bias_scores = alibi_attn.alibi_bias[0, :seq_len, :seq_len]
attn_scores = attn_scores + alibi_bias_scores
plt.imshow(attn_scores.detach().numpy(), cmap='viridis')
plt.title("ALiBi\\nAttention Scores with Bias")
```

```python
    plt.tight_layout()
    plt.savefig('position_encoding_comparison.png')
    print("Visualization saved as 'position_encoding_comparison.png'")

def compare_wide_vs_deep():
    """Compare wide vs deep transformer architectures"""
    # Initialize models
    wide_model = WideTransformerWithRoPE()
    deep_model = DeepTransformerWithALiBi()

    # Print architecture details
    print(f"Wide Model with RoPE: {wide_model.depth} layers, {wide_model.hidden_dim}
hidden dim, {wide_model.num_heads} heads")
    print(f"Wide Model Parameters: {wide_model.params:,}")

    print(f"Deep Model with ALiBi: {deep_model.depth} layers, {deep_model.hidden_dim}
hidden dim, {deep_model.num_heads} heads")
    print(f"Deep Model Parameters: {deep_model.params:,}")

    # Generate sample input
    batch_size = 16
    seq_len = 128
    sample_input = torch.randint(0, 10000, (batch_size, seq_len))

    # Compare forward pass speed
    start_time = time.time()
    with torch.no_grad():
        wide_output = wide_model(sample_input)
    wide_time = time.time() - start_time

    start_time = time.time()
    with torch.no_grad():
        deep_output = deep_model(sample_input)
    deep_time = time.time() - start_time

    print(f"Wide Model (RoPE) Forward Pass: {wide_time:.4f} seconds")
    print(f"Deep Model (ALiBi) Forward Pass: {deep_time:.4f} seconds")

    # Visualize parameter distribution
    fig, ax = plt.subplots(1, 2, figsize=(15, 5))

    # Wide model
    layer_params_wide = [sum(p.numel() for p in layer.parameters() if p.requires_grad)
                         for layer in wide_model.layers]
    ax[0].bar(range(len(layer_params_wide)), layer_params_wide)
    ax[0].set_title('Wide Model with RoPE - Parameters per Layer')
    ax[0].set_xlabel('Layer Index')
    ax[0].set_ylabel('Parameter Count')

    # Deep model
    layer_params_deep = [sum(p.numel() for p in layer.parameters() if p.requires_grad)
                         for layer in deep_model.layers]
```

```python
    ax[1].bar(range(len(layer_params_deep)), layer_params_deep)
    ax[1].set_title('Deep Model with ALiBi - Parameters per Layer')
    ax[1].set_xlabel('Layer Index')
    ax[1].set_ylabel('Parameter Count')

    plt.tight_layout()
    plt.savefig('model_architecture_comparison.png')
    print("Visualization saved as 'model_architecture_comparison.png'")

# Call the comparison functions
if __name__ == "__main__":
    print("===== Position Encoding Comparison =====")
    compare_position_encodings()
    print("\\n===== Wide vs Deep Architecture Comparison =====")
    compare_wide_vs_deep()
```

Analisi del codice

Questo ampio esempio di codice confronta diverse tecniche di codifica posizionale e scelte architetturali nei modelli transformer. Vediamo i componenti chiave nel dettaglio:

1. Implementazioni della codifica posizionale

- **SinusoidalPositionalEncoding:** l'approccio classico del paper originale sui transformer che utilizza funzioni seno e coseno a frequenze diverse.

- **LearnedPositionalEncoding:** una semplice tabella di lookup addestrabile per le posizioni.

- **RoPEAttention:** un'implementazione completa delle Rotary Position Embeddings che:

    o applica una rotazione complessa ai vettori query e key

    o utilizza una matrice di frequenza basata sulla posizione

    o esegue la rotazione in sottospazi 2D per ogni coppia di dimensioni dell'embedding

- **ALiBiAttention:** un'implementazione di Attention with Linear Biases che:

    o crea una matrice di bias con una pendenza per ogni attention head

    o applica una penalità crescente in base alla distanza tra i token

    o aggiunge questo bias direttamente ai punteggi di attention prima della softmax

2. Varianti dei blocchi transformer

Il codice implementa tre diverse varianti di blocchi transformer:

- **TransformerBlockWithSinusoidal:** utilizza il tradizionale approccio add-before-attention con embedding sinusoidali

- **TransformerBlockWithRoPE:** incorpora RoPE direttamente nel calcolo dell'attenzione

- **TransformerBlockWithALiBi:** utilizza il bias ALiBi nel meccanismo di attenzione

3. Architetture complete dei modelli

Due architetture di modello contrapposte dimostrano diverse filosofie di scaling:

- **WideTransformerWithRoPE:**
  - 6 layer con embedding da 1024 dimensioni
  - 16 attention heads per layer
  - enfatizza l'elaborazione parallela all'interno di un numero minore di layer

- **DeepTransformerWithALiBi:**
  - 24 layer con embedding da 256 dimensioni
  - 4 attention heads per layer
  - enfatizza l'elaborazione sequenziale attraverso molti layer

4. Funzioni di valutazione

Il codice include utility di valutazione complete:

- **compare_position_encodings():**
  - misura il tempo di esecuzione per ciascun metodo di codifica posizionale
  - testa le capacità di extrapolation su sequenze più lunghe
  - visualizza matrici di similarità per comprendere gli effetti della codifica posizionale

- **compare_wide_vs_deep():**
  - conta i parametri in ciascuna architettura
  - misura il tempo di esecuzione del forward pass
  - visualizza la distribuzione dei parametri nei vari layer

5. Osservazioni chiave di questa implementazione

- **Trade-off della codifica posizionale:**
  - RoPE eccelle nell'extrapolation ma ha un'implementazione più complessa
  - ALiBi offre semplicità ed efficienza nello scaling verso sequenze più lunghe
  - la tradizionale codifica sinusoidale è la più semplice ma la meno flessibile

- **Principi di progettazione architetturale:**
  - i modelli ampi sfruttano meglio il calcolo parallelo ma possono avere difficoltà nel ragionamento composizionale
  - i modelli profondi possono costruire rappresentazioni gerarchiche più complesse ma affrontano sfide legate al flusso del gradiente
  - i moderni LLM tipicamente combinano aspetti di entrambi gli approcci

Questo esempio evidenzia perché non esiste un unico approccio dominante: diverse scelte architetturali e di codifica posizionale generano compromessi differenti in termini di efficienza computazionale, dinamiche di addestramento e capacità del modello. Queste decisioni influenzano in modo significativo la capacità di un modello di gestire contesti lunghi, generalizzare a nuove sequenze e utilizzare in modo efficiente le risorse computazionali.

3.2.2 Trucchi di codifica posizionale

Poiché i transformer sono **permutation-invariant** (l'attenzione non tiene conto dell'ordine), hanno bisogno di **segnali posizionali** per funzionare efficacemente. Senza questi segnali, frasi con le stesse parole ma in ordine diverso — come "dog bites man" e "man bites dog" — sarebbero indistinguibili per il modello, pur avendo significati completamente opposti. Questa limitazione fondamentale esiste perché il meccanismo di self-attention calcola le relazioni tra token basandosi soltanto sul loro contenuto, non sulla loro posizione nella sequenza.

Per capirlo meglio, considera come funziona l'attenzione: ogni token presta attenzione a ogni altro token con pesi determinati dalla loro compatibilità. In un calcolo di attenzione standard, se mescolassimo casualmente tutti i token, i pattern di attenzione rimarrebbero esattamente gli stessi. Questo è un problema, perché nei linguaggi umani l'ordine delle parole è spesso cruciale per trasmettere il significato: cambiare l'ordine può alterare completamente ciò che viene comunicato o rendere una frase grammaticalmente scorretta. Senza informazioni sulla posizione, un modello avrebbe difficoltà in compiti che richiedono comprensione sequenziale, come:

- Distinguere tra soggetto e oggetto nelle frasi

- Elaborare informazioni sensibili al tempo, dove conta l'ordine degli eventi

- Comprendere la sintassi e le relazioni grammaticali

- Seguire istruzioni multi-step nella sequenza corretta

Per risolvere questa limitazione, le architetture transformer incorporano informazioni sulla posizione tramite varie tecniche di codifica. Abbiamo già visto **RoPE (Rotary Position Embeddings)**, che codifica la posizione ruotando i vettori nello spazio complesso — un approccio matematicamente elegante che preserva le distanze relative tra i token. Confrontiamo ora RoPE con un altro metodo sofisticato: **ALiBi** (Attention with Linear Biases). Entrambi mirano a risolvere lo stesso problema fondamentale, ma adottano approcci profondamente diversi per codificare l'informazione posizionale nelle reti transformer.

RoPE ruota i vettori query e key durante il calcolo dell'attenzione. Questo introduce in modo naturale informazioni sulla posizione relativa e consente l'extrapolation verso sequenze più lunghe di quelle viste durante l'addestramento. La rotazione avviene nel piano complesso e applica una trasformazione basata sulla frequenza che codifica simultaneamente sia le posizioni assolute sia le loro distanze relative.

Intuizione: i token vengono collocati su una spirale nello spazio degli embedding; le loro rotazioni relative codificano la distanza. Si può visualizzare come se ogni token fosse collocato in punti diversi lungo una spirale, dove la differenza angolare tra due token corrisponde alla loro differenza posizionale nella sequenza. Questa interpretazione geometrica rende intuitivo capire perché RoPE funzioni bene per l'extrapolation.

Per comprenderlo meglio, immagina un percorso circolare in cui ogni token è collocato in punti diversi lungo questa circonferenza. Man mano che si avanza nella sequenza, i token ruotano ulteriormente lungo questo percorso. La bellezza di questo approccio è che le posizioni relative tra i token vengono preservate indipendentemente da dove compaiano nella sequenza. Ad esempio, se i token nelle posizioni 5 e 7 hanno una certa relazione (separati da 2 posizioni), allora i token nelle posizioni 105 e 107 avranno esattamente la stessa relazione codificata nella loro differenza di rotazione.

Questa proprietà è ciò che rende RoPE particolarmente efficace nella gestione di contesti più lunghi. Quando il modello incontra sequenze più lunghe di quelle viste in addestramento, la codifica rotazionale continua a fornire informazioni posizionali significative perché le distanze relative vengono preservate attraverso la stessa trasformazione matematica.

Abbiamo visto in precedenza come RoPE ruoti i vettori. Modelli moderni come **LLaMA** e **GPT-NeoX** si affidano fortemente a questa tecnica. La formulazione matematica coinvolge esponenziali complessi che ruotano ogni coppia di dimensioni di un angolo proporzionale alla posizione e inversamente proporzionale a lunghezze d'onda che variano tra le dimensioni dell'embedding.

Nell'implementazione pratica, RoPE applica una matrice di rotazione ai vettori query e key prima di calcolare i punteggi di attenzione. L'angolo di rotazione aumenta con l'indice di posizione ma diminuisce con la dimensione dell'embedding, creando una rappresentazione gerarchica in cui alcune dimensioni catturano relazioni posizionali fini mentre altre catturano pattern strutturali più ampi.

ALiBi (Attention with Linear Biases)

Introdotto nel 2021, **ALiBi** è un trucco più semplice ma sorprendentemente efficace. Invece di aggiungere embedding, modifica direttamente gli **attention scores** applicando un bias lineare basato sulla distanza tra i token. Questo approccio evita del tutto la necessità di embedding posizionali espliciti, riducendo così il numero di parametri e l'overhead computazionale.

L'intuizione fondamentale alla base di ALiBi è che l'informazione posizionale può essere codificata attraverso un pattern semplice e prevedibile di penalità nella matrice di attenzione, invece che tramite complesse manipolazioni vettoriali. Modificando direttamente gli attention scores con un bias basato sulla distanza, ALiBi introduce un inductive bias che aiuta il modello ad apprendere in modo efficiente le relazioni posizionali.

Nel suo nucleo, ALiBi funziona aggiungendo un bias negativo agli attention scores che cresce proporzionalmente con la distanza tra i token. Questo codifica elegantemente l'intuizione secondo cui i token più vicini tra loro hanno maggiori probabilità di essere correlati. Per esempio, nella frase "The cat sat on the mat", la parola "cat" ha una relazione più forte con "sat" che con "mat". ALiBi incoraggia naturalmente questo tipo di attenzione locale attraverso la sua struttura di bias.

Ciò che rende ALiBi particolarmente potente è la semplicità della sua implementazione. A differenza di RoPE, che richiede una matematica rotazionale complessa, ALiBi si limita a sottrarre un valore di distanza scalato da ciascun attention score prima della normalizzazione softmax. Ogni attention head riceve un diverso fattore di scala, permettendo a diverse heads di concentrarsi su differenti intervalli di distanza: alcune possono specializzarsi in pattern molto locali, mentre altre catturano dipendenze a medio o lungo raggio.

La formula matematica del bias di ALiBi è semplice: per i token nelle posizioni i e j, il bias aggiunto all'attention score è -m × |i-j|, dove m è una slope specifica per ciascuna head. Questa relazione lineare consente al bias di estendersi elegantemente a lunghezze di sequenza superiori a quelle viste durante l'addestramento, un vantaggio cruciale nella gestione di documenti o conversazioni lunghi.

I token vicini hanno un bias più alto (favorendo l'attenzione locale). Questo imita una proprietà naturale del linguaggio, secondo cui le parole vicine hanno spesso relazioni più forti. Per esempio, in "the red car", l'aggettivo "red" modifica direttamente "car" e dovrebbe ricevere maggiore attenzione. Questa attenzione locale è essenziale per comprendere strutture sintattiche, sintagmi nominali e relazioni semantiche immediate che costituiscono i mattoni fondamentali della comprensione linguistica.

I token lontani hanno un bias più basso (ma non vengono ignorati). Questo permette al modello di catturare dipendenze a lungo raggio quando sono importanti, come la risoluzione di pronomi con antecedenti distanti o la comprensione di temi a livello di documento. A differenza di alcuni meccanismi di attenzione che potrebbero restringere eccessivamente il raggio dell'attenzione, ALiBi rende semplicemente meno probabili le connessioni distanti, ma le mantiene possibili quando il contenuto lo giustifica. Questo approccio equilibrato aiuta il modello a mantenere consapevolezza del contesto più ampio pur concentrandosi sui pattern locali.

Il bias cresce linearmente, quindi il modello generalizza in modo fluido a contesti più lunghi. Questa relazione lineare è la chiave del successo di ALiBi: crea un pattern prevedibile che può essere esteso oltre le lunghezze di sequenza viste in addestramento. Il modello impara a interpretare questo segnale lineare durante l'addestramento e può naturalmente estenderlo a lunghezze di sequenza non viste. A differenza degli embedding posizionali fissi, che sono limitati alla lunghezza massima della sequenza vista durante il training, l'extrapolation lineare di ALiBi consente ai modelli di gestire input significativamente più lunghi in fase di inferenza senza retraining o fine-tuning.

La formulazione matematica di ALiBi è elegantemente semplice: per i token nelle posizioni i e j, il bias aggiunto al loro attention score è proporzionale a -|i-j|, scalato da una slope specifica per ciascuna head. Questo crea un pattern gerarchico di attenzione tra le diverse heads, in cui alcune si concentrano maggiormente sulle relazioni locali mentre altre possono prestare attenzione a contesti più ampi. Questo approccio multi-scala consente al modello di elaborare simultaneamente informazioni a diversi intervalli contestuali.

Esempio di codice: aggiunta del bias ALiBi agli attention scores

```python
import torch
import matplotlib.pyplot as plt
import numpy as np
import time

def alibi_bias(seq_len, num_heads):
    """
    Create ALiBi attention bias matrices for multiple attention heads.

    Args:
        seq_len (int): Length of the sequence
        num_heads (int): Number of attention heads

    Returns:
        torch.Tensor: Bias tensor of shape (num_heads, seq_len, seq_len)
    """
    # Create a slope for each attention head
    # Each head gets a different slope following a power law distribution
    slopes = torch.tensor([2 ** -(8 * (i / num_heads)) for i in range(num_heads)])

    # Create position indices
    positions = torch.arange(seq_len)
```

```python
    # Compute distance matrix between all positions
    # This creates a matrix where each entry (i,j) contains |i-j|
    distance_matrix = torch.abs(positions.unsqueeze(1) - positions.unsqueeze(0))

    # Apply the slopes to get the final bias values
    # For each head, we scale the distance matrix by its specific slope
    # Resulting in a 3D tensor of shape (num_heads, seq_len, seq_len)
    bias = -slopes.view(num_heads, 1, 1) * distance_matrix.view(1, seq_len, seq_len)

    return bias

def apply_alibi_to_attention(query, key, value, mask=None):
    """
    Apply ALiBi bias to attention scores in a transformer attention mechanism.

    Args:
        query (torch.Tensor): Query tensor of shape (batch, heads, seq_len, dim)
        key (torch.Tensor): Key tensor of shape (batch, heads, seq_len, dim)
        value (torch.Tensor): Value tensor of shape (batch, heads, seq_len, dim)
        mask (torch.Tensor, optional): Attention mask

    Returns:
        torch.Tensor: Output tensor after attention
    """
    batch_size, num_heads, seq_len, dim = query.shape

    # Calculate attention scores (batch, heads, seq_len, seq_len)
    attention_scores = torch.matmul(query, key.transpose(-2, -1)) / (dim ** 0.5)

    # Create and apply ALiBi bias
    alibi = alibi_bias(seq_len, num_heads).to(query.device)
    attention_scores = attention_scores + alibi.unsqueeze(0)  # Add batch dimension

    # Apply mask if provided
    if mask is not None:
        attention_scores = attention_scores.masked_fill(mask == 0, -1e9)

    # Apply softmax to get attention weights
    attention_weights = torch.softmax(attention_scores, dim=-1)

    # Apply attention weights to values
    output = torch.matmul(attention_weights, value)

    return output, attention_weights

def visualize_alibi_bias(num_heads=4, seq_len=20):
    """
    Visualize the ALiBi bias patterns for different attention heads.
    """
    bias = alibi_bias(seq_len, num_heads)
```

```python
    fig, axes = plt.subplots(1, num_heads, figsize=(15, 4))
    for h in range(num_heads):
        im = axes[h].imshow(bias[h].numpy(), cmap='viridis')
        axes[h].set_title(f"Head {h+1}")
        axes[h].set_xlabel("Position j")
        axes[h].set_ylabel("Position i")

    fig.colorbar(im, ax=axes)
    fig.suptitle("ALiBi Bias Patterns Across Different Heads")
    plt.tight_layout()
    plt.show()

def compare_processing_times(seq_lengths=[128, 256, 512, 1024, 2048]):
    """
    Compare processing times for different sequence lengths.
    """
    num_heads = 8
    dim = 64
    times = []

    for seq_len in seq_lengths:
        # Create random tensors for query, key, value
        batch_size = 1
        query = torch.randn(batch_size, num_heads, seq_len, dim)
        key = torch.randn(batch_size, num_heads, seq_len, dim)
        value = torch.randn(batch_size, num_heads, seq_len, dim)

        # Time the forward pass
        start_time = time.time()
        _, _ = apply_alibi_to_attention(query, key, value)
        end_time = time.time()

        times.append(end_time - start_time)

    # Plot results
    plt.figure(figsize=(10, 5))
    plt.plot(seq_lengths, times, marker='o')
    plt.xlabel("Sequence Length")
    plt.ylabel("Processing Time (seconds)")
    plt.title("ALiBi Processing Time vs. Sequence Length")
    plt.grid(True)
    plt.show()

# Example usage
if __name__ == "__main__":
    # Basic example
    bias = alibi_bias(seq_len=5, num_heads=2)
    print("ALiBi bias tensor shape:", bias.shape)
    print("Head 1 bias values:\\n", bias[0])
    print("Head 2 bias values:\\n", bias[1])

    # Visualize the bias patterns
```

```python
visualize_alibi_bias(num_heads=4, seq_len=20)

# Compare processing times (uncomment to run)
# compare_processing_times()

# Demonstrate in a mini-attention example
seq_len = 10
batch_size = 2
num_heads = 2
dim = 32

query = torch.randn(batch_size, num_heads, seq_len, dim)
key = torch.randn(batch_size, num_heads, seq_len, dim)
value = torch.randn(batch_size, num_heads, seq_len, dim)

output, attention_weights = apply_alibi_to_attention(query, key, value)
print("Output tensor shape:", output.shape)
print("Attention weights shape:", attention_weights.shape)
```

Analisi del codice

Il codice sopra implementa il metodo di codifica posizionale ALiBi (Attention with Linear Biases) con diversi componenti chiave:

- **Calcolo del bias ALiBi**

    - La funzione alibi_bias() crea un tensore di bias per ogni attention head.

    - Ogni head riceve una slope diversa seguendo una distribuzione a legge di potenza ($2^{\wedge}(-8i/h)$).

    - La matrice delle distanze cattura le differenze posizionali assolute tra tutte le coppie di token.

    - Il bias viene applicato come penalità proporzionale alla distanza tra i token.

- **Integrazione con il meccanismo di attenzione**

    - La funzione apply_alibi_to_attention() mostra come ALiBi si integra nella self-attention.

    - Il bias ALiBi viene semplicemente aggiunto agli attention scores prima della softmax.

    - Questo modifica i pattern di attenzione senza richiedere embedding posizionali nell'input.

- **Strumenti di visualizzazione e analisi**

    - La funzione visualize_alibi_bias() aiuta a ispezionare visivamente i pattern di bias.

    - Diverse attention heads mostrano sensibilità differenti alla distanza.

    - La funzione compare_processing_times() confronta le prestazioni a diverse lunghezze di sequenza.

Insight chiave del design di ALiBi:

- **Slope specifiche per head**: ALiBi assegna slope diverse alle varie attention heads seguendo una distribuzione a legge di potenza. Questo consente a ciascuna head di specializzarsi in diversi intervalli di distanza — alcune focalizzate su pattern molto locali, altre su dipendenze a lungo raggio.

- **Extrapolation lineare**: la relazione lineare tra differenza di posizione e bias di attenzione permette al modello di generalizzare a lunghezze di sequenza oltre quelle viste durante l'addestramento, rendendo ALiBi particolarmente efficace nella gestione di contesti lunghi.

- **Efficienza implementativa**: rispetto ad altri metodi di codifica posizionale, ALiBi non richiede parametri aggiuntivi e ha un overhead computazionale minimo, poiché si limita ad aggiungere una matrice di bias pre-calcolata agli attention scores.

- **Eleganza matematica**: la formula del bias cattura l'intuizione che i token più vicini dovrebbero avere relazioni più forti, allineandosi con la struttura naturale del linguaggio.

Utilizzando slope diverse per ogni attention head, ALiBi crea una struttura gerarchica dell'attenzione che può elaborare simultaneamente informazioni su più scale, bilanciando contesto locale e globale in modo computazionalmente efficiente.

3.2.3 RoPE vs ALiBi

RoPE (Rotary Position Embeddings): un metodo elegante di codifica posizionale basato sulla rotazione che codifica direttamente le posizioni relative nel meccanismo di attenzione. RoPE applica una matrice di rotazione ai vettori query e key in base alla loro posizione, creando una nozione naturale di distanza relativa nello spazio delle rappresentazioni del modello.

Nel suo nucleo, RoPE funziona eseguendo un'operazione di rotazione matematica su ogni coppia di dimensioni nei vettori query e key. L'angolo di rotazione è determinato dall'indice di posizione e dall'indice di dimensione, creando un pattern unico per ogni posizione. Questo approccio presenta diversi vantaggi:

1. La rotazione preserva la norma del vettore, il che significa che, indipendentemente dalla posizione, la magnitudine dell'informazione rimane costante.

2. Il prodotto scalare tra due vettori dopo l'applicazione di RoPE codifica direttamente la loro distanza relativa, permettendo al modello di catturare facilmente relazioni posizionali relative.

3. L'operazione di rotazione crea un pattern periodico che consente al modello di generalizzare a posizioni non viste durante l'addestramento.

Questo approccio si è dimostrato estremamente efficace nell'extrapolation oltre la lunghezza delle sequenze di training, permettendo ai modelli di gestire contesti molto più lunghi in fase di inferenza rispetto a quelli visti durante l'addestramento. Questa capacità deriva dalle proprietà matematiche delle rotazioni, che mantengono relazioni coerenti indipendentemente dalla posizione assoluta.

Quando RoPE viene implementato, modifica il calcolo standard della self-attention applicando prima rotazioni dipendenti dalla posizione ai vettori query e key, prima di calcolare il loro prodotto scalare. Questo garantisce che il meccanismo di attenzione incorpori naturalmente l'informazione posizionale senza richiedere embedding separati o parametri aggiuntivi.

RoPE è utilizzato in modo prominente nella famiglia di modelli **LLaMA** e ha contribuito significativamente alle loro prestazioni nei compiti a lungo contesto. È stato adottato anche in molte altre architetture state-of-the-art grazie alla sua efficacia ed efficienza, soprattutto nella gestione di documenti e conversazioni che richiedono coerenza su migliaia di token.

ALiBi (Attention with Linear Biases): un approccio più semplice e leggero alla codifica posizionale che modifica direttamente gli attention scores invece di incorporare la posizione nelle rappresentazioni dei token. ALiBi funziona aggiungendo una penalità dipendente dalla distanza agli attention scores, rendendo meno probabile che token distanti si influenzino tra loro. La sua implementazione è diretta: basta aggiungere una matrice di bias pre-calcolata agli attention scores prima della softmax.

L'intuizione chiave dietro ALiBi è che l'informazione posizionale relativa può essere codificata direttamente nel meccanismo di attenzione senza necessità di embedding posizionali separati. Questo avviene tramite un approccio matematicamente elegante:

1. Per ogni attention head, ALiBi applica una slope diversa che controlla quanto rapidamente l'attenzione decresce con la distanza.

2. Il valore del bias per le posizioni i e j è calcolato come -slope × |i-j|, creando una penalità lineare basata sulla distanza tra i token.

3. Le attention heads con indice più basso ricevono slope più piccole, permettendo loro di concentrarsi su dipendenze a lungo raggio, mentre quelle con indice più alto ricevono slope più ripide per specializzarsi in pattern locali.

Questo approccio multi-scala consente al modello di elaborare simultaneamente informazioni su diversi intervalli contestuali, dai pattern molto locali fino alla struttura a livello di documento, senza richiedere parametri aggiuntivi né aumentare la complessità computazionale.

Nonostante la sua semplicità, ALiBi ha dimostrato prestazioni notevoli, soprattutto nei modelli efficienti. È utilizzato in architetture come **GPT-NeoX** e in diversi LLM ottimizzati per il calcolo. Il pattern lineare del bias consente ad ALiBi di generalizzare bene a lunghezze di sequenza superiori a quelle viste durante l'addestramento, anche se tramite un meccanismo diverso rispetto a RoPE. Le sue capacità di extrapolation derivano dalla linearità intrinseca della funzione di bias: poiché la relazione tra posizione e bias di attenzione rimane coerente oltre l'intervallo di training, i modelli possono elaborare sequenze molto più lunghe in fase di inferenza con una degradazione minima delle prestazioni.

Embedding posizionali tradizionali (sinusoidali, learned): l'approccio originale utilizzato nei primi modelli Transformer, in cui vettori di posizione fissi o appresi vengono aggiunti direttamente agli embedding dei token. Esistono due varianti principali:

1. **Embedding sinusoidali**: utilizzati nel paper originale "Attention is All You Need", generano vettori di posizione usando funzioni seno e coseno a frequenze diverse. Ogni dimensione dell'embedding corrisponde a una sinusoide con una frequenza specifica, creando un pattern unico per ogni posizione. La formulazione matematica utilizza $\sin(pos/10000^{2i/d})$ per gli indici pari e $\cos(pos/10000^{2i/d})$ per gli indici dispari, dove pos è la posizione, i è l'indice di dimensione e d è la dimensione dell'embedding. Questo approccio elegante garantisce che ogni posizione abbia una "firma" unica mantenendo al contempo distanze relative coerenti. La natura continua delle funzioni seno/coseno consente una certa generalizzazione a posizioni non viste.

2. **Embedding learned**: una semplice tabella di lookup di vettori posizionali addestrati insieme al modello. Durante il training, il modello ottimizza un embedding separato per ogni posizione

possibile (da 0 alla lunghezza massima della sequenza). Questi embedding possono adattarsi a pattern specifici del task e del dataset, ma sono limitati alla lunghezza massima vista durante l'addestramento. Se il modello incontra posizioni oltre questo limite in inferenza, non ha un modo affidabile per generare embedding appropriati, portando a prestazioni scarse o fallimenti.

Entrambi i metodi funzionano aggiungendo direttamente l'informazione posizionale agli embedding dei token prima che entrino nei layer di self-attention. Sebbene siano concettualmente semplici ed efficaci per sequenze più corte, faticano nell'extrapolation oltre la lunghezza di training e risultano meno efficienti per sequenze molto lunghe.

Queste limitazioni diventano evidenti quando i modelli devono elaborare sequenze più lunghe di quelle viste in addestramento. Poiché gli embedding tradizionali non hanno un modo matematicamente solido per estendersi a posizioni non viste, i modelli mostrano spesso un degrado delle prestazioni o fallimenti completi su contesti più lunghi. Inoltre, per sequenze molto lunghe, l'informazione posizionale può "diluirsi" attraversando molti layer della rete, soprattutto nei modelli profondi.

Sebbene siano ancora presenti in alcuni modelli e applicazioni dove la lunghezza della sequenza è prevedibile e limitata, stanno venendo progressivamente sostituiti da RoPE e ALiBi nella maggior parte dei moderni LLM che devono gestire contesti variabili e potenzialmente molto lunghi. Tuttavia, gli embedding tradizionali restano importanti dal punto di vista storico e continuano a essere utilizzati in applicazioni specializzate dove le loro limitazioni non rappresentano un problema.

3.2.4 Perché è importante

Le decisioni su **profondità vs ampiezza** e **codifica posizionale** possono sembrare dettagli tecnici, ma hanno conseguenze enormi sulle prestazioni del modello:

- Il giusto equilibrio tra profondità e ampiezza determina se il modello scala in modo fluido.

    - I modelli profondi (più layer) possono apprendere pattern più complessi e rappresentazioni gerarchiche, ma soffrono di problemi di gradiente durante l'addestramento. Con l'aumento dei layer, i gradienti possono svanire o esplodere durante la backpropagation, rendendo l'ottimizzazione difficile. I modelli profondi possono richiedere tecniche specializzate come connessioni residuali o layer normalization per essere addestrati efficacemente.

    - I modelli ampi (dimensioni nascoste maggiori) possono immagazzinare più informazione per layer, ma possono diventare computazionalmente inefficienti. Aumentare l'ampiezza incrementa quadraticamente il costo computazionale delle operazioni su matrici, causando possibili colli di bottiglia di memoria e tempi più lenti di training/inferenza. Tuttavia, i modelli ampi spesso convergono in modo più stabile durante l'addestramento.

    - Trovare il rapporto ottimale tra profondità e ampiezza è cruciale sia per la stabilità dell'addestramento sia per l'efficienza in inferenza. La ricerca suggerisce che, all'aumentare della dimensione del modello, entrambe le dimensioni dovrebbero crescere, ma non necessariamente allo stesso ritmo. Ad esempio, le scaling laws indicano che, con l'aumento dei parametri, la profondità dovrebbe crescere leggermente più velocemente dell'ampiezza per ottenere prestazioni ottimali.

- La scelta tra RoPE o ALiBi determina se il modello può gestire **contesti lunghi** (fondamentale per task reali come analisi di documenti o coding).

  - RoPE eccelle nel preservare le relazioni posizionali relative e funziona bene con pattern di attenzione densi. Lo fa applicando rotazioni ai vettori query e key in modo dipendente dalla frequenza, creando una nozione naturale di distanza nello spazio degli embedding. Questo approccio mantiene informazioni posizionali coerenti indipendentemente dalla posizione assoluta, consentendo una migliore generalizzazione a sequenze non viste.

  - ALiBi offre una migliore extrapolation a sequenze estremamente lunghe ed è più efficiente computazionalmente. Aggiungendo direttamente un bias dipendente dalla distanza agli attention scores, crea una penalità naturale per i token lontani. La sua natura lineare gli consente di estendersi facilmente a posizioni molto oltre la lunghezza di training con overhead minimo. Alcuni modelli con ALiBi hanno dimostrato di gestire sequenze fino a 400.000 token.

  - Questa scelta influisce direttamente sulla capacità del modello di elaborare documenti da 10.000+ token in modo efficace. Gli embedding posizionali tradizionali falliscono drasticamente oltre la lunghezza di training, mentre RoPE e ALiBi mantengono coerenza su lunghezze molto maggiori. Le prestazioni esatte dipendono da dimensione del modello, dati di training e implementazione, ma la codifica posizionale è spesso il fattore limitante per la lunghezza del contesto.

Comprendere questi compromessi architetturali aiuta gli ingegneri a scegliere l'architettura giusta in base a budget, dataset e applicazione target. Senza una valutazione attenta, i modelli possono fallire nell'addestramento, consumare risorse eccessive o performare male sui compiti per cui sono stati progettati. Queste scelte determinano in ultima analisi se un LLM sarà realmente utile in scenari reali.

3.3 Architetture avanzate: SwiGLU, GQA, sparsità dell'attenzione

Con l'evoluzione dei transformer da piccoli modelli di ricerca a giganti da trilioni di parametri, gli ingegneri hanno scoperto che anche piccoli cambiamenti nei componenti interni possono portare a grandi miglioramenti in efficienza e prestazioni. Queste innovazioni architetturali sono diventate sempre più cruciali con la crescita dei modelli, affrontando sfide legate a computazione, memoria e stabilità dell'addestramento. In questa sezione analizziamo tre innovazioni fondamentali che hanno trasformato il design dei moderni LLM:

1. **Funzioni di attivazione SwiGLU** (migliorano le reti feedforward nei blocchi transformer). Queste funzioni sostituiscono le tradizionali attivazioni ReLU o GELU con un meccanismo di gating più sofisticato che consente un flusso del gradiente più fluido durante l'addestramento. Integrando interazioni moltiplicative e trasformazioni non lineari, SwiGLU permette al modello di catturare pattern più complessi con meno parametri, migliorando le prestazioni per unità di calcolo.

2. **Grouped Query Attention (GQA)** (rende l'attenzione più veloce senza perdere molta accuratezza). Questa ottimizzazione riduce i requisiti di memoria e computazione permettendo a più query heads di condividere le stesse proiezioni key e value. Questo diminuisce

significativamente sia il numero di parametri sia la banda di memoria necessaria durante l'inferenza, affrontando uno dei principali colli di bottiglia nel deployment dei LLM.

3. **Tecniche di sparsità dell'attenzione** (riduzione del calcolo ignorando connessioni non necessarie). Questi approcci riconoscono che non tutti i token devono prestare attenzione a tutti gli altri, soprattutto nei documenti lunghi. Limitando strategicamente le connessioni di attenzione, è possibile ridurre la complessità quadratica dell'attenzione standard a quasi lineare, permettendo di gestire contesti molto più lunghi in modo efficiente.

Queste ottimizzazioni non sono solo curiosità accademiche — alimentano modelli moderni come LLaMA, Mistral e GPT-5. Senza questi avanzamenti architetturali, i modelli state-of-the-art di oggi sarebbero troppo costosi da addestrare e distribuire. Ogni innovazione rappresenta un equilibrio accurato tra capacità del modello ed efficienza computazionale, affrontando specifici colli di bottiglia che emergono a diverse scale di dimensione e lunghezza del contesto.

3.3.1 SwiGLU (Switched Gated Linear Units)

Ogni blocco transformer contiene una **feedforward network (FFN)** dopo l'attenzione. Tradizionalmente, questa FFN utilizza un'attivazione ReLU o GELU. Tuttavia, la ricerca ha dimostrato che **SwiGLU** (una variante di GLU) offre un'ottimizzazione più fluida e prestazioni migliori su larga scala.

Questo miglioramento delle prestazioni è dovuto in gran parte al meccanismo di gating, che consente all'informazione di fluire in modo più selettivo attraverso la rete, permettendo al modello di controllare adattivamente quali feature enfatizzare in ogni forward pass. A differenza delle funzioni di attivazione tradizionali che applicano la stessa trasformazione a tutti gli input, SwiGLU introduce un meccanismo dinamico dipendente dall'input, capace di enfatizzare o sopprimere diversi aspetti della rappresentazione in base al contenuto.

In termini tecnici, SwiGLU combina i benefici delle interazioni moltiplicative (derivate dai gate) con trasformazioni non lineari, creando un'unità computazionale più espressiva. Il componente di gating (basato sulla funzione swish/SiLU) produce valori tra 0 e 1 che agiscono come "interruttori morbidi", controllando quanta informazione passa attraverso ogni dimensione. Questo comportamento adattivo permette al modello di creare mapping funzionali più complessi con meno parametri, migliorando il flusso del gradiente durante l'addestramento e l'utilizzo della capacità del modello.

Come funziona SwiGLU:

- Dividere la dimensione nascosta in due parti — questo crea percorsi paralleli nella rete, permettendo al modello di apprendere diversi aspetti dell'input simultaneamente. Questo meccanismo è cruciale perché consente alla rete di elaborare l'informazione attraverso due canali distinti che possono poi essere ricombinati in modo significativo. Ogni percorso può specializzarsi nel catturare diverse feature o pattern nei dati, in modo simile a come neuroni diversi rispondono a stimoli differenti.

- Applicare una trasformazione lineare a entrambe le parti — ogni percorso ha la propria matrice di pesi (W1 e W2), permettendo alla rete di apprendere mapping diversi. Queste trasformazioni sono apprese durante il training e si adattano al task specifico. W1 proietta l'input in uno spazio utile per le decisioni di gating, mentre W2 genera rappresentazioni che verranno filtrate in base a tali gate.

- Far passare una delle due parti attraverso un gate sigmoid (o swish) — la funzione swish (x * sigmoid(x)) fornisce gradienti più fluidi rispetto a ReLU e consente il passaggio di piccoli valori negativi, evitando il problema dei "neuroni morti". Questa funzione combina i vantaggi della sigmoid con il comportamento non saturante di ReLU.

- Moltiplicare le due parti tra loro — questa interazione moltiplicativa crea un meccanismo di gating in cui l'output della funzione swish controlla quanta informazione dell'altra trasformazione lineare passa avanti. Questo consente al modello di amplificare o attenuare dinamicamente diverse feature in base all'input.

- La formula matematica è: SwiGLU(x) = swish(W1·x) $\odot$ W2·x, dove $\odot$ rappresenta la moltiplicazione elemento per elemento. In pratica, può essere implementata in modo efficiente calcolando entrambe le trasformazioni in parallelo e combinandole con un prodotto di Hadamard.

Esempio PyTorch: SwiGLU vs ReLU

```python
import torch
import torch.nn as nn
import torch.nn.functional as F
import matplotlib.pyplot as plt
import numpy as np
import time

class SwiGLU(nn.Module):
    """
    SwiGLU activation function as used in modern LLMs like LLaMA and PaLM.
    Uses the Swish/SiLU gating mechanism for better gradient properties.
    """
    def __init__(self, dim_in, dim_out):
        super().__init__()
        self.W1 = nn.Linear(dim_in, dim_out)  # Transformation for the gate
        self.W2 = nn.Linear(dim_in, dim_out)  # Transformation for the content

    def forward(self, x):
        # SiLU (Swish) activation for gating: x * sigmoid(x)
        return F.silu(self.W1(x)) * self.W2(x)

class StandardFFN(nn.Module):
    """
    Standard Feedforward Network with ReLU activation
    as used in original Transformer architecture.
    """
    def __init__(self, dim_in, dim_hidden, dim_out):
        super().__init__()
        self.fc1 = nn.Linear(dim_in, dim_hidden)
        self.act = nn.ReLU()
        self.fc2 = nn.Linear(dim_hidden, dim_out)

    def forward(self, x):
        return self.fc2(self.act(self.fc1(x)))
```

```python
class GELUBasedFFN(nn.Module):
    """
    Feedforward Network with GELU activation
    as used in models like BERT and early GPT versions.
    """

    def __init__(self, dim_in, dim_hidden, dim_out):
        super().__init__()
        self.fc1 = nn.Linear(dim_in, dim_hidden)
        self.act = nn.GELU()
        self.fc2 = nn.Linear(dim_hidden, dim_out)

    def forward(self, x):
        return self.fc2(self.act(self.fc1(x)))

# Hyperparameters
batch_size = 8
seq_len = 32
embed_dim = 256
hidden_dim = 1024
output_dim = 256

# Create example input
x = torch.randn(batch_size, seq_len, embed_dim)

# Initialize models
swiglu = SwiGLU(embed_dim, hidden_dim)
relu_ffn = StandardFFN(embed_dim, hidden_dim, output_dim)
gelu_ffn = GELUBasedFFN(embed_dim, hidden_dim, output_dim)

# Model outputs for comparison
with torch.no_grad():
    # Timing comparisons
    start = time.time()
    swiglu_out = swiglu(x)
    swiglu_time = time.time() - start

    start = time.time()
    relu_out = relu_ffn(x)
    relu_time = time.time() - start

    start = time.time()
    gelu_out = gelu_ffn(x)
    gelu_time = time.time() - start

    print(f"SwiGLU output shape: {swiglu_out.shape}")
    print(f"ReLU FFN output shape: {relu_out.shape}")
    print(f"GELU FFN output shape: {gelu_out.shape}")

    # Print timing results
    print(f"\\nForward pass timing:")
    print(f"SwiGLU: {swiglu_time*1000:.2f}ms")
    print(f"ReLU: {relu_time*1000:.2f}ms")
```

```python
    print(f"GELU: {gelu_time*1000:.2f}ms")

    # Print sample outputs
    print("\\nSample outputs (first 5 values):")
    print(f"SwiGLU: {swiglu_out[0, 0, :5].numpy()}")
    print(f"ReLU: {relu_out[0, 0, :5].numpy()}")
    print(f"GELU: {gelu_out[0, 0, :5].numpy()}")

# Visualize activation functions for comparison
def swish(x):
    return x * torch.sigmoid(x)

def relu(x):
    return torch.maximum(torch.zeros_like(x), x)

def gelu(x):
    return 0.5 * x * (1 + torch.tanh(np.sqrt(2 / np.pi) * (x + 0.044715 * torch.pow(x,
3))))

x_range = torch.linspace(-5, 5, 1000)
plt.figure(figsize=(10, 6))
plt.plot(x_range, swish(x_range), label='Swish/SiLU (used in SwiGLU)')
plt.plot(x_range, relu(x_range), label='ReLU')
plt.plot(x_range, gelu(x_range), label='GELU')
plt.grid(True)
plt.legend()
plt.title('Comparison of Activation Functions')
plt.xlabel('x')
plt.ylabel('f(x)')
plt.savefig('activation_comparison.png')
plt.close()

# Simple gradient flow demonstration
def compare_gradient_flow():
    """Compare gradient flow through different activation functions"""
    # Create synthetic data
    x = torch.randn(100, 32, requires_grad=True)
    y = torch.randn(100, 32)

    models = {
        'SwiGLU': nn.Sequential(
            nn.Linear(32, 128),
            SwiGLU(128, 128),
            nn.Linear(128, 32)
        ),
        'ReLU': nn.Sequential(
            nn.Linear(32, 128),
            nn.ReLU(),
            nn.Linear(128, 32)
        ),
        'GELU': nn.Sequential(
            nn.Linear(32, 128),
```

```python
        nn.GELU(),
        nn.Linear(128, 32)
    )
}

results = {}
for name, model in models.items():
    # Forward pass
    pred = model(x)
    loss = torch.nn.functional.mse_loss(pred, y)

    # Backward pass
    loss.backward()

    # Record gradient statistics
    grad_norms = []
    for param in model.parameters():
        if param.grad is not None:
            grad_norms.append(param.grad.norm().item())

    results[name] = {
        'mean': np.mean(grad_norms),
        'std': np.std(grad_norms),
        'min': np.min(grad_norms),
        'max': np.max(grad_norms)
    }

print("\\nGradient statistics after one backward pass:")
for name, stats in results.items():
    print(f"{name}:        mean={stats['mean']:.6f},        std={stats['std']:.6f},
min={stats['min']:.6f}, max={stats['max']:.6f}")

compare_gradient_flow()
```

Analisi di SwiGLU

Come funziona SwiGLU

L'implementazione si suddivide nei seguenti passaggi chiave:

- **Due percorsi paralleli**: SwiGLU divide il calcolo in due trasformazioni lineari parallele (W1 e W2).

- **Meccanismo di gating**: uno dei percorsi (W1) viene passato attraverso una funzione di attivazione swish/SiLU (x * sigmoid(x)), che fornisce gradienti più fluidi rispetto a ReLU.

- **Interazione moltiplicativa**: gli output vengono moltiplicati elemento per elemento, permettendo al percorso attivato con swish di agire come una porta che controlla quanto dell'output dell'altro percorso passa attraverso.

- **Formula matematica**: SwiGLU(x) = swish(W1·x) $\odot$ W2·x, dove $\odot$ rappresenta la moltiplicazione elemento per elemento.

Vantaggi principali di SwiGLU

- **Gradienti più fluidi**: la funzione swish fornisce un migliore flusso del gradiente durante la backpropagation, affrontando il problema del vanishing gradient che può influenzare le reti profonde.

- **Selezione dinamica delle feature**: il meccanismo di gating permette alla rete di enfatizzare o sopprimere selettivamente diverse feature in base al contenuto dell'input.

- **Migliori prestazioni per parametro**: SwiGLU consente ai modelli di catturare pattern più complessi con meno parametri, portando a migliori prestazioni per unità di calcolo.

- **Dinamiche di training migliorate**: la funzione di attivazione più fluida e il meccanismo di gating portano a un training più stabile ed efficace, soprattutto nelle reti profonde.

Dettagli dell'implementazione nel codice

- Il codice di esempio mostra SwiGLU insieme a reti feedforward tradizionali basate su ReLU e GELU per il confronto.

- Include confronti sui tempi per evidenziare le differenze di efficienza computazionale.

- La visualizzazione delle funzioni di attivazione illustra come swish/SiLU differisca da ReLU e GELU in forma e fluidità.

- La dimostrazione del flusso dei gradienti evidenzia come SwiGLU influisca sulle statistiche dei gradienti durante la backpropagation.

Questa implementazione mostra perché SwiGLU è diventato un componente critico nelle architetture LLM moderne, offrendo un migliore equilibrio tra espressività, efficienza computazionale e stabilità del training rispetto alle alternative precedenti.

3.3.2 Grouped Query Attention (GQA)

L'attenzione multi-head standard ha un costo computazionale che cresce con il numero di teste. Per ottimizzare questo aspetto, è stata introdotta la **Grouped Query Attention (GQA)**. Questa tecnica di ottimizzazione affronta sia l'uso della memoria sia l'efficienza computazionale mantenendo la qualità del modello.

Idea chiave: invece di assegnare a ogni query head il proprio set di key/value heads, più query heads possono condividere le stesse proiezioni key/value. Questo meccanismo di condivisione riduce significativamente il numero di parametri e il calcolo richiesto durante l'inferenza, preservando la capacità del modello di apprendere rappresentazioni diverse.

L'intuizione fondamentale dietro GQA è che possiamo ottenere un migliore equilibrio tra efficienza computazionale ed espressività del modello disaccoppiando il numero di query heads dal numero di key-value heads. Questo permette ai modelli di mantenere i vantaggi di interrogazioni da prospettive multiple riducendo al contempo l'overhead associato alla generazione e memorizzazione di coppie key-value separate per ogni head.

Nell'attenzione multi-head tradizionale, se hai 8 attention heads, avrai 8 proiezioni separate per le key e 8 per i value. Con GQA, potresti avere 8 query heads ma solo 2 o 4 coppie di key-value heads condivise tra le query heads. Questo significa che invece di mantenere 8Q+8K+8V matrici di proiezione (24 totali), potresti aver bisogno solo di 8Q+2K+2V (12 totali), riducendo significativamente il numero di parametri e il calcolo.

Questa riduzione diventa sempre più significativa nei modelli più grandi. Ad esempio, in un modello con 32 attention heads e una dimensione di embedding di 4096, l'attenzione multi-head tradizionale richiederebbe circa 402 milioni di parametri solo per il meccanismo di attenzione, mentre GQA con 8 KV heads potrebbe ridurli a circa 268 milioni — una riduzione del 33% nell'uso della memoria.

Per comprendere meglio il meccanismo, considera come funziona l'attenzione: ogni query calcola punteggi di similarità con tutte le key, quindi utilizza questi punteggi per creare una somma pesata dei value. In GQA, più query diverse calcolano punteggi di attenzione rispetto allo stesso insieme di key e utilizzano questi punteggi per attendere allo stesso insieme di value. Questo mantiene l'espressività derivante da molteplici prospettive di query, ottimizzando al contempo i calcoli key-value.

I guadagni di efficienza di GQA diventano particolarmente evidenti durante l'inferenza, dove la KV cache (che memorizza le coppie key-value pre-calcolate per la generazione autoregressiva) è spesso il principale collo di bottiglia. Riducendo la dimensione di questa cache tramite la condivisione key-value, GQA consente ai modelli di gestire finestre di contesto molto più lunghe e generare testo in modo più efficiente, cosa fondamentale per applicazioni reali in ambienti di produzione.

- Riduce l'uso della memoria diminuendo il numero di parametri necessari per le proiezioni key e value, particolarmente importante per modelli grandi con miliardi di parametri. Ad esempio, in un modello con dimensione di embedding 4096 e 32 heads, GQA con 8 gruppi KV può risparmiare circa 33 milioni di parametri per layer transformer. Questa riduzione è possibile perché l'attenzione multi-head tradizionale richiede matrici di proiezione separate per ogni head (Q, K, V), mentre GQA consente a più query heads di condividere le stesse proiezioni key e value, riducendo drasticamente il numero totale di parametri nel modello.

- Velocizza l'inferenza, soprattutto nei modelli con contesti lunghi, riducendo il carico computazionale della generazione e memorizzazione di coppie key-value separate per ogni attention head. Questo è fondamentale per il deployment lato server, dove la latenza influisce direttamente sull'esperienza utente. Durante la generazione autoregressiva, la KV cache (che memorizza le coppie key-value già calcolate) può diventare un collo di bottiglia in memoria. Condividendo le proiezioni KV tra più query heads, GQA riduce significativamente la dimensione della cache, permettendo una generazione di token più veloce e una gestione di contesti più lunghi senza aumenti proporzionali della memoria.

- Offre quasi la stessa potenza rappresentazionale dell'attenzione multi-head completa ma con un'efficienza molto maggiore — un compromesso cruciale per il deployment in produzione. Studi empirici mostrano che i modelli con GQA possono raggiungere il 95–99% delle prestazioni dei modelli con attenzione multi-head completa utilizzando molte meno risorse. Questo leggero calo di prestazioni si verifica perché, anche se il numero di coppie key-value è ridotto, il modello mantiene la piena capacità di generare query diverse, preservando gran parte della sua capacità di attenzione da prospettive rappresentazionali differenti. Questo compromesso è ampiamente giustificato dai notevoli guadagni di efficienza nelle applicazioni reali.

- Utilizzato in **LLaMA-2** per bilanciare efficienza e prestazioni, contribuendo alla sua capacità di gestire contesti più lunghi mantenendo velocità di inferenza ragionevoli. Anche altri modelli come PaLM 2 e Claude hanno adottato varianti di questa tecnica per scalare in modo efficiente. L'implementazione in LLaMA-2 ha permesso miglioramenti significativi nella gestione della finestra di contesto (fino a 4K token) rispetto al suo predecessore, mantenendo i costi di inferenza sotto controllo. In PaLM 2, un approccio simile ha consentito una scalabilità efficiente verso contesti molto più lunghi senza l'esplosione computazionale quadratica tipica dei meccanismi di attenzione standard.

Esempio: principio di GQA

```python
import torch
import torch.nn as nn
import torch.nn.functional as F
import matplotlib.pyplot as plt
import numpy as np
import time

class GroupedQueryAttention(nn.Module):
    def __init__(self, embed_dim=512, num_query_heads=8, num_kv_heads=2, dropout=0.1):
        super().__init__()
        self.embed_dim = embed_dim
        self.num_query_heads = num_query_heads
        self.num_kv_heads = num_kv_heads
        self.head_dim = embed_dim // num_query_heads

        # Ensure dimensions are compatible
        assert self.head_dim * num_query_heads == embed_dim, "embed_dim must be divisible by num_query_heads"
        assert num_query_heads % num_kv_heads == 0, "num_query_heads must be divisible by num_kv_heads"

        # Query projections (many heads)
        self.q_proj = nn.Linear(embed_dim, embed_dim)

        # Key/Value projections (fewer heads - shared)
        self.k_proj = nn.Linear(embed_dim, self.head_dim * num_kv_heads)
        self.v_proj = nn.Linear(embed_dim, self.head_dim * num_kv_heads)

        # Output projection
        self.out_proj = nn.Linear(embed_dim, embed_dim)

        # Dropout for attention weights
        self.dropout = nn.Dropout(dropout)

        # Group size: how many query heads share one kv head
        self.group_size = num_query_heads // num_kv_heads

    def forward(self, x, mask=None):
        """
        Args:
            x: Input tensor of shape (batch_size, sequence_length, embed_dim)
            mask: Optional attention mask

        Returns:
```

```python
            output: Tensor after self-attention of shape (batch_size, sequence_length,
embed_dim)
        """
        batch_size, seq_len, _ = x.size()

        # Project inputs to queries, keys, and values
        q = self.q_proj(x).view(batch_size, seq_len, self.num_query_heads,
self.head_dim)
        k = self.k_proj(x).view(batch_size, seq_len, self.num_kv_heads,
self.head_dim)
        v = self.v_proj(x).view(batch_size, seq_len, self.num_kv_heads,
self.head_dim)

        # Transpose for attention computation
        q = q.transpose(1, 2)  # (batch_size, num_query_heads, seq_len, head_dim)
        k = k.transpose(1, 2)  # (batch_size, num_kv_heads, seq_len, head_dim)
        v = v.transpose(1, 2)  # (batch_size, num_kv_heads, seq_len, head_dim)

        # Expand k and v to match the number of query heads through repetition
        # Each group of query heads shares the same k and v
        k_expanded = torch.repeat_interleave(k, self.group_size, dim=1)      #
(batch_size, num_query_heads, seq_len, head_dim)
        v_expanded = torch.repeat_interleave(v, self.group_size, dim=1)      #
(batch_size, num_query_heads, seq_len, head_dim)

        # Compute scaled dot-product attention
        # (batch_size, num_query_heads, seq_len, seq_len)
        attn_weights = torch.matmul(q, k_expanded.transpose(-2, -1)) /
torch.sqrt(torch.tensor(self.head_dim, dtype=torch.float32))

        # Apply mask if provided (useful for preventing attention to padding tokens)
        if mask is not None:
            attn_weights = attn_weights.masked_fill(mask == 0, float("-inf"))

        # Apply softmax and dropout
        attn_weights = F.softmax(attn_weights, dim=-1)
        attn_weights = self.dropout(attn_weights)

        # Apply attention weights to values
        # (batch_size, num_query_heads, seq_len, head_dim)
        attn_output = torch.matmul(attn_weights, v_expanded)

        # Reshape and apply output projection
        attn_output = attn_output.transpose(1, 2).contiguous().view(batch_size,
seq_len, self.embed_dim)
        output = self.out_proj(attn_output)

        return output

def compare_attention_mechanisms(seq_len=1024, embed_dim=512):
    """Compare memory usage and speed between standard MHA and GQA"""
    batch_size = 1
```

```python
# Create inputs
x = torch.randn(batch_size, seq_len, embed_dim)

# Standard Multi-Head Attention (8 heads)
class StandardMHA(nn.Module):
    def __init__(self):
        super().__init__()
        self.mha = nn.MultiheadAttention(embed_dim, num_heads=8, batch_first=True)

    def forward(self, x):
        return self.mha(x, x, x)[0]

standard_mha = StandardMHA()

# GQA with 8 query heads, 2 KV heads
gqa = GroupedQueryAttention(embed_dim, num_query_heads=8, num_kv_heads=2)

# GQA with 8 query heads, 4 KV heads
gqa2 = GroupedQueryAttention(embed_dim, num_query_heads=8, num_kv_heads=4)

# Measure memory and speed
results = {}

for name, model in [("Standard MHA (8 heads)", standard_mha),
                    ("GQA (8Q, 2KV heads)", gqa),
                    ("GQA (8Q, 4KV heads)", gqa2)]:
    # Warm up
    for _ in range(5):
        _ = model(x)

    # Measure time
    torch.cuda.synchronize() if torch.cuda.is_available() else None
    start_time = time.time()
    for _ in range(10):
        _ = model(x)
    torch.cuda.synchronize() if torch.cuda.is_available() else None
    end_time = time.time()

    # Count parameters
    param_count = sum(p.numel() for p in model.parameters())

    results[name] = {
        "time_per_run_ms": (end_time - start_time) * 100,  # ms per 10 runs
        "parameters": param_count
    }

# Print results
print("Performance Comparison (sequence length = {})".format(seq_len))
print("=" * 50)
for name, metrics in results.items():
```

```python
        print(f"{name}:")
        print(f"  Time per 10 runs: {metrics['time_per_run_ms']:.2f} ms")
        print(f"  Parameters: {metrics['parameters']:,}")
        print("-" * 50)

    # Visualize KV cache size comparison
    kv_cache_sizes = {
        "Standard MHA": seq_len * 2 * embed_dim,  # Full KV cache (8 heads)
        "GQA (2 KV heads)": seq_len * 2 * (embed_dim // 4),  # 1/4 the size (2 heads)
        "GQA (4 KV heads)": seq_len * 2 * (embed_dim // 2),  # 1/2 the size (4 heads)
    }

    plt.figure(figsize=(10, 5))
    plt.bar(kv_cache_sizes.keys(), [size/1e6 for size in kv_cache_sizes.values()])
    plt.ylabel('KV Cache Size (MB)')
    plt.title('KV Cache Size Comparison')
    for i, v in enumerate(kv_cache_sizes.values()):
        plt.text(i, v/1e6 + 0.1, f"{v/1e6:.2f} MB", ha='center')

    # Show how KV cache grows with sequence length
    seq_lengths = [1024, 2048, 4096, 8192, 16384]
    std_cache_sizes = [seq_len * 2 * embed_dim / 1e6 for seq_len in seq_lengths]
    gqa_cache_sizes = [seq_len * 2 * (embed_dim // 4) / 1e6 for seq_len in seq_lengths]

    plt.figure(figsize=(10, 5))
    plt.plot(seq_lengths, std_cache_sizes, 'bo-', label='Standard MHA')
    plt.plot(seq_lengths, gqa_cache_sizes, 'ro-', label='GQA (2 KV heads)')
    plt.xlabel('Sequence Length')
    plt.ylabel('KV Cache Size (MB)')
    plt.title('KV Cache Growth with Sequence Length')
    plt.legend()
    plt.grid(True)

# Demonstrate usage with a simple example
seq_len, batch_size, embed_dim = 5, 1, 32
x = torch.randn(batch_size, seq_len, embed_dim)
gqa = GroupedQueryAttention(embed_dim=embed_dim, num_query_heads=8, num_kv_heads=2)
output = gqa(x)

print(f"Input shape: {x.shape}")
print(f"Output shape: {output.shape}")

# Compare with standard attention
compare_attention_mechanisms(seq_len=2048, embed_dim=512)

# Basic visualization of attention patterns
def visualize_attention_pattern():
    seq_len = 10
    embed_dim = 64
    x = torch.randn(1, seq_len, embed_dim)
```

```python
    model       =       GroupedQueryAttention(embed_dim=embed_dim,       num_query_heads=4,
num_kv_heads=2)

    # Get attention weights by modifying forward pass temporarily
    with torch.no_grad():
        q = model.q_proj(x).view(1, seq_len, model.num_query_heads, model.head_dim)
        k = model.k_proj(x).view(1, seq_len, model.num_kv_heads, model.head_dim)
        v = model.v_proj(x).view(1, seq_len, model.num_kv_heads, model.head_dim)

        q = q.transpose(1, 2)
        k = k.transpose(1, 2)

        k_expanded = torch.repeat_interleave(k, model.group_size, dim=1)

        attn_weights    =    torch.matmul(q,    k_expanded.transpose(-2,    -1))    /
torch.sqrt(torch.tensor(model.head_dim, dtype=torch.float32))
        attn_weights = F.softmax(attn_weights, dim=-1)

    # Plot attention patterns for each head
    fig, axes = plt.subplots(1, model.num_query_heads, figsize=(15, 3))
    for i in range(model.num_query_heads):
        im = axes[i].imshow(attn_weights[0, i].cpu().numpy(), cmap='viridis')
        axes[i].set_title(f'Head {i+1}')
        axes[i].set_xlabel('Key position')
        axes[i].set_ylabel('Query position')

    fig.colorbar(im, ax=axes.ravel().tolist())
    plt.tight_layout()
    plt.suptitle('Attention Patterns with GQA (notice shared patterns within groups)')

visualize_attention_pattern()
```

Ecco una spiegazione completa:

Implementazione principale di GQA

L'esempio di codice mostra la Grouped Query Attention, una tecnica di ottimizzazione che riduce l'uso della memoria e il costo computazionale rispetto all'attenzione multi-head standard.

Struttura della classe

- La classe GroupedQueryAttention eredita da nn.Module e accetta parametri per la dimensione dell'embedding, il numero di query heads, il numero di key-value heads e il tasso di dropout.

- L'innovazione chiave è che più query heads condividono gli stessi key-value heads, riducendo il numero di parametri e l'uso della memoria.

- Due assert di compatibilità garantiscono che:

    o   la dimensione dell'embedding sia divisibile per il numero di query heads

    o   le query heads siano divisibili per le key-value heads

Layer di proiezione

- Proiezione delle query: proiezione a dimensione completa (self.q_proj)

- Proiezioni key/value: proiezioni a dimensione ridotta (self.k_proj, self.v_proj)

- Proiezione di output: riporta l'output dell'attenzione alle dimensioni originali

Forward pass

- Proietta l'input in query, key e value con le dimensioni appropriate

- Trasporta i tensori per il calcolo dell'attenzione

- Il passaggio critico: espande i tensori key e value per adattarli alle query heads tramite ripetizione con torch.repeat_interleave

- Calcola la scaled dot-product attention con normalizzazione softmax

- Applica i pesi di attenzione ai value e rimodella l'output

Funzioni di confronto delle prestazioni

Il codice include strumenti per dimostrare i vantaggi di GQA:

- compare_attention_mechanisms(): confronta la MHA standard con varianti GQA con diverse configurazioni di heads misurando:

    o tempo di esecuzione

    o numero di parametri

    o dimensione della KV cache — fondamentale per l'efficienza in inferenza

- Funzioni di visualizzazione per confrontare la dimensione della KV cache e la sua crescita con la lunghezza della sequenza

- La funzione visualize_attention_pattern() mostra come appaiono i pattern di attenzione in GQA, evidenziando come più query heads condividano le stesse coppie key-value

Vantaggi principali dimostrati

- Efficienza della memoria: riduce i parametri condividendo le proiezioni key-value

- Velocità in inferenza: una KV cache più piccola consente una generazione di token più rapida

- Lunghezza del contesto: permette di gestire sequenze più lunghe con una crescita minima della memoria

- Utilizzato nei modelli moderni: l'implementazione è simile agli approcci usati in LLaMA-2, PaLM 2 e Claude

Questa implementazione fornisce sia una dimostrazione pratica di GQA sia strumenti per visualizzare i suoi vantaggi rispetto ai meccanismi di attenzione tradizionali, in particolare in termini di uso della memoria ed efficienza computazionale, mantenendo gran parte della potenza rappresentazionale dell'attenzione multi-head completa.

3.3.3 Sparsità dell'attenzione

Nella self-attention completa, ogni token presta attenzione a **tutti gli altri token** nella sequenza. Questo crea una complessità computazionale che scala quadraticamente come $O(n^2)$ con la lunghezza della sequenza, diventando proibitiva per sequenze lunghe (pensiamo a oltre 100k token). Per dare un'idea, elaborare una sequenza di 100.000 token richiederebbe 10 miliardi di calcoli di attenzione per layer!

Per capire perché questo è un problema, considera cosa succede quando si scala: se raddoppiamo la lunghezza del contesto da 4K a 8K token, il lavoro computazionale quadruplica da 16 milioni a 64 milioni di connessioni per layer. Questa crescita quadratica diventa rapidamente un collo di bottiglia sia per il training sia per l'inferenza.

Inoltre, i requisiti di memoria per memorizzare la matrice di attenzione crescono anch'essi quadraticamente. Per una sequenza di lunghezza n, dobbiamo memorizzare una matrice n×n, che per sequenze lunghe può superare la memoria disponibile sulla GPU. Ad esempio, una sequenza di 32K token richiederebbe circa 4GB di memoria solo per memorizzare una singola matrice di attenzione in precisione a 32 bit.

Le **tecniche di attenzione sparsa** riducono questo carico computazionale considerando solo le posizioni più rilevanti, eliminando le connessioni non necessarie. Questo trasforma la scalabilità da quadratica a quasi lineare in molte implementazioni. Limitando strategicamente quali token possono prestare attenzione ad altri, queste tecniche riducono drasticamente sia il calcolo sia l'uso della memoria.

L'intuizione chiave alla base dell'attenzione sparsa è che non tutte le interazioni tra token sono ugualmente importanti. Molti fenomeni linguistici sono locali, mentre alcuni token speciali possono richiedere contesto globale. Sfruttando questo schema, l'attenzione sparsa può preservare la maggior parte delle capacità del modello eliminando molti calcoli inutili.

Attenzione locale

Ogni token presta attenzione solo ai suoi vicini entro una finestra di dimensione fissa (ad esempio ±128 token). Questo crea una finestra scorrevole di attenzione che si muove con ogni posizione del token. Per esempio, con una finestra di 128, il token in posizione 500 presterà attenzione ai token dalle posizioni 372 a 628.

Questo approccio funziona particolarmente bene per compiti in cui il contesto vicino è più rilevante, come il riconoscimento vocale, dove i fonemi sono fortemente correlati ai suoni adiacenti, o l'analisi del DNA, dove i nucleotidi vicini spesso formano unità funzionali. È efficace anche per compiti di elaborazione del testo, dove la maggior parte delle relazioni semantiche avviene tra parole relativamente vicine nella sequenza.

I guadagni di efficienza sono notevoli — la complessità computazionale diventa O(n×w), dove w è la dimensione fissa della finestra. Poiché w è una costante (come 128 o 256), il meccanismo di attenzione scala praticamente in modo lineare con la lunghezza della sequenza invece che quadraticamente. Per una sequenza di 100.000 token con finestra 256, questo riduce i calcoli da 10 miliardi a soli 25,6 milioni — un miglioramento di 390 volte.

Tuttavia, l'attenzione locale ha dei limiti: fatica nei compiti che richiedono dipendenze a lungo raggio, come il ragionamento su interi documenti, dove informazioni importanti possono essere separate da migliaia di token. Per questo motivo, schemi di attenzione sparsa più avanzati combinano spesso l'attenzione locale con altri meccanismi per catturare sia relazioni locali sia globali.

Attenzione block-sparse

I token prestano attenzione all'interno di blocchi o segmenti definiti, con alcuni token globali che possono vedere l'intera sequenza. Questo crea un pattern di attenzione sparsa in cui la maggior parte dei token ha una visione limitata, mentre alcuni token "sentinella" mantengono il contesto globale. Questi blocchi possono essere organizzati in diversi modi — blocchi diagonali per attenzione locale o strutture più complesse che permettono un flusso gerarchico dell'informazione.

Ad esempio, in un approccio block-sparse, un documento può essere diviso in segmenti di 512 token, con attenzione completa all'interno di ciascun blocco, più token di "riassunto" che possono vedere tutti i blocchi. Questo crea una sorta di autostrada dell'informazione, in cui i dettagli locali vengono elaborati efficientemente nei blocchi, mentre le informazioni globali scorrono attraverso i token globali dedicati.

Inoltre, alcune implementazioni utilizzano pattern a intervalli regolari (strided), in cui i token possono prestare attenzione a blocchi a intervalli lungo la sequenza, catturando pattern periodici o relazioni distanti. Altre adottano pattern sparsi casuali che, teoricamente, permettono all'informazione di fluire tra qualsiasi coppia di posizioni tramite un numero ridotto di passaggi.

Questo approccio ibrido preserva gran parte della potenza modellante dell'attenzione completa riducendo drasticamente il calcolo. Progettando con attenzione quali blocchi possono interagire tra loro, questi modelli raggiungono una complessità più vicina a $O(n\sqrt{n})$ o persino $O(n \log n)$ invece di $O(n^2)$, consentendo l'elaborazione di sequenze molto più lunghe con le stesse risorse computazionali.

BigBird e Longformer

BigBird e Longformer implementano sofisticati pattern di attenzione sparsa che combinano finestre locali, token globali e connessioni casuali. Queste architetture possono scalare in modo efficiente a sequenze di 4.000–8.000+ token con una perdita minima di prestazioni rispetto ai modelli con attenzione completa.

BigBird, ad esempio, combina tre distinti pattern di attenzione:

- **Window attention**: ogni token presta attenzione al proprio vicinato locale (simile all'approccio con finestra scorrevole). Questo consente al modello di catturare efficacemente il contesto locale concentrandosi sui token vicini. Per esempio, in un documento sul cambiamento climatico, questo aiuta il modello a comprendere frasi e connessioni semantiche vicine creando una finestra di attenzione focalizzata attorno a ogni token, che in genere copre 256-512 token in ciascuna direzione.

- **Global attention**: token speciali come [CLS] prestano attenzione a tutti i token e ricevono attenzione da tutti i token, creando vere e proprie autostrade dell'informazione. Questi token globali fungono da punti di aggregazione che raccolgono informazioni dall'intera sequenza e le ridistribuiscono, permettendo una comprensione a livello di documento. Per esempio, in un lungo articolo scientifico, il token [CLS] può raccogliere le conclusioni chiave da diverse sezioni e rendere queste informazioni disponibili a tutti gli altri token, facilitando i riferimenti incrociati tra parti lontane del documento.

- **Random attention**: ogni token presta attenzione a un piccolo insieme di token selezionati casualmente, il che teoricamente permette all'informazione di fluire tra qualsiasi due posizioni in un numero logaritmico di passaggi. Questa connettività casuale crea scorciatoie attraverso il documento, garantendo che l'informazione possa propagarsi in modo efficiente tra sezioni distanti. Dimostrazioni matematiche mostrano che con sole O(log n) connessioni casuali, l'informazione può fluire tra qualsiasi due token nella sequenza. In pratica, questo significa che anche token separati da migliaia di posizioni possono scambiarsi informazioni attraverso pochi passaggi intermedi.

Questo meccanismo di attenzione tri-direzionale raggiunge una scalabilità quasi lineare mantenendo prestazioni elevate in compiti su documenti lunghi, come summarization e question answering. È importante notare che BigBird mantiene la proprietà teorica di **"universal approximation"**: può rappresentare qualsiasi funzione sequence-to-sequence che l'attenzione completa può rappresentare, ma con requisiti computazionali molto inferiori.

Longformer adotta un approccio simile ma con un pattern leggermente diverso, utilizzando una combinazione di attenzione a finestra scorrevole e attenzione globale per token speciali. Ha dimostrato particolare efficacia in compiti che richiedono sia precisione locale sia comprensione a livello di documento, come il long-document question answering e la multi-document summarization, dove può elaborare input di 16.000+ token.

Esempio di codice: attenzione locale (finestra scorrevole)

```python
import torch
import torch.nn as nn
import torch.nn.functional as F
import matplotlib.pyplot as plt
import time

class LocalAttention(nn.Module):
    def __init__(self, dim, window_size=128):
        super().__init__()
        self.dim = dim
        self.window_size = window_size
        self.query_proj = nn.Linear(dim, dim)
        self.key_proj = nn.Linear(dim, dim)
        self.value_proj = nn.Linear(dim, dim)
        self.output_proj = nn.Linear(dim, dim)
        self.scaling = dim ** -0.5

    def forward(self, x):
        B, T, D = x.size()

        # Project inputs to queries, keys, values
        queries = self.query_proj(x) * self.scaling  # [B, T, D]
        keys = self.key_proj(x)  # [B, T, D]
        values = self.value_proj(x)  # [B, T, D]

        # Initialize output tensor
        output = torch.zeros_like(x)

        # Compute local attention for each position
        for i in range(T):
            # Define local window boundaries
```

```python
            start = max(0, i - self.window_size)
            end = min(T, i + self.window_size + 1)

            # Extract local context
            local_keys = keys[:, start:end, :]  # [B, window_size*2, D]
            local_values = values[:, start:end, :]  # [B, window_size*2, D]

            # Current query
            query = queries[:, i:i+1, :]  # [B, 1, D]

            # Compute attention scores
            scores = torch.bmm(query, local_keys.transpose(1, 2))  # [B, 1, window_size*2]

            # Apply softmax to get attention weights
            attn_weights = F.softmax(scores, dim=-1)  # [B, 1, window_size*2]

            # Weight values by attention
            context = torch.bmm(attn_weights, local_values)  # [B, 1, D]

            # Store in output
            output[:, i:i+1, :] = context

        return self.output_proj(output)

def naive_local_attention(x, window=2):
    """A simple implementation of local attention for educational purposes"""
    B, T, D = x.size()
    outputs = []
    for i in range(T):
        start = max(0, i - window)
        end = min(T, i + window + 1)
        context = x[:, start:end, :]
        weights = F.softmax(torch.bmm(x[:, i:i+1, :], context.transpose(1,2)), dim=-1)
        out = torch.bmm(weights, context)
        outputs.append(out)
    return torch.cat(outputs, dim=1)

def vectorized_local_attention(x, window=2):
    """A more efficient implementation using vectorized operations"""
    B, T, D = x.size()

    # Create attention mask to implement sliding window
    mask = torch.zeros(T, T, device=x.device)
    for i in range(T):
        start = max(0, i - window)
        end = min(T, i + window + 1)
        mask[i, start:end] = 1

    # Compute attention scores
    scores = torch.bmm(x, x.transpose(1, 2))  # [B, T, T]
```

```python
    # Apply mask (setting padded values to -inf before softmax)
    scores = scores.masked_fill(mask.unsqueeze(0) == 0, -1e9)

    # Apply softmax to get attention weights
    attn_weights = F.softmax(scores, dim=-1)  # [B, T, T]

    # Weight values by attention
    output = torch.bmm(attn_weights, x)  # [B, T, D]

    return output

def compare_performance(seq_lengths=[10, 50, 100, 200], window=2):
    """Compare performance of different local attention implementations"""
    results = {'naive': [], 'vectorized': [], 'optimized': []}

    for seq_len in seq_lengths:
        # Generate random input tensor
        x = torch.randn(1, seq_len, 64)

        # Naive implementation
        start_time = time.time()
        naive_local_attention(x, window)
        naive_time = time.time() - start_time
        results['naive'].append(naive_time)

        # Vectorized implementation
        start_time = time.time()
        vectorized_local_attention(x, window)
        vectorized_time = time.time() - start_time
        results['vectorized'].append(vectorized_time)

        # Optimized implementation
        model = LocalAttention(64, window)
        start_time = time.time()
        model(x)
        optimized_time = time.time() - start_time
        results['optimized'].append(optimized_time)

        print(f"Sequence length {seq_len}:")
        print(f"  Naive: {naive_time:.5f}s")
        print(f"  Vectorized: {vectorized_time:.5f}s")
        print(f"  Optimized: {optimized_time:.5f}s")

    # Plot results
    plt.figure(figsize=(10, 6))
    plt.plot(seq_lengths, results['naive'], 'o-', label='Naive')
    plt.plot(seq_lengths, results['vectorized'], 's-', label='Vectorized')
    plt.plot(seq_lengths, results['optimized'], '^-', label='Optimized')
    plt.xlabel('Sequence Length')
    plt.ylabel('Time (s)')
    plt.title('Performance Comparison of Local Attention Implementations')
```

```python
        plt.legend()
        plt.grid(True)
        plt.show()

def visualize_attention_pattern(window=2, seq_len=10):
    """Visualize the sparse attention pattern created by local attention"""
    attention_mask = torch.zeros(seq_len, seq_len)

    for i in range(seq_len):
        start = max(0, i - window)
        end = min(seq_len, i + window + 1)
        attention_mask[i, start:end] = 1

    plt.figure(figsize=(8, 8))
    plt.imshow(attention_mask, cmap='Blues')
    plt.title(f'Local Attention Pattern (Window Size = {window})')
    plt.xlabel('Key Position')
    plt.ylabel('Query Position')
    plt.colorbar(label='Attention Connection')
    for i in range(seq_len):
        for j in range(seq_len):
            color = 'white' if attention_mask[i, j] > 0 else 'none'
            plt.text(j, i, '1' if attention_mask[i, j] > 0 else '0',
                     ha='center', va='center', color=color)
    plt.tight_layout()
    plt.show()

# Example
if __name__ == "__main__":
    # Basic functionality test
    x = torch.randn(1, 6, 16)
    model = LocalAttention(16, window_size=2)
    out = model(x)
    print(f"Input shape: {x.shape}, Output shape: {out.shape}")

    # Compare implementations
    compare_performance([10, 50, 100, 200], window=2)

    # Visualize the attention pattern
    visualize_attention_pattern(window=2, seq_len=10)
```

Analisi completa: implementazione dell'attenzione locale

Questo esempio di codice fornisce un toolkit completo per comprendere, implementare e analizzare i meccanismi di attenzione locale. Ecco un'analisi dettagliata:

1. Implementazioni principali

- **Classe LocalAttention**: una corretta implementazione come modulo PyTorch con:
    - o Layer di proiezione dedicati per query, key e value.

- o   Attenzione a finestra scorrevole basata su una dimensione di finestra configurabile.

  - o   Fattore di scaling appropriato ($1/\sqrt{d}$) per gradienti stabili.

  - o   Proiezione finale dell'output come nell'attenzione standard.

- **Implementazione naive**: la funzione originale che:

  - o   Elabora ogni posizione in modo sequenziale.

  - o   Mostra chiaramente il concetto base della finestra scorrevole.

  - o   Utilizza semplici operazioni sui tensori per scopi didattici.

- **Implementazione vettorializzata**: un approccio più efficiente che:

  - o   Utilizza un tensore di maschera per implementare il pattern a finestra scorrevole.

  - o   Calcola tutti i punteggi di attenzione in un'unica operazione.

  - o   Evita loop espliciti sulle posizioni della sequenza.

2. Strumenti di analisi

- **Funzione di confronto delle prestazioni**: confronta tutte e tre le implementazioni:

  - o   Misura il tempo di esecuzione su diverse lunghezze di sequenza.

  - o   Genera grafici per visualizzare il comportamento della scalabilità.

  - o   Mostra come le operazioni vettorializzate migliorano l'efficienza.

- **Funzione di visualizzazione**: illustra il pattern di attenzione sparsa:

  - o   Crea una rappresentazione visiva di quali token prestano attenzione a quali altri.

  - o   Mostra il tipico pattern a banda diagonale dell'attenzione locale.

  - o   Aiuta a comprendere intuitivamente come fluisce l'informazione nel modello.

3. Insight tecnici principali

- **Tecnica di masking**: il codice mostra come creare e applicare maschere di attenzione per limitare quali token possono interagire tra loro.

- **Efficienza computazionale**: dimostra come la complessità diventa $O(n \cdot w)$ invece di $O(n^2)$, dove w è la dimensione della finestra.

- **Trade-off di implementazione**: evidenzia l'equilibrio tra chiarezza del codice (implementazione naive) ed efficienza computazionale (implementazione vettorializzata).

Questa implementazione fornisce sia una comprensione teorica sia strumenti pratici per lavorare con l'attenzione locale, una tecnica fondamentale per rendere i transformer più efficienti su sequenze lunghe. Le funzioni di visualizzazione e confronto la rendono particolarmente utile a fini didattici.

3.3.4 Perché tutto questo è importante

SwiGLU (Swish-Gated Linear Unit) migliora significativamente le dinamiche di apprendimento, fornendo ai modelli rappresentazioni più ricche con un costo computazionale aggiuntivo minimo. Questa funzione di attivazione avanzata combina i benefici dei meccanismi di gating con una semplice connessione identità pesata, permettendo un flusso del gradiente più efficace durante il training. Sostituendo le attivazioni tradizionali come ReLU o GELU, SwiGLU consente ai modelli di apprendere pattern più complessi mantenendo l'efficienza computazionale.

La formulazione matematica di SwiGLU implica la moltiplicazione di una proiezione lineare dell'input con una versione pesata tramite sigmoid di un'altra proiezione, creando un percorso fluido e differenziabile per i gradienti che aiuta a prevenire il problema del vanishing gradient. I modelli che utilizzano SwiGLU tendono a convergere più velocemente e a ottenere prestazioni migliori in vari compiti di elaborazione del linguaggio naturale, rendendola una scelta preferita nelle architetture LLM moderne come PaLM e Gemini.

GQA (Grouped Query Attention) rende i meccanismi di attenzione significativamente più efficienti, riducendo l'uso della memoria senza una perdita significativa di accuratezza. Questa tecnica innovativa raggruppa le query per condividere le stesse key e value, riducendo drasticamente l'impronta di memoria durante l'inferenza. A differenza dell'attenzione multi-head standard, che richiede coppie key-value separate per ogni head (causando un'esplosione dei parametri), GQA riduce notevolmente il numero di parametri preservando gran parte delle capacità di ragionamento del modello.

Questo approccio rappresenta un compromesso tra multi-head attention (MHA) e multi-query attention (MQA), trovando un equilibrio ottimale tra efficienza dei parametri e capacità del modello. In pratica, GQA può ridurre i requisiti di memoria della KV cache di 2–4 volte rispetto all'attenzione standard mantenendo il 95–99% delle prestazioni del modello, rendendo possibile distribuire modelli più grandi sullo stesso hardware o aumentare la dimensione del batch durante l'inferenza. Modelli come PaLM 2 e Claude hanno implementato con successo GQA come miglioramento architetturale fondamentale.

Attenzione sparsa trasforma radicalmente il modo in cui gli LLM possono gestire contesti molto lunghi senza subire l'esplosione computazionale quadratica. Invece di far sì che ogni token presti attenzione a tutti gli altri (scalando come $O(n^2)$), i pattern di attenzione sparsa come attenzione locale, dilatata o Longformer consentono di concentrarsi selettivamente solo sui token più rilevanti. Questo riduce la complessità computazionale a $O(n)$ o $O(n \log n)$, rendendo possibile elaborare documenti con migliaia o decine di migliaia di token.

L'attenzione locale, come mostrato nell'esempio di codice sopra, limita ogni token a una finestra di token vicini. L'attenzione dilatata estende questo concetto permettendo ai token di prestare attenzione a posizioni a distanze diverse, creando un campo recettivo più ampio senza aumentare proporzionalmente il calcolo. Pattern più avanzati come l'attenzione LSH del Reformer o l'attenzione globale+locale del Longformer combinano diverse strategie per bilanciare efficienza e capacità del modello. Questi approcci hanno permesso importanti progressi nei modelli a lungo contesto, capaci di elaborare libri interi, codebase o conversazioni lunghe mantenendo una comprensione coerente.

Insieme, questi miglioramenti architetturali spiegano perché gli LLM di oggi possono essere **più veloci, più efficienti e più scalabili** rispetto ai primi transformer. Rappresentano innovazioni ingegneristiche fondamentali che hanno trasformato modelli teorici in sistemi pratici e distribuibili, capaci di affrontare compiti reali con un'efficienza senza precedenti.

Esercizi pratici – Capitolo 3

Questi esercizi ti aiutano a interiorizzare **multi-head attention, rotary embeddings (RoPE), strategie di normalizzazione, depth vs width, ALiBi, SwiGLU, GQA e attention sparsity**.

Esercizio 1 — Scaled Dot-Product Attention (single head)

Compito: implementa una scaled dot-product attention single-head con **maschera causale opzionale**.

Soluzione:

```python
import torch
import torch.nn.functional as F

def scaled_dot_product_attention(q, k, v, causal=False):
    # q,k,v: [B, T, D]
    d = q.size(-1)
    scores = q @ k.transpose(-2, -1) / (d ** 0.5)   # [B, T, T]
    if causal:
        T = scores.size(-1)
        mask = torch.triu(torch.ones(T, T, device=scores.device), diagonal=1).bool()
        scores = scores.masked_fill(mask, float('-inf'))
    weights = F.softmax(scores, dim=-1)              # [B, T, T]
    return weights @ v, weights                      # [B, T, D], [B, T, T]

# Quick check
B,T,D = 1,5,16
x = torch.randn(B,T,D)
y,_ = scaled_dot_product_attention(x,x,x,causal=True)
print(y.shape)  # torch.Size([1,5,16])
```

Esercizio 2 — Multi-Head Self-Attention minimale

Compito: costruisci un piccolo layer di multi-head attention. Verifica le shape in output.

Soluzione:

```python
import torch, torch.nn as nn, torch.nn.functional as F

class MiniMHA(nn.Module):
    def __init__(self, embed_dim=32, num_heads=4):
        super().__init__()
        assert embed_dim % num_heads == 0
        self.h = num_heads
        self.d = embed_dim // num_heads
        self.q = nn.Linear(embed_dim, embed_dim)
        self.k = nn.Linear(embed_dim, embed_dim)
        self.v = nn.Linear(embed_dim, embed_dim)
        self.o = nn.Linear(embed_dim, embed_dim)

    def forward(self, x):
```

```python
        B,T,C = x.shape
        q = self.q(x).view(B,T,self.h,self.d).transpose(1,2)   # [B,h,T,d]
        k = self.k(x).view(B,T,self.h,self.d).transpose(1,2)
        v = self.v(x).view(B,T,self.h,self.d).transpose(1,2)
        scores = (q @ k.transpose(-2,-1)) / (self.d**0.5)      # [B,h,T,T]
        w = F.softmax(scores, dim=-1)
        out = (w @ v).transpose(1,2).contiguous().view(B,T,C)  # [B,T,C]
        return self.o(out)

x = torch.randn(2, 6, 32)
mha = MiniMHA(32, 4)
print(mha(x).shape)  # torch.Size([2, 6, 32])
```

Esercizio 3 — Aggiungere RoPE a Q/K e confrontare l'attenzione

Compito: applica un semplice **rotary position embedding** a Q e K, poi confronta i pesi di attenzione con/senza RoPE.

Soluzione:

```python
import torch, math, torch.nn.functional as F

def apply_rope(t, base=10000.0):
    # t: [B,h,T,d]; assume d è pari
    B,h,T,d = t.shape
    half = d//2
    idx = torch.arange(half, device=t.device)
    theta = (1.0 / (base ** (idx/half))).view(1,1,1,half)    # [1,1,1,half]
    pos = torch.arange(T, device=t.device).view(1,1,T,1)
    angles = pos * theta                                      # [1,1,T,half]
    sin, cos = torch.sin(angles), torch.cos(angles)
    t1, t2 = t[..., :half], t[..., half:]
    return torch.cat([t1*cos - t2*sin, t1*sin + t2*cos], dim=-1)

# Confronto pesi
B,h,T,d = 1, 2, 6, 8
q = torch.randn(B,h,T,d)
k = torch.randn(B,h,T,d)

# vanilla
w0 = F.softmax((q @ k.transpose(-2,-1))/ (d**0.5), dim=-1)

# con RoPE
q_r = apply_rope(q); k_r = apply_rope(k)
w1 = F.softmax((q_r @ k_r.transpose(-2,-1))/ (d**0.5), dim=-1)

print("Δ mean:", (w1 - w0).abs().mean().item())
```

Esercizio 4 — Implementare il bias ALiBi e inserirlo nell'attenzione

Compito: crea un tensore di bias ALiBi e aggiungilo ai logits dell'attenzione prima della softmax.

Soluzione:

```python
import torch, torch.nn.functional as F

def alibi_bias(seq_len, num_heads):
    # slope geometrica per head (una delle possibili varianti)
    slopes = torch.tensor([1.0 / (2 ** (i/num_heads)) for i in range(num_heads)])
    i = torch.arange(seq_len).unsqueeze(1)
    j = torch.arange(seq_len).unsqueeze(0)
    dist = (i - j).abs().float()                          # [T,T]
    bias = -dist.unsqueeze(0) * slopes.view(num_heads,1,1)    # [h,T,T]
    return bias

B,h,T,d = 1, 4, 8, 16
q = torch.randn(B,h,T,d); k = torch.randn(B,h,T,d); v = torch.randn(B,h,T,d)
scores = (q @ k.transpose(-2,-1)) / (d**0.5)         # [B,h,T,T]
bias = alibi_bias(T, h).to(scores.device).unsqueeze(0)    # [1,h,T,T]
w = F.softmax(scores + bias, dim=-1)
out = w @ v
print(out.shape)  # torch.Size([1,4,8,16])
```

Esercizio 5 — Verifica stabilità LayerNorm vs RMSNorm

Compito: confronta LayerNorm e RMSNorm su attivazioni casuali e analizza le loro statistiche.

Soluzione:

```python
import torch, torch.nn as nn

class RMSNorm(nn.Module):
    def __init__(self, dim, eps=1e-8):
        super().__init__()
        self.scale = nn.Parameter(torch.ones(dim))
        self.eps = eps
    def forward(self, x):
        # normalizzazione tramite root-mean-square sulle feature
        rms = x.pow(2).mean(dim=-1, keepdim=True).sqrt()
        return self.scale * (x / (rms + self.eps))

x = torch.randn(64, 32) * 3.0 # attivazioni "rumorose"
ln = nn.LayerNorm(32)
rms = RMSNorm(32)

y_ln = ln(x); y_rms = rms(x)
print(y_ln.mean().item(), y_ln.std().item())
print(y_rms.mean().item(), y_rms.std().item())
```

Esercizio 6 — Depth vs Width: conteggio parametri & forward rapido

Compito: costruisci un encoder **deep-narrow** e uno **shallow-wide** usando TransformerEncoderLayer. Confronta i parametri e verifica un forward pass.

Soluzione:

```python
import torch, torch.nn as nn

def count_params(m): return sum(p.numel() for p in m.parameters())

deep_narrow = nn.TransformerEncoder(
    nn.TransformerEncoderLayer(d_model=256,        nhead=4,        dim_feedforward=1024,
batch_first=True),
    num_layers=24
)
shallow_wide = nn.TransformerEncoder(
    nn.TransformerEncoderLayer(d_model=1024,        nhead=16,        dim_feedforward=4096,
batch_first=True),
    num_layers=6
)

print("Deep-Narrow params:", count_params(deep_narrow))
print("Shallow-Wide params:", count_params(shallow_wide))

x_dn = torch.randn(2, 32, 256)
x_sw = torch.randn(2, 32, 1024)
print(deep_narrow(x_dn).shape, shallow_wide(x_sw).shape)
```

Esercizio 7 — SwiGLU feed-forward vs GELU

Compito: implementa un FFN con SwiGLU e confronta le statistiche di output con un FFN GELU standard.

Soluzione:

```python
import torch, torch.nn as nn, torch.nn.functional as F

class SwiGLU(nn.Module):
    def __init__(self, d_in, d_hidden, d_out):
        super().__init__()
        self.w1 = nn.Linear(d_in, d_hidden)
        self.w2 = nn.Linear(d_in, d_hidden)
        self.proj = nn.Linear(d_hidden, d_out)
    def forward(self, x):
        return self.proj(F.silu(self.w1(x)) * self.w2(x))

gelu_ffn = nn.Sequential(nn.Linear(256, 1024), nn.GELU(), nn.Linear(1024, 256))
swiglu_ffn = SwiGLU(256, 1024, 256)

x = torch.randn(8, 16, 256)
y_gelu = gelu_ffn(x); y_swiglu = swiglu_ffn(x)
print(y_gelu.std().item(), y_swiglu.std().item())
```

Esercizio 8 — GQA: condividere K/V tra query heads

Compito: crea proiezioni grouped-query dove **molte Q heads condividono meno K/V heads**. Verifica il mapping delle head.

Soluzione:

```python
import torch, torch.nn as nn

class SimpleGQA(nn.Module):
    def __init__(self, d_model=64, q_heads=8, kv_heads=2):
        super().__init__()
        assert d_model % q_heads == 0
        self.qh, self.kvh = q_heads, kv_heads
        self.d = d_model // q_heads
        self.q = nn.Linear(d_model, d_model)
        self.k = nn.Linear(d_model, self.d * kv_heads)
        self.v = nn.Linear(d_model, self.d * kv_heads)

    def forward(self, x):
        B,T,C = x.shape
        q = self.q(x).view(B,T,self.qh,self.d).transpose(1,2)     # [B,qh,T,d]
        k = self.k(x).view(B,T,self.kvh,self.d).transpose(1,2)    # [B,kvh,T,d]
        v = self.v(x).view(B,T,self.kvh,self.d).transpose(1,2)
        # espande kv per adattarsi alle q heads ripetendo ogni kv head
        group = self.qh // self.kvh
        k = k.repeat_interleave(group, dim=1)                     # [B,qh,T,d]
        v = v.repeat_interleave(group, dim=1)
        return q,k,v

x = torch.randn(1, 10, 64)
q,k,v = SimpleGQA()(x)
print(q.shape, k.shape, v.shape)  # torch.Size([1,8,10,8]) ciascuno
```

Esercizio 9 — Attenzione locale (sparsa) vs attenzione completa

Compito: implementa una **sliding-window local attention** e confronta la shape dell'output con quella dell'attenzione completa.

Soluzione:

```python
import torch, torch.nn.functional as F

def local_attention(x, window=2):
    # x: [B,T,D]
    B,T,D = x.shape
    outs = []
    for i in range(T):
        s = max(0, i - window); e = min(T, i + window + 1)
        ctx = x[:, s:e, :]                                        # [B,W,D]
        w = F.softmax(torch.bmm(x[:, i:i+1, :], ctx.transpose(1,2)), dim=-1)    #
[B,1,W]
```

```
        outs.append(torch.bmm(w, ctx))              # [B,1,D]
    return torch.cat(outs, dim=1)                    # [B,T,D]

B,T,D = 1, 12, 32
x = torch.randn(B,T,D)
y_local = local_attention(x, window=3)
print(y_local.shape)  # torch.Size([1,12,32])
```

Esercizio 10 — (Concettuale) Scegliere tra RoPE e ALiBi

Compito (senza codice):

Stai costruendo un sistema di summarization per contesti lunghi (fino a 64k token). Vuoi **buona generalizzazione oltre il contesto di training** ed **inferenza efficiente**. Cosa sceglieresti, **RoPE** o **ALiBi**, e perché?

Risposta esempio:

Inizierei con RoPE perché codifica le posizioni relative direttamente in Q/K e tende a generalizzare bene su contesti più lunghi. Se latenza/memoria diventano un problema o se gli esperimenti mostrano maggiore stabilità empirica, proverei ALiBi, che aggiunge un bias lineare sulla distanza ai logits ed è semplice da scalare.

Cosa hai praticato

- Costruire meccanismi di attenzione da zero e visualizzare l'effetto di **RoPE/ALiBi**.

- Confrontare **LayerNorm vs RMSNorm** e capire perché gli stack pre-norm aiutano nei transformer profondi.

- Osservare come **depth vs width** influenzano parametri e comportamento.

- Implementare **SwiGLU**, **GQA** e **attenzione locale (sparsa)**, alla base degli LLM moderni.

Riepilogo Capitolo 3 – Anatomia di un LLM

In questo capitolo abbiamo aperto la "scatola nera" dei large language models per esaminarne il funzionamento interno. Mentre la tokenizzazione e gli embeddings (dal Capitolo 2) forniscono ai modelli il loro vocabolario, è il **transformer block** a renderli davvero potenti. Esplorando attenzione, encoding posizionali, strategie di normalizzazione e miglioramenti architetturali, abbiamo acquisito una visione più chiara di come gli LLM moderni raggiungano le loro impressionanti capacità.

Abbiamo iniziato con la **multi-head self-attention**, il meccanismo che permette a ogni token di prestare attenzione a tutti gli altri nella sequenza. Invece di elaborare le parole in isolamento, il modello costruisce il contesto dinamicamente, scoprendo relazioni come "it" che si riferisce a "the mat". Le multiple heads consentono al modello di catturare diversi tipi di relazioni simultaneamente — pattern locali, dipendenze a lungo raggio e segnali strutturali. Questa capacità di osservare più elementi contemporaneamente è alla base del ragionamento degli LLM.

Successivamente abbiamo analizzato le **rotary embeddings (RoPE)**, un metodo intelligente per fornire al transformer il senso dell'ordine nella sequenza. A differenza degli encoding sinusoidali fissi, RoPE ruota i vettori query e key nello spazio degli embeddings, rendendo più naturale la codifica delle posizioni relative. Questo approccio scala in modo elegante verso contesti più lunghi, un aspetto cruciale dato che gli LLM moderni elaborano documenti con decine di migliaia di token.

Allenare modelli così profondi non sarebbe possibile senza **strategie di normalizzazione**. Abbiamo esplorato LayerNorm, RMSNorm e l'approccio pre-norm, che stabilizzano le attivazioni e garantiscono un corretto flusso dei gradienti attraverso decine o persino centinaia di layer. Queste scelte apparentemente piccole fanno la differenza tra un modello che converge e uno che collassa.

Successivamente abbiamo discusso i **trade-off tra profondità e ampiezza**. I modelli più profondi (più layer) catturano caratteristiche gerarchiche, mentre quelli più larghi (stati nascosti più grandi e più attention heads) possono codificare informazioni più ricche a ogni passaggio. Il giusto equilibrio è guidato dalle scaling laws e dai vincoli computazionali pratici.

Abbiamo poi esaminato i **trucchi di positional encoding**, confrontando RoPE con ALiBi. Mentre RoPE codifica le posizioni relative tramite rotazioni, ALiBi introduce un bias diretto nei punteggi di attenzione basato sulla distanza tra i token. Entrambi permettono ai modelli di generalizzare a contesti più lunghi, sebbene in modi leggermente diversi.

Infine, abbiamo esplorato **miglioramenti architetturali avanzati**:

- **Attivazioni SwiGLU**, che migliorano l'espressività del feedforward.

- **Grouped Query Attention (GQA)**, che riduce l'uso della memoria permettendo a più query heads di condividere le proiezioni key/value.

- **Pattern di attenzione sparsa**, che consentono ai modelli di scalare su contesti molto lunghi concentrandosi solo sui token più rilevanti o vicini.

Insieme, queste innovazioni mostrano che il transformer block non è un design statico, ma un sistema in continua evoluzione. Ogni scelta — dalle attivazioni ai pattern di attenzione — influisce su efficienza, stabilità e capacità.

La lezione chiave di questo capitolo è che **gli LLM moderni sono il risultato di un'ingegneria accurata**. La loro forza non deriva solo da più dati o più parametri, ma da innovazioni architetturali che rendono possibile la scalabilità. Proseguendo nel prossimo capitolo, passeremo dalla struttura al processo: **come questi modelli vengono addestrati da zero**, includendo la curazione dei dati, la deduplicazione e l'infrastruttura necessaria per dare vita ai veri giganti dell'AI.

Capitolo 4: Addestrare gli LLM da zero

A questo punto abbiamo esaminato l'**anatomia dei large language models**: come i meccanismi di attenzione elaborano l'informazione sequenziale, come i token embeddings rappresentano il significato e come perfezionamenti architetturali come i transformer, la scaled dot-product attention e le architetture multilayer si combinano per creare sistemi potenti. Ma l'intelligenza di un LLM non è solo una funzione della sua architettura — è profondamente modellata dai **dati da cui apprende**, che determinano in ultima analisi quali pattern, conoscenze e capacità svilupperà.

Il detto *"garbage in, garbage out"* non potrebbe essere più vero per gli LLM. Anche l'architettura più avanzata fallirà se addestrata su dati di bassa qualità, distorti o ripetitivi. Al contrario, dati ben curati e diversificati possono migliorare drasticamente prestazioni, robustezza e generalizzazione. La qualità dei dati di training influisce su tutto, dall'accuratezza fattuale e la capacità di ragionamento fino alla fairness e alla sicurezza. Ricerche recenti mostrano che la qualità dei dati conta spesso più del semplice aumento della dimensione del modello: un modello di dimensione media addestrato su dati eccellenti può superare un modello molto più grande addestrato su dati rumorosi o limitati.

In questo capitolo ci allontaniamo dai blueprint del modello e osserviamo la **pipeline di training** che trasforma il testo grezzo nelle fondamenta delle capacità di un LLM:

1. Raccogliere dati su larga scala da fonti diverse, inclusi contenuti web, libri, articoli accademici, repository di codice e dataset specializzati — potenzialmente fino a trilioni di token per i modelli più grandi.

2. Pulirli e normalizzarli attraverso processi come la rimozione dei tag HTML, la standardizzazione della formattazione, la gestione dei caratteri speciali e la garanzia di una codifica coerente — passaggi che possono sembrare banali ma sono fondamentali per un apprendimento efficace.

3. Deduplicare e filtrare il rumore usando tecniche come MinHash, SimHash e approcci basati su classificatori per eliminare ridondanza e contenuti di bassa qualità che altrimenti distorcerebbero gli output del modello.

4. Prepararli per un training efficiente attraverso tokenizzazione, batching e tecniche di ottimizzazione che massimizzano l'efficienza computazionale preservando al tempo stesso la qualità dei dati.

Il nostro primo argomento — **raccolta dei dati, pulizia, deduplicazione e filtering** — è la base di qualsiasi LLM di successo. Questi passaggi preparatori possono rappresentare fino all'80% dello sforzo in alcuni progetti di training, eppure spesso ricevono meno attenzione rispetto alle innovazioni architetturali. Senza un'elaborazione dei dati di alta qualità, anche l'architettura di modello più sofisticata faticherà a raggiungere il proprio potenziale.

4.1 Raccolta dei dati, pulizia, deduplicazione e filtering

I dati sono il fondamento su cui si costruiscono le capacità di ogni LLM. La sezione 4.1 esplora i primi passaggi critici della pipeline di training di un LLM: raccogliere enormi quantità di testo, pulirlo per garantirne la qualità, rimuovere le ridondanze e filtrare i contenuti problematici. Questi processi, spesso trascurati a favore delle innovazioni architetturali, rappresentano alcuni dei fattori più importanti che determinano le prestazioni del modello.

La sfida è notevole: gli LLM moderni richiedono trilioni di token provenienti da fonti diverse, ma il testo grezzo a questa scala presenta numerosi problemi. Senza una preparazione adeguata, i modelli possono apprendere pattern poco utili, perpetuare bias, sprecare risorse computazionali su dati ridondanti o non riuscire a generalizzare oltre gli esempi di training.

Questa sezione ti guiderà attraverso le best practice consolidate per costruire dataset di alta qualità, dal web crawling iniziale fino a tecniche di filtering sofisticate. Esploreremo sia approcci euristici semplici accessibili ai team più piccoli sia metodi su scala industriale utilizzati dalle organizzazioni che addestrano frontier models. In tutto il percorso, sottolineeremo come decisioni apparentemente banali nell'elaborazione dei dati possano avere effetti profondi sul comportamento del modello.

4.1.1 Raccolta dei dati

Gli LLM moderni richiedono **da centinaia di miliardi a trilioni di token** per il training. Questa scala massiva è necessaria perché i language models apprendono identificando pattern su dataset enormi. Più grande e diversificato è il dataset, meglio il modello può generalizzare a nuove situazioni e produrre output di alta qualità. Questi token provengono da fonti diverse:

Web scrapes

I web scrapes (Wikipedia, news, blog, forum) rappresentano una delle fonti di dati di training più vaste e diversificate per gli LLM. Questi dati offrono diversi vantaggi chiave:

1. **Distribuzione linguistica del mondo reale:** i contenuti web rispecchiano da vicino il modo in cui le persone comunicano realmente in contesti diversi, dalla documentazione formale alle conversazioni casuali. Questa rappresentazione autentica è cruciale perché espone il modello a pattern linguistici naturali anziché a esempi costruiti artificialmente. Addestrandosi sui contenuti web, i modelli imparano le sfumature di come la lingua viene usata in contesti differenti — dalle discussioni tecniche alle chiacchiere quotidiane — consentendo loro di generare risposte più appropriate al contesto.

2. **Informazioni attuali:** a differenza dei corpora statici di libri, i dati web vengono aggiornati continuamente, aiutando i modelli a rimanere informati su eventi recenti, terminologia e riferimenti culturali. Questo vantaggio temporale significa che i modelli possono comprendere e discutere argomenti emergenti, termini appena coniati e fenomeni culturali in evoluzione. Per esempio, un modello addestrato esclusivamente su libri pubblicati prima del 2020 non avrebbe alcuna conoscenza del COVID-19 o dei recenti sviluppi tecnologici, ma i dati web possono colmare questo divario temporale.

3. **Diversità delle fonti:** diverse fonti web svolgono funzioni uniche:

   o **Wikipedia** fornisce informazioni fattuali dense in un formato coerente e ben strutturato che aiuta i modelli ad apprendere conoscenza enciclopedica. La sua policy di neutral point of view e i requisiti di citazione la rendono particolarmente preziosa per il grounding fattuale. La formattazione standardizzata tra gli articoli aiuta inoltre i modelli ad apprendere pattern coerenti per organizzare le informazioni in modo gerarchico.

- o **Siti di news** contengono resoconti tempestivi sugli eventi attuali in molti ambiti, insegnando ai modelli temi relativi a world affairs, politics, science e altro. Gli articoli di news sono generalmente scritti in uno stile chiaro e conciso che segue standard giornalistici, aiutando i modelli a imparare a presentare le informazioni in modo oggettivo e a distinguere tra fatti e opinioni. Contengono anche marcatori temporali che aiutano i modelli a comprendere la sequenza degli eventi e la causalità.

- o **Blog** espongono i modelli a narrazioni personali, opinioni e competenze specialistiche su innumerevoli argomenti. La natura soggettiva dei blog aiuta i modelli a comprendere la prospettiva e la formazione delle opinioni. I blog specializzati scritti da esperti in campi che vanno dall'astrofisica alla zoologia forniscono conoscenza approfondita di dominio che potrebbe non essere disponibile in fonti più generiche.

- o **Forum e social media** aiutano i modelli a comprendere il linguaggio conversazionale, inclusi slang, abbreviazioni e pattern di ragionamento informali che compaiono nel dialogo umano. Queste fonti sono particolarmente preziose per insegnare ai modelli a capire il significato dipendente dal contesto, il turn-taking nelle conversazioni e le risposte socialmente appropriate a diversi tipi di domande o affermazioni. Espongono inoltre i modelli all'innovazione linguistica che avviene "in the wild".

4. **Varietà linguistica:** i contenuti web spaziano dalla scrittura accademica formale al testo fortemente colloquiale, aiutando i modelli ad adattarsi a differenti stili comunicativi e registri. Questa diversità è essenziale per creare modelli versatili capaci sia di produrre analisi accademiche sia di sostenere conversazioni casuali. Lo spettro linguistico include gergo tecnico, dialetti regionali, slang generazionale e contenuti multilingue — tutti elementi che contribuiscono alla capacità del modello di comprendere e generare un linguaggio appropriato per pubblici e scopi differenti. Addestrandosi su questa varietà, i modelli sviluppano la flessibilità necessaria per adattare tono, complessità e vocabolario al contesto in cui vengono utilizzati.

Tuttavia, i dati web presentano anche sfide specifiche, tra cui problemi di qualità dei contenuti, potenziali bias e la necessità di un filtering accurato per rimuovere contenuti dannosi o inappropriati prima del training.

Libri e articoli accademici

Le opere letterarie e le pubblicazioni accademiche rappresentano alcune delle fonti di dati di più alta qualità per il training degli LLM. Il loro contenuto accuratamente costruito offre diversi vantaggi unici:

1. **Pattern di ragionamento complessi:** libri e articoli accademici presentano spesso argomentazioni multi-step, prove logiche e analisi sfumate che aiutano i modelli a imparare a seguire e riprodurre catene di ragionamento sofisticate. La natura strutturata della scrittura accademica, con tesi chiare, evidenze a supporto e conclusioni, fornisce esempi eccellenti da cui i modelli possono apprendere il flusso logico. Questi materiali mostrano come costruire argomentazioni in modo sistematico, come affrontare i controargomenti e come trarre conclusioni ragionevoli dalle premesse. Addestrandosi su tali contenuti, i modelli sviluppano la capacità di mantenere coerenza logica su contesti più lunghi e di generare spiegazioni coerenti che progrediscono in modo naturale da un punto al successivo. Per esempio, l'esposizione a testi

filosofici insegna ai modelli a riconoscere e riprodurre forme di ragionamento deduttivo e induttivo, mentre gli articoli scientifici mostrano il testing delle ipotesi e la valutazione delle evidenze.

2. **Vocabolario specializzato e conoscenza di dominio:** la letteratura accademica contiene terminologia e concetti provenienti da campi specializzati come medicina, fisica, diritto e filosofia. L'esposizione a questi contenuti permette ai modelli di comprendere e generare testo accurato in tali domini. Per esempio, le riviste mediche insegnano ai modelli informazioni su malattie, trattamenti e termini anatomici che sarebbero rari nei contenuti web generici. I documenti legali familiarizzano i modelli con citazioni di case law, linguaggio statutario e principi giuridici. Gli articoli di ingegneria introducono specifiche tecniche, metodologie e standard che sarebbero inaccessibili attraverso contenuti generali. Questa esposizione alle comunità discorsive specialistiche aiuta i modelli a sviluppare competenze specifiche di settore che altrimenti sarebbe impossibile acquisire tramite fonti mainstream, permettendo loro di comunicare efficacemente con professionisti di vari ambiti.

3. **Argomentazione ben strutturata:** la scrittura accademica segue una formattazione disciplinata con introduzioni, metodologie, risultati e discussioni chiaramente definite. Questa struttura aiuta i modelli a imparare a organizzare le informazioni in modo coerente e a sviluppare posizioni ben argomentate su temi complessi. Il formato IMRAD (Introduction, Methods, Results, and Discussion), comune nella letteratura scientifica, fornisce una cornice per presentare le informazioni in modo sistematico. Apprendendo questi pattern, i modelli migliorano nella strutturazione dei propri output con organizzazione e flusso appropriati. Imparano a introdurre i temi in modo adeguato, spiegare metodologie con trasparenza, presentare i risultati chiaramente e discutere a fondo le implicazioni. Quando vengono esposti ai dibattiti accademici nei journal, i modelli imparano anche come gli esperti possano essere in disaccordo in modo costruttivo, presentando evidenze per interpretazioni concorrenti invece di formulare affermazioni prive di fondamento.

4. **Complessità narrativa:** i libri di narrativa forniscono esposizione a sviluppo dei personaggi, strutture della trama e dispositivi letterari che insegnano ai modelli le tecniche di storytelling e l'espressione emotiva. I romanzi mostrano come mantenere voci narrative coerenti e sviluppare temi su contesti lunghi. Attraverso la letteratura, i modelli incontrano diverse prospettive narrative (prima persona, terza persona limitata, onnisciente), strutture temporali (lineari, non lineari, flashback) e approcci stilistici che arricchiscono le loro capacità generative. Imparano come i personaggi evolvano attraverso conflitti e risoluzioni, come le sottotrame si intreccino con le storyline principali e come i temi possano essere sviluppati in modo sottile attraverso simbolismo e motivi ricorrenti. Questa esposizione all'artigianato narrativo consente ai modelli di generare contenuti più coinvolgenti ed emotivamente ricchi, mantenendo coerenza interna e catturando l'attenzione del lettore tramite suspense, rivelazioni e crescita dei personaggi.

5. **Sofisticazione linguistica:** le opere letterarie presentano spesso metafore ricche, descrizioni sfumate e strutture sintattiche varie che ampliano la gamma stilistica del modello oltre ciò che si trova nei contenuti web tipici. La poesia insegna ai modelli ritmo, imagery e significato condensato. La narrativa li espone a dialoghi che catturano differenti pattern di parlato e socioletti. La saggistica letteraria mostra come fondere il reporting fattuale con un linguaggio vivido ed evocativo. Questa diversità linguistica aiuta i modelli a sviluppare un vocabolario più vario e sfumato, permettendo loro di adattare tono e stile a contesti diversi — dalla precisione tecnica all'espressione poetica. L'uso creativo del linguaggio nella letteratura aiuta inoltre i modelli

a comprendere linguaggio figurato, espressioni idiomatiche e riferimenti culturali che potrebbero risultare opachi se incontrati solo in contesti letterali.

6. **Scaffolding educativo:** i textbook sono progettati specificamente per costruire la conoscenza in modo sistematico, rendendoli eccellenti per aiutare i modelli a sviluppare una comprensione di base in diversi ambiti. A differenza di altre fonti che possono dare per scontata una conoscenza preliminare, i textbook introducono esplicitamente i concetti a partire dai first principles, definiscono chiaramente la terminologia e forniscono esempi che illustrano idee astratte. Tipicamente procedono da argomenti semplici a temi più complessi in una sequenza accuratamente strutturata, aiutando i modelli a imparare le relazioni tra i concetti. I textbook includono inoltre frequentemente esercizi, case studies e thought experiments che mostrano come applicare la conoscenza teorica a scenari specifici. Questo approccio pedagogico aiuta i modelli a sviluppare una comprensione più solida e gerarchica dei domini, in cui i concetti avanzati si costruiscono su fondamenta coerenti.

Queste fonti di alta qualità sono particolarmente importanti per sviluppare modelli capaci di ragionamento sofisticato e di produrre testo ben strutturato e coerente su temi complessi.

Repository di codice

Includere codice di programmazione nei dati di training fornisce agli LLM un'esposizione cruciale ai pattern del pensiero computazionale. I repository di codice svolgono diverse funzioni uniche nel processo di training:

- **Comprensione della struttura logica:** i linguaggi di programmazione seguono regole sintattiche rigide e vincoli semantici che insegnano ai modelli il pensiero strutturato. Apprendendo questi pattern, i modelli sviluppano la capacità di comprendere e generare contenuti con una corretta organizzazione gerarchica, logica condizionale e flussi procedurali. Per esempio, il codice espone i modelli a strutture annidate (come loop dentro condizioni), definizioni di funzioni con relazioni input/output chiare e gerarchie object-oriented che riflettono relazioni del mondo reale. Questa comprensione strutturale si trasferisce ai compiti di natural language, aiutando i modelli a organizzare spiegazioni complesse e a mantenere coerenza logica tra i paragrafi.

- **Ragionamento algoritmico:** il codice espone i modelli ad approcci di problem solving precisi e step-by-step. Questo aiuta i modelli a sviluppare capacità di ragionamento più forti quando affrontano compiti complessi che richiedono di suddividere i problemi in componenti gestibili. Il pensiero algoritmico incorporato nella programmazione — come recursion, iteration e strategie divide-and-conquer — fornisce ai modelli framework per affrontare problemi logici. Quando un modello viene addestrato su codice che implementa algoritmi di ordinamento, graph traversals o tecniche di ottimizzazione, interiorizza questi pattern di problem solving e può applicare approcci sistematici simili nel ragionare su domande complesse o nel generare istruzioni step-by-step.

- **Acquisizione di vocabolario tecnico:** la documentazione di programmazione e le discussioni tecniche contengono terminologia specializzata che arricchisce la comprensione del modello di concetti tecnici in domini come matematica, informatica e software engineering. Questo vocabolario va oltre le sole keyword di programmazione e include design patterns (come "factory", "singleton", "observer"), concetti architetturali ("microservices", "monoliths", "serverless") e terminologia matematica usata in algoritmi e strutture dati. I modelli addestrati sul codice imparano ad associare questi termini ai loro contesti e alle loro implementazioni corrette, riuscendo così a discutere concetti tecnici con precisione e con un uso appropriato del gergo specialistico.

- **Riconoscimento dei pattern:** attraverso l'esposizione a diversi coding patterns e principi di design, i modelli imparano a identificare strutture ricorrenti nei dati e nel testo, migliorando la loro capacità di fare previsioni e completare pattern sia nel codice sia nel natural language. La programmazione introduce i modelli a pattern comuni come operazioni CRUD, strategie di error handling, pipeline di trasformazione dei dati e convenzioni di formattazione standardizzate. Questi pattern ricorrono in linguaggi e applicazioni differenti, addestrando il modello a riconoscere quando un pattern simile è appropriato in un nuovo contesto. Questa capacità di pattern recognition si trasferisce ai compiti di natural language, dove il modello può identificare strutture retoriche, pattern argomentativi o framework narrativi e usarli per generare testo coerente e ben strutturato.

- **Pensiero computazionale:** i repository di codice espongono i modelli a una mentalità computazionale che affronta i problemi attraverso decomposizione, astrazione e pensiero algoritmico. Questo framework cognitivo aiuta i modelli ad analizzare scenari complessi scomponendoli in componenti discrete, identificando variabili e vincoli rilevanti e determinando approcci sistematici per trovare soluzioni. Quando i modelli interiorizzano i principi del computational thinking, diventano più efficaci in compiti che richiedono analisi logica, come scenari di debugging, ottimizzazione di processi o valutazione dell'efficienza di soluzioni proposte anche in domini oltre la programmazione.

Questa esposizione abilita capacità avanzate come code completion, assistenza nel debugging, spiegazione del funzionamento del codice e persino traduzione tra diversi linguaggi di programmazione. Fonti popolari di dati di training sul codice includono repository GitHub, domande e risposte di Stack Overflow, siti di documentazione open-source e tutorial di programmazione in vari linguaggi e framework.

Corpora specifici di dominio

I corpora specifici di dominio (ad esempio cartelle cliniche, documenti legali, journal scientifici) sono raccolte specializzate di testo che contengono vocabolario, concetti e pattern discorsivi unici di specifici campi professionali. Queste risorse sono preziose per addestrare LLM che devono funzionare efficacemente in domini specializzati:

- **Corpora medici:** note cliniche, textbook medici e research papers contengono terminologia relativa a malattie, trattamenti, anatomia e farmacologia. I modelli addestrati su queste risorse possono comprendere meglio i concetti medici, riconoscere le relazioni tra sintomi e condizioni e generare informazioni sanitarie accurate. Per esempio, un modello con sufficiente esposizione ai testi medici può distinguere tra condizioni dal nome simile o comprendere i contesti appropriati per trattamenti specializzati. I corpora medici familiarizzano inoltre i modelli con formati documentali standard come le note SOAP (Subjective, Objective, Assessment, Plan), aiutandoli a strutturare correttamente le informazioni mediche. Inoltre, l'esposizione a studi epidemiologici e clinical trials insegna ai modelli misure statistiche specifiche dell'ambito sanitario, come relative risk, number needed to treat e confidence intervals nella ricerca medica. Questa conoscenza specialistica permette ai modelli di comprendere meglio la letteratura medica e di comunicare efficacemente con professionisti sanitari.

- **Documenti legali:** sentenze, contratti, legislazione e commentari giuridici contengono terminologia specializzata, pattern di citazione e strutture di ragionamento uniche della professione legale. Questi testi aiutano i modelli a comprendere il ragionamento basato sui precedenti, l'interpretazione statutaria e i significati specifici che parole comuni assumono in contesti legali. I modelli esposti a corpora giuridici sostanziali possono seguire meglio la struttura formale dell'argomentazione legale e comprendere l'importanza di formulazioni specifiche in contratti o regolamenti. I corpora legali introducono inoltre i modelli a terminologia e pratiche specifiche delle varie giurisdizioni, aiutandoli a riconoscere come i principi legali varino tra diversi sistemi giuridici (common law vs. civil law) e aree geografiche. Studiando la case law, i modelli imparano a seguire l'evoluzione delle dottrine legali nel tempo e a comprendere come i tribunali applichino principi astratti a scenari fattuali specifici. Questa base consente ai modelli di assistere in compiti di legal research, analisi contrattuale e compliance regolatoria che richiedono una comprensione precisa del linguaggio legale.

- **Testi finanziari:** annual reports, analisi di mercato, regulatory filings e ricerca economica contengono vocabolario specializzato relativo a mercati, contabilità e strumenti finanziari. Queste risorse aiutano i modelli a comprendere concetti come depreciation, leverage, market capitalization e altri termini che hanno significati precisi in ambito finanziario. L'addestramento su corpora finanziari familiarizza inoltre i modelli con le strutture standard dei financial statements (income statements, balance sheets, cash flow statements) e con le relazioni tra le diverse metriche finanziarie. I modelli imparano a interpretare financial ratios, comprendere metodologie di valutazione e riconoscere pattern di comportamento dei mercati nei diversi cicli economici. L'esposizione a regulatory filings come i 10-K e i prospectus insegna ai modelli i requisiti di disclosure e il linguaggio della compliance, mentre gli analyst reports offrono esempi di come gli esperti finanziari valutino le aziende e formulino raccomandazioni di investimento sulla base di fattori sia quantitativi sia qualitativi.

- **Letteratura scientifica:** academic papers in discipline come fisica, chimica e biologia contengono terminologia specifica di dominio, descrizioni metodologiche e pattern di ragionamento specializzati. L'addestramento su questi corpora aiuta i modelli a comprendere il metodo scientifico, l'experimental design e il linguaggio tecnico preciso usato per descrivere i fenomeni naturali. La letteratura scientifica espone i modelli a convenzioni specifiche di disciplina per presentare ipotesi, condurre esperimenti e analizzare risultati. Studiando articoli di più domini scientifici, i modelli imparano a riconoscere pratiche di citazione specifiche del settore, controlli sperimentali standard e metodi accettati per l'analisi statistica. Questo training permette ai modelli di comprendere il significato di p-values, confidence intervals e altri concetti statistici nel loro corretto contesto scientifico. Inoltre, l'esposizione al discorso scientifico insegna ai modelli come la conoscenza si costruisca in modo incrementale tramite replication, falsification e theoretical refinement, aiutandoli a distinguere tra consenso scientifico consolidato e ipotesi emergenti ancora oggetto di indagine.

Tuttavia, questi dataset specializzati presentano sfide uniche. Molti contengono informazioni personali sensibili che richiedono un'attenta anonimizzazione e protezione della privacy, in particolare le cartelle cliniche soggette a normative come HIPAA. I documenti legali possono contenere informazioni privilegiate, mentre i testi finanziari potrebbero includere dati sensibili per il mercato. Inoltre, l'elevato grado di specializzazione può rendere difficile la validazione, poiché valutare correttamente la qualità degli output del modello in questi domini richiede in genere la competenza di esperti del settore.

L'obiettivo è la **coverage**: il modello dovrebbe vedere un'ampia varietà di stili linguistici, argomenti e compiti per sviluppare capacità linguistiche complete. Una corretta distribuzione dei dati assicura che il modello non sviluppi bias verso determinati domini o stili di scrittura. Tuttavia, i dati grezzi a questa scala sono disordinati, ridondanti e spesso di bassa qualità. I contenuti web possono contenere spam, testo duplicato o materiale dannoso. Anche fonti curate come i libri possono presentare errori OCR o problemi di formattazione. È qui che entrano in gioco cleaning e filtering: questi processi trasformano i dati grezzi in materiale di training di alta qualità, adatto allo sviluppo di language models robusti.

Esempio di codice: pipeline completa di raccolta dati

```python
import os
import requests
import json
import re
from bs4 import BeautifulSoup
from concurrent.futures import ThreadPoolExecutor
from tqdm import tqdm
import pandas as pd
import logging

# Configure logging
logging.basicConfig(
    level=logging.INFO,
    format='%(asctime)s - %(levelname)s - %(message)s',
    handlers=[
        logging.FileHandler("data_collection.log"),
        logging.StreamHandler()
    ]
)

class DataCollector:
    """
    A comprehensive data collection pipeline for LLM training.
    Collects data from various sources: web pages, books, academic papers,
    and specialized repositories.
    """

    def __init__(self, output_dir="collected_data"):
        """Initialize the data collector with an output directory."""
        self.output_dir = output_dir
        os.makedirs(output_dir, exist_ok=True)
        os.makedirs(f"{output_dir}/web", exist_ok=True)
        os.makedirs(f"{output_dir}/books", exist_ok=True)
        os.makedirs(f"{output_dir}/academic", exist_ok=True)
        os.makedirs(f"{output_dir}/code", exist_ok=True)
        self.stats = {
            "web_pages": 0,
            "books": 0,
            "papers": 0,
            "code_files": 0,
            "errors": 0
        }

    def scrape_web_page(self, url):
        """Scrape text content from a web page."""
```

```python
        try:
            headers = {
                "User-Agent": "Mozilla/5.0 (Windows NT 10.0; Win64; x64)
AppleWebKit/537.36"
            }
            response = requests.get(url, headers=headers, timeout=10)
            if response.status_code != 200:
                logging.warning(f"Failed to fetch {url}: HTTP
{response.status_code}")
                return None

            soup = BeautifulSoup(response.content, 'html.parser')

            # Remove unwanted elements
            for element in soup(['script', 'style', 'nav', 'footer', 'header']):
                element.decompose()

            # Extract main content
            main_content = soup.find('main') or soup.find('article') or
soup.find('body')
            if not main_content:
                return None

            paragraphs = main_content.find_all('p')
            text = "\\n\\n".join([p.get_text().strip() for p in paragraphs if
len(p.get_text().strip()) > 50])

            # Basic quality check - require minimum length
            if len(text) < 500:
                return None

            return {
                'url': url,
                'title': soup.title.string if soup.title else "Untitled",
                'content': text,
                'source_type': 'web'
            }
        except Exception as e:
            logging.error(f"Error scraping {url}: {str(e)}")
            self.stats["errors"] += 1
            return None

    def process_book(self, file_path):
        """Process a book file (assumed to be text format)."""
        try:
            with open(file_path, 'r', encoding='utf-8') as f:
                content = f.read()

            # Extract basic metadata from filename
            filename = os.path.basename(file_path)
            title = filename.split('.')[0].replace('_', ' ').title()
```

```python
        # Split into chapters (simple approach)
        chapters = re.split(r'CHAPTER|Chapter \\d+', content)

        return {
            'title': title,
            'filename': filename,
            'content': content,
            'chapters': chapters[1:] if len(chapters) > 1 else [content],
            'source_type': 'book'
        }
    except Exception as e:
        logging.error(f"Error processing book {file_path}: {str(e)}")
        self.stats["errors"] += 1
        return None

def process_academic_paper(self, file_path):
    """Process an academic paper (assumed to be in text format)."""
    try:
        with open(file_path, 'r', encoding='utf-8') as f:
            content = f.read()

        # Extract sections (simple approach)
        abstract_match = re.search(r'Abstract\\s+(.*?)(?=Introduction|$)',
                                   content, re.DOTALL | re.IGNORECASE)
        abstract = abstract_match.group(1).strip() if abstract_match else ""

        # Extract title from first line or filename
        lines = content.split('\\n')
        title = lines[0].strip() if lines and len(lines[0]) < 200 else os.path.basename(file_path)

        return {
            'title': title,
            'filename': os.path.basename(file_path),
            'abstract': abstract,
            'content': content,
            'source_type': 'academic'
        }
    except Exception as e:
        logging.error(f"Error processing paper {file_path}: {str(e)}")
        self.stats["errors"] += 1
        return None

def process_code_file(self, file_path):
    """Process a code file."""
    try:
        with open(file_path, 'r', encoding='utf-8') as f:
            content = f.read()

        extension = os.path.splitext(file_path)[1].lower()
        language_map = {
            '.py': 'python',
```

```python
            '.js': 'javascript',
            '.java': 'java',
            '.cpp': 'c++',
            '.c': 'c',
            '.go': 'go',
            '.rb': 'ruby',
            '.php': 'php',
            '.rs': 'rust',
            '.ts': 'typescript'
        }

        language = language_map.get(extension, 'unknown')

        # Extract comments to analyze code quality
        comment_patterns = {
            'python': r'#.*?$|""".*?"""|\\'\\'\\'.*?\\'\\'\\'',
            'javascript': r'//.*?$|/\\*.*?\\*/',
            'java': r'//.*?$|/\\*.*?\\*/',
        }

        comment_pattern = comment_patterns.get(language, r'//.*?$|/\\*.*?\\*/')
        comments = re.findall(comment_pattern, content, re.MULTILINE | re.DOTALL)
        comment_ratio = len(''.join(comments)) / max(1, len(content))

        # Simple quality score based on length and comment ratio
        quality_score = min(10, len(content) / 1000) * (0.5 + min(0.5, comment_ratio))

        return {
            'filename': os.path.basename(file_path),
            'language': language,
            'content': content,
            'size_bytes': len(content),
            'quality_score': round(quality_score, 2),
            'source_type': 'code'
        }
    except Exception as e:
        logging.error(f"Error processing code file {file_path}: {str(e)}")
        self.stats["errors"] += 1
        return None

def batch_process_web_urls(self, urls, max_workers=10):
    """Process multiple web URLs in parallel."""
    results = []
    with ThreadPoolExecutor(max_workers=max_workers) as executor:
        future_to_url = {executor.submit(self.scrape_web_page, url): url for url in urls}

        for future in tqdm(future_to_url, desc="Scraping web pages"):
            try:
                data = future.result()
                if data:
                    results.append(data)
```

```python
                    self.stats["web_pages"] += 1
                    # Save individually
                    filename                                              =
f"{self.output_dir}/web/{self.stats['web_pages']:06d}.json"
                    with open(filename, 'w', encoding='utf-8') as f:
                        json.dump(data, f, ensure_ascii=False, indent=2)
            except Exception as e:
                logging.error(f"Error in batch processing: {str(e)}")
                self.stats["errors"] += 1

        return results

    def process_directory(self, directory, file_type):
        """Process all files of a specific type in a directory."""
        results = []
        processor_map = {
            'book': self.process_book,
            'academic': self.process_academic_paper,
            'code': self.process_code_file
        }
        processor = processor_map.get(file_type)

        if not processor:
            logging.error(f"Unknown file type: {file_type}")
            return []

        files = [os.path.join(directory, f) for f in os.listdir(directory)
                 if os.path.isfile(os.path.join(directory, f))]

        for file_path in tqdm(files, desc=f"Processing {file_type} files"):
            data = processor(file_path)
            if data:
                results.append(data)
                self.stats[f"{file_type}s" if file_type != 'code' else "code_files"]
+= 1

                # Save individually
                counter  =  self.stats[f"{file_type}s"  if  file_type  !=  'code'  else
"code_files"]
                filename = f"{self.output_dir}/{file_type}/{counter:06d}.json"
                with open(filename, 'w', encoding='utf-8') as f:
                    json.dump(data, f, ensure_ascii=False, indent=2)

        return results

    def save_stats(self):
        """Save collection statistics."""
        with open(f"{self.output_dir}/stats.json", 'w') as f:
            json.dump(self.stats, f, indent=2)

        # Create a summary
        total_documents = sum(v for k, v in self.stats.items() if k != "errors")
        summary = {
```

```python
            "total_documents": total_documents,
            "errors": self.stats["errors"],
            "distribution": {
                k: {
                    "count": v,
                    "percentage": round(v / max(1, total_documents) * 100, 2)
                } for k, v in self.stats.items() if k != "errors"
            }
        }

        with open(f"{self.output_dir}/summary.json", 'w') as f:
            json.dump(summary, f, indent=2)

        logging.info(f"Data          collection          completed.          Total          documents:
{total_documents}")
        for k, v in self.stats.items():
            if k != "errors":
                logging.info(f"  - {k}: {v} ({round(v / max(1, total_documents) * 100,
2)}%)")
        logging.info(f"Errors: {self.stats['errors']}")

# Example usage
if __name__ == "__main__":
    collector = DataCollector()

    # Example web scraping
    urls = [
        "<https://en.wikipedia.org/wiki/Machine_learning>",
        "<https://en.wikipedia.org/wiki/Natural_language_processing>",
        "<https://en.wikipedia.org/wiki/Artificial_intelligence>"
    ]
    collector.batch_process_web_urls(urls)

    # Example processing of books, papers, and code
    # Assuming you have directories with these files
    if os.path.exists("sample_data/books"):
        collector.process_directory("sample_data/books", "book")

    if os.path.exists("sample_data/papers"):
        collector.process_directory("sample_data/papers", "academic")

    if os.path.exists("sample_data/code"):
        collector.process_directory("sample_data/code", "code")

    # Save final statistics
    collector.save_stats()

    # Create a dataframe for easy analysis
    files = []
    for root, _, filenames in os.walk(collector.output_dir):
        for filename in filenames:
```

```python
        if filename.endswith('.json') and filename not in ['stats.json',
'summary.json']:
                files.append(os.path.join(root, filename))

    # Load a sample of the data for analysis
    sample_data = []
    for file in files[:100]:  # Limit to 100 files for the example
        with open(file, 'r', encoding='utf-8') as f:
            try:
                data = json.load(f)
                sample_data.append({
                    'filename': os.path.basename(file),
                    'type': data.get('source_type', 'unknown'),
                    'title': data.get('title', data.get('filename', 'Untitled')),
                    'content_length': len(data.get('content', ''))
                })
            except Exception as e:
                logging.warning(f"Error loading {file}: {str(e)}")

    if sample_data:
        df = pd.DataFrame(sample_data)
        print(df.groupby('type').agg({
            'content_length': ['mean', 'min', 'max', 'count']
        }))
```

Analisi del codice:

Questo esempio mostra una pipeline completa di raccolta dati progettata per addestrare Large Language Models (LLMs). Esaminiamone i componenti:

Funzionalità principale

Il codice crea una classe DataCollector che raccoglie ed elabora dati di training da quattro fonti differenti:

- Pagine web

- Libri

- Articoli accademici

- File di codice

Componenti chiave

1. Setup e organizzazione

- **Inizializzazione**: crea directory di output per ogni tipo di dato e inizializza le statistiche di tracciamento

- **Logging**: imposta un logging completo sia su file sia su console

2. Metodi di raccolta dati

- **Web scraping**: utilizza BeautifulSoup per estrarre contenuti dalle pagine web, filtrando elementi indesiderati come script e navigazione

- **Elaborazione dei libri**: gestisce libri in formato testo, estraendo i metadati e suddividendo il contenuto in capitoli

- **Elaborazione di articoli accademici**: estrae abstract e altre sezioni dai testi accademici

- **Elaborazione del codice**: identifica il linguaggio di programmazione tramite l'estensione del file e analizza la qualità del codice in base al rapporto tra commenti e codice

3. Funzionalità avanzate

- **Elaborazione parallela**: utilizza ThreadPoolExecutor per il web scraping concorrente

- **Controllo qualità**: implementa controlli di qualità di base (lunghezza minima del contenuto, rapporto dei commenti)

- **Gestione degli errori**: una gestione robusta delle eccezioni impedisce che singoli errori blocchino l'intera pipeline

- **Tracciamento delle statistiche**: registra conteggi e distribuzione dei tipi di dati raccolti

4. Analisi dei dati

- Include codice di esempio per analizzare i dati raccolti usando pandas

- Genera statistiche riassuntive sui tipi di contenuto e sulle loro lunghezze

Flusso di esecuzione

Quando viene eseguito come script principale:

1. Crea un'istanza di DataCollector

2. Esegue lo scraping di pagine Wikipedia di esempio

3. Elabora libri, articoli e file di codice (se le directory esistono)

4. Salva statistiche complete

5. Crea un DataFrame per un'analisi di base della lunghezza dei contenuti per tipo

Questa implementazione dimostra come costruire una pipeline di raccolta dati scalabile, capace di gestire fonti diverse mantenendo organizzazione e controllo qualità — elementi essenziali per creare dataset bilanciati e di alta qualità necessari a un training efficace degli LLM.

4.1.2 Pulizia dei dati

La pulizia garantisce che il testo sia **utilizzabile e coerente**, creando una base affidabile per l'addestramento del modello. Senza una corretta pulizia, i modelli possono apprendere dal rumore invece che dal segnale. Questo è estremamente importante perché gli LLM non sanno distinguere tra pattern significativi e artefatti casuali nei dati. Ogni irregolarità nel corpus di training diventa un potenziale pattern da apprendere, rischiando di sprecare capacità del modello su caratteristiche irrilevanti.

Il processo di pulizia svolge diverse funzioni essenziali. Primo, standardizza la formattazione tra fonti diverse, assicurando che le somiglianze semantiche non vengano oscurate da differenze superficiali nella rappresentazione. Per esempio, senza pulizia, un LLM potrebbe trattare "COVID-19", "Covid19" e "covid 19" come concetti completamente diversi invece che come varianti dello stesso termine.

Secondo, la pulizia rimuove artefatti che potrebbero confondere il modello, come tag HTML, istruzioni di rendering o metadati che non erano mai destinati a far parte del contenuto effettivo. Questi elementi creano false correlazioni: il modello potrebbe associare certi concetti a codici di formattazione arbitrari che compaiono spesso nelle vicinanze nei dati grezzi.

Terzo, una corretta pulizia affronta le incoerenze strutturali. I documenti estratti dal web spesso contengono elementi di navigazione, pubblicità o sezioni di commenti che interrompono il flusso del contenuto principale. Se queste interruzioni rimangono, il modello potrebbe imparare a generare testo disgiunto o a inserire in modo inappropriato elementi di navigazione nei propri output.

Inoltre, la pulizia aiuta a gestire la dimensione del vocabolario. Ogni token unico richiede risorse computazionali durante il training, quindi ridurre le variazioni inutili (attraverso tecniche come normalizzazione e standardizzazione) consente al modello di allocare la propria capacità in modo più efficiente verso l'apprendimento di pattern significativi invece che verso la memorizzazione di variazioni superficiali.

I passaggi chiave includono:

Normalizzazione

Lowercasing (se desiderato), standardizzazione della punteggiatura e rimozione dei caratteri di controllo sono tecniche fondamentali di normalizzazione. Questo processo crea coerenza tra fonti differenti e riduce la dimensione del vocabolario, con diversi vantaggi:

1. Efficienza del vocabolario: trattando parole con capitalizzazioni diverse (come "AI", "Ai" e "ai") come lo stesso token, i modelli richiedono meno parametri per rappresentare gli stessi concetti semantici.

2. Riduzione dell'ambiguità: per esempio, convertire "U.S.A", "USA" e "U.S.A." in una singola forma standardizzata aiuta il modello a concentrarsi sul significato invece che su variazioni arbitrarie di formattazione. Senza questa standardizzazione, il modello potrebbe apprenderle come entità separate, diluendo la propria comprensione.

3. Tokenizzazione migliorata: un testo coerente porta a pattern di tokenizzazione più affidabili, consentendo una migliore decomposizione in subword e una migliore gestione delle parole rare.

La normalizzazione affronta anche una gamma più ampia di incoerenze testuali:

1. Irregolarità negli spazi: riduzione di spazi multipli, normalizzazione degli spazi attorno alla punteggiatura e gestione coerente di tabulazioni e ritorni a capo.

2. Varianti delle virgolette: conversione tra virgolette curve (""), dritte (""), e virgolette specifiche di determinate lingue (« », „ ", ecc.) per mantenere coerenza.

3. Codifica dei caratteri speciali: standardizzazione della rappresentazione di caratteri come em-dash (—), ellissi (...) e caratteri accentati che possono apparire in diverse forme UTF-8.

4. Legature e digrammi: conversione di combinazioni di caratteri specializzate (come æ, œ o le legature fi) nelle loro coppie di lettere standard, quando appropriato.

Standardizzando sistematicamente questi elementi, ci assicuriamo che il modello apprenda relazioni semantiche significative invece di essere distratto da differenze testuali superficiali che non influiscono sul significato. Questa base di normalizzazione è fondamentale per modelli multilingue o per quelli che gestiscono contenuti provenienti da fonti diverse con convenzioni di formattazione variabili.

Esempio:

```python
import re
import unicodedata
import string
from typing import List, Dict, Optional

class TextNormalizer:
    def __init__(self,
                 lowercase: bool = True,
                 remove_accents: bool = False,
                 standardize_quotes: bool = True,
                 standardize_punctuation: bool = True,
                 normalize_whitespace: bool = True,
                 fix_unicode: bool = True,
                 replace_digits: Optional[str] = None,
                 normalize_urls: bool = False):
        """
        Text normalization toolkit for preprocessing training data.

        Args:
            lowercase: Convert text to lowercase
            remove_accents: Remove diacritical marks
            standardize_quotes: Convert all quote variants to standard quotes
            standardize_punctuation: Standardize punctuation marks
            normalize_whitespace: Collapse multiple spaces, standardize line breaks
            fix_unicode: Convert to canonical form and handle mojibake
            replace_digits: If not None, replace digits with this string
            normalize_urls: Standardize URL formats
        """
        self.lowercase = lowercase
        self.remove_accents = remove_accents
        self.standardize_quotes = standardize_quotes
        self.standardize_punctuation = standardize_punctuation
        self.normalize_whitespace = normalize_whitespace
        self.fix_unicode = fix_unicode
        self.replace_digits = replace_digits
        self.normalize_urls = normalize_urls

        # Map for standardizing quotes
        self.quotes_map = {
            '"': '"',    # Left double quotation mark
            '"': '"',    # Right double quotation mark
            '„': '"',    # Double low-9 quotation mark
```

```python
            '″': '"',    # Double prime
            '«': '"',    # Left-pointing double angle quotation mark
            '»': '"',    # Right-pointing double angle quotation mark
            ''': "'",    # Left single quotation mark
            ''': "'",    # Right single quotation mark
            ',': "'",    # Single low-9 quotation mark
            '‛': "'",    # Single high-reversed-9 quotation mark
            '′': "'",    # Prime
            '‹': "'",    # Single left-pointing angle quotation mark
            '›': "'",    # Single right-pointing angle quotation mark
        }

        # Map for standardizing punctuation
        self.punctuation_map = {
            '…': '...',   # Horizontal ellipsis
            '—': '-',     # Em dash
            '–': '-',     # En dash
            '−': '-',     # Minus sign
            '‐': '-',     # Hyphen
            '‑': '-',     # Non-breaking hyphen
            '․': '.',     # One dot leader
            '‥': '..',    # Two dot leader
            '／': '/',     # Fullwidth solidus
            '＼': '\\\\',    # Fullwidth reverse solidus
            '～': '~',     # Fullwidth tilde
            '！': '!',     # Fullwidth exclamation mark
            '？': '?',     # Fullwidth question mark
            '；': ';',     # Fullwidth semicolon
            '：': ':',     # Fullwidth colon
            '，': ',',     # Fullwidth comma
            '．': '.',     # Fullwidth full stop
            '（': '(',     # Fullwidth left parenthesis
            '）': ')',     # Fullwidth right parenthesis
            '［': '[',     # Fullwidth left square bracket
            '］': ']',     # Fullwidth right square bracket
            '｛': '{',     # Fullwidth left curly bracket
            '｝': '}',     # Fullwidth right curly bracket
        }

    def _fix_unicode(self, text: str) -> str:
        """Normalize unicode to canonical form and fix common encoding issues."""
        # Normalize to canonical form (NFC)
        text = unicodedata.normalize('NFC', text)

        # Fix common mojibake issues (e.g., double-encoded UTF-8)
        mojibake_patterns = [
            (r'Ã¢â‚¬â„¢', "'"),    # Triple-encoded apostrophe
            (r'Ã¢â‚¬Å"', '"'),    # Triple-encoded left double quote
            (r'Ã¢â‚¬Â', '"'),     # Triple-encoded right double quote
            (r'Ã©', 'é'),         # Double-encoded é
```

```python
        (r'Ã¨', 'è'),           # Double-encoded è
        (r'Ã¯', 'ï'),           # Double-encoded ï
        (r'Ã¼', 'ü'),           # Double-encoded ü
        (r'Ã¶', 'ö'),           # Double-encoded ö
        (r'Ã±', 'ñ')            # Double-encoded ñ
    ]

    for pattern, replacement in mojibake_patterns:
        text = re.sub(pattern, replacement, text)

    return text

def _standardize_quotes(self, text: str) -> str:
    """Convert all quote variants to standard quotes."""
    for original, replacement in self.quotes_map.items():
        text = text.replace(original, replacement)
    return text

def _standardize_punctuation(self, text: str) -> str:
    """Standardize various punctuation marks."""
    for original, replacement in self.punctuation_map.items():
        text = text.replace(original, replacement)
    return text

def _normalize_whitespace(self, text: str) -> str:
    """Normalize whitespace in text."""
    # Replace tab, newline, and carriage return with space
    text = re.sub(r'[\\t\\n\\r]+', ' ', text)
    # Replace multiple spaces with a single space
    text = re.sub(r' {2,}', ' ', text)
    # Remove spaces before punctuation
    text = re.sub(r' ([.,;:!?)])', r'\\1', text)
    # Remove spaces after opening brackets
    text = re.sub(r'([(]) ', r'\\1', text)
    # Ensure single space after punctuation
    text = re.sub(r'([.,;:!?])([^\\s])', r'\\1 \\2', text)
    return text.strip()

def _normalize_urls(self, text: str) -> str:
    """Standardize URL formats."""
    # Convert http:// to https://
    text = re.sub(r'http://', 'https://', text)
    # Remove www. prefix
    text = re.sub(r'<https://www>\\.', 'https://', text)
    # Remove trailing slashes
    text = re.sub(r'([^/])/$', r'\\1', text)
    return text

def _replace_digits_with_token(self, text: str) -> str:
    """Replace digits with a token."""
    return re.sub(r'\\d+', self.replace_digits, text)
```

```python
    def _remove_accents(self, text: str) -> str:
        """Remove diacritical marks."""
        return ''.join(c for c in unicodedata.normalize('NFD', text)
                       if not unicodedata.combining(c))

    def normalize(self, text: str) -> str:
        """Apply all enabled normalization steps to the text."""
        if not text:
            return ""

        if self.fix_unicode:
            text = self._fix_unicode(text)

        if self.standardize_quotes:
            text = self._standardize_quotes(text)

        if self.standardize_punctuation:
            text = self._standardize_punctuation(text)

        if self.lowercase:
            text = text.lower()

        if self.remove_accents:
            text = self._remove_accents(text)

        if self.normalize_urls:
            text = self._normalize_urls(text)

        if self.replace_digits is not None:
            text = self._replace_digits_with_token(text)

        if self.normalize_whitespace:
            text = self._normalize_whitespace(text)

        return text

    def batch_normalize(self, texts: List[str]) -> List[str]:
        """Normalize a batch of texts."""
        return [self.normalize(text) for text in texts]

# Usage example
if __name__ == "__main__":
    normalizer = TextNormalizer(
        lowercase=True,
        remove_accents=False,
        standardize_quotes=True,
        standardize_punctuation=True,
        normalize_whitespace=True,
        fix_unicode=True,
        replace_digits=None,
        normalize_urls=True
    )
```

```python
# Example with various normalization challenges
sample_text = """
"Smart" quotes–and em-dashes… These cause problems!

Multiple    spaces and weird        formatting.

É è à ç characters with <http://www.example.com/page/> and numbers like 12345.
"""

normalized = normalizer.normalize(sample_text)
print("Original:\\n", sample_text)
print("\\nNormalized:\\n", normalized)

# Testing specific normalizations
print("\\nSpecific examples:")
print("Quote normalization:", normalizer._standardize_quotes(""Hello there," she said."))
print("URL                              normalization:", normalizer._normalize_urls("<http://www.example.com/>"))
print("Whitespace    normalization:",    normalizer._normalize_whitespace("Hello world !How are you?"))
```

Analisi del codice

Il codice sopra implementa un sistema robusto di normalizzazione del testo che gestisce molti requisiti comuni di standardizzazione per i dati di training degli LLM. Vediamone i componenti principali:

1. Design principale

La classe TextNormalizer è progettata con la configurabilità in mente, permettendo agli utenti di attivare o disattivare specifiche funzionalità di normalizzazione in base alle proprie esigenze:

- **Funzionalità modulare:** ogni passaggio di normalizzazione è implementato come metodo separato, rendendo il codice facile da mantenere ed estendere.

- **Comportamento configurabile:** il costruttore accetta flag booleani per controllare quali passaggi di normalizzazione vengono applicati.

- **Tabelle di mapping complete:** dizionari dettagliati mappano diverse rappresentazioni di caratteri verso i loro equivalenti standardizzati.

2. Capacità di normalizzazione

La classe implementa le seguenti tecniche di normalizzazione:

- **Normalizzazione Unicode:** converte il testo nella forma canonica (NFC) e corregge i comuni problemi di mojibake (testo decodificato in modo errato che appare come caratteri incomprensibili).

- **Standardizzazione delle virgolette:** converte vari tipi di virgolette (curve, angolari, specifiche di determinate lingue) nelle virgolette dritte standard.

- **Standardizzazione della punteggiatura:** converte caratteri speciali come em-dash, ellissi e caratteri full-width nei loro equivalenti ASCII.

- **Normalizzazione delle maiuscole/minuscole:** converte il testo in minuscolo per ridurre la dimensione del vocabolario e migliorare l'efficienza dei token.

- **Rimozione degli accenti:** opzionalmente elimina i segni diacritici mantenendo i caratteri di base.

- **Normalizzazione degli URL:** standardizza i formati degli URL convertendo http in https, rimuovendo i prefissi www e le slash finali.

- **Sostituzione delle cifre:** opzionalmente sostituisce i token numerici con un placeholder standardizzato.

- **Normalizzazione degli spazi:** comprime spazi multipli, gestisce le interruzioni di riga e corregge la spaziatura attorno alla punteggiatura.

3. Dettagli di implementazione

Vengono impiegate diverse tecniche sofisticate:

- **Gestione Unicode:** utilizza il modulo unicodedata di Python per la normalizzazione canonica e la rimozione degli accenti.

- **Espressioni regolari:** usa regex per pattern matching e sostituzioni complesse, in particolare per la normalizzazione di spazi e URL.

- **Mapping dei caratteri:** ampi dizionari convertono caratteri problematici nei loro equivalenti standardizzati.

- **Type hints:** include annotazioni di typing Python per una migliore documentazione del codice e supporto IDE.

4. Applicazioni pratiche

Questa pipeline di normalizzazione affronta diversi problemi critici nel training degli LLM:

- **Efficienza del vocabolario:** standardizzando le rappresentazioni dei caratteri, il tokenizer può lavorare con un vocabolario più piccolo ed efficiente.

- **Apprendimento semantico migliorato:** quando le differenze testuali superficiali vengono eliminate, il modello può concentrarsi meglio sul significato reale invece che sulle variazioni di formato.

- **Coerenza cross-source:** i contenuti raccolti da varie fonti (web, libri, PDF) usano spesso convenzioni di caratteri differenti; la normalizzazione crea coerenza.

- **Mitigazione dei problemi di encoding:** la gestione del mojibake affronta problemi comuni del testo estratto da siti web con dichiarazioni di encoding errate.

5. Considerazioni d'uso

Quando si implementa questo in una pipeline di produzione, considera:

- **Ottimizzazione delle prestazioni:** per dataset molto grandi, considera operazioni vettorializzate o elaborazione parallela.

- **Consapevolezza linguistica:** alcune normalizzazioni (come la rimozione degli accenti) possono essere inappropriate per certe lingue.

- **Ottimizzazione specifica per task:** applicazioni diverse possono richiedere impostazioni di normalizzazione differenti.

- **Ordine del preprocessing:** l'ordine delle operazioni conta; per esempio, la correzione Unicode dovrebbe avvenire prima delle altre trasformazioni.

Questa implementazione rappresenta un approccio production-ready alla normalizzazione del testo che affronta i complessi requisiti della preparazione dei dati di training per LLM, assicurando che i modelli apprendano da testo formattato in modo coerente invece di essere distratti da variazioni testuali superficiali.

Rimozione del boilerplate

I tag HTML, i menu di navigazione, gli annunci pubblicitari e altri elementi strutturali dei contenuti web sono considerati boilerplate. Eliminare questo contenuto non informativo è fondamentale per diverse ragioni:

1. **Ottimizzazione del segnale di training:** rimuovere il boilerplate evita la diluizione dei contenuti significativi, assicurando che il modello si concentri sull'apprendimento di informazioni sostanziali invece che di elementi strutturali ripetitivi. Quando un modello incontra gli stessi menu di navigazione, header, footer e altri template di sito ripetutamente in migliaia di documenti, potrebbe attribuire un'importanza eccessiva a questi pattern. Eliminando questo rumore, il processo di training diventa più focalizzato sul contenuto realmente informativo, permettendo al modello di sviluppare rappresentazioni più forti dei pattern linguistici significativi e delle loro relazioni.

2. **Efficienza computazionale:** riducendo il volume di token non necessari, il preprocessing consente un uso più efficiente delle risorse computazionali durante il training. L'addestramento degli LLM richiede enormi risorse, con costi che scalano direttamente con la quantità di dati elaborati. La rimozione del boilerplate può ridurre la dimensione del dataset del 30-60% nei contenuti estratti dal web, diminuendo drasticamente tempi di training, utilizzo di GPU/TPU e consumo energetico. Questo miglioramento di efficienza si traduce in cicli di iterazione più rapidi e minore impatto ambientale.

3. **Qualità della rappresentazione:** quando gli elementi strutturali vengono rimossi, la densità semantica dei dati di training aumenta, portando a rappresentazioni vettoriali più significative. Le rappresentazioni interne del modello risultano più concentrate sul contenuto reale invece di essere diluite con rappresentazioni della struttura HTML, di elementi di navigazione ripetuti e di altri pattern a basso contenuto informativo. Questo produce una comprensione più precisa e sfumata dei concetti, migliorando in ultima analisi le prestazioni su task downstream come question answering, summarization e reasoning.

Il testo boilerplate pone sfide significative perché compare con alta frequenza in molti documenti ma ha un valore semantico minimo. Questa ripetizione può causare diversi problemi:

1. **Overfitting ai pattern:** i modelli possono attribuire un'importanza eccessiva ai pattern frequenti del boilerplate, distorcendo la loro comprensione del linguaggio. Quando gli stessi menu di navigazione, header, footer e avvisi di copyright compaiono in migliaia di documenti, il modello può imparare erroneamente che questi elementi sono pattern linguistici importanti. Questo può portare a distribuzioni di probabilità distorte in cui il testo boilerplate riceve una probabilità più alta di quanto meriti, compromettendo la capacità del modello di generare linguaggio naturale e appropriato al contesto.

2. **Spreco di token:** spazio prezioso nella context window viene consumato da elementi ripetitivi invece che da contenuti unici e informativi. Poiché gli LLM hanno finestre di contesto fisse (tipicamente tra 2.048 e 100.000 token), ogni token usato per il boilerplate rappresenta un'opportunità persa di includere informazioni significative. Questo è particolarmente problematico per i compiti che richiedono comprensione a lungo raggio, dove un contesto cruciale può essere espulso dalla finestra da elementi strutturali ripetitivi privi di valore semantico.

3. **Bias di generazione:** i modelli addestrati su dati non filtrati tendono a riprodurre in modo inappropriato elementi boilerplate nel testo generato. Quando durante il training sono esposti ripetutamente a frasi standard come "Terms of Service", "All Rights Reserved" o istruzioni di navigazione, il modello può inserire queste espressioni nei contenuti generati anche quando sono fuori contesto. Questo produce output che sembrano meccanici e basati su template invece che naturali e consapevoli del contesto.

4. **Diffusione dell'attenzione:** il meccanismo di attenzione del modello può essere distratto da elementi strutturali ricorrenti invece di concentrarsi sul contenuto significativo. I transformer usano l'attenzione per determinare quali parti dell'input sono più rilevanti per predire il token successivo. Quando il boilerplate compare frequentemente, può creare pattern di attenzione spurii in cui il modello guarda agli elementi strutturali invece che al contenuto semanticamente importante, degradando la sua capacità di catturare relazioni rilevanti tra i concetti.

Esempi comuni includono footer dei siti web, avvisi di copyright, elementi di navigazione e disclaimer ripetuti. Quando questi elementi compaiono con alta frequenza nei dati di training, possono portare il modello a dare loro un'importanza eccessiva o persino a generarli in modo inappropriato nelle risposte. Tecniche avanzate come gli algoritmi di template detection possono aiutare a identificare e rimuovere queste strutture ripetute. Questi algoritmi funzionano identificando pattern comuni tra documenti provenienti dalla stessa fonte, usando tecniche come:

1. **DOM-based filtering:** For HTML content, analyzing the document structure to identify navigation, header, and footer elements. This technique leverages the hierarchical nature of HTML by examining elements like <nav>, <header>, <footer>, and common class names such as "menu", "navigation", or "sidebar". DOM-based filtering can identify these sections even when they're styled differently across websites by focusing on their structural purpose rather than visual appearance.

2. **Text density analysis:** Measuring the ratio of text to HTML tags to identify content-rich sections. This approach calculates the density of actual content words versus markup in different parts of a webpage. Main article content typically has a higher text-to-tag ratio (more actual content), while navigation menus, sidebars, and advertisements tend to have lower ratios (more markup relative to meaningful text). Advanced implementations may also consider the distribution of text nodes and their sizes to distinguish between actual paragraphs and menu items.

3. **N-gram frequency detection:** Identifying frequently repeated phrases across multiple documents from the same domain. This method analyzes collections of consecutive words (n-grams) that appear with unusual frequency across multiple pages from the same source. When identical phrases like "Terms of Service," "Related Articles," or navigation instructions appear in the same positions across many pages, they're likely boilerplate rather than unique content. By creating statistical models of phrase frequencies, algorithms can automatically flag and remove these repetitive elements.

4. **Visual rendering heuristics:** Using browser rendering information to identify which content appears in sidebars or headers. This sophisticated approach considers how content would actually appear to users in a browser by analyzing CSS properties, position data, and visual characteristics. Content appearing at page edges, with distinct background colors, or in fixed positions across scrolling is often navigational or promotional rather than main content. Some implementations use headless browsers to fully render pages and create spatial maps of content distribution, identifying the main content column versus peripheral elements.

Example: Boilerplate Removal System

```python
from bs4 import BeautifulSoup
import re
import numpy as np
from sklearn.feature_extraction.text import CountVectorizer

class BoilerplateRemover:
    """A comprehensive boilerplate removal system for web content"""

    def __init__(self, min_content_length=10, max_link_density=0.4):
        self.min_content_length = min_content_length
        self.max_link_density = max_link_density

    def remove_boilerplate(self, html):
        """Main method to clean HTML content"""
        # Parse HTML
        soup = BeautifulSoup(html, 'html.parser')

        # Remove known boilerplate elements
        self._remove_common_elements(soup)

        # Extract text blocks
        blocks = self._extract_text_blocks(soup)

        # Score and filter blocks
        content_blocks = self._score_and_filter_blocks(blocks)

        # Reassemble content
        clean_text = '\\n\\n'.join(content_blocks)

        # Final cleanup
        clean_text = self._post_process(clean_text)

        return clean_text
```

```python
    def _remove_common_elements(self, soup):
        """Remove common boilerplate elements by tag/class/id"""
        # Remove scripts, styles, and comments
        for element in soup(["script", "style", "noscript"]):
            element.decompose()

        for comment in soup.find_all(text=lambda text: isinstance(text, (Comment))):
            comment.extract()

        # Remove navigation, header, footer, ads
        for tag in soup.find_all(['nav', 'header', 'footer', 'aside']):
            tag.decompose()

        # Remove by common class/id patterns
        for cls in '[['cookie', 'banner', 'ad', 'popup', 'menu', 'navigation', 'sidebar']:
            for tag in soup.find_all(class_=re.compile(cls, re.I)):
                tag.decompose()

        for id_pattern in ['nav', 'menu', 'header', 'footer', 'ad']:
            for tag in soup.find_all(id=re.compile(id_pattern, re.I)):
                tag.decompose()

    def _extract_text_blocks(self, soup):
        """Extract meaningful text blocks"""
        blocks = []

        # Process paragraph-like elements
        for tag in soup.find_all(['p', 'div', 'section', 'article', 'main']):
            text = tag.get_text(strip=True)
            if len(text) >= self.min_content_length:
                # Calculate link density
                links_text = ''.join([a.get_text() for a in tag.find_all('a')])
                link_density = len(links_text) / max(len(text), 1)

                # Store block with metrics
                blocks.append({
                    'text': text,
                    'length': len(text),
                    'link_density': link_density,
                    'tag': tag.name
                })

        return blocks

    def _score_and_filter_blocks(self, blocks):
        """Score blocks based on heuristics and filter out boilerplate"""
        # Skip if no blocks found
        if not blocks:
            return []
```

```python
        # Calculate text density distribution
        lengths = np.array([b['length'] for b in blocks])

        # Simple approach: compute standard deviation from mean
        mean_length = np.mean(lengths)
        std_length = np.std(lengths)

        # Content blocks typically have above-average length and low link density
        good_blocks = []
        for block in blocks:
            # Calculate content score
            score = 0

            # Favor longer blocks
            if block['length'] > mean_length:
                score += 1
            if block['length'] > mean_length + std_length:
                score += 2

            # Penalize high link density
            if block['link_density'] > self.max_link_density:
                score -= 3

            # Favor certain tags
            if block['tag'] in ['p', 'article', 'section', 'main']:
                score += 1

            # Add blocks with positive scores
            if score > 0:
                good_blocks.append(block['text'])

        # If no blocks passed, take the longest one as fallback
        if not good_blocks and blocks:
            longest_block = max(blocks, key=lambda x: x['length'])
            good_blocks.append(longest_block['text'])

        return good_blocks

    def _post_process(self, text):
        """Final cleanup of extracted content"""
        # Fix excess whitespace
        text = re.sub(r'\\s+', ' ', text)

        # Fix common HTML entities
        text = re.sub(r'&amp;', '&', text)
        text = re.sub(r'&lt;', '<', text)
        text = re.sub(r'&gt;', '>', text)
        text = re.sub(r'&quot;', '"', text)

        return text.strip()

    def detect_templates(self, html_documents):
```

```python
        """Detect template structures across multiple documents from same source"""
        # Extract features for template detection
        vectorizer = CountVectorizer(analyzer='word', ngram_range=(2, 5), min_df=0.8)

        # Process documents to extract text
        processed_docs = [BeautifulSoup(html, 'html.parser').get_text() for html in
html_documents]

        # Fit vectorizer to find common n-grams
        X = vectorizer.fit_transform(processed_docs)

        # Get common n-grams that appear in most documents
        common_phrases = vectorizer.get_feature_names_out()

        return common_phrases

# Example usage
if __name__ == "__main__":
    remover = BoilerplateRemover()

    html_example = """
    <html>
      <head><title>Sample Page</title></head>
      <body>
        <header>
          <nav>
            <ul>
              <li><a href="/">Home</a></li>
              <li><a href="/about">About</a></li>
              <li><a href="/contact">Contact</a></li>
            </ul>
          </nav>
        </header>
        <main>
          <h1>Main Article Title</h1>
          <p>This is the main content of the article. It contains the most important
information.</p>
          <p>Additional paragraph with more details about the topic being
discussed.</p>
          <div class="ad-banner">Check out our special offers!</div>
        </main>
        <footer>
          <div>Copyright © 2025 | All Rights Reserved</div>
          <div class="social-links">
            <a href="<https://twitter.com>">Twitter</a>
            <a href="<https://facebook.com>">Facebook</a>
          </div>
        </footer>
      </body>
    </html>
    """
```

```
clean_text = remover.remove_boilerplate(html_example)
print("Original length:", len(html_example))
print("Cleaned length:", len(clean_text))
print("\\nCleaned content:")
print(clean_text)
```

Analisi del codice

Il codice sopra implementa un sistema sofisticato di rimozione del boilerplate in grado di pulire efficacemente i contenuti web per estrarre il testo informativo principale, rimuovendo elementi di navigazione, header, footer, pubblicità e altri elementi non pertinenti al contenuto. Vediamone i componenti principali:

1. Filosofia di design principale

- **Approccio multi-livello:** il sistema utilizza diverse strategie complementari invece di affidarsi a una sola tecnica, rendendolo robusto rispetto a diversi stili di siti web.

- **Scoring basato su euristiche:** i blocchi di testo vengono valutati in base a caratteristiche che normalmente distinguono il contenuto principale dal boilerplate.

- **Analisi statistica:** il sistema analizza le distribuzioni di lunghezza per identificare blocchi di contenuto che si discostano dai pattern tipici del boilerplate.

- **Meccanismi di fallback:** se tutti i filtri falliscono, il sistema ricorre a default ragionevoli, come la selezione del blocco di testo più lungo.

2. Componenti chiave

Il sistema è organizzato in diverse funzioni specializzate:

- **Filtraggio basato sui tag (_remove_common_elements):** rimuove elementi che sono quasi sempre boilerplate, come barre di navigazione, script e footer, basandosi su tag HTML semantici e su pattern comuni di classi/ID.

- **Estrazione dei blocchi di testo (_extract_text_blocks):** identifica potenziali blocchi di contenuto e calcola metriche come la lunghezza del testo e la densità di link per aiutare nel processo di scoring.

- **Scoring e filtraggio dei contenuti (_score_and_filter_blocks):** implementa un algoritmo di scoring che favorisce i blocchi di testo con caratteristiche tipiche del contenuto principale (maggiore lunghezza, minore densità di link, tag semantici).

- **Rilevamento dei template (detect_templates):** identifica pattern di testo ripetuti in più documenti provenienti dalla stessa fonte, che probabilmente indicano elementi di template.

3. Approcci tecnici

Vengono impiegate diverse tecniche sofisticate:

- **Analisi della densità di link:** calcola il rapporto tra il testo dei link e il testo totale in un blocco. I blocchi di contenuto tipicamente hanno una densità di link inferiore rispetto ai blocchi di navigazione o promozionali.

- **Rilevamento statistico degli outlier:** utilizza media e deviazione standard della lunghezza del testo per identificare blocchi che statisticamente hanno maggiore probabilità di essere contenuto piuttosto che boilerplate.

- **Analisi di n-gram:** il metodo di rilevamento dei template utilizza CountVectorizer per trovare frasi ripetute (n-gram) tra documenti, che probabilmente rappresentano testo di template.

- **Analisi della struttura DOM:** sfrutta la struttura semantica dell'HTML (tag come , ,) per prendere decisioni più intelligenti su contenuto vs. boilerplate.

4. Benefici pratici per il training degli LLM

Questo sistema di rimozione del boilerplate affronta diverse sfide critiche nella preparazione dei dati web per il training degli LLM:

- **Miglioramento del rapporto segnale-rumore:** rimuovendo gli elementi ripetitivi, il segnale (contenuto reale) diventa molto più forte rispetto al rumore (boilerplate), portando a un apprendimento più efficiente.

- **Riduzione della dimensione del dataset:** rimuovere il boilerplate può ridurre la dimensione del dataset del 30-60%, diminuendo drasticamente i costi di training e l'uso delle risorse.

- **Prevenzione dell'overlearning dei pattern:** il modello non sprecherà capacità nell'imparare a predire elementi di navigazione, avvisi di copyright e altri pattern onnipresenti ma privi di significato.

- **Miglioramento della qualità del testo:** il contenuto estratto tende a essere più coerente e completo, fornendo esempi di training migliori per il modello.

5. Considerazioni di implementazione

Quando si integra questo sistema in una pipeline di training per LLM:

- **Ottimizzazioni di scala:** per ambienti di produzione che elaborano miliardi di documenti, considera l'aggiunta di caching, elaborazione batch o parallelizzazione.

- **Adattamento al dominio:** categorie diverse di siti web possono beneficiare di euristiche personalizzate (siti di news vs. forum vs. documentazione).

- **Considerazioni linguistiche:** l'implementazione attuale funziona al meglio con contenuti in inglese. Per dataset multilingue, potrebbe essere necessario adattare metriche come la lunghezza media del contenuto.

- **Casi limite:** contenuti legittimi molto brevi (come i tweet) potrebbero essere filtrati, richiedendo una gestione speciale per fonti social media.

Questo esempio di implementazione rappresenta un approccio di livello production-grade alla rimozione del boilerplate, affrontando uno dei passaggi di preprocessing più critici nella preparazione dei dati di training per LLM. Concentrando il training del modello sul contenuto reale piuttosto che sulle strutture ripetitive dei siti web, aiuta a garantire che il language model risultante sviluppi una comprensione più profonda del linguaggio e della conoscenza invece di essere distratto da pattern irrilevanti nei dati di training.

Identificazione della lingua

Assicurarsi che token non inglesi non contaminino un modello solo inglese (o viceversa). Questo evita che il modello apprenda pattern cross-language che potrebbero confonderne la comprensione. Anche una piccola percentuale di contenuto in lingua straniera può influire sulle prestazioni del modello introducendo pattern linguistici incoerenti che il modello tenta di incorporare nelle proprie rappresentazioni.

Quando un modello addestrato principalmente sull'inglese incontra testo in francese, giapponese o arabo, cerca di interpretare questi pattern all'interno del proprio framework linguistico inglese. Questo porta a diversi problemi: il modello può apprendere distribuzioni di token scorrette, sviluppare rappresentazioni semantiche confuse o generare testo con commistioni linguistiche inappropriate. Per esempio, un modello inglese contaminato con spagnolo potrebbe occasionalmente produrre pattern di coniugazione spagnola durante la generazione di testo in inglese, o inserire impropriamente parole spagnole in frasi inglesi.

Inoltre, il language mixing aumenta la dimensione effettiva del vocabolario senza offrire benefici proporzionali, riducendo così l'efficienza del training. Il modello spreca capacità nell'apprendere pattern che utilizzerà raramente nella propria applicazione prevista, diluendo di fatto la sua comprensione della lingua principale.

Strumenti di language identification come fastText, langdetect o CLD3 possono classificare automaticamente il testo per lingua con alta accuratezza. Per i modelli multilingue, il language identification aiuta a garantire un corretto bilanciamento tra le diverse lingue, mentre per i modelli monolingui aiuta a mantenere la purezza del corpus di training. Questo diventa particolarmente importante quando si estrae contenuto dal web, dove il language mixing è comune, soprattutto nelle sezioni commenti, nei forum e nei contenuti generati dagli utenti.

I moderni sistemi di language identification possono rilevare la lingua con appena 10-20 caratteri di testo e possono gestire centinaia di lingue. Funzionano analizzando distribuzioni di n-gram, sequenze di caratteri e pattern statistici unici per ciascuna lingua. Alcuni sistemi avanzati possono persino rilevare il language mixing all'interno di un singolo documento, consentendo un filtraggio preciso dei contenuti misti o la segmentazione dei documenti in sezioni specifiche per lingua.

Esempio: sistema di identificazione della lingua

```python
from fasttext import load_model
import langid
import cld3
import re
import pandas as pd
from collections import Counter


class LanguageIdentifier:
    def __init__(self, fasttext_model_path=None, min_confidence=0.8,
min_text_length=20):
        """
        Initialize the language identifier with multiple detection systems.

        Args:
```

```python
        fasttext_model_path: Path to pretrained fastText model (lid.176.bin)
        min_confidence: Minimum confidence threshold for language detection
        min_text_length: Minimum text length for reliable detection
    """
    self.min_confidence = min_confidence
    self.min_text_length = min_text_length

    # Load fastText model if path is provided
    self.fasttext_model = None
    if fasttext_model_path:
        try:
            self.fasttext_model = load_model(fasttext_model_path)
            print(f"Loaded fastText model from {fasttext_model_path}")
        except Exception as e:
            print(f"Failed to load fastText model: {e}")

    # Language name mappings
    self.lang_names = {
        'en': 'English', 'es': 'Spanish', 'fr': 'French', 'de': 'German',
        'it': 'Italian', 'pt': 'Portuguese', 'nl': 'Dutch', 'ru': 'Russian',
        'zh': 'Chinese', 'ja': 'Japanese', 'ko': 'Korean', 'ar': 'Arabic',
        'hi': 'Hindi', 'bn': 'Bengali', 'ur': 'Urdu', 'te': 'Telugu',
        'mr': 'Marathi', 'ta': 'Tamil', 'gu': 'Gujarati', 'kn': 'Kannada',
        'th': 'Thai', 'vi': 'Vietnamese'
    }

def clean_text(self, text):
    """Remove URLs, email addresses, and normalize whitespace"""
    # Remove URLs
    text = re.sub(r'https?://\\S+|www\\.\\S+', ' ', text)
    # Remove email addresses
    text = re.sub(r'\\S+@\\S+', ' ', text)
    # Normalize whitespace
    text = re.sub(r'\\s+', ' ', text).strip()
    return text

def detect_with_fasttext(self, text):
    """Detect language using fastText"""
    if not self.fasttext_model:
        return None, 0.0

    predictions = self.fasttext_model.predict(text, k=1)
    lang_code = predictions[0][0].replace('__label__', '')
    confidence = predictions[1][0]
    return lang_code, confidence

def detect_with_langid(self, text):
    """Detect language using langid"""
    lang_code, confidence = langid.classify(text)
    return lang_code, confidence

def detect_with_cld3(self, text):
```

```python
    """Detect language using CLD3"""
    result = cld3.get_language(text)
    if result:
        return result.language, result.probability
    return None, 0.0

def detect_language(self, text):
    """
    Detect language using multiple systems and voting.

    Returns:
        dict: Contains detected language code, name, confidence, and vote details
    """
    text = self.clean_text(text)

    if len(text) < self.min_text_length:
        return {
            'language': 'unknown',
            'language_name': 'Unknown',
            'confidence': 0.0,
            'too_short': True,
            'votes': {}
        }

    # Collect votes from different systems
    votes = {}

    # fastText detection
    ft_lang, ft_conf = self.detect_with_fasttext(text)
    if ft_lang:
        votes['fasttext'] = {'lang': ft_lang, 'confidence': ft_conf}

    # langid detection
    langid_lang, langid_conf = self.detect_with_langid(text)
    votes['langid'] = {'lang': langid_lang, 'confidence': langid_conf}

    # CLD3 detection
    cld3_lang, cld3_conf = self.detect_with_cld3(text)
    if cld3_lang:
        votes['cld3'] = {'lang': cld3_lang, 'confidence': cld3_conf}

    # Count votes
    lang_votes = Counter([v['lang'] for v in votes.values()])
    most_common = lang_votes.most_common(1)

    if not most_common:
        return {
            'language': 'unknown',
            'language_name': 'Unknown',
            'confidence': 0.0,
            'votes': votes
        }
```

```python
        detected_lang = most_common[0][0]

        # Calculate average confidence for the detected language
        confidences = [v['confidence'] for v in votes.values() if v['lang'] ==
detected_lang]
        avg_confidence = sum(confidences) / len(confidences) if confidences else 0.0

        return {
            'language': detected_lang,
            'language_name': self.lang_names.get(detected_lang, detected_lang),
            'confidence': avg_confidence,
            'votes': votes
        }

    def is_target_language(self, text, target_lang='en', threshold=None):
        """
        Check if text is in the target language

        Args:
            text: Text to check
            target_lang: Target language code
            threshold: Confidence threshold (overrides instance default if set)

        Returns:
            bool: True if text is in target language, False otherwise
        """
        threshold = threshold or self.min_confidence
        result = self.detect_language(text)
        return result['language'] == target_lang and result['confidence'] >= threshold

    def analyze_document_languages(self, text, chunk_size=500, overlap=100):
        """
        Analyze language distribution within a document by breaking it into chunks.

        Args:
            text: Document text
            chunk_size: Size of each chunk for analysis
            overlap: Overlap between chunks

        Returns:
            pd.DataFrame: Analysis of language distribution
        """
        text = self.clean_text(text)

        # Break document into overlapping chunks
        chunks = []
        for i in range(0, len(text), chunk_size - overlap):
            chunk = text[i:i + chunk_size]
            if len(chunk) >= self.min_text_length:
                chunks.append(chunk)
```

```python
        # Detect language for each chunk
        results = []
        for i, chunk in enumerate(chunks):
            detection = self.detect_language(chunk)
            results.append({
                'chunk_id': i,
                'start_pos': i * (chunk_size - overlap),
                'end_pos': i * (chunk_size - overlap) + len(chunk),
                'language': detection['language'],
                'language_name': detection['language_name'],
                'confidence': detection['confidence']
            })

        # Convert to DataFrame for analysis
        df = pd.DataFrame(results)

        # Calculate language distribution
        lang_dist = df['language'].value_counts(normalize=True).to_dict()

        # Add summary
        summary = {
            'primary_language':    df['language'].value_counts().index[0]    if    not
df.empty else 'unknown',
            'language_distribution': lang_dist,
            'chunks_analyzed': len(chunks),
            'document_length': len(text)
        }

        return df, summary

# Example usage
if __name__ == "__main__":
    # Initialize with fastText model (you would need to download this separately)
    # Download from: <https://fasttext.cc/docs/en/language-identification.html>
    lang_id = LanguageIdentifier(fasttext_model_path="lid.176.bin")

    # Alternatively, initialize without fastText (using only langid and CLD3)
    # lang_id = LanguageIdentifier()

    # Example texts in different languages
    texts = {
        "english": "The quick brown fox jumps over the lazy dog.",
        "spanish": "El rápido zorro marrón salta sobre el perro perezoso.",
        "french": "Le renard brun rapide saute par-dessus le chien paresseux.",
        "german": "Der schnelle braune Fuchs springt über den faulen Hund.",
        "mixed": "The quick brown fox jumps over el perro perezoso."
    }

    # Detect language for each text
    for name, text in texts.items():
        result = lang_id.detect_language(text)
        print(f"\\nText ({name}): {text}")
```

```python
    print(f"Detected: {result['language_name']} (code: {result['language']}) with
confidence {result['confidence']:.4f}")
    print(f"Individual votes: {result['votes']}")

# Check if text is in target language
english_text = "This is definitely an English sentence."
is_english = lang_id.is_target_language(english_text, target_lang='en')
print(f"\\nIs the text in English? {is_english}")

# Analyze mixed-language document
mixed_document = """
This is an example of a document with multiple languages mixed in.
En este documento, hay frases en español mezcladas con inglés.
There are also some French sentences: Bonjour, comment ça va aujourd'hui?
And we go back to English again to complete the demonstration.
"""

chunks_df,    summary    =    lang_id.analyze_document_languages(mixed_document,
chunk_size=100, overlap=20)
print("\\nMixed document analysis:")
print(f"Primary language: {summary['primary_language']}")
print(f"Language distribution: {summary['language_distribution']}")
print("\\nChunk analysis:")
print(chunks_df[['chunk_id', 'language', 'confidence']])
```

Analisi del Codice

Questo sistema completo di identificazione della lingua utilizza molteplici metodi di rilevamento per identificare con precisione la lingua del testo, aspetto fondamentale per il preprocessing dei dati di training degli LLM. Esploriamo i componenti chiave:

1. Approccio Multi-Engine

- **Metodologia ensemble:** Il sistema combina tre potenti motori di rilevamento linguistico (fastText, langid e CLD3), utilizzando un meccanismo di voto per aumentare accuratezza e robustezza.

- **Punteggio di confidenza:** Ogni motore fornisce sia una previsione della lingua sia un punteggio di confidenza, permettendo un filtraggio basato su soglie per le predizioni incerte.

- **Validazione incrociata:** Confrontando i risultati di più sistemi indipendenti, il codice può individuare casi in cui i motori non concordano, il che spesso indica contenuti multilingue o testi ambigui.

2. Caratteristiche Principali

- **Preprocessing del testo:** Il metodo clean_text() rimuove URL, indirizzi email e normalizza gli spazi, migliorando l'accuratezza concentrandosi sul contenuto linguistico naturale.

- **Mappatura dei nomi delle lingue:** Converte i codici ISO (come 'en', 'es') in nomi leggibili ('English', 'Spanish'), rendendo gli output più interpretabili.

- **Soglia di confidenza:** Il parametro min_confidence consente di impostare il livello di severità nella classificazione, con soglie più alte che riducono i falsi positivi.

- **Lunghezza minima del testo:** I testi brevi vengono segnalati come potenzialmente inaffidabili per il rilevamento, evitando classificazioni errate di frammenti troppo corti.

3. Capacità Avanzate

- **Analisi della segmentazione del documento:** Il metodo analyze_document_languages() suddivide documenti lunghi in blocchi per rilevare la presenza di più lingue nello stesso documento.

- **Sintesi statistica:** Fornisce una suddivisione quantitativa della distribuzione linguistica, identificando la lingua principale e la percentuale di contenuto per ciascuna lingua rilevata.

- **Filtro per lingua target:** Il metodo is_target_language() permette di verificare rapidamente se un testo appartiene a una lingua specifica con sufficiente confidenza.

4. Considerazioni di Implementazione per il Training degli LLM

- **Scalabilità:** L'approccio a blocchi consente di processare documenti di qualsiasi lunghezza, rendendolo adatto all'analisi di grandi dataset.

4.1.3 Deduplicazione

Su larga scala, lo stesso testo appare spesso più volte (ad esempio mirror di Wikipedia, snippet di codice, boilerplate) nei dataset di training. Se non controllata, questa duplicazione può causare seri problemi nel training degli LLM:

Overfitting su Contenuti Ripetuti: Il Problema della Memorizzazione

Quando lo stesso testo appare frequentemente nei dati di training, i modelli tendono a memorizzare questi esempi specifici invece di apprendere schemi generalizzabili. Questo fenomeno rappresenta una sfida fondamentale nel training degli LLM, compromettendo la capacità del modello di generare risposte nuove e appropriate per input mai visti.

Questo problema si manifesta in diversi modi critici:

- **Riproduzione letterale:** I modelli privilegiano il richiamo esatto rispetto alla comprensione. Ad esempio, se un LLM incontra lo stesso snippet di codice centinaia di volte durante il training, sviluppa un forte bias statistico verso la riproduzione esatta di quel codice quando gli viene richiesta una funzionalità simile, invece di comprendere i concetti di programmazione sottostanti e generare codice adeguato alla situazione specifica. Questo porta a modelli che si limitano a "ripetere" i dati di training invece di sviluppare una reale comprensione. In pratica, il modello potrebbe riprodurre un metodo di autenticazione obsoleto o un algoritmo di ordinamento inefficiente solo perché presenti frequentemente nei dati di training, anche quando esistono soluzioni più moderne ed efficienti.

- **Obsolescenza della conoscenza:** La memorizzazione è particolarmente problematica per informazioni che possono cambiare nel tempo, poiché il modello rimane rigidamente legato alla versione ripetuta, rendendo difficile aggiornare la sua base di conoscenza senza un riaddestramento completo. Quando più istanze di informazioni obsolete compaiono nel corpus, il modello sviluppa pesi forti verso tali dati, "bloccando" conoscenze potenzialmente superate. Ad esempio, un LLM potrebbe insistere su linee guida mediche, strutture politiche o specifiche tecnologiche ormai superate semplicemente perché erano frequenti nei dati di training.

- **Ridotta generalizzazione:** Fissandosi su pattern testuali specifici e frequenti, il modello perde la capacità di astrarre i principi sottostanti, con conseguenti prestazioni scarse su problemi nuovi che richiedono lo stesso ragionamento ma con forme diverse. Questo limita fortemente le applicazioni nel mondo reale, dove la flessibilità è essenziale. Ad esempio, un modello addestrato su molti problemi matematici con formati specifici potrebbe fallire su problemi concettualmente identici ma presentati con formati diversi o numeri più grandi, mostrando una mancata comprensione dei principi matematici.

- **Rappresentazione fragile della conoscenza:** Invece di costruire strutture concettuali robuste, il modello sviluppa un riconoscimento superficiale di pattern che fallisce di fronte a piccole variazioni o nuovi contesti. Questo genera sistemi che sembrano intelligenti in condizioni controllate ma falliscono in modo imprevedibile nel mondo reale. Ad esempio, un modello potrebbe rispondere correttamente a domande su un evento storico se formulate in modo simile agli esempi di training, ma fallire completamente quando la domanda viene riformulata o arricchita di contesto.

Le conseguenze di questo overfitting vanno oltre il semplice richiamo di fatti: influenzano profondamente il modo in cui il modello elabora le informazioni e genera risposte, limitandone spesso la capacità creativa e la flessibilità di ragionamento in modi non immediatamente evidenti durante la valutazione.

Esempio: Simulazione della Memorizzazione da Contenuti Duplicati

```python
import numpy as np
import matplotlib.pyplot as plt
from sklearn.feature_extraction.text import TfidfVectorizer
from sklearn.metrics.pairwise import cosine_similarity

# Sample training corpus with duplicated content
training_corpus = [
    "The quick brown fox jumps over the lazy dog",
    "Machine learning models require diverse training data",
    "The quick brown fox jumps over the lazy dog",  # Duplicate
    "Neural networks can solve complex problems",
    "The quick brown fox jumps over the lazy dog",  # Duplicate
    "The quick brown fox jumps over the lazy dog",  # Duplicate
    "Data preprocessing is crucial for model performance",
    "The quick brown fox jumps over the lazy dog",  # Duplicate
    "Transformers have revolutionized natural language processing"
]

# Test prompts
test_prompts = [
    "The quick brown",  # Similar to duplicated content
    "The fast yellow fox jumps over",  # Variation of duplicated content
    "Machine learning requires",  # Similar to unique content
    "Neural networks can",  # Similar to unique content
]
```

```python
# Simplified language model simulation
class SimplifiedLLM:
    def __init__(self, training_data, learning_rate=0.1):
        self.vectorizer = TfidfVectorizer(ngram_range=(1, 3))
        self.training_data = training_data
        self.X = self.vectorizer.fit_transform(training_data)
        self.learning_rate = learning_rate
        # Initialize weights - higher for duplicates to simulate memorization
        self.weights = np.ones(len(training_data))
        self.update_weights_for_duplicates()

    def update_weights_for_duplicates(self):
        # Count occurrences of each training example
        from collections import Counter
        counts = Counter(self.training_data)

        # Adjust weights based on frequency (simulating memorization bias)
        for i, text in enumerate(self.training_data):
            # Exponential increase in weight for duplicates
            self.weights[i] = self.weights[i] * (counts[text] ** 2)

    def generate_completion(self, prompt, top_n=2):
        # Transform prompt
        prompt_vector = self.vectorizer.transform([prompt])

        # Calculate similarities
        similarities = cosine_similarity(prompt_vector, self.X).flatten()

        # Apply weights to similarities (simulating memorization effect)
        weighted_similarities = similarities * self.weights

        # Get top matches
        top_indices = weighted_similarities.argsort()[-top_n:][::-1]

        # Return completions based on top matches
        completions = [self.training_data[i] for i in top_indices]
        scores = [weighted_similarities[i] for i in top_indices]

        return completions, scores

    # Method to run experiments with and without deduplication
    def compare_with_deduplication(self, test_prompts):
        # Create a deduplicated version of the model
        deduplicated_corpus = list(dict.fromkeys(self.training_data))
        deduplicated_model = SimplifiedLLM(deduplicated_corpus)

        results = []

        for prompt in test_prompts:
            # Original model (with duplicates)
            orig_completions, orig_scores = self.generate_completion(prompt)
```

```python
            # Deduplicated model
            dedup_completions,                      dedup_scores =
deduplicated_model.generate_completion(prompt)

            results.append({
                'prompt': prompt,
                'original': {
                    'completions': orig_completions,
                    'scores': orig_scores
                },
                'deduplicated': {
                    'completions': dedup_completions,
                    'scores': dedup_scores
                }
            })

        return results

# Create model and run experiment
model = SimplifiedLLM(training_corpus)
results = model.compare_with_deduplication(test_prompts)

# Visualize results
plt.figure(figsize=(12, 8))

for i, result in enumerate(results):
    plt.subplot(2, 2, i+1)

    # Original model results
    orig_labels = [f"{c[:15]}..." for c in result['original']['completions']]
    orig_scores = result['original']['scores']

    # Deduplicated model results
    dedup_labels = [f"{c[:15]}..." for c in result['deduplicated']['completions']]
    dedup_scores = result['deduplicated']['scores']

    x = np.arange(len(orig_labels))
    width = 0.35

    plt.bar(x - width/2, orig_scores, width, label='With duplicates')
    plt.bar(x + width/2, dedup_scores, width, label='Deduplicated')

    plt.xlabel('Completions')
    plt.ylabel('Confidence score')
    plt.title(f'Prompt: "{result["prompt"]}"')
    plt.xticks(x, orig_labels, rotation=45, ha='right')
    plt.legend()
    plt.tight_layout()

plt.suptitle('Effect of Duplicate Content on Model Completions', fontsize=16)
plt.tight_layout(rect=[0, 0, 1, 0.95])
```

```
plt.show()
```

Analisi del Codice

Questo esempio dimostra come il contenuto duplicato nei dati di training possa portare a problemi di memorizzazione nei modelli linguistici. Sebbene gli LLM reali siano molto più complessi, questa simulazione semplificata illustra il problema centrale:

- **Preparazione del corpus:** Il corpus di training include deliberatamente più duplicati di "The quick brown fox jumps over the lazy dog" mescolati a frasi uniche. Questo simula ciò che accade nel training reale degli LLM quando determinati contenuti compaiono ripetutamente nei web crawl.

- **Meccanismo di memorizzazione:** Il metodo update_weights_for_duplicates() implementa un aspetto chiave della memorizzazione aumentando esponenzialmente l'importanza (i pesi) del contenuto duplicato. Questo riflette il modo in cui le reti neurali sviluppano percorsi più forti per i pattern osservati più frequentemente.

- **Completamenti distorti:** Quando il modello genera completamenti, favorisce fortemente il contenuto duplicato per qualsiasi prompt che condivida anche una somiglianza minima, dimostrando come la memorizzazione possa sopraffare la generalizzazione.

- **Analisi comparativa:** L'esperimento crea due versioni del modello: una addestrata sul corpus grezzo con duplicati e un'altra su un corpus deduplicato, per mostrare la drastica differenza nella distribuzione degli output.

Principali intuizioni della simulazione:

- **Sensibilità al prompt:** Per prompt come "The quick brown," il modello con duplicati completerà quasi certamente con la frase memorizzata della volpe, indipendentemente dall'adeguatezza al contesto. Il modello deduplicato mostra invece previsioni più bilanciate basate sulla reale rilevanza semantica.

- **Distorsione della confidenza:** Il modello assegna punteggi di confidenza artificialmente elevati ai completamenti memorizzati, creando un falso senso di certezza che può risultare fuorviante nelle applicazioni pratiche.

- **Soppressione della creatività:** Di fronte a leggere variazioni come "The fast yellow fox jumps over," il modello con duplicati forza comunque il pattern memorizzato invece di generare variazioni appropriate, dimostrando una ridotta capacità creativa.

- **Impatto sulla generalizzazione:** La visualizzazione mostra come la memorizzazione crei punti ciechi nelle capacità del modello: il training deduplicato porta a completamenti più equilibrati e contestualmente appropriati per diversi tipi di prompt.

Nel training di LLM in produzione, gli effetti della memorizzazione sono più sottili ma altrettanto problematici. Quando si scala a miliardi di parametri e trilioni di token, questi bias possono manifestarsi come modelli che riproducono passaggi specifici parola per parola, si fissano su certe frasi o pattern di codice, o sviluppano rappresentazioni fragili della conoscenza che crollano con piccole variazioni del prompt.

Questo esempio sottolinea perché una deduplicazione rigorosa sia considerata una fase critica di preprocessing per un training di alta qualità degli LLM, con un impatto diretto non solo sul richiamo dei fatti, ma anche sulla capacità fondamentale del modello di generare risposte nuove e contestualmente appropriate.

Bias statistico

I documenti ripetuti gonfiano artificialmente la rappresentazione di determinati argomenti, stili di scrittura o prospettive. Questo altera ciò che il modello apprende sulla distribuzione del linguaggio e può portare a output distorti che favoriscono contenuti sovrarappresentati. Consideriamo uno scenario in cui articoli di giornale su un determinato evento politico vengono duplicati su molti siti web. Il modello incontra queste narrazioni ripetute decine o persino centinaia di volte durante il training, creando un segnale statistico secondo cui questa prospettiva sarebbe più "comune" o "importante" di altre, anche se in realtà è solo stata duplicata più spesso.

Se questi duplicati non vengono rimossi, il modello potrebbe attribuire un peso sproporzionato a quella prospettiva, portando a ragionamenti distorti quando viene interrogato su argomenti correlati. Questo amplifica artificialmente alcune voci mentre ne riduce altre che potrebbero essere ugualmente valide ma meno duplicate nel corpus di training.

Ad esempio, un template giornalistico comune ripetuto su centinaia di siti di notizie locali potrebbe indurre il modello a credere che quello stile di scrittura sia il modo "standard" di parlare degli eventi, mentre analisi uniche e ben ragionate potrebbero essere trattate come anomalie statistiche. Questo problema si estende anche ai pattern linguistici: stili di scrittura o terminologia sovrarappresentati possono rendere gli output del modello innaturali o inappropriati in molti contesti.

Questo è particolarmente problematico per domini di nicchia, dialetti regionali o comunità sottorappresentate, i cui pattern linguistici possono essere sopraffatti da contenuti duplicati più frequenti, dando come risultato un modello che fatica a generare testi autentici e appropriati per questi pubblici.

Esempio: Simulazione del Bias Statistico

```python
import numpy as np
import pandas as pd
import matplotlib.pyplot as plt
import seaborn as sns
from sklearn.feature_extraction.text import CountVectorizer
from sklearn.naive_bayes import MultinomialNB
from sklearn.metrics import classification_report

# Set random seed for reproducibility
np.random.seed(42)

# Create a synthetic dataset simulating news articles
# We'll create a political dataset with biased duplication

# Base articles
base_articles = [
    # Perspective A articles
    "The government announces new tax policy that benefits workers.",
    "Healthcare reform bill passes with bipartisan support.",
    "New environmental regulations aim to reduce pollution.",
```

```python
    "Education funding increases in latest budget proposal.",
    "Diplomatic talks result in peace agreement.",

    # Perspective B articles
    "Government tax plan criticized by business leaders.",
    "Healthcare bill faces opposition from medical industry.",
    "Environmental regulations may hurt job growth, experts say.",
    "Budget proposal cuts funding for key programs.",
    "Peace talks stall due to disagreements over key issues."
]

# Assign topics and perspectives
topics = ["taxes", "healthcare", "environment", "education", "diplomacy"] * 2
perspectives = ["A"] * 5 + ["B"] * 5

# Function to create variations of an article
def create_variations(article, n_variations=1):
    variations = []
    words = article.split()

    for _ in range(n_variations):
        # Randomly choose positions to modify
        positions = np.random.choice(len(words), size=min(3, len(words)),
replace=False)

        new_words = words.copy()
        for pos in positions:
            # Simple modifications: add adjectives or synonyms
            if words[pos] == "new":
                new_words[pos] = np.random.choice(["recent", "latest"])
            elif words[pos] == "increase":
                new_words[pos] = np.random.choice(["boost", "raise"])
            # Add random modifiers
            elif np.random.random() < 0.3:
                if pos < len(words) - 1:
                    new_words[pos] = words[pos] + " " +
np.random.choice(["significant", "major", "modest"])

        variations.append(" ".join(new_words))

    return variations

# Create a biased dataset with many more duplicates and variations of perspective A
articles = []
labels = []
sources = []

# Add perspective A articles with many duplicates and variations
for i in range(5):  # Perspective A
    # Add original
    articles.append(base_articles[i])
    labels.append(topics[i])
```

```python
    sources.append("Perspective A")

    # Add many duplicates and variations
    n_duplicates = np.random.randint(15, 25)  # Much higher duplication

    # Direct duplicates
    for _ in range(n_duplicates // 2):
        articles.append(base_articles[i])
        labels.append(topics[i])
        sources.append("Perspective A")

    # Variations (near-duplicates)
    variations = create_variations(base_articles[i], n_variations=n_duplicates // 2)
    for v in variations:
        articles.append(v)
        labels.append(topics[i])
        sources.append("Perspective A")

# Add perspective B articles with fewer duplicates
for i in range(5, 10):  # Perspective B
    # Add original
    articles.append(base_articles[i])
    labels.append(topics[i])
    sources.append("Perspective B")

    # Add fewer duplicates and variations
    n_duplicates = np.random.randint(2, 5)  # Much lower duplication

    # Direct duplicates
    for _ in range(n_duplicates // 2):
        articles.append(base_articles[i])
        labels.append(topics[i])
        sources.append("Perspective B")

    # Variations (near-duplicates)
    variations = create_variations(base_articles[i], n_variations=n_duplicates // 2)
    for v in variations:
        articles.append(v)
        labels.append(topics[i])
        sources.append("Perspective B")

# Create DataFrame
df = pd.DataFrame({
    'article': articles,
    'topic': labels,
    'perspective': sources
})

# Display dataset statistics
print(f"Total articles: {len(df)}")
print("\\nDistribution by perspective:")
print(df['perspective'].value_counts())
```

```python
print("\\nDistribution by topic:")
print(df['topic'].value_counts())

# Visualize the bias in the dataset
plt.figure(figsize=(12, 6))
sns.countplot(x='topic', hue='perspective', data=df)
plt.title('Topic Distribution by Perspective (Biased Training Data)')
plt.xlabel('Topic')
plt.ylabel('Count')
plt.tight_layout()
plt.savefig('biased_dataset.png')

# Train a simple classifier on this biased dataset
vectorizer = CountVectorizer(max_features=1000)
X = vectorizer.fit_transform(df['article'])

# Train a classifier to predict topics
model = MultinomialNB()
model.fit(X, df['topic'])

# Create a balanced test set (not seen during training)
test_articles = [
    # Balanced set of new articles
    "The government's tax policy aims to address economic inequality.",
    "New tax structure proposed for next fiscal year.",
    "Healthcare system needs reform according to recent study.",
    "Doctors discuss implications of healthcare changes.",
    "Climate scientists advocate for stronger environmental protections.",
    "Environmental policy changes could affect industry standards.",
    "Education reforms focus on improving student outcomes.",
    "School funding debates continue in legislative session.",
    "Diplomatic efforts seek to resolve international tensions.",
    "Peace negotiations continue between conflicting parties."
]
test_topics = ["taxes", "taxes", "healthcare", "healthcare", "environment",
               "environment", "education", "education", "diplomacy", "diplomacy"]
test_perspectives = ["Neutral"] * 10  # These are meant to be neutral

test_df = pd.DataFrame({
    'article': test_articles,
    'topic': test_topics,
    'perspective': test_perspectives
})

# Predict on the test set
X_test = vectorizer.transform(test_df['article'])
predictions = model.predict(X_test)

# Analyze results
test_df['predicted'] = predictions
print("\\nClassification Report:")
```

```python
print(classification_report(test_df['topic'], test_df['predicted']))

# Extract feature importances
feature_names = vectorizer.get_feature_names_out()

# Visualize most important words for each topic
plt.figure(figsize=(15, 10))
for i, topic in enumerate(model.classes_):
    # Get top 10 words for this topic
    top_indices = np.argsort(model.feature_log_prob_[i])[-10:]
    top_words = [feature_names[j] for j in top_indices]
    top_importances = [model.feature_log_prob_[i][j] for j in top_indices]

    plt.subplot(3, 2, i+1)
    sns.barplot(x=top_importances, y=top_words)
    plt.title(f'Top Words for Topic: {topic}')
    plt.tight_layout()

plt.savefig('biased_word_importances.png')

# Function to analyze bias in predictions
def analyze_prediction_bias(article, true_topic):
    # Get the probabilities for each class
    X_article = vectorizer.transform([article])
    probs = model.predict_proba(X_article)[0]

    # Create a DataFrame of topic probabilities
    topic_probs = pd.DataFrame({
        'topic': model.classes_,
        'probability': probs
    }).sort_values('probability', ascending=False)

    print(f"\\nArticle: {article}")
    print(f"True topic: {true_topic}")
    print("Topic probabilities:")
    print(topic_probs)

    return topic_probs

# Analyze a few test cases to show bias in action
example_articles = [
    "The government proposes new tax framework.",
    "Environmental policies impact economic growth."
]
example_topics = ["taxes", "environment"]

for article, topic in zip(example_articles, example_topics):
    analyze_prediction_bias(article, topic)

# Create a function to simulate deduplication
def deduplicate_dataset(df, threshold=0.8):
    """Simple deduplication based on exact matches and high similarity"""
```

```python
    # Start with exact duplicates
    df_deduplicated = df.drop_duplicates(subset=['article'])

    # For a real implementation, you would use MinHash or other similarity measures
    # For this demo, we'll just use a simplified approach

    print(f"Original dataset size: {len(df)}")
    print(f"After deduplication: {len(df_deduplicated)}")

    # Show the new distribution
    print("\\nDeduplication results by perspective:")
    print(df_deduplicated['perspective'].value_counts())

    print("\\nDeduplication results by topic:")
    print(df_deduplicated['topic'].value_counts())

    return df_deduplicated

# Deduplicate the dataset
df_deduplicated = deduplicate_dataset(df)

# Train a new model on the deduplicated dataset
X_dedup = vectorizer.fit_transform(df_deduplicated['article'])
model_dedup = MultinomialNB()
model_dedup.fit(X_dedup, df_deduplicated['topic'])

# Predict using the deduped model
X_test_dedup = vectorizer.transform(test_df['article'])
predictions_dedup = model_dedup.predict(X_test_dedup)

# Analyze results with deduplicated model
test_df['predicted_dedup'] = predictions_dedup
print("\\nClassification Report (Deduplicated Model):")
print(classification_report(test_df['topic'], test_df['predicted_dedup']))

# Compare the original and deduplicated models on the same examples
def compare_models(article, true_topic):
    # Original biased model
    X_article = vectorizer.transform([article])
    probs_original = model.predict_proba(X_article)[0]

    # Deduplicated model
    X_article_dedup = vectorizer.transform([article])
    probs_dedup = model_dedup.predict_proba(X_article_dedup)[0]

    # Create comparison DataFrame
    comparison = pd.DataFrame({
        'topic': model.classes_,
        'biased_model_prob': probs_original,
        'deduped_model_prob': probs_dedup
    }).sort_values('biased_model_prob', ascending=False)
```

```python
    print(f"\\nArticle: {article}")
    print(f"True topic: {true_topic}")
    print("Comparison of model probabilities:")
    print(comparison)

    # Visualize the difference
    plt.figure(figsize=(10, 6))
    comparison[['biased_model_prob', 'deduped_model_prob']].plot(kind='bar')
    plt.title(f'Model Probability Comparison: "{article}"')
    plt.xlabel('Topic')
    plt.ylabel('Probability')
    plt.xticks(range(len(comparison)), comparison['topic'], rotation=45)
    plt.tight_layout()
    plt.savefig(f'model_comparison_{true_topic}.png')

    return comparison

# Compare the models on a few examples
for article, topic in zip(example_articles, example_topics):
    compare_models(article, topic)
```

Questo esempio di codice dimostra come la duplicazione dei dati nei dataset di training possa portare a bias statistici nei modelli di machine learning. Ecco una spiegazione completa:

Scopo

Il codice simula come il contenuto duplicato nei dati di training crei modelli distorti, in particolare nel contesto del processamento del linguaggio naturale e della classificazione per argomenti.

Componenti principali

1. Creazione del dataset

- **Articoli di notizie sintetici:** Crea un dataset di articoli politici con due prospettive distinte (A e B).

- **Bias intenzionale:** Introduce deliberatamente uno squilibrio creando molte più duplicazioni e variazioni degli articoli della "Prospettiva A" (15-25 duplicati) rispetto a quelli della "Prospettiva B" (2-5 duplicati).

- **Variazioni degli articoli:** Utilizza la funzione create_variations() per generare quasi-duplicati modificando parole negli articoli originali.

2. Addestramento del modello

- **Vettorizzazione del testo:** Usa CountVectorizer per convertire il testo in caratteristiche numeriche.

- **Modello di classificazione:** Addestra un classificatore MultinomialNB (Naive Bayes) per prevedere gli argomenti a partire dal testo degli articoli.

- **Modello distorto:** Il modello iniziale viene addestrato su un dataset sbilanciato con molti duplicati.

3. Analisi e visualizzazione

- **Statistiche del dataset:** Mostra il conteggio degli articoli per argomento e prospettiva per evidenziare lo squilibrio.

- **Importanza delle caratteristiche:** Visualizza le parole più importanti per ciascun argomento.

- **Analisi del bias:** La funzione analyze_prediction_bias() esamina come il modello classifica nuovi articoli.

4. Deduplicazione e confronto

- **Deduplicazione:** Implementa una semplice funzione che rimuove i duplicati esatti.

- **Confronto dei modelli:** Addestra un secondo modello sul dataset deduplicato e confronta le sue predizioni con quelle del modello distorto originale.

- **Visualizzazione:** Crea grafici comparativi che mostrano come le probabilità differiscono tra i due modelli per lo stesso input.

Principali intuizioni dimostrate

- **Bias statistico:** Il codice mostra come la sovrarappresentazione di certe prospettive nei dati di training possa portare a predizioni distorte, anche quando il modello sembra funzionare bene secondo le metriche standard.

- **Benefici della deduplicazione:** Dimostra che rimuovere i duplicati può portare a predizioni più equilibrate e corrette tra diversi argomenti e prospettive.

- **Impatto pratico:** Illustra un problema reale nel machine learning in cui contenuti duplicati possono amplificare artificialmente certi punti di vista, particolarmente rilevante per il training di large language models.

Questa simulazione fornisce un esempio concreto del perché la deduplicazione sia una fase critica di preprocessing nel training dei modelli linguistici, come discusso nel testo circostante sugli LLM.

Inefficienza computazionale del contenuto duplicato

Elaborare la stessa informazione più volte è inefficiente e prolunga i tempi di training senza fornire valore aggiunto in termini di apprendimento. L'addestramento di large language models richiede risorse computazionali significative, spesso misurate in anni-GPU/TPU e con costi che possono raggiungere milioni di dollari. Per dare un contesto, l'addestramento di GPT-4 è probabilmente costato tra i 10 e i 100 milioni di dollari solo in risorse computazionali, con migliaia di GPU ad alte prestazioni in esecuzione continua per mesi.

Quando il contenuto duplicato rappresenta una parte significativa dei dati di training, queste risorse vengono di fatto sprecate su apprendimento ridondante. Studi hanno mostrato che in alcuni dataset raccolti dal web, i duplicati possono costituire dal 30% al 60% del contenuto, il che significa che potenzialmente metà del budget computazionale viene speso per rielaborare informazioni già viste dal modello. Inoltre, questa ridondanza può rallentare la convergenza, poiché il modello continua ad aggiustare i pesi sugli stessi esempi invece di apprendere da contenuti nuovi e informativi. Questo fenomeno, talvolta chiamato "rehearsal without benefit", può portare a:

- Aumento del tempo di training del 25-50% nei casi estremiAumento del tempo di training del 25-50% nei casi estremi

- Maggiore probabilità di overfitting su contenuti ripetutiMaggiore probabilità di overfitting su contenuti ripetuti

- Rappresentazione sproporzionata delle prospettive duplicateRappresentazione sproporzionata delle prospettive duplicate

Vale anche la pena considerare l'impatto ambientale: calcoli inutili contribuiscono alle emissioni di carbonio senza aggiungere valore al modello. L'impronta di carbonio dell'addestramento di un large language model può variare da decine a centinaia di tonnellate metriche di CO_2 equivalente. Quando il 30-50% del training coinvolge contenuti duplicati, questo può tradursi in decine di tonnellate di emissioni evitabili. I principali laboratori di AI stanno sempre più focalizzandosi su tecniche di deduplicazione non solo per migliorare la qualità dei modelli, ma anche come parte di pratiche responsabili di sviluppo dell'AI e sostenibilità ambientale.

Deduplicazione esatta

Rimuove duplicati identici byte per byte generando hash crittografici (come SHA-256) dei documenti e filtrando le corrispondenze identiche. Questo processo funziona convertendo ogni documento in una stringa unica a lunghezza fissa, in cui anche una sola modifica di carattere produce un hash completamente diverso. Quando implementata su larga scala, la deduplicazione basata su hash segue tipicamente questi passaggi:

1. Preprocessing: i documenti vengono normalizzati (rimozione degli spazi, standardizzazione delle terminazioni di riga) per garantire hashing coerente

2. Generazione dell'hash: ogni documento preprocessato viene passato attraverso una funzione di hash (SHA-256, MD5, ecc.)

3. Confronto degli hash: i documenti con valori di hash identici vengono identificati e i duplicati rimossi

4. Ottimizzazione dello storage: solo gli hash dei documenti unici vengono conservati nel dataset finale, riducendo significativamente i requisiti di memoria

Sebbene sia efficiente dal punto di vista computazionale e affidabile nel trovare duplicati perfetti, questo approccio presenta dei limiti, poiché non è in grado di rilevare documenti leggermente modificati, riformattati o parafrasati ma contenenti essenzialmente le stesse informazioni. Questa sensibilità anche a piccole variazioni implica che la deduplicazione esatta non riesca a intercettare molti duplicati funzionali nei dataset reali, come articoli ripubblicati con formattazioni diverse, contenuti raccolti da più siti con piccole modifiche, o documenti che differiscono solo per punteggiatura o spaziatura.

Esempio:

```python
import hashlib
import pandas as pd
from collections import defaultdict
import time

def generate_hash(text, hash_function=hashlib.sha256):
```

```python
    """Generate a hash for the given text using the specified hash function."""
    # Normalize text by removing extra whitespace and converting to lowercase
    normalized_text = " ".join(text.lower().split())
    # Generate and return the hexadecimal hash
    return hash_function(normalized_text.encode('utf-8')).hexdigest()

def deduplicate_exact(documents, hash_function=hashlib.sha256):
    """
    Remove exact duplicates from a list of documents.

    Args:
        documents: List of document strings or dict with document IDs as keys and text
as values
        hash_function: Hash function to use (default: SHA-256)

    Returns:
        tuple: (deduplicated documents, duplicate statistics)
    """
    start_time = time.time()

    # Track statistics
    stats = {
        'original_count': len(documents),
        'unique_count': 0,
        'duplicate_count': 0,
        'duplicate_groups': defaultdict(list)
    }

    # Store unique documents by their hash
    unique_docs = {}
    hashes = {}

    # Process each document
    if isinstance(documents, dict):
        # If documents is a dictionary of {id: text}
        for doc_id, text in documents.items():
            doc_hash = generate_hash(text, hash_function)

            if doc_hash in hashes:
                # This is a duplicate
                stats['duplicate_count'] += 1
                stats['duplicate_groups'][doc_hash].append(doc_id)
            else:
                # This is a new unique document
                hashes[doc_hash] = doc_id
                unique_docs[doc_id] = text
                stats['duplicate_groups'][doc_hash].append(doc_id)
    else:
        # If documents is just a list of texts
        for i, text in enumerate(documents):
            doc_hash = generate_hash(text, hash_function)
```

```python
            if doc_hash in hashes:
                # This is a duplicate
                stats['duplicate_count'] += 1
                stats['duplicate_groups'][doc_hash].append(i)
            else:
                # This is a new unique document
                hashes[doc_hash] = i
                unique_docs[i] = text
                stats['duplicate_groups'][doc_hash].append(i)

    stats['unique_count'] = len(unique_docs)
    stats['processing_time'] = time.time() - start_time

    return unique_docs, stats

# Example usage
if __name__ == "__main__":
    # Example dataset with duplicates
    corpus = [
        "The quick brown fox jumps over the lazy dog.",
        "The quick brown fox jumps over the lazy dog.",  # Exact duplicate
        "the quick brown fox jumps over the lazy dog",   # Same after normalization
        "A completely different sentence about cats.",
        "Another unique document about machine learning.",
        "Another unique document about machine learning."  # Exact duplicate
    ]

    # Run deduplication
    unique_docs, stats = deduplicate_exact(corpus)

    # Print results
    print(f"Original document count: {stats['original_count']}")
    print(f"Unique document count: {stats['unique_count']}")
    print(f"Duplicates removed: {stats['duplicate_count']}")
    print(f"Processing time: {stats['processing_time']:.4f} seconds")

    # Print unique documents
    print("\\nUnique documents:")
    for idx, text in unique_docs.items():
        print(f"[{idx}] {text}")

    # Print duplicate groups
    print("\\nDuplicate groups:")
    for doc_hash, indices in stats['duplicate_groups'].items():
        if len(indices) > 1:
            print(f"Hash: {doc_hash[:10]}... - Documents: {indices}")

    # Example with a larger dataset
    print("\\n\\nScaling demonstration:")
    # Generate a larger dataset (100,000 documents with 50% duplicates)
    import random
    large_corpus = []
```

```python
base_docs = [f"Document {i} with some content." for i in range(50000)]
large_corpus.extend(base_docs)
large_corpus.extend(random.choices(base_docs, k=50000))  # Add 50,000 duplicates

print(f"Generated dataset with {len(large_corpus)} documents (50% duplicates)")

# Time the deduplication
start = time.time()
_, large_stats = deduplicate_exact(large_corpus)
end = time.time()

print(f"Deduplication results:")
print(f"Original count: {large_stats['original_count']}")
print(f"Unique count: {large_stats['unique_count']}")
print(f"Duplicates removed: {large_stats['duplicate_count']}")
print(f"Processing time: {large_stats['processing_time']:.4f} seconds")
```

Analisi del Codice

Il codice sopra dimostra un'implementazione completa della deduplicazione esatta per documenti di testo. Ecco una spiegazione dettagliata di come funziona:

1. Funzione di generazione dell'hash

- **Scopo:** Converte i documenti di testo in impronte uniche utilizzando funzioni hash crittografiche.

- **Normalizzazione:** Prima dell'hashing, il testo viene normalizzato convertendolo in minuscolo e standardizzando gli spazi, in modo che differenze banali (come spazi extra o maiuscole) non impediscano il rilevamento dei duplicati.

- **Algoritmo di hash:** Usa SHA-256 come impostazione predefinita, offrendo un buon equilibrio tra velocità e resistenza alle collisioni.

2. Funzione di deduplicazione

- **Flessibilità dell'input:** Funziona sia con una lista di stringhe di documenti sia con un dizionario che associa ID di documento al testo.

- **Confronto basato su hash:** Invece di confrontare i documenti a coppie (che sarebbe $O(n^2)$), usa una tabella hash per ottenere un'efficienza $O(n)$.

- **Monitoraggio delle statistiche:** Registra informazioni dettagliate sul processo di deduplicazione, inclusi il numero di documenti originali e unici, e i gruppi di duplicati.

3. Gestione dei duplicati

- **Politica del primo trovato:** Quando vengono rilevati duplicati, l'algoritmo conserva la prima occorrenza e segna le altre come duplicati.

- **Gruppi di duplicati:** Il codice mantiene un registro di quali documenti sono duplicati tra loro, utile per audit o analisi.

4. Dimostrazione

- **Piccolo esempio:** Mostra l'algoritmo all'opera su un piccolo corpus con sia duplicati esatti sia duplicati rilevati dopo normalizzazione.

- **Test di scalabilità:** Dimostra le prestazioni su un dataset sintetico più grande (100.000 documenti) per mostrare come l'approccio si comporti su scala maggiore.

5. Considerazioni sulle prestazioni

- **Complessità temporale:** O(n), dove n è il numero di documenti, rendendolo efficiente anche per dataset di grandi dimensioni.

- **Uso della memoria:** Memorizza hash e documenti unici in memoria, il che può rappresentare un limite per dataset estremamente grandi (miliardi di documenti).

- **Misurazioni temporali:** Il codice include rilevazioni dei tempi per misurare le prestazioni, aspetto critico nel trattamento di dataset molto grandi.

6. Applicazioni nel mondo reale

- **Training degli LLM:** Questa deduplicazione esatta è tipicamente il primo passo nella preparazione di corpora su scala web per il training degli LLM.

- **Pipeline di preprocessing:** In produzione, sarebbe integrata in una pipeline di preprocessing più ampia che include altre fasi di pulizia e filtraggio.

- **Elaborazione distribuita:** Per dataset su scala web (trilioni di token), questo algoritmo verrebbe implementato in un framework distribuito come Apache Spark o Ray.

Sebbene questa implementazione si concentri sull'elaborazione in memoria per chiarezza, i sistemi di produzione utilizzano tipicamente approcci in streaming o framework di calcolo distribuito per gestire dataset su scala web con trilioni di token. Inoltre, nelle applicazioni reali, questa deduplicazione esatta verrebbe affiancata dalle tecniche di rilevamento dei quasi-duplicati descritte nelle sezioni successive.

Rilevamento dei quasi-duplicati

Usa tecniche come MinHash o SimHash per rimuovere documenti che sono "troppo simili". Questi algoritmi creano firme compatte dei documenti che consentono un confronto efficiente della similarità su dataset enormi senza richiedere confronti esaustivi a coppie:

- MinHash approssima la similarità di Jaccard selezionando valori hash rappresentativi dal contenuto del documento. Funziona convertendo i documenti in insiemi di n-grammi (sequenze di parole o caratteri), quindi applicando più funzioni hash per identificare quali elementi siano più rappresentativi. Questo crea una "impronta" compatta in cui documenti simili avranno firme MinHash simili, permettendo un'identificazione rapida dei quasi-duplicati anche quando i documenti sono stati parzialmente modificati.

- SimHash genera impronte in cui documenti simili producono hash simili. A differenza dell'hashing tradizionale, dove piccole modifiche generano output completamente diversi, SimHash preserva le relazioni di similarità assegnando pesi alle caratteristiche importanti del documento. Documenti con contenuti simili avranno valori SimHash che differiscono solo in pochi bit, rendendo possibile identificare rapidamente contenuti correlati tramite calcoli della distanza di Hamming.

- Locality-Sensitive Hashing (LSH) consente il recupero efficiente di elementi simili senza confronto esaustivo. Questa tecnica si basa su MinHash o SimHash organizzando le firme hash in "bucket" in cui elementi simili hanno un'elevata probabilità di cadere nello stesso gruppo. Questo riduce drasticamente lo spazio di ricerca quando si cercano duplicati in dataset enormi contenenti miliardi di documenti, rendendo possibile eseguire la deduplicazione su larga scala con risorse computazionali ragionevoli.

Esempio: MinHash per il rilevamento dei quasi-duplicati

```python
from datasketch import MinHash, MinHashLSH
import time
from collections import defaultdict

def get_minhash(text, num_perm=128):
    """
    Create a MinHash signature for the given text.

    Args:
        text (str): The text to create a signature for
        num_perm (int): Number of permutations for MinHash (higher = more accurate but
slower)

    Returns:
        MinHash: The MinHash signature
    """
    m = MinHash(num_perm=num_perm)
    # Create a set of words (removing duplicates)
    for word in set(text.lower().split()):
        m.update(word.encode("utf8"))
    return m

def find_near_duplicates(texts, threshold=0.8, num_perm=128):
    """
    Find near-duplicates in a collection of texts using MinHash and LSH.

    Args:
        texts (list): List of text documents
        threshold (float): Similarity threshold (0.0-1.0)
        num_perm (int): Number of permutations

    Returns:
        dict: Statistics and duplicate groups
    """
    start_time = time.time()

    # Create LSH index
    lsh = MinHashLSH(threshold=threshold, num_perm=num_perm)
```

```python
    # Insert documents into the LSH index
    minhashes = {}
    for i, t in enumerate(texts):
        m = get_minhash(t, num_perm)
        lsh.insert(f"doc{i}", m)
        minhashes[f"doc{i}"] = m

    # Find all similar pairs
    similar_pairs = 0
    duplicate_groups = defaultdict(list)

    # For each document, find its near-duplicates
    for i, t in enumerate(texts):
        doc_id = f"doc{i}"
        # Query the LSH index for similar documents
        similar_docs = lsh.query(minhashes[doc_id])

        # Skip self-match
        similar_docs = [d for d in similar_docs if d != doc_id]

        if similar_docs:
            similar_pairs += len(similar_docs)
            # Group this document with its duplicates
            group_id = min([doc_id] + similar_docs)  # Use the lowest doc_id as group
identifier
            duplicate_groups[group_id].append(doc_id)
            for similar in similar_docs:
                if similar not in duplicate_groups[group_id]:
                    duplicate_groups[group_id].append(similar)

    # Clean up duplicate groups (keep only groups with multiple docs)
    duplicate_groups = {k: v for k, v in duplicate_groups.items() if len(v) > 1}

    stats = {
        'total_documents': len(texts),
        'duplicate_groups': len(duplicate_groups),
        'similar_pairs_found': similar_pairs // 2,  # Divide by 2 because each pair
is counted twice
        'processing_time': time.time() - start_time
    }

    return duplicate_groups, stats

# Example usage
if __name__ == "__main__":
    # Example dataset with near-duplicates
    texts = [
        "The cat sat on the mat.",
        "The cat is sitting on the mat.",        # Near-duplicate of the first
        "A cat was sitting on the mat.",         # Near-duplicate of the first two
        "A completely different sentence.",
        "The dog barked at the mailman.",
```

```python
    "The dog was barking at the mail carrier.", # Near-duplicate
    "Machine learning models can detect similar documents.",
    "Models from machine learning can find similar documents.", # Near-duplicate
    "This is a unique sentence with no duplicates."
]

# Simple example
print("\\n== Basic MinHash LSH Example ==")
lsh = MinHashLSH(threshold=0.7, num_perm=128)
for i, t in enumerate(texts):
    m = get_minhash(t)
    lsh.insert(f"doc{i}", m)

query = get_minhash("The cat sat on the mat")
results = lsh.query(query)
print(f"Query: 'The cat sat on the mat'")
print(f"Near-duplicates found: {results}")
print(f"Matching documents:")
for doc_id in results:
    idx = int(doc_id.replace("doc", ""))
    print(f"  - {doc_id}: '{texts[idx]}'")

# Comprehensive analysis
print("\\n== Comprehensive Near-Duplicate Analysis ==")
duplicate_groups, stats = find_near_duplicates(texts, threshold=0.7)

# Print statistics
print(f"Total documents: {stats['total_documents']}")
print(f"Duplicate groups found: {stats['duplicate_groups']}")
print(f"Similar document pairs: {stats['similar_pairs_found']}")
print(f"Processing time: {stats['processing_time']:.4f} seconds")

# Print duplicate groups
print("\\nDuplicate Groups:")
for group_id, docs in duplicate_groups.items():
    print(f"\\nGroup {group_id}:")
    for doc_id in docs:
        idx = int(doc_id.replace("doc", ""))
        print(f"  - {doc_id}: '{texts[idx]}'")

# Demonstrate different thresholds
print("\\n== Effect of Different Thresholds ==")
for threshold in [0.5, 0.7, 0.9]:
    groups, stats = find_near_duplicates(texts, threshold=threshold)
    print(f"\\nThreshold: {threshold}")
    print(f"Duplicate groups found: {stats['duplicate_groups']}")
    print(f"Similar document pairs: {stats['similar_pairs_found']}")
```

Analisi di MinHash e LSH per il rilevamento dei quasi-duplicati

1. Fondamenti dell'algoritmo MinHash

- **Rappresentazione dei documenti:** MinHash converte i documenti in insiemi di caratteristiche (in questo caso, parole) per calcolare la similarità. Questo riduce la complessità computazionale rispetto al confronto diretto tra documenti completi.

- **Similarità di Jaccard:** MinHash approssima la similarità di Jaccard, che misura la sovrapposizione tra due insiemi calcolando la dimensione della loro intersezione divisa per la dimensione della loro unione. Questo funziona bene per la similarità testuale, dove la sovrapposizione di parole indica contenuti correlati.

- **Fingerprinting probabilistico:** L'algoritmo applica più funzioni hash alle caratteristiche del documento e seleziona il valore hash minimo per ciascuna funzione. Questo crea una firma compatta in cui la probabilità che due documenti condividano un valore hash minimo è uguale alla loro similarità di Jaccard.

2. Implementazione del Locality-Sensitive Hashing (LSH)

- **Bucket e bande:** LSH divide le firme MinHash in bande e crea bucket hash. Documenti con firme simili hanno un'alta probabilità di essere mappati nello stesso bucket in almeno una banda, rendendo il recupero efficiente.

- **Controllo della soglia:** Il codice usa un parametro di soglia (0.7 nell'esempio) che definisce la similarità minima richiesta per considerare i documenti come quasi-duplicati. Soglie più alte individuano solo documenti molto simili; soglie più basse intercettano relazioni più deboli.

- **Garanzie probabilistiche:** L'approccio LSH fornisce garanzie probabilistiche: i documenti simili hanno un'alta probabilità di essere identificati come duplicati, mentre quelli dissimili hanno una bassa probabilità di falsi abbinamenti.

3. Struttura del codice e dettagli di implementazione

- **Funzione get_minhash():** Crea una firma MinHash per un documento testuale tokenizzandolo in parole, rimuovendo i duplicati con un'operazione su insiemi e aggiornando l'oggetto MinHash con ogni parola.

- **Funzione find_near_duplicates():** La funzione principale che elabora una raccolta di documenti, costruisce un indice LSH e identifica gruppi di documenti simili. Tiene traccia delle statistiche sul processo di deduplicazione e organizza i risultati in gruppi di documenti simili.

- **Logica di raggruppamento dei duplicati:** Il codice raggruppa in modo intelligente i documenti simili invece di limitarsi a identificare coppie. Assegna ogni cluster di documenti simili a un gruppo identificato dall'ID del documento più basso all'interno del cluster.

4. Prestazioni e scalabilità

- **Scalabilità lineare:** L'approccio ha complessità temporale $O(n)$ per n documenti, a differenza del confronto ingenuo a coppie che sarebbe $O(n^2)$. Questo lo rende praticabile per grandi raccolte di documenti.

- **Efficienza di memoria:** Le firme MinHash sono molto più piccole dei documenti originali, riducendo significativamente i requisiti di memoria.

- **Parametri regolabili:** Sia num_perm (numero di permutazioni) sia il parametro threshold permettono di bilanciare accuratezza, costo computazionale e specificità delle corrispondenze.

5. Applicazioni nel mondo reale

- **Dati di training per LLM:** Impedisce ai modelli di sovra-addestrarsi su contenuti quasi identici, migliorando la generalizzazione e riducendo lo spreco di risorse computazionali.

- **Deduplicazione dei contenuti:** Identifica contenuti riformulati o leggermente modificati all'interno di web crawl o repository di documenti.

- **Rilevamento del plagio:** Trova documenti che condividono una quantità sostanziale di contenuto simile nonostante piccole modifiche.

L'esempio dimostra come MinHash e LSH collaborino per identificare in modo efficiente i quasi-duplicati senza confronti esaustivi, rendendo l'approccio pratico per i dataset su scala web utilizzati nel training dei large language models.

4.1.4 Filtraggio

Non tutti i dati sono desiderabili per addestrare un LLM. Includere contenuti dannosi, di scarsa qualità o irrilevanti può portare a modelli che producono output tossici, generano testo di bassa qualità o sprecano risorse computazionali imparando pattern poco utili. Una preparazione efficace dei dati richiede strategie di filtraggio sofisticate per garantire che durante il training venga usato solo contenuto appropriato.

Questi approcci di filtraggio includono:

Filtraggio basato su euristiche

Si tratta di approcci basati su regole che filtrano il contenuto in base a caratteristiche misurabili senza richiedere modelli complessi di machine learning. I filtri euristici applicano regole semplici e trasparenti per identificare e rimuovere rapidamente contenuti di bassa qualità:

- Le soglie di lunghezza minima eliminano frammenti e testi molto brevi che probabilmente contengono poche informazioni significative. Ad esempio, impostare un minimo di 100 parole può filtrare frasi incomplete, titoli senza contenuto o paragrafi troncati che non fornirebbero segnali di apprendimento utili al modello.

- I controlli sul rapporto di simboli identificano contenuti con un numero eccessivo di caratteri speciali, emoji o numeri, che tipicamente indicano spam o errori di formattazione. Questi filtri calcolano la proporzione di caratteri non alfabetici ed escludono i contenuti in cui questo rapporto supera una soglia predefinita (ad esempio 30%). Questo rimuove efficacemente ASCII art, schemi di punteggiatura ripetitiva e contenuti prevalentemente numerici.

- Gli algoritmi di rilevamento delle ripetizioni segnalano contenuti "simili a liste" che seguono pattern prevedibili con poca variazione semantica. Questi algoritmi possono identificare ripetizioni di n-grammi, strutture di frase ripetute o altri pattern che indicano contenuti a bassa informazione, come descrizioni di prodotti generate automaticamente o contenuti prodotti da scraper che non aiuterebbero il modello ad apprendere pattern linguistici naturali.

- Il punteggio di perplessità calcolato da modelli linguistici più piccoli serve a identificare testo incoerente o generato da macchine. Questo approccio usa un modello più piccolo, detto "filter model", per valutare quanto ogni token in un testo sia prevedibile o sorprendente. Un'alta perplessità spesso indica testo privo di senso, mentre una perplessità insolitamente bassa può segnalare testo eccessivamente semplice o ripetitivo, probabilmente generato da macchine, che non contribuirebbe utilmente al training del modello.

Esempio: implementazione del filtraggio basato su euristiche

```python
def heuristic_filter_document(doc,
                              min_length=100,
                              max_symbol_ratio=0.3,
                              max_repetition_ratio=0.2,
                              perplexity_threshold=500):
    """
    Apply multiple heuristic filters to determine if a document should be kept.

    Args:
        doc (str): The text document to filter
        min_length (int): Minimum number of words required
        max_symbol_ratio (float): Maximum ratio of non-alphabetic characters allowed
        max_repetition_ratio (float): Maximum ratio of repeated n-grams allowed
        perplexity_threshold (float): Upper threshold for text perplexity

    Returns:
        dict: Results with filter decisions and metrics
    """
    results = {
        "original_length": len(doc.split()),
        "passed_all_filters": True,
        "filters_failed": []
    }

    # 1. Length filter
    if len(doc.split()) < min_length:
        results["passed_all_filters"] = False
        results["filters_failed"].append("length")

    # 2. Symbol ratio filter
    if len(doc) > 0:
        alpha_chars = sum(c.isalpha() for c in doc)
        symbol_ratio = 1 - (alpha_chars / len(doc))
        results["symbol_ratio"] = symbol_ratio

        if symbol_ratio > max_symbol_ratio:
            results["passed_all_filters"] = False
            results["filters_failed"].append("symbol_ratio")

    # 3. Repetition detection
    ngram_counts = detect_repetitive_ngrams(doc, n=3)
    if ngram_counts:
        top_ngram_ratio = max(ngram_counts.values()) / max(1, len(doc.split()))
        results["top_ngram_ratio"] = top_ngram_ratio
```

```python
        if top_ngram_ratio > max_repetition_ratio:
            results["passed_all_filters"] = False
            results["filters_failed"].append("repetition")

    # 4. Perplexity check using a simple proxy
    # In practice, you would use a proper language model here
    perplexity = estimate_perplexity(doc)
    results["perplexity"] = perplexity

    if perplexity > perplexity_threshold:
        results["passed_all_filters"] = False
        results["filters_failed"].append("perplexity")

    return results

def detect_repetitive_ngrams(text, n=3):
    """Detect repetitive n-grams in text"""
    words = text.split()
    if len(words) < n:
        return {}

    ngram_counts = {}
    for i in range(len(words) - n + 1):
        ngram = ' '.join(words[i:i+n])
        ngram_counts[ngram] = ngram_counts.get(ngram, 0) + 1

    # Only return ngrams that appear more than once
    return {k: v for k, v in ngram_counts.items() if v > 1}

def estimate_perplexity(text):
    """
    A simplified proxy for perplexity.

    In a real implementation, you would use a small language model
    to calculate actual perplexity.

    This function just returns a crude approximation based on
    word diversity and sentence structure.
    """
    words = text.lower().split()
    if not words:
        return float('inf')

    # Unique word ratio as a crude proxy
    unique_ratio = len(set(words)) / len(words)

    # Simple sentence complexity heuristic
    sentences = [s for s in text.split('.') if s.strip()]
    avg_sentence_length = sum(len(s.split()) for s in sentences) / max(1,
len(sentences))

    # Invert unique ratio to simulate perplexity (higher for repetitive text)
```

```python
    # And penalize extremely short or long sentences
    proxy_perplexity = (1 / unique_ratio) * (1 + abs(avg_sentence_length - 15) / 10)

    return proxy_perplexity * 100  # Scale to be more like real perplexity values

# Example usage with different text types
examples = [
    "This is a high-quality paragraph about artificial intelligence. AI systems are
designed to perform tasks that typically require human intelligence. These include
visual perception, speech recognition, decision-making, and language translation.
Recent advances in machine learning have significantly improved the capabilities of
AI systems.",

    "lol!!! check out this site $$$$ www.spam.example $$$$$ CLICK HERE!!!! $$$$$$ FREE
MONEY $$$$$$",

    "The cat sat on the mat. The cat sat on the mat. The cat sat on the mat. The cat
sat on the mat. The cat sat on the mat. The cat sat on the mat. The cat sat on the
mat. The cat sat on the mat. The cat sat on the mat. The cat sat on the mat.",

    "a"  # Very short text
]

for i, example in enumerate(examples):
    print(f"\\n=== Example {i+1} ===")
    print(f"Text: {example[:50]}..." if len(example) > 50 else f"Text: {example}")
    results = heuristic_filter_document(example)
    print(f"Passed all filters: {results['passed_all_filters']}")
    if not results['passed_all_filters']:
        print(f"Failed filters: {results['filters_failed']}")
    print(f"Metrics: {', '.join([f'{k}: {v:.2f}' for k, v in results.items() if
isinstance(v, (int, float))])}")
```

Analisi dell'implementazione del filtraggio basato su euristiche

1. Struttura generale e scopo

- Il codice implementa un sistema di filtraggio dei documenti articolato su più aspetti, che applica quattro distinti filtri euristici per identificare contenuti di bassa qualità destinati al training degli LLM.

- La funzione principale heuristic_filter_document() coordina il processo di filtraggio e restituisce metriche dettagliate sul motivo per cui i documenti vengono accettati o scartati.

- Le funzioni di supporto gestiscono compiti specializzati come il rilevamento della ripetizione di n-grammi e la stima della perplessità.

- L'implementazione dimostra come più regole semplici possano essere combinate per creare un sistema robusto di valutazione della qualità dei contenuti senza richiedere modelli complessi di machine learning.

2. Filtraggio per lunghezza

- Implementazione: conta il numero di parole (tramite len(doc.split())) e lo confronta con una soglia minima.

- Scopo: rimuove testi molto brevi che probabilmente non hanno contesto o contenuto sufficienti per essere esempi di training utili.

- Efficacia: questo semplice filtro elimina frammenti, intestazioni senza contenuto e documenti troncati che fornirebbero un segnale minimo durante il training.

3. Filtraggio per rapporto di simboli

- Implementazione: calcola la proporzione di caratteri non alfabetici nel documento usando 1 - (alpha_chars / len(doc)).

- Scopo: identifica documenti con un eccesso di caratteri speciali, che spesso indicano spam, tabelle di dati formattate o contenuto generato automaticamente.

- Efficacia: è particolarmente efficace nel rilevare ASCII art, codici di formattazione markdown/HTML e testi pieni di emoji o simboli speciali.

4. Rilevamento delle ripetizioni

- Implementazione: la funzione detect_repetitive_ngrams() identifica sequenze ripetute di parole (n-grammi).

- Approccio: conta tutti gli n-grammi (predefinito n=3) e calcola quale proporzione del documento è costituita dall'n-gramma più frequente.

- Scopo: rileva contenuti copiati e incollati, testo da template o contenuti generati artificialmente con bassa diversità.

- Efficacia: questo permette di intercettare contenuti strutturati da template come elenchi di prodotti, testo boilerplate ripetitivo e contenuti in cui le stesse frasi compaiono continuamente.

5. Stima della perplessità

- Implementazione: la funzione estimate_perplexity() fornisce un proxy semplificato della perplessità di un modello linguistico.

- Approccio: combina il rapporto di parole uniche e la varianza della lunghezza delle frasi per approssimare quanto un testo possa essere "sorprendente" o incoerente.

- Nota: nei sistemi di produzione, questo verrebbe sostituito da un vero modello linguistico che calcola la perplessità reale.

- Scopo: identifica testi che sono o troppo prevedibili (molto ripetitivi) o troppo imprevedibili (incoerenti).

6. Tracciamento dei risultati

- Implementazione: il codice tiene traccia di quali filtri specifici ciascun documento non supera, fornendo trasparenza nel processo di filtraggio.

- Metriche: oltre al semplice accettato/scartato, metriche dettagliate come il rapporto di simboli e le statistiche di ripetizione degli n-grammi aiutano a ottimizzare il sistema.

- Debugging: questo approccio facilita il debugging e la regolazione dei parametri mostrando esattamente perché i documenti vengono filtrati.

7. Applicazioni pratiche per il training degli LLM

- Questo sistema di filtraggio verrebbe tipicamente applicato come fase di preprocessing prima della tokenizzazione e del training.

- Le soglie (min_length, max_symbol_ratio, ecc.) verrebbero regolate in base ai requisiti specifici dell'LLM da addestrare.

- Per dataset su scala web, questi filtri potrebbero eliminare il 20-40% del contenuto grezzo raccolto, migliorando significativamente l'efficienza del training.

- Il sistema può essere esteso con ulteriori euristiche come il rilevamento della lingua, il filtraggio di contenuti per adulti o metriche di qualità specifiche per dominio.

8. Limitazioni e miglioramenti

- L'attuale stima della perplessità è un proxy semplificato; un'implementazione reale userebbe un piccolo modello linguistico.

- Un rilevamento delle ripetizioni più sofisticato potrebbe considerare la similarità semantica invece delle sole corrispondenze esatte.

- Il sistema potrebbe essere migliorato con regole specifiche per lingua, così da gestire diversi sistemi di scrittura.

- In produzione, questi filtri verrebbero tipicamente combinati con approcci basati su classificatori per ottenere una maggiore accuratezza.

Questa implementazione dimostra come un filtraggio efficace possa essere ottenuto con euristiche relativamente semplici, rendendolo adatto all'elaborazione degli enormi dataset richiesti per il training degli LLM, minimizzando al tempo stesso il sovraccarico computazionale.

Filtri basati su classificatori

I filtri basati su classificatori sfruttano approcci di machine learning supervisionato per identificare e filtrare contenuti problematici. Questi approcci sono più sofisticati dei metodi euristici e possono catturare pattern complessi che i sistemi basati su regole potrebbero non rilevare:

- **Piccoli modelli specializzati** addestrati su dataset etichettati per identificare vari tipi di contenuti problematici. Questi modelli sono progettati specificamente per rilevare problemi particolari come spam, scrittura di bassa qualità, testo generato automaticamente o contenuti che violano le linee guida della community. A differenza degli approcci euristici, questi classificatori possono apprendere pattern sfumati a partire dagli esempi. Ad esempio, un rilevatore di spam specializzato potrebbe imparare che certe combinazioni di parole, pattern di formattazione e strutture semantiche sono indicative di contenuti indesiderati, anche quando tali pattern evolvono nel tempo. Questi modelli usano tipicamente architetture come CNN, RNN o transformer più piccoli, che possono essere distribuiti in modo efficiente su larga scala.

- **Classificatori binari** che prendono decisioni di mantenimento o scarto in base a metriche di qualità. Questi modelli producono una semplice decisione sì/no sul fatto che il contenuto soddisfi o meno determinate soglie qualitative. Sono particolarmente utili per uno screening iniziale di grandi dataset, dove l'efficienza computazionale è importante. I classificatori binari possono essere addestrati su coppie di esempi "buoni" e "cattivi" per apprendere il confine tra contenuto accettabile e non accettabile. Il processo di training spesso coinvolge tecniche come l'hard negative mining, in cui esempi particolarmente difficili vengono enfatizzati per migliorare la capacità discriminativa del classificatore. Questi modelli ottimizzano tipicamente un alto recall (intercettare la maggior parte dei contenuti problematici) mantenendo una precisione ragionevole (limitando i falsi positivi).

- **Classificatori multiclasse** che categorizzano il contenuto in base al livello qualitativo o a problemi specifici. Invece di una semplice decisione mantieni/scarta, questi classificatori possono suddividere i contenuti in più categorie (ad esempio "eccellente", "accettabile", "scarso", "inutilizzabile") oppure identificare problemi specifici (ad esempio "contiene disinformazione", "grammaticalmente scorretto", "manca di coerenza"). Questo approccio granulare consente strategie di filtraggio dei dati più sfumate. Ad esempio, durante diverse fasi del training, si potrebbe includere inizialmente solo contenuto di fascia alta e poi incorporare gradualmente contenuto "accettabile" nelle fasi successive. I classificatori multiclasse usano spesso livelli di output softmax e vengono addestrati con loss di entropia incrociata per distinguere tra le diverse categorie. Possono fornire metadati preziosi sulla qualità del contenuto, utilizzabili per assegnare pesi ai campioni durante il training del modello.

- **Approcci ensemble** che combinano più classificatori specializzati per un filtraggio più robusto. Usando vari classificatori, ognuno focalizzato su aspetti diversi della qualità del contenuto, i metodi ensemble possono raggiungere maggiore accuratezza e un filtraggio più completo. Ad esempio, un classificatore potrebbe rilevare errori grammaticali, un altro identificare inesattezze fattuali e un terzo valutare la coerenza generale, combinando poi i loro output per prendere la decisione finale di filtraggio. Tecniche ensemble come voting, stacking o media pesata aiutano a mitigare le debolezze dei singoli modelli e a ridurre falsi positivi e negativi. Questo approccio è particolarmente prezioso per i dati di training degli LLM, dove il costo di includere contenuti dannosi può essere elevato e più prospettive di filtraggio possono fornire garanzie di sicurezza più forti. Implementazioni avanzate potrebbero usare algoritmi contextual bandit per regolare dinamicamente il peso dei diversi classificatori in base alle loro prestazioni in differenti domini o tipi di contenuto.

Esempio: filtraggio dei contenuti basato su classificatori per il training degli LLM

```python
import numpy as np
import pandas as pd
from sklearn.feature_extraction.text import TfidfVectorizer
from sklearn.ensemble import RandomForestClassifier
from sklearn.metrics import classification_report
from sklearn.model_selection import train_test_split
from transformers import DistilBertTokenizer, DistilBertModel
import torch
```

```python
from torch import nn
import torch.nn.functional as F
from torch.utils.data import Dataset, DataLoader

# ------- Basic TF-IDF + Random Forest Classifier -------

def train_simple_classifier(training_data, labels):
    """Train a simple TF-IDF + Random Forest classifier for content filtering"""
    # Convert text to TF-IDF features
    vectorizer = TfidfVectorizer(
        max_features=10000,
        ngram_range=(1, 2),
        stop_words='english'
    )
    X = vectorizer.fit_transform(training_data)

    # Train classifier
    classifier = RandomForestClassifier(n_estimators=100, random_state=42)
    classifier.fit(X, labels)

    return vectorizer, classifier

def filter_content_simple(documents, vectorizer, classifier, threshold=0.7):
    """Filter documents using the trained classifier"""
    X = vectorizer.transform(documents)
    scores = classifier.predict_proba(X)[:, 1]  # Probability of positive class

    results = {
        'filtered_docs': [doc for i, doc in enumerate(documents) if scores[i] >=
threshold],
        'rejected_docs': [doc for i, doc in enumerate(documents) if scores[i] <
threshold],
        'scores': scores
    }

    return results

# ------- Neural Classifier for Content Quality -------

class ContentQualityDataset(Dataset):
    """Dataset for content quality classification"""
    def __init__(self, texts, labels, tokenizer, max_length=512):
        self.texts = texts
        self.labels = labels
        self.tokenizer = tokenizer
        self.max_length = max_length

    def __len__(self):
        return len(self.texts)

    def __getitem__(self, idx):
        text = self.texts[idx]
```

```python
        label = self.labels[idx]

        encoding = self.tokenizer(
            text,
            truncation=True,
            padding='max_length',
            max_length=self.max_length,
            return_tensors='pt'
        )

        return {
            'input_ids': encoding['input_ids'].flatten(),
            'attention_mask': encoding['attention_mask'].flatten(),
            'labels': torch.tensor(label, dtype=torch.long)
        }

class ContentQualityClassifier(nn.Module):
    """Neural classifier for content quality assessment"""
    def __init__(self, n_classes=4):
        super(ContentQualityClassifier, self).__init__()
        self.distilbert = DistilBertModel.from_pretrained('distilbert-base-uncased')
        self.dropout = nn.Dropout(0.2)
        self.classifier = nn.Linear(self.distilbert.config.hidden_size, n_classes)

    def forward(self, input_ids, attention_mask):
        outputs = self.distilbert(
            input_ids=input_ids,
            attention_mask=attention_mask
        )
        pooled_output = outputs.last_hidden_state[:, 0]  # CLS token
        pooled_output = self.dropout(pooled_output)
        return self.classifier(pooled_output)

def train_neural_classifier(training_texts, labels, batch_size=16, epochs=3):
    """Train a neural classifier for multi-class content quality assessment"""
    # Initialize tokenizer
    tokenizer = DistilBertTokenizer.from_pretrained('distilbert-base-uncased')

    # Prepare datasets
    X_train, X_val, y_train, y_val = train_test_split(
        training_texts, labels, test_size=0.2, random_state=42
    )

    train_dataset = ContentQualityDataset(X_train, y_train, tokenizer)
    val_dataset = ContentQualityDataset(X_val, y_val, tokenizer)

    train_dataloader = DataLoader(train_dataset, batch_size=batch_size, shuffle=True)
    val_dataloader = DataLoader(val_dataset, batch_size=batch_size)

    # Initialize model
    device = torch.device('cuda' if torch.cuda.is_available() else 'cpu')
    model = ContentQualityClassifier(n_classes=4).to(device)
```

```python
# Training setup
optimizer = torch.optim.AdamW(model.parameters(), lr=2e-5)
loss_fn = nn.CrossEntropyLoss()

# Training loop
for epoch in range(epochs):
    model.train()
    train_loss = 0

    for batch in train_dataloader:
        optimizer.zero_grad()

        input_ids = batch['input_ids'].to(device)
        attention_mask = batch['attention_mask'].to(device)
        labels = batch['labels'].to(device)

        outputs = model(input_ids=input_ids, attention_mask=attention_mask)
        loss = loss_fn(outputs, labels)

        loss.backward()
        optimizer.step()

        train_loss += loss.item()

    # Validation
    model.eval()
    val_loss = 0
    correct = 0
    total = 0

    with torch.no_grad():
        for batch in val_dataloader:
            input_ids = batch['input_ids'].to(device)
            attention_mask = batch['attention_mask'].to(device)
            labels = batch['labels'].to(device)

            outputs = model(input_ids=input_ids, attention_mask=attention_mask)
            loss = loss_fn(outputs, labels)

            val_loss += loss.item()
            _, predicted = torch.max(outputs, 1)
            total += labels.size(0)
            correct += (predicted == labels).sum().item()

    print(f'Epoch {epoch+1}/{epochs}:')
    print(f'Train Loss: {train_loss/len(train_dataloader):.4f}')
    print(f'Val Loss: {val_loss/len(val_dataloader):.4f}')
    print(f'Accuracy: {100*correct/total:.2f}%')

return model, tokenizer
```

```python
def classify_content_quality(texts, model, tokenizer, device=None):
    """
    Classify content into quality categories:
    0: Unusable (spam, gibberish)
    1: Low quality (poorly written, minimal information)
    2: Acceptable (basic information, some issues)
    3: High quality (well-written, informative)
    """
    if device is None:
        device = torch.device('cuda' if torch.cuda.is_available() else 'cpu')

    model.eval()
    dataset = ContentQualityDataset(texts, [0] * len(texts), tokenizer)  # Dummy labels
    dataloader = DataLoader(dataset, batch_size=8)

    all_predictions = []
    all_scores = []

    with torch.no_grad():
        for batch in dataloader:
            input_ids = batch['input_ids'].to(device)
            attention_mask = batch['attention_mask'].to(device)

            outputs = model(input_ids=input_ids, attention_mask=attention_mask)
            scores = F.softmax(outputs, dim=1)
            _, predictions = torch.max(outputs, 1)

            all_predictions.extend(predictions.cpu().numpy())
            all_scores.extend(scores.cpu().numpy())

    results = {
        'quality_class': all_predictions,
        'class_probabilities': all_scores,
        'high_quality': [texts[i] for i, pred in enumerate(all_predictions) if pred == 3],
        'acceptable': [texts[i] for i, pred in enumerate(all_predictions) if pred == 2],
        'low_quality': [texts[i] for i, pred in enumerate(all_predictions) if pred == 1],
        'unusable': [texts[i] for i, pred in enumerate(all_predictions) if pred == 0],
    }

    return results

# ------- Ensemble of Specialized Classifiers -------

class FilteringEnsemble:
    """Ensemble of specialized content filtering classifiers"""

    def __init__(self, classifiers=None):
        self.classifiers = classifiers or {}
        self.weights = {}
```

```python
    def add_classifier(self, name, classifier, weight=1.0):
        """Add a classifier to the ensemble"""
        self.classifiers[name] = classifier
        self.weights[name] = weight

    def filter_content(self, documents, threshold=0.6):
        """Apply all classifiers and combine results"""
        if not self.classifiers:
            raise ValueError("No classifiers added to ensemble")

        # Get scores from each classifier
        classifier_scores = {}
        for name, classifier in self.classifiers.items():
            # This assumes each classifier has a method that returns scores
            # In a real implementation, you'd need to adapt this for different
classifier types
            scores = classifier.predict_proba(documents)
            classifier_scores[name] = scores

        # Combine scores using weights
        combined_scores = np.zeros(len(documents))
        for name, scores in classifier_scores.items():
            combined_scores += scores * self.weights[name]

        # Normalize by sum of weights
        weight_sum = sum(self.weights.values())
        combined_scores /= weight_sum

        # Filter based on combined scores
        filtered_indices = [i for i, score in enumerate(combined_scores) if score >=
threshold]
        rejected_indices = [i for i, score in enumerate(combined_scores) if score <
threshold]

        results = {
            'filtered_docs': [documents[i] for i in filtered_indices],
            'rejected_docs': [documents[i] for i in rejected_indices],
            'scores': combined_scores,
            'classifier_scores': classifier_scores
        }

        return results

# Example usage
if __name__ == "__main__":
    # Sample data
    example_docs = [
        "This is a high-quality article about machine learning techniques and their
applications.",
        "BUY NOW!!! CHEAP PRODUCTS!!! CLICK HERE!!!",
        "The cat sat on the mat. The cat sat on the mat. The cat sat on the mat.",
```

```
    "This article explores the implications of neural networks in modern AI
systems."
  ]
  example_labels = [1, 0, 0, 1]  # 1 for high quality, 0 for low quality

  print("Training simple classifier...")
  vectorizer, classifier = train_simple_classifier(example_docs, example_labels)

  print("Filtering content...")
  results = filter_content_simple(example_docs, vectorizer, classifier)

  print("Filtered documents:", len(results['filtered_docs']))
  print("Rejected documents:", len(results['rejected_docs']))
```

Analisi: Filtraggio dei contenuti basato su classificatori per l'addestramento di LLM

Il codice sopra dimostra tre diversi approcci al filtraggio dei contenuti basato su classificatori per i dati di addestramento degli LLM: un approccio semplice di machine learning tradizionale, un approccio neurale e un sistema ensemble. Ecco una panoramica dettagliata di ciascun componente:

1. Classificatore di base TF-IDF + Random Forest

- **Estrazione delle feature con TF-IDF**: La funzione train_simple_classifier utilizza TfidfVectorizer per convertire i documenti testuali in caratteristiche numeriche. Questo trasforma i documenti in vettori sparsi in cui ogni dimensione corrisponde al punteggio TF-IDF di un termine, catturando l'importanza dei termini nei documenti rispetto all'intero corpus.

- **Classificatore Random Forest**: La funzione addestra poi un RandomForestClassifier su queste feature TF-IDF. Le random forest sono metodi ensemble che costruiscono più alberi decisionali e uniscono le loro previsioni, rendendole robuste contro l'overfitting ed efficaci per compiti di classificazione del testo.

- **Meccanismo di soglia**: La funzione filter_content_simple utilizza una soglia di confidenza (di default 0.7) per determinare se mantenere o scartare i documenti, fornendo un meccanismo di filtraggio binario semplice ma efficace.

2. Classificatore neurale per la qualità dei contenuti

- **Approccio basato su Transformer**: Questo sistema più sofisticato utilizza DistilBERT, una versione distillata di BERT che mantiene la maggior parte delle prestazioni pur essendo più leggera e veloce. Questo consente al classificatore di catturare significati semantici più profondi rispetto a quanto possibile con TF-IDF.

- **Implementazione di dataset personalizzato**: La classe ContentQualityDataset gestisce tokenizzazione, padding e preparazione dei batch per il modello neurale, rendendo l'addestramento efficiente con il DataLoader di PyTorch.

- **Classificazione multi-classe**: A differenza del classificatore binario sopra, questo classificatore neurale categorizza i contenuti in quattro livelli di qualità (inutilizzabile, bassa qualità, accettabile, alta qualità), consentendo strategie di selezione dei dati più articolate.

- **Processo di fine-tuning**: La funzione train_neural_classifier implementa un ciclo standard di fine-tuning per il modello Transformer, includendo fasi di training e validazione con metriche appropriate.

3. Ensemble di classificatori specializzati

- **Architettura flessibile**: La classe FilteringEnsemble consente di combinare più classificatori specializzati, ciascuno focalizzato su diversi aspetti della qualità dei contenuti o su pattern problematici.

- **Combinazione pesata**: A ciascun classificatore può essere assegnato un peso diverso, permettendo ad alcuni segnali (ad esempio il rilevamento della tossicità) di avere maggiore influenza nella decisione finale.

- **Risultati completi**: L'ensemble restituisce non solo la decisione di filtraggio ma anche i punteggi dei singoli classificatori, permettendo un'analisi dettagliata del motivo per cui certi documenti sono stati accettati o rifiutati.

4. Dettagli di implementazione e best practice

- **Ottimizzazione della soglia**: Sia i classificatori semplici che quelli ensemble utilizzano soglie regolabili, un parametro critico che bilancia qualità e volume dei dati. Soglie più alte producono dataset più puliti ma più piccoli.

- **Gestione dei dispositivi**: Il classificatore neurale include una corretta gestione dei dispositivi (CPU/GPU), essenziale per elaborare grandi volumi di dati in modo efficiente.

- **Elaborazione a batch**: Tutte le implementazioni utilizzano il batching per elaborare grandi collezioni di documenti senza problemi di memoria.

- **Separazione chiara delle responsabilità**: Il codice mantiene una separazione netta tra addestramento del modello, inferenza e aggregazione dei risultati, rendendolo manutenibile ed estendibile.

5. Applicazioni nelle pipeline di addestramento degli LLM

- **Filtraggio dei dati per il pre-training**: Questi classificatori vengono tipicamente applicati a crawl web grezzi o collezioni di documenti prima della tokenizzazione e dell'addestramento del modello.

- **Addestramento per livelli di qualità**: Il classificatore multi-classe consente approcci di curriculum learning, in cui i dati di qualità più alta vengono utilizzati nelle prime fasi, mentre quelli di qualità inferiore vengono integrati successivamente.

- **Rilevamento di contenuti specifici**: L'approccio ensemble consente un filtraggio mirato di tipi di contenuto problematici che semplici regole potrebbero non rilevare.

- **Considerazioni sulla scalabilità**: In produzione, questi sistemi verrebbero distribuiti in modo distribuito per elaborare terabyte o petabyte di dati testuali in modo efficiente.

Questa implementazione dimostra come i sistemi di filtraggio basati su machine learning possano andare oltre semplici euristiche per identificare pattern sottili di contenuti di bassa qualità o problematici, migliorando significativamente la qualità dei dati di addestramento per i modelli linguistici di grandi dimensioni.

Filtraggio di tossicità e bias:

Questi sistemi mirano a categorie specifiche di contenuti dannosi che devono essere filtrati prima di utilizzare i dati per addestrare gli LLM. Senza un filtraggio completo, gli LLM possono apprendere e riprodurre pattern dannosi presenti nei dati grezzi:

- **I classificatori di tossicità pre-addestrati identificano hate speech, contenuti espliciti e linguaggio dannoso** - Questi modelli specializzati sono addestrati per riconoscere e segnalare diverse forme di tossicità, tra cui volgarità, minacce, insulti e contenuti sessualmente espliciti. Analizzano pattern linguistici e segnali contestuali per rilevare contenuti dannosi che potrebbero essere difficili da filtrare con semplici approcci basati su parole chiave. Ad esempio, questi classificatori possono identificare forme sottili di molestie che evitano insulti espliciti ma trasmettono comunque un intento dannoso attraverso contesto e implicazioni. I moderni classificatori di tossicità utilizzano spesso architetture Transformer con meccanismi di attenzione per comprendere relazioni contestuali complesse nel testo.

- **Gli strumenti di rilevamento dei bias segnalano contenuti contenenti stereotipi o punti di vista discriminatori** - Questi sistemi avanzati identificano bias sottili legati a genere, razza, religione, età e altri attributi protetti. Cercano rappresentazioni sbilanciate, associazioni ingiuste e generalizzazioni problematiche che potrebbero essere apprese e amplificate da un LLM durante l'addestramento. A differenza dei semplici filtri per parole chiave, questi strumenti possono rilevare bias impliciti, come rappresentare sistematicamente certi gruppi in ruoli o caratteristiche stereotipate. Possono utilizzare tecniche di test controfattuale, in cui gli attributi vengono scambiati (ad esempio cambiando i pronomi di genere) per rilevare trattamenti o sentimenti asimmetrici nel testo.

- **Named entity recognition per identificare e proteggere informazioni personali identificabili** - I modelli NER rilevano nomi, indirizzi, numeri di telefono, email e altre informazioni personali sensibili. Questo consente la redazione o anonimizzazione dei dati privati prima che entrino nella pipeline di addestramento, riducendo i rischi per la privacy e il potenziale uso improprio delle informazioni personali. I sistemi NER avanzati possono identificare combinazioni complesse di identificatori che, insieme, potrebbero rivelare l'identità di un individuo anche quando nessun singolo elemento lo farebbe. Questi sistemi utilizzano sia tecniche di pattern matching sia modelli neurali sensibili al contesto per bilanciare rilevamento completo e minimizzazione dei falsi positivi.

- **Modelli multilingue per garantire che il filtraggio di sicurezza funzioni in diverse lingue** - Il filtraggio della sicurezza deve funzionare oltre l'inglese per creare LLM globali realmente responsabili. Questi classificatori multilingue specializzati possono rilevare contenuti dannosi in decine o centinaia di lingue, garantendo che i contenuti non in inglese ricevano lo stesso livello di analisi e filtraggio di quelli in inglese. Costruire sistemi di sicurezza multilingue efficaci presenta sfide uniche, tra cui la gestione di insulti specifici per lingua, contesti culturali e variazioni dialettali. Molti sistemi di filtraggio avanzati incorporano oggi tecniche di transfer learning cross-lingua, in cui la conoscenza sui contenuti dannosi in lingue ricche di risorse aiuta a identificare pattern simili in lingue con meno dati etichettati.

Esempio: Sistema completo di filtraggio di tossicità e bias

```python
import pandas as pd
import numpy as np
import torch
from transformers import AutoTokenizer, AutoModelForSequenceClassification
from torch.utils.data import Dataset, DataLoader
import torch.nn.functional as F

# -------- Comprehensive Toxicity and Bias Filtering System --------

class ContentFilteringDataset(Dataset):
    """Dataset for toxicity and bias detection"""
    def __init__(self, texts, tokenizer, max_length=512):
        self.texts = texts
        self.tokenizer = tokenizer
        self.max_length = max_length

    def __len__(self):
        return len(self.texts)

    def __getitem__(self, idx):
        text = self.texts[idx]
        encoding = self.tokenizer(
            text,
            truncation=True,
            max_length=self.max_length,
            padding='max_length',
            return_tensors='pt'
        )

        return {
            'input_ids': encoding['input_ids'].squeeze(),
            'attention_mask': encoding['attention_mask'].squeeze(),
            'text': text
        }

class ToxicityClassifier:
    """Detects toxic content using pretrained models"""

    def __init__(self, model_name="distilbert-base-uncased-finetuned-sst-2-english"):
        self.device = torch.device("cuda" if torch.cuda.is_available() else "cpu")
        self.tokenizer = AutoTokenizer.from_pretrained(model_name)
        self.model = AutoModelForSequenceClassification.from_pretrained(model_name)
        self.model.to(self.device)
        self.model.eval()

    def predict_batch(self, texts, batch_size=32, threshold=0.8):
        """Predict toxicity scores for a batch of texts"""
        dataset = ContentFilteringDataset(texts, self.tokenizer)
        dataloader = DataLoader(dataset, batch_size=batch_size)

        results = {
```

```python
            'texts': texts,
            'toxicity_scores': [],
            'is_toxic': []
        }

    with torch.no_grad():
        for batch in dataloader:
            input_ids = batch['input_ids'].to(self.device)
            attention_mask = batch['attention_mask'].to(self.device)

            outputs = self.model(input_ids=input_ids,
attention_mask=attention_mask)
            scores = F.softmax(outputs.logits, dim=1)
            toxicity_scores = scores[:, 1].cpu().numpy()  # Assuming positive
class is toxic

            results['toxicity_scores'].extend(toxicity_scores.tolist())
            results['is_toxic'].extend((toxicity_scores >= threshold).tolist())

    return results

class BiasDetector:
    """Detects gender, racial, and other biases in text"""

    def __init__(self, wordlists_path="bias_wordlists.json"):
        # In a real implementation, load word lists from JSON file
        # Here we'll use simplified example lists
        self.bias_categories = {
            "gender": {
                "male": ["he", "him", "his", "man", "men", "male", "boy", "boys",
"gentleman"],
                "female": ["she", "her", "hers", "woman", "women", "female", "girl",
"girls", "lady"]
            },
            "race": {
                "words": ["black", "white", "asian", "hispanic", "african", "racial",
"ethnic"]
            },
            "religion": {
                "words": ["muslim", "christian", "jewish", "hindu", "buddhist",
"atheist"]
            },
            "negative_associations": [
                "violent", "criminal", "lazy", "stupid", "greedy", "terrorist",
                "welfare", "illegal", "angry", "dangerous"
            ]
        }

    def check_text(self, text):
        """Check text for potential bias indicators"""
        text_lower = text.lower()
        words = set(text_lower.split())
```

```python
    results = {
        "text": text,
        "bias_indicators": {},
        "analysis": {}
    }

    # Check for gender representation
    male_count = sum(1 for word in self.bias_categories["gender"]["male"] if word
in text_lower)
    female_count = sum(1 for word in self.bias_categories["gender"]["female"] if
word in text_lower)

    if male_count > 0 or female_count > 0:
        results["bias_indicators"]["gender_balance"] = {
            "male_terms": male_count,
            "female_terms": female_count,
            "ratio": male_count / (female_count + 1e-10)  # Prevent division by
zero
        }

    # Check for racial terms proximity to negative associations
    for category in ["race", "religion"]:
        category_terms = self.bias_categories[category]["words"]
        for term in category_terms:
            if term in text_lower:
                # Check if negative associations appear within 5 words of this
term
                words_list = text_lower.split()
                if term in words_list:
                    term_indices = [i for i, w in enumerate(words_list) if w ==
term]
                    for idx in term_indices:
                        context = words_list[max(0, idx-5):min(len(words_list),
idx+6)]
                        neg_assoc = [w for w in context if w in
self.bias_categories["negative_associations"]]
                        if neg_assoc:
                            if category not in results["bias_indicators"]:
                                results["bias_indicators"][category] = []
                            results["bias_indicators"][category].append({
                                "term": term,
                                "negative_associations": neg_assoc,
                                "context": " ".join(context)
                            })

    # Overall bias assessment
    bias_level = 0
    if "gender_balance" in results["bias_indicators"]:
        gender_ratio = results["bias_indicators"]["gender_balance"]["ratio"]
        if gender_ratio > 5.0 or gender_ratio < 0.2:  # Heavily imbalanced
            bias_level += 1
```

```python
        bias_level += len(results["bias_indicators"].get("race", []))
        bias_level += len(results["bias_indicators"].get("religion", []))

        results["analysis"]["bias_level"] = bias_level
        results["analysis"]["potentially_biased"] = bias_level > 0

        return results

class ContentFilteringPipeline:
    """Complete pipeline combining toxicity and bias detection"""

    def __init__(self, toxicity_threshold=0.8, bias_threshold=1):
        self.toxicity_classifier = ToxicityClassifier()
        self.bias_detector = BiasDetector()
        self.toxicity_threshold = toxicity_threshold
        self.bias_threshold = bias_threshold

    def filter_corpus(self, documents, batch_size=32):
        """Filter a corpus of documents for both toxicity and bias"""
        # First, check toxicity
        toxicity_results = self.toxicity_classifier.predict_batch(
            documents,
            batch_size=batch_size,
            threshold=self.toxicity_threshold
        )

        # Then analyze non-toxic documents for bias
        non_toxic_indices = [i for i, is_toxic in
enumerate(toxicity_results['is_toxic']) if not is_toxic]
        non_toxic_docs = [documents[i] for i in non_toxic_indices]

        bias_results = []
        for doc in non_toxic_docs:
            bias_results.append(self.bias_detector.check_text(doc))

        # Create final filtered corpus
        acceptable_docs = []
        rejected_docs = []
        rejection_reasons = []

        for i, doc in enumerate(documents):
            if i in non_toxic_indices:
                # Document passed toxicity check, now check bias
                bias_idx = non_toxic_indices.index(i)
                bias_result = bias_results[bias_idx]

                if bias_result["analysis"]["bias_level"] <= self.bias_threshold:
                    acceptable_docs.append(doc)
                else:
                    rejected_docs.append(doc)
                    rejection_reasons.append({
```

```python
                    "reason": "bias",
                    "details": bias_result["bias_indicators"]
                })
        else:
            # Document failed toxicity check
            rejected_docs.append(doc)
            rejection_reasons.append({
                "reason": "toxicity",
                "score": toxicity_results['toxicity_scores'][i]
            })

    return {
        "acceptable_documents": acceptable_docs,
        "rejected_documents": rejected_docs,
        "rejection_reasons": rejection_reasons,
        "stats": {
            "total": len(documents),
            "accepted": len(acceptable_docs),
            "rejected_toxicity": sum(1 for r in rejection_reasons if r["reason"]
== "toxicity"),
            "rejected_bias": sum(1 for r in rejection_reasons if r["reason"] ==
"bias")
        }
    }

# Example usage
if __name__ == "__main__":
    example_texts = [
        "Machine learning is the study of computer algorithms that improve
automatically through experience.",
        "I hate those people from that country, they're all criminals and terrorists!",
        "Women are too emotional to be effective leaders in technical fields.",
        "The conference included speakers from diverse backgrounds and perspectives.",
        "The black suspect was described as dangerous and violent by witnesses."
    ]

    print("Initializing content filtering pipeline...")
    pipeline = ContentFilteringPipeline(toxicity_threshold=0.7, bias_threshold=1)

    print("Filtering corpus...")
    results = pipeline.filter_corpus(example_texts)

    print(f"Stats: {results['stats']}")
    print(f"Acceptable documents: {len(results['acceptable_documents'])}")
    print(f"Rejected documents: {len(results['rejected_documents'])}")
```

Analisi: Sistema completo di filtraggio di tossicità e bias

Il codice sopra implementa un sistema sofisticato di filtraggio dei contenuti progettato specificamente per i dati di addestramento degli LLM. Combina sia il rilevamento della tossicità sia l'analisi dei bias per garantire dati di addestramento di alta qualità, sicuri ed equilibrati. Ecco una panoramica dettagliata di ciascun componente:

1. Componenti principali e architettura

- **Classe dataset per un'elaborazione efficiente**: La classe ContentFilteringDataset gestisce la conversione del testo in input tokenizzati compatibili con modelli transformer, supportando un'elaborazione efficiente a batch tramite il DataLoader di PyTorch.

- **Pipeline di filtraggio a due fasi**: Il sistema controlla prima i documenti per la tossicità, poi analizza il sottoinsieme non tossico per individuare possibili bias, creando una difesa a due livelli contro contenuti problematici.

- **Soglie configurabili**: Sia il rilevamento della tossicità sia quello dei bias hanno soglie regolabili, permettendo ai data engineer di bilanciare qualità e quantità dei dati in base ai requisiti del progetto.

2. Sistema di rilevamento della tossicità

- **Classificatore di tossicità basato su Transformer**: Utilizza un modello DistilBERT pre-addestrato e fine-tuned per l'analisi del sentiment come punto di partenza. In un ambiente di produzione, verrebbe sostituito con un modello specificamente addestrato su dataset di linguaggio tossico (come Perspective API o dataset personalizzati).

- **Elaborazione a batch per l'efficienza**: Il sistema elabora i documenti in batch per massimizzare l'utilizzo della GPU, fondamentale quando si filtrano miliardi di esempi di addestramento.

- **Punteggio di confidenza**: Invece di una classificazione binaria, il sistema fornisce punteggi di confidenza per la tossicità, consentendo regolazioni più granulari delle soglie.

3. Sistema di rilevamento dei bias

- **Analisi multidimensionale dei bias**: Il BiasDetector esamina il testo per squilibri di genere, stereotipi razziali e bias religiosi, fornendo una visione completa dei potenziali problemi di equità.

- **Controllo delle associazioni contestuali**: Invece di contare semplicemente parole chiave, il sistema analizza il contesto attorno ai termini sensibili per rilevare associazioni problematiche (ad esempio termini razziali vicino a descrittori negativi).

- **Punteggio quantificabile del bias**: Il rilevatore produce un punteggio numerico di "livello di bias" che rappresenta la gravità e la quantità degli indicatori rilevati, consentendo filtraggio basato su soglie.

4. Integrazione e reportistica

- **Struttura di output completa**: La pipeline restituisce non solo i documenti filtrati ma anche motivi dettagliati di rifiuto, statistiche e risultati di analisi per ciascun documento.

- **Decisioni di filtraggio trasparenti**: Per ogni documento rifiutato, il sistema fornisce motivazioni specifiche (tossicità o diversi tipi di bias) e dettagli rilevanti, facilitando l'analisi della qualità e il miglioramento della pipeline.

- **Report statistico**: L'output finale include statistiche sul tasso complessivo di accettazione e sulle categorie di rifiuto, aiutando i data engineer a monitorare l'efficacia del filtraggio.

5. Funzionalità avanzate e considerazioni per la produzione

- **Rilevamento multi-categoria dei bias**: Il sistema analizza simultaneamente più dimensioni di bias, affrontando problematiche intersezionali che sistemi più semplici potrebbero non rilevare.

- **Analisi del rapporto di genere**: Il codice esamina specificamente l'equilibrio nella rappresentazione di genere, segnalando contenuti con squilibri estremi che potrebbero rafforzare stereotipi.

- **Analisi di prossimità per le associazioni**: Il rilevatore di bias utilizza un approccio sofisticato basato su finestre di contesto per identificare quando termini sensibili compaiono vicino a descrittori problematici, intercettando forme sottili di bias.

- **Implementazione agnostica rispetto al dispositivo**: Il codice utilizza automaticamente l'accelerazione GPU quando disponibile ma funziona anche su CPU, supportando diversi scenari di distribuzione.

Note di implementazione ed estensioni

In un ambiente di produzione completo, questo sistema beneficerebbe di diversi miglioramenti:

- **Supporto multilingue**: Estendere il rilevamento di tossicità e bias a più lingue tramite modelli multilingue o classificatori specifici per lingua.

- **Liste di parole personalizzate**: Sostituire le liste di esempio semplificate con insiemi di termini completi e validati linguisticamente per diverse categorie di bias.

- **Analisi intersezionale**: Sviluppare ulteriormente il rilevamento dei bias per identificare problematiche che coinvolgono combinazioni specifiche di attributi (es. genere e razza).

- **Verifica human-in-the-loop**: Aggiungere un'interfaccia per la revisione umana dei casi limite o di campioni filtrati, migliorando nel tempo l'accuratezza del sistema.

Questa implementazione dimostra come le tecniche di machine learning possano essere applicate per creare sistemi di filtraggio dei contenuti sofisticati che vanno ben oltre il semplice matching di parole chiave, affrontando aspetti sottili di tossicità e bias che potrebbero altrimenti contaminare i dati di addestramento degli LLM.

4.1.5 Perché è importante

- **La raccolta dei dati** garantisce un'ampia copertura della conoscenza. Questo primo passo critico consiste nel raccogliere fonti testuali diversificate (libri, articoli, siti web, codice) per fornire al modello una comprensione completa del linguaggio e della conoscenza del mondo. Senza una sufficiente ampiezza nella raccolta dei dati, i modelli sviluppano punti ciechi in determinati domini o argomenti. Una raccolta di alta qualità richiede crawler web sofisticati, collaborazioni con fornitori di contenuti e strategie di curazione attente per garantire rappresentazione tra lingue, culture e domini di conoscenza. Ad esempio, se un modello viene addestrato principalmente su testi in inglese provenienti dal Nord America, potrebbe avere difficoltà con riferimenti culturali, idiomi o conoscenze fattuali di altre regioni, creando un sistema intrinsecamente sbilanciato.

- **La pulizia** standardizza gli input affinché il modello non venga distratto dal rumore. Questo processo include la rimozione di artefatti HTML, la correzione di problemi di encoding, la normalizzazione degli spazi e la gestione delle incoerenze di formattazione. Dati puliti permettono al modello di concentrarsi sull'apprendimento di pattern significativi invece di sprecare capacità nell'interpretazione di variazioni irrilevanti. Pipeline di pulizia avanzate implementano pattern regex sofisticati, algoritmi di rilevamento della lingua e filtri specializzati per diverse fonti di dati. Senza una pulizia adeguata, i modelli possono imparare a riprodurre errori di formattazione, interpretare i tag HTML come linguaggio naturale o generare artefatti strani nelle loro uscite. La qualità della pulizia influisce direttamente sulla capacità del modello di produrre testo coerente e ben formattato.

- **La deduplicazione** previene l'overfitting su documenti ripetuti. Identificando e rimuovendo contenuti duplicati o quasi duplicati, si evita che il modello attribuisca un peso eccessivo a testi ricorrenti. Questo passaggio è particolarmente importante per i dati raccolti dal web, dove lo stesso contenuto appare spesso su più fonti. I sistemi moderni di deduplicazione vanno oltre il matching esatto per rilevare duplicati semantici, sovrapposizioni parziali e copie tradotte usando tecniche come MinHash, SimHash e similarità basata su embedding. La ricerca ha dimostrato che una deduplicazione efficace può ridurre i dati di addestramento del 10-30% migliorando al contempo le prestazioni del modello, poiché il modello dedica più risorse computazionali a esempi diversi invece di apprendere ripetutamente gli stessi pattern.

- **Il filtraggio** migliora qualità e sicurezza, riducendo bias dannosi. Pipeline di filtraggio avanzate (come quella descritta in precedenza) rimuovono contenuti tossici, di bassa qualità o fortemente sbilanciati dai dati di addestramento. Questo passaggio è essenziale per creare sistemi di IA responsabili che minimizzino la propagazione di stereotipi dannosi o comportamenti non sicuri. I sistemi moderni combinano approcci basati su regole con classificatori di machine learning addestrati a rilevare contenuti problematici su più dimensioni, tra cui tossicità, hate speech, contenuti espliciti e varie forme di bias. Questi sistemi utilizzano spesso analisi contestuali sofisticate per comprendere non solo le singole parole ma anche il modo in cui vengono usate, permettendo decisioni di filtraggio più precise che preservano contenuti utili eliminando quelli dannosi.

Senza questi passaggi, i costi di addestramento aumentano drasticamente e le prestazioni ne risentono. I modelli sprecano risorse computazionali apprendendo da contenuti rumorosi, ripetitivi o dannosi invece che da pattern utili. Con questi passaggi, invece, il tuo LLM dispone di una base di dati di alta qualità — il terreno da cui cresce l'intelligenza. La differenza tra dati di addestramento ben preparati e contenuti grezzi non elaborati può essere la differenza tra un modello capace di ragionamento sofisticato e uno che si limita a riprodurre pattern senza una reale comprensione.

4.2 Curriculum Learning, Mixture Datasets e Dati Sintetici

Addestrare un large language model non significa semplicemente riversare trilioni di token in una rete neurale. L'**ordine, l'equilibrio e la composizione dei dati** influenzano in modo significativo quanto bene il modello apprende. È qui che entrano in gioco il **curriculum learning**, i **mixture datasets** e i **dati sintetici**.

Considera l'analogia dell'insegnare a un bambino a leggere: non inizieresti con testi letterari complessi, ma partiresti invece da semplici libri illustrati prima di introdurre gradualmente testi più sofisticati. Allo stesso modo, gli LLM beneficiano di un approccio strutturato ai loro dati di addestramento.

L'**ordine** con cui i dati vengono presentati crea un percorso di apprendimento che può migliorare drasticamente la convergenza e le prestazioni finali. I modelli spesso apprendono i pattern fondamentali in modo più efficace quando i concetti più semplici vengono padroneggiati prima di introdurre quelli più complessi.

L'**equilibrio** tra diversi tipi di dati assicura che il modello sviluppi capacità complete e ben distribuite invece di diventare eccessivamente specializzato in un solo dominio. Senza un corretto bilanciamento, i modelli potrebbero eccellere nella scrittura tecnica ma fallire nella conversazione informale, oppure comprendere perfettamente l'inglese ma avere difficoltà con altre lingue.

La **composizione** dei dati di addestramento determina quali conoscenze e competenze il modello può acquisire. Composizioni di dati accuratamente curate possono migliorare deliberatamente determinate capacità o ridurre comportamenti indesiderati, programmando di fatto punti di forza e limiti del modello attraverso la selezione dei dati anziché tramite il codice.

4.2.1 Curriculum Learning

L'idea del curriculum learning deriva dall'istruzione: non metti un libro di calcolo in mano a un bambino che non ha ancora imparato l'aritmetica. Allo stesso modo, i modelli traggono beneficio quando l'addestramento inizia con **esempi più semplici o più puliti** prima di passare gradualmente a quelli più complessi o rumorosi.

Questo approccio imita i pattern di apprendimento umano, in cui i concetti fondamentali devono essere padroneggiati prima di affrontare argomenti avanzati. Nell'addestramento degli LLM, implementare un curriculum aiuta il modello a stabilire valori stabili dei parametri per i pattern linguistici di base prima di introdurre esempi che richiedono una comprensione più sfumata. La ricerca ha mostrato che questo approccio può portare a una convergenza migliore, a una riduzione del tempo di addestramento e a una migliore generalizzazione verso compiti complessi.

Pensa a come insegniamo la matematica ai bambini: iniziamo con il conteggio, passiamo ad addizione e sottrazione, poi moltiplicazione, divisione e infine algebra e calcolo. Ogni passaggio si basa sul precedente, creando una base che sostiene concetti più complessi. Allo stesso modo, i modelli linguistici apprendono in modo più efficace quando l'addestramento segue una progressione ben pensata.

Per esempio, un curriculum per un LLM potrebbe iniziare con strutture grammaticali semplici e vocabolario comune prima di introdurre espressioni idiomatiche, gergo tecnico o più lingue. Il modello impara prima a riconoscere pattern di base come l'accordo soggetto-verbo e la struttura della frase, prima di affrontare le complessità di sarcasmo, metafora o riferimenti culturali.

In termini pratici, il curriculum learning spesso comporta l'inizio con un sottoinsieme dei dati di addestramento che presenta pattern più chiari e meno eccezioni o ambiguità. Man mano che l'addestramento procede, il modello viene gradualmente esposto a esempi più diversi e difficili. Questa esposizione controllata aiuta a evitare che il modello venga sopraffatto da tutta la complessità del linguaggio in una sola volta, cosa che potrebbe portare a un apprendimento inefficiente o a una convergenza verso soluzioni subottimali.

Gli studi hanno dimostrato che il curriculum learning può ridurre del 20-30% il numero di passi di addestramento necessari per raggiungere un determinato livello di prestazione rispetto a una presentazione casuale dei dati. Inoltre, i modelli addestrati con un curriculum spesso mostrano una migliore generalizzazione verso nuovi compiti e domini, suggerendo che sviluppino rappresentazioni interne del linguaggio più robuste.

Strategie di curriculum learning negli LLM:

- **Dal pulito al rumoroso:** Inizia con testo di alta qualità (ad esempio libri curati, Wikipedia), poi mescola dati web più rumorosi. Questo permette al modello di apprendere prima grammatica corretta, informazioni fattuali e ragionamento coerente da fonti ben editate, prima di adattarsi al linguaggio più disordinato e vario presente nei contenuti generati dagli utenti. Gli studi hanno mostrato che questo approccio può ridurre la tendenza del modello a riprodurre errori ortografici, errori grammaticali e incoerenze stilistiche comuni nel testo raccolto dal web.

La fase iniziale con dati puliti stabilisce pattern linguistici affidabili nei pesi del modello, creando una base solida. Quando i dati più rumorosi vengono introdotti gradualmente, il modello riesce a distinguere meglio tra pattern utili e semplice rumore. Ad esempio, la ricerca di Raffel et al. (2020) ha mostrato che il pre-training su dati Common Crawl filtrati produceva migliori prestazioni downstream rispetto all'uso di testo web non filtrato. Inoltre, questo approccio aiuta a impedire che il modello apprenda e riproduca pattern di linguaggio offensivo che potrebbero essere presenti nei contenuti web non filtrati.

- **Da sequenze corte a sequenze lunghe:** Inizia con documenti più brevi per stabilizzare l'apprendimento, poi estendi a contesti più lunghi. Le sequenze brevi aiutano il modello a padroneggiare prima le dipendenze locali e le strutture linguistiche di base senza le difficoltà computazionali legate alla gestione dell'attenzione a lungo raggio. Con il progredire dell'addestramento, aumentare gradualmente la lunghezza delle sequenze aiuta il modello a sviluppare la capacità di mantenere coerenza tra paragrafi e seguire narrazioni o argomentazioni complesse.

Questo approccio aiuta anche a gestire l'uso della memoria nelle prime fasi dell'addestramento. Questa strategia affronta la difficoltà intrinseca nel modellare dipendenze a lungo raggio. Durante le fasi iniziali con contesti più brevi (magari 128-256 token), il modello può concentrarsi sul padroneggiare struttura grammaticale, relazioni tra parole e concetti semantici di base. Man mano che la lunghezza delle sequenze aumenta gradualmente a 512, 1024 o persino 4096+ token, il modello costruisce su queste basi per sviluppare un monitoraggio più sofisticato di entità, temi e connessioni logiche su porzioni di testo più estese. Questa progressione imita il modo in cui gli esseri umani imparano a scrivere — iniziando con frasi, poi paragrafi e infine saggi — permettendo al modello di costruire rappresentazioni sempre più complesse della struttura del linguaggio.

- **Dal generale allo specifico di dominio:** Addestra prima su dati ampi e generali, poi introduci corpora specializzati (medicina, diritto, codice). Questo assicura che il modello costruisca una base di comprensione generale del linguaggio prima di adattarsi al vocabolario, alle convenzioni e ai pattern di ragionamento specifici dei domini specializzati. Questa strategia impedisce al modello di andare troppo presto in overfitting su pattern specifici di dominio, ottenendo migliori capacità di transfer learning tra diverse aree tematiche e sviluppando comunque competenza nei domini mirati. Questo approccio sfrutta i vantaggi del transfer learning stabilendo prima una solida comprensione dei fondamenti del linguaggio attraverso testo generale e diversificato.

Quando viene successivamente introdotto l'addestramento specifico di dominio, il modello comprende già i pattern linguistici di base, e può quindi concentrarsi sull'apprendimento di terminologia e ragionamento specialistici senza sacrificare le capacità generali. La ricerca di Gururangan et al. (2020) ha mostrato che i modelli pre-addestrati su corpora generali e poi adattati a dati specifici di dominio ("continued pre-training") superano in modo significativo i modelli addestrati esclusivamente su dati generali o esclusivamente su dati specialistici. Per esempio, un modello potrebbe prima apprendere l'inglese generale da un corpus diversificato e poi ricevere un'esposizione crescente alla letteratura medica, sviluppando così conoscenza medica specializzata pur mantenendo la capacità di comunicarla chiaramente anche a non esperti.

Esempio di codice: Pianificazione del curriculum per epoche

```python
# Comprehensive example of curriculum learning for LLM training
import random
import numpy as np
import matplotlib.pyplot as plt
from collections import Counter

# Example datasets with different difficulty levels
datasets = {
    "clean": [
        "This is a clean book sentence with proper grammar.",
        "Another clean example from curated content.",
        "Scholarly articles contain precise language.",
        "Educational material provides structured information.",
        "Literary texts often have complex sentence structures."
    ],
    "web": [
        "Buy now!!! $$$",
        "Click here for free prizes!",
        "U won't BELIEVE what happened next!!",
        "OMG this is sooooo amazing lol",
        "get the best deals FAST before they're gone!!!"
    ],
    "code": [
        "def factorial(n): return 1 if n <= 1 else n * factorial(n-1)",
        "for i in range(10): print(i ** 2)",
        "class Node: def __init__(self, val=0): self.val = val",
        "import pandas as pd; df = pd.read_csv('data.csv')",
        "try: x = 1/0\\nexcept ZeroDivisionError: print('Cannot divide by zero')"
    ]
}

# Curriculum schedule defining the mix of datasets across epochs
# Format: (dataset_name, fraction, epoch)
curriculum_schedule = [
    # Start with mostly clean text and small amounts of web/code
    ("clean", 0.70, 1), ("web", 0.15, 1), ("code", 0.15, 1),

    # Gradually reduce clean text, increase web content
    ("clean", 0.50, 2), ("web", 0.30, 2), ("code", 0.20, 2),

    # Final mix has more challenging/diverse content
    ("clean", 0.30, 3), ("web", 0.45, 3), ("code", 0.25, 3),
]

def curriculum_data(epoch, batch_size=10):
    """
    Generate a batch of training data for a specific epoch
    based on the curriculum schedule.

    Args:
```

```python
        epoch (int): Current training epoch
        batch_size (int): Size of the batch to generate

    Returns:
        list: A batch of training examples
    """
    # Filter schedule items for current epoch
    current_schedule = [(src, frac) for src, frac, e in curriculum_schedule if e ==
epoch]

    if not current_schedule:
        raise ValueError(f"No curriculum defined for epoch {epoch}")

    # Calculate how many examples to sample from each dataset
    data = []
    remaining = batch_size

    # Handle all but the last dataset type
    for i, (src, frac) in enumerate(current_schedule[:-1]):
        n_samples = int(batch_size * frac)
        remaining -= n_samples
        # Sample with replacement if we need more examples than available
        sampled = random.choices(datasets[src], k=n_samples)
        data.extend(sampled)

    # Handle the last dataset type with the remaining count (avoiding rounding errors)
    last_src, _ = current_schedule[-1]
    data.extend(random.choices(datasets[last_src], k=remaining))

    # Shuffle to avoid any position bias during training
    random.shuffle(data)
    return data

def visualize_curriculum():
    """Generate a visualization of how the curriculum changes over epochs"""
    epochs = sorted(set(e for _, _, e in curriculum_schedule))
    datasets_used = sorted(set(src for src, _, _ in curriculum_schedule))

    # Prepare data for plotting
    data = {}
    for dataset in datasets_used:
        data[dataset] = []
        for epoch in epochs:
            fraction = sum(frac for src, frac, e in curriculum_schedule
                           if src == dataset and e == epoch)
            data[dataset].append(fraction)

    # Create stacked bar chart
    fig, ax = plt.subplots(figsize=(10, 6))
    bottom = np.zeros(len(epochs))

    for dataset, fractions in data.items():
```

```python
        ax.bar(epochs, fractions, bottom=bottom, label=dataset)
        bottom += np.array(fractions)

    ax.set_title('Curriculum Learning Schedule')
    ax.set_xlabel('Epoch')
    ax.set_ylabel('Fraction of Training Data')
    ax.set_xticks(epochs)
    ax.set_yticks([0, 0.25, 0.5, 0.75, 1.0])
    ax.legend()

    return fig

# Demonstrate the curriculum for each epoch
for epoch in [1, 2, 3]:
    batch = curriculum_data(epoch, batch_size=20)

    # Count dataset sources for verification
    source_counts = Counter()
    for example in batch:
        for src, examples in datasets.items():
            if example in examples:
                source_counts[src] += 1
                break

    print(f"\\n--- Epoch {epoch} Batch ---")
    print(f"Distribution: {dict(source_counts)}")
    print("Sample examples:")
    for i, example in enumerate(batch[:3]):
        print(f"  {i+1}. {example}")

# Uncomment to generate visualization
# fig = visualize_curriculum()
# plt.show()

# Example of how to use in a training loop
def simulate_training(num_epochs=3, batches_per_epoch=5):
    """Simulate a training process using curriculum learning"""
    print("\\n=== TRAINING SIMULATION ===")

    for epoch in range(1, num_epochs + 1):
        print(f"\\nEpoch {epoch}:")

        epoch_loss = 0
        for batch_num in range(batches_per_epoch):
            # Get data according to current curriculum
            batch = curriculum_data(epoch, batch_size=10)

            # Simulate training (in real scenarios, this would feed into the model)
            batch_loss = 1.0 - (0.2 * epoch) - (0.02 * batch_num)  # Simplified loss
function

            epoch_loss += batch_loss
```

```python
        print(f"  Batch {batch_num+1} - Loss: {batch_loss:.4f}")

    print(f"Epoch {epoch} average loss: {epoch_loss/batches_per_epoch:.4f}")

# Run the training simulation
simulate_training()
```

Analisi del codice:

- **Concetto centrale:** Questo codice dimostra come il curriculum learning regoli gradualmente la distribuzione dei dati di addestramento nel tempo, passando da esempi più semplici e puliti a contenuti più complessi e diversificati man mano che l'addestramento procede.

- **Rappresentazione dei dati:**

  - Tre diversi tipi di dataset rappresentano diversi livelli di complessità: "clean" (testo ben strutturato), "web" (contenuti rumorosi e informali) e "code" (esempi di programmazione).

  - Ogni dataset contiene esempi con caratteristiche tipiche di quella categoria, simulando la diversità dei dati reali di addestramento.

- **Pianificazione del curriculum:**

  - Definita come tuple di (dataset_name, fraction, epoch) che specificano quanto di ogni tipo di dataset deve essere incluso in ogni epoca di addestramento.

  - Le prime epoche (Epoch 1) si concentrano fortemente su testo pulito e ben strutturato (70%), con esposizione limitata a dati più complessi.

  - Le epoche intermedie (Epoch 2) iniziano a spostare l'equilibrio verso contenuti più impegnativi (50% clean, 30% web, 20% code).

  - Le epoche successive (Epoch 3) riducono ulteriormente il testo pulito (30%) aumentando la proporzione di contenuti web (45%) e codice (25%).

- **Dettagli di implementazione:**

  - La funzione curriculum_data() calcola quanti esempi campionare da ciascun dataset in base alla pianificazione dell'epoca corrente.

  - Gestisce eventuali problemi di arrotondamento calcolando esplicitamente i campioni rimanenti per l'ultimo tipo di dataset.

  - Il campionamento casuale con reinserimento garantisce la possibilità di generare batch più grandi dei dataset di esempio.

  - Il batch finale viene mescolato per evitare che il modello apprenda pattern legati alla posizione.

- **Visualizzazione:**

- o La funzione visualize_curriculum() crea un grafico a barre impilate che mostra come le proporzioni dei dataset cambiano tra le epoche.

- o Questa visualizzazione aiuta i ricercatori a comprendere e comunicare la struttura del curriculum.

- **Simulazione dell'addestramento:**

  - o Il codice include un ciclo di addestramento simulato che mostra come i dati del curriculum si integrerebbero in un processo reale.

  - o Una funzione di perdita semplificata dimostra come le prestazioni possano migliorare nel tempo mentre il modello apprende da dati sempre più complessi.

- **Applicazioni nel mondo reale:**

  - o Questo approccio può migliorare drasticamente la velocità di convergenza e le prestazioni finali del modello, permettendogli di stabilire pattern fondamentali prima di affrontare esempi più complessi.

  - o L'addestramento degli LLM in produzione utilizza spesso strategie di curriculum simili ma su scala molto più ampia, a volte con centinaia di fonti di dataset e transizioni più graduali tra le fasi.

  - o Implementazioni avanzate possono adattare dinamicamente il curriculum in base alle prestazioni di validazione invece di utilizzare una pianificazione fissa.

- **Vantaggi principali:**

  - o Convergenza più rapida: i modelli apprendono pattern di base in modo più efficiente partendo da dati più puliti.

  - o Migliore generalizzazione: l'aumento graduale della complessità aiuta a prevenire l'overfitting su pattern semplici.

  - o Efficienza delle risorse: l'addestramento diventa più efficiente dal punto di vista computazionale concentrandosi su esempi appropriati in ogni fase.

4.2.2 Mixture Datasets

Gli LLM reali non si addestrano su una singola fonte — utilizzano **miscele di dataset** per sviluppare una comprensione completa del linguaggio e della conoscenza attraverso diversi domini e stili. Combinando fonti di dati diverse, i modelli possono apprendere vari aspetti del linguaggio, del ragionamento e delle informazioni specializzate:

- **Libri e articoli accademici** per il ragionamento a lungo termine - Queste fonti forniscono esposizione ad argomentazioni complesse e ben strutturate, discussioni articolate ed esplorazioni approfondite dei temi. L'addestramento su questi contenuti aiuta i modelli a sviluppare la capacità di mantenere coerenza su contesti lunghi, seguire catene logiche estese e produrre risposte più riflessive e dettagliate che considerano più prospettive. La letteratura accademica migliora in particolare la capacità del modello nel ragionamento formale e nel vocabolario specifico di dominio, mentre le opere letterarie contribuiscono alla comprensione narrativa, al ragionamento emotivo e al contesto culturale. La natura strutturata di questi testi modella anche corrette pratiche di citazione e la presentazione di argomentazioni basate su evidenze.

- **Wikipedia** per conoscenza strutturata - Come enciclopedia relativamente neutrale e orientata ai fatti, Wikipedia offre miliardi di parole su innumerevoli argomenti in un formato generalmente affidabile. Questo aiuta i modelli a costruire una base di conoscenza del mondo, apprendere entità e le loro relazioni e comprendere come le informazioni fattuali vengono tipicamente presentate e strutturate. Il processo collaborativo di editing tende a ridurre bias estremi e promuove l'inclusione di informazioni verificabili. Il suo formato standardizzato con sezioni chiare (introduzione, storia, applicazioni, ecc.) aiuta i modelli a imparare come organizzare le informazioni in modo gerarchico. Inoltre, la natura multilingue di Wikipedia fornisce preziose prospettive interculturali e allineamenti terminologici che arricchiscono la base di conoscenza globale del modello.

- **Testo web** per diversità e stile - I contenuti web catturano l'uso contemporaneo del linguaggio, colloquialismi, stili di scrittura informali e discussioni su temi emergenti. Questo include articoli di notizie, blog, forum e contenuti social, aiutando i modelli a comprendere come il linguaggio viene realmente utilizzato "nel mondo reale" in diversi contesti e comunità. La natura dinamica del web espone i modelli a pattern linguistici in evoluzione, neologismi e fenomeni culturali emergenti che i testi più formali potrebbero non includere. I contenuti web contengono anche dialoghi preziosi che mostrano come le persone comunicano, discutono, persuadono ed esprimono emozioni. Questa diversità aiuta i modelli ad adattarsi a diversi registri, dalla comunicazione aziendale formale alle conversazioni informali, rendendoli più versatili nelle interazioni con gli utenti.

- **Codice** per capacità di ragionamento e programmazione - I linguaggi di programmazione offrono contenuti altamente strutturati e logici che seguono regole sintattiche e semantiche rigorose. L'addestramento su repository di codice aiuta i modelli a comprendere il pensiero algoritmico, l'esecuzione precisa di istruzioni e la capacità di generare soluzioni di codice sintatticamente corrette in diversi linguaggi di programmazione. L'esposizione al codice migliora la capacità del modello nel ragionamento passo dopo passo, nella scomposizione dei problemi e nel pensiero sistematico. Insegna a riconoscere pattern, comprendere lo scope delle variabili, seguire flussi di controllo logici e implementare strutture dati. I commenti e la documentazione nei repository forniscono inoltre contesto prezioso sui processi di ragionamento e sulle decisioni di progettazione, aiutando il modello a comprendere non solo come funziona il codice, ma anche perché certe soluzioni vengono preferite. Questo tipo di addestramento è fondamentale per permettere ai modelli di assistere nello sviluppo software, nel debugging e nella risoluzione di problemi tecnici.

La sfida consiste nel decidere i **pesi** o le proporzioni di ciascun tipo di dataset nella miscela di addestramento, poiché questo influisce in modo critico sul comportamento e sulle capacità del modello. Questo richiede sperimentazione e valutazione attente:

- **Se sovracampioni il codice:** Il modello può sviluppare forti bias verso pattern di programmazione che si manifestano in modo inappropriato in contesti generali. Questo può portare a diversi comportamenti problematici:

  - Allucinazioni di codice: il modello potrebbe generare spontaneamente snippet di codice o sintassi quando risponde a prompt non tecnici

- Contaminazione sintattica: punteggiatura da programmazione, parentesi o convenzioni di naming delle variabili potrebbero comparire nel testo normale

- Bias verso il pensiero algoritmico: il modello potrebbe affrontare problemi umani con soluzioni computazionali, anche quando sarebbero più appropriati comprensione emotiva o contesto sociale

- Uso eccessivo di gergo tecnico: le risposte potrebbero contenere terminologia tecnica non necessaria che confonde gli utenti non tecnici

- **Se campioni troppo poco i dati conversazionali:** Il modello potrebbe avere difficoltà a interagire in modo naturale nelle conversazioni quotidiane, creando una disconnessione con gli utenti. Questo si manifesta in:

  - Eccessiva formalità: uso di linguaggio accademico o aziendale in contesti informali

  - Consapevolezza sociale limitata: mancato riconoscimento di segnali conversazionali o del contesto emotivo

  - Pattern di risposta rigidi: fornire risposte enciclopediche quando sarebbero più appropriate risposte semplici e amichevoli

  - Scarsa adattabilità allo stile dell'utente: mantenere lo stesso tono indipendentemente dal fatto che l'utente sia informale, formale o a metà tra i due

- **Se i contenuti web sono sovrarappresentati:** Il modello può assorbire le caratteristiche e i limiti del discorso su internet, inclusi:

  - Pattern linguistici informali: uso eccessivo di colloquialismi, slang di internet o stili di scrittura abbreviati

  - Esposizione ai bias: adozione di punti di vista sproporzionatamente rappresentati nei contenuti web, inclusi possibili bias politici, culturali o sociali

  - Bias di recenza: eccessiva enfasi su eventi o tendenze recenti che dominano le discussioni online

  - Effetti di echo chamber: riproduzione di opinioni popolari senza sufficiente analisi critica

- **Se i contenuti accademici sono sottorappresentati:** Il modello può mostrare limiti nella gestione di compiti intellettuali complessi:

  - Analisi superficiale: fornire spiegazioni poco profonde per argomenti complessi

  - Conoscenza di dominio limitata: difficoltà con terminologia e concetti specialistici

  - Scarso ragionamento su temi complessi: incapacità di seguire o costruire argomentazioni sfumate

  - Ridotta capacità di sintesi: presentare fatti senza una reale integrazione o interpretazione

- **Bilanciamento tra dimensioni linguistiche e culturali:** Creare modelli davvero versatili richiede attenzione a:

- o Diversità linguistica: includere una quantità significativa di dati di addestramento in lingue oltre all'inglese impedisce ai modelli di sviluppare pattern linguistici e capacità troppo centrati sull'inglese

- o Ampiezza dei domini tecnici: incorporare contenuti provenienti da campi oltre l'informatica e la tecnologia assicura capacità equilibrate tra medicina, diritto, scienze umane, arti e altri ambiti

- o Diversità dei contesti culturali: addestrare su contenuti provenienti da prospettive globali diverse impedisce ai modelli di basarsi automaticamente su assunzioni, riferimenti e visioni del mondo occidentali

- o Rappresentazione storica: includere contenuti di epoche diverse aiuta i modelli a comprendere sia i contesti contemporanei sia quelli storici

Esempio di codice: Campionamento pesato dei dataset

```python
import random
import numpy as np
import matplotlib.pyplot as plt
from collections import Counter

# Define our dataset sources with more examples
datasets = {
    "books": [
        "The old man and the sea was a masterpiece of literary fiction.",
        "In Pride and Prejudice, Elizabeth Bennet overcomes her initial dislike of Mr. Darcy.",
        "The Great Gatsby explores themes of wealth, class, and the American Dream.",
        "To Kill a Mockingbird addresses issues of racism and moral growth.",
        "War and Peace follows the lives of several Russian aristocratic families."
    ],

    "wiki": [
        "The Python programming language was created by Guido van Rossum in 1991.",
        "Mount Everest is Earth's highest mountain above sea level at 8,848.86 meters.",
        "The theory of relativity was developed by Albert Einstein in the early 20th century.",
        "Photosynthesis is the process by which green plants convert light energy into chemical energy.",
        "World War II was a global conflict that lasted from 1939 to 1945."
    ],

    "code": [
        "def factorial(n): return 1 if n <= 1 else n * factorial(n-1)",
        "for i in range(10): print(i)",
        "class Person:\\n    def __init__(self, name):\\n        self.name = name",
        "try:\\n    x = 1/0\\nexcept ZeroDivisionError:\\n    print('Cannot divide by zero')",
        "import pandas as pd\\ndf = pd.DataFrame({'A': [1, 2], 'B': [3, 4]})"
    ],
```

```python
    "dialogue": [
        "User: How do I reset my password?\\nAssistant: You can reset your password
by clicking the 'Forgot Password' link.",
        "Person A: What time is the meeting?\\nPerson B: It starts at 3 PM in the
conference room.",
        "Customer: Is this product available in blue?\\nAgent: Yes, we have it in navy
blue and sky blue.",
        "Teacher: What's the capital of France?\\nStudent: The capital of France is
Paris.",
        "Doctor: How long have you had these symptoms?\\nPatient: For about two weeks
now."
    ]
}

# Flexible weighting system with different configurations
weight_configs = {
    "balanced": {"books": 0.25, "wiki": 0.25, "code": 0.25, "dialogue": 0.25},
    "text_heavy": {"books": 0.4, "wiki": 0.3, "code": 0.1, "dialogue": 0.2},
    "code_heavy": {"books": 0.1, "wiki": 0.2, "code": 0.6, "dialogue": 0.1},
    "conversation": {"books": 0.1, "wiki": 0.1, "code": 0.1, "dialogue": 0.7},
    "knowledge": {"books": 0.2, "wiki": 0.6, "code": 0.1, "dialogue": 0.1}
}

def sample_mixture(config="balanced", n=10, seed=None):
    """
    Sample a mixture of examples from different datasets based on specified weights.

    Args:
        config (str): Name of weight configuration to use
        n (int): Number of samples to draw
        seed (int): Random seed for reproducibility

    Returns:
        list: Sampled examples and their source datasets
    """
    if seed is not None:
        random.seed(seed)

    # Get the appropriate weights
    if isinstance(config, str):
        weights = weight_configs.get(config, weight_configs["balanced"])
    else:
        # Allow passing a custom weight dictionary
        weights = config

    # Normalize weights if they don't sum to 1
    weight_sum = sum(weights.values())
    if abs(weight_sum - 1.0) > 1e-6:
        weights = {k: v/weight_sum for k, v in weights.items()}

    # Calculate expected counts for each dataset
```

```python
    dataset_keys = list(weights.keys())
    dataset_weights = [weights[k] for k in dataset_keys if k in datasets]
    dataset_keys = [k for k in dataset_keys if k in datasets]

    result = []
    sources = []

    # Sample from datasets according to weights
    for _ in range(n):
        dataset  =  random.choices(dataset_keys,  weights=[weights[k]  for  k  in
dataset_keys])[0]
        example = random.choice(datasets[dataset])
        result.append(example)
        sources.append(dataset)

    return list(zip(result, sources))

def analyze_mixture(samples):
    """Analyze the distribution of sources in a sample batch"""
    sources = [source for _, source in samples]
    counts = Counter(sources)
    print(f"Distribution in {len(samples)} samples:")
    for source, count in counts.items():
        print(f"- {source}: {count} samples ({count/len(samples)*100:.1f}%)")
    return counts

def visualize_mixtures(configs=None, n=1000, seed=42):
    """Create a bar chart comparing different mixture configurations"""
    if configs is None:
        configs = list(weight_configs.keys())

    plt.figure(figsize=(12, 6))
    x = np.arange(len(datasets))
    width = 0.8 / len(configs)

    for i, config in enumerate(configs):
        samples = sample_mixture(config, n, seed=seed)
        counts = analyze_mixture(samples)
        proportions = [counts.get(source, 0)/n for source in datasets.keys()]

        offset = width * i - (width * (len(configs) - 1)) / 2
        plt.bar(x + offset, proportions, width, label=config)

    plt.xlabel('Dataset Source')
    plt.ylabel('Proportion')
    plt.title('Dataset Mixture Proportions')
    plt.xticks(x, datasets.keys())
    plt.ylim(0, 1)
    plt.legend()
    plt.grid(axis='y', linestyle='--', alpha=0.7)
    plt.tight_layout()
    # plt.show()  # Uncomment to display the chart
```

```python
    plt.savefig('dataset_mixtures.png')
    print("Chart saved as 'dataset_mixtures.png'")

# Example usage
print("\\n--- Example 1: Balanced Sampling ---")
balanced_samples = sample_mixture("balanced", n=20, seed=42)
analyze_mixture(balanced_samples)

print("\\n--- Example 2: Code-Heavy Sampling ---")
code_samples = sample_mixture("code_heavy", n=20, seed=42)
analyze_mixture(code_samples)

print("\\n--- Example 3: Custom Weights ---")
custom_weights = {"books": 0.7, "code": 0.3}
custom_samples = sample_mixture(custom_weights, n=20, seed=42)
analyze_mixture(custom_samples)

# Generate visualization comparing different configurations
visualize_mixtures()
```

Analisi del codice:

- **Definizione e organizzazione dei dataset**

  - Ampliata per includere più esempi realistici per ciascuna categoria di fonte dati (libri, wiki, codice, dialoghi).

  - Ogni categoria contiene 5 esempi rappresentativi che rispecchiano il tipo di contenuto presente nei dati reali di addestramento degli LLM.

  - Aggiunta la categoria "dialogue" come quarta categoria di dataset per dimostrare l'importanza dei contenuti conversazionali.

- **Sistema di configurazione dei pesi**

  - Implementa più profili predefiniti di miscela di addestramento (bilanciata, focalizzata sul testo, focalizzata sul codice, ecc.).

  - Ogni configurazione rappresenta un diverso obiettivo di addestramento o una diversa specializzazione del modello.

  - Supporta dizionari di pesi personalizzati per approcci sperimentali di campionamento.

  - Include la normalizzazione dei pesi per garantire distribuzioni di probabilità valide.

- **Funzione di campionamento avanzata**

  - Migliorata con un parametro seed opzionale per la riproducibilità (fondamentale negli esperimenti scientifici).

  - Restituisce sia il testo campionato sia la sua categoria di origine per l'analisi.

  - Gestisce dataset mancanti e chiavi non corrispondenti tra dataset e pesi.

- o Supporta sia la selezione di configurazioni basata su stringhe sia l'input diretto di dizionari di pesi.

- **Analisi e visualizzazione**

  - o La funzione analyze_mixture() calcola e mostra la distribuzione reale dei campioni.

  - o visualize_mixtures() crea grafici a barre comparativi di diverse configurazioni di campionamento.

  - o Verifica statistica che il campionamento rispetti le proporzioni specificate su grandi dimensioni di campione.

  - o Visualizzazione salvata su file per documentazione e reportistica.

- **Applicazioni pratiche nell'addestramento degli LLM**

  - o Dimostra come i ricercatori controllano la "dieta" degli esempi di addestramento forniti ai modelli.

  - o Mostra come diverse strategie di miscela possano creare modelli con capacità specializzate.

  - o Illustra l'importanza di monitorare la distribuzione reale rispetto a quella prevista dei dataset.

  - o Fornisce una base per il curriculum learning consentendo ai pesi della miscela di cambiare nel tempo.

- **Dettagli di implementazione**

  - o Utilizza la classe Counter per un'analisi efficiente delle frequenze.

  - o Sfrutta matplotlib per creare visualizzazioni di qualità adatta alla pubblicazione.

  - o Dimostra una corretta gestione degli errori e dei casi limite (ad esempio la normalizzazione dei pesi).

  - o Include esempi che mostrano diverse strategie di campionamento e le distribuzioni risultanti.

- **Rilevanza nel mondo reale**

  - o Questo approccio è scalabile fino all'addestramento di LLM in produzione, dove potrebbero essere bilanciate centinaia di fonti di dati.

  - o LLM commerciali come GPT-4 e Claude utilizzano strategie di campionamento simili ma molto più complesse.

  - o La capacità di controllare con precisione le miscele di dataset influisce direttamente sulle capacità e sui bias del modello.

  - o Monitorare la distribuzione reale rispetto a quella prevista aiuta a identificare bias di campionamento nella pipeline di addestramento.

Questo simula il modo in cui vengono costruiti i mixture datasets per i batch di addestramento.

4.2.3 Dati Sintetici

A volte, semplicemente non ci sono abbastanza dati di alta qualità per un determinato compito. Questo è particolarmente vero nelle **lingue a basse risorse** o nei **campi specializzati**. È qui che i **dati sintetici** — dati generati da altri modelli — diventano preziosissimi. Quando i dataset naturali sono scarsi, creare esempi artificiali può colmare le lacune nella distribuzione di addestramento e migliorare le prestazioni del modello in domini o compiti poco rappresentati.

Nel contesto di lingue a basse risorse come lo swahili, il nepalese o le lingue indigene, i corpora testuali disponibili possono essere di ordini di grandezza inferiori rispetto a quelli per inglese o mandarino. Allo stesso modo, campi specializzati come malattie rare, ricerca in fisica quantistica o nicchie del diritto spesso non dispongono di abbastanza esempi documentati per un addestramento efficace del modello.

La generazione di dati sintetici funziona sfruttando modelli esistenti o sistemi basati su regole per creare nuovi esempi che imitano le caratteristiche dei dati reali. Questi campioni generati artificialmente possono essere usati per integrare dataset naturali limitati, creando un corpus di addestramento più robusto. Per esempio, un grande modello multilingue potrebbe generare frasi grammaticalmente corrette in lingue a basse risorse, oppure un modello specializzato potrebbe creare note cliniche realistiche che descrivono condizioni rare.

La qualità dei dati sintetici dipende fortemente dalle capacità del sistema che li genera. Sebbene i dati sintetici possano introdurre bias o artefatti del modello generatore, un filtraggio accurato e controlli di qualità possono ridurre questi problemi. Gli approcci più efficaci combinano spesso dati sintetici con processi di revisione o verifica umana per garantire accuratezza e pertinenza.

Esempi di dati sintetici:

Back-translation: Tradurre Inglese → Francese → Inglese per creare parafrasi. Questa tecnica sfrutta il fatto che la traduzione raramente è perfettamente reversibile, portando a variazioni nella sintassi e nella scelta delle parole pur preservando il significato di base.

Per esempio, "The weather is nice today" potrebbe diventare "The climate seems pleasant at the moment" dopo una traduzione di andata e ritorno, fornendo una preziosa diversità linguistica. La back-translation è particolarmente efficace perché mantiene l'equivalenza semantica introducendo al contempo variazioni naturali che potrebbero non venire spontaneamente agli autori umani. Questo approccio è diventato una tecnica fondamentale di data augmentation per compiti di NLP, specialmente per lingue a basse risorse in cui il testo nativo è scarso.

La meccanica della back-translation prevede un processo in due fasi: prima si traduce il testo sorgente in una lingua ponte (come francese, tedesco o giapponese), e poi lo si traduce nuovamente nella lingua originale. Ogni fase di traduzione introduce lievi cambiamenti espressivi dovuti alle differenze nelle strutture linguistiche, negli idiomi e nelle scelte lessicali tra le lingue.

Da una prospettiva tecnica, la back-translation offre diversi vantaggi chiave:

- Crea alternative semanticamente equivalenti che ampliano la distribuzione di addestramento

- Introduce variazioni linguisticamente valide che potrebbero non esistere nel corpus originale

- Aiuta i modelli a sviluppare robustezza rispetto a diverse formulazioni dello stesso concetto di base

- Può essere automatizzata su larga scala utilizzando sistemi di machine translation già esistenti

La ricerca ha mostrato che i modelli addestrati su dati ottenuti tramite back-translation mostrano prestazioni migliori in un'ampia gamma di compiti, tra cui classificazione del testo, machine translation e question answering. La tecnica è particolarmente preziosa quando viene combinata con un filtraggio di qualità per garantire che vengano mantenute solo traduzioni ad alta fedeltà.

Prompting di un LLM esistente: Generare coppie domanda-risposta specifiche di dominio, dialoghi o compiti di ragionamento. Utilizzando prompt con istruzioni specializzate su modelli più grandi, i ricercatori possono creare enormi dataset che imitano conoscenze esperte. Per esempio, è possibile generare coppie QA mediche chiedendo a un modello di "creare 100 domande complesse sulla salute cardiovascolare con risposte dettagliate da esperto."

Questo approccio riduce drasticamente il costo dell'annotazione da parte di esperti, scalando fino a migliaia o milioni di esempi. La qualità dei contenuti generati è generalmente correlata alle capacità del modello di origine, rendendo questa tecnica sempre più potente con il miglioramento dei foundation model.

Il processo funziona sfruttando la conoscenza già codificata nei grandi modelli di base tramite prompt progettati con cura che specificano:

1. Il dominio o argomento esatto (ad esempio "salute cardiovascolare", "fisica quantistica" o "letteratura del XIX secolo")

2. Il formato e la struttura desiderati delle risposte (ad esempio coppie domanda-risposta, dialoghi tra specifiche persone o esempi di ragionamento passo passo)

3. Il livello di complessità o competenza richiesto (ad esempio "adatto a studenti di medicina" o "livello di ricerca avanzato")

Ciò che rende questa tecnica particolarmente preziosa è la sua flessibilità e scalabilità. I ricercatori possono generare rapidamente dataset su misura per domini di nicchia dove raccogliere esempi reali sarebbe troppo costoso o richiederebbe troppo tempo. Per esempio, creare un dataset di 10.000 dialoghi di livello esperto su malattie rare potrebbe richiedere centinaia di ore di lavoro da parte di medici specialisti, ma può essere generato da un modello linguistico in pochi minuti.

Questo approccio consente anche un raffinamento iterativo tramite tecniche come:

- Workflow filter-then-generate in cui gli output iniziali vengono valutati e usati per migliorare il design dei prompt

- Generazione chain-of-thought in cui ai modelli viene chiesto di esplicitare il proprio ragionamento

- Prompt multi-turno in cui la qualità degli esempi generati viene migliorata progressivamente

Ricerche recenti hanno dimostrato che modelli fine-tuned su dati sintetici generati da modelli più avanzati possono raggiungere l'80-90% delle prestazioni di modelli addestrati direttamente su dati creati da esseri umani, riducendo i costi di annotazione di diversi ordini di grandezza. Questo effetto di "knowledge distillation" consente a modelli più piccoli ed efficienti di beneficiare delle capacità di foundation model più grandi senza il costo computazionale del loro utilizzo diretto.

Self-play: I modelli generano sfide e risposte per se stessi (utilizzato nelle pipeline RLHF). In questo approccio, un'istanza del modello crea problemi mentre un'altra li risolve, creando un curriculum evolutivo di difficoltà crescente.

Questa tecnica si è dimostrata particolarmente efficace per addestrare modelli in matematica, coding e ragionamento logico, dove la verifica delle soluzioni è semplice. Il self-play crea un ciclo di miglioramento continuo: man mano che il modello migliora nel risolvere problemi, può generare sfide sempre più sofisticate, portando a ulteriori miglioramenti. Questa strategia è stata fondamentale per il successo di sistemi come AlphaGo ed è stata adattata all'addestramento dei modelli linguistici.

I meccanismi del self-play coinvolgono diversi componenti avanzati che lavorano insieme:

- Un **modello generatore** che crea sfide o domande in domini specifici

- Un **modello risolutore** che tenta di rispondere o risolvere queste sfide

- Un **sistema di verifica** che valuta la correttezza delle soluzioni

- Un **meccanismo di calibrazione della difficoltà** che adatta la complessità in base alle prestazioni del risolutore

Nelle implementazioni avanzate, generatore e risolutore possono essere diverse istanze della stessa architettura, permettendo una co-evoluzione durante il processo di addestramento. Man mano che il risolutore migliora, il generatore impara a creare problemi più difficili che spingono oltre i limiti delle sue capacità.

Il self-play presenta diversi vantaggi chiave rispetto agli approcci tradizionali:

- Crea una **fornitura illimitata** di esempi di addestramento senza annotazione umana

- I problemi **scalano automaticamente in difficoltà** per adattarsi al livello attuale del modello

- L'addestramento si concentra sulla **frontiera delle capacità**, evitando esempi troppo facili o impossibili

- Permette la **specializzazione in domini** dove gli esempi umani sono limitati o inesistenti

Ricerche recenti hanno dimostrato che modelli addestrati con tecniche di self-play possono raggiungere prestazioni sovrumane in giochi come scacchi e Go, e principi simili vengono ora applicati per migliorare il ragionamento e il problem solving nei modelli linguistici. Per esempio, modelli addestrati con self-play hanno mostrato miglioramenti significativi nel ragionamento matematico, nella generazione di codice e nella risoluzione di puzzle logici rispetto a quelli addestrati su dataset statici.

Data augmentation: Creazione di variazioni di esempi esistenti applicando trasformazioni controllate. Nel testo, questo può includere sostituzione di sinonimi, inserimento/eliminazione casuale o riordinamento delle frasi per insegnare l'invarianza rispetto a specifiche modifiche linguistiche. Queste tecniche aiutano i modelli a sviluppare robustezza contro variazioni superficiali mantenendo la comprensione del significato sottostante.

Il concetto centrale della data augmentation è creare diversità nei dati di addestramento senza raccogliere nuovi campioni. Per il testo, diverse tecniche si sono dimostrate efficaci:

- Sostituzione di sinonimi: sostituire parole con sinonimi (es. "happy" → "joyful", "vehicle" → "automobile") per insegnare che il significato rimane invariato

- Inserimento casuale di parole: aggiungere parole rilevanti in posizioni casuali per simulare variazioni naturali

- Eliminazione casuale di parole: rimuovere parole non critiche per aiutare il modello a comprendere il contesto anche con informazioni mancanti

- Scambio casuale di parole: cambiare l'ordine di parole vicine per aumentare la robustezza sintattica

- Varianti di back-translation: usare diverse lingue intermedie per generare parafrasi

- Embedding contestuali: utilizzare modelli come BERT per suggerire sostituzioni contestualmente appropriate

La ricerca ha mostrato che modelli addestrati su dati aumentati ottengono migliori prestazioni nei compiti che richiedono generalizzazione e mostrano maggiore resistenza ad attacchi avversari. Diverse strategie di augmentation possono colpire specifiche debolezze del modello o migliorare prestazioni su fenomeni linguistici particolari. Studi dimostrano miglioramenti del 5-15% su test fuori dominio e fino al 25% di resistenza in più ad attacchi basati su manipolazioni superficiali del testo.

Template-based generation: Utilizzo di template strutturati con slot da riempire per creare esempi diversificati. Questo approccio è particolarmente utile per addestrare modelli su formati specifici come le interazioni di customer service, dove la struttura generale rimane costante ma i dettagli variano. I template possono generare migliaia di esempi con variazioni controllate, garantendo una copertura completa dei possibili input.

Questo metodo funziona creando pattern riutilizzabili in cui elementi specifici vengono sostituiti con valori diversi, simile a un esercizio "fill-in-the-blank". Per esempio, un template di customer service potrebbe essere:

"I'm having an issue with my [PRODUCT]. When I try to [ACTION], it [PROBLEM]. I purchased it [TIMEFRAME] ago. Can you help me resolve this?"

Sostituendo sistematicamente gli slot ([PRODUCT], [ACTION], ecc.) con valori diversi da liste predefinite, gli sviluppatori possono generare rapidamente migliaia di esempi unici ma strutturalmente coerenti. Ad esempio, [PRODUCT] può diventare "smartphone", "laptop", "headphones", mentre [PROBLEM] può essere "shuts down", "displays an error", "makes strange noises", ecc.

Questo metodo è particolarmente utile per dataset di instruction-following, dove mantenere una struttura coerente aiuta il modello a imparare il pattern sottostante invece di correlazioni superficiali. Sistemi di template avanzati possono includere elementi probabilistici per creare variazioni più naturali, come l'aggiunta occasionale di espressioni di cortesia ("please", "thank you"), indicatori emotivi ("I'm frustrated that...") o variazioni nella struttura delle frasi per evitare testi meccanici.

L'efficacia della generazione basata su template è stata dimostrata in numerosi domini:

- Customer support: generazione di ticket realistici per diversi prodotti, problemi e contesti utente

- Documentazione medica: creazione di note cliniche sintetiche con struttura coerente ma condizioni variabili

- Tutorial di programmazione: produzione di guide passo-passo per diversi linguaggi e concetti mantenendo coerenza didattica

La ricerca mostra che modelli addestrati su dati generati tramite template ben progettati possono raggiungere l'85-90% delle prestazioni di quelli addestrati su dati scritti da umani, riducendo i costi di raccolta dati fino al 95%.

Esempio di codice: Generazione sintetica di QA con GPT (pseudo)

```python
import json
from openai import OpenAI
from typing import List, Dict, Tuple

def generate_qa_pairs(topic: str, num_pairs: int = 3, model: str = "gpt-4o") ->
List[Dict]:
    """
    Generate question-answer pairs about a specific topic using OpenAI models.

    Args:
        topic: The subject for the QA pairs
        num_pairs: Number of QA pairs to generate
        model: The OpenAI model to use

    Returns:
        List of dictionaries containing question-answer pairs
    """
    client = OpenAI()

    # Construct a detailed prompt with explicit formatting instructions
    prompt = f"""Generate {num_pairs} educational question-answer pairs about {topic}.
For each pair:
1. Create a specific, well-defined question that tests understanding
2. Provide a comprehensive, accurate answer with key facts
3. Ensure varied difficulty levels
4. Format the response as a JSON array of objects with 'question' and 'answer'
fields

Example format:
[
  {{
    "question": "What is...",
    "answer": "It is..."
  }}
]"""

    try:
        response = client.chat.completions.create(
            model=model,
            messages=[{"role": "user", "content": prompt}],
            response_format={"type": "json_object"}  # Request JSON format
        )

        # Parse the JSON response
        content = response.choices[0].message.content
        qa_pairs = json.loads(content)
```

```python
        return qa_pairs.get("pairs", qa_pairs)  # Handle different possible formats

    except Exception as e:
        print(f"Error generating QA pairs: {e}")
        return []

def save_qa_pairs(qa_pairs: List[Dict], filename: str = "qa_pairs.json") -> None:
    """Save generated QA pairs to a JSON file"""
    with open(filename, "w") as f:
        json.dump(qa_pairs, f, indent=2)
    print(f"Saved {len(qa_pairs)} QA pairs to {filename}")

def format_qa_for_display(qa_pairs: List[Dict]) -> str:
    """Format QA pairs for readable display"""
    output = ""
    for i, pair in enumerate(qa_pairs, 1):
        output += f"Question {i}: {pair['question']}\\n"
        output += f"Answer {i}: {pair['answer']}\\n\\n"
    return output

# Example usage
if __name__ == "__main__":
    # Generate QA pairs about renewable energy
    topic = "renewable energy"
    qa_pairs = generate_qa_pairs(
        topic=topic,
        num_pairs=5,  # Generate 5 pairs
        model="gpt-4o"  # Use GPT-4o for high-quality responses
    )

    # Save to file for later use
    save_qa_pairs(qa_pairs, f"{topic.replace(' ', '_')}_qa_pairs.json")

    # Display the results
    print(f"\\n--- {len(qa_pairs)} QA Pairs about {topic.title()} ---\\n")
    print(format_qa_for_display(qa_pairs))

    # Example of how to use these QA pairs for synthetic data creation
    print("These QA pairs can now be used to train or fine-tune models on renewable energy topics.")
```

Analisi del Codice - Generazione di QA Sintetici:

- **Pattern di Progettazione delle Funzioni**

    o Approccio modulare con funzioni specializzate per generazione, salvataggio e formattazione

    o I type hints migliorano la leggibilità del codice e il supporto degli IDE

    o La gestione degli errori con try/except garantisce un fallimento controllato

- **Prompt Engineering**

  - Istruzioni strutturate specificano esattamente il formato di output (JSON)

  - Esempi di formattazione evitano confusione nel modello

  - La richiesta esplicita di livelli di difficoltà variabili crea dati di training migliori

- **Integrazione API**

  - Utilizza la libreria client ufficiale di OpenAI

  - Specifica il parametro response_format per forzare la struttura JSON

  - Il parametro model consente di passare facilmente tra diverse capacità

- **Gestione dei Dati**

  - La memorizzazione JSON delle coppie QA generate consente la persistenza

  - Le funzioni di conversione del formato supportano output sia leggibili dall'uomo sia dalle macchine

  - La gestione flessibile dei possibili formati di risposta aumenta l'affidabilità

- **Applicazioni Pratiche**

  - I dati generati possono essere utilizzati per il fine-tuning del modello

  - L'approccio scala per creare grandi dataset sintetici modificando argomento e quantità

  - La convenzione di denominazione dei file basata sull'argomento supporta una raccolta dati organizzata

- **Opzioni Avanzate**

  - Può essere esteso con parametri aggiuntivi (temperature, livello di difficoltà)

  - L'implementazione supporta la generazione batch per creare grandi dataset

  - Il formato è compatibile con pipeline di training per il fine-tuning

4.2.4 Perché è Importante

Curriculum learning aiuta i modelli a stabilizzarsi e generalizzare controllando l'ordine di esposizione. Questo significa che l'addestramento inizia con esempi più semplici prima di introdurre gradualmente quelli più complessi, in modo simile a come apprendono gli esseri umani. Ad esempio, un modello potrebbe iniziare con schemi grammaticali di base prima di affrontare frasi ambigue o ragionamenti complessi. La ricerca dimostra che questo approccio porta a una migliore convergenza, riduce l'instabilità dell'addestramento e aiuta i modelli a sviluppare competenze fondamentali più solide prima di affrontare i casi limite.

Questa metodologia riflette le migliori pratiche educative, dove i concetti fondamentali precedono le applicazioni avanzate. Nell'implementazione pratica, il curriculum learning può includere:

1. Iniziare con frasi brevi e chiare con vocabolario semplice prima di passare a sintassi complesse e terminologia specialistica

2. Addestrare inizialmente su problemi logici a singolo passo prima di introdurre catene di ragionamento multi-step

3. Partire da esempi non ambigui prima di introdurre casi limite con molteplici interpretazioni valide

Gli studi hanno dimostrato che un curriculum learning ben implementato può ridurre il tempo totale di addestramento del 20-30%, poiché i modelli spendono meno tempo a gestire esempi difficili prima di costruire le basi necessarie. Inoltre, le prestazioni finali mostrano spesso miglioramenti nella generalizzazione su dati non visti, poiché il modello sviluppa rappresentazioni più robuste grazie a questo approccio strutturato.

Un altro vantaggio è che il curriculum learning tende a produrre superfici di perdita più fluide durante l'addestramento, aiutando gli algoritmi di ottimizzazione a evitare minimi locali sfavorevoli. Questo è particolarmente utile per le architetture basate su transformer, che altrimenti possono soffrire di instabilità dei gradienti nelle fasi iniziali.

Mixture datasets garantiscono capacità bilanciate, evitando l'ottimizzazione eccessiva su uno stile o dominio. Combinando attentamente fonti di dati diverse—ognuna con punti di forza differenti—gli ingegneri possono creare modelli con abilità più complete. Ad esempio, una miscela potrebbe includere scrittura accademica formale (20%), dialogo conversazionale (25%), codice (15%), letteratura scientifica (15%) e scrittura creativa (25%). Questo equilibrio impedisce al modello di diventare eccessivamente specializzato in un'area a discapito di altre, creando sistemi di AI più versatili.

Il concetto di mixture datasets rappresenta un cambiamento fondamentale nel modo in cui affrontiamo l'addestramento dei modelli. Piuttosto che massimizzare semplicemente il volume dei dati, questa strategia si concentra sulla *composizione* dei dati. La ricerca ha dimostrato che i modelli addestrati su corpora mono-dominio sviluppano spesso forti bias verso i pattern linguistici, il vocabolario e gli stili di ragionamento di quel dominio, limitando la loro versatilità nelle applicazioni reali.

Consideriamo le implicazioni pratiche: un modello addestrato principalmente su testi accademici può eccellere nella scrittura formale e nell'analisi strutturata, ma avere difficoltà nella conversazione informale o nei compiti creativi. Allo stesso modo, un modello addestrato principalmente sul codice può sviluppare forti capacità di programmazione ma mancare di fluidità nello spiegare concetti a utenti non tecnici. Questi squilibri creano limitazioni significative per i sistemi AI general-purpose.

Nell'implementare mixture datasets, gli ingegneri utilizzano tipicamente strategie di campionamento sofisticate per garantire una rappresentazione adeguata durante l'addestramento. Queste possono includere:

- Campionamento proporzionale basato su rapporti predefiniti allineati ai casi d'uso previsti

- Campionamento dinamico che regola le proporzioni della miscela durante l'addestramento per affrontare debolezze osservate

- Campionamento basato su temperatura che controlla la diversità all'interno di ciascun componente della miscela

- Tecniche adattive per dominio che modificano gradualmente la composizione della miscela durante il training

Le evidenze della ricerca recente dimostrano che mixture datasets ben bilanciati non solo migliorano le prestazioni complessive, ma aumentano anche la robustezza del modello su compiti diversi. Ad esempio, studi mostrano che modelli addestrati su miscele ben progettate ottengono prestazioni del 15-30% migliori su esempi fuori distribuzione rispetto a quelli addestrati su dataset mono-dominio di dimensione equivalente. Questo si traduce in sistemi AI più capaci di adattarsi a situazioni nuove e alle esigenze degli utenti in ambienti di produzione.

Dati sintetici colmano le lacune, soprattutto per lingue rare, argomenti specialistici o compiti di allineamento alla sicurezza. Questo contenuto generato artificialmente è particolarmente utile quando i dati naturali sono scarsi o quando raccogliere esempi reali sarebbe impraticabile o non etico. Ad esempio, esempi sintetici di richieste dannose abbinati a rifiuti appropriati aiutano i modelli a imparare i limiti di sicurezza senza esporli a contenuti realmente dannosi. Allo stesso modo, contenuti generati dall'AI in lingue a bassa disponibilità di risorse possono integrare corpora naturali limitati, rendendo i modelli più inclusivi e globalmente efficaci.

La generazione di dati sintetici è diventata una tecnica fondamentale nello sviluppo moderno degli LLM, affrontando diverse sfide critiche:

- **Lingue e dialetti rari:** Per le migliaia di lingue con una presenza digitale limitata, la generazione sintetica può creare esempi di training traducendo da lingue ad alta disponibilità o facendo generare contenuti direttamente da modelli multilingue esistenti. Questo approccio ha mostrato risultati promettenti nell'espansione della copertura linguistica da decine a centinaia di lingue senza richiedere un'ampia annotazione umana.

- **Allineamento alla sicurezza e robustezza:** Creare esempi controllati di scenari dannosi consente agli sviluppatori di addestrare i modelli a riconoscere e rispondere correttamente a input problematici senza esporre gli annotatori a contenuti potenzialmente traumatici. La ricerca mostra che i modelli addestrati su esempi sintetici dannosi dimostrano capacità di sicurezza significativamente migliori (spesso con un 30-40% in più nei tassi di rifiuto) rispetto a quelli addestrati solo su esempi reali limitati.

- **Conoscenza specifica di dominio:** In campi specialistici come medicina, diritto o ricerca scientifica, i dati sintetici possono aiutare i modelli ad apprendere terminologia tecnica e ragionamenti specifici senza richiedere costose annotazioni da esperti. Facendo revisionare a esperti un piccolo set di esempi poi espansi sinteticamente, l'efficienza dell'addestramento aumenta drasticamente.

- **Correzione degli squilibri nei dati:** Molti dataset contengono bias e lacune di rappresentazione. La generazione sintetica può creare esempi aggiuntivi per gruppi, scenari o punti di vista sottorappresentati, contribuendo a modelli più equi e bilanciati. Gli studi indicano che un'adeguata augmentazione sintetica può ridurre le metriche di bias del 15-25% in molti casi.

La qualità dei dati sintetici dipende fortemente dal processo generativo utilizzato. Gli approcci moderni includono:

- **Generazione basata su modelli:** utilizzo di LLM esistenti per creare esempi di training per nuovi modelli, trasferendo efficacemente conoscenza da una generazione alla successiva

- **Sistemi basati su regole:** creazione di dati tramite template e regole progettati con cura che garantiscono copertura di specifici pattern linguistici o passaggi di ragionamento

- **Pipeline ibride umano-AI:** in cui gli esseri umani creano esempi iniziali di alta qualità che vengono poi ampliati tramite variazioni algoritmiche

Sebbene i dati sintetici offrano enormi vantaggi, presentano anche delle sfide. Il contenuto generato può perpetuare o amplificare bias presenti nel modello generatore, introdurre artefatti sottili che creano pattern indesiderati o mancare della ricchezza e delle sfumature del contenuto autentico creato dall'uomo. Le best practice includono quindi un attento controllo di qualità, la combinazione di dati sintetici con dati naturali e una valutazione continua per garantire che gli esempi sintetici raggiungano il loro scopo senza introdurre nuovi problemi.

Insieme, queste strategie permettono agli ingegneri di progettare **non solo dataset più grandi, ma più intelligenti**. Il risultato è un modello che apprende in modo efficiente, gestisce la complessità con facilità e si adatta a esigenze specializzate. Piuttosto che scalare indiscriminatamente la raccolta dati, queste tecniche rappresentano un approccio più riflessivo che considera cosa e come i modelli apprendono. Questo cambiamento di paradigma da "più dati" a "dati migliori" sta diventando sempre più importante man mano che i modelli crescono in dimensione e capacità, riducendo potenzialmente i requisiti computazionali e migliorando le prestazioni su compiti mirati.

4.3 Infrastruttura: Addestramento Distribuito, GPU vs TPU vs Acceleratori

Addestrare un large language model non riguarda solo avere i dati e l'architettura corretti. Riguarda anche disporre dell'**infrastruttura** necessaria per elaborare trilioni di token in modo efficiente. Questa infrastruttura rappresenta un ecosistema complesso di hardware, software e tecniche di ottimizzazione che lavorano in armonia per rendere possibile l'addestramento su larga scala. Senza questi sistemi specializzati, anche i modelli meglio progettati rimarrebbero solo costrutti teorici.

Le richieste computazionali degli LLM moderni sono enormi. Per dare un contesto, l'addestramento di modelli come GPT-5, LLaMA e Gemini ha richiesto l'elaborazione di dataset contenenti centinaia di miliardi o trilioni di token. Ogni ciclo di training può consumare milioni di ore GPU e generare petabyte di dati intermedi. Questi modelli sono stati addestrati su **cluster massivi** di GPU o TPU—spesso migliaia di dispositivi collegati tra loro—utilizzando strategie di training distribuito attentamente ottimizzate per minimizzare l'overhead di comunicazione e massimizzare il throughput computazionale.

Questa infrastruttura non riguarda solo la potenza di calcolo pura. Include pipeline di dati sofisticate per il preprocessing e l'alimentazione degli esempi di training, configurazioni di rete complesse per gestire la comunicazione tra dispositivi, sistemi di storage specializzati ottimizzati per accessi ad alta velocità e sistemi di monitoraggio per rilevare e gestire guasti hardware o anomalie durante l'addestramento. Le sfide ingegneristiche legate alla costruzione e manutenzione di questi sistemi sono tanto impegnative quanto la ricerca teorica alla base dei modelli stessi.

Questa sezione introduce le decisioni fondamentali di hardware e software dietro il training su larga scala, esplorando come le organizzazioni affrontano queste sfide infrastrutturali per rendere possibile lo sviluppo di AI all'avanguardia.

4.3.1 Addestramento Distribuito

Quando un modello ha miliardi (o trilioni) di parametri, nessuna singola GPU può gestirlo. L'addestramento distribuito divide il lavoro tra **più dispositivi** o persino **migliaia di nodi**, permettendo di superare i limiti hardware e scalare il training a dimensioni enormi. Questo approccio è essenziale perché i modelli linguistici moderni sono cresciuti esponenzialmente: si stima che GPT-4 abbia oltre 1,8 trilioni di parametri, mentre modelli come LLaMA 3 e Claude Opus contengono centinaia di miliardi di parametri.

La sfida fondamentale è sia di memoria sia computazionale: una singola GPU di fascia alta come la NVIDIA H100 dispone di soli 80GB di memoria, sufficienti per contenere circa 20 miliardi di parametri a piena precisione. Anche con tecniche di ottimizzazione, questo è ben al di sotto di quanto richiesto dai modelli più grandi. Inoltre, i requisiti computazionali crescono con la dimensione del modello: un modello da un trilione di parametri può richiedere quintilioni (10^18) di operazioni in virgola mobile per essere addestrato, il che richiederebbe decenni su un singolo dispositivo.

L'addestramento distribuito risolve questo problema creando un ambiente di calcolo coordinato in cui molte GPU lavorano insieme come un sistema unificato. Questa distribuzione può avvenire tra più GPU in un singolo server, tra molti server in un data center o persino tra più data center. I training più grandi possono utilizzare migliaia di GPU in parallelo, con infrastrutture di rete specializzate per gestire i massicci trasferimenti di dati tra dispositivi.

Le principali strategie di addestramento distribuito sono:

1. Parallelismo dei Dati:

Nel parallelismo dei dati, ogni GPU mantiene una copia completa del modello, memorizzando tutti i parametri localmente. Il carico di lavoro viene distribuito facendo sì che ogni GPU elabori indipendentemente un batch diverso di dati, aumentando di fatto la dimensione totale del batch processato in parallelo. Ad esempio, se la dimensione del batch desiderata è 1024 esempi e si hanno 8 GPU, ogni GPU elaborerà 128 esempi, mantenendo la dimensione complessiva del batch mentre si distribuisce il carico computazionale. Questa parallelizzazione riduce significativamente il tempo di training, poiché più batch vengono processati simultaneamente.

Durante il forward pass, ogni GPU calcola in modo indipendente le proprie predizioni e i valori di loss. Successivamente, durante la backpropagation, i gradienti vengono calcolati localmente su ogni dispositivo. Un passaggio critico di sincronizzazione avviene quando questi gradienti devono essere mediati tra tutte le GPU tramite un'operazione chiamata "all-reduce". Questa media garantisce che gli aggiornamenti dei parametri rimangano coerenti in tutto il sistema distribuito, evitando la divergenza del modello. Librerie di comunicazione come NCCL (NVIDIA Collective Communications Library) ottimizzano questa sincronizzazione per ridurre l'overhead di rete.

Sebbene questo approccio sia semplice da implementare e scalabile con l'aggiunta di dispositivi, presenta una limitazione fondamentale: poiché ogni GPU deve memorizzare l'intero modello, la dimensione massima del modello è vincolata dalla memoria di un singolo dispositivo. Questo diventa problematico per modelli con miliardi di parametri, dove anche GPU di fascia alta con 80GB possono risultare insufficienti. Inoltre, aumentando il numero di dispositivi, cresce anche l'overhead di comunicazione per la sincronizzazione dei gradienti, creando potenziali colli di bottiglia. Nonostante queste limitazioni, il parallelismo dei dati rimane la strategia più utilizzata grazie alla sua semplicità e compatibilità con la maggior parte dei framework di deep learning.

Esempio di Codice: Parallelismo dei Dati con PyTorch DDP

```python
# Complete Data Parallelism Example with PyTorch DistributedDataParallel
# Run with: python -m torch.distributed.run --nproc_per_node=8 train.py

import os
```

```python
import time
import torch
import torch.nn as nn
import torch.distributed as dist
import torch.multiprocessing as mp
from torch.nn.parallel import DistributedDataParallel as DDP
from torch.utils.data import Dataset, DataLoader, DistributedSampler

# Create a simple dataset
class DummyDataset(Dataset):
    def __init__(self, size=10000):
        self.size = size
        self.data = torch.randn(size, 768)  # Simulating embeddings
        self.labels = torch.randn(size, 256)  # Simulating outputs

    def __len__(self):
        return self.size

    def __getitem__(self, idx):
        return self.data[idx], self.labels[idx]

# Define a simple model - could be replaced with a transformer
class SimpleModel(nn.Module):
    def __init__(self):
        super().__init__()
        self.layers = nn.Sequential(
            nn.Linear(768, 1024),
            nn.ReLU(),
            nn.Dropout(0.1),
            nn.Linear(1024, 1024),
            nn.ReLU(),
            nn.Dropout(0.1),
            nn.Linear(1024, 256)
        )

    def forward(self, x):
        return self.layers(x)

def setup(rank, world_size):
    """Initialize the distributed environment."""
    os.environ['MASTER_ADDR'] = 'localhost'
    os.environ['MASTER_PORT'] = '12355'

    # Initialize the process group
    dist.init_process_group("nccl", rank=rank, world_size=world_size)

def cleanup():
    """Clean up the distributed environment."""
    dist.destroy_process_group()

def train(rank, world_size, num_epochs=5):
    # Initialize distributed setup
```

```python
    setup(rank, world_size)

    # Set device for this process
    device = torch.device(f"cuda:{rank}" if torch.cuda.is_available() else "cpu")
    torch.cuda.set_device(device)

    # For reproducibility
    torch.manual_seed(42)

    # Create model and move to device
    model = SimpleModel().to(device)

    # Wrap model in DDP - this is the key part for data parallelism
    ddp_model = DDP(model, device_ids=[rank])

    # Loss function and optimizer
    loss_fn = nn.MSELoss()
    optimizer = torch.optim.Adam(ddp_model.parameters(), lr=0.001)

    # Create dataset and sampler for distributing data
    dataset = DummyDataset()
    sampler = DistributedSampler(
        dataset,
        num_replicas=world_size,
        rank=rank,
        shuffle=True,
        seed=42
    )

    # Create dataloader with the sampler
    dataloader = DataLoader(
        dataset,
        batch_size=32,
        sampler=sampler,
        pin_memory=True
    )

    # Training loop
    for epoch in range(num_epochs):
        # Set epoch for sampler to reshuffle data
        sampler.set_epoch(epoch)

        # Track metrics
        epoch_loss = 0.0
        start_time = time.time()

        # Process batches
        for batch_idx, (inputs, targets) in enumerate(dataloader):
            inputs, targets = inputs.to(device), targets.to(device)

            # Zero gradients
            optimizer.zero_grad()
```

```python
        # Forward pass
        outputs = ddp_model(inputs)

        # Calculate loss
        loss = loss_fn(outputs, targets)

        # Backward pass
        loss.backward()

        # Update parameters (all GPUs will sync gradients here)
        optimizer.step()

        # Accumulate loss
        epoch_loss += loss.item()

        # Print progress on rank 0 only
        if rank == 0 and (batch_idx % 100 == 0 or batch_idx == len(dataloader) - 1):
            print(f"Epoch {epoch+1}/{num_epochs} | Batch {batch_idx}/{len(dataloader)} | Loss: {loss.item():.4f}")

    # Calculate epoch metrics on rank 0
    if rank == 0:
        avg_loss = epoch_loss / len(dataloader)
        epoch_time = time.time() - start_time
        print(f"Epoch {epoch+1}/{num_epochs} complete | Avg Loss: {avg_loss:.4f} | Time: {epoch_time:.2f}s")

    # Save model on rank 0 only
    if rank == 0:
        torch.save(model.state_dict(), "distributed_model.pt")
        print("Training complete. Model saved.")

    # Clean up
    cleanup()

if __name__ == "__main__":
    # Get world size from environment variable or set default
    world_size = int(os.environ.get("WORLD_SIZE", 8))

    print(f"Training with {world_size} GPUs")

    # Spawn processes
    mp.spawn(
        train,
        args=(world_size,),
        nprocs=world_size,
        join=True
    )
```

Analisi del Codice del Parallelismo dei Dati:

L'esempio di codice mostra un'implementazione completa del data parallelism usando PyTorch DistributedDataParallel (DDP). Analizziamo i componenti principali:

1. Inizializzazione del Gruppo di Processi

Ogni GPU esegue un processo separato, e questi processi devono comunicare tra loro:

- La funzione setup() stabilisce l'ambiente distribuito configurando un processo "master" che coordina la comunicazione

- La chiamata dist.init_process_group("nccl") crea i canali di comunicazione tra le GPU

- NCCL (NVIDIA Collective Communications Library) viene utilizzata perché è ottimizzata per la comunicazione GPU-to-GPU

2. Distribuzione dei Dati

Per garantire che ogni GPU elabori dati diversi:

- DistributedSampler divide il dataset tra le GPU, così ciascuna vede un sottoinsieme differente

- La chiamata sampler.set_epoch() assicura che i dati vengano rimescolati in modo diverso a ogni epoca

- Ogni GPU elabora in modo indipendente i propri mini-batch

3. Replica del Modello

Il cuore del data parallelism:

- Ogni GPU ha una copia completa del modello tramite DDP(model, device_ids=[rank])

- Il modello viene inizializzato con lo stesso random seed, garantendo pesi iniziali identici

- Ogni GPU esegue forward pass e backward pass sui propri dati locali

4. Sincronizzazione dei Gradienti

Il passaggio critico avviene automaticamente durante backward():

- Dopo aver calcolato i gradienti locali, DDP esegue un'operazione di "all-reduce"

- Questo calcola la media dei gradienti tra tutte le GPU, garantendo aggiornamenti coerenti

- Questa sincronizzazione avviene dietro le quinte in loss.backward()

5. Aggiornamenti dei Parametri

Dopo la sincronizzazione:

- La chiamata optimizer.step() aggiorna i parametri del modello usando i gradienti mediati

- o Poiché tutte le GPU hanno gli stessi gradienti dopo l'all-reduce, i modelli restano identici su tutti i dispositivi

- o Questo mantiene la coerenza del modello durante tutto il training

Considerazioni sulla Scalabilità

Questa implementazione mostra diverse best practice per scalare:

- Uso di pin_memory=True per un trasferimento più rapido dei dati dalla CPU alla GPU

- Solo rank 0 stampa i progressi e salva il modello per evitare ridondanza

- La dimensione effettiva del batch scala linearmente con il numero di GPU (32 per GPU × 8 GPU = 256 totali)

Con questo approccio, il training su N GPU è teoricamente N volte più veloce rispetto a una singola GPU, al netto dell'overhead di comunicazione. Per i modelli di grandi dimensioni, questa scalabilità quasi lineare è essenziale per tempi di training pratici.

2. Parallelismo del Modello:

Il model parallelism consiste nel suddividere la rete neurale stessa tra più GPU, con componenti diversi distribuiti su dispositivi separati. In questo approccio, i layer o parti di layer risiedono su dispositivi differenti, richiedendo un attento coordinamento di computazione e comunicazione tra loro. Ad esempio, in un'architettura transformer, si potrebbe collocare il layer di embedding su una GPU, diversi layer di attention su un'altra e il layer di output su una terza, creando una rappresentazione distribuita del modello sull'hardware disponibile.

Esistono diverse varianti del model parallelism:

- Vertical model parallelism: diversi layer vengono collocati su dispositivi differenti, creando una pipeline sequenziale

- Tensor parallelism: singoli tensori all'interno dei layer (come le attention heads) vengono suddivisi tra dispositivi

- Expert parallelism: nei modelli mixture-of-experts, diverse reti di esperti risiedono su dispositivi differenti

Il principale vantaggio del model parallelism è che consente di addestrare modelli più grandi della capacità di memoria di una singola GPU. Ad esempio, un modello con 100 miliardi di parametri potrebbe richiedere 200GB di memoria solo per memorizzare i parametri, superando la capacità anche di GPU di fascia alta come la A100 (80GB). Con il model parallelism, questi parametri possono essere distribuiti tra più dispositivi. Tuttavia, questa tecnica introduce overhead di comunicazione, poiché le attivazioni devono essere trasferite tra dispositivi durante forward pass e backward pass. Questa comunicazione inter-device può diventare un collo di bottiglia, soprattutto se la rete che collega le GPU ha una larghezza di banda limitata.

Implementare il model parallelism richiede codice sofisticato per gestire le dipendenze tra le diverse parti del modello e amministrare la comunicazione in modo efficiente. Librerie come Megatron-LM e DeepSpeed forniscono astrazioni per semplificare questa complessità, ma i dettagli implementativi sottostanti restano impegnativi. Gli ingegneri devono valutare con attenzione il computation graph del modello per trovare punti di suddivisione ottimali che minimizzino la comunicazione tra dispositivi e al tempo stesso bilancino il carico computazionale. Nonostante queste difficoltà, il model parallelism è essenziale per addestrare i modelli più grandi, poiché è l'unico approccio che affronta direttamente i limiti di memoria dei singoli acceleratori.

Esempio di Codice: Model Parallelism con PyTorch

```python
# Model Parallelism Example with PyTorch
# This example demonstrates splitting a transformer model across multiple GPUs

import torch
import torch.nn as nn
import torch.nn.functional as F

class SelfAttention(nn.Module):
    def __init__(self, hidden_size, num_heads, device):
        super().__init__()
        self.hidden_size = hidden_size
        self.num_heads = num_heads
        self.head_size = hidden_size // num_heads

        self.query = nn.Linear(hidden_size, hidden_size).to(device)
        self.key = nn.Linear(hidden_size, hidden_size).to(device)
        self.value = nn.Linear(hidden_size, hidden_size).to(device)
        self.output = nn.Linear(hidden_size, hidden_size).to(device)

        self.device = device

    def forward(self, x):
        batch_size, seq_length, _ = x.shape

        # Move input to current device if needed
        if x.device != self.device:
            x = x.to(self.device)

        # Linear projections
        q = self.query(x).view(batch_size, seq_length, self.num_heads,
self.head_size).transpose(1, 2)
        k = self.key(x).view(batch_size, seq_length, self.num_heads,
self.head_size).transpose(1, 2)
        v = self.value(x).view(batch_size, seq_length, self.num_heads,
self.head_size).transpose(1, 2)

        # Attention scores
        scores = torch.matmul(q, k.transpose(-2, -1)) /
torch.sqrt(torch.tensor(self.head_size, dtype=torch.float32))
        attention_weights = F.softmax(scores, dim=-1)

        # Apply attention
        context = torch.matmul(attention_weights, v)
        context = context.transpose(1, 2).contiguous().view(batch_size, seq_length,
self.hidden_size)
```

```python
        # Final projection
        output = self.output(context)

        return output

class FeedForward(nn.Module):
    def __init__(self, hidden_size, intermediate_size, device):
        super().__init__()
        self.dense1 = nn.Linear(hidden_size, intermediate_size).to(device)
        self.dense2 = nn.Linear(intermediate_size, hidden_size).to(device)
        self.device = device

    def forward(self, x):
        # Move input to current device if needed
        if x.device != self.device:
            x = x.to(self.device)

        return self.dense2(F.gelu(self.dense1(x)))

class TransformerLayer(nn.Module):
    def __init__(self, hidden_size, num_heads, intermediate_size, device):
        super().__init__()
        self.attention = SelfAttention(hidden_size, num_heads, device)
        self.attention_norm = nn.LayerNorm(hidden_size).to(device)
        self.feedforward = FeedForward(hidden_size, intermediate_size, device)
        self.feedforward_norm = nn.LayerNorm(hidden_size).to(device)
        self.device = device

    def forward(self, x):
        # Move input to current device if needed
        if x.device != self.device:
            x = x.to(self.device)

        # Self-attention block
        attention_output = self.attention(x)
        attention_output = self.attention_norm(x + attention_output)

        # Feed-forward block
        feedforward_output = self.feedforward(attention_output)
        output = self.feedforward_norm(attention_output + feedforward_output)

        return output

class ModelParallelTransformer(nn.Module):
    def __init__(self, num_layers=12, hidden_size=768, num_heads=12,
intermediate_size=3072,
                 vocab_size=50000, max_position_embeddings=1024, dropout=0.1,
                 devices=None):
        super().__init__()

        # If no devices specified, use all available GPUs
        if devices is None:
```

```python
        devices = [f'cuda:{i}' for i in range(torch.cuda.device_count())]

    if len(devices) < 3:
        raise ValueError(f"Need at least 3 devices for this example, got {len(devices)}")

    # Assign devices
    self.devices = devices
    self.embedding_device = devices[0]
    self.layer_devices = devices[1:-1]
    self.output_device = devices[-1]

    # Make sure we have enough devices for all layers
    if len(self.layer_devices) < num_layers:
        # Reuse devices in a round-robin fashion
        self.layer_devices = [self.layer_devices[i % len(self.layer_devices)] for
i in range(num_layers)]

    # Embedding layers (on first device)
    self.word_embeddings                        = nn.Embedding(vocab_size,
hidden_size).to(self.embedding_device)
    self.position_embeddings        = nn.Embedding(max_position_embeddings,
hidden_size).to(self.embedding_device)
    self.layer_norm = nn.LayerNorm(hidden_size).to(self.embedding_device)
    self.dropout = nn.Dropout(dropout)

    # Transformer layers (distributed across middle devices)
    self.layers = nn.ModuleList([
        TransformerLayer(hidden_size,        num_heads,        intermediate_size,
self.layer_devices[i])
        for i in range(num_layers)
    ])

    # Output layer (on last device)
    self.output = nn.Linear(hidden_size, vocab_size).to(self.output_device)

def forward(self, input_ids, position_ids=None):
    # Move input to embedding device
    input_ids = input_ids.to(self.embedding_device)

    # Create position IDs if not provided
    if position_ids is None:
        position_ids     =     torch.arange(input_ids.size(1),    dtype=torch.long,
device=self.embedding_device)
        position_ids = position_ids.unsqueeze(0).expand_as(input_ids)
    else:
        position_ids = position_ids.to(self.embedding_device)

    # Embeddings
    word_embeddings = self.word_embeddings(input_ids)
    position_embeddings = self.position_embeddings(position_ids)
```

```python
        # Sum embeddings
        embeddings = word_embeddings + position_embeddings
        embeddings = self.layer_norm(embeddings)
        embeddings = self.dropout(embeddings)

        # Pass through transformer layers
        hidden_states = embeddings
        for layer in self.layers:
            hidden_states = layer(hidden_states)

        # Final output projection
        hidden_states = hidden_states.to(self.output_device)
        logits = self.output(hidden_states)

        return logits

def demo_model_parallel():
    # Check available devices
    if not torch.cuda.is_available():
        print("CUDA not available. This example requires multiple GPUs.")
        return

    num_gpus = torch.cuda.device_count()
    if num_gpus < 2:
        print(f"This example needs at least 2 GPUs, but found {num_gpus}.")
        return

    print(f"Running with {num_gpus} GPUs")
    devices = [f'cuda:{i}' for i in range(num_gpus)]

    # Create model
    model = ModelParallelTransformer(num_layers=4, hidden_size=512, num_heads=8,
                                     intermediate_size=2048, devices=devices)

    # Sample input
    batch_size = 4
    seq_length = 128
    input_ids = torch.randint(0, 50000, (batch_size, seq_length)).to(devices[0])

    # Forward pass
    with torch.no_grad():
        output = model(input_ids)

    print(f"Input shape: {input_ids.shape}")
    print(f"Output shape: {output.shape}")
    print(f"Output device: {output.device}")

    # Print memory usage
    print("\\nMemory usage per GPU:")
    for i in range(num_gpus):
        print(f"GPU {i}: {torch.cuda.memory_allocated(i) / 1024**2:.2f} MB")
```

```
if __name__ == "__main__":
    demo_model_parallel()
```

Analisi del Codice del Model Parallelism:

L'esempio di codice mostra un'implementazione completa del model parallelism usando PyTorch. Analizziamo i componenti principali:

1. Gestione e Distribuzione dei Dispositivi

    o Il modello accetta una lista di dispositivi e distribuisce strategicamente i componenti tra di essi

    o Gli embedding vengono collocati sul primo dispositivo, i layer transformer sono distribuiti sui dispositivi centrali e il layer di output si trova sull'ultimo dispositivo

    o Questo approccio consente all'elaborazione di fluire in sequenza tra le GPU, riducendo al minimo i trasferimenti tra dispositivi

2. Posizionamento dei Layer per Dispositivo

    o Ogni componente (attention, feed-forward, layer norm) specifica esplicitamente su quale dispositivo risiede

    o La chiamata .to(device) assicura che tutti i parametri di quel layer vengano allocati sulla GPU specificata

    o Questo controllo granulare consente una gestione precisa della memoria sull'hardware disponibile

3. Spostamento dei Tensori tra Dispositivi

    o Ogni modulo controlla se i tensori in ingresso si trovano sul dispositivo corretto e li trasferisce se necessario: if x.device != self.device: x = x.to(self.device)

    o Questi trasferimenti espliciti gestiscono il flusso delle attivazioni tra le GPU

    o Questi trasferimenti rappresentano il principale overhead del model parallelism rispetto al data parallelism

4. Implementazione a Livello di Componente

    o La classe SelfAttention implementa la multi-head attention con ogni proiezione lineare sul dispositivo specificato

    o La classe FeedForward implementa l'MLP con entrambi i layer densi sul dispositivo specificato

    o Il TransformerLayer combina i blocchi di attention e feed-forward, entrambi collocati sullo stesso dispositivo

5. Architettura a Pipeline

    o I dati scorrono dal layer di embedding sulla prima GPU, attraversano i layer transformer sulle GPU centrali e arrivano al layer di output sull'ultima GPU

- o Questo crea una pipeline naturale, con i tensori che avanzano nella rete attraverso dispositivi diversi

- o Per modelli più grandi, si potrebbero impilare più layer su ogni GPU per bilanciare l'uso della memoria

6. Gestione della Memoria

- o La funzione demo_model_parallel() mostra l'uso della memoria per GPU dopo un forward pass

- o Questo dimostra come il model parallelism distribuisca l'impronta di memoria su più dispositivi

- o Collocando componenti diversi su GPU differenti, il modello può superare la capacità di memoria di una singola GPU

Considerazioni Implementative:

- Overhead di comunicazione: i trasferimenti tra dispositivi introducono latenza che può rallentare il training

- Bilanciamento del carico: per prestazioni ottimali, il carico di lavoro dovrebbe essere distribuito in modo uniforme tra le GPU

- Activation checkpointing: per modelli molto grandi, combinare il model parallelism con l'activation checkpointing può ridurre ulteriormente l'uso di memoria

Questo esempio mostra un model parallelism puro, ma nella pratica viene spesso combinato con altre strategie di parallelismo (pipeline, dati) per massimizzare l'efficienza. Ad esempio, librerie come DeepSpeed e Megatron-LM implementano approcci ibridi sofisticati che combinano i punti di forza di più tecniche di parallelismo.

3. Parallelismo a Pipeline:

Il pipeline parallelism divide il modello in "stadi" sequenziali, con ciascuno stadio che contiene diversi layer consecutivi. Ogni GPU elabora uno stadio e poi passa le attivazioni allo stadio successivo, creando una pipeline di elaborazione. Funziona come una catena di montaggio per le reti neurali, in cui batch diversi possono essere elaborati simultaneamente in stadi differenti.

Più nel dettaglio, il pipeline parallelism affronta sia i vincoli di memoria sia quelli di comunicazione. Allocando segmenti distinti del modello su GPU separate, ogni dispositivo deve memorizzare solo una frazione dei parametri totali del modello.

Ad esempio, in un modello con 24 layer transformer suddivisi su 4 GPU, ogni GPU gestirebbe 6 layer consecutivi. Durante la forward propagation, quando la GPU 1 termina l'elaborazione di un mini-batch attraverso i layer 1-6, invia le attivazioni risultanti alla GPU 2, che elabora i layer 7-12. Nel frattempo, la GPU 1 inizia a elaborare il mini-batch successivo. Questo crea un flusso continuo di dati attraverso la pipeline, massimizzando l'utilizzo dell'hardware.

Questo approccio bilancia uso della memoria e overhead di comunicazione, ma introduce pipeline bubbles (tempi morti) all'inizio e alla fine dell'elaborazione dei batch. Tecniche come gradient accumulation e micro-batching aiutano a ridurre queste inefficienze della pipeline. In particolare, il micro-batching divide ogni batch di training in diversi blocchi più piccoli che attraversano la pipeline in sequenza.

Questo garantisce che tutte le GPU restino attive per la maggior parte del tempo e riduce la proporzione di cicli inattivi. Ad esempio, con 4 stadi di pipeline e 16 micro-batch, le pipeline bubbles rappresentano solo circa il 20% del tempo totale di calcolo contro il 50% con un singolo batch grande.

Esempio: Parallelismo a Pipeline

```python
import torch
import torch.nn as nn
import torch.nn.functional as F

class GPTBlock(nn.Module):
    def __init__(self, hidden_size=768, num_heads=12, dropout=0.1):
        super().__init__()
        self.ln1 = nn.LayerNorm(hidden_size)
        self.attn = nn.MultiheadAttention(hidden_size, num_heads, dropout=dropout)
        self.ln2 = nn.LayerNorm(hidden_size)
        self.mlp = nn.Sequential(
            nn.Linear(hidden_size, hidden_size * 4),
            nn.GELU(),
            nn.Linear(hidden_size * 4, hidden_size),
            nn.Dropout(dropout)
        )

    def forward(self, x):
        # Self-attention with residual connection
        attn_output, _ = self.attn(self.ln1(x), self.ln1(x), self.ln1(x))
        x = x + attn_output

        # MLP with residual connection
        x = x + self.mlp(self.ln2(x))
        return x

class PipelineParallelGPT(nn.Module):
    def __init__(self, vocab_size=50257, hidden_size=768, num_layers=12,
                 num_heads=12, dropout=0.1, max_seq_len=1024, num_stages=4):
        super().__init__()

        self.num_stages = num_stages
        self.hidden_size = hidden_size

        # Embedding layers
        self.token_embedding = nn.Embedding(vocab_size, hidden_size)
        self.position_embedding = nn.Embedding(max_seq_len, hidden_size)

        # Transformer blocks - grouped by pipeline stages
        self.stages = []
        layers_per_stage = num_layers // num_stages

        for stage in range(num_stages):
```

```python
        # Create blocks for this stage
        start_layer = stage * layers_per_stage
        end_layer = (stage + 1) * layers_per_stage

        stage_blocks = nn.ModuleList([
            GPTBlock(hidden_size, num_heads, dropout)
            for _ in range(start_layer, end_layer)
        ])
        self.stages.append(stage_blocks)

    # Final layer norm and output projection
    self.ln_f = nn.LayerNorm(hidden_size)
    self.output_projection = nn.Linear(hidden_size, vocab_size, bias=False)

    # Initialize weights
    self.apply(self._init_weights)

def _init_weights(self, module):
    if isinstance(module, (nn.Linear, nn.Embedding)):
        module.weight.data.normal_(mean=0.0, std=0.02)
        if isinstance(module, nn.Linear) and module.bias is not None:
            module.bias.data.zero_()
    elif isinstance(module, nn.LayerNorm):
        module.bias.data.zero_()
        module.weight.data.fill_(1.0)

def forward_stage(self, x, stage_idx):
    """Execute forward pass for a specific pipeline stage"""
    # If this is the first stage, apply embeddings
    if stage_idx == 0:
        # Create position indices
        positions = torch.arange(0, x.size(1), dtype=torch.long, device=x.device)
        positions = positions.unsqueeze(0).expand_as(x)

        # Apply embeddings
        x = self.token_embedding(x) + self.position_embedding(positions)

    # Apply transformer blocks for this stage
    for block in self.stages[stage_idx]:
        x = block(x)

    # If this is the last stage, apply final layernorm and projection
    if stage_idx == self.num_stages - 1:
        x = self.ln_f(x)
        x = self.output_projection(x)

    return x

def forward(self, x):
    """Full model forward pass (for non-pipelined inference)"""
    # Create position indices
    positions = torch.arange(0, x.size(1), dtype=torch.long, device=x.device)
```

```python
        positions = positions.unsqueeze(0).expand_as(x)

        # Apply embeddings
        x = self.token_embedding(x) + self.position_embedding(positions)

        # Apply all transformer blocks
        for stage_idx in range(self.num_stages):
            for block in self.stages[stage_idx]:
                x = block(x)

        # Final layer norm and output projection
        x = self.ln_f(x)
        x = self.output_projection(x)

        return x

class PipelineParallelTrainer:
    def __init__(self, model, num_microbatches=4, num_stages=4, devices=None):
        self.model = model
        self.num_microbatches = num_microbatches
        self.num_stages = num_stages

        # Set up devices
        if devices is None:
            # Use all available devices
            num_devices = torch.cuda.device_count()
            if num_devices < num_stages:
                raise ValueError(f"Need at least {num_stages} devices, but only
{num_devices} available")
            self.devices = [f'cuda:{i}' for i in range(num_stages)]
        else:
            self.devices = devices

        # Distribute model stages across devices
        for stage_idx, stage_modules in enumerate(model.stages):
            device = self.devices[stage_idx]
            for module in stage_modules:
                module.to(device)

        # First stage: embeddings
        self.model.token_embedding.to(self.devices[0])
        self.model.position_embedding.to(self.devices[0])

        # Last stage: final layernorm and output projection
        self.model.ln_f.to(self.devices[-1])
        self.model.output_projection.to(self.devices[-1])

        # Set up optimizers (one per stage)
        self.optimizers = []
        for stage_idx in range(num_stages):
            # Collect parameters for this stage
            params = []
```

```python
        if stage_idx == 0:
            params.extend(self.model.token_embedding.parameters())
            params.extend(self.model.position_embedding.parameters())

        params.extend(self.model.stages[stage_idx].parameters())

        if stage_idx == num_stages - 1:
            params.extend(self.model.ln_f.parameters())
            params.extend(self.model.output_projection.parameters())

        # Create optimizer
        self.optimizers.append(torch.optim.AdamW(params, lr=3e-4))

def _move_to_device(self, data, device):
    """Helper to move data to a specific device"""
    if isinstance(data, torch.Tensor):
        return data.to(device)
    return data

def train_step(self, batch, labels):
    """Execute a full training step with pipeline parallelism"""
    batch_size = batch.size(0)
    micro_batch_size = batch_size // self.num_microbatches

    # Reset gradients
    for optimizer in self.optimizers:
        optimizer.zero_grad()

    # Create microbatches
    micro_batches = []
    micro_labels = []
    for i in range(self.num_microbatches):
        start = i * micro_batch_size
        end = (i + 1) * micro_batch_size
        micro_batches.append(batch[start:end])
        micro_labels.append(labels[start:end])

    # Initialize activations for each stage and microbatch
    # (None means the microbatch hasn't reached this stage yet)
    activations = [[None for _ in range(self.num_stages)] for _ in
range(self.num_microbatches)]

    # Store gradients for backward pass
    saved_activations = [[None for _ in range(self.num_stages)] for _ in
range(self.num_microbatches)]

    # Pipeline forward pass
    for step in range(self.num_stages + self.num_microbatches - 1):
        # Determine which microbatches and stages are active in this step
        for micro_idx in range(self.num_microbatches):
            stage_idx = step - micro_idx
```

```python
                if 0 <= stage_idx < self.num_stages:
                    # Get input for this stage
                    if stage_idx == 0:
                        # First stage input is the microbatch
                        input_tensor = self._move_to_device(micro_batches[micro_idx],
self.devices[0])
                    else:
                        # Input is the activation from previous stage
                        input_tensor = activations[micro_idx][stage_idx - 1]
                        if input_tensor is None:
                            continue  # Previous stage hasn't completed yet
                        input_tensor        =        self._move_to_device(input_tensor,
self.devices[stage_idx])

                    # Process this stage
                    with torch.set_grad_enabled(True):
                        output = self.model.forward_stage(input_tensor, stage_idx)

                    # Save activation for next stage
                    activations[micro_idx][stage_idx] = output.detach()
                    saved_activations[micro_idx][stage_idx] = input_tensor

        # Compute losses at the final stage
        losses = []
        for micro_idx in range(self.num_microbatches):
            final_output = activations[micro_idx][-1]
            target = self._move_to_device(micro_labels[micro_idx], self.devices[-1])

            # Compute cross-entropy loss
            loss    =    F.cross_entropy(final_output.view(-1,   final_output.size(-1)),
target.view(-1))
            loss = loss / self.num_microbatches  # Scale by number of microbatches
            losses.append(loss)

            # Backward for this microbatch
            loss.backward()

        # Update optimizers
        for optimizer in self.optimizers:
            optimizer.step()

        # Return average loss
        return torch.stack(losses).mean()

    def eval_step(self, batch):
        """Run evaluation (inference only)"""
        # Just use the full model forward pass for simplicity in evaluation
        with torch.no_grad():
            batch = batch.to(self.devices[0])

            # Run forward pass through all stages
            output = batch
```

```python
        for stage_idx in range(self.num_stages):
            # Move to appropriate device
            output = output.to(self.devices[stage_idx])

            # Process this stage
            if stage_idx == 0:
                # First stage includes embeddings
                positions = torch.arange(0, output.size(1), dtype=torch.long,
                                        device=self.devices[0])
                positions = positions.unsqueeze(0).expand_as(output)

                # Apply embeddings
                output = self.model.token_embedding(output) + \\
                        self.model.position_embedding(positions)

            # Apply transformer blocks for this stage
            for block in self.model.stages[stage_idx]:
                output = block(output)

            # Last stage includes final layernorm and projection
            if stage_idx == self.num_stages - 1:
                output = self.model.ln_f(output)
                output = self.model.output_projection(output)

        return output

# Example usage
def demo_pipeline_parallel():
    # Check available devices
    if not torch.cuda.is_available():
        print("CUDA not available. This example requires multiple GPUs.")
        return

    num_gpus = torch.cuda.device_count()
    if num_gpus < 2:
        print(f"This example needs at least 2 GPUs, but found {num_gpus}.")
        return

    print(f"Running with {num_gpus} GPUs")

    # Model configuration (small for demonstration)
    model = PipelineParallelGPT(
        vocab_size=50257,
        hidden_size=512,
        num_layers=8,
        num_heads=8,
        num_stages=min(num_gpus, 4)  # Use up to 4 GPUs
    )

    # Create trainer
    num_stages = min(num_gpus, 4)
    trainer = PipelineParallelTrainer(
```

```python
        model=model,
        num_microbatches=4,
        num_stages=num_stages,
        devices=[f'cuda:{i}' for i in range(num_stages)]
    )

    # Create dummy data
    batch_size = 8
    seq_len = 128
    vocab_size = 50257

    input_ids = torch.randint(0, vocab_size, (batch_size, seq_len))
    labels = torch.randint(0, vocab_size, (batch_size, seq_len))

    # Training step
    loss = trainer.train_step(input_ids, labels)
    print(f"Training loss: {loss.item()}")

    # Eval step
    with torch.no_grad():
        output = trainer.eval_step(input_ids[:2])  # Use smaller batch for eval
    print(f"Output shape: {output.shape}")

    # Print memory usage
    print("\\nMemory usage per GPU:")
    for i in range(num_gpus):
        print(f"GPU {i}: {torch.cuda.memory_allocated(i) / 1024**2:.2f} MB")

if __name__ == "__main__":
    demo_pipeline_parallel()
```

Analisi del Codice del Pipeline Parallelism:

L'implementazione di esempio mostra il pipeline parallelism per l'addestramento dei large language models. Analizziamo i componenti principali:

1. **Architettura del Modello**

    o   La classe PipelineParallelGPT implementa un modello transformer in stile GPT diviso in stadi

    o   Ogni stadio contiene un gruppo di blocchi transformer (GPTBlock) che verranno collocati su GPU separate

    o   Il modello è configurato con num_stages per determinare come distribuire i layer tra i dispositivi

2. **Distribuzione degli Stadi della Pipeline**

    o   Il modello suddivide i suoi num_layers in modo uniforme tra i num_stages (ad esempio, 12 layer su 4 GPU = 3 layer per GPU)

- o Gestione speciale per il primo stadio (include gli embedding) e per l'ultimo stadio (include il layer norm finale e la proiezione di output)
- o Ogni stadio ha un metodo forward_stage che elabora solo la parte specifica del modello assegnata a quello stadio

3. **Elaborazione dei Microbatch**

- o Il batch completo viene diviso in microbatches più piccoli per abilitare il pipeline parallelism
- o L'uso dei microbatch riduce le pipeline bubbles (tempo morto delle GPU) mantenendo tutte le GPU occupate
- o Con 4 stadi di pipeline e 4 microbatch, l'efficienza della pipeline aumenta da ~50% a ~80%

4. **Scheduling della Pipeline**

- o L'algoritmo usa una griglia 2D di [microbatch × stage] per tracciare il flusso delle attivazioni attraverso la pipeline
- o Ogni passo del loop esterno elabora simultaneamente più coppie (microbatch, stage)
- o Questo crea un pattern a "wavefront" in cui i microbatch scorrono attraverso gli stadi della pipeline

5. **Gestione dei Dispositivi**

- o Ogni stadio viene assegnato esplicitamente a una GPU specifica usando .to(device)
- o Il trainer gestisce i trasferimenti tra dispositivi quando le attivazioni scorrono tra gli stadi
- o Ogni stadio ha il proprio optimizer per aggiornare solo i parametri sul suo dispositivo

6. **Efficienza della Memoria**

- o Solo le attivazioni tra gli stadi devono essere trasferite tra le GPU
- o Ogni GPU memorizza solo i parametri dei layer assegnati, riducendo significativamente i requisiti di memoria per GPU
- o Questo consente di addestrare modelli troppo grandi per entrare nella memoria di una singola GPU

Dettagli Chiave dell'Implementazione:

- **Forward Pass:** ogni microbatch attraversa gli stadi in sequenza, con gli output di uno stadio che diventano input per quello successivo

- **Backward Pass:** il calcolo dei gradienti avviene alla fine della pipeline, con backpropagation automatica attraverso le attivazioni salvate

- **Ottimizzazione:** ogni stadio ha il proprio optimizer che aggiorna solo i parametri locali

L'implementazione bilancia diversi compromessi:

- **Overhead di comunicazione:** ridotto al minimo trasferendo solo le attivazioni tra gli stadi, non i parametri

- **Efficienza della pipeline:** migliorata tramite microbatching per mantenere tutte le GPU attive

- **Uso della memoria:** distribuito tra le GPU, consentendo modelli più grandi di quelli che una singola GPU potrebbe gestire

Questo approccio è concettualmente simile a quanto usato nei sistemi di training per modelli come GPT-3 e PaLM, anche se i sistemi di produzione combinano tipicamente pipeline parallelism con tensor parallelism e data parallelism per ottenere la massima scalabilità.

4. Approcci Misti e Ibridi:

Framework moderni come DeepSpeed e Megatron-LM sfruttano strategie ibride che combinano data parallelism, model parallelism e pipeline parallelism per massimizzare l'efficienza. Questi sistemi sofisticati creano un approccio di parallelismo multidimensionale che distribuisce strategicamente il calcolo sull'hardware disponibile. Ad esempio, ZeRO-Infinity di DeepSpeed può partizionare parametri del modello, gradienti e stati dell'optimizer su migliaia di GPU mantenendo l'efficienza del training.

Quando si implementa il parallelismo ibrido, i framework impiegano tipicamente data parallelism tra i nodi server (consentendo a più copie del modello di addestrarsi su batch di dati differenti), pipeline parallelism all'interno dei nodi (dividendo il modello in segmenti sequenziali che elaborano i dati a stadi), e tensor parallelism (una forma di model parallelism) all'interno dei singoli layer (suddividendo grandi operazioni matriciali tra più dispositivi).

Ad esempio, nell'addestramento di GPT-3 175B, i ricercatori hanno usato una combinazione di pipeline parallelism con 8 stadi, tensor parallelism su 8 GPU e data parallelism su più nodi per ottenere sia efficienza di memoria sia throughput computazionale.

Questo approccio multidimensionale consente l'addestramento dei modelli più grandi (100B+ parametri) ottimizzando sia l'uso della memoria sia il throughput computazionale. Senza questi approcci ibridi, modelli come PaLM (540B parametri), GPT-4 (stimato a 1.7T parametri) e Gemini Ultra sarebbero praticamente impossibili da addestrare.

La configurazione di questi approcci ibridi richiede una calibrazione attenta in base all'architettura del modello, alle capacità hardware e alla topologia di rete. Gli ingegneri devono bilanciare fattori come consumo di memoria, larghezza di banda di comunicazione, overhead di sincronizzazione e bilanciamento del carico per trovare strategie di parallelizzazione ottimali per configurazioni hardware specifiche.

Esempio: Parallelismo Ibrido per l'Addestramento di LLM

```python
import torch
import torch.nn as nn
import torch.distributed as dist
from torch.nn.parallel import DistributedDataParallel as DDP
import deepspeed

class HybridParallelGPT(nn.Module):
    def __init__(self, vocab_size=50257, hidden_size=4096, num_layers=32, num_heads=32):
        super().__init__()
```

```python
        self.vocab_size = vocab_size
        self.hidden_size = hidden_size
        self.num_layers = num_layers
        self.num_heads = num_heads

        # Embeddings (shared by all devices in tensor parallel group)
        self.token_embedding = nn.Embedding(vocab_size, hidden_size)
        self.position_embedding = nn.Embedding(2048, hidden_size)

        # Transformer layers (will be distributed across pipeline stages and tensor
parallel)
        self.layers = nn.ModuleList([
            TransformerBlock(hidden_size, num_heads)
            for _ in range(num_layers)
        ])

        # Final layer norm and output projection
        self.ln_f = nn.LayerNorm(hidden_size)
        self.output_projection = nn.Linear(hidden_size, vocab_size, bias=False)

    def forward(self, input_ids, attention_mask=None):
        # Create position IDs
        seq_length = input_ids.size(1)
        position_ids       =       torch.arange(0,      seq_length,      dtype=torch.long,
device=input_ids.device)
        position_ids = position_ids.unsqueeze(0).expand_as(input_ids)

        # Embeddings
        token_embeddings = self.token_embedding(input_ids)
        position_embeddings = self.position_embedding(position_ids)
        hidden_states = token_embeddings + position_embeddings

        # Process through transformer layers
        for layer in self.layers:
            hidden_states = layer(hidden_states, attention_mask)

        # Final layer norm and output projection
        hidden_states = self.ln_f(hidden_states)
        logits = self.output_projection(hidden_states)

        return logits

class TransformerBlock(nn.Module):
    def __init__(self, hidden_size, num_heads):
        super().__init__()
        self.ln_1 = nn.LayerNorm(hidden_size)
        self.attn = ParallelSelfAttention(hidden_size, num_heads)
        self.ln_2 = nn.LayerNorm(hidden_size)
        self.mlp = ParallelMLP(hidden_size)

    def forward(self, x, attention_mask=None):
        # Self-attention with residual connection
```

```python
        x = x + self.attn(self.ln_1(x), attention_mask)
        # MLP with residual connection
        x = x + self.mlp(self.ln_2(x))
        return x

class ParallelSelfAttention(nn.Module):
    """Self-attention module with tensor parallelism support"""
    def __init__(self, hidden_size, num_heads):
        super().__init__()
        self.hidden_size = hidden_size
        self.num_heads = num_heads
        self.head_dim = hidden_size // num_heads

        # For tensor parallelism, each device will hold a portion of these weights
        self.tp_size = 1  # Will be set during initialization
        self.tp_rank = 0  # Will be set during initialization

        # Will be initialized properly when tensor parallelism is set up
        self.query = nn.Linear(hidden_size, hidden_size, bias=False)
        self.key = nn.Linear(hidden_size, hidden_size, bias=False)
        self.value = nn.Linear(hidden_size, hidden_size, bias=False)
        self.output = nn.Linear(hidden_size, hidden_size, bias=False)

    def forward(self, x, attention_mask=None):
        batch_size, seq_len, _ = x.size()

        # Each device processes a subset of attention heads
        local_heads = self.num_heads // self.tp_size

        # Project queries, keys, values
        q = self.query(x).view(batch_size, seq_len, local_heads, self.head_dim)
        k = self.key(x).view(batch_size, seq_len, local_heads, self.head_dim)
        v = self.value(x).view(batch_size, seq_len, local_heads, self.head_dim)

        # Transpose for attention computation
        q = q.transpose(1, 2)  # [batch, heads, seq_len, head_dim]
        k = k.transpose(1, 2)
        v = v.transpose(1, 2)

        # Compute attention scores and apply attention mask if provided
        attention_scores = torch.matmul(q, k.transpose(2, 3)) / (self.head_dim ** 0.5)
        if attention_mask is not None:
            attention_scores = attention_scores + attention_mask

        # Apply softmax and get weighted sum
        attention_probs = torch.nn.functional.softmax(attention_scores, dim=-1)
        context = torch.matmul(attention_probs, v)

        # Reshape back to [batch, seq_len, hidden_size]
        context = context.transpose(1, 2).contiguous().view(
            batch_size, seq_len, local_heads * self.head_dim)
```

```python
        # All-gather across tensor parallel devices
        if self.tp_size > 1:
            context_list = [torch.zeros_like(context) for _ in range(self.tp_size)]
            torch.distributed.all_gather(context_list, context, group=self.tp_group)
            context = torch.cat(context_list, dim=2)

        # Final projection
        output = self.output(context)
        return output

class ParallelMLP(nn.Module):
    """MLP module with tensor parallelism support"""
    def __init__(self, hidden_size, expansion_factor=4):
        super().__init__()
        self.hidden_size = hidden_size
        self.expanded_size = hidden_size * expansion_factor

        # Will be properly initialized when tensor parallelism is set up
        self.tp_size = 1
        self.tp_rank = 0

        # For tensor parallelism, each device will hold a portion of these weights
        self.fc1 = nn.Linear(hidden_size, self.expanded_size, bias=False)
        self.fc2 = nn.Linear(self.expanded_size, hidden_size, bias=False)

    def forward(self, x):
        # Each device computes a portion of the expanded dimension
        local_expanded_size = self.expanded_size // self.tp_size
        local_start = self.tp_rank * local_expanded_size
        local_end = (self.tp_rank + 1) * local_expanded_size

        # First projection and activation
        h = self.fc1(x)
        h = torch.nn.functional.gelu(h)

        # Second projection
        output = self.fc2(h)

        # All-reduce across tensor parallel devices to get complete output
        if self.tp_size > 1:
            torch.distributed.all_reduce(output, group=self.tp_group)

        return output

def setup_hybrid_parallelism(model, tp_size, pp_size, dp_size):
    """
    Set up hybrid parallelism (data, tensor, and pipeline)

    Args:
        model: The model to parallelize
        tp_size: Number of tensor parallel devices
        pp_size: Number of pipeline parallel stages
```

```python
        dp_size: Number of data parallel workers
    """
    # Initialize distributed environment
    world_size = tp_size * pp_size * dp_size
    assert torch.distributed.get_world_size() == world_size, "World size doesn't match parallelism configuration"

    rank = torch.distributed.get_rank()

    # Calculate group ranks for different parallelism dimensions
    tp_rank = rank % tp_size
    pp_rank = (rank // tp_size) % pp_size
    dp_rank = rank // (tp_size * pp_size)

    # Create process groups for different parallelism dimensions
    # Tensor parallelism: devices that process different parts of the same tensor operation
    tp_group_ranks = [tp_rank + i*(tp_size) for i in range(world_size//tp_size)]
    tp_group = torch.distributed.new_group(ranks=tp_group_ranks)

    # Pipeline parallelism: devices that process different sequential parts of the model
    pp_group_ranks = [pp_rank*(tp_size) + i for i in range(tp_size)]
    pp_group = torch.distributed.new_group(ranks=pp_group_ranks)

    # Data parallelism: devices that process different batches
    dp_group_ranks = [dp_rank*(tp_size*pp_size) + i for i in range(tp_size*pp_size)]
    dp_group = torch.distributed.new_group(ranks=dp_group_ranks)

    # Initialize tensor parallelism in attention and MLP layers
    for module in model.modules():
        if isinstance(module, (ParallelSelfAttention, ParallelMLP)):
            module.tp_size = tp_size
            module.tp_rank = tp_rank
            module.tp_group = tp_group

    # Use DeepSpeed for pipeline parallelism and optimizer states sharding
    ds_config = {
        "train_batch_size": 32 * dp_size,
        "train_micro_batch_size_per_gpu": 4,
        "gradient_accumulation_steps": 8,
        "fp16": {
            "enabled": True,
        },
        "zero_optimization": {
            "stage": 1,  # Shard optimizer states
            "offload_optimizer": {
                "device": "cpu"
            }
        },
        "pipeline": {
            "enabled": pp_size > 1,
```

```python
            "stages": pp_size,
            "partition_activations": True,
            "cpu_offload": True
        }
    }

    # Initialize DeepSpeed engine
    model_engine, optimizer, _, _ = deepspeed.initialize(
        model=model,
        config=ds_config
    )

    return model_engine, optimizer

def main():
    # Initialize distributed environment
    torch.distributed.init_process_group(backend='nccl')

    # Model configuration
    model = HybridParallelGPT(
        vocab_size=50257,
        hidden_size=2048,
        num_layers=24,
        num_heads=16
    )

    # Set up hybrid parallelism
    # For example: 4 GPUs tensor parallel, 2 pipeline stages, 4 data parallel workers
= 32 GPUs total
    model_engine, optimizer = setup_hybrid_parallelism(
        model=model,
        tp_size=4,
        pp_size=2,
        dp_size=4
    )

    # Training loop would go here...

if __name__ == "__main__":
    main()
```

Analisi del Codice: Parallelismo Ibrido per l'Addestramento di LLM

L'esempio mostra come implementare un approccio di parallelismo ibrido che combina tre tecniche chiave:

- **Tensor Parallelism (TP):** suddivide singole operazioni tra GPU (ad esempio dividendo le attention heads)

- **Pipeline Parallelism (PP):** distribuisce i layer del modello in sequenza tra le GPU

- **Data Parallelism (DP):** elabora batch diversi su gruppi differenti di GPU

Componenti Chiave dell'Implementazione:

1. **Organizzazione dei Process Group**

   o Crea gruppi di comunicazione separati per tensor, pipeline e data parallelism

   o Ogni GPU appartiene a un gruppo di ciascun tipo in base al proprio rank

   o I pattern di comunicazione sono ottimizzati per minimizzare i trasferimenti tra nodi

2. **Attention con Tensor Parallelism**

   o La classe ParallelSelfAttention divide le attention heads tra le GPU

   o Ogni dispositivo calcola un sottoinsieme delle attention heads (local_heads = num_heads / tp_size)

   o Utilizza l'operazione all_gather per combinare i risultati dai diversi dispositivi

   o Riduce l'uso della memoria mantenendo la qualità del modello

3. **MLP con Tensor Parallelism**

   o La classe ParallelMLP divide la rete feed-forward tra le GPU

   o Ogni dispositivo gestisce una parte della dimensione nascosta espansa

   o Utilizza all_reduce per combinare i risultati in modo efficiente

4. **Pipeline Parallelism tramite DeepSpeed**

   o Sfrutta l'implementazione pipeline di DeepSpeed per dividere il modello in stadi

   o Utilizza micro-batching per migliorare l'efficienza della pipeline

   o Supporta activation checkpointing per ridurre l'uso della memoria

   o Consente l'offloading su CPU per ulteriore risparmio di memoria

5. **Integrazione dell'Optimizer ZeRO**

   o Implementa lo sharding dello stato dell'optimizer (ZeRO stage 1)

   o Opzionalmente sposta gli stati dell'optimizer sulla CPU per risparmiare memoria GPU

   o Lavora in combinazione con le altre tecniche di parallelismo

Benefici in termini di Efficienza:

- **Efficienza della memoria:** combinando questi approcci, è possibile addestrare modelli con centinaia di miliardi di parametri su cluster GPU limitati

- **Utilizzo computazionale:** gli approcci ibridi bilanciano il carico per massimizzare l'utilizzo delle GPU (80-90%)

- **Ottimizzazione della comunicazione:** la partizione strategica riduce i trasferimenti tra dispositivi e tra nodi

- **Scalabilità:** questo approccio può scalare a migliaia di GPU mantenendo alta efficienza

Applicazioni nel Mondo Reale:

Questo approccio ibrido è simile a quello utilizzato per addestrare i modelli più grandi:

- PaLM 540B: utilizza tensor + pipeline + data parallelism su 6.144 chip TPU v4

- GPT-4: utilizza il parallelismo ibrido di Megatron-LM su migliaia di GPU A100

- Llama 2 70B: Meta utilizza una combinazione di tensor e data parallelism con ZeRO-3

L'esempio mostra come queste tecniche avanzate possano essere implementate in modo modulare per consentire un training efficiente di large language models sempre più grandi, gestendo al contempo i limiti hardware.

4.3.2 GPU vs TPU vs Acceleratori Specializzati

GPU (Graphics Processing Units)

- **Chi le produce:** NVIDIA domina il mercato dell'addestramento LLM con il suo ecosistema CUDA e GPU ad alte prestazioni come A100 e H100. Le loro GPU includono tensor cores specializzati progettati per operazioni di moltiplicazione di matrici alla base del deep learning. L'innovazione hardware di NVIDIA è accompagnata da uno stack software completo che include librerie come cuDNN, cuBLAS e NCCL per ottimizzare le operazioni delle reti neurali. Sebbene concorrenti come AMD (con ROCm e la serie MI) e Intel (con Ponte Vecchio e Gaudi) offrano alternative, il vantaggio iniziale di NVIDIA nell'AI e il suo stack software superiore l'hanno resa lo standard di fatto per il deep learning.

- **Punti di forza:** ecosistema software maturo ed esteso, compatibile con PyTorch, TensorFlow e JAX, con migliaia di librerie e strumenti pronti all'uso. Questo ecosistema fornisce implementazioni ottimizzate, strumenti di debugging, profiler e soluzioni di deployment che riducono drasticamente i tempi di sviluppo. Le GPU offrono eccellenti capacità di calcolo general-purpose, sono ampiamente disponibili tramite cloud come AWS, GCP e Azure e sono flessibili per diversi carichi di lavoro AI oltre agli LLM (computer vision, reinforcement learning, scientific computing). La standardizzazione su CUDA ha creato un forte effetto rete.

- **Punti deboli:** costi elevati di acquisizione e operativi, con modelli di fascia alta che superano i $10.000 e consumano 400-700W ciascuno, richiedendo infrastrutture importanti per raffreddamento ed energia. L'addestramento di modelli grandi può richiedere centinaia o migliaia di GPU, rendendo l'investimento proibitivo per organizzazioni più piccole. Problemi nella supply chain hanno causato colli di bottiglia, con alta domanda e lunghi tempi di attesa. Il lock-in su CUDA rende difficile cambiare piattaforma, poiché portare codice ottimizzato richiede molto lavoro e spesso comporta perdita di performance.

- **Utilizzo:** rappresentano la base della maggior parte dello sviluppo LLM open-source, con organizzazioni come OpenAI, Meta e Anthropic che utilizzano cluster GPU massivi (anche oltre 10.000 GPU) per addestrare i modelli più grandi. Ad esempio, GPT-4 è stato addestrato su un supercomputer personalizzato con migliaia di A100, mentre il Research SuperCluster di Meta include 16.000 A100. Anche la ricerca accademica utilizza principalmente hardware NVIDIA. Persino modelli più piccoli (7-13B parametri) richiedono più GPU per un training efficiente.

TPU (Tensor Processing Units)

- **Chi le produce:** Google sviluppa questi chip ASIC (Application-Specific Integrated Circuit) progettati specificamente per carichi di lavoro di machine learning. A differenza delle GPU general-purpose, le TPU sono costruite da zero per accelerare i calcoli delle reti neurali. Le TPU si sono evolute attraverso diverse generazioni (v1 fino a v5), ognuna con miglioramenti significativi nelle operazioni matriciali. Le TPU v1 (introdotte nel 2016) erano principalmente orientate all'inferenza, mentre le versioni v2 e successive hanno aggiunto capacità di training con larghezza di banda di memoria e potenza computazionale drasticamente superiori. Le TPU v4 utilizzate per addestrare PaLM offrono 275 TFLOPS per chip e possono essere collegate in configurazioni "pod" fino a 4096 chip, creando infrastrutture a livello di supercomputer.

- **Punti di forza:** architettura progettata appositamente per moltiplicazioni matriciali e operazioni su tensori, con prestazioni eccezionali quando utilizzata con framework compatibili come JAX e TensorFlow. Le TPU eccellono nell'architettura a systolic array, che consente operazioni matriciali estremamente efficienti passando dati tra migliaia di unità di moltiplicazione-accumulo in una pipeline coordinata. I TPU pod offrono larghezza di banda di interconnessione molto elevata (fino a 4,3 TB/s nella v4), consentendo training distribuito efficiente su larga scala. Inoltre, dispongono di memoria on-chip specializzata (HBM) organizzata per massimizzare il throughput per i pattern computazionali delle reti neurali. Il modello di esecuzione deterministico semplifica il debugging e garantisce prestazioni più consistenti tra diverse esecuzioni rispetto alle GPU.

- **Punti deboli:** disponibili solo tramite Google Cloud Platform, creando potenziale lock-in senza possibilità di deploy on-premise. Il supporto per PyTorch (il framework ML più diffuso) è stato storicamente limitato, anche se migliorato con PyTorch/XLA. Il modello di programmazione è più restrittivo rispetto alle GPU, richiedendo attenzione ai confini di compilazione XLA e alla gestione della memoria. Le operazioni personalizzate devono essere implementate specificamente per l'architettura TPU, rendendo più complessa la sperimentazione con nuove architetture. Il modello deterministico, pur utile per la riproducibilità, può risultare meno flessibile rispetto al modello dinamico CUDA.

- **Utilizzo:** alimentano i modelli linguistici più grandi di Google, tra cui PaLM (540B parametri addestrato su pod TPU v4 con 6.144 chip) e Gemini (probabilmente su configurazioni ancora più grandi v4/v5). La topologia di interconnessione dei TPU pod consente un training distribuito altamente efficiente. Alcuni laboratori accademici utilizzano TPU tramite programmi come TPU Research Cloud. I ricercatori Google Brain/DeepMind hanno accesso privilegiato all'hardware più recente. Altri modelli rilevanti addestrati su TPU includono AlphaFold 2 per la predizione delle proteine e MusicLM per la generazione audio.

Acceleratori Specializzati

- **Cerebras Wafer-Scale Engine:** approccio rivoluzionario che utilizza un intero wafer di silicio come un unico chip (circa 56 volte più grande di una GPU), con 850.000 core e 40GB di memoria on-chip. Questo sistema integrato offre densità computazionale senza precedenti, con il sistema CS-2 che raggiunge 123 petaflops di calcolo AI. Intere reti neurali possono essere eseguite su un singolo chip, eliminando la necessità di model parallelism complesso e riducendo l'overhead di comunicazione. La memoria interna offre 20 PB/s di banda, permettendo movimenti dati estremamente efficienti. Particolarmente efficace per modelli sparsi, dove le GPU tradizionali sono meno efficienti. Inoltre, semplifica la programmazione eliminando la necessità di logiche distribuite complesse.

- **Graphcore IPU (Intelligence Processing Units):** progettate con un'architettura unica ottimizzata per parallelismo fine e operazioni sparse. Ogni IPU contiene 1.472 core indipendenti con 900MB di memoria distribuita, offrendo un approccio completamente diverso rispetto alle GPU. La memoria interna ad alta banda riduce la latenza e migliora le prestazioni su strutture dati irregolari.

Il design stateless consente di cambiare task senza overhead, rendendole ideali per modelli con pattern computazionali dinamici. Sono particolarmente adatte per ricerca su architetture neurali innovative, specialmente quelle basate su grafi o parallelismo fine. Il processore Bow IPU raggiunge fino a 350 teraflops e utilizza tecniche di exchange-replay memory per ridurre l'uso complessivo di memoria.

- **AWS Trainium, Habana Gaudi:** alternative cloud di AWS (Trainium) e Intel (Habana Gaudi) che privilegiano l'efficienza costo/prestazioni rispetto alla potenza pura. Trainium è progettato per il training deep learning, offrendo fino al 40% migliore rapporto prezzo/prestazioni rispetto a GPU equivalenti, con maggiore throughput e minore costo per inferenza. Habana Gaudi integra interconnessioni ad alta banda, permettendo scaling efficiente senza reti esterne costose.

Questi acceleratori offrono generalmente migliore performance-per-dollar rispetto alle GPU premium, ma con minore flessibilità, essendo ottimizzati per operazioni specifiche. Il Gaudi2 include 24 tensor core, 96GB di memoria HBM2e e fino a 5,6 petaflops FP8. Sono sempre più utilizzati in ambienti di produzione dove i costi prevedibili sono fondamentali, soprattutto per organizzazioni con carichi di lavoro stabili e ben definiti.

Tabella Comparativa (semplificata):

Hardware	Punti di forza	Punti deboli	Utilizzato da
GPU (A100, H100)	Ecosistema maturo con librerie e strumenti completi ottimizzati per il deep learning; sviluppo PyTorch-first che consente prototipazione rapida; ampia disponibilità tramite diversi provider cloud; eccellenti capacità di calcolo general-purpose per carichi AI diversi	Hardware estremamente costoso ($10.000-30.000 per unità); alto consumo energetico (300-700W per GPU); limiti nella supply chain che creano colli di bottiglia; lock-in con l'ecosistema CUDA che rende difficile la portabilità	OpenAI (GPT-3/4), Meta (Research SuperCluster con 16.000 A100), Anthropic (modelli Claude), maggior parte della ricerca accademica e dello sviluppo LLM commerciale
TPU v4/v5	Architettura progettata su misura per operazioni matriciali delle reti neurali; prestazioni eccezionali con JAX/TensorFlow; larghezza di banda di interconnessione molto elevata nei pod (4,3 TB/s); modello di esecuzione deterministico che semplifica il debugging; altamente efficiente	Disponibili solo su Google Cloud Platform con possibile lock-in; modello di programmazione più restrittivo; supporto PyTorch storicamente limitato (anche se in miglioramento); operazioni custom richiedono implementazioni specifiche TPU; minore	Google DeepMind (PaLM 540B, Gemini), Google Research, partner accademici tramite TPU Research Cloud, progetti che richiedono training su scala massiva

	per training distribuito su larga scala	flessibilità per architetture sperimentali	
Cerebras WSE	Architettura wafer-scale rivoluzionaria (850.000 core, 40GB memoria on-chip); intere reti neurali su un singolo chip eliminando la complessità del training distribuito; eccellente per workload limitati dalla memoria o modelli sparsi; ridotto overhead di comunicazione	Ecosistema altamente specializzato che richiede adattamento del codice; opzioni di deploy limitate (principalmente on-premises); investimento iniziale elevato; meno librerie e strumenti rispetto all'ecosistema GPU; curva di apprendimento più ripida	Laboratori nazionali, istituzioni di ricerca specializzate (es. Argonne National Laboratory), aziende farmaceutiche, laboratori AI avanzati
AWS Trainium / Gaudi	Costo per FLOP significativamente inferiore rispetto alle GPU premium; integrazione cloud-native con scaling fluido; progettati per training deep learning; consumo energetico efficiente; modelli di prezzo prevedibili per produzione	Ecosistema software meno maturo; supporto framework limitato rispetto a NVIDIA; meno librerie ottimizzate; compromessi prestazionali su workload generici; curva di apprendimento più alta per team abituati a CUDA	Deployment enterprise sensibili ai costi, aziende cloud-native, organizzazioni con workload prevedibili, startup con budget limitato, team ML focalizzati su AWS

4.3.3 Tecniche di Efficienza

Quando si scala l'infrastruttura, l'efficienza diventa critica. Un miglioramento dell'1% può far risparmiare milioni in costi computazionali, consumo energetico e tempo di training. Applicare le giuste ottimizzazioni può fare la differenza tra un training riuscito e uno fallito per limiti di risorse. Ecco alcune tecniche fondamentali:

Mixed precision training (FP16/BF16)

Invece di usare sempre numeri a 32 bit (FP32), il mixed precision utilizza formati a 16 bit dove possibile. Questa tecnica combina diverse precisioni numeriche per ottimizzare prestazioni e accuratezza. I benefici principali sono due: riduzione dell'uso di memoria fino al 50% e aumento significativo della velocità computazionale grazie all'hardware ottimizzato per operazioni a bassa precisione (come i Tensor Core NVIDIA, che possono essere 2-8x più veloci).

I due principali formati a 16 bit sono:

- **FP16 (Half-precision):** utilizza 1 bit di segno, 5 di esponente e 10 di mantissa. È efficiente ma ha un range dinamico limitato, il che può causare instabilità numerica durante il training. Gradienti piccoli possono andare in underflow (diventare zero), mentre quelli grandi possono overflow (diventare infiniti). Per mitigare questo problema si usa il *loss scaling*, che scala temporaneamente i gradienti per mantenerli nel range rappresentabile.

- **BF16 (Brain Floating Point):** formato sviluppato da Google con 1 bit di segno, 8 di esponente e 7 di mantissa. Mantiene lo stesso range dinamico di FP32 ma con meno precisione. Questo è ideale per il deep learning, dove è più importante il range che la precisione estrema. BF16 evita molti problemi di stabilità di FP16 e non richiede loss scaling. È supportato da hardware moderno come GPU NVIDIA A100, TPU e CPU Intel con AMX.

In pratica, i framework mantengono i pesi principali in FP32, eseguono forward e backward in FP16/BF16 e usano tecniche come loss scaling per stabilizzare il training. Questo permette di ottenere prestazioni quasi identiche con maggiore velocità ed efficienza.

Esempio di Codice: Mixed Precision con PyTorch AMP

```python
import torch
import torch.nn as nn
from torch.cuda.amp import autocast, GradScaler
import time

# Define a more realistic model (small transformer block)
class TransformerBlock(nn.Module):
    def __init__(self, dim=1024, heads=8):
        super().__init__()
        self.attention = nn.MultiheadAttention(dim, heads)
        self.norm1 = nn.LayerNorm(dim)
        self.norm2 = nn.LayerNorm(dim)
        self.ffn = nn.Sequential(
            nn.Linear(dim, dim * 4),
            nn.GELU(),
            nn.Linear(dim * 4, dim)
        )

    def forward(self, x):
        # x shape: [seq_len, batch, dim]
        attn_output, _ = self.attention(x, x, x)
        x = x + attn_output
        x = self.norm1(x)
        x = x + self.ffn(x)
        x = self.norm2(x)
        return x

# Create model, optimizer, and data
seq_len, batch_size, dim = 32, 16, 1024
model = nn.Sequential(*[TransformerBlock(dim) for _ in range(2)]).cuda()
optimizer = torch.optim.Adam(model.parameters(), lr=1e-4)
scaler = GradScaler()  # For mixed precision training

# Compare training with and without mixed precision
def train(use_amp=False):
    # Reset model and optimizer state
    model.load_state_dict(torch.load('model.pt')) if 'model.pt' in locals() else torch.save(model.state_dict(), 'model.pt')
    optimizer = torch.optim.Adam(model.parameters(), lr=1e-4)

    start_time = time.time()
    for step in range(10):
```

```python
    # Generate random input data
    x = torch.randn(seq_len, batch_size, dim).cuda()
    y = torch.randn(seq_len, batch_size, dim).cuda()

    # Clear gradients
    optimizer.zero_grad()

    # Forward pass (with or without mixed precision)
    if use_amp:
        with autocast():
            out = model(x)
            loss = ((out - y) ** 2).mean()

            # Scale loss, backward pass, and optimizer step
            scaler.scale(loss).backward()
            scaler.step(optimizer)
            scaler.update()
    else:
        out = model(x)
        loss = ((out - y) ** 2).mean()
        loss.backward()
        optimizer.step()

    if step % 5 == 0:
        print(f"Step {step}, Loss: {loss.item():.6f}")

    elapsed = time.time() - start_time
    memory_used = torch.cuda.max_memory_allocated() / 1e9  # GB
    print(f"{'AMP' if use_amp else 'FP32'} Training completed in {elapsed:.2f}s,
Memory: {memory_used:.2f}GB")
    torch.cuda.reset_peak_memory_stats()
    return elapsed, memory_used

# Run comparison
print("Running FP32 training...")
fp32_time, fp32_memory = train(use_amp=False)

print("\\nRunning Mixed Precision (AMP) training...")
amp_time, amp_memory = train(use_amp=True)

print("\\n==== Performance Comparison ====")
print(f"Speedup: {fp32_time/amp_time:.2f}x faster with AMP")
print(f"Memory reduction: {fp32_memory/amp_memory:.2f}x less memory with AMP")
```

Analisi del Codice del Mixed Precision Training

L'esempio di codice mostra il mixed precision training con il framework Automatic Mixed Precision (AMP) di PyTorch. Ecco una spiegazione dettagliata di ciascun componente:

1. Componenti Principali

- **autocast e GradScaler**: questi sono i due componenti principali del framework AMP di PyTorch.

  - **autocast**: context manager che converte automaticamente le operazioni a precisione ridotta (FP16 o BF16) quando appropriato, mantenendo in FP32 quelle più sensibili.

  - **GradScaler**: gestisce la scalatura dei valori di loss per prevenire il gradient underflow, un problema comune nel training in FP16.

- **Architettura del Modello**: abbiamo implementato un semplice blocco transformer con multi-head attention, normalization e una rete feed-forward per dimostrare un training più realistico rispetto a un singolo layer lineare.

2. Come Funziona il Mixed Precision

- **Forward Pass con autocast**: all'interno del contesto autocast, alcune operazioni vengono automaticamente convertite in FP16:

  - Moltiplicazioni di matrici (la maggior parte del calcolo nel deep learning)

  - Convoluzioni

  - La maggior parte delle altre operazioni ad alta intensità computazionale

- **Operazioni Sensibili alla Precisione**: alcune operazioni restano in FP32 anche dentro autocast:

  - Softmax (per evitare instabilità numerica)

  - Calcolo della loss

  - Layer normalization

- **Il Processo di Scaling**: il GradScaler svolge tre funzioni critiche:

  - **scaler.scale(loss)**: moltiplica la loss per un fattore di scala (tipicamente 2^16) per prevenire underflow durante la backpropagation

  - **scaler.step(optimizer)**: riporta i gradienti alla scala originale prima dello step dell'optimizer, saltando gli step con infiniti/NaN

  - **scaler.update()**: regola il fattore di scala in base al fatto che lo step corrente sia riuscito o abbia rilevato overflow

3. Benefici Prestazionali

- **Efficienza Computazionale**: le GPU moderne (specialmente quelle con Tensor Core come NVIDIA V100/A100/H100) possono eseguire operazioni matriciali in FP16 da 2 a 8 volte più velocemente rispetto a FP32.

- **Risparmio di Memoria**: i valori FP16 richiedono metà memoria rispetto a FP32, consentendo:

  - Batch size più grandi

  - Training di modelli più grandi

  - Sequence length più lunghe

- **Efficienza Energetica**: le operazioni a precisione ridotta consumano meno energia, riducendo sia i costi elettrici sia l'impronta di carbonio.

4. Problemi Potenziali e Soluzioni

- **Gradient Underflow**: valori di gradiente molto piccoli possono diventare zero in FP16, motivo per cui si usa lo scaler per moltiplicare i gradienti in un intervallo rappresentabile.

- **Instabilità del Training**: se non implementato correttamente, il mixed precision può talvolta portare a training divergente. Le soluzioni includono:
    - Mantenere una copia master dei pesi in FP32
    - Dynamic loss scaling come implementato da GradScaler
    - Gestione attenta dei layer di normalizzazione

Questa implementazione mostra come il mixed precision training migliori significativamente sia la velocità di training sia l'efficienza della memoria con modifiche minime al codice, rendendolo una tecnica essenziale per addestrare large language models su larga scala.

Gradient checkpointing

I modelli grandi richiedono la memorizzazione dei valori di attivazione del forward pass per poter calcolare i gradienti durante la backpropagation. Questo uso della memoria cresce linearmente con la profondità del modello e può rapidamente esaurire la memoria GPU disponibile. Il gradient checkpointing salva strategicamente solo un sottoinsieme delle attivazioni e ricalcola le altre durante la backpropagation.

Per capire perché funziona, considera come opera la backpropagation: durante il forward pass, ogni layer produce output (attivazioni) che diventano input per i layer successivi. Normalmente, tutte queste attivazioni devono essere salvate in memoria perché servono di nuovo nel backward pass per calcolare i gradienti. Nei modelli profondi con molti layer e batch size grandi, queste attivazioni possono consumare gigabyte di memoria GPU.

Il gradient checkpointing divide la rete in segmenti e salva solo le attivazioni ai confini di questi segmenti. Quando la backpropagation raggiunge un confine di segmento, il forward pass di quel segmento viene ricalcolato al volo per ottenere le attivazioni intermedie mancanti. Concettualmente è simile a come i sistemi di memoria virtuale usano il page swapping, ma la ricomputazione è spesso più veloce del trasferimento dei dati tra memoria GPU e CPU.

Questo comporta uno scambio tra maggiore computazione (tipicamente 20-30% in più) e requisiti di memoria drasticamente ridotti (spesso con un risparmio del 70-80% della memoria delle attivazioni), consentendo il training di modelli più profondi sullo stesso hardware. La tecnica scala bene con la profondità del modello, rendendola particolarmente preziosa per addestrare architetture transformer molto profonde con risorse GPU limitate.

Esempio di Implementazione e Analisi del Gradient Checkpointing:

```python
import torch
import torch.nn as nn
from torch.utils.checkpoint import checkpoint
import time
import numpy as np
```

```python
# Define a simple but deep network to demonstrate checkpointing
class DeepModel(nn.Module):
    def __init__(self, num_layers=50, hidden_dim=1024):
        super().__init__()
        self.layers = nn.ModuleList([
            nn.Sequential(
                nn.Linear(hidden_dim, hidden_dim * 4),
                nn.GELU(),
                nn.Linear(hidden_dim * 4, hidden_dim)
            ) for _ in range(num_layers)
        ])
        self.norm = nn.LayerNorm(hidden_dim)

    def forward(self, x, use_checkpointing=False):
        for i, layer in enumerate(self.layers):
            if use_checkpointing:
                x = x + checkpoint(layer, x)
            else:
                x = x + layer(x)
            x = self.norm(x)
        return x

# Function to measure memory usage and execution time
def run_model(batch_size=16, seq_len=512, hidden_dim=1024, use_checkpointing=False):
    # Clear cache and reset memory stats
    torch.cuda.empty_cache()
    torch.cuda.reset_peak_memory_stats()

    # Create input data
    x = torch.randn(batch_size, seq_len, hidden_dim).cuda()

    # Create model
    model = DeepModel(num_layers=24, hidden_dim=hidden_dim).cuda()

    # Run forward and backward pass
    start_time = time.time()

    # Forward pass
    with torch.cuda.amp.autocast():  # Using mixed precision for realistic scenario
        output = model(x, use_checkpointing=use_checkpointing)
        loss = output.sum()

    # Backward pass
    loss.backward()

    # Get execution time and peak memory usage
    execution_time = time.time() - start_time
    peak_memory = torch.cuda.max_memory_allocated() / 1e9  # Convert to GB

    return execution_time, peak_memory
```

```python
# Compare performance with and without checkpointing
standard_time, standard_memory = run_model(use_checkpointing=False)
print(f"Standard: {standard_time:.2f} seconds, {standard_memory:.2f} GB")

checkpoint_time, checkpoint_memory = run_model(use_checkpointing=True)
print(f"Checkpointed: {checkpoint_time:.2f} seconds, {checkpoint_memory:.2f} GB")

print(f"Memory reduction: {(standard_memory - checkpoint_memory) / standard_memory *
100:.1f}%")
print(f"Compute overhead: {(checkpoint_time - standard_time) / standard_time *
100:.1f}%")
```

Analisi del Codice: Implementazione e Analisi del Gradient Checkpointing

Il codice sopra fornisce una dimostrazione completa del gradient checkpointing in PyTorch, illustrandone sia l'implementazione sia l'impatto sull'uso della memoria e sull'efficienza computazionale. Analizziamo ogni componente:

1. Componenti Principali dell'Implementazione

Classe DeepModel: una rete ispirata ai transformer con più layer, ciascuno composto da una rete feed-forward (FFN) con connessioni residue e layer normalization.

Meccanismo di Checkpointing: l'implementazione chiave si trova nel metodo forward:

x = x + checkpoint(layer, x) (con checkpointing abilitato)

x = x + layer(x) (esecuzione standard)

La funzione torch.utils.checkpoint.checkpoint avvolge l'esecuzione del layer, risparmiando memoria perché non memorizza le attivazioni intermedie.

2. Come Funziona il Gradient Checkpointing

Compromesso Memoria-Calcolo: il gradient checkpointing riduce l'uso della memoria salvando solo attivazioni selezionate durante il forward pass.

Strategia di Ricomputazione: durante la backpropagation, quando servono i gradienti per un determinato layer, il framework:

- Recupera l'input salvato per quel segmento

- Ricalcola il forward pass solo per quel segmento

- Calcola i gradienti usando queste attivazioni appena ricalcolate

- Elimina immediatamente le attivazioni ricomputate dopo l'uso

Implementazione Tecnica: PyTorch realizza questo creando funzioni autograd personalizzate che:

- Definiscono un nuovo computation graph per il forward

- Salvano gli input minimi necessari alla ricomputazione

- Registrano hook per attivare la ricomputazione durante il backward pass

3. Analisi delle Prestazioni

Misurazione dell'Efficienza della Memoria: il codice traccia il picco di memoria allocata usando torch.cuda.max_memory_allocated(), mostrando la significativa riduzione dell'impronta di memoria.

Overhead Computazionale: misurando il tempo di esecuzione con e senza checkpointing, è possibile quantificare il costo computazionale della ricomputazione.

Scenario Realistico: l'implementazione include mixed precision (torch.cuda.amp.autocast()) per rappresentare condizioni di training reali.

4. Considerazioni Pratiche

Controllo della Granularità: l'esempio applica il checkpointing a livello di layer, ma nella pratica la granularità può essere regolata:

- Checkpointing a grana fine (singole operazioni) massimizza il risparmio di memoria ma aumenta l'overhead

- Checkpointing a grana grossa (gruppi di layer) bilancia il risparmio di memoria con il costo computazionale

Applicazione Selettiva: nella pratica, il checkpointing viene spesso applicato solo alle parti più intensive in termini di memoria invece che uniformemente a tutta la rete.

Integrazione nei Framework: anche se questo esempio mostra un'implementazione PyTorch pura, framework come Hugging Face Transformers e DeepSpeed offrono API di più alto livello per il checkpointing.

5. Risultati Attesi e Implicazioni

Riduzione della Memoria: tipicamente un risparmio del 30-70% a seconda dell'architettura del modello.

Overhead Computazionale: di solito un aumento del 20-30% del tempo di training.

Benefici di Scalabilità: consente di addestrare modelli più profondi o usare batch size maggiori su hardware fisso, migliorando potenzialmente la qualità finale del modello nonostante il rallentamento del training.

Questa implementazione dimostra perché il gradient checkpointing sia diventato una tecnica essenziale nell'addestramento dei large language models: il risparmio di memoria supera quasi sempre il costo computazionale, specialmente quando la memoria GPU è il fattore limitante.

ZeRO (Zero Redundancy Optimizer)

Il data parallelism tradizionale replica l'intero modello, gli stati dell'optimizer e i gradienti su tutte le GPU, creando una ridondanza significativa. Questo significa che se hai un modello da 10 miliardi di parametri e 8 GPU, ogni GPU deve memorizzare una copia completa di tutti i 10 miliardi di parametri, più i gradienti e gli stati dell'optimizer. Questo approccio spreca preziosa memoria GPU e limita la dimensione massima del modello che puoi addestrare.

ZeRO (Zero Redundancy Optimizer) adotta un approccio fondamentalmente diverso, partizionando questi componenti tra le GPU invece di replicarli. Funziona in tre stadi progressivi:

- **ZeRO-1:** divide gli stati dell'optimizer (come momentum e variance in Adam) tra le GPU. Poiché gli stati dell'optimizer richiedono in genere 2x più memoria dei parametri del modello, questo da solo riduce l'uso di memoria di circa 4x.

Ad esempio, con l'optimizer Adam, ogni parametro richiede la memorizzazione di quattro valori: il parametro stesso, il suo gradiente e due stati dell'optimizer (primo e secondo momento). Partizionando solo gli stati dell'optimizer tra le GPU, ogni dispositivo deve conservare solo una frazione di questi stati, riducendo significativamente i requisiti di memoria senza influire sull'efficienza computazionale.

- **ZeRO-2:** si basa su ZeRO-1 partizionando anche i gradienti tra le GPU. Durante la backpropagation, ogni GPU calcola solo la propria porzione di gradienti, poi usa operazioni all-reduce per sincronizzarsi prima di aggiornare i parametri. Questo riduce ulteriormente la memoria di un altro 2x.

Ogni GPU è responsabile del calcolo e della memorizzazione dei gradienti per la partizione di parametri assegnata, poi comunica collettivamente con le altre GPU per garantire che tutti i dispositivi abbiano le informazioni necessarie all'aggiornamento dei parametri. Questa comunicazione avviene tramite efficienti operazioni collettive ottimizzate per ambienti di high-performance computing, bilanciando il risparmio di memoria con un overhead di comunicazione minimo.

- **ZeRO-3:** porta il partizionamento alla sua conclusione logica, frammentando anche i parametri del modello stesso. Ogni GPU conserva solo una frazione del modello, e i parametri vengono raccolti on-demand durante forward e backward pass. Questo offre il massimo risparmio di memoria (fino a 8-10x rispetto al data parallelism standard) ma introduce overhead di comunicazione aggiuntivo.

Quando un particolare layer ha bisogno di parametri memorizzati su un'altra GPU, questi vengono temporaneamente trasferiti tramite operazioni di gather, usati per il calcolo e poi rilasciati per liberare memoria. Questa raccolta e rilascio dinamici dei parametri consente di addestrare modelli estremamente grandi che altrimenti sarebbero impossibili sull'hardware disponibile. Ad esempio, un modello da 100 miliardi di parametri che richiederebbe oltre 400GB di memoria nel data parallelism standard può essere addestrato su otto GPU da 40GB usando ZeRO-3, dimostrando il suo impatto trasformativo sul training su larga scala.

Questa tecnica, implementata nella libreria DeepSpeed di Microsoft, consente di addestrare modelli con trilioni di parametri su sistemi distribuiti mantenendo alta efficienza e throughput. Ad esempio, modelli che richiederebbero 400GB di memoria per GPU con il data parallelism tradizionale possono essere addestrati su GPU con soli 40GB usando ZeRO-3, riducendo drasticamente i costi hardware e permettendo di addestrare modelli più grandi su infrastrutture esistenti.

Esempio di Implementazione ZeRO:

```python
import torch
import torch.nn as nn
import torch.distributed as dist
from torch.nn.parallel import DistributedDataParallel as DDP
import deepspeed
from deepspeed.runtime.zero.stage_1_and_2 import DeepSpeedZeroOptimizer

# Define a simple model for demonstration
class SimpleTransformerBlock(nn.Module):
```

```python
    def __init__(self, hidden_size=768, num_attention_heads=12):
        super().__init__()
        self.attention = nn.MultiheadAttention(hidden_size, num_attention_heads)
        self.feed_forward = nn.Sequential(
            nn.Linear(hidden_size, hidden_size * 4),
            nn.GELU(),
            nn.Linear(hidden_size * 4, hidden_size)
        )
        self.ln1 = nn.LayerNorm(hidden_size)
        self.ln2 = nn.LayerNorm(hidden_size)

    def forward(self, x):
        # Self-attention with residual connection
        attn_output, _ = self.attention(x, x, x)
        x = self.ln1(x + attn_output)

        # Feed-forward with residual connection
        ff_output = self.feed_forward(x)
        x = self.ln2(x + ff_output)
        return x

# Create a model with multiple layers
class SimpleModel(nn.Module):
    def __init__(self, num_layers=12, hidden_size=768):
        super().__init__()
        self.layers = nn.ModuleList([
            SimpleTransformerBlock(hidden_size) for _ in range(num_layers)
        ])
        self.classifier = nn.Linear(hidden_size, 2)  # Binary classification for
simplicity

    def forward(self, x):
        for layer in self.layers:
            x = layer(x)
        return self.classifier(x.mean(dim=1))  # Pool and classify

# Initialize distributed environment
def init_distributed():
    dist.init_process_group(backend='nccl')
    torch.cuda.set_device(dist.get_rank())

# DeepSpeed ZeRO configuration
ds_config = {
    "train_batch_size": 32,
    "fp16": {
        "enabled": True
    },
    "zero_optimization": {
        "stage": 2,  # ZeRO-2: Optimizer states + gradients partitioning
        "offload_optimizer": {
            "device": "cpu",  # Offload to CPU to save GPU memory
            "pin_memory": True
```

```python
        },
        "contiguous_gradients": True,
        "overlap_comm": True
    },
    "optimizer": {
        "type": "Adam",
        "params": {
            "lr": 3e-5,
            "betas": [0.9, 0.999],
            "eps": 1e-8
        }
    }
}

def main():
    # Initialize distributed environment
    init_distributed()

    # Create model
    model = SimpleModel(num_layers=24, hidden_size=1024)

    # Sample input (batch_size, sequence_length, hidden_size)
    batch_size = 8
    seq_len = 512
    hidden_size = 1024
    inputs = torch.randn(batch_size, seq_len, hidden_size).to(torch.cuda.current_device())
    labels = torch.randint(0, 2, (batch_size,)).to(torch.cuda.current_device())

    # Training function
    def training_step(batch, labels):
        outputs = model(batch)
        loss_fn = nn.CrossEntropyLoss()
        loss = loss_fn(outputs, labels)
        return loss

    # Initialize DeepSpeed engine
    model_engine, optimizer, _, _ = deepspeed.initialize(
        model=model,
        config=ds_config,
        model_parameters=model.parameters()
    )

    # Training loop
    for epoch in range(3):
        # In a real scenario, you would iterate through a DataLoader
        loss = training_step(inputs, labels)

        # Backward pass managed by DeepSpeed
        model_engine.backward(loss)
        model_engine.step()
```

```python
        print(f"Epoch {epoch}, Loss: {loss.item()}")

if __name__ == "__main__":
    main()
```

Analisi dell'Implementazione di ZeRO

Il codice sopra illustra un'implementazione pratica dell'optimizer ZeRO di Microsoft usando la libreria DeepSpeed. Analizziamo i componenti principali e come rendono possibile un training efficiente su larga scala:

1. Definizione del Modello

L'esempio definisce un'architettura transformer semplificata con più layer, ciascuno contenente componenti di multi-head attention e feed-forward. Questo rappresenta il tipo di modello che beneficerebbe dell'ottimizzazione ZeRO quando scalato a miliardi di parametri.

2. Configurazione di DeepSpeed

Il cuore dell'implementazione di ZeRO si trova nel dizionario di configurazione:

- **Selezione dello Stage ZeRO:** "stage": 2 attiva ZeRO-2, che partiziona stati dell'optimizer e gradienti tra le GPU mantenendo una copia completa dei parametri del modello su ogni GPU.

- **Offloading su CPU:** "offload_optimizer": {"device": "cpu"} riduce ulteriormente l'uso della memoria GPU spostando gli stati dell'optimizer nella RAM della CPU quando non sono utilizzati attivamente.

- **Ottimizzazione della Comunicazione:** "overlap_comm": true abilita la sovrapposizione tra comunicazione e computazione per nascondere la latenza della sincronizzazione dei parametri.

- **Memoria Contigua:** "contiguous_gradients": true assicura che i gradienti siano memorizzati in blocchi di memoria contigui per una comunicazione più efficiente.

3. Setup del Training Distribuito

Il codice inizializza un ambiente distribuito usando il package distributed di PyTorch, configurando il backend di comunicazione (NCCL) necessario per un training multi-GPU efficiente. A ogni GPU viene assegnato un rank specifico nel process group.

4. Inizializzazione del DeepSpeed Engine

Invece di usare l'optimizer standard di PyTorch, il modello viene avvolto nel motore di DeepSpeed:

model_engine, optimizer, _, _ = deepspeed.initialize(...)

Questo passaggio cruciale sostituisce l'optimizer convenzionale con l'optimizer ZeRO di DeepSpeed, che gestisce la partizione degli stati dell'optimizer e dei gradienti tra le GPU.

5. Analisi dell'Efficienza della Memoria

Analizziamo il risparmio di memoria per il modello di questo esempio:

- **Numero di Parametri:** un modello a 24 layer con hidden size 1024 ha circa 300M parametri.

- **Training Standard:** richiederebbe circa 3,6GB per parametri, gradienti e stati dell'optimizer (in FP32).

- **Con ZeRO-2:** su un sistema con 4 GPU, il requisito di memoria scende a circa 1,5GB per GPU (riduzione del 58%).

- **Con Offloading dell'Optimizer:** l'uso di memoria GPU scende ulteriormente a circa 0,9GB per GPU (riduzione del 75%).

6. Meccanica Operativa di ZeRO

Durante l'esecuzione, ZeRO-2 opera attraverso questi passaggi:

- **Forward Pass:** ogni GPU ha una copia completa del modello, quindi il calcolo procede normalmente.

- **Backward Pass:** i gradienti vengono calcolati, ma solo la partizione assegnata a ciascuna GPU viene mantenuta.

- **Optimizer Step:** ogni GPU aggiorna solo la propria partizione di parametri, poi un'operazione di all-gather ricostruisce il set completo dei parametri aggiornati su tutte le GPU.

7. Pattern di Comunicazione

ZeRO implementa pattern di comunicazione sofisticati per minimizzare l'overhead:

- **Bucketing:** piccoli gruppi di parametri vengono combinati in bucket di comunicazione più grandi per ridurre la latenza.

- **Overlapping:** la comunicazione per un layer inizia mentre la computazione del layer successivo è ancora in corso.

- **Comunicazioni Gerarchiche:** in scenari multi-node, la comunicazione viene ottimizzata separatamente all'interno dei nodi e tra i nodi.

8. Considerazioni sulla Scalabilità

Il codice mostra ZeRO-2, ma per modelli estremamente grandi:

- **ZeRO-3:** partizionerebbe anche i parametri del modello stesso, consentendo il training di modelli da trilioni di parametri.

- **Infinity:** ZeRO-Infinity di DeepSpeed estende questo approccio con offloading su NVMe, rendendo possibile il training anche su hardware consumer.

Questa implementazione di esempio mostra come ZeRO renda fattibile il training di modelli grandi distribuendo intelligentemente i requisiti di memoria sull'hardware disponibile senza sacrificare efficienza computazionale o accuratezza del modello. Il risparmio di memoria scala linearmente con il numero di GPU, rendendolo una tecnica essenziale per addestrare i più grandi language model di oggi.

FlashAttention e fused kernels

La self-attention è spesso il collo di bottiglia computazionale nei modelli basati su transformer. Questa operazione richiede la memorizzazione e la manipolazione di grandi matrici di attenzione, soprattutto per sequenze lunghe, causando un notevole uso di memoria e tempo di calcolo. FlashAttention affronta questo problema ripensando il modo in cui l'attenzione viene calcolata a livello hardware. Invece di materializzare l'intera matrice di attenzione nella high-bandwidth memory (HBM) della GPU, FlashAttention suddivide il calcolo in blocchi più piccoli che entrano nella cache SRAM più veloce, riducendo gli accessi in lettura/scrittura verso la HBM di un fattore O(N) rispetto alla lunghezza della sequenza N. Questa implementazione IO-aware raggiunge fino a 7,5x di speedup sulle sequenze lunghe utilizzando esattamente la stessa formulazione matematica dell'attenzione standard.

L'algoritmo funziona suddividendo sia i prodotti scalari query/key sia le operazioni softmax in tile, mantenendo somme progressive nella SRAM e minimizzando l'accesso alla HBM. Questo è particolarmente utile per sequenze oltre i 1.024 token, dove la scalabilità quadratica della memoria dell'attenzione diventa proibitiva. FlashAttention-2 migliora ulteriormente questo design con ottimizzazioni aggiuntive, come la riduzione parallela della softmax e il supporto a diverse head dimension, offrendo speedup ancora maggiori.

Allo stesso modo, i fused kernels combinano più operazioni in un singolo kernel GPU, riducendo i colli di bottiglia della banda di memoria e migliorando l'efficienza computazionale. I framework di deep learning tradizionali spesso scompongono operazioni complesse in più operazioni primitive, ciascuna delle quali richiede il proprio ciclo di lettura/scrittura in memoria. Ad esempio, una tipica layer normalization potrebbe includere: (1) calcolo della media, (2) calcolo della varianza, (3) normalizzazione dei valori e (4) applicazione dei parametri di scala e shift. Fondendo queste operazioni in un unico kernel, i risultati intermedi restano in registri veloci o memoria condivisa invece di essere scritti e letti dalla memoria globale della GPU tra un'operazione e l'altra.

Queste ottimizzazioni richiedono spesso programmazione CUDA specializzata, ma possono offrire guadagni prestazionali sostanziali, specialmente per i meccanismi di attenzione e le operazioni di layer normalization. Se implementati correttamente, i fused kernels possono ridurre i requisiti di banda di memoria di 3-4x e migliorare il throughput di fattori simili, rendendoli essenziali per il training e l'inferenza efficienti dei large language models. Librerie come cuDNN di NVIDIA, xFormers e DeepSpeed offrono operazioni fuse predefinite che gli sviluppatori possono usare senza scrivere codice CUDA personalizzato.

Esempio di Implementazione di FlashAttention e Fused Kernels:

```python
import torch
import torch.nn as nn
import torch.nn.functional as F
import math
from typing import Optional, Tuple

# Basic implementation of flash attention
class FlashAttention(nn.Module):
    def __init__(self, hidden_size: int, num_heads: int, dropout: float = 0.0):
        super().__init__()
        self.hidden_size = hidden_size
        self.num_heads = num_heads
        self.head_dim = hidden_size // num_heads
        self.dropout = dropout

        # QKV projection in a single matrix for efficiency
        self.qkv_proj = nn.Linear(hidden_size, 3 * hidden_size, bias=False)
        self.output_proj = nn.Linear(hidden_size, hidden_size, bias=False)
```

```python
        # Block sizes for tiling - would be tuned based on GPU SRAM cache size
        self.block_size_m = 64  # Query block size
        self.block_size_n = 64  # Key block size

    def forward(self, x: torch.Tensor, attention_mask: Optional[torch.Tensor] = None) -> torch.Tensor:
        batch_size, seq_len, _ = x.size()

        # Project to Q, K, V in a single operation (fused QKV projection)
        qkv = self.qkv_proj(x)
        qkv = qkv.reshape(batch_size, seq_len, 3, self.num_heads, self.head_dim)
        qkv = qkv.permute(2, 0, 3, 1, 4)  # [3, batch_size, num_heads, seq_len, head_dim]
        q, k, v = qkv[0], qkv[1], qkv[2]

        # Simulate flash attention with tiling algorithm
        # This is a simplified version - actual implementation would use CUDA kernels
        output = self._flash_attention(q, k, v, attention_mask)

        # Project back to hidden size
        output = output.transpose(1, 2).reshape(batch_size, seq_len, self.hidden_size)
        return self.output_proj(output)

    def _flash_attention(self, q, k, v, attention_mask):
        # This simulates the flash attention algorithm with tiling
        # Real implementation would be in CUDA for massive speedup
        batch_size, num_heads, seq_len, head_dim = q.shape

        # Scale query
        q = q * (1.0 / math.sqrt(self.head_dim))

        # Initialize output and softmax normalization factor
        output = torch.zeros_like(q)
        softmax_scale = torch.zeros(batch_size, num_heads, seq_len, 1, device=q.device)

        # Iterate over blocks of queries
        for i in range(0, seq_len, self.block_size_m):
            m_end = min(i + self.block_size_m, seq_len)
            q_block = q[:, :, i:m_end, :]

            # Iterate over blocks of keys
            for j in range(0, seq_len, self.block_size_n):
                n_end = min(j + self.block_size_n, seq_len)
                k_block = k[:, :, j:n_end, :]
                v_block = v[:, :, j:n_end, :]

                # Compute attention scores for this block
                scores = torch.matmul(q_block, k_block.transpose(-1, -2))
```

```python
                # Apply attention mask if provided
                if attention_mask is not None:
                    mask_block = attention_mask[:, :, i:m_end, j:n_end]
                    scores = scores + mask_block

                # Apply softmax - in real flash attention this is done with a
specialized kernel
                # that maintains running sums without materializing the full attention
matrix
                block_max = torch.max(scores, dim=-1, keepdim=True)[0]
                scores_normalized = torch.exp(scores - block_max)

                # Update output accumulators
                block_output = torch.matmul(scores_normalized, v_block)
                block_sum = scores_normalized.sum(dim=-1, keepdim=True)

                output[:, :, i:m_end, :] += block_output
                softmax_scale[:, :, i:m_end, :] += block_sum

        # Normalize the output
        output = output / softmax_scale
        return output

# Example of a layer with fused LayerNorm implementation
class FusedLayerNorm(nn.Module):
    def __init__(self, hidden_size: int, eps: float = 1e-5):
        super().__init__()
        self.weight = nn.Parameter(torch.ones(hidden_size))
        self.bias = nn.Parameter(torch.zeros(hidden_size))
        self.eps = eps

    def forward(self, x: torch.Tensor) -> torch.Tensor:
        # This simulates a fused kernel that would do the entire operation in one GPU
pass
        # In reality, this would be a custom CUDA kernel
        mean = x.mean(dim=-1, keepdim=True)
        var = ((x - mean) ** 2).mean(dim=-1, keepdim=True)
        x_norm = (x - mean) / torch.sqrt(var + self.eps)
        return self.weight * x_norm + self.bias

# A complete transformer block with flash attention and fused operations
class FusedTransformerBlock(nn.Module):
    def __init__(self, hidden_size: int, num_heads: int, dropout: float = 0.1):
        super().__init__()
        self.attention = FlashAttention(hidden_size, num_heads, dropout)
        self.norm1 = FusedLayerNorm(hidden_size)
        self.norm2 = FusedLayerNorm(hidden_size)

        # Fused feed-forward network
        self.fused_ffn = nn.Sequential(
            nn.Linear(hidden_size, 4 * hidden_size),
            nn.GELU(),
```

```python
        nn.Linear(4 * hidden_size, hidden_size)
    )

def forward(self, x: torch.Tensor, attention_mask: Optional[torch.Tensor] = None)
-> torch.Tensor:
    # Pre-LayerNorm design
    norm_x = self.norm1(x)
    attention_output = self.attention(norm_x, attention_mask)
    x = x + attention_output  # Residual connection

    norm_x = self.norm2(x)
    ffn_output = self.fused_ffn(norm_x)
    x = x + ffn_output  # Residual connection

    return x

# Example usage
if __name__ == "__main__":
    # Create a sample input
    batch_size = 2
    seq_len = 512
    hidden_size = 768
    num_heads = 12

    x = torch.randn(batch_size, seq_len, hidden_size).cuda()

    # Initialize model
    model = FusedTransformerBlock(hidden_size, num_heads).cuda()

    # Forward pass
    output = model(x)
    print(f"Input shape: {x.shape}")
    print(f"Output shape: {output.shape}")

    # Compare theoretical memory usage
    standard_attn_memory = batch_size * seq_len * seq_len * 4  # bytes for full
attention matrix (fp32)
    flash_attn_memory = batch_size * (2 * seq_len * hidden_size) * 4 # bytes for just
Q and K*V (fp32)

    print(f"Standard attention memory: {standard_attn_memory / 1e6:.2f} MB")
    print(f"Flash attention memory: {flash_attn_memory / 1e6:.2f} MB")
    print(f"Memory reduction: {standard_attn_memory / flash_attn_memory:.2f}x")
```

Analisi dell'implementazione di FlashAttention e dei kernel fusi

L'esempio di codice sopra dimostra un'implementazione semplificata di FlashAttention e dei kernel fusi in PyTorch. Analizziamo i componenti chiave e le ottimizzazioni:

1. Implementazione di FlashAttention

- **Proiezione QKV fusa:** invece di utilizzare tre livelli lineari separati per le proiezioni query, key e value, si utilizza un unico livello qkv_proj che produce tutte e tre in un'unica operazione. Questo riduce i trasferimenti di memoria e migliora l'utilizzo della GPU.

- **Algoritmo di computazione a blocchi (tiled):** il metodo _flash_attention simula l'innovazione principale di FlashAttention—elaborare la matrice di attenzione in blocchi che entrano nella cache SRAM veloce. Sebbene l'implementazione PyTorch sia a scopo illustrativo, FlashAttention reale utilizza kernel CUDA per queste operazioni.

- **Elaborazione per blocchi:** il calcolo dell'attenzione è suddiviso in blocchi più piccoli definiti da block_size_m e block_size_n, elaborando una porzione di query e key alla volta. Questa è la chiave per ridurre il traffico di memoria tra HBM e SRAM.

- **Ottimizzazione del Softmax:** l'implementazione mantiene somme cumulative per la normalizzazione del softmax, evitando di memorizzare l'intera matrice di attenzione.

2. LayerNorm fuso

La classe FusedLayerNorm rappresenta un'altra ottimizzazione fondamentale:

- **Calcolo in un solo passaggio:** in PyTorch standard, la normalizzazione di layer comporta più operazioni (media, varianza, normalizzazione, scala/shift) con risultati intermedi memorizzati in memoria. L'implementazione fusa esegue concettualmente tutto in un unico passaggio del kernel GPU.

- **Riduzione del traffico di memoria:** eliminando i tensori intermedi, la layer normalization fusa riduce significativamente i requisiti di banda di memoria, particolarmente importante per modelli di grandi dimensioni.

3. Blocco Transformer completo

Il FusedTransformerBlock combina queste ottimizzazioni:

- **Architettura Pre-LayerNorm:** l'uso della normalizzazione prima dei moduli di attenzione e feed-forward migliora la stabilità dell'addestramento.

- **Rete feed-forward fusa:** la sequenza lineare $\rightarrow$ GELU $\rightarrow$ lineare è progettata per essere implementata come un'operazione fusa nei sistemi di produzione.

- **Connessioni residue:** mantenute nel modo standard, aggiungendo l'input originale all'output di ogni sotto-blocco.

4. Analisi di memoria e prestazioni

Il codice si conclude con un confronto teorico dell'utilizzo della memoria:

- **Attenzione standard:** richiede memoria $O(N^2)$ per memorizzare l'intera matrice di attenzione per una sequenza di lunghezza N.

- **Flash Attention:** richiede solo memoria $O(N)$ poiché non materializza mai l'intera matrice di attenzione.

- **Impatto pratico:** per una lunghezza di sequenza di 512, questo si traduce in circa 2MB vs. 1MB per batch—una riduzione di 2x. Il risparmio diventa molto più significativo per sequenze più lunghe (8x per 2048 token, 32x per 8192 token).

5. Ulteriori ottimizzazioni nei sistemi di produzione

- **Mixed Precision:** le implementazioni in produzione utilizzano FP16/BF16 per la maggior parte delle operazioni, riducendo ulteriormente la memoria e aumentando il throughput.

- **Kernel Fusion:** oltre ai singoli componenti, intere sequenze di operazioni (come attenzione+dropout+residuo) vengono fuse in singoli kernel CUDA.

- **Pattern di accesso alla memoria:** le implementazioni reali ottimizzano attentamente il layout e i pattern di accesso alla memoria per massimizzare l'efficienza della cache.

Nei sistemi di addestramento in produzione, queste ottimizzazioni consentono collettivamente di addestrare modelli più grandi con sequenze più lunghe, riducendo sia l'uso della memoria che il tempo di addestramento. Le implementazioni reali in librerie come xFormers, FlashAttention o cuDNN di NVIDIA contengono codice CUDA significativamente più complesso per ottenere il massimo delle prestazioni dall'hardware GPU.

4.3.4 Perché è importante

Addestrare un LLM non è possibile su una singola GPU o laptop — richiede **infrastrutture distribuite massicce**, un'attenta **scelta dell'hardware** e tecniche di efficienza a ogni livello. Le richieste computazionali dell'addestramento dei moderni modelli linguistici con miliardi di parametri richiedono configurazioni hardware specializzate che lavorano in sinergia.

L'**addestramento distribuito** consente di scalare i modelli oltre i limiti di un singolo dispositivo. Questo comporta la suddivisione di pesi del modello, gradienti e dati tra più dispositivi utilizzando tecniche come:

- **Model parallelism:** divisione degli strati del modello tra GPU, permettendo a ogni dispositivo di gestire una porzione della rete neurale. Questo è fondamentale per modelli con miliardi di parametri che non possono essere contenuti nella memoria di una singola GPU. Ogni forward e backward pass richiede comunicazione tra dispositivi mentre le attivazioni attraversano la rete.

- **Data parallelism:** elaborazione di batch diversi su GPU diverse mantenendo copie identiche del modello su ogni dispositivo. Dopo aver calcolato i gradienti localmente, un'operazione di all-reduce sincronizza e media i gradienti tra tutti i dispositivi prima dell'aggiornamento dei pesi. Questo approccio scala bene con la dimensione del batch ma richiede memoria sufficiente su ogni dispositivo per contenere l'intero modello.

- **Pipeline parallelism:** esecuzione di diverse fasi del calcolo su dispositivi diversi in modo pipeline. Questo approccio ibrido divide il modello in fasi (come il model parallelism) ma elabora più micro-batch simultaneamente (come il data parallelism), massimizzando l'utilizzo dell'hardware riducendo i tempi morti dei dispositivi.

Framework come DeepSpeed, Megatron-LM e Horovod facilitano questa distribuzione con modifiche minime al codice. Questi strumenti gestiscono i complessi schemi di comunicazione, l'ottimizzazione della memoria e la sincronizzazione necessaria per un addestramento efficiente su più dispositivi. Ad esempio, ZeRO (Zero Redundancy Optimizer) di DeepSpeed ottimizza ulteriormente l'uso della memoria suddividendo stati dell'ottimizzatore, gradienti e parametri tra i dispositivi, permettendo l'addestramento di modelli con trilioni di parametri.

GPU, TPU e acceleratori hanno ciascuno il proprio ruolo, a seconda del budget e dell'ecosistema. Le GPU NVIDIA (A100, H100) rimangono lo standard industriale con un forte supporto software, mentre le TPU di Google offrono prestazioni eccellenti per carichi di lavoro specifici. La GPU NVIDIA A100 offre fino a 312 teraFLOPS per l'addestramento AI, mentre la più recente H100 fornisce quasi 4 petaFLOPS di prestazioni AI con il suo Transformer Engine, rendendola particolarmente adatta all'addestramento di LLM. L'ecosistema CUDA di NVIDIA offre librerie e framework maturi che facilitano notevolmente lo sviluppo.

Le TPU (Tensor Processing Units) di Google sono ASIC progettati specificamente per carichi di lavoro di machine learning. I pod TPU v4 possono fornire oltre 1 exaFLOP di potenza di calcolo quando configurati su larga scala. Eccellono nelle operazioni matriciali fondamentali per l'addestramento delle reti neurali e sono strettamente integrati con i framework JAX e TensorFlow di Google, anche se non dispongono della stessa varietà di ecosistema delle GPU NVIDIA.

Gli acceleratori AI emergenti di aziende come Cerebras, Graphcore e SambaNova offrono alternative con architetture uniche ottimizzate per carichi di lavoro AI. Il CS-2 di Cerebras presenta un enorme chip a scala wafer con 850.000 core e 40GB di memoria on-chip, eliminando molti colli di bottiglia di comunicazione tra chip. L'architettura IPU di Graphcore fornisce 1.472 core di elaborazione con In-Processor-Memory per gestire in modo efficiente reti neurali sparse. L'architettura Reconfigurable Dataflow di SambaNova si adatta ai pattern computazionali specifici dei diversi modelli. La scelta influisce non solo sulla velocità di addestramento, ma anche sull'efficienza energetica e sulla compatibilità software.

Le **tecniche di efficienza** come mixed precision e gli ottimizzatori ZeRO sono innovazioni ingegneristiche fondamentali che fanno la differenza tra esecuzioni di addestramento possibili e impossibili. Senza queste ottimizzazioni, molti dei modelli più grandi di oggi semplicemente non potrebbero essere addestrati con l'hardware esistente.

L'addestramento in mixed precision utilizza numeri in virgola mobile a 16 bit (FP16 o BF16) invece di 32 bit (FP32) per ridurre l'uso della memoria e aumentare il throughput computazionale. Questo approccio riduce quasi della metà i requisiti di memoria e può raddoppiare il throughput aritmetico sulle GPU moderne. FP16 offre vantaggi significativi in termini di velocità ma può soffrire di problemi di stabilità numerica durante l'addestramento, soprattutto per modelli di grandi dimensioni. Il formato BF16 (Brain Floating Point), sviluppato da Google, mantiene lo stesso intervallo di esponente di FP32 riducendo la precisione nella mantissa, offrendo una migliore stabilità numerica rispetto a FP16 pur garantendo benefici in termini di memoria e calcolo.

ZeRO (Zero Redundancy Optimizer), sviluppato da Microsoft Research, rappresenta una svolta nell'efficienza del training distribuito. Il training data parallel tradizionale duplica i parametri del modello su tutte le GPU, sprecando memoria preziosa. ZeRO invece suddivide stati dell'ottimizzatore, gradienti e persino i parametri tra le GPU per eliminare la ridondanza di memoria. I tre stadi progressivi dell'ottimizzazione ZeRO offrono un'efficienza di memoria sempre maggiore:

- ZeRO-1: suddivide gli stati dell'ottimizzatore (che consumano molta memoria con ottimizzatori tipo Adam)

- ZeRO-2: suddivide stati dell'ottimizzatore e gradienti

- ZeRO-3: suddivide stati dell'ottimizzatore, gradienti e parametri del modello

Tecniche avanzate aggiuntive includono l'accumulo dei gradienti (che consente di addestrare con batch effettivamente più grandi accumulando gradienti su più forward/backward pass prima di aggiornare i pesi), activation checkpointing (che scambia computazione per memoria scartando le attivazioni intermedie durante il forward e ricalcolandole durante il backward), e CPU/NVMe offloading (che sposta temporaneamente i dati meno utilizzati dalla memoria GPU alla RAM di sistema o persino allo storage SSD). Insieme, questi approcci hanno reso possibile l'addestramento di modelli con centinaia di miliardi di parametri nonostante i limiti di memoria delle singole GPU (40–80GB).

Senza questa infrastruttura, gli LLM restano teoria. Con essa, diventano i potenti sistemi che stanno ridefinendo l'AI oggi. Queste basi tecnologiche rappresentano anni di innovazione nel calcolo ad alte prestazioni, permettendo le leggi di scaling che hanno guidato i recenti progressi nelle capacità dei modelli linguistici. Le organizzazioni che investono nello sviluppo di LLM devono costruire o accedere a questo stack infrastrutturale, creando sia opportunità che barriere all'ingresso nel settore.

4.4 Ottimizzazione dei costi e sostenibilità nel training su larga scala

Addestrare un large language model è come gestire una piccola centrale elettrica. I costi di calcolo, elettricità e cloud possono rapidamente raggiungere milioni di dollari. Ad esempio, l'addestramento di GPT-3 è stato stimato intorno ai 4,6 milioni di dollari solo in risorse computazionali, mentre modelli più recenti come GPT-4 o Claude probabilmente costano decine di milioni. Questo include non solo il costo diretto dell'hardware GPU/TPU, ma anche sistemi di raffreddamento, manutenzione e tempo ingegneristico. Oltre all'aspetto economico, l'**impronta di carbonio** dell'AI su larga scala è diventata una crescente preoccupazione per ricercatori, aziende e società. Un singolo training su larga scala può emettere tanto carbonio quanto diverse vite di automobili combinate—l'addestramento di GPT-3 è stimato aver prodotto circa 552 tonnellate di CO_2 equivalente, paragonabili alle emissioni annuali di circa 120 veicoli passeggeri.

La buona notizia: esistono molte strategie per **ridurre i costi e migliorare la sostenibilità** — dalla pianificazione intelligente ad algoritmi efficienti e ottimizzazioni consapevoli dell'hardware. I data center possono essere collocati strategicamente in regioni con abbondante energia rinnovabile e climi più freddi per ridurre i costi di raffreddamento. Il training può essere pianificato durante le ore non di punta, quando l'energia costa meno e la rete ha capacità in eccesso. A livello algoritmico, tecniche come pruning, quantization e knowledge distillation possono ridurre i requisiti computazionali mantenendo le prestazioni del modello. Esploriamole passo dopo passo.

4.4.1 Strategie di ottimizzazione dei costi

1. Addestramento in Mixed Precision (FP16/BF16)

Invece di utilizzare numeri in virgola mobile a 32 bit (FP32) ovunque, molti LLM oggi si addestrano in **half-precision** (FP16 o BF16). Questo riduce l'uso della memoria, accelera il calcolo e diminuisce il consumo energetico — tutto con poca o nessuna perdita di accuratezza. Vediamo i dettagli tecnici:

Nel deep learning tradizionale, FP32 è stato lo standard, offrendo alta precisione numerica e un ampio range. Tuttavia, questo formato richiede 4 byte per numero, creando requisiti di memoria elevati quando si gestiscono miliardi di parametri. I formati half-precision utilizzano solo 2 byte per numero, dimezzando di fatto i requisiti di memoria.

Esistono due principali formati half-precision:

FP16 (IEEE 754 half-precision)

Utilizza 1 bit di segno, 5 bit di esponente e 10 bit di mantissa. Sebbene sia eccellente per il risparmio di memoria, FP16 ha un range dinamico limitato che può causare instabilità nel training attraverso problemi di "gradient overflow" o "underflow". Questa limitazione deriva dal compromesso tra precisione e memoria intrinseco nella rappresentazione in virgola mobile.

Questo accade perché i 5 bit di esponente permettono di rappresentare numeri solo tra circa 6.0×10^{-8} e 6.5×10^4, con precisione ridotta rispetto a FP32. Durante il training, i gradienti possono facilmente uscire da questo intervallo — diventando troppo grandi (overflow) quando il loss landscape è ripido, causando instabilità numerica, oppure troppo piccoli (underflow) quando i gradienti sono minuscoli, azzerando di fatto valori che dovrebbero contribuire all'apprendimento. Per visualizzare questo problema, immagina di voler rappresentare sia distanze astronomiche che misure subatomiche con lo stesso numero limitato di cifre — inevitabilmente perderai precisione a uno degli estremi.

Questo è particolarmente problematico nelle reti profonde, dove le magnitudini dei gradienti possono variare drasticamente tra i layer e durante diverse fasi del training. Ad esempio, i layer iniziali di una rete profonda spesso hanno gradienti più piccoli rispetto a quelli finali a causa dell'effetto cumulativo della backpropagation, mentre alcuni step di ottimizzazione possono temporaneamente generare gradienti estremamente grandi durante l'esplorazione del loss landscape. Molte implementazioni contrastano questa limitazione utilizzando tecniche di loss scaling che moltiplicano temporaneamente i gradienti per mantenerli in un intervallo rappresentabile, per poi ridimensionarli prima di applicare gli aggiornamenti al modello. Questa tecnica, sebbene efficace, aggiunge complessità computazionale e richiede un'attenta regolazione per evitare instabilità.

BF16 (Brain Floating Point)

Utilizza 1 bit di segno, 8 bit di esponente (gli stessi di FP32) e 7 bit di mantissa. Questo formato mantiene lo stesso range dinamico di FP32 sacrificando però una parte della precisione. Il vantaggio principale di BF16 è che preserva l'intero range dell'esponente di FP32 (con 8 bit), permettendo così di rappresentare in modo accurato sia numeri molto grandi sia numeri molto piccoli. Questo evita i problemi di gradient overflow e underflow che affliggono il training in FP16.

Per capire perché i bit dell'esponente siano così cruciali, considera che l'esponente determina la scala del numero rappresentato. Con 8 bit di esponente, BF16 può rappresentare numeri compresi approssimativamente tra 1.18×10^{-38} e 3.4×10^{38} (lo stesso intervallo di FP32), fornendo margine sufficiente sia per gradienti minuscoli sia per grandi valori di attivazione che si verificano comunemente durante il training nel deep learning. Al contrario, i 5 bit di esponente di FP16 limitano il suo intervallo a circa 6.0×10^{-8} fino a 6.5×10^4, spesso insufficiente per il range dinamico dei valori incontrati durante l'addestramento.

L'ingegnosità di BF16 sta nell'aver riconosciuto che le reti neurali sono sorprendentemente tolleranti a una riduzione della precisione nella mantissa (la parte frazionaria dei numeri in virgola mobile), purché il range dell'esponente resti adeguato. Questa intuizione ha portato alla scelta strategica di mantenere gli 8 bit di esponente di FP32 riducendo però la mantissa da 23 bit (in FP32) a soli 7 bit.

BF16 è spesso preferito per l'addestramento di modelli di grandi dimensioni perché combina efficienza di memoria e maggiore stabilità nel training. Il compromesso è una precisione leggermente ridotta nella mantissa (7 bit contro i 10 bit di FP16), ma i modelli di deep learning sono generalmente robusti a questo tipo di perdita di precisione. In pratica, BF16 offre un equilibrio eccellente: dimezza i requisiti di memoria come FP16, ma mantiene la stabilità dell'addestramento su un'ampia gamma di architetture di modello e tecniche di ottimizzazione. Questo rende BF16 particolarmente prezioso per addestrare modelli estremamente grandi, dove la stabilità numerica diventa sempre più critica con l'aumentare della profondità e del numero di parametri.

I benefici pratici sono notevoli: l'uso della half-precision può ridurre l'occupazione di memoria della GPU fino al 50%, consentendo batch size o dimensioni del modello maggiori a parità di vincoli hardware. Le GPU e TPU moderne dispongono di tensor core specializzati ottimizzati per questi formati, offrendo moltiplicazioni di matrici da 2 a 8 volte più veloci rispetto a FP32. Questa accelerazione riduce drasticamente il tempo di addestramento e il consumo energetico.

Esempio di codice: Automatic Mixed Precision in PyTorch

```python
import torch
import torch.nn as nn
import torch.optim as optim
import time
from torch.cuda.amp import autocast, GradScaler

# Define a simple model
class SimpleModel(nn.Module):
    def __init__(self, dim=2048):
        super().__init__()
        self.layers = nn.Sequential(
            nn.Linear(dim, dim*2),
            nn.ReLU(),
            nn.Linear(dim*2, dim*2),
            nn.ReLU(),
            nn.Linear(dim*2, dim)
        )

    def forward(self, x):
        return self.layers(x)

# Set random seed for reproducibility
torch.manual_seed(42)

# Create model and move to GPU
model = SimpleModel().cuda()
print(f"Model has {sum(p.numel() for p in model.parameters())} parameters")

# Choose optimizer
optimizer = torch.optim.AdamW(model.parameters(), lr=1e-3, weight_decay=1e-2)

# Create gradient scaler for mixed precision training
scaler = GradScaler()

# Training parameters
batch_size = 32
input_dim = 2048
```

```python
epochs = 5

# Track metrics
times = []
losses = []

# Training loop
for epoch in range(epochs):
    epoch_start = time.time()
    epoch_losses = []

    # Inner training loop (simplified)
    for i in range(10):
        # Generate random data (in real scenarios, use DataLoader)
        x = torch.randn(batch_size, input_dim).cuda()
        y = torch.randn(batch_size, input_dim).cuda()

        # Reset gradients
        optimizer.zero_grad()

        # Forward pass with autocast for mixed precision
        with autocast():
            out = model(x)
            loss = ((out - y) ** 2).mean()  # MSE loss

        # Backward pass with scaling
        scaler.scale(loss).backward()

        # Optimizer step with unscaling
        scaler.step(optimizer)

        # Update scaler for next iteration
        scaler.update()

        # Record loss
        epoch_losses.append(loss.item())

    # Calculate epoch statistics
    epoch_time = time.time() - epoch_start
    times.append(epoch_time)
    avg_loss = sum(epoch_losses) / len(epoch_losses)
    losses.append(avg_loss)

    print(f"Epoch {epoch+1}/{epochs}: Loss={avg_loss:.6f}, Time={epoch_time:.3f}s")

# Report final statistics
print(f"Average epoch time: {sum(times)/len(times):.3f}s")
print(f"Final loss: {losses[-1]:.6f}")
print(f"Loss reduction: {(losses[0] - losses[-1])/losses[0]*100:.2f}%")
```

Spiegazione dettagliata del Mixed Precision Training:

Il codice sopra dimostra un'implementazione completa del mixed precision training in PyTorch. Analizziamo ogni componente per capire perché è così utile nell'addestramento di large language models:

Componenti chiave del Mixed Precision

- **contesto autocast**: converte automaticamente le operazioni a precisione ridotta (FP16/BF16) quando è sicuro farlo, mantenendo le operazioni critiche in FP32. Questo riduce l'uso della memoria e accelera il calcolo sulle GPU moderne.

- **GradScaler**: gestisce lo scaling dei gradienti per prevenire l'underflow in FP16, un problema comune quando i gradienti diventano troppo piccoli per essere rappresentati in half precision.

- **scaler.scale(loss).backward()**: moltiplica la loss per un fattore di scala prima della backpropagation, portando i valori piccoli dei gradienti in un intervallo rappresentabile in FP16.

- **scaler.step(optimizer)**: descalare i gradienti prima di applicare gli aggiornamenti e salta gli step in cui vengono rilevati valori NaN o infiniti, evitando instabilità nel training.

- **scaler.update()**: aggiorna il fattore di scala in base alla presenza o meno di overflow nel batch precedente, trovando dinamicamente il miglior equilibrio tra prestazioni e stabilità.

Dettagli pratici di implementazione

L'esempio mostra una configurazione realistica di training con:

- Un modello di rete neurale multi-layer con attivazioni ReLU

- Ottimizzatore AdamW con weight decay per la regolarizzazione

- Generazione di dati casuali (da sostituire con un DataLoader reale nelle applicazioni)

- Monitoraggio delle metriche di performance (tempo di training e valori della loss)

Benefici in memoria e prestazioni

Il mixed precision training offre due vantaggi principali:

- **Efficienza della memoria**: usare half-precision (FP16/BF16) riduce quasi della metà l'uso della memoria rispetto a FP32, permettendo batch più grandi o modelli più profondi.

- **Aumento della velocità computazionale**: le GPU NVIDIA moderne dispongono di Tensor Cores specializzati che offrono operazioni di matrice da 2 a 8 volte più veloci con formati half precision.

Questi benefici diventano particolarmente importanti nell'addestramento di LLM con miliardi di parametri, dove i limiti di memoria e il tempo di training sono colli di bottiglia critici.

Considerazioni sull'implementazione

- **Dynamic loss scaling**: il GradScaler regola automaticamente i fattori di scala in base al comportamento dei gradienti durante il training.

- **Compatibilità retroattiva**: il codice funziona con modelli esistenti senza richiedere modifiche architetturali.

- **Integrazione nei framework**: sebbene questo esempio utilizzi PyTorch, funzionalità simili esistono anche in TensorFlow e JAX.

Il mixed precision è ormai considerato una pratica standard per l'addestramento di modelli di grandi dimensioni, poiché rappresenta uno dei modi più efficaci per massimizzare l'utilizzo dell'hardware mantenendo la stabilità del training.

2. Checkpointing e ottimizzazione della memoria

L'addestramento su sequenze lunghe nei modelli di deep learning, in particolare nei transformer utilizzati negli LLM, consuma enormi quantità di memoria GPU. Questo accade perché il forward pass deve memorizzare tutte le attivazioni intermedie per ogni layer al fine di calcolare i gradienti durante la backpropagation. Il **gradient checkpointing** è una tecnica avanzata che scambia tempo di calcolo per un significativo risparmio di memoria evitando deliberatamente di salvare tutte le attivazioni intermedie durante il forward pass.

Ecco come funziona nel dettaglio: durante la backpropagation standard, il modello deve conservare ogni tensore intermedio (attivazione) calcolato durante il forward pass per poter calcolare correttamente i gradienti. Nei modelli complessi come i transformer, questo crea un collo di bottiglia di memoria che cresce con la lunghezza della sequenza, la dimensione del batch e la profondità del modello. Il gradient checkpointing affronta questo problema implementando un intelligente compromesso tra memoria e computazione.

Invece di salvare ogni attivazione intermedia lungo tutta la rete, il checkpointing memorizza solo le attivazioni in punti prestabiliti ("checkpoint"), solitamente tra blocchi o layer. Durante la backpropagation, quando l'algoritmo necessita di attivazioni non salvate, le ricalcola al volo eseguendo un forward pass parziale a partire dal checkpoint più vicino. Questo approccio può ridurre l'uso della memoria fino all'80% con un aumento moderato del tempo di calcolo (tipicamente 20-30%).

Ad esempio, in un transformer con 24 layer, la backpropagation tradizionale memorizzerebbe le attivazioni di tutti e 24 i layer. Con il checkpointing, si potrebbero salvare solo le attivazioni ai layer 0, 8, 16 e 24. Durante la backpropagation tra i layer 17-23, l'algoritmo ricalcola le attivazioni necessarie a partire dal checkpoint del layer 16. Il posizionamento ottimale dei checkpoint segue spesso una regola basata sulla radice quadrata per bilanciare risparmio di memoria e overhead computazionale.

Questa tecnica è particolarmente utile quando si addestrano sequenze molto lunghe o batch di grandi dimensioni che altrimenti supererebbero la memoria disponibile della GPU. Framework moderni come PyTorch e TensorFlow offrono supporto nativo per il gradient checkpointing, rendendone relativamente semplice l'implementazione. La maggior parte delle implementazioni di large language models (inclusi GPT, LLaMA e PaLM) utilizza questa tecnica come pratica standard per gestire sequenze lunghe e abilitare architetture più profonde.

Esempio di codice: Gradient Checkpointing

```python
import torch
import torch.nn as nn
from torch.utils.checkpoint import checkpoint
import time
import matplotlib.pyplot as plt
import numpy as np
```

```python
# Define a more complex model that represents a transformer-like block
class TransformerBlock(nn.Module):
    def __init__(self, dim, expansion_factor=4):
        super().__init__()
        # Self-attention component (simplified)
        self.attention = nn.Sequential(
            nn.Linear(dim, dim),
            nn.ReLU(),
            nn.Linear(dim, dim)
        )

        # Feed-forward network
        self.ffn = nn.Sequential(
            nn.Linear(dim, dim * expansion_factor),
            nn.ReLU(),
            nn.Linear(dim * expansion_factor, dim)
        )

        self.layer_norm1 = nn.LayerNorm(dim)
        self.layer_norm2 = nn.LayerNorm(dim)

    def forward(self, x):
        # Residual connection with layer norm
        residual = x
        x = self.layer_norm1(x)
        x = self.attention(x)
        x = x + residual

        # Second residual connection
        residual = x
        x = self.layer_norm2(x)
        x = self.ffn(x)
        x = x + residual

        return x

# Create a deep model with multiple transformer blocks
class DeepTransformer(nn.Module):
    def __init__(self, dim, depth):
        super().__init__()
        self.blocks = nn.ModuleList([TransformerBlock(dim) for _ in range(depth)])

    def forward(self, x, use_checkpointing=False):
        for block in self.blocks:
            if use_checkpointing:
                x = checkpoint(block, x)
            else:
                x = block(x)
        return x

# Benchmark function to compare memory and time with and without checkpointing
def benchmark_checkpointing(batch_size=16, dim=1024, depth=12, seq_len=512):
```

```python
    # Create input tensor
    x = torch.randn(batch_size, seq_len, dim).cuda()

    # Create model and move to GPU
    model = DeepTransformer(dim, depth).cuda()

    results = {}

    # Test without checkpointing
    torch.cuda.empty_cache()
    torch.cuda.reset_peak_memory_stats()
    start_time = time.time()

    # Forward pass
    with torch.cuda.amp.autocast():
        try:
            model(x, use_checkpointing=False)

            # Record results
            results['standard_time'] = time.time() - start_time
            results['standard_memory'] = torch.cuda.max_memory_allocated() / (1024 **
3)  # Convert to GB
            results['standard_success'] = True
        except RuntimeError as e:
            if "out of memory" in str(e).lower():
                results['standard_success'] = False
                results['standard_memory'] = None
                results['standard_time'] = None
                print("Standard forward pass ran out of memory")
            else:
                raise e

    # Test with checkpointing
    torch.cuda.empty_cache()
    torch.cuda.reset_peak_memory_stats()
    start_time = time.time()

    # Forward pass with checkpointing
    with torch.cuda.amp.autocast():
        try:
            model(x, use_checkpointing=True)

            # Record results
            results['checkpointed_time'] = time.time() - start_time
            results['checkpointed_memory'] = torch.cuda.max_memory_allocated() /
(1024 ** 3)  # Convert to GB
            results['checkpointed_success'] = True
        except RuntimeError as e:
            if "out of memory" in str(e).lower():
                results['checkpointed_success'] = False
                results['checkpointed_memory'] = None
                results['checkpointed_time'] = None
```

```python
                print("Checkpointed forward pass ran out of memory")
            else:
                raise e

    return results

# Run the benchmark
results = benchmark_checkpointing()

# Print results
print("\\n--- BENCHMARK RESULTS ---")
if results.get('standard_success'):
    print(f"Standard forward pass:")
    print(f"  Time: {results['standard_time']:.4f} seconds")
    print(f"  Memory: {results['standard_memory']:.2f} GB")
else:
    print("Standard forward pass: OUT OF MEMORY")

if results.get('checkpointed_success'):
    print(f"\\nCheckpointed forward pass:")
    print(f"  Time: {results['checkpointed_time']:.4f} seconds")
    print(f"  Memory: {results['checkpointed_memory']:.2f} GB")
else:
    print("\\nCheckpointed forward pass: OUT OF MEMORY")

# If both methods succeeded, show comparison
if results.get('standard_success') and results.get('checkpointed_success'):
    memory_reduction = (results['standard_memory'] - results['checkpointed_memory'])
/ results['standard_memory'] * 100
    time_increase = (results['checkpointed_time'] - results['standard_time']) /
results['standard_time'] * 100

    print("\\nComparison:")
    print(f"  Memory reduction with checkpointing: {memory_reduction:.1f}%")
    print(f"  Time increase with checkpointing: {time_increase:.1f}%")

    # Create a visualization
    if plt:
        fig, (ax1, ax2) = plt.subplots(1, 2, figsize=(12, 5))

        # Memory plot
        bars1 = ax1.bar(['Standard', 'Checkpointed'],
                        [results['standard_memory'], results['checkpointed_memory']],
                        color=['blue', 'green'])
        ax1.set_ylabel('Memory Usage (GB)')
        ax1.set_title('Peak Memory Usage')
        ax1.bar_label(bars1, fmt='%.2f GB')

        # Time plot
        bars2 = ax2.bar(['Standard', 'Checkpointed'],
                        [results['standard_time'], results['checkpointed_time']],
                        color=['blue', 'green'])
```

```python
        ax2.set_ylabel('Time (seconds)')
        ax2.set_title('Forward Pass Time')
        ax2.bar_label(bars2, fmt='%.4f s')

        plt.tight_layout()
        plt.savefig('checkpointing_benchmark.png')
        print("\\nBenchmark visualization saved as 'checkpointing_benchmark.png'")

# Example of checkpointing with backward pass
def demonstrate_backward_pass():
    # Set up a simple example
    dim = 1024
    batch_size = 16
    model = TransformerBlock(dim).cuda()
    x = torch.randn(batch_size, dim, requires_grad=True).cuda()
    target = torch.randn(batch_size, dim).cuda()
    optimizer = torch.optim.Adam(model.parameters(), lr=0.001)

    # Without checkpointing
    optimizer.zero_grad()
    out1 = model(x)
    loss1 = ((out1 - target) ** 2).mean()
    loss1.backward()
    grad1 = {name: param.grad.clone() for name, param in model.named_parameters()}

    # Reset gradients
    optimizer.zero_grad()

    # With checkpointing
    out2 = checkpoint(model, x)
    loss2 = ((out2 - target) ** 2).mean()
    loss2.backward()
    grad2 = {name: param.grad.clone() for name, param in model.named_parameters()}

    # Verify gradients are the same
    all_close = True
    for name in grad1:
        if not torch.allclose(grad1[name], grad2[name], atol=1e-5):
            all_close = False
            break

    print("\\n--- GRADIENT VERIFICATION ---")
    print(f"Gradients match between standard and checkpointed versions: {all_close}")
    print(f"Output values match: {torch.allclose(out1, out2, atol=1e-5)}")

# Run gradient verification
demonstrate_backward_pass()

# Demonstrate a concrete example
def run_concrete_example():
    # Create a simple block and input
    block = TransformerBlock(1024).cuda()
```

```python
    x = torch.randn(16, 1024).cuda()

    # Run without checkpointing
    y1 = block(x)

    # Run with checkpointing
    y2 = checkpoint(block, x)

    # Check shapes and values
    print("\\n--- CONCRETE EXAMPLE ---")
    print(f"Output shape: {y1.shape}")
    print(f"Outputs are identical: {torch.allclose(y1, y2)}")

run_concrete_example()
```

Analisi del codice: Gradient Checkpointing

L'esempio di codice dimostra il gradient checkpointing, una tecnica fondamentale per addestrare large language models con memoria GPU limitata. Ecco un'analisi dettagliata:

Come funziona il Gradient Checkpointing

Il gradient checkpointing è una tecnica di ottimizzazione della memoria che scambia tempo di calcolo per efficienza della memoria. Funziona così:

- **Backpropagation standard:** normalmente, PyTorch memorizza tutte le attivazioni intermedie durante il forward pass per calcolare i gradienti nella backpropagation.

- **Problema di memoria:** nei modelli profondi come i transformer, salvare tutte queste attivazioni consuma enormi quantità di memoria, soprattutto con sequenze lunghe.

- **Soluzione del checkpointing:** invece di salvare tutte le attivazioni, il checkpointing conserva solo alcune selezionate in punti strategici ("checkpoint").

- **Ricalcolo:** durante la backpropagation, quando serve un'attivazione non salvata, viene ricalcolata al volo eseguendo un forward pass parziale dal checkpoint più vicino.

Componenti chiave nell'esempio

Il codice esteso mostra diversi aspetti importanti:

- **Struttura realistica del modello:** la classe TransformerBlock rappresenta un layer transformer semplificato con componenti di attenzione e feed-forward, simili a quelli degli LLM.

- **Benchmark della memoria:** misura e confronta l'uso massimo della memoria con e senza checkpointing.

- **Compromesso computazionale:** quantifica il tempo di calcolo aggiuntivo richiesto quando si utilizza il checkpointing.

- **Verifica dei gradienti:** conferma che i gradienti calcolati con checkpointing sono matematicamente equivalenti a quelli della backpropagation standard.

Benefici pratici

Il codice evidenzia diversi vantaggi concreti:

- **Riduzione della memoria:** riduce tipicamente l'uso della memoria dal 30% all'80% a seconda dell'architettura del modello e della posizione dei checkpoint.

- **Abilita modelli più grandi:** consente di addestrare modelli più profondi o con sequenze più lunghe che altrimenti non entrerebbero nella memoria GPU.

- **Compromesso computazionale:** il moderato aumento del tempo di calcolo (solitamente 20–30%) è un compromesso accettabile rispetto al grande risparmio di memoria.

- **Semplicità di implementazione:** la funzione checkpoint di PyTorch rende l'integrazione semplice con modifiche minime al codice.

Considerazioni sull'implementazione

Quando implementi il gradient checkpointing nei tuoi modelli, considera:

- **Posizionamento dei checkpoint:** per la massima efficienza, posizionali secondo una regola basata sulla radice quadrata (non a ogni layer, ma in modo strategico).

- **Stati RNG:** il codice esteso gestisce correttamente gli stati del generatore di numeri casuali per garantire la riproducibilità.

- **Compatibilità:** funziona senza problemi con altre ottimizzazioni come il mixed precision training (dimostrato con autocast).

- **Supporto dei framework:** funzionalità simili esistono anche in altri framework (TensorFlow ha tf.recompute_grad).

Questa tecnica è diventata essenziale per l'addestramento dei modelli linguistici all'avanguardia, permettendo ai ricercatori di costruire architetture più profonde e lavorare con contesti più lunghi senza richiedere quantità proporzionali di memoria GPU.

3. Elastic & Spot Training

Nel cloud, GPU e TPU sono costosi. Le **spot instances** (compute economico e preemptible) possono ridurre i costi del 70–90% rispetto alle istanze on-demand, se il training è progettato per riprendere dopo interruzioni. Queste istanze sono disponibili quando i provider cloud hanno capacità in eccesso, ma possono essere reclamate con poco preavviso quando la domanda aumenta. Le spot instances operano con un modello di prezzo basato sul mercato: quando la domanda complessiva di calcolo è bassa, i prezzi scendono significativamente, permettendo di accedere a hardware ad alte prestazioni a una frazione del costo normale.

Il compromesso è l'affidabilità: queste istanze possono essere terminate in qualsiasi momento con solo 1–2 minuti di preavviso quando il provider cloud ha bisogno delle risorse per clienti on-demand. Per il training di LLM, che spesso dura giorni o settimane, questa volatilità richiede considerazioni architetturali specifiche.

Per utilizzare efficacemente le spot instances, la pipeline di training deve implementare:

- **Checkpointing:** salvare regolarmente pesi del modello, stati dell'ottimizzatore e progresso del training. Idealmente, i checkpoint dovrebbero essere salvati su storage cloud persistente (come S3 o GCS) ogni 15–30 minuti, a seconda della dimensione del modello e del costo computazionale di ogni epoca.

- **Ripresa automatica:** rilevare interruzioni e ripartire dall'ultimo checkpoint disponibile. Questo richiede una gestione robusta degli errori capace di distinguere tra errori normali di training e guasti infrastrutturali. Il codice deve poter ricaricare architettura del modello, pesi, stato dell'ottimizzatore, stato del learning rate scheduler e posizione del data iterator.

- **Monitoraggio delle istanze:** ascoltare i segnali di terminazione per salvare il lavoro prima dello shutdown. I provider cloud inviano tipicamente un segnale prima di reclamare una spot instance. Lo script di training dovrebbe intercettare questi segnali e avviare immediatamente un checkpoint.

- **Numero di nodi flessibile:** continuare il training anche se alcuni nodi del cluster vengono persi. Questo implica implementare un'allocazione dinamica delle risorse, in cui il training distribuito riequilibra i carichi quando cambia la composizione del cluster. Il sistema deve adattare automaticamente batch size, gradient accumulation e pattern di comunicazione in base ai nodi disponibili.

Framework come **PyTorch Lightning** e **DeepSpeed** aiutano a implementare l'elastic training offrendo funzionalità integrate per gestione dei checkpoint, coordinamento del training distribuito e tolleranza ai guasti. Ad esempio, il checkpointing automatico di PyTorch Lightning può essere configurato con poche righe di codice, mentre gli stati dell'ottimizzatore ZeRO di DeepSpeed possono essere serializzati e ripristinati efficientemente tra diverse configurazioni di nodi. Questi framework gestiscono anche scenari complessi come batch size elastici, adattamento del gradient accumulation e scaling del learning rate quando l'ambiente di training cambia.

Se implementato correttamente, l'elastic training su spot instances può ridurre il costo dell'addestramento di large language models di ordini di grandezza, rendendo la ricerca AI avanzata accessibile anche a team più piccoli e organizzazioni con budget limitati. L'investimento iniziale nello sviluppo di sistemi robusti di checkpointing e ripresa viene ripagato da risparmi significativi nel corso del progetto.

Esempio di Elastic & Spot Training:

```python
import os
import time
import signal
import argparse
import torch
import torch.nn as nn
import torch.distributed as dist
from torch.nn.parallel import DistributedDataParallel as DDP
from transformers import GPT2Config, GPT2LMHeadModel, GPT2Tokenizer
from transformers import get_linear_schedule_with_warmup
from datasets import load_dataset
from torch.utils.data import DataLoader, DistributedSampler
import boto3
from botocore.exceptions import ClientError
```

```python
class SpotTrainingManager:
    def __init__(self, model, optimizer, scheduler, args):
        self.model = model
        self.optimizer = optimizer
        self.scheduler = scheduler
        self.args = args
        self.epoch = 0
        self.global_step = 0
        self.best_val_loss = float('inf')
        self.checkpoint_dir = args.checkpoint_dir
        self.s3_bucket = args.s3_bucket

        # Create local checkpoint directory if it doesn't exist
        os.makedirs(self.checkpoint_dir, exist_ok=True)

        # Set up termination signal handler
        signal.signal(signal.SIGTERM, self._termination_handler)

    def _termination_handler(self, signum, frame):
        """Handle spot instance termination notice"""
        print("! Termination signal received! Saving checkpoint before shutdown...")
        self.save_checkpoint(is_emergency=True)
        print("Emergency checkpoint saved. Shutting down...")
        exit(0)

    def save_checkpoint(self, is_best=False, is_emergency=False):
        """Save model checkpoint locally and to S3"""
        if dist.get_rank() != 0:
            return  # Only save checkpoint from the main process

        checkpoint = {
            'epoch': self.epoch,
            'global_step': self.global_step,
            'model_state_dict': self.model.module.state_dict() if hasattr(self.model,
'module') else self.model.state_dict(),
            'optimizer_state_dict': self.optimizer.state_dict(),
            'scheduler_state_dict': self.scheduler.state_dict()  if  self.scheduler
else None,
            'best_val_loss': self.best_val_loss
        }

        # Determine checkpoint path
        if is_emergency:
            checkpoint_path                 =                 os.path.join(self.checkpoint_dir,
'emergency_checkpoint.pt')
        elif is_best:
            checkpoint_path = os.path.join(self.checkpoint_dir, 'best_checkpoint.pt')
        else:
            checkpoint_path                 =                 os.path.join(self.checkpoint_dir,
f'checkpoint_epoch_{self.epoch}.pt')
```

```python
        # Save locally
        torch.save(checkpoint, checkpoint_path)
        print(f"Checkpoint saved locally to {checkpoint_path}")

        # Upload to S3
        if self.s3_bucket:
            try:
                s3_client = boto3.client('s3')
                s3_path = os.path.basename(checkpoint_path)
                s3_client.upload_file(checkpoint_path,                self.s3_bucket,
f"checkpoints/{s3_path}")
                print(f"Checkpoint                  uploaded                    to
s3://{self.s3_bucket}/checkpoints/{s3_path}")
            except ClientError as e:
                print(f"S3 upload failed: {e}")

    def load_latest_checkpoint(self):
        """Load the most recent checkpoint from S3 or local storage"""
        # First try to download from S3
        if self.s3_bucket:
            try:
                s3_client = boto3.client('s3')
                objects        =        s3_client.list_objects_v2(Bucket=self.s3_bucket,
Prefix="checkpoints/")
                if 'Contents' in objects:
                    checkpoints    =    [obj   for   obj   in   objects['Contents']   if
obj['Key'].endswith('.pt')]
                    if checkpoints:
                        # Sort by last modified time
                        latest = sorted(checkpoints, key=lambda x: x['LastModified'],
reverse=True)[0]
                        local_path        =        os.path.join(self.checkpoint_dir,
os.path.basename(latest['Key']))
                        s3_client.download_file(self.s3_bucket,          latest['Key'],
local_path)
                        print(f"Downloaded checkpoint from S3: {latest['Key']}")
                        return self._load_checkpoint_file(local_path)
            except ClientError as e:
                print(f"S3 download failed: {e}")

        # If S3 fails or no S3 bucket, try local checkpoints
        checkpoint_files    =    [f   for   f   in   os.listdir(self.checkpoint_dir)   if
f.endswith('.pt')]
        if checkpoint_files:
            # Check for emergency checkpoint first
            if 'emergency_checkpoint.pt' in checkpoint_files:
                checkpoint_path            =            os.path.join(self.checkpoint_dir,
'emergency_checkpoint.pt')
                print("Found emergency checkpoint, loading...")
                return self._load_checkpoint_file(checkpoint_path)

        # Then check for best checkpoint
```

```python
        if 'best_checkpoint.pt' in checkpoint_files:
            checkpoint_path                 = os.path.join(self.checkpoint_dir,
'best_checkpoint.pt')
            print("Found best checkpoint, loading...")
            return self._load_checkpoint_file(checkpoint_path)

        # Otherwise, load latest epoch checkpoint
        epoch_checkpoints    = [f    for    f    in    checkpoint_files    if
f.startswith('checkpoint_epoch_')]
        if epoch_checkpoints:
            # Extract epoch numbers and find the latest
            epochs    =    [int(f.split('_')[-1].split('.')[0])    for    f    in
epoch_checkpoints]
            latest_epoch = max(epochs)
            checkpoint_path                 = os.path.join(self.checkpoint_dir,
f'checkpoint_epoch_{latest_epoch}.pt')
            print(f"Loading checkpoint from epoch {latest_epoch}")
            return self._load_checkpoint_file(checkpoint_path)

    print("No checkpoints found. Starting from scratch.")
    return False

def _load_checkpoint_file(self, checkpoint_path):
    """Load a specific checkpoint file"""
    try:
        checkpoint = torch.load(checkpoint_path, map_location='cpu')

        # Load model state
        if hasattr(self.model, 'module'):
            self.model.module.load_state_dict(checkpoint['model_state_dict'])
        else:
            self.model.load_state_dict(checkpoint['model_state_dict'])

        # Load optimizer and scheduler states
        self.optimizer.load_state_dict(checkpoint['optimizer_state_dict'])
        if self.scheduler and checkpoint['scheduler_state_dict']:
            self.scheduler.load_state_dict(checkpoint['scheduler_state_dict'])

        # Restore training state
        self.epoch = checkpoint['epoch']
        self.global_step = checkpoint['global_step']
        self.best_val_loss = checkpoint['best_val_loss']

        print(f"Resumed from epoch {self.epoch}, global step {self.global_step}")
        return True
    except Exception as e:
        print(f"Failed to load checkpoint: {e}")
        return False

def setup_distributed_training(rank, world_size):
    """Initialize distributed training environment"""
    os.environ['MASTER_ADDR'] = 'localhost'
```

```python
    os.environ['MASTER_PORT'] = '12355'
    dist.init_process_group("nccl", rank=rank, world_size=world_size)
    torch.cuda.set_device(rank)

def load_and_prepare_data(args, tokenizer):
    """Load and prepare dataset for training"""
    # Load dataset
    dataset = load_dataset('wikitext', 'wikitext-103-v1')

    # Tokenize function
    def tokenize_function(examples):
        return                tokenizer(examples['text'],                truncation=True,
max_length=args.max_seq_length)

    # Apply tokenization
    tokenized_dataset        =        dataset.map(tokenize_function,        batched=True,
remove_columns=['text'])

    # Create DataLoaders
    train_sampler        =        DistributedSampler(tokenized_dataset['train'])        if
dist.is_initialized() else None
    val_sampler       =       DistributedSampler(tokenized_dataset['validation'])       if
dist.is_initialized() else None

    train_loader = DataLoader(
        tokenized_dataset['train'],
        batch_size=args.batch_size,
        sampler=train_sampler,
        shuffle=train_sampler is None
    )

    val_loader = DataLoader(
        tokenized_dataset['validation'],
        batch_size=args.batch_size,
        sampler=val_sampler,
        shuffle=False
    )

    return train_loader, val_loader, train_sampler

def train_model(rank, world_size, args):
    """Main training function for each process"""
    if world_size > 1:
        setup_distributed_training(rank, world_size)

    # Load model, tokenizer
    config = GPT2Config.from_pretrained(args.model_name)
    model = GPT2LMHeadModel.from_pretrained(args.model_name, config=config)
    tokenizer = GPT2Tokenizer.from_pretrained(args.model_name)

    # Move model to GPU
    model = model.to(rank)
```

```python
# Set up distributed model if needed
if world_size > 1:
    model = DDP(model, device_ids=[rank])

# Prepare optimizer and scheduler
optimizer = torch.optim.AdamW(model.parameters(), lr=args.learning_rate)
train_loader, val_loader, train_sampler = load_and_prepare_data(args, tokenizer)

total_steps = len(train_loader) * args.num_epochs
scheduler = get_linear_schedule_with_warmup(
    optimizer,
    num_warmup_steps=args.warmup_steps,
    num_training_steps=total_steps
)

# Initialize the spot training manager
trainer = SpotTrainingManager(model, optimizer, scheduler, args)

# Try to load checkpoint
resumed = trainer.load_latest_checkpoint()

# Main training loop
model.train()
for epoch in range(trainer.epoch, args.num_epochs):
    trainer.epoch = epoch
    if train_sampler:
        train_sampler.set_epoch(epoch)

    # Track time for each epoch
    epoch_start_time = time.time()

    # Training loop
    for step, batch in enumerate(train_loader):
        # Move batch to device
        batch = {k: v.to(rank) for k, v in batch.items()}

        # Forward pass
        outputs = model(**batch, labels=batch['input_ids'])
        loss = outputs.loss

        # Backward pass
        loss.backward()

        # Gradient clipping
        torch.nn.utils.clip_grad_norm_(model.parameters(), args.max_grad_norm)

        # Update parameters
        optimizer.step()
        scheduler.step()
        optimizer.zero_grad()
```

```python
            trainer.global_step += 1

            # Periodic logging
            if rank == 0 and step % args.logging_steps == 0:
                print(f"Epoch: {epoch}, Step: {step}, Loss: {loss.item():.4f}")

            # Periodic checkpoint
            if (rank == 0 and
                trainer.global_step % args.save_steps == 0 and
                trainer.global_step > 0):
                trainer.save_checkpoint()

            # Periodically check for spot instance termination
            if step % args.termination_check_steps == 0:
                if check_for_termination_notice():
                    # This will trigger the signal handler
                    print("Termination notice detected, preparing for shutdown...")
                    trainer.save_checkpoint(is_emergency=True)
                    exit(0)

        # End of epoch
        epoch_time = time.time() - epoch_start_time
        if rank == 0:
            print(f"Epoch {epoch} completed in {epoch_time:.2f} seconds")

        # Validation at end of epoch
        if rank == 0:
            val_loss = validate(model, val_loader, rank)
            print(f"Validation loss: {val_loss:.4f}")

            # Save if best model
            if val_loss < trainer.best_val_loss:
                trainer.best_val_loss = val_loss
                trainer.save_checkpoint(is_best=True)

            # Always save at end of epoch
            trainer.save_checkpoint()

    # Clean up
    if world_size > 1:
        dist.destroy_process_group()

def validate(model, val_loader, device):
    """Validate the model on validation dataset"""
    model.eval()
    total_loss = 0
    with torch.no_grad():
        for batch in val_loader:
            batch = {k: v.to(device) for k, v in batch.items()}
            outputs = model(**batch, labels=batch['input_ids'])
            total_loss += outputs.loss.item()
```

```python
        avg_loss = total_loss / len(val_loader)
        model.train()
        return avg_loss

def check_for_termination_notice():
    """Check if AWS has sent a spot termination notice"""
    try:
        # On AWS, spot termination notices are available at this URL
        response = requests.get(
            "<http://169.254.169.254/latest/meta-data/spot/instance-action>",
            timeout=0.1
        )
        if response.status_code == 200:
            # Termination notice received
            return True
    except:
        # Any error means no termination notice or not on AWS
        pass
    return False

def parse_args():
    parser = argparse.ArgumentParser(description="Elastic training with spot instances")
    parser.add_argument("--model_name", type=str, default="gpt2", help="Model name or path")
    parser.add_argument("--batch_size", type=int, default=8, help="Batch size per GPU")
    parser.add_argument("--learning_rate", type=float, default=5e-5, help="Learning rate")
    parser.add_argument("--num_epochs", type=int, default=3, help="Number of epochs")
    parser.add_argument("--max_seq_length", type=int, default=512, help="Maximum sequence length")
    parser.add_argument("--warmup_steps", type=int, default=500, help="Warmup steps")
    parser.add_argument("--max_grad_norm", type=float, default=1.0, help="Gradient clipping norm")
    parser.add_argument("--logging_steps", type=int, default=100, help="Log every X steps")
    parser.add_argument("--save_steps", type=int, default=1000, help="Save checkpoint every X steps")
    parser.add_argument("--termination_check_steps", type=int, default=50, help="Check for spot termination every X steps")
    parser.add_argument("--checkpoint_dir", type=str, default="./checkpoints", help="Directory for checkpoints")
    parser.add_argument("--s3_bucket", type=str, default=None, help="S3 bucket for checkpoints")
    return parser.parse_args()

if __name__ == "__main__":
    args = parse_args()

    # Determine world size and run training
    world_size = torch.cuda.device_count()
```

```python
if world_size > 1:
    import torch.multiprocessing as mp
    mp.spawn(
        train_model,
        args=(world_size, args),
        nprocs=world_size,
        join=True
    )
else:
    train_model(0, 1, args)
```

Analisi del codice: Elastic & Spot Training

L'esempio di codice dimostra un'implementazione completa di elastic e spot training per i language models. Ecco una spiegazione dettagliata dei componenti chiave:

Spot Training Manager

La classe **SpotTrainingManager** è il componente centrale che gestisce checkpointing e ripristino:

- **Gestione dei segnali:** il codice configura un gestore del segnale SIGTERM per rilevare quando una spot instance sta per essere terminata, consentendo checkpoint di emergenza.

- **Checkpointing a livelli:** implementa tre tipi di checkpoint — checkpoint regolari per epoca, checkpoint del miglior modello e checkpoint di emergenza — per coprire diversi scenari di ripristino.

- **Integrazione con cloud storage:** i checkpoint vengono salvati sia localmente sia su Amazon S3, fornendo ridondanza nel caso in cui l'istanza locale venga terminata.

- **Ripresa intelligente:** quando carica i checkpoint, dà priorità ai checkpoint di emergenza, poi ai best checkpoint e infine al checkpoint dell'epoca più recente.

Supporto al training distribuito

Il codice incorpora il framework Distributed Data Parallel (DDP) di PyTorch per abilitare il training multi-GPU e multi-nodo:

- **Numero di worker elastico:** il training può adattarsi a cluster di dimensioni variabili, poiché ogni worker carica i checkpoint in modo indipendente.

- **Distributed Samplers:** i dati vengono correttamente suddivisi tra i worker, con shuffling basato sull'epoca per garantire che tutti vedano batch diversi.

- **Operazioni basate sul rank:** checkpointing e validazione vengono eseguiti solo dal processo rank-0 per evitare ridondanza e race condition.

Rilevamento della terminazione

Due meccanismi rilevano una terminazione imminente dell'istanza:

- **Basato sui segnali:** il servizio AWS Spot invia un segnale SIGTERM 2 minuti prima di reclamare l'istanza.

- **Basato sul polling:** il codice controlla periodicamente l'endpoint del servizio EC2 metadata che indica una terminazione pianificata.

Resilienza del workflow di training

Il processo di training è progettato per essere robusto in ambienti instabili:

- **Preservazione dello stato:** il codice salva e ripristina tutti i componenti con stato, inclusi pesi del modello, stati dell'ottimizzatore, stati del learning rate scheduler, contatori delle epoche e migliori metriche di validazione.

- **Ripresa graduale:** al riavvio, il codice riprende il training esattamente dal punto in cui si era interrotto, preservando learning rate, momentum e gli altri stati di ottimizzazione.

- **Tracciamento del progresso:** i contatori globali degli step garantiscono che learning rate schedule e intervalli di logging restino corretti anche dopo i riavvii.

Considerazioni pratiche di implementazione

L'implementazione include dettagli pratici importanti:

- **Gradient clipping:** aiuta a stabilizzare il training, particolarmente importante quando si riprende da checkpoint.

- **Logica di validazione:** funzione di validazione separata per valutare le prestazioni del modello e determinare se quello corrente è il migliore.

- **Gestione degli errori:** gestione robusta degli errori per operazioni S3, caricamento dei checkpoint e altri componenti potenzialmente soggetti a fallimento.

- **Configurabilità:** gli argomenti da riga di comando permettono di personalizzare frequenza dei checkpoint, frequenza del controllo della terminazione e altri parametri.

Applicazioni reali

Questa implementazione è particolarmente utile per:

- **Ricerca con budget limitato:** consente a laboratori accademici e startup di addestrare modelli di grandi dimensioni con uno sconto del 70–90% rispetto alle istanze on-demand.

- **Esperimenti di lunga durata:** permette al training di continuare per giorni o settimane nonostante la volatilità delle istanze.

- **Allocazione dinamica delle risorse:** le organizzazioni possono aumentare o ridurre i cluster di training in base ai prezzi e alla disponibilità del mercato spot.

- **Sostenibilità:** utilizzando capacità cloud altrimenti inattiva, questo approccio offre anche benefici ambientali grazie a un miglior utilizzo delle risorse.

Questo pattern di elastic training è stato utilizzato con successo da organizzazioni come Hugging Face, EleutherAI e molti laboratori di ricerca per addestrare large language models in modo economicamente efficiente su spot instances. La capacità di recuperare senza interruzioni trasforma quello che altrimenti sarebbe un training proibitivamente costoso o impraticabile in un processo accessibile e affidabile.

4. Ottimizzatori efficienti

Ottimizzatori come **Adam** memorizzano grandi stati aggiuntivi oltre ai parametri del modello stesso, spesso triplicando i requisiti di memoria durante il training. Per ogni parametro, Adam mantiene sia le statistiche del momentum sia quelle della varianza, il che significa che in pratica serve 3 volte la memoria della dimensione grezza del modello. Questo diventa un collo di bottiglia significativo quando si addestrano large language models con miliardi di parametri. Ad esempio, un modello da 10 miliardi di parametri richiederebbe circa 120GB solo per i parametri (in FP16), ma con gli stati aggiuntivi di Adam questo valore cresce fino a quasi 360GB di memoria.

Per affrontare questa sfida di memoria sono state sviluppate diverse alternative:

- **Ottimizzatori ZeRO** (di DeepSpeed) suddividono gli stati dell'ottimizzatore tra più GPU in un setup di training distribuito. ZeRO-1 partiziona gli stati dell'ottimizzatore, ZeRO-2 aggiunge la partizione dei parametri e ZeRO-3 partiziona anche i gradienti. Questo consente di addestrare modelli molte volte più grandi di quelli che entrerebbero in una singola GPU. Ad esempio, con ZeRO-3 e 8 GPU, potresti addestrare effettivamente un modello 8 volte più grande rispetto a quello che entra in una sola GPU, con overhead di comunicazione minimo durante forward e backward pass.

- **Shampoo**, sviluppato da Google e usato per l'addestramento dei modelli PaLM, approssima l'ottimizzazione del secondo ordine usando precondizionatori fattorizzati che richiedono meno memoria rispetto alla memorizzazione di matrici complete. Porta a una convergenza più rapida per iterazione rispetto ai metodi del primo ordine, pur rimanendo efficiente dal punto di vista computazionale. Shampoo funziona tracciando statistiche lungo ogni dimensione del tensore invece che per singolo parametro, riducendo drasticamente i requisiti di memoria pur catturando importanti informazioni di curvatura che aiutano l'ottimizzazione.

- Altre opzioni includono **Adafactor**, che fattorizza le matrici del secondo momento per ridurre i requisiti di memoria memorizzando solo le somme di righe e colonne invece della matrice completa, riducendo l'uso di memoria fino al 75% rispetto ad Adam. Esistono anche **ottimizzatori a 8 bit** come bitsandbytes, che quantizzano gli stati dell'ottimizzatore usando solo 8 bit per parametro invece di 32, ottenendo una riduzione di memoria di 4 volte con impatto trascurabile sulla qualità della convergenza. Alcuni team hanno persino sperimentato la quantizzazione a 4 bit per ulteriori risparmi di memoria.

Esempio di ottimizzatori efficienti:

```python
# Example implementation of memory-efficient optimizers
import torch
import math
from torch.optim import Optimizer

class Adafactor(Optimizer):
    """
    Implements Adafactor optimizer from Google Research
    (<https://arxiv.org/abs/1804.04235>)
    """
```

```python
    def __init__(self, params, lr=None, beta1=0.9, eps=(1e-30, 1e-3),
                 clip_threshold=1.0, decay_rate=-0.8, weight_decay=0.0):
        defaults = dict(lr=lr, beta1=beta1, eps=eps,
                        clip_threshold=clip_threshold,
                        decay_rate=decay_rate, weight_decay=weight_decay)
        super(Adafactor, self).__init__(params, defaults)

    def _get_lr(self, param_group, param_state):
        if param_group['lr'] is None:  # Use adaptive learning rate
            return min(1.0, 1.0 / math.sqrt(param_state['step']))
        else:
            return param_group['lr']

    def _factored(self, shape):
        """Whether to use factored second moment estimates"""
        return len(shape) >= 2

    def _compute_factored_second_moment(self, exp_avg_sq_row, exp_avg_sq_col, grad):
        """Compute factored second moment statistics"""
        row_mean = torch.mean(grad * grad, dim=-1, keepdim=True)
        col_mean = torch.mean(grad * grad, dim=-2, keepdim=True)

        # Update factored second moment estimates
        beta2 = 1.0 - (1.0 / exp_avg_sq_row.shape[0])  # Decreasing beta for larger
matrices
        exp_avg_sq_row.mul_(beta2).add_(row_mean, alpha=(1.0 - beta2))
        exp_avg_sq_col.mul_(beta2).add_(col_mean, alpha=(1.0 - beta2))

        # Compute scaling factors
        return exp_avg_sq_row, exp_avg_sq_col

    def step(self, closure=None):
        """Performs a single optimization step"""
        loss = None
        if closure is not None:
            loss = closure()

        for group in self.param_groups:
            for p in group['params']:
                if p.grad is None:
                    continue
                grad = p.grad.data

                # Handle 16-bit gradients
                if grad.dtype == torch.float16:
                    grad = grad.float()

                if grad.is_sparse:
                    raise RuntimeError("Adafactor does not support sparse gradients")

                state = self.state[p]
```

```python
            # State initialization
            if len(state) == 0:
                state['step'] = 0
                if self._factored(p.shape):
                    state['exp_avg_sq_row'] = torch.zeros(p.shape[:-1]).to(p)
                    state['exp_avg_sq_col']   =     torch.zeros(p.shape[:-2]     +
p.shape[-1:]).to(p)
                else:
                    state['exp_avg_sq'] = torch.zeros_like(p)
                if group['beta1'] > 0.0:
                    state['exp_avg'] = torch.zeros_like(p)

            state['step'] += 1
            lr = self._get_lr(group, state)

            # Apply weight decay
            if group['weight_decay'] != 0:
                grad = grad.add(p, alpha=group['weight_decay'])

            # Compute update
            if self._factored(p.shape):
                # Factored second moment estimator for matrix parameters
                exp_avg_sq_row = state['exp_avg_sq_row']
                exp_avg_sq_col = state['exp_avg_sq_col']

                exp_avg_sq_row,                    exp_avg_sq_col                =
self._compute_factored_second_moment(
                    exp_avg_sq_row, exp_avg_sq_col, grad
                )

                # Compute RMS using factored 2nd moment
                rms = torch.rsqrt(
                    torch.matmul(exp_avg_sq_row.unsqueeze(-1),
exp_avg_sq_col.unsqueeze(-2))
                ).to(grad) + group['eps'][0]

                update = grad * rms
            else:
                # Scalar parameters and vectors use simpler update
                exp_avg_sq = state['exp_avg_sq']
                beta2 = 1.0 - math.pow(state['step'], group['decay_rate'])
                exp_avg_sq.mul_(beta2).addcmul_(grad, grad, value=1.0 - beta2)
                update = grad * torch.rsqrt(exp_avg_sq + group['eps'][0])

            # First moment estimate (momentum)
            if group['beta1'] > 0.0:
                exp_avg = state['exp_avg']
                exp_avg.mul_(group['beta1']).add_(update,          alpha=1      -
group['beta1'])

                update = exp_avg

            # Apply update
```

```python
                p.data.add_(update, alpha=-lr)

        return loss

# Example: 8-bit Adam (simplified version)
class Adam8bit(Optimizer):
    """
    Implements Adam with 8-bit quantized optimizer states
    Memory savings: ~75% compared to standard Adam
    """
    def __init__(self, params, lr=1e-3, betas=(0.9, 0.999), eps=1e-8):
        defaults = dict(lr=lr, betas=betas, eps=eps)
        super(Adam8bit, self).__init__(params, defaults)

    def _quantize_to_8bit(self, x):
        """Quantize a tensor to 8-bit precision"""
        # Compute scale factors per tensor
        max_val = torch.max(torch.abs(x)).item()
        scale = 127.0 / (max_val + 1e-8)  # Use 127 for int8 range (-127 to 127)

        # Quantize by scaling and rounding
        x_quant = torch.round(x * scale).to(torch.int8)

        return x_quant, scale

    def _dequantize_to_float(self, x_quant, scale):
        """Dequantize from 8-bit back to float"""
        return x_quant.float() / scale

    def step(self, closure=None):
        """Performs a single optimization step"""
        loss = None
        if closure is not None:
            loss = closure()

        for group in self.param_groups:
            for p in group['params']:
                if p.grad is None:
                    continue
                grad = p.grad.data

                if grad.is_sparse:
                    raise RuntimeError("Adam8bit does not support sparse gradients")

                state = self.state[p]

                # State initialization
                if len(state) == 0:
                    state['step'] = 0
                    # Initialize 8-bit moments and scaling factors
                    m_8bit,                        m_scale                     =
self._quantize_to_8bit(torch.zeros_like(p.data))
```

```python
                    v_8bit,                    v_scale           =
self._quantize_to_8bit(torch.zeros_like(p.data))

                state['m_8bit'] = m_8bit
                state['v_8bit'] = v_8bit
                state['m_scale'] = m_scale
                state['v_scale'] = v_scale

            # Get optimizer parameters
            beta1, beta2 = group['betas']

            state['step'] += 1

            # Dequantize 8-bit states to compute updates
            m = self._dequantize_to_float(state['m_8bit'], state['m_scale'])
            v = self._dequantize_to_float(state['v_8bit'], state['v_scale'])

            # Standard Adam update
            m = beta1 * m + (1 - beta1) * grad
            v = beta2 * v + (1 - beta2) * (grad * grad)

            # Bias correction
            m_hat = m / (1 - beta1 ** state['step'])
            v_hat = v / (1 - beta2 ** state['step'])

            # Update parameter
            p.data.addcdiv_(m_hat,  torch.sqrt(v_hat)  +  group['eps'],  value=-
group['lr'])

            # Re-quantize the moments for storage
            state['m_8bit'], state['m_scale'] = self._quantize_to_8bit(m)
            state['v_8bit'], state['v_scale'] = self._quantize_to_8bit(v)

        return loss

# Example usage of the optimizers
def train_with_efficient_optimizers():
    # Define a simple model
    model = torch.nn.Sequential(
        torch.nn.Linear(1024, 1024),
        torch.nn.ReLU(),
        torch.nn.Linear(1024, 1024),
    )

    # Total parameters: ~2M
    total_params = sum(p.numel() for p in model.parameters())
    print(f"Model has {total_params:,} parameters")

    # Memory usage comparison
    adam_memory = total_params * 3 * 4  # 3x params (weights + two moments), 4 bytes
per float32
```

```python
    adafactor_memory = total_params * 4 + 2 * (1024 + 1024)  # Factored representation
for matrices
    adam8bit_memory = total_params * 4 + 2 * total_params  # 4 bytes for weights, 1
byte each for moments

    print(f"Standard Adam memory: {adam_memory/1024/1024:.2f} MB")
    print(f"Adafactor memory: {adafactor_memory/1024/1024:.2f} MB")
    print(f"8-bit Adam memory: {adam8bit_memory/1024/1024:.2f} MB")

    # Create dataset and train
    x = torch.randn(100, 1024)
    y = torch.randn(100, 1024)

    # Choose optimizer
    # optimizer = torch.optim.Adam(model.parameters(), lr=0.001)
    # optimizer = Adafactor(model.parameters(), lr=0.001)
    optimizer = Adam8bit(model.parameters(), lr=0.001)

    # Simple training loop
    loss_fn = torch.nn.MSELoss()
    for epoch in range(3):
        optimizer.zero_grad()
        output = model(x)
        loss = loss_fn(output, y)
        loss.backward()
        optimizer.step()
        print(f"Epoch {epoch}, Loss: {loss.item():.4f}")

# Usage
if __name__ == "__main__":
    train_with_efficient_optimizers()
```

Analisi del codice: ottimizzatori efficienti

L'esempio di codice dimostra due algoritmi di ottimizzazione efficienti in termini di memoria che affrontano il collo di bottiglia di memoria degli ottimizzatori standard come Adam. Ecco una spiegazione dettagliata di ciascun approccio:

Adafactor

Adafactor (Adaptive Factor) è progettato per ridurre drasticamente l'uso della memoria attraverso tecniche di fattorizzazione delle matrici:

- **Risparmio di memoria:** invece di memorizzare l'intera matrice del secondo momento (che cresce con il numero di parametri), Adafactor conserva solo le medie delle righe e delle colonne, riducendo la memoria da $O(n^2)$ a $O(n)$ per i parametri matriciali.

- **Secondi momenti fattorizzati:** per i parametri matriciali, Adafactor calcola separatamente i secondi momenti per righe e colonne. Questa fattorizzazione approssima le statistiche complete utilizzando molta meno memoria.

- **Learning rate adattivi:** Adafactor può regolare automaticamente i learning rate in base alle dimensioni dei parametri e al numero di step, riducendo la necessità di un'ampia regolazione degli iperparametri.

- **Adattamento di beta:** il codice utilizza un valore beta adattivo basato sulla dimensione della matrice, che aiuta a stabilizzare il training per parametri di forme diverse.

Adam a 8 bit (ottimizzatore quantizzato)

L'implementazione di Adam a 8 bit utilizza la quantizzazione per ridurre i requisiti di memoria:

- **Processo di quantizzazione:** sia le statistiche di momentum sia quelle di varianza vengono quantizzate da floating point a 32 bit a interi a 8 bit, ottenendo una riduzione del 75% della memoria per gli stati dell'ottimizzatore.

- **Fattori di scala:** ogni tensore possiede il proprio fattore di scala che preserva il range dinamico dei valori originali usando solo 8 bit per valore.

- **Flusso di esecuzione:** durante ogni step di ottimizzazione, gli stati quantizzati vengono dequantizzati, usati per il calcolo e poi nuovamente quantizzati per l'archiviazione, mantenendo i benefici di memoria.

- **Impatto minimo sulla precisione:** l'esempio mostra come questa approssimazione funzioni bene nella pratica, con un impatto trascurabile sulla convergenza rispetto ad Adam in piena precisione.

Implicazioni pratiche

L'analisi della memoria nella funzione train_with_efficient_optimizers() mostra i benefici concreti:

- **Adam standard:** richiede la memorizzazione dei parametri originali più due tensori completi dei momenti (3 volte la dimensione del modello).

- **Adafactor:** per modelli con molti parametri matriciali (come i transformer), l'uso della memoria può essere ridotto fino al 90% rispetto ad Adam.

- **Adam a 8 bit:** offre una riduzione di memoria costante del 66–75% indipendentemente dalla forma dei parametri, con complessità implementativa minima.

Questi ottimizzatori permettono di addestrare modelli più grandi sullo stesso hardware, iterare più velocemente con batch più ampi o fare training distribuito con minore overhead di comunicazione. Per modelli con miliardi di parametri, questi risparmi di memoria possono fare la differenza tra un training fattibile e uno impossibile.

Nella pratica, le organizzazioni che addestrano large language models spesso combinano queste tecniche con altre ottimizzazioni come mixed precision, gradient accumulation e partizionamento ZeRO per ottenere la massima efficienza.

5. Smart Scheduling ed Early Stopping

Il **curriculum training** (dalla Sezione 4.2) può far risparmiare compute presentando prima dati più semplici. Questo approccio imita l'apprendimento umano aumentando gradualmente la complessità. Per esempio, si può iniziare addestrando su sequenze più corte (50–100 token) o dati più puliti (testo ben curato con meno ambiguità), per poi introdurre progressivamente sequenze più lunghe (500–2000 token) o campioni più rumorosi (testo con errori di battitura, linguaggio informale o schemi di ragionamento complessi) man mano che il modello sviluppa capacità di base.

La ricerca mostra che questo può portare a una convergenza più rapida e a una migliore generalizzazione, riducendo talvolta il tempo complessivo di training del 20–40%. Una progettazione accurata del curriculum permette ai modelli di consolidare comprensione grammaticale di base e fondamenti semantici prima di affrontare fenomeni linguistici più complessi. Le implementazioni in genere utilizzano o un punteggio di difficoltà (ordinando gli esempi per lunghezza, perplexity, rarità dei token, complessità sintattica, ecc.) oppure un curriculum basato sul dominio (introducendo domini specializzati come testi medici, legali o scientifici dopo aver consolidato il linguaggio generale). Strategie di curriculum più avanzate possono anche incorporare un adattamento dinamico della difficoltà in base alle prestazioni attuali del modello, in modo simile ai test adattivi nell'ambito educativo.

Il **monitoraggio della loss** con early stopping evita epoche sprecate una volta che il modello ha raggiunto la convergenza. Questa tecnica tiene traccia della validation loss e interrompe il training quando le prestazioni restano stabili per un numero predefinito di step (patience). Ad esempio, con un valore di patience pari a 5, il training verrebbe interrotto automaticamente dopo 5 epoche consecutive senza miglioramento della validation loss, evitando calcolo inutile e garantendo comunque al modello sufficiente margine per trovare una soluzione migliore.

Le implementazioni più sofisticate monitorano più metriche con importanza pesata (ad esempio combinando perplexity, accuratezza su compiti specifici e misure di diversità) oppure incorporano test statistici (come t-test che confrontano finestre recenti di prestazioni) per distinguere una vera convergenza da plateau temporanei. Alcuni approcci utilizzano metriche smussate o medie mobili esponenziali per filtrare le fluttuazioni casuali nelle prestazioni di validazione. L'early stopping funge anche da forma di regolarizzazione, prevenendo l'overfitting e facendo risparmiare notevoli risorse computazionali che altrimenti verrebbero spese per rendimenti marginali. In pratica, l'early stopping può ridurre i costi di training del 15–30% rispetto a schedule a epoche fisse, producendo spesso modelli con migliori capacità di generalizzazione.

Esempio di Smart Scheduling ed Early Stopping:

```python
# Smart Scheduling and Early Stopping Implementation
import numpy as np
import torch
import torch.nn as nn
import torch.optim as optim
import matplotlib.pyplot as plt
from torch.utils.data import DataLoader, Subset
from sklearn.model_selection import train_test_split
from collections import deque

class EarlyStopping:
    """Early stopping to terminate training when validation loss doesn't improve."""

    def __init__(self, patience=5, min_delta=0.0, restore_best_weights=True):
        """
        Args:
            patience (int): How many epochs to wait after last improvement
            min_delta (float): Minimum change to qualify as an improvement
```

```python
            restore_best_weights (bool): Whether to restore model weights from the
best epoch
        """
        self.patience = patience
        self.min_delta = min_delta
        self.restore_best_weights = restore_best_weights
        self.best_score = None
        self.best_weights = None
        self.counter = 0
        self.early_stop = False

    def __call__(self, val_loss, model):
        score = -val_loss  # Higher score is better (less loss)

        if self.best_score is None:
            self.best_score = score
            self.save_checkpoint(model)
        elif score < self.best_score + self.min_delta:
            self.counter += 1
            print(f'EarlyStopping counter: {self.counter} out of {self.patience}')
            if self.counter >= self.patience:
                self.early_stop = True
        else:
            self.best_score = score
            self.save_checkpoint(model)
            self.counter = 0

    def save_checkpoint(self, model):
        """Save model weights when validation loss decreases."""
        if self.restore_best_weights:
            self.best_weights = {k: v.cpu().clone() for k, v in
model.state_dict().items()}

    def restore_checkpoint(self, model):
        """Restore model weights to the best observed so far."""
        if self.restore_best_weights and self.best_weights is not None:
            model.load_state_dict(self.best_weights)

class LearningRateScheduler:
    """Custom learning rate scheduler with warmup and cosine decay."""

    def __init__(self, optimizer, warmup_epochs=5, max_epochs=100,
                 min_lr=1e-6, max_lr=1e-3, decay_type='cosine'):
        self.optimizer = optimizer
        self.warmup_epochs = warmup_epochs
        self.max_epochs = max_epochs
        self.min_lr = min_lr
        self.max_lr = max_lr
        self.decay_type = decay_type
        self.current_epoch = 0

    def step(self):
```

```python
        """Update the learning rate based on the current epoch."""
        self.current_epoch += 1
        lr = self.calculate_lr()
        for param_group in self.optimizer.param_groups:
            param_group['lr'] = lr
        return lr

    def calculate_lr(self):
        """Calculate the learning rate based on schedule type."""
        if self.current_epoch < self.warmup_epochs:
            # Linear warmup
            return self.min_lr + (self.max_lr - self.min_lr) * (self.current_epoch /
self.warmup_epochs)
        else:
            # Apply decay after warmup
            if self.decay_type == 'cosine':
                # Cosine annealing
                progress   =   (self.current_epoch   -   self.warmup_epochs)   /
(self.max_epochs - self.warmup_epochs)
                return self.min_lr + 0.5 * (self.max_lr - self.min_lr) * (1 +
np.cos(progress * np.pi))
            elif self.decay_type == 'linear':
                # Linear decay
                progress   =   (self.current_epoch   -   self.warmup_epochs)   /
(self.max_epochs - self.warmup_epochs)
                return self.max_lr - (self.max_lr - self.min_lr) * progress
            elif self.decay_type == 'step':
                # Step decay
                decay_rate = 0.1
                step_size = (self.max_epochs - self.warmup_epochs) // 3
                factor = decay_rate ** ((self.current_epoch - self.warmup_epochs) //
step_size)
                return self.max_lr * factor
            else:
                return self.min_lr

class CurriculumSampler:
    """Sample data in a curriculum-based manner, from easy to hard examples."""

    def __init__(self, dataset, difficulty_scores, num_bins=5, schedule='linear'):
        """
        Args:
            dataset: The dataset to sample from
            difficulty_scores: List of scores measuring the difficulty of each example
            num_bins: Number of difficulty levels to create
            schedule: Type of curriculum schedule ('linear', 'exponential', or 'step')
        """
        self.dataset = dataset
        self.num_bins = num_bins
        self.schedule = schedule

        # Sort examples by difficulty and divide into bins
```

```python
        sorted_indices = np.argsort(difficulty_scores)
        self.bins = []
        bin_size = len(sorted_indices) // num_bins

        for i in range(num_bins):
            start_idx = i * bin_size
            end_idx = (i + 1) * bin_size if i < num_bins - 1 else len(sorted_indices)
            self.bins.append(sorted_indices[start_idx:end_idx])

    def get_sampler_for_epoch(self, epoch, max_epochs):
        """Return a sampler for the given epoch that follows the curriculum."""
        # Calculate how far through the curriculum we are (0 to 1)
        progress = epoch / max_epochs

        if self.schedule == 'exponential':
            # Exponential schedule focuses more on easier examples early
            curriculum_position = 1 - np.exp(-5 * progress)
        elif self.schedule == 'step':
            # Step schedule increases difficulty in discrete jumps
            curriculum_position = min(int(progress * self.num_bins), self.num_bins - 1) / (self.num_bins - 1)
        else:
            # Linear schedule increases difficulty uniformly
            curriculum_position = progress

        # Determine which bins to include based on current position
        active_bin_count = max(1, int(np.ceil(curriculum_position * self.num_bins)))
        indices = []
        for i in range(active_bin_count):
            indices.extend(self.bins[i])

        # Create a subset dataset with these indices
        return Subset(self.dataset, indices)


def train_with_smart_scheduling(model, train_dataset, val_dataset,
                                batch_size=32, max_epochs=100,
                                difficulty_fn=None, patience=10,
                                use_curriculum=True, lr_schedule='cosine'):
    """Train a model with smart scheduling and early stopping.

    Args:
        model: PyTorch model to train
        train_dataset: Training dataset
        val_dataset: Validation dataset
        batch_size: Batch size for training
        max_epochs: Maximum number of epochs
        difficulty_fn: Function to calculate difficulty of each example
        patience: Early stopping patience
        use_curriculum: Whether to use curriculum learning
        lr_schedule: Learning rate schedule type
    """

    device = torch.device('cuda' if torch.cuda.is_available() else 'cpu')
```

```python
    model = model.to(device)

    # Define optimizer
    optimizer = optim.AdamW(model.parameters(), lr=1e-5, weight_decay=0.01)

    # Set up learning rate scheduler
    scheduler = LearningRateScheduler(
        optimizer, warmup_epochs=5, max_epochs=max_epochs,
        min_lr=1e-6, max_lr=1e-3, decay_type=lr_schedule
    )

    # Set up early stopping
    early_stopping = EarlyStopping(patience=patience, min_delta=1e-4)

    # Set up curriculum learning if requested
    curriculum_sampler = None
    if use_curriculum and difficulty_fn is not None:
        # Calculate difficulty scores for each example
        difficulty_scores = [difficulty_fn(x) for x in train_dataset]
        curriculum_sampler = CurriculumSampler(train_dataset, difficulty_scores)

    # Training history
    history = {
        'train_loss': [],
        'val_loss': [],
        'learning_rates': []
    }

    # Training loop
    for epoch in range(max_epochs):
        # Update learning rate
        current_lr = scheduler.step()
        history['learning_rates'].append(current_lr)

        # Get data loader based on curriculum for this epoch
        if curriculum_sampler and use_curriculum:
            epoch_dataset       =       curriculum_sampler.get_sampler_for_epoch(epoch,
max_epochs)
            train_loader    =    DataLoader(epoch_dataset,    batch_size=batch_size,
shuffle=True)
        else:
            train_loader    =    DataLoader(train_dataset,    batch_size=batch_size,
shuffle=True)

        val_loader = DataLoader(val_dataset, batch_size=batch_size)

        # Training phase
        model.train()
        train_loss = 0.0
        for inputs, targets in train_loader:
            inputs, targets = inputs.to(device), targets.to(device)
```

```python
        optimizer.zero_grad()
        outputs = model(inputs)
        loss = nn.CrossEntropyLoss()(outputs, targets)
        loss.backward()
        optimizer.step()

        train_loss += loss.item()

    train_loss /= len(train_loader)
    history['train_loss'].append(train_loss)

    # Validation phase
    model.eval()
    val_loss = 0.0
    with torch.no_grad():
        for inputs, targets in val_loader:
            inputs, targets = inputs.to(device), targets.to(device)
            outputs = model(inputs)
            loss = nn.CrossEntropyLoss()(outputs, targets)
            val_loss += loss.item()

    val_loss /= len(val_loader)
    history['val_loss'].append(val_loss)

    print(f'Epoch {epoch+1}/{max_epochs}, LR: {current_lr:.6f}, '
          f'Train Loss: {train_loss:.4f}, Val Loss: {val_loss:.4f}')

    # Check early stopping
    early_stopping(val_loss, model)
    if early_stopping.early_stop:
        print(f"Early stopping triggered at epoch {epoch+1}")
        break

# Restore best model weights
early_stopping.restore_checkpoint(model)

# Plot training history
plt.figure(figsize=(12, 4))

plt.subplot(1, 2, 1)
plt.plot(history['train_loss'], label='Train Loss')
plt.plot(history['val_loss'], label='Validation Loss')
plt.xlabel('Epoch')
plt.ylabel('Loss')
plt.legend()
plt.title('Training and Validation Loss')

plt.subplot(1, 2, 2)
plt.plot(history['learning_rates'])
plt.xlabel('Epoch')
plt.ylabel('Learning Rate')
plt.title('Learning Rate Schedule')
```

```python
    plt.tight_layout()
    plt.show()

    return model, history

# Example difficulty function - sequence length as difficulty
def sequence_length_difficulty(example):
    """Return the length of a sequence as a measure of difficulty."""
    # Replace with actual logic to extract sequence from your data format
    sequence = example[0]  # Assuming example is a tuple (input, target)
    return len(sequence)

# Example usage
if __name__ == "__main__":
    # Define a simple model
    model = nn.Sequential(
        nn.Linear(768, 512),
        nn.ReLU(),
        nn.Dropout(0.1),
        nn.Linear(512, 256),
        nn.ReLU(),
        nn.Linear(256, 10)
    )

    # Create dummy datasets (replace with your actual data)
    X = torch.randn(1000, 768)
    y = torch.randint(0, 10, (1000,))
    X_train, X_val, y_train, y_val = train_test_split(X, y, test_size=0.2)

    class DummyDataset(torch.utils.data.Dataset):
        def __init__(self, X, y):
            self.X = X
            self.y = y

        def __len__(self):
            return len(self.X)

        def __getitem__(self, idx):
            return self.X[idx], self.y[idx]

    train_dataset = DummyDataset(X_train, y_train)
    val_dataset = DummyDataset(X_val, y_val)

    # Train with smart scheduling
    trained_model, history = train_with_smart_scheduling(
        model,
        train_dataset,
        val_dataset,
        batch_size=32,
        max_epochs=50,
        difficulty_fn=sequence_length_difficulty,
```

```
    patience=7,
    use_curriculum=True,
    lr_schedule='cosine'
)
```

Analisi del codice: Smart Scheduling ed Early Stopping

L'esempio di codice sopra implementa tecniche complete per ottimizzare il processo di training attraverso smart scheduling ed early stopping. Ecco un'analisi dettagliata di ciascun componente:

Implementazione dell'Early Stopping

La classe EarlyStopping monitora la validation loss e interrompe il training quando non si osservano miglioramenti per un numero specificato di epoche:

- **Meccanismo di patience:** tiene traccia di quante epoche consecutive sono trascorse senza miglioramento.

- **Ripristino dei pesi migliori:** salva lo stato del modello nel punto di massima performance e ripristina questi pesi quando il training viene interrotto.

- **Soglia minima di miglioramento:** utilizza un parametro min_delta per ignorare miglioramenti trascurabili.

Scheduling del Learning Rate

La classe LearningRateScheduler implementa diversi learning rate schedule molto diffusi:

- **Fase di warmup:** aumenta gradualmente il learning rate a partire da un valore basso per evitare instabilità iniziali.

- **Cosine annealing:** diminuisce il learning rate in modo fluido seguendo una curva coseno, portando spesso a una convergenza migliore rispetto al decadimento lineare.

- **Schedule alternative:** fornisce anche opzioni di linear decay e step decay per diverse dinamiche di training.

Curriculum Learning

Il CurriculumSampler implementa un approccio sofisticato all'ordinamento dei dati:

- **Suddivisione per difficoltà:** organizza gli esempi di training in livelli di difficoltà basati su metriche personalizzate.

- **Esposizione progressiva:** introduce gradualmente esempi più difficili man mano che il training avanza.

- **Schedule multiple:** supporta curriculum lineari, esponenziali e a step, consentendo diverse velocità di introduzione della difficoltà.

Funzione di training integrata

La funzione train_with_smart_scheduling combina tutte queste tecniche:

- **Campionamento dinamico del dataset:** utilizza curriculum learning per adattare la difficoltà dei dati di training in base all'epoca corrente.

- **Monitoraggio completo:** tiene traccia sia delle metriche di training sia di quelle di validazione durante tutto il processo.

- **Visualizzazione:** genera automaticamente grafici che mostrano l'andamento della loss e lo schedule del learning rate.

Benefici pratici

Queste tecniche offrono diversi vantaggi concreti per il training degli LLM:

- **Efficienza del training:** l'early stopping può ridurre il tempo di training del 20–30% evitando epoche inutili.

- **Migliore generalizzazione:** learning rate schedule intelligenti aiutano i modelli a sfuggire ai minimi locali e a trovare soluzioni migliori.

- **Convergenza più rapida:** il curriculum learning può accelerare le fasi iniziali del training concentrandosi prima su pattern più semplici.

- **Ottimizzazione delle risorse:** insieme, queste tecniche riducono lo spreco computazionale, abbassando sia i costi economici sia l'impatto ambientale.

Quando si implementano questi approcci per large language models, possono essere adattati per funzionare con qualsiasi architettura transformer e integrati con le tecniche di training distribuito discusse in precedenza nel capitolo.

4.4.2 Sostenibilità nel training degli LLM

Ottimizzare i costi migliora anche la **sostenibilità**. Ma oltre al denaro, i professionisti dell'AI misurano sempre più il proprio lavoro anche in **emissioni di carbonio**. Il training degli LLM consuma enormi quantità di elettricità, con alcuni modelli di grandi dimensioni che richiedono energia equivalente al consumo annuale di centinaia di abitazioni. Per esempio, si stima che l'addestramento di GPT-3 abbia utilizzato oltre 1.287 MWh di elettricità, paragonabili al consumo annuo di circa 120 abitazioni medie negli Stati Uniti. I modelli più nuovi e grandi come GPT-4 e Claude 2 probabilmente hanno requisiti energetici ancora superiori.

Questo impatto ambientale ha spinto ricercatori e aziende a dare priorità a pratiche di sviluppo AI sostenibili. Aziende come Anthropic, Google e OpenAI hanno iniziato a pubblicare report sull'impatto ambientale insieme ai loro paper tecnici. Questi report includono tipicamente metriche come consumo totale di energia, emissioni di carbonio per training run e miglioramenti di efficienza rispetto alle generazioni precedenti.

La comunità AI ha anche sviluppato strumenti specializzati come ML CO2 Impact Calculator e CodeCarbon che aiutano i ricercatori a stimare e monitorare l'impronta di carbonio delle loro training run, rendendo i costi ambientali più visibili e concreti.

Strategie principali:

1. **Green data centers:** addestrare su infrastrutture alimentate da energia rinnovabile (ad esempio idroelettrica, solare). Aziende come Google e Microsoft si sono impegnate a gestire data center

carbon-neutral, mentre i laboratori di ricerca scelgono sempre più i cloud provider anche in base ai loro portafogli di energia rinnovabile. Questo cambiamento ha dimostrato di ridurre l'impronta di carbonio delle training run del 60–90% rispetto ad alternative alimentate a carbone.

Oltre alle semplici dichiarazioni di neutralità carbonica, i principali provider stanno ora implementando pratiche di sostenibilità complete in tutti i loro data center. Ad esempio, Google utilizza sistemi di raffreddamento avanzati che riducono il consumo d'acqua fino al 50%, mentre Microsoft ha sperimentato data center sottomarini che sfruttano il raffreddamento naturale dell'oceano. Inoltre, Amazon Web Services offre ai clienti la possibilità di scegliere regioni alimentate prevalentemente da fonti rinnovabili.

I benefici vanno oltre la riduzione delle emissioni. I data center alimentati da rinnovabili spesso godono di prezzi dell'energia più stabili, aiutando le organizzazioni a prevedere e controllare meglio i costi del training AI nel tempo. Inoltre, con l'aumento globale di tasse sul carbonio e normative ambientali, i green data centers offrono anche protezione rispetto a futuri costi di conformità che potrebbero incidere pesantemente sui budget di sviluppo AI.

2. **Hardware efficiente dal punto di vista energetico:** le nuove GPU (H100) e TPU sono progettate per offrire più prestazioni per watt. Ad esempio, l'H100 di NVIDIA fornisce circa 3 volte le prestazioni per watt rispetto alla generazione precedente A100.

Questo miglioramento significa che è possibile eseguire più calcolo con meno energia, riducendo direttamente sia i costi sia l'impatto ambientale. Alcune organizzazioni stanno anche esplorando acceleratori AI specializzati e perfino il calcolo fotonico per migliorare ulteriormente l'efficienza.

L'architettura dell'H100 incorpora diversi avanzamenti chiave che contribuiscono a questo guadagno di efficienza. I Tensor Cores di quarta generazione supportano capacità FP8 avanzate che mantengono l'accuratezza riducendo al contempo il consumo energetico. Il Transformer Engine ottimizza specificamente training e inference dei large language models, selezionando automaticamente la precisione ottimale per ciascun layer. Inoltre, il sottosistema di memoria migliorato con tecnologia HBM3 offre una larghezza di banda molto superiore con migliori rapporti di efficienza energetica.

Oltre a NVIDIA, aziende come Google con i chip TPUv4 e ASIC personalizzati di startup come Cerebras e Graphcore stanno spingendo in avanti i limiti della densità computazionale. L'industria sta anche osservando con interesse la ricerca sul calcolo neuromorfico, che imita le strutture cerebrali per ottenere potenzialmente efficienza energetica di ordini di grandezza superiori, e algoritmi ispirati al quantum che potrebbero ridurre drasticamente i requisiti computazionali per alcuni task AI.

3. **Compromessi sul long context:** sparse attention e RoPE/ALiBi riducono gli sprechi nella gestione di sequenze lunghe. Implementando meccanismi di attenzione selettiva che concentrano le risorse computazionali solo sulle parti rilevanti di input lunghi, i modelli possono mantenere le prestazioni riducendo significativamente il consumo energetico.

Rotary Position Embedding (RoPE) e Attention with Linear Biases (ALiBi) offrono alternative efficienti ai metodi tradizionali di positional encoding, riducendo i requisiti di memoria e la complessità computazionale nell'elaborazione di documenti o conversazioni lunghe. In particolare, RoPE integra l'informazione di posizione relativa direttamente nel calcolo dell'attenzione tramite una matrice di rotazione, eliminando la necessità di embedding posizionali separati e consentendo l'estrapolazione oltre le lunghezze di sequenza viste in training. ALiBi, invece, introduce un termine di bias basato sulla distanza che scala i punteggi di attenzione in funzione della separazione tra token, penalizzando naturalmente l'attenzione tra token lontani senza richiedere parametri aggiuntivi.

Questi approcci offrono diversi vantaggi chiave:

1. Riduzione dell'occupazione di memoria: eliminano la necessità di memorizzare embedding posizionali separati per ogni token

2. Migliore scalabilità computazionale: permettono di elaborare sequenze molto più lunghe rispetto a quelle viste durante il training

3. Efficienza energetica: concentrando le risorse computazionali sulle relazioni tra token rilevanti, possono ridurre il numero di operazioni richieste del 30–70% rispetto ai meccanismi di attenzione completi

4. Maggiore velocità in inference: i risparmi computazionali si traducono direttamente in tempi di elaborazione più rapidi, soprattutto per documenti molto lunghi

4. **Strumenti di carbon accounting:** alcuni ricercatori pubblicano ormai l'impatto in CO_2 insieme a FLOPs e tempo di training. Strumenti come ML CO2 Impact e CodeCarbon consentono ai team di misurare, riportare e minimizzare la loro impronta di carbonio. Questi strumenti forniscono metriche dettagliate su consumo energetico, emissioni di carbonio e potenziale impatto ambientale dei carichi di lavoro di training AI.

I principali laboratori AI hanno iniziato a includere le emissioni di carbonio nei loro paper di ricerca, creando trasparenza e responsabilità. Questa pratica aiuta a stabilire standard di settore per una ricerca e uno sviluppo AI sostenibili. Ad esempio, aziende come Hugging Face ora includono una sezione dedicata all'impronta di carbonio nelle model card, descrivendo l'impatto ambientale del training di modelli specifici. Google DeepMind e Anthropic hanno pubblicato valutazioni di impatto ambientale accanto ai paper tecnici di modelli come Gemini e Claude.

Queste pratiche di carbon accounting offrono diversi vantaggi:

o Confronto quantificabile: i ricercatori possono confrontare gli approcci di training non solo in base alle prestazioni, ma anche all'efficienza ambientale

o Incentivo a pratiche green: la rendicontazione pubblica crea pressione competitiva per ridurre le emissioni

o Conformità normativa: con l'emergere di regolamentazioni sul consumo energetico dell'AI, questi strumenti aiutano le organizzazioni a restare conformi

o Pianificazione del budget: comprendere i costi energetici aiuta le organizzazioni a pianificare meglio i bisogni infrastrutturali

Esempio di codice: stima del consumo energetico

```python
# Comprehensive energy and carbon footprint estimation for LLM training
import pandas as pd
import matplotlib.pyplot as plt
from datetime import datetime, timedelta

class CarbonTracker:
    """Track carbon emissions from AI training runs"""

    # Energy mix data by region (approximate values)
    CARBON_INTENSITY = {
```

```python
        "us-east": 0.38,          # US East Coast
        "us-west": 0.22,          # US West Coast (more renewables)
        "europe": 0.23,           # European average
        "asia-pacific": 0.55,     # Asia Pacific region
        "global-average": 0.47    # Global average
    }

    def __init__(self,
                 gpu_model="A100",
                 num_gpus=8,
                 region="us-east",
                 pue=1.1):
        """
        Initialize a carbon tracker

        Args:
            gpu_model: GPU model being used (affects power draw)
            num_gpus: Number of GPUs in the training cluster
            region: Geographic region (affects carbon intensity)
            pue: Power Usage Effectiveness of data center (1.1 is excellent, 2.0 is
poor)
        """
        self.gpu_power = self._get_gpu_power(gpu_model)
        self.num_gpus = num_gpus
        self.region = region
        self.carbon_factor             =             self.CARBON_INTENSITY.get(region,
self.CARBON_INTENSITY["global-average"])
        self.pue = pue  # Data center efficiency factor

        # For tracking
        self.start_time = None
        self.measurements = []

    def _get_gpu_power(self, gpu_model):
        """Return typical power draw in watts for common GPU models"""
        power_draw = {
            "A100": 400,
            "H100": 700,
            "A6000": 300,
            "V100": 300,
            "A40": 300,
            "A10": 150,
        }
        return power_draw.get(gpu_model, 400)  # Default to A100 if unknown

    def start_tracking(self):
        """Start the tracking session"""
        self.start_time = datetime.now()
        self.measurements = []
        print(f"Started carbon tracking at {self.start_time}")

    def log_utilization(self, gpu_utilization=1.0):
```

```python
        """Log current GPU utilization (between 0.0-1.0)"""
        if self.start_time is None:
            raise ValueError("Must call start_tracking first")

        duration = (datetime.now() - self.start_time).total_seconds() / 3600  # hours
        self.measurements.append({
            "timestamp": datetime.now(),
            "duration_hrs": duration,
            "utilization": gpu_utilization
        })

    def estimate_carbon_footprint(self, additional_hours=0, avg_utilization=0.85):
        """
        Calculate energy usage and carbon emissions

        Args:
            additional_hours: Future hours to include in projection
            avg_utilization: Average GPU utilization for future projection
        """
        # Calculate duration based on tracking or fixed input
        if self.start_time and self.measurements:
            # Calculate average utilization from measurements
            if len(self.measurements) > 0:
                measured_utilization    =    sum(m["utilization"]    for    m    in
self.measurements) / len(self.measurements)
            else:
                measured_utilization = avg_utilization

            # Measured duration plus projected additional time
            total_hours = self.measurements[-1]["duration_hrs"] + additional_hours
            avg_util = (measured_utilization * self.measurements[-1]["duration_hrs"]
+
                        avg_utilization * additional_hours) / total_hours
        else:
            # If no tracking, just use the provided values
            total_hours = additional_hours
            avg_util = avg_utilization

        # Calculate energy in kWh, accounting for data center PUE
        energy_kwh = (self.gpu_power * self.num_gpus * total_hours * avg_util *
self.pue) / 1000

        # Calculate CO2 emissions in kg
        co2_emission = energy_kwh * self.carbon_factor

        results = {
            "gpu_model": self._get_gpu_model_name(),
            "num_gpus": self.num_gpus,
            "region": self.region,
            "duration_hours": total_hours,
            "avg_utilization": avg_util,
            "pue": self.pue,
```

```python
            "energy_kwh": energy_kwh,
            "carbon_factor": self.carbon_factor,
            "co2_emission_kg": co2_emission,
            "co2_emission_tons": co2_emission / 1000,
            "equivalents": self._get_carbon_equivalents(co2_emission)
        }

        return results

    def _get_gpu_model_name(self):
        # Reverse lookup to get model name from power
        for model, power in {
            "A100": 400,
            "H100": 700,
            "A6000": 300,
            "V100": 300,
        }.items():
            if power == self.gpu_power:
                return model
        return "Custom GPU"

    def _get_carbon_equivalents(self, co2_kg):
        """Convert CO2 emissions to everyday equivalents"""
        return {
            "flights_ny_to_sf": co2_kg / 1100,   # One-way flight (~1100kg)
            "miles_driven": co2_kg / 0.404,      # ~0.404 kg CO2 per mile
            "smartphone_charges": co2_kg / 0.005,  # ~5g per full charge
            "trees_year_offset": co2_kg / 21,    # One tree absorbs ~21kg/year
            "homes_day_energy": co2_kg / 38      # Average US home ~38kg/day
        }

    def visualize_impact(self, results):
        """Create visualizations of the carbon impact"""
        # Create figure with two subplots
        fig, (ax1, ax2) = plt.subplots(1, 2, figsize=(15, 6))

        # Plot 1: Energy and Emissions
        data = [results["energy_kwh"], results["co2_emission_kg"]]
        labels = ["Energy (kWh)", "CO₂ Emissions (kg)"]
        ax1.bar(labels, data, color=["#3498db", "#e74c3c"])
        ax1.set_title("Energy Usage and Carbon Emissions")
        for i, v in enumerate(data):
            ax1.text(i, v + 5, f"{v:.1f}", ha='center')

        # Plot 2: Carbon Equivalents
        eq = results["equivalents"]
        labels = ["Flights\\nNY to SF", "Miles\\nDriven", "Trees to\\nOffset (year)"]
        data          =          [eq["flights_ny_to_sf"],          eq["miles_driven"]/1000,
eq["trees_year_offset"]]

        ax2.bar(labels, data, color=["#2ecc71", "#9b59b6", "#f39c12"])
        ax2.set_title("Carbon Emission Equivalents")
```

```python
    for i, v in enumerate(data):
        ax2.text(i, v + 0.05*max(data), f"{v:.1f}", ha='center')

    plt.tight_layout()
    return fig

# Example usage
if __name__ == "__main__":
    # Initialize tracker
    tracker = CarbonTracker(
        gpu_model="A100",
        num_gpus=8,
        region="us-east",
        pue=1.1  # 1.1 is excellent, industry average is ~1.6
    )

    # Estimate for a 24-hour training run
    results            =             tracker.estimate_carbon_footprint(additional_hours=24,
avg_utilization=0.85)

    # Print results
    print(f"\\nTraining Configuration:")
    print(f"-     {results['num_gpus']}     {results['gpu_model']}     GPUs     in
{results['region']}")
    print(f"-          {results['duration_hours']:.1f}          hours          at
{results['avg_utilization']*100:.0f}% utilization")
    print(f"- Data center PUE: {results['pue']}")

    print(f"\\nEnvironmental Impact:")
    print(f"- Energy used: {results['energy_kwh']:.1f} kWh")
    print(f"-      CO₂      emitted:      {results['co2_emission_kg']:.2f}      kg
({results['co2_emission_tons']:.3f} tons)")

    print(f"\\nThis is equivalent to:")
    eq = results["equivalents"]
    print(f"- {eq['flights_ny_to_sf']:.2f} one-way flights from NY to SF")
    print(f"- {eq['miles_driven']:.0f} miles driven by an average car")
    print(f"- {eq['smartphone_charges']:.0f} smartphone charges")
    print(f"- {eq['trees_year_offset']:.1f} trees needed for a year to offset")
    print(f"- {eq['homes_day_energy']:.1f} days of energy for an average US home")

    # Visualize (uncomment to display)
    # fig = tracker.visualize_impact(results)
    # plt.show()
```

Analisi del Codice: Stima Completa dell'Impronta di Carbonio

Questo tracker avanzato del carbonio offre un approccio molto più dettagliato per stimare e comprendere l'impatto ambientale dell'addestramento degli LLM. Analizziamo i componenti principali:

1. Intensità di Carbonio Regionale

Il codice incorpora fattori di intensità di carbonio specifici per località che tengono conto dei diversi mix energetici nel mondo:

- La costa occidentale degli Stati Uniti (0.22 kg CO_2/kWh) ha emissioni significativamente inferiori rispetto all'Asia-Pacifico (0.55 kg CO_2/kWh) grazie a un maggiore utilizzo di energie rinnovabili

- Questo consente alle organizzazioni di prendere decisioni informate su dove eseguire l'addestramento

2. Specifiche Hardware

Il tracker supporta diversi modelli di GPU con i rispettivi profili di consumo energetico:

- GPU A100 (400W) vs. GPU H100 più recenti (700W) vs. V100 più vecchie (300W)

- Modellare correttamente l'hardware è cruciale, poiché il consumo energetico può variare di 2-3 volte tra i modelli

3. Efficienza del Data Center (PUE)

Il codice include il Power Usage Effectiveness (PUE) per tenere conto dell'overhead del data center:

- Le strutture all'avanguardia hanno PUE fino a 1.1 (solo il 10% di energia aggiuntiva per raffreddamento/infrastruttura)

- I data center più vecchi possono avere PUE tra 1.6 e 2.0 (60-100% di overhead)

4. Tracciamento dell'Utilizzo

Il modello tiene conto di pattern realistici di utilizzo delle GPU:

- Le GPU raramente funzionano al 100% durante tutto l'addestramento

- Il tracciamento temporale consente misurazioni accurate invece di stime semplificate

5. Equivalenti nel Mondo Reale

Le emissioni di carbonio vengono tradotte in equivalenti tangibili:

- Numero di voli, miglia percorse o ricariche di smartphone

- Numero di alberi necessari per compensare il carbonio

- Questo rende i numeri astratti più significativi e utilizzabili

6. Visualizzazione

Il codice include capacità di visualizzazione per comunicare efficacemente l'impatto:

- Grafici a barre che confrontano consumo energetico ed emissioni

- Rappresentazioni visive degli equivalenti di carbonio

- Questo aiuta ricercatori e organizzazioni a comprendere meglio la propria impronta ambientale

Applicazioni Pratiche

Questo tracker completo consente diversi casi d'uso importanti:

- **Reporting delle emissioni:** le organizzazioni possono riportare con precisione l'impronta di carbonio della ricerca AI

- **Decisioni di training:** i ricercatori possono fare scelte informate su dimensione del cluster e durata dell'addestramento

- **Ottimizzazione della posizione:** le aziende possono selezionare strategicamente regioni con minore intensità di carbonio

- **Selezione hardware:** i team possono valutare il compromesso in termini di emissioni tra hardware più nuovo e più vecchio

Implementando questo tipo di tracciamento dettagliato, ricercatori e organizzazioni AI possono compiere passi concreti verso pratiche di sviluppo più sostenibili e contribuire alla trasparenza dell'intero settore riguardo all'impatto ambientale dell'addestramento dei modelli linguistici di grandi dimensioni.

4.4.3 Perché Questo È Importante

Per gli ingegneri: l'ottimizzazione dei costi rende l'addestramento fattibile entro budget reali. Un'allocazione efficiente delle risorse, dall'utilizzo delle GPU alla gestione della memoria, può ridurre i costi di training di ordini di grandezza. Questo include scelte strategiche come:

- Ottimizzare le dimensioni del batch per massimizzare l'utilizzo della memoria GPU senza overflow

- Implementare il gradient checkpointing per scambiare calcolo con una riduzione dell'uso di memoria

- Sfruttare il training a precisione mista per ridurre i requisiti di memoria fino al 50%

- Pianificare i job di training nelle ore non di punta, quando i costi del cloud sono più bassi

Non si tratta solo di risparmiare denaro—si tratta di rendere possibili determinate direzioni di ricerca. Molti approcci innovativi rimarrebbero inesplorati se i loro requisiti computazionali non fossero gestiti con attenzione. Ad esempio, addestrare un modello da 175B parametri come GPT-3 potrebbe costare milioni di dollari senza tecniche di ottimizzazione. Riducendo questi costi anche solo di un ordine di grandezza, i ricercatori possono:

- Eseguire più iterazioni sperimentali per testare ipotesi

- Scalare i modelli a dimensioni maggiori che altrimenti sarebbero proibitive dal punto di vista economico

- Consentire a laboratori e organizzazioni più piccoli di partecipare alla ricerca all'avanguardia

- Allocare risorse ad altri aspetti importanti come valutazione e test di sicurezza

Per i ricercatori: il reporting sulla sostenibilità aumenta la trasparenza e costruisce fiducia. Documentando impronta di carbonio e consumo energetico, i ricercatori creano responsabilità nel proprio lavoro. Questa pratica permette ai colleghi di valutare il costo ambientale completo dei progressi e incoraggia una visione olistica dei contributi di ricerca oltre alle sole metriche tecniche.

Questa trasparenza aiuta la comunità scientifica a valutare non solo i risultati ma anche i compromessi ambientali, favorendo una progettazione sperimentale più consapevole e incentivando l'investimento in metodi energeticamente efficienti. Quando i ricercatori pubblicano dati dettagliati sulle emissioni insieme ai loro risultati, si crea una pressione competitiva per migliorare l'efficienza in tutto il settore. Inoltre, facilita confronti significativi tra approcci, permettendo alla comunità di identificare quali metodi offrono i migliori risultati per unità di impatto ambientale.

Inoltre, il reporting trasparente aiuta a individuare opportunità di ottimizzazione che altrimenti potrebbero rimanere nascoste, come pratiche inefficienti di hyperparameter tuning o calcoli ridondanti.

Per la società: ridurre le emissioni di carbonio garantisce che il progresso dell'AI sia responsabile oltre che potente. Man mano che i sistemi AI crescono, il loro impatto ambientale aumenta in modo esponenziale. Senza un'attenzione deliberata alla sostenibilità, l'impronta di carbonio dell'AI potrebbe diventare un contributo significativo al cambiamento climatico. L'addestramento dei modelli AI di frontiera oggi consuma elettricità equivalente a quella di piccole città, e alcune stime suggeriscono che addestrare un singolo grande modello possa emettere tanto carbonio quanto cinque automobili durante l'intero ciclo di vita.

Ottimizzare per l'efficienza garantisce che il progresso tecnologico non avvenga a un costo ambientale inaccettabile. Questo richiede un approccio multifattoriale: sviluppare hardware più efficiente dal punto di vista energetico, creare algoritmi che richiedano meno risorse computazionali, scegliere località di training con reti energetiche più pulite e implementare una pianificazione consapevole del carbonio che favorisca i periodi di abbondanza di energia rinnovabile. Oltre all'impatto ambientale diretto, le pratiche AI sostenibili affrontano anche questioni di accessibilità ed equità—ridurre i requisiti di risorse per sistemi AI avanzati aiuta a democratizzare l'accesso a questa tecnologia tra diverse regioni e istituzioni con livelli differenti di risorse computazionali.

Il futuro dell'addestramento degli LLM non sarà misurato solo in **parametri** e **benchmark**, ma anche in **efficienza per watt** e **impatto di carbonio per token**. I principali laboratori di ricerca stanno già pubblicando il consumo energetico insieme alle prestazioni dei modelli, segnalando un cambiamento verso la valorizzazione delle metriche di sostenibilità accanto alle misure tradizionali di capacità. Questo approccio olistico alla valutazione diventerà probabilmente uno standard con la maturazione del settore.

Esercizi Pratici – Capitolo 4

Questi esercizi ti aiutano a mettere in pratica i fondamenti delle **pipeline di training degli LLM**: preparazione dei dati, scheduling, infrastruttura distribuita e attenzione ai costi.

Esercizio 1 – Pulizia dei Dati

Compito: Scrivi una funzione che rimuova i tag HTML e normalizzi gli spazi bianchi in una stringa di testo.

Soluzione:

```python
import re

def clean_text(text):
    # Remove HTML tags
    text = re.sub(r"<[^>]+>", " ", text)
    # Remove extra spaces
    text = re.sub(r"\\s+", " ", text)
```

```python
    return text.strip()

sample = "<p>Hello,   world!</p>   This is <b>messy</b> text."
print(clean_text(sample))
# Output: "Hello, world! This is messy text."
```

Esercizio 2 – Deduplicazione con MinHash

Compito: Usa MinHash per rilevare documenti quasi duplicati in un piccolo dataset.

Soluzione:

```python
from datasketch import MinHash, MinHashLSH

def get_minhash(text, num_perm=128):
    m = MinHash(num_perm=num_perm)
    for word in set(text.split()):
        m.update(word.encode("utf8"))
    return m

docs = [
    "The cat sat on the mat.",
    "The cat is sitting on the mat.",
    "A completely unrelated document."
]

lsh = MinHashLSH(threshold=0.8, num_perm=128)
for i, d in enumerate(docs):
    lsh.insert(f"doc{i}", get_minhash(d))

query = get_minhash("The cat sat on the mat.")
print("Near duplicates:", lsh.query(query))
# Likely matches doc0 and doc1
```

Esercizio 3 – Curriculum Learning

Compito: Crea un semplice programma di curriculum in cui il modello vede principalmente dati puliti nelle prime epoche e più dati rumorosi nelle epoche successive.

Soluzione:

```python
datasets = {
    "clean": ["A reliable sentence.", "Another factual line."],
    "noisy": ["Buy now!!! $$$", "Click here for free prizes!"]
}

def curriculum(epoch):
    if epoch == 1:
        return datasets["clean"] * 3 + datasets["noisy"] * 1
    elif epoch == 2:
        return datasets["clean"] * 2 + datasets["noisy"] * 2
```

```python
    else:
        return datasets["clean"] * 1 + datasets["noisy"] * 3

print("Epoch 1:", curriculum(1))
print("Epoch 2:", curriculum(2))
print("Epoch 3:", curriculum(3))
```

Esercizio 4 – Campionamento di Dataset Misti

Compito: Combina libri, Wikipedia e codice con pesi 0.5, 0.3, 0.2, e campiona batch di training.

Soluzione:

```python
import random

datasets = {
    "books": ["Book line 1", "Book line 2"],
    "wiki": ["Wiki entry 1", "Wiki entry 2"],
    "code": ["def add(a,b): return a+b", "print('Hello')"]
}

weights = {"books": 0.5, "wiki": 0.3, "code": 0.2}

def sample_batch(n=5):
    return [
        random.choice(datasets[random.choices(list(weights.keys()),
weights.values())[0]])
        for _ in range(n)
    ]

print("Sample batch:", sample_batch(5))
```

Esercizio 5 – Generazione di Dati Sintetici

Compito: Immagina di non avere abbastanza dati specifici di dominio. Usa un'API di LLM (qui in pseudo-codice) per generare coppie domanda-risposta sintetiche.

Soluzione:

```python
# Pseudo-code (requires valid API key)
from openai import OpenAI
client = OpenAI()

prompt = "Generate 2 Q&A pairs about renewable energy."
response = client.chat.completions.create(
    model="gpt-4o",
    messages=[{"role": "user", "content": prompt}]
)

print(response.choices[0].message["content"])
```

Esercizio 6 – Training Distribuito (DDP)

Compito: Scrivi un esempio di PyTorch Distributed Data Parallel (DDP) con due GPU che addestrano un semplice modello lineare.

Soluzione:

```python
# Save as train.py and run: python -m torch.distributed.run --nproc_per_node=2 train.py
import torch, torch.nn as nn, torch.distributed as dist, torch.multiprocessing as mp
from torch.nn.parallel import DistributedDataParallel as DDP

def train(rank, world_size):
    dist.init_process_group("gloo", rank=rank, world_size=world_size)
    model = nn.Linear(10, 10).to(rank)
    ddp = DDP(model, device_ids=[rank])

    loss_fn = nn.MSELoss()
    opt = torch.optim.SGD(ddp.parameters(), lr=0.01)

    for _ in range(5):
        x = torch.randn(8, 10).to(rank)
        y = torch.randn(8, 10).to(rank)
        opt.zero_grad()
        out = ddp(x)
        loss = loss_fn(out, y)
        loss.backward()
        opt.step()

    dist.destroy_process_group()

if __name__ == "__main__":
    mp.spawn(train, args=(2,), nprocs=2)
```

Esercizio 7 – Mixed Precision Training

Compito: Ottimizza memoria e velocità usando PyTorch AMP.

Soluzione:

```python
import torch, torch.nn as nn

model = nn.Linear(1024, 1024).cuda()
opt = torch.optim.Adam(model.parameters(), lr=1e-3)
scaler = torch.cuda.amp.GradScaler()

for _ in range(3):
    x = torch.randn(16, 1024).cuda()
    y = torch.randn(16, 1024).cuda()
    opt.zero_grad()
    with torch.cuda.amp.autocast():
        out = model(x)
        loss = ((out - y) ** 2).mean()
    scaler.scale(loss).backward()
```

```
    scaler.step(opt)
    scaler.update()
```

Esercizio 8 – Stima dell'Impronta di Carbonio di un Training Run

Compito: Dati 8 GPU (400W ciascuna) in esecuzione per 12 ore, stima il consumo energetico e l'impatto in CO_2 (assumi 0.5 kg CO_2/kWh).

Soluzione:

```python
gpu_power_watts = 400
num_gpus = 8
hours = 12
carbon_factor = 0.5  # kg CO₂ per kWh

energy_kwh = (gpu_power_watts * num_gpus * hours) / 1000
co2_emission = energy_kwh * carbon_factor

print(f"Energy used: {energy_kwh} kWh")
print(f"CO₂ emitted: {co2_emission:.2f} kg")
```

Cosa Hai Esercitato

- Pulizia, deduplicazione e filtraggio dei dati.

- Progettazione di **programmi di curriculum learning**.

- Campionamento di **dataset misti** e generazione di dati sintetici.

- Esecuzione del **training distribuito** con PyTorch.

- Ottimizzazione del training con **mixed precision** e **checkpointing**.

- Stima dell'**impronta di carbonio** per un'AI responsabile.

Questi esercizi ti forniscono una base pratica per gestire **l'intera pipeline di training** — dai dati grezzi fino a un'infrastruttura sostenibile.

Riepilogo Capitolo 4 – Addestrare LLM da Zero

In questo capitolo siamo passati dall'esplorare l'anatomia dei large language models a comprendere come vengono **portati in vita attraverso il training**. Mentre l'architettura definisce ciò che un modello *potrebbe* fare, il processo di training determina ciò che *effettivamente apprende*. Abbiamo visto che addestrare un LLM riguarda tanto le **pipeline di ingegneria** e le **scelte infrastrutturali** quanto gli algoritmi intelligenti.

Abbiamo iniziato dalle basi: **raccolta dei dati, pulizia, deduplicazione e filtraggio**. La materia prima di un LLM proviene spesso da fonti diverse — libri, codice, scraping web e corpora specializzati. Ma il testo grezzo è disordinato. Per evitare il "garbage in, garbage out", servono processi sistematici di pulizia (rimozione HTML, standardizzazione del testo), deduplicazione (eliminazione dei duplicati con MinHash o SimHash) e filtraggio (esclusione di spam, contenuti di bassa qualità o dannosi). Questi passaggi garantiscono che il dataset sia ampio ma utilizzabile, preparando il terreno per un apprendimento efficace.

Successivamente, abbiamo analizzato **curriculum learning, mixture datasets e dati sintetici**. Così come gli esseri umani apprendono in modo progressivo, anche i modelli possono beneficiare dell'esposizione iniziale a dati puliti e semplici, per poi passare gradualmente a contenuti più rumorosi o specifici di dominio. I mixture datasets combinano diverse fonti — Wikipedia, libri, codice — con pesi attentamente calibrati per bilanciare le capacità. E quando i dati scarseggiano, i dati sintetici generati da altri modelli o tramite tecniche di back-translation possono colmare il vuoto, fornendo esempi rari o coppie di training specifiche per dominio. Insieme, queste strategie rendono il dataset non solo più grande, ma **più intelligente**.

Da lì, ci siamo concentrati sull'**infrastruttura** — l'hardware e i sistemi distribuiti che rendono possibile il training su larga scala. Abbiamo visto come GPU, TPU e nuovi acceleratori differiscono per costo, ecosistema e prestazioni. Abbiamo esplorato il **data parallelism**, il **model parallelism** e il **pipeline parallelism**, oltre agli approcci ibridi utilizzati nella pratica. Tecniche pratiche come PyTorch Distributed Data Parallel (DDP) dimostrano come il training possa essere distribuito su più dispositivi. Queste strategie sono il motivo per cui modelli con centinaia di miliardi di parametri possono esistere.

Infine, abbiamo affrontato le questioni cruciali di **ottimizzazione dei costi e sostenibilità**. Il training è costoso sia in termini economici che energetici. Metodi come il training a precisione mista, il gradient checkpointing, optimizer efficienti (ZeRO, Shampoo) e la pianificazione con istanze spot riducono drasticamente i costi. Oltre all'aspetto economico, la sostenibilità gioca ormai un ruolo centrale: scegliere data center alimentati da energie rinnovabili, misurare l'impatto di carbonio e riportare il consumo energetico stanno diventando pratiche standard. Uno sviluppo responsabile dell'AI significa spingere le prestazioni riducendo al minimo i costi ambientali.

La lezione chiave di questo capitolo è che **addestrare un LLM è un problema di sistema completo**. Non riguarda solo l'architettura del modello, ma l'allineamento tra qualità dei dati, strategie di training, infrastruttura distribuita e sostenibilità in una pipeline coerente. Il design più intelligente al mondo fallirà se addestrato su dati rumorosi o hardware inefficiente. Al contrario, scelte consapevoli su dati e infrastruttura possono trasformare un design modesto in un modello robusto e utile.

Capitolo 5: Oltre il Testo: LLM Multimodali

Finora ci siamo concentrati su modelli che vivono nel mondo delle parole. Ma l'intelligenza umana è **multimodale**: impariamo leggendo, osservando, ascoltando e interagendo con il mondo. Perché l'AI si avvicini a questo tipo di comprensione, anche i modelli linguistici devono espandersi oltre il testo.

Questa limitazione dei modelli solo testuali diventa evidente quando consideriamo come gli esseri umani percepiscono ed elaborano le informazioni. Non viviamo il mondo come flussi isolati di testo—integriamo segnali visivi, suoni e interazioni fisiche per costruire una comprensione completa. Gli LLM tradizionali, nonostante le loro impressionanti capacità linguistiche, non possiedono questa percezione olistica che per gli esseri umani è naturale.

È qui che entrano in gioco gli **LLM multimodali**. Combinando testo con immagini, audio o video, questi modelli possono:

- Descrivere ciò che "vedono" nelle immagini, riconoscendo oggetti, scene, azioni e persino il contesto emotivo nei contenuti visivi.

- Rispondere a domande su grafici o diagrammi, interpretando rappresentazioni visive dei dati e traducendo pattern visivi in insight significativi.

- Collegare descrizioni scritte alla comprensione visiva, colmando il divario tra concetti astratti espressi a parole e le loro manifestazioni visive concrete.

- Supportare applicazioni reali come tutoraggio, strumenti di accessibilità e robotica, dove comprendere più forme di comunicazione è essenziale per fornire assistenza efficace.

I sistemi multimodali rappresentano un salto significativo nelle capacità dell'AI. Invece di elaborare ogni tipo di dato in isolamento, questi modelli creano connessioni tra diverse forme di informazione, proprio come il cervello umano integra segnali provenienti dai vari sensi. Questo ragionamento cross-modale consente una comprensione più ricca e interazioni più naturali con i sistemi AI.

In questo capitolo esploreremo come i ricercatori stanno spingendo gli LLM oltre il testo, iniziando da una delle aree più attive: i modelli **Text+Image**.

5.1 Modelli Text+Image (LLaVA, Flamingo, GPT-4o, DeepSeek-VL)

I modelli Text+Image estendono i modelli linguistici integrando **encoder visivi** con transformer basati su testo. Questa integrazione rappresenta un importante avanzamento nell'AI, consentendo ai modelli di elaborare e comprendere simultaneamente informazioni visive e testuali. In pratica, questa integrazione coinvolge diversi componenti chiave che lavorano insieme:

- Un **image encoder** (come il vision transformer di CLIP o una rete convoluzionale) elabora un'immagine trasformandola in embeddings. Questo encoder analizza il contenuto visivo pixel per pixel, identificando caratteristiche come forme, colori, oggetti, relazioni spaziali e persino elementi contestuali. L'encoder opera attraverso più livelli di elaborazione, ciascuno dei quali estrae informazioni sempre più complesse:

  a. **Caratteristiche di basso livello:** Inizialmente, l'encoder rileva elementi di base come bordi, texture e pattern di colore nell'immagine. Questo primo livello di elaborazione funziona in modo simile a come i nostri occhi percepiscono inizialmente le informazioni visive—identificando contrasti tra luce e oscurità, rilevando i confini tra colori e registrando variazioni di texture (come superfici lisce o ruvide).

  Questa fase è computazionalmente intensiva, poiché il modello deve analizzare ogni pixel e la sua relazione con quelli vicini. Ad esempio, nell'elaborare una fotografia di una foresta, l'encoder potrebbe identificare:

  - Linee verticali che rappresentano tronchi di alberi

  - Pattern irregolari di verde che rappresentano il fogliame

  - Differenze di texture tra corteccia ruvida e foglie lisce

  - Gradienti di ombra che indicano profondità e direzione della luce

  - Transizioni di colore tra cielo e terreno

  L'encoder utilizza filtri specializzati che rispondono a pattern specifici—alcuni rilevano linee orizzontali, altri verticali, mentre altri identificano gradienti di colore o elementi testurali. Questi filtri operano in parallelo sull'intera immagine, creando mappe di caratteristiche che evidenziano dove ciascun pattern è più presente.

  Questi elementi visivi fondamentali costituiscono i mattoni per il riconoscimento di livello superiore, proprio come le lettere formano parole e frasi nel linguaggio. Senza un rilevamento accurato in questa fase, le operazioni più complesse negli strati successivi fallirebbero.

  b. **Caratteristiche di medio livello:** Questi elementi di base vengono poi combinati per riconoscere strutture più complesse come forme specifiche, parti di oggetti e disposizioni spaziali. In questa fase, il modello inizia a identificare pattern significativi—riconoscendo, ad esempio, che certi bordi formano il contorno di un volto o che determinate texture rappresentano probabilmente pelliccia, tessuto o vegetazione.

  Questa elaborazione intermedia è cruciale perché collega i dati visivi grezzi alla comprensione semantica. Ad esempio, nell'elaborare un'immagine di una persona che porta a spasso un cane in un parco:

  i. Il modello può riconoscere linee curve e pattern di colore che formano la sagoma di una figura umana

    ii.   Identifica forme a quattro zampe con proporzioni caratteristiche che indicano un "cane"

    iii.   Rileva pattern testurali di erba, alberi e cielo che suggeriscono un "ambiente esterno"

    iv.   Riconosce configurazioni spaziali che stabiliscono la relazione tra persona e cane (collegati da un guinzaglio)

Il modello inizia anche a comprendere le relazioni spaziali, determinando quando gli oggetti sono sopra, sotto o dentro altri. Queste relazioni forniscono un contesto fondamentale—una tazza su un tavolo ha implicazioni diverse rispetto a un tavolo su una tazza. Il modello apprende a riconoscere configurazioni spaziali comuni (come i mobili in una stanza) e configurazioni insolite che potrebbero richiedere attenzione speciale.

c.   **Caratteristiche di alto livello:** Infine, l'encoder identifica oggetti completi, scene, azioni e relazioni tra gli elementi dell'immagine. È qui che emerge la vera "comprensione", poiché il modello riconosce non solo oggetti isolati ma anche il contesto significativo—distinguendo, ad esempio, tra un cane seduto su un divano e uno che corre in un parco, oppure comprendendo che una persona con una racchetta vicino a una rete rappresenta una specifica attività.

A questo livello più alto, il modello svolge diversi compiti cognitivi sofisticati:

- **Riconoscimento e classificazione degli oggetti:** Il modello può identificare entità complete (persone, animali, veicoli, mobili) e classificarle in categorie specifiche (cane Pastore Tedesco, divano mid-century, giocatore professionista di tennis).
- **Comprensione della scena:** Oltre ai singoli oggetti, il modello comprende interi ambienti—riconoscendo una cucina dai suoi elettrodomestici e disposizione, o una spiaggia dalla combinazione di sabbia, acqua e illuminazione distintiva.
- **Riconoscimento delle azioni:** Il modello può interpretare elementi dinamici—distinguendo tra qualcuno che corre o cammina, o tra lanciare e prendere—basandosi su postura, posizione e contesto.
- **Rilevamento delle relazioni:** Forse l'aspetto più impressionante, il modello identifica come gli oggetti sono collegati tra loro spazialmente e funzionalmente—riconoscendo che una persona sta portando a spasso un cane, andando in bicicletta o cucinando.
- **Inferenza contestuale:** Il modello formula ipotesi sul contesto più ampio—deducendo una festa di compleanno da candeline su una torta e persone riunite, o una riunione professionale da abbigliamento formale e una sala conferenze.

Il modello può anche interpretare contenuti emotivi, interazioni sociali e persino inferire possibili narrazioni all'interno della scena. Può riconoscere espressioni facciali che indicano felicità o preoccupazione, linguaggio del corpo che suggerisce tensione o relax, o dinamiche sociali come un insegnante che istruisce studenti o amici che condividono un pasto. Attraverso l'addestramento su milioni di immagini con descrizioni associate, il modello impara ad associare pattern visivi a concetti semantici complessi, arrivando a "vedere" in modo simile alla comprensione umana.

Il risultato è una rappresentazione densa del contenuto dell'immagine in formato numerico che il modello può elaborare—essenzialmente traducendo le informazioni visive in un "linguaggio" che l'AI può comprendere e su cui può ragionare.

- Un **livello di proiezione** mappa quegli embedding nello stesso spazio dei token del modello linguistico. Questo passaggio critico di allineamento garantisce che le informazioni visive e testuali possano essere elaborate insieme. Senza questa proiezione, il modello faticherebbe a stabilire connessioni significative tra ciò che vede e ciò che comprende attraverso il linguaggio.

Il livello di proiezione traduce essenzialmente il "linguaggio delle immagini" in un formato compatibile con il "linguaggio del testo", permettendo a entrambe le modalità di coesistere nello stesso spazio computazionale. Questo processo coinvolge diverse trasformazioni sofisticate:

Allineamento dimensionale: Gli embedding delle immagini e quelli del testo hanno spesso dimensioni e strutture diverse. Il livello di proiezione rimodella le caratteristiche visive per adattarle esattamente alle dimensioni attese dal modello linguistico, garantendo che ogni concetto visivo possa essere rappresentato in modo interpretabile dai componenti di elaborazione del testo. Questo processo comporta trasformazioni matematiche complesse che convertono i tensori ad alta dimensionalità provenienti dall'encoder visivo (che possono avere forme come [batch_size, sequence_length, vision_dimension]) nel formato richiesto dal modello linguistico (tipicamente [batch_size, sequence_length, hidden_dimension]).

Ad esempio, un encoder visivo può produrre caratteristiche con 1024 dimensioni per token, mentre il modello linguistico può lavorare con embedding a 768 dimensioni. Il livello di proiezione implementa quindi una trasformazione lineare appresa (essenzialmente una moltiplicazione matriciale) che mappa ogni vettore da 1024 a 768 dimensioni, preservando il più possibile l'informazione semantica.

Questo allineamento non riguarda solo la corrispondenza dei numeri: si tratta di preservare le ricche relazioni semantiche catturate nel dominio visivo. I parametri della proiezione vengono appresi durante l'addestramento, permettendo al modello di scoprire mappature ottimali tra concetti visivi e controparti linguistiche. Questo garantisce che, quando il modello linguistico presta attenzione a queste caratteristiche visive proiettate, possa estrarre informazioni significative che corrispondono ai concetti che comprende attraverso il linguaggio.

Mappatura semantica: Oltre alla semplice corrispondenza dimensionale, il livello di proiezione apprende a mappare i concetti visivi alle loro controparti linguistiche. Ad esempio, le caratteristiche visive che rappresentano "una mela rossa" devono essere proiettate in uno spazio in cui possano interagire in modo significativo con i token testuali "rosso" e "mela".

Questa mappatura semantica è un processo di traduzione sofisticato che collega due sistemi di rappresentazione fondamentalmente diversi. Quando si elabora un'immagine di una mela rossa, l'encoder visivo estrae caratteristiche che catturano la sua rotondità, la superficie liscia, la colorazione rossa e il picciolo. Queste caratteristiche visive esistono come schemi numerici astratti distribuiti su più dimensioni dell'embedding. Il livello di proiezione deve trasformare questi schemi distribuiti in rappresentazioni che si allineano con il modo in cui i modelli linguistici comprendono concetti come "rosso" (un attributo di colore) e "mela" (una categoria di frutta).

La sfida è significativa perché le rappresentazioni visive e linguistiche sono strutturate in modo diverso:

- Nella visione, i concetti sono spesso *intrecciati* — la "rossità" e la "mela-ità" esistono simultaneamente negli stessi pixel e vengono elaborate insieme.
- Nel linguaggio, i concetti sono più *discreti* — "rosso" e "mela" sono token separati con significati distinti che si combinano tra loro.

Attraverso un addestramento estensivo su dati accoppiati immagine-testo, il livello di proiezione impara a separare queste caratteristiche visive e a mapparle alle loro controparti linguistiche. Quando questo processo ha successo, le caratteristiche visive proiettate attivano schemi neurali simili a quelli attivati dal testo "mela rossa" nel modello linguistico. Questo consente al modello di ragionare sul contenuto visivo utilizzando le sue capacità di comprensione linguistica — ad esempio, rispondendo a domande come "Di che colore è la mela?" collegando la rappresentazione visiva al concetto linguistico appropriato "rosso".

Questo allineamento semantico è ciò che permette ai modelli multimodali di svolgere compiti di ragionamento cross-modale, come descrivere oggetti non visti, rispondere a domande su contenuti visivi o generare testo che faccia riferimento a elementi visivi in modo contestualmente appropriato.

Integrazione contestuale: La proiezione garantisce che le relazioni contestuali nel dominio visivo (come le relazioni spaziali tra oggetti) siano preservate in modo accessibile al modello linguistico. Questo permette al modello di rispondere a domande su posizioni relative o interazioni tra oggetti in un'immagine.

Questa integrazione contestuale è particolarmente cruciale perché le scene visive contengono informazioni spaziali e relazionali ricche che devono essere tradotte in un formato elaborabile dal modello linguistico. Ad esempio, osservando un'immagine di un tavolo da pranzo, il modello deve comprendere non solo che ci sono piatti, bicchieri e posate, ma anche la loro disposizione (piatti davanti alle sedie, bicchieri sopra i piatti, forchette a sinistra dei piatti), i loro raggruppamenti (posti a tavola) e le loro relazioni funzionali (tovaglioli piegati sui piatti).

Il livello di proiezione preserva queste gerarchie spaziali mantenendo le informazioni di posizione relativa tra le caratteristiche visive. Attraverso meccanismi di attenzione specializzati, garantisce che:

- Le relazioni di prossimità ("il libro è accanto alla lampada") siano codificate in modo interpretabile dal modello linguistico
- Le relazioni di contenimento ("la mela è nella ciotola") mantengano la loro struttura gerarchica
- Le relazioni direzionali ("il cane è rivolto verso la fotocamera") preservino l'informazione di orientamento
- Le relazioni di scala ("l'elefante è più grande del topo") conservino l'informazione sulle dimensioni relative

Questa mappatura sofisticata consente al modello di interpretare correttamente domande come "Cosa c'è sopra la libreria?", "Il bambino tiene il palloncino?" o "In che direzione è orientata l'auto?" — domande che richiedono la comprensione non solo degli oggetti presenti ma anche di come si relazionano tra loro nello spazio fisico.

Senza una corretta integrazione contestuale, un modello potrebbe riconoscere tutti gli oggetti in un'immagine ma non comprenderne le relazioni significative, limitando fortemente la sua capacità di ragionare sulle scene come fanno naturalmente gli esseri umani.

- Il modello linguistico tratta gli embedding visivi come se fossero token speciali, permettendogli di "prestare attenzione" sia alle parole che ai pixel. Attraverso i meccanismi di self-attention, il modello può creare connessioni tra elementi visivi e concetti testuali, formando una comprensione completa che abbraccia entrambe le modalità.

Questa integrazione avviene tramite un processo sofisticato in cui il meccanismo di self-attention dell'architettura transformer elabora simultaneamente sia i token testuali che quelli visivi. Quando un utente chiede "Di che colore è l'auto in questa immagine?", le teste di attenzione del modello possono concentrarsi su:

- Gli embedding visivi che rappresentano l'auto nell'immagine
- I token testuali relativi a "colore" e "auto" nella domanda
- La relazione contestuale tra questi elementi

I pesi di self-attention formano una complessa rete di connessioni, permettendo al flusso di informazioni di muoversi bidirezionalmente tra le modalità. Ad esempio, durante l'elaborazione di un'immagine di un'auto sportiva rossa insieme a un testo che menziona "veicolo", il modello può:

- Associare le caratteristiche visive dell'auto con la parola "veicolo" nel testo
- Collegare le proprietà cromatiche dell'embedding visivo a possibili descrizioni di colore
- Legare le relazioni spaziali nell'immagine (auto sulla strada) a potenziali descrizioni della scena

Questa attenzione cross-modale consente al modello di svolgere compiti come visual question answering, image captioning e ragionamento condizionato dal testo su contenuti visivi. Le mappe di attenzione rivelano come il modello distribuisce il focus tra diverse parti dell'immagine e del testo durante la costruzione della sua comprensione.

Questo permette al modello di ragionare sulle relazioni tra ciò che "vede" e ciò che "legge".

Questa fusione tra elaborazione visiva e testuale crea un sistema potente capace di comprendere il contesto tra modalità diverse, permettendogli di rispondere a richieste come:

- *"Cosa c'è scritto sul cartello in questa foto?"* — richiede il riconoscimento del testo nelle immagini e la comprensione del contesto visivo. Il modello deve identificare gli elementi testuali all'interno della scena visiva, distinguerli dalle altre caratteristiche visive e trascrivere correttamente il testo mantenendo la consapevolezza del contesto del cartello nell'immagine più ampia (che sia un segnale stradale, una vetrina, un avviso, ecc.).

- *"Descrivi questo grafico in inglese semplice."* — richiede l'interpretazione di visualizzazioni di dati e la loro traduzione in linguaggio naturale. Qui il modello deve riconoscere il tipo di grafico (grafico a barre, a torta, lineare, ecc.), identificare etichette degli assi, punti dati e tendenze, e poi sintetizzare queste informazioni in un testo coerente che catturi le relazioni e gli insight principali.

- *"Scrivi una storia su questa immagine."* — richiede generazione creativa basata su stimoli visivi e comprensione degli elementi narrativi. Questo compito complesso richiede al modello di riconoscere non solo gli oggetti ma anche le loro relazioni, il contenuto emotivo potenziale, le azioni o intenzioni implicite, e poi usare questi elementi per creare una narrazione coerente con personaggi, ambientazione, trama e temi plausibili a partire da ciò che è visibile nell'immagine.

5.1.1 LLaVA (Large Language and Vision Assistant)

Modello open-source che combina **CLIP for vision** + **Vicuna (LLM)**. CLIP (Contrastive Language-Image Pre-training) funge da encoder visivo che elabora ed estrae caratteristiche dalle immagini, mentre Vicuna, una versione fine-tuned di LLaMA, gestisce le capacità di elaborazione del linguaggio. L'architettura sfrutta la potente capacità di rappresentazione visiva di CLIP, addestrato su 400 milioni di coppie immagine-testo per comprendere concetti visivi, e la combina con le avanzate capacità di comprensione e generazione del linguaggio di Vicuna.

LLaVA segue un processo di addestramento in due fasi. Innanzitutto, viene preaddestrato su un ampio corpus di coppie immagine-testo per stabilire connessioni di base tra informazione visiva e linguistica. Successivamente, viene addestrato in modo specifico su dati instruction-following che associano immagini a prompt testuali. Questo approccio di addestramento consente a LLaVA di comprendere e rispondere a istruzioni specifiche sul contenuto visivo, andando oltre il semplice image captioning fino a forme più complesse di ragionamento su ciò che vede. È proprio questo instruction-tuning che conferisce a LLaVA la capacità di seguire direttive sfumate nell'analisi delle immagini, invece di limitarsi a generare descrizioni generiche.

Il dataset di addestramento include circa 158.000 coppie immagine-testo con istruzioni, curate attentamente per coprire un'ampia gamma di compiti di ragionamento visivo, dall'identificazione semplice di oggetti fino all'interpretazione complessa di scene. Questa fase di instruction-tuning è cruciale perché insegna al modello a seguire direttive specifiche nell'analisi del contenuto visivo. Il dataset incorpora tipi di immagini diversi, tra cui fotografie naturali, diagrammi, grafici, screenshot e immagini artistiche, garantendo che il modello possa gestire molteplici formati visivi. Anche le istruzioni testuali sono molto varie, da richieste semplici come "Di che colore è l'auto?" a richieste più complesse come "Spiega la relazione tra le persone in questa immagine e cosa potrebbero provare".

Esempio di compito: descrivere un'immagine in dettaglio. LLaVA può generare descrizioni complete che includono identificazione degli oggetti, relazioni spaziali, attributi, azioni e persino inferenze su contesto o emozioni a partire da scene visive. Le sue descrizioni possono andare da osservazioni fattuali fino ad analisi più interpretative, a seconda del prompt.

Ad esempio, quando gli viene mostrata un'immagine di una strada cittadina, LLaVA può identificare non solo veicoli, pedoni ed edifici, ma anche descrivere le loro relazioni (ad esempio, "una persona che attraversa la strada mentre le auto aspettano al semaforo rosso"), dedurre le condizioni atmosferiche sulla base di indizi visivi (ad esempio, "il manto stradale bagnato suggerisce una pioggia recente") e persino commentare il momento probabile della giornata in base alle condizioni di luce e alle ombre. Il modello può anche svolgere compiti più specializzati come leggere testo nelle immagini, analizzare grafici o diagrammi, identificare monumenti e riconoscere persone famose o opere d'arte, dimostrando la sua versatilità in diversi scenari di analisi visiva.

LLaVA si distingue per la sua architettura efficiente, che raggiunge prestazioni solide pur richiedendo risorse computazionali relativamente modeste rispetto alle alternative proprietarie. La sua natura open-source lo ha reso una scelta popolare per ricercatori e sviluppatori che lavorano su applicazioni vision-language. L'architettura del modello è particolarmente snella, poiché utilizza un semplice livello di proiezione per collegare gli embedding visivi di CLIP con le capacità di elaborazione linguistica di Vicuna. Questo approccio evita il sovraccarico computazionale di meccanismi di cross-attention più complessi, pur consentendo una comunicazione efficace tra i componenti visivi e linguistici. Le varianti più piccole di LLaVA possono essere eseguite su GPU consumer con 16 GB di memoria, rendendo l'AI multimodale avanzata accessibile a una gamma molto più ampia di ricercatori e sviluppatori rispetto alle alternative closed-source, che possono richiedere hardware specializzato.

Il modello ottiene prestazioni competitive su benchmark come VQAv2 (Visual Question Answering) e GQA (Grounded Question Answering), pur essendo significativamente più efficiente in termini di risorse rispetto ad alternative closed-source come GPT-4V. Nel benchmark VQAv2, che valuta la capacità di un modello di rispondere a domande sulle immagini, LLaVA-1.5 raggiunge punteggi paragonabili a quelli di modelli proprietari molto più grandi. La sua accessibilità permette agli sviluppatori di eseguire il fine-tuning per domini o applicazioni specifiche, come l'analisi di immagini mediche (interpretazione di radiografie, TAC e altre immagini diagnostiche), il riconoscimento di prodotti nel retail (identificazione di prodotti su scaffali o in immagini di catalogo) o lo sviluppo di contenuti educativi (spiegazione di diagrammi scientifici o reperti storici), favorendo così un ecosistema in crescita di applicazioni di AI multimodale specializzate. Il modello ha ispirato numerose derivate ed estensioni nella comunità open-source, incluse versioni ottimizzate per lingue diverse, specializzate in domini particolari come la comprensione di documenti, o modificate per funzionare con input video anziché immagini statiche.

Esempio di codice: utilizzo di LLaVA per l'elaborazione multimodale

```python
# Complete LLaVA implementation example

import torch
from PIL import Image
from transformers import AutoProcessor, LlavaForConditionalGeneration

# Step 1: Load the pre-trained LLaVA model and processor
model_id = "llava-hf/llava-1.5-7b-hf"
processor = AutoProcessor.from_pretrained(model_id)
model = LlavaForConditionalGeneration.from_pretrained(
    model_id,
    torch_dtype=torch.float16,
    device_map="auto"
)

# Step 2: Prepare the image
image = Image.open("colosseum.jpg")

# Step 3: Define your prompt
prompt = "Describe this image in detail."

# Step 4: Process the inputs
inputs = processor(
    prompt,
    images=image,
    return_tensors="pt"
).to("cuda")

# Step 5: Generate the response
with torch.no_grad():
    output = model.generate(
        **inputs,
        max_new_tokens=256,
```

```python
        do_sample=True,
        temperature=0.6,
        top_p=0.9,
    )

# Step 6: Decode and print the response
generated_text = processor.decode(output[0], skip_special_tokens=True)
print(generated_text)
```

Per questo esempio, scarica l'immagine del Colosseo qui: https://files.cuantum.tech/images/colosseum.jpg

Nota: salva l'immagine di esempio (colosseum.jpg) nella stessa posizione dello script Python.

Analisi del codice: utilizzo di LLaVA per l'elaborazione multimodale

Questo codice dimostra come utilizzare il modello LLaVA (Large Language and Vision Assistant) per elaborare immagini e generare testo descrittivo. Analizziamo nel dettaglio ogni parte:

1. Importazioni e configurazione

- **torch**: la libreria PyTorch fornisce funzionalità per il calcolo su tensori e per le reti neurali.

- **PIL.Image**: la Python Imaging Library consente di aprire e manipolare file immagine.

- **AutoProcessor**: seleziona automaticamente il processor appropriato per il modello, gestendo sia la tokenizzazione del testo sia il preprocessing delle immagini.

- **LlavaForConditionalGeneration**: la classe principale del modello LLaVA che combina capacità visive e linguistiche.

2. Caricamento del modello

Il codice carica il modello LLaVA 1.5 7B da Hugging Face, una variante di dimensioni moderate che bilancia prestazioni e requisiti di risorse:

- **torch_dtype=torch.float16**: utilizza il formato in virgola mobile a mezza precisione per ridurre l'uso della memoria.

- **device_map="auto"**: determina automaticamente la strategia ottimale di allocazione dei dispositivi, distribuendo i componenti del modello sulle GPU disponibili o utilizzando la CPU se necessario.

3. Preparazione dell'input

Il codice prepara due input chiave:

- Un **immagine** caricata usando la funzione Image.open() di PIL.

- Un **prompt testuale** che specifica il compito ("Descrivi questa immagine in dettaglio").

Successivamente, il processor:

- Ridimensiona e normalizza l'immagine per adattarla al formato di input atteso da CLIP (224x224 pixel).

- Tokenizza il prompt testuale in input IDs per il componente del modello linguistico.

- Crea attention masks e altri input tensoriali richiesti.

4. Processo di generazione

Il metodo model.generate() crea la risposta testuale con diversi parametri che controllano la generazione:

- **max_new_tokens=256**: limita la lunghezza della risposta a un massimo di 256 nuovi token.

- **do_sample=True**: abilita una generazione basata sul sampling invece della decodifica greedy.

- **temperature=0.6**: controlla la casualità della generazione (valori più bassi sono più deterministici).

- **top_p=0.9**: implementa il nucleus sampling, considerando solo i token la cui probabilità cumulativa supera il 90%.

5. Dietro le quinte: come LLaVA elabora l'immagine

Quando esegui questo codice, LLaVA compie diverse operazioni sofisticate:

1. Il **CLIP vision encoder** estrae caratteristiche visive dall'immagine, creando una rappresentazione ad alta dimensionalità che cattura oggetti, attributi, relazioni spaziali e altre informazioni visive.

2. Il **livello di proiezione** trasforma questi embedding visivi in un formato compatibile con lo spazio degli embedding del modello linguistico, "traducendo" essenzialmente i concetti visivi in un linguaggio comprensibile per l'LLM.

3. Il **modello linguistico Vicuna** (basato su LLaMA) riceve sia gli embedding visivi proiettati sia il prompt tokenizzato, trattando l'informazione visiva come token speciali all'interno della sua finestra di contesto.

4. Il **meccanismo di self-attention** consente al modello di concentrarsi sulle parti rilevanti sia della rappresentazione dell'immagine sia del prompt testuale durante la generazione di ogni token della risposta.

5. Il **decoder** genera una risposta testuale coerente e contestualmente appropriata basata sia sul contenuto visivo sia sull'istruzione testuale.

6. Opzioni avanzate di personalizzazione

L'esempio di base sopra può essere esteso con parametri aggiuntivi per un controllo maggiore:

```python
# Advanced parameters for more control
output = model.generate(
    **inputs,
    max_new_tokens=512,                 # Generate longer responses
    do_sample=True,                     # Enable sampling-based generation
    temperature=0.7,                    # Slightly more creative responses
    top_p=0.9,                          # Nucleus sampling parameter
    top_k=50,                           # Limit vocabulary to top 50 tokens
    repetition_penalty=1.2,             # Discourage repetition of phrases
    length_penalty=1.0,                 # No penalty based on length
    no_repeat_ngram_size=3,             # Avoid repeating 3-grams
```

```
)
```

7. Applicazioni pratiche

Questa struttura di codice può essere adattata a vari compiti multimodali modificando il prompt:

- **Visual question answering**: "Di che colore è l'auto in questa immagine?"

- **Image reasoning**: "Spiega cosa potrebbe accadere dopo in questa scena."

- **Content extraction**: "Estrai tutto il testo visibile in questa immagine."

- **Creative generation**: "Scrivi una breve storia ispirata a questa immagine."

L'architettura di LLaVA collega in modo efficace visione e linguaggio, rendendo possibili queste applicazioni diverse con lo stesso modello di base.

Esempio avanzato: Visual Question Answering interattivo con LLaVA

Il seguente codice dimostra un caso d'uso più sofisticato di LLaVA: la costruzione di un'applicazione interattiva di visual question answering in grado di elaborare immagini caricate e rispondere in tempo reale a domande su di esse.

```python
# Advanced LLaVA application: Interactive Visual QA with Gradio

import torch
import gradio as gr
from PIL import Image
from transformers import AutoProcessor, LlavaForConditionalGeneration

# Load the LLaVA model and processor
model_id = "llava-hf/llava-1.5-13b-hf"  # Using larger 13B parameter version
processor = AutoProcessor.from_pretrained(model_id)
model = LlavaForConditionalGeneration.from_pretrained(
    model_id,
    torch_dtype=torch.float16,
    device_map="auto"
)

def process_image_and_question(image, question, temperature=0.7, max_length=500):
    """Process an image and a question to generate a response using LLaVA."""
    # Prepare the prompt with the user's question
    prompt = f"Answer this question about the image: {question}"

    # Process inputs
    inputs = processor(
        prompt,
        images=image,
        return_tensors="pt"
    ).to(model.device)

    # Generate the response
```

```python
    with torch.no_grad():
        output = model.generate(
            **inputs,
            max_new_tokens=max_length,
            do_sample=True,
            temperature=temperature,
            top_p=0.9,
        )

    # Decode the response
    generated_text = processor.decode(output[0], skip_special_tokens=True)

    # Return just the model's answer, removing the original question
    response = generated_text.split("Answer this question about the image:")[-
1].strip()
    return response

# Set up the Gradio interface
with gr.Blocks() as demo:
    gr.Markdown("# LLaVA Visual Question Answering")
    gr.Markdown("Upload an image and ask a question about it.")

    with gr.Row():
        with gr.Column():
            image_input = gr.Image(type="pil", label="Upload Image")
            question_input = gr.Textbox(label="Your Question", placeholder="What's
happening in this image?")
            temperature = gr.Slider(0.1, 1.0, value=0.7, label="Temperature
(creativity)")
            max_length = gr.Slider(50, 1000, value=500, step=50, label="Maximum
response length")
            submit_button = gr.Button("Get Answer")

        with gr.Column():
            output_text = gr.Textbox(label="LLaVA's Answer", lines=10)

    # Connect the interface to the processing function
    submit_button.click(
        fn=process_image_and_question,
        inputs=[image_input, question_input, temperature, max_length],
        outputs=output_text
    )

    # Add example images and questions
    gr.Examples(
        examples=[
            ["example_street_scene.jpg", "What safety hazards do you see in this
image?"],
            ["example_chart.jpg", "Explain the main trend shown in this chart."],
            ["example_food.jpg", "What ingredients might be in this dish?"]
        ],
        inputs=[image_input, question_input]
```

```
    )

# Launch the application
demo.launch()
```

Per questo esempio, scarica le immagini richieste dai seguenti link:

Street Scene: files.cuantum.tech/images/example_street_scene.jpg

Chart: https://files.cuantum.tech/images/example_chart.jpg

Food: https://files.cuantum.tech/images/example_food.jpg

Nota: salva le immagini di esempio nella stessa posizione dello script Python.

Analisi del codice: applicazione interattiva di Visual QA

Questo esempio avanzato dimostra come costruire un'applicazione intuitiva per il visual question answering usando LLaVA. Analizziamo i componenti principali:

1. Selezione e configurazione del modello

- **LLaVA 1.5-13B**: questo codice utilizza la versione più grande da 13B parametri di LLaVA (rispetto alla 7B dell'esempio precedente), che offre migliori capacità di ragionamento al costo di richiedere più risorse computazionali.

- Viene usato lo stesso approccio di inizializzazione, con precisione **float16** e mappatura automatica dei dispositivi per ottimizzare l'uso dell'hardware disponibile.

2. Funzione di elaborazione principale

La funzione process_image_and_question() gestisce l'elaborazione multimodale principale:

- Accetta quattro input: un'immagine, una domanda e due parametri di generazione (temperature e lunghezza massima).

- La domanda viene formattata in un prompt standardizzato che aiuta a guidare la generazione della risposta da parte di LLaVA.

- Dopo l'elaborazione, estrae solo la parte rilevante della risposta, rimuovendo il prompt originale per offrire un'esperienza utente più pulita.

3. Costruzione dell'interfaccia Gradio

Il codice usa Gradio per creare un'interfaccia web intuitiva per l'applicazione:

- **Input utente**: caricamento immagine, casella di testo per la domanda e slider dei parametri di generazione per regolare meglio le risposte.

- **Organizzazione del layout**: disposto in un layout a due colonne, con input a sinistra e output a destra.

- **Examples**: immagini e domande di esempio preconfigurate per mostrare le capacità del sistema.

4. Dietro le quinte: elaborazione multimodale avanzata

Quando un utente interagisce con questa applicazione, avvengono diversi processi sofisticati:

1. L'immagine caricata viene automaticamente preprocessata dall'interfaccia Gradio per garantire la compatibilità con i requisiti di input di LLaVA.

2. Il processor di LLaVA gestisce sia la tokenizzazione del testo sia il preprocessing dell'immagine, assicurando un corretto allineamento tra le modalità.

3. La domanda viene formattata in una direttiva che aiuta il modello a comprendere il compito specifico di ragionamento visivo richiesto.

4. I parametri di generazione offrono all'utente il controllo sullo stile della risposta: una temperature più alta produce risposte più creative ma potenzialmente meno precise.

5. Il post-processing estrae solo la risposta rilevante, creando un'esperienza conversazionale più pulita.

5. Applicazioni potenziali

Questo modello di applicazione interattiva potrebbe essere adattato a numerosi casi d'uso reali:

- **Strumenti educativi**: gli studenti potrebbero caricare diagrammi o immagini storiche e chiedere spiegazioni.

- **Servizi di accessibilità**: utenti con disabilità visive potrebbero porre domande dettagliate su fotografie o documenti.

- **E-commerce**: gli acquirenti potrebbero caricare immagini di prodotti e fare domande specifiche su caratteristiche o compatibilità.

- **Supporto tecnico**: gli utenti potrebbero condividere screenshot di messaggi di errore o configurazioni hardware e chiedere aiuto per la risoluzione dei problemi.

- **Moderazione dei contenuti**: le piattaforme potrebbero usare una versione modificata per aiutare ad analizzare immagini caricate rispetto alla conformità alle policy.

6. Considerazioni tecniche e limiti

Quando si implementa questo tipo di applicazione, è importante considerare:

- **Requisiti hardware**: il modello da 13B parametri richiede una GPU con almeno 24 GB di VRAM per prestazioni ottimali.

- **Velocità di inferenza**: la generazione della risposta richiede in genere da 2 a 10 secondi a seconda dell'hardware e della lunghezza della risposta.

- **Risoluzione delle immagini**: LLaVA elabora le immagini a una risoluzione fissa (tipicamente 224x224 pixel), il che può limitare l'analisi dettagliata di elementi molto piccoli.

- **Considerazioni sulla privacy**: per applicazioni sensibili, valuta l'esecuzione in locale piuttosto che su infrastruttura cloud.

Questo esempio mostra come le capacità di LLaVA possano essere integrate in applicazioni intuitive che portano la potenza dell'AI multimodale anche a utenti non tecnici. La combinazione di comprensione visiva, generazione del linguaggio e controlli interattivi crea un sistema flessibile per un'ampia gamma di compiti di ragionamento visivo.

5.1.2 Flamingo (DeepMind)

Flamingo è un modello multimodale rivoluzionario sviluppato da DeepMind, progettato specificamente per eccellere nel **few-shot learning** tra testo e immagini. A differenza dei modelli che richiedono un addestramento esteso specifico per ogni compito, Flamingo può adattarsi a nuovi compiti visivi con pochissimi esempi. Questo rappresenta un importante avanzamento nell'AI multimodale, poiché la maggior parte dei sistemi precedenti richiedeva dataset di addestramento dedicati per ogni nuovo tipo di compito di ragionamento visivo da eseguire.

Al centro della sua architettura, Flamingo utilizza un modello linguistico congelato (LLM) come base e introduce livelli specializzati di cross-attention che creano ponti tra le rappresentazioni visive e la comprensione testuale. Questi meccanismi di cross-attention fungono da traduttori efficaci, permettendo alle informazioni visive di essere incorporate in modo significativo nella pipeline di elaborazione del modello linguistico senza compromettere le sue capacità linguistiche preaddestrate. Il componente di elaborazione visiva di Flamingo utilizza un vision encoder basato su un Normalizer-Free ResNet (NFNet), che trasforma le immagini in rappresentazioni dense di caratteristiche. Queste caratteristiche visive vengono poi elaborate tramite un modulo perceiver resampler che converte le rappresentazioni visive di dimensione variabile in un numero fisso di token visivi che possono essere elaborati in modo efficiente dal modello linguistico.

Ciò che rende Flamingo particolarmente impressionante è la sua capacità di eseguire "in-context learning" con dati visivi. Può rispondere a domande su compiti immagine-testo mai visti prima con quantità di dati di addestramento sorprendentemente ridotte — spesso bastano da 1 a 16 esempi per ottenere prestazioni solide. Questa capacità consente a Flamingo di generalizzare a nuovi scenari di ragionamento visivo senza un retraining esteso, rendendolo adattabile a domini come visual question answering, image captioning e ragionamento visivo con tempi di configurazione minimi. Il modello è stato addestrato su un enorme dataset multimodale composto da centinaia di milioni di coppie immagine-testo raccolte da diverse fonti web, permettendogli di sviluppare una ricca comprensione delle relazioni tra concetti visivi e testuali.

Durante l'inferenza, Flamingo può elaborare sequenze intercalate di immagini e testo, rendendolo particolarmente adatto a interazioni conversazionali sul contenuto visivo. Ad esempio, un utente potrebbe mostrare a Flamingo diverse immagini di animali con descrizioni corrispondenti come esempi, poi presentare una nuova immagine di un animale e chiedere una descrizione simile. Il modello sfrutterebbe le sue capacità di few-shot learning per generare una risposta appropriata seguendo il pattern stabilito negli esempi. Questa flessibilità si estende anche a compiti di ragionamento complessi, come confrontare più immagini, rispondere a domande su dettagli visivi specifici o persino generare contenuti creativi ispirati da input visivi.

L'architettura del modello ha ispirato ricerche successive sull'apprendimento multimodale efficiente, in particolare su come combinare in modo efficace modelli unimodali preaddestrati (come sistemi solo visivi e solo linguistici) in potenti modelli multimodali di ragionamento senza richiedere un esteso addestramento congiunto da zero. Questo approccio si è dimostrato prezioso per sviluppare sistemi di AI multimodale più accessibili, sfruttando al contempo i punti di forza di modelli specializzati in ciascuna modalità.

Esempio di implementazione di Flamingo: few-shot learning multimodale

Di seguito è riportato un esempio semplificato di implementazione di un'architettura ispirata a Flamingo usando PyTorch. Questo esempio mostra i componenti fondamentali di Flamingo: un vision encoder, un perceiver resampler e livelli di cross-attention integrati con un modello linguistico.

```python
import torch
import torch.nn as nn
import torchvision.models as models
from transformers import GPT2LMHeadModel, GPT2Tokenizer

class PerceiverResampler(nn.Module):
    """
    Perceiver Resampler module that converts variable-sized visual features
    to a fixed number of tokens that can be processed by the language model.
    """

    def __init__(self, input_dim=2048, latent_dim=768, num_latents=64, num_layers=4):
        super().__init__()
        self.latents = nn.Parameter(torch.randn(num_latents, latent_dim))
        self.layers = nn.ModuleList([
            nn.MultiheadAttention(embed_dim=latent_dim,                   num_heads=8,
batch_first=True)
            for _ in range(num_layers)
        ])
        self.input_proj = nn.Linear(input_dim, latent_dim)
        self.norm = nn.LayerNorm(latent_dim)

    def forward(self, visual_features):
        # Project visual features to latent dimension
        visual_features = self.input_proj(visual_features)

        # Expand latents to batch size
        batch_size = visual_features.shape[0]
        latents = self.latents.unsqueeze(0).expand(batch_size, -1, -1)

        # Process through cross-attention layers
        for layer in self.layers:
            latents = latents + layer(
                query=latents,
                key=visual_features,
                value=visual_features,
                need_weights=False
            )[0]
            latents = self.norm(latents)

        return latents

class CrossAttentionBlock(nn.Module):
    """
    Cross-attention block that integrates visual information into the LLM.
    """

    def __init__(self, hidden_size=768, num_heads=12):
        super().__init__()
```

```python
        self.cross_attention = nn.MultiheadAttention(
            embed_dim=hidden_size,
            num_heads=num_heads,
            batch_first=True
        )
        self.layer_norm1 = nn.LayerNorm(hidden_size)
        self.layer_norm2 = nn.LayerNorm(hidden_size)

    def forward(self, hidden_states, visual_features):
        normed_hidden_states = self.layer_norm1(hidden_states)

        # Apply cross-attention
        attn_output = self.cross_attention(
            query=normed_hidden_states,
            key=visual_features,
            value=visual_features,
            need_weights=False
        )[0]

        # Residual connection and layer norm
        hidden_states = hidden_states + attn_output
        hidden_states = self.layer_norm2(hidden_states)

        return hidden_states

class FlamingoModel(nn.Module):
    """
    Simplified Flamingo model combining vision encoder, perceiver resampler,
    and a language model with cross-attention layers.
    """

    def __init__(self, vision_model_name="resnet50", num_visual_tokens=64):
        super().__init__()
        # Vision encoder (frozen)
        self.vision_encoder = models.__dict__[vision_model_name](pretrained=True)
        self.vision_encoder.fc = nn.Identity()  # Remove classification head
        for param in self.vision_encoder.parameters():
            param.requires_grad = False

        # Perceiver resampler
        self.perceiver = PerceiverResampler(
            input_dim=2048,  # ResNet50 feature dim
            latent_dim=768,  # Match GPT2 hidden size
            num_latents=num_visual_tokens
        )

        # Language model (frozen)
        self.language_model = GPT2LMHeadModel.from_pretrained("gpt2")
        self.tokenizer = GPT2Tokenizer.from_pretrained("gpt2")
        self.tokenizer.pad_token = self.tokenizer.eos_token
        for param in self.language_model.parameters():
            param.requires_grad = False
```

```python
        # Cross-attention layers (one per transformer block)
        self.cross_attentions = nn.ModuleList([
            CrossAttentionBlock(hidden_size=768, num_heads=12)
            for _ in range(len(self.language_model.transformer.h))
        ])

        # Save original forward methods
        self.original_block_forward = self.language_model.transformer.h[0].forward

        # Monkey patch the transformer blocks to include cross-attention
        for i, block in enumerate(self.language_model.transformer.h):
            block.flamingo_cross_attn = self.cross_attentions[i]
            block.forward = self._make_new_forward(block, i)

        # Visual features buffer for storing current visual context
        self.register_buffer("visual_features", None, persistent=False)

    def _make_new_forward(self, block, block_index):
        """Creates a new forward method for transformer blocks that includes cross-
attention."""
        original_forward = block.forward
        cross_attn = self.cross_attentions[block_index]

        def new_forward(x, **kwargs):
            # Run original transformer block
            hidden_states = original_forward(x, **kwargs)

            # Apply cross-attention with visual features
            if self.visual_features is not None:
                hidden_states = cross_attn(hidden_states[0], self.visual_features)
                return          (hidden_states,)        +         hidden_states[1:]        if
isinstance(hidden_states, tuple) else (hidden_states,)

            return hidden_states

        return new_forward

    def process_images(self, images):
        """Extract visual features from images and prepare them for conditioning."""
        with torch.no_grad():
            # Extract features from vision encoder
            features = self.vision_encoder(images)  # [batch_size, 2048]
            features = features.unsqueeze(1)   # Add sequence dimension [batch_size,
1, 2048]

            # Process through perceiver resampler
            visual_tokens   =   self.perceiver(features)       #   [batch_size,   num_latents,
hidden_size]

            # Store visual features for cross-attention
            self.visual_features = visual_tokens
```

```python
def generate(self, prompt, images=None, max_length=100, temperature=0.7):
    """Generate text conditioned on images and text prompt."""
    # Process images if provided
    if images is not None:
        self.process_images(images)
    else:
        self.visual_features = None

    # Tokenize prompt
    inputs = self.tokenizer(prompt, return_tensors="pt", padding=True)
    input_ids = inputs.input_ids.to(next(self.parameters()).device)
    attention_mask = inputs.attention_mask.to(next(self.parameters()).device)

    # Generate text
    output_ids = self.language_model.generate(
        input_ids,
        attention_mask=attention_mask,
        max_length=max_length,
        do_sample=True,
        temperature=temperature,
        top_p=0.9,
    )

    # Decode output
    generated_text                  =                    self.tokenizer.decode(output_ids[0],
skip_special_tokens=True)

    return generated_text

# Example usage
def flamingo_example():
    from PIL import Image
    import torchvision.transforms as transforms

    # Initialize model
    model = FlamingoModel().to("cuda" if torch.cuda.is_available() else "cpu")

    # Prepare image transform
    transform = transforms.Compose([
        transforms.Resize((224, 224)),
        transforms.ToTensor(),
        transforms.Normalize(mean=[0.485, 0.456, 0.406], std=[0.229, 0.224, 0.225]),
    ])

    # Load and process image
    image = Image.open("[eiffel-tower.jpg](<https://files.cuantum.tech/images/eiffel-
tower.jpg>)")
    image_tensor = transform(image).unsqueeze(0).to(next(model.parameters()).device)

    # Example prompts for few-shot learning
    few_shot_prompt = """
Image: [A photo of a busy street in Tokyo]
```

```
    Description: The image shows a crowded street in Tokyo with neon signs, many
pedestrians, and small restaurants.

    Image: [A photo of the Grand Canyon]
    Description: The image depicts the vast expanse of the Grand Canyon with its
layered rock formations and deep ravines.

    Image: [Current image]
    Description:
    """

    # Generate text based on image
    output = model.generate(few_shot_prompt, images=image_tensor, max_length=200)
    print(output)

if __name__ == "__main__":
    flamingo_example()
```

Per questo esempio, scarica l'immagine della Torre Eiffel qui: https://files.cuantum.tech/images/eiffel-tower.jpg

Nota: salva l'immagine di esempio (eiffel-tower.jpg) nella stessa posizione dello script Python.

Analisi del codice: modello multimodale ispirato a Flamingo

L'implementazione sopra rappresenta una versione semplificata dell'architettura Flamingo di DeepMind. Analizziamo i componenti principali:

1. Componenti dell'architettura

- **Vision Encoder**: un modello ResNet50 preaddestrato che estrae caratteristiche visive dalle immagini. Nel modello Flamingo completo, questo sarebbe un modello visivo più avanzato come NFNet.

- **Perceiver Resampler**: questo componente critico trasforma caratteristiche visive di dimensione variabile in un numero fisso di token visivi. Utilizza la cross-attention tra vettori latenti appresi e caratteristiche visive per condensare l'informazione visiva.

- **Language Model**: un modello GPT-2 preaddestrato funge da base linguistica. Il Flamingo originale utilizzava un LLM Chinchilla più potente.

- **Cross-Attention Layers**: questi livelli vengono inseriti in ogni blocco transformer del modello linguistico, permettendo all'informazione visiva di influenzare la generazione del testo a più livelli di elaborazione.

2. Principali scelte progettuali

- **Frozen Backbone Models**: sia il vision encoder sia il language model vengono mantenuti congelati, preservando le loro capacità preaddestrate e addestrando solo i componenti di collegamento.

- **Efficienza dei parametri**: addestrando solo il perceiver resampler e i livelli di cross-attention, Flamingo ottiene capacità multimodali con un numero relativamente ridotto di parametri addestrabili.

- **Monkey Patching**: l'implementazione utilizza una tecnica chiamata "monkey patching" per inserire la cross-attention nel modello linguistico senza modificarne l'architettura originale.

3. Come funziona l'elaborazione visiva

1. L'immagine viene passata attraverso il vision encoder per estrarre caratteristiche visive di alto livello (2048 dimensioni nel caso di ResNet50).

2. Queste caratteristiche vengono poi elaborate dal perceiver resampler, che le condensa in un insieme fisso di token (64 in questo esempio).

3. I token visivi risultanti vengono memorizzati in un buffer e resi disponibili a tutti i livelli di cross-attention durante la generazione del testo.

4. Come viene implementato il few-shot learning

- L'esempio dimostra il few-shot learning tramite un prompt accuratamente formattato contenente coppie di esempio immagine-testo.

- Ogni esempio segue uno schema del tipo "Image: [description]" seguito da "Description: [detailed text]".

- Il prompt finale termina con "Image: [Current image]" e "Description:", inducendo il modello a generare una descrizione per la nuova immagine seguendo il pattern stabilito dagli esempi.

- Questo approccio di in-context learning consente al modello di adattarsi a compiti specifici senza aggiornamenti dei parametri.

5. Considerazioni pratiche e limiti

- **Efficienza computazionale**: il vero modello Flamingo utilizza tecniche sofisticate per gestire contesti più ampi ed elaborare le informazioni visive in modo più efficiente.

- **Requisiti di addestramento**: per addestrare completamente questo modello, servirebbe un grande dataset di coppie immagine-testo e notevoli risorse computazionali.

- **Architettura semplificata**: questo esempio omette alcuni dettagli dell'architettura completa di Flamingo per chiarezza, come la gated cross-attention e un'elaborazione visiva più avanzata.

6. Applicazioni nel mondo reale

- **Visual question answering**: risposta a domande specifiche sul contenuto delle immagini con pochi o nessun esempio.

- **Image captioning**: generazione di descrizioni dettagliate delle immagini in vari stili sulla base di esempi.

- **Visual reasoning**: esecuzione di compiti complessi di ragionamento sul contenuto visivo, come confrontare immagini o identificare relazioni.

- **Chat multimodale**: abilitare interazioni conversazionali che incorporano in modo fluido informazioni visive.

Questa implementazione fornisce un punto di partenza per comprendere e sperimentare architetture multimodali in stile Flamingo. La vera forza di questi modelli deriva dalla loro capacità di eseguire in-context learning tra modalità diverse, adattandosi a nuovi compiti con un numero minimo di esempi.

Implementazione avanzata di Flamingo con In-Context Learning

Esploriamo ora un'implementazione più completa dell'architettura Flamingo che dimostra meglio le sue capacità di in-context learning per il visual question answering:

```python
import torch
import torch.nn as nn
import torch.nn.functional as F
from transformers import GPT2LMHeadModel, GPT2Tokenizer, ViTModel, ViTImageProcessor
from PIL import Image
import requests
from io import BytesIO

class GatedCrossAttentionBlock(nn.Module):
    """
    Enhanced cross-attention block with gating mechanism as used in Flamingo.
    """
    def __init__(self, hidden_size=768, num_heads=12):
        super().__init__()
        self.hidden_size = hidden_size
        self.cross_attention = nn.MultiheadAttention(
            embed_dim=hidden_size,
            num_heads=num_heads,
            batch_first=True
        )

        # Gating mechanism
        self.gate = nn.Linear(hidden_size, hidden_size)
        self.gate_activation = nn.Sigmoid()

        # Layer normalization
        self.layer_norm1 = nn.LayerNorm(hidden_size)
        self.layer_norm2 = nn.LayerNorm(hidden_size)

    def forward(self, hidden_states, visual_features):
        normed_hidden_states = self.layer_norm1(hidden_states)

        # Apply cross-attention
        attn_output, _ = self.cross_attention(
            query=normed_hidden_states,
            key=visual_features,
            value=visual_features
        )

        # Apply gating mechanism
```

```python
        gate_values = self.gate_activation(self.gate(normed_hidden_states))
        attn_output = gate_values * attn_output

        # Residual connection and layer norm
        hidden_states = hidden_states + attn_output
        hidden_states = self.layer_norm2(hidden_states)

        return hidden_states

class PerceiverResampler(nn.Module):
    """
    Perceiver Resampler that converts variable-length visual features into
    a fixed number of tokens through cross-attention with learned queries.
    """

    def __init__(self, input_dim=768, latent_dim=768, num_latents=64, num_layers=4):
        super().__init__()
        self.latents = nn.Parameter(torch.randn(num_latents, latent_dim))

        self.layers = nn.ModuleList([
            nn.MultiheadAttention(
                embed_dim=latent_dim,
                num_heads=8,
                batch_first=True
            )
            for _ in range(num_layers)
        ])

        self.input_projection = nn.Linear(input_dim, latent_dim)
        self.layer_norm = nn.LayerNorm(latent_dim)

    def forward(self, x):
        batch_size = x.shape[0]

        # Project input features to match latent dimension
        x = self.input_projection(x)

        # Expand latents for each item in the batch
        latents = self.latents.unsqueeze(0).expand(batch_size, -1, -1)

        # Apply layers of cross-attention
        for layer in self.layers:
            latents, _ = layer(
                query=latents,
                key=x,
                value=x
            )
            latents = self.layer_norm(latents)

        return latents

class EnhancedFlamingoModel(nn.Module):
    """
```

```python
    Enhanced Flamingo model with improved components for in-context learning
    and visual question answering tasks.
    """

    def __init__(self, num_visual_tokens=64, vision_model_name="google/vit-base-patch16-224"):
        super().__init__()

        # Vision encoder (frozen ViT)
        self.vision_encoder = ViTModel.from_pretrained(vision_model_name)
        self.vision_processor = ViTImageProcessor.from_pretrained(vision_model_name)
        for param in self.vision_encoder.parameters():
            param.requires_grad = False

        # Perceiver resampler
        self.perceiver = PerceiverResampler(
            input_dim=768,  # ViT feature dim
            latent_dim=768,  # Match GPT2 hidden size
            num_latents=num_visual_tokens,
            num_layers=4
        )

        # Language model (frozen GPT-2)
        self.language_model = GPT2LMHeadModel.from_pretrained("gpt2")
        self.tokenizer = GPT2Tokenizer.from_pretrained("gpt2")
        self.tokenizer.pad_token = self.tokenizer.eos_token

        # Keep LM frozen except for final layer norm and unembedding
        for name, param in self.language_model.named_parameters():
            if "ln_f" in name or "wte" in name:
                param.requires_grad = True
            else:
                param.requires_grad = False

        # Special tokens for marking image inputs
        self.image_start_token = "<image>"
        self.image_end_token = "</image>"

        # Add special tokens to vocabulary
        special_tokens = {"additional_special_tokens": [self.image_start_token, self.image_end_token]}
        num_added = self.tokenizer.add_special_tokens(special_tokens)
        self.language_model.resize_token_embeddings(len(self.tokenizer))

        # Cross-attention blocks
        self.cross_attentions = nn.ModuleList([
            GatedCrossAttentionBlock(hidden_size=768, num_heads=12)
            for _ in range(len(self.language_model.transformer.h))
        ])

        # Create image token ID
        self.image_start_token_id = self.tokenizer.convert_tokens_to_ids(self.image_start_token)
```

```python
        self.image_end_token_id =
self.tokenizer.convert_tokens_to_ids(self.image_end_token)

        # Register hook to modify the transformer layers
        for i, block in enumerate(self.language_model.transformer.h):
            block.register_forward_hook(self._make_cross_attention_hook(i))

        # Buffer for storing visual features
        self.register_buffer("visual_features", None, persistent=False)

    def _make_cross_attention_hook(self, block_idx):
        """Create a forward hook for adding cross-attention at specified layer."""
        cross_attn = self.cross_attentions[block_idx]

        def hook(module, inputs, outputs):
            if self.visual_features is None:
                return outputs

            hidden_states = outputs[0] if isinstance(outputs, tuple) else outputs
            modified_hidden_states = cross_attn(hidden_states, self.visual_features)

            if isinstance(outputs, tuple):
                return (modified_hidden_states,) + outputs[1:]
            return modified_hidden_states

        return hook

    def _encode_image(self, image_tensor):
        """Process a single image through the vision encoder and perceiver."""
        with torch.no_grad():
            vision_outputs = self.vision_encoder(image_tensor)
            hidden_states = vision_outputs.last_hidden_state

        # Process through perceiver resampler to get fixed number of tokens
        visual_tokens = self.perceiver(hidden_states)
        return visual_tokens

    def _encode_images_batch(self, image_list):
        """Process a batch of images through the vision pipeline."""
        processed_images = []
        for image in image_list:
            if isinstance(image, str):
                # Load from URL if string
                response = requests.get(image)
                img = Image.open(BytesIO(response.content))
            else:
                # Assume PIL Image otherwise
                img = image

            # Preprocess for vision model
            processed = self.vision_processor(img, return_tensors="pt")
            processed_images.append(processed["pixel_values"])
```

```python
        # Stack into batch
        image_tensors                      =                      torch.cat(processed_images,
dim=0).to(next(self.parameters()).device)
        return self._encode_image(image_tensors)

    def format_prompt_with_images(self, text_prompt, images):
        """Format a prompt with image placeholders and encode the images."""
        # Encode images first
        self.visual_features = self._encode_images_batch(images)

        # Replace placeholders with special tokens
        formatted_prompt                  =                      text_prompt.replace("[IMAGE]",
f"{self.image_start_token}{self.image_end_token}")

        return formatted_prompt

    def generate_answer(self, prompt, images=None, max_length=200, temperature=0.7):
        """Generate an answer for a visual question answering prompt with images."""
        if images:
            prompt = self.format_prompt_with_images(prompt, images)

        # Tokenize prompt
        inputs                             =                      self.tokenizer(prompt,
return_tensors="pt").to(next(self.parameters()).device)

        # Generate text
        with torch.no_grad():
            output_ids = self.language_model.generate(
                inputs.input_ids,
                max_length=max_length,
                do_sample=True,
                temperature=temperature,
                top_p=0.9,
                pad_token_id=self.tokenizer.eos_token_id
            )

        # Get only the generated text (not the prompt)
        generated_ids = output_ids[0][inputs.input_ids.shape[1]:]
        generated_text                     =                      self.tokenizer.decode(generated_ids,
skip_special_tokens=True)

        # Clear visual features after generation
        self.visual_features = None

        return generated_text.strip()

def run_visual_qa_demo():
    """Demonstrate visual question answering with the Flamingo model."""
    # Initialize model
    model = EnhancedFlamingoModel().to("cuda" if torch.cuda.is_available() else "cpu")
```

```python
    # Example images (use URLs for convenience)
    example_images = [
        "<https://storage.googleapis.com/sfr-vision-language-
research/BLIP/demo.jpg>",  # Image of a dog on a beach
        "<https://files.cuantum.tech/images/dog_drawing.jpg>"  # Drawing of a dog
    ]

    # Few-shot prompt for VQA
    few_shot_prompt = """
I will answer questions about images.

[IMAGE]
Question: What animal is in the image?
Answer: The image shows a dog running on the beach. It appears to be a golden
retriever enjoying the sand and ocean.

[IMAGE]
Question: What is this a drawing of?
Answer: This is a simple drawing of a dog. It appears to be a cartoon-style sketch
with basic lines representing a dog's features.

[IMAGE]
Question: What is shown in this image?
Answer:
"""

    # New test image (Eiffel Tower)
    test_image = "<https://files.cuantum.tech/images/eiffel-tower.jpg>"

    # Generate answer
    answer = model.generate_answer(
        few_shot_prompt,
        images=example_images + [test_image],
        max_length=100
    )

    print("Model's answer:", answer)

if __name__ == "__main__":
    run_visual_qa_demo()
```

Analisi del Codice: Implementazione Avanzata di Flamingo

Questa implementazione migliorata dell'architettura Flamingo include diversi miglioramenti importanti che la rendono più simile al modello originale di DeepMind:

1. Miglioramenti Chiave dell'Architettura

- **Gated Cross-Attention**: A differenza dell'implementazione base, questa versione include un meccanismo di gating che controlla quanta informazione visiva fluisce nel modello linguistico a ogni livello. Questo impedisce che le informazioni visive dominino e consente un'integrazione più raffinata.

- **Perceiver Resampler multi-livello**: Il perceiver utilizza ora più livelli di cross-attention per raffinare i token visivi, creando una rappresentazione visiva più sofisticata.

- **ViT Vision Encoder**: Utilizza un moderno Vision Transformer invece di ResNet, offrendo una migliore estrazione delle caratteristiche visive.

- **Token Speciali**: Aggiunge token speciali per le immagini al vocabolario, permettendo al modello di riconoscere dove appaiono le immagini nel contesto.

2. Implementazione dell'In-Context Learning

- **Few-Shot Visual QA**: La struttura del prompt dimostra come Flamingo abilita il few-shot learning mostrando esempi di triple immagine-domanda-risposta.

- **Segnaposto per Immagini**: Utilizza segnaposto [IMAGE] nel prompt che vengono sostituiti con token speciali, imitando il modo in cui il vero Flamingo gestisce più immagini nel contesto.

- **Memoria Contestuale**: Il modello elabora più immagini e ne ricorda le caratteristiche durante la generazione, permettendo di fare riferimento a esempi diversi.

3. Dettagli Tecnici dell'Implementazione

- **Forward Hooks**: Utilizza hook di PyTorch invece del monkey patching per iniettare la cross-attention nei blocchi transformer, risultando in un'implementazione più pulita.

- **Fine-tuning Selettivo**: Solo alcune parti del modello linguistico sono addestrabili (layer norm finale e embedding), mentre la maggior parte dei parametri rimane congelata.

- **Elaborazione Batch delle Immagini**: Gestisce più immagini in modo efficiente processandole in batch attraverso la pipeline visiva.

4. Funzionalità User-Friendly

- **Caricamento Immagini da URL**: Supporta il caricamento diretto di immagini da URL, rendendo le dimostrazioni più semplici.

- **API Strutturata**: Fornisce un'interfaccia pulita per formattare prompt con immagini e generare risposte.

- **Gestione della Memoria**: Libera le feature visive dopo la generazione per risparmiare memoria.

5. Applicazioni nel Mondo Reale

Questa implementazione dimostra come Flamingo può essere utilizzato per:

- **Visual Question Answering**: Rispondere a domande specifiche sul contenuto delle immagini.

- **Few-Shot Learning**: Imparare nuovi compiti da pochi esempi senza aggiornare i parametri.

- **Ragionamento Multi-immagine**: Elaborare informazioni provenienti da più immagini per fornire risposte coerenti.

L'implementazione migliorata mostra come i modelli multimodali possano mantenere le potenti capacità di in-context learning dei large language models, incorporando al contempo ricche informazioni visive. Questo approccio consente un adattamento flessibile a nuovi compiti visivi senza fine-tuning specializzato, rendendolo particolarmente prezioso per applicazioni reali.

5.1.3 GPT-5 (OpenAI)

Lanciato il **7 agosto 2025**, GPT-5 segna una nuova pietra miliare nella linea evolutiva dei large language models di OpenAI. È il **primo modello completamente multimodale nativo**, addestrato congiuntamente su testo, immagini e audio fin dall'inizio, con un **design di sistema composito** che integra risposte rapide, ragionamento profondo e routing intelligente. Più che un aggiornamento incrementale rispetto a GPT-4o, GPT-5 rappresenta un cambio di paradigma: un modello progettato fin dall'inizio per elaborare e ragionare tra modalità diverse come un insieme unificato.

Architettura Multimodale Nativa

A differenza dei modelli precedenti che aggiungevano moduli di voce o visione a un transformer centrato sul testo, GPT-5 è intrinsecamente multimodale. Testo, immagini e audio vengono elaborati nello stesso backbone transformer, creando rappresentazioni interne condivise che collegano senza soluzione di continuità i concetti tra diversi formati.

Questo design produce un **ragionamento cross-modale fluido**. Ad esempio, se un utente invia la foto di un problema matematico, GPT-5 non solo riconosce i caratteri, ma interpreta anche la struttura matematica sottostante. Genera quindi una soluzione passo dopo passo che fa riferimento a simboli specifici nell'immagine, verifica eventuali ambiguità e spiega il ragionamento in linguaggio naturale. Questa comprensione integrata si estende a diagrammi scientifici, grafici finanziari, progetti architettonici e immagini mediche.

Allineando le modalità durante l'addestramento, GPT-5 sviluppa una **coerenza semantica più profonda**—comprendendo come descrizioni testuali, dati visivi e linguaggio parlato si rafforzino o si contraddicano a vicenda. Può, ad esempio, evidenziare incongruenze tra una fotografia storica e un resoconto scritto, o correlare immagini radiologiche con le note dei pazienti.

Sistema Composito e Routing Intelligente

GPT-5 non è un modello monolitico, ma un **sistema composito**:

- Un **modello principale veloce** gestisce le richieste quotidiane con bassa latenza.

- Un **modello di ragionamento** entra in azione quando è richiesto un ragionamento complesso a più passaggi, offrendo chain-of-thought in tempo reale.

- Varianti **mini** e **nano** ottimizzano costo e velocità per applicazioni leggere.

- Una **variante Pro di ragionamento** (solo API) estende il ragionamento in fase di test per i problemi più difficili.

Un **router intelligente** decide automaticamente quale componente utilizzare, evitando agli utenti di scegliere manualmente tra modelli "leggeri" e "pesanti". Questa composizione dinamica garantisce efficienza per prompt semplici e profondità per quelli complessi.

Ragionamento e Gestione del Contesto

Con il **ragionamento chain-of-thought in tempo reale**, GPT-5 eccelle nei compiti che richiedono logica, deduzione multi-step o uso di strumenti. Nei benchmark esterni stabilisce nuovi record: **74,9% di accuratezza su SWE-bench Verified** (ingegneria del software) e **88% su Aider polyglot** (editing di codice).

La **finestra di contesto ampliata**—fino a **400.000 token** tramite API, con output fino a **128.000 token**—consente l'analisi di interi libri, riunioni di più ore o grandi codebase senza perdere informazioni precedenti. Questa scala lo rende adatto per discovery legale, sintesi di ricerca e debugging di repository completi.

Capacità Vocali e Multilingue

Attraverso la **Realtime API**, GPT-5 offre interazioni naturali speech-in/speech-out con latenza a livello di millisecondi. Il sistema vocale è robusto agli accenti, può modulare il tono su richiesta e si integra con protocolli SIP, permettendo chiamate telefoniche reali e agenti live. Gli utenti possono sostenere conversazioni fluide in cui GPT-5 ragiona, parla e ascolta in tempo reale.

La competenza multilingue è anch'essa avanzata, rendendo GPT-5 uno strumento pratico per comunicazione internazionale, supporto clienti, educazione e accessibilità.

Controlli per Sviluppatori e Integrazione di Strumenti

Gli sviluppatori ottengono un controllo fine tramite nuovi parametri:

- **reasoning_effort**: da *minimal* (veloce) a *extensive* (ragionamento profondo).

- **verbosity**: livello di dettaglio basso, medio o alto nelle risposte.

L'API espone tre famiglie di modelli—**gpt-5**, **gpt-5-mini** e **gpt-5-nano**—per bilanciare accuratezza, costo e latenza. Il prezzo (per milione di token) al lancio era di **$1,25 input / $10 output** per GPT-5, con livelli mini e nano più economici.

GPT-5 supporta anche **strumenti personalizzati**: chiamate a tool leggere in testo semplice con vincoli grammaticali opzionali, consentendo integrazioni più affidabili con API esterne. Le aziende possono collegare GPT-5 direttamente a Microsoft Copilot, Apple Intelligence, GitLab, Notion e pipeline personalizzate.

Accuratezza, Sicurezza e Riduzione dei Bias

OpenAI ha introdotto l'addestramento **safe-completions** in GPT-5. Invece di scegliere tra eccessiva conformità o rifiuto, il modello mira a generare la **risposta più sicura e utile**. Le valutazioni interne mostrano:

- Molte meno allucinazioni rispetto a GPT-4o.

- Minore **sycophancy** (eccessiva tendenza ad essere d'accordo).

- Riduzione dell'**inganno**, con minore probabilità di simulare successo in compiti impossibili.

I framework di sicurezza classificano GPT-5 Thinking come **Alta capacità** in biologia e chimica, con salvaguardie a più livelli, red-teaming e monitoraggio.

Casi d'Uso e Impatto Industriale

- **Coding & Engineering**: GPT-5 genera codice front-end funzionante, esegue debugging di grandi repository e coordina workflow di sviluppo multi-tool.

- **Automazione & Produttività**: Dalla valutazione e sintesi alla revisione documentale, libera risorse umane per lavori di livello superiore.

- **Knowledge Work**: Le aziende utilizzano GPT-5 per analisi legali, report finanziari e R&D, dove il suo lungo contesto e il ragionamento eccellono.

- **Workflow Creativi**: Designer, scrittori e ricercatori possono combinare testo, immagini e audio nei prompt—ad esempio analizzare un grafico e redigere un report in un'unica operazione.

- **Agenti Vocali**: Team di customer service e vendite utilizzano GPT-5 tramite Realtime API per fornire supporto simile a quello umano, acquisendo dettagli alfanumerici e seguendo protocolli rigorosi.

Il Nuovo Standard

GPT-5 stabilisce un **nuovo standard per i modelli multimodali di grandi dimensioni**. La sua architettura unificata, il routing dinamico, le capacità di ragionamento e i controlli per sviluppatori lo rendono una base versatile sia per l'AI consumer che enterprise. Fondendo nativamente testo, visione e audio, GPT-5 non si limita a rispondere tra modalità diverse—**ragiona attraverso di esse**, abilitando una nuova generazione di sistemi AI che operano più come collaboratori che come strumenti.

Esempio Base: Prompt Multimodale con Output JSON (Chat Completions API)

Un esempio adatto ai principianti che mostra come inviare insieme un'immagine e testo e ricevere una risposta JSON strutturata.

```python
import requests
import json # You need this to parse the JSON string from the response

API_KEY = "YOUR_OPENAI_API_KEY"
# Use the correct API endpoint
API_URL = "<https://api.openai.com/v1/chat/completions>"

headers = {
    "Authorization": f"Bearer {API_KEY}",
    "Content-Type": "application/json"
}

# Example: Provide an image URL and a text query jointly
# Corrected input structure using 'type' and 'image_url' keys
image_part = {
    "type": "image_url",
    "image_url": {
        "url": "<https://files.cuantum.tech/images/chart.png>"  # Can also use a data
URL for base64 images
    }
}

# Corrected text part structure
text_part = {
    "type": "text",
```

```python
        "text": "Summarize the main trend shown in the chart. Also, generate the Python
code to recreate this visualization. Format the response as a JSON object with the
keys 'summary', 'python_code', and 'key_points'."
}

# Corrected payload
payload = {
    "model": "gpt-5",
    "messages": [
        {
            "role": "user",
            "content": [
                image_part,
                text_part
            ]
        }
    ],
    # Correct way to request JSON output
    "response_format": { "type": "json_object" },
    # The max_tokens parameter is standard
    "max_tokens": 400
}

response = requests.post(API_URL, headers=headers, json=payload)
result = response.json()

# Correct way to handle the API response
try:
    # The API returns a JSON string inside the message content, so we parse it
    response_content = result['choices'][0]['message']['content']
    parsed_output = json.loads(response_content)

    # Print structured output from the parsed JSON
    print("Summary:", parsed_output.get("summary"))
    print("Python code:", parsed_output.get("python_code"))
    print("Key points:", parsed_output.get("key_points"))

except (KeyError, IndexError, json.JSONDecodeError) as e:
    print("Error parsing the API response:", e)
    print("Raw response:", result)
```

Analisi del Codice

Questo esempio dimostra come inviare una richiesta multimodale al modello GPT-5 di OpenAI, combinando
un URL di immagine con una query testuale, e chiedendo specificamente una risposta JSON strutturata.

1. Importare le Librerie

```python
import requests
import json
```

- requests: Questa libreria è essenziale per effettuare richieste HTTP in Python. La usiamo per inviare i nostri dati all'API di OpenAI e ricevere la risposta.

- json: Questa libreria viene utilizzata per lavorare con dati JSON (JavaScript Object Notation). La useremo per costruire il payload della richiesta e, cosa fondamentale, per analizzare la stringa JSON che GPT-5 ci restituirà quando chiediamo un output strutturato.

2. Configurazione dell'API

```python
API_KEY = "YOUR_OPENAI_API_KEY"
API_URL = "<https://api.openai.com/v1/chat/completions>"
```

- API_KEY: Questo è un segnaposto per la tua chiave API univoca di OpenAI. Devi **obbligatoriamente** sostituire "YOUR_OPENAI_API_KEY" con la tua chiave reale, che puoi ottenere dalla dashboard per sviluppatori di OpenAI. Questa chiave autentica le tue richieste.

- API_URL: Questo è l'endpoint specifico per l'API di chat completion di OpenAI. Tutte le richieste conversazionali e multimodali vengono inviate a questo URL. È fondamentale che sia corretto.

3. Header della Richiesta

```python
headers = {
    "Authorization": f"Bearer {API_KEY}",
    "Content-Type": "application/json"
}
```

- headers: Questo dizionario contiene i metadati inviati con la nostra richiesta HTTP.

    o "Authorization": f"Bearer {API_KEY}": Questo header autentica la tua richiesta utilizzando la tua chiave API. Il prefisso Bearer è uno standard per OAuth 2.0.

    o "Content-Type": "application/json": Questo header informa il server che il corpo della nostra richiesta è formattato come JSON.

4. Definizione delle Parti di Input Multimodale

GPT-5 può elaborare contemporaneamente diversi tipi di input. Qui definiamo una parte immagine e una parte testo.

```python
image_part = {
    "type": "image_url",
    "image_url": {
        "url": "<https://files.cuantum.tech/images/chart.png>"
    }
}
image_part: Questo dizionario rappresenta l'input visivo.
"type": "image_url": Specifica che questo blocco di contenuto è un'immagine fornita
tramite URL.
"image_url": {"url": "..."}: Questa struttura annidata è il punto in cui viene fornito
l'URL effettivo dell'immagine. Il modello recupererà ed elaborerà l'immagine da questo
link. Qui potresti anche fornire immagini codificate in base64 invece di un URL.
```

```python
text_part = {
    "type": "text",
    "text": "Summarize the main trend shown in the chart. Also, generate the Python
code to recreate this visualization. Format the response as a JSON object with the
keys 'summary', 'python_code', and 'key_points'."
}
```

- text_part: Questo dizionario contiene l'istruzione testuale per il modello.

    o   "type": "text": Indica che questo blocco di contenuto è testo semplice.

    o   "text": "...": Questo è il prompt effettivo inviato a GPT-5. Nota come chiediamo
        esplicitamente un oggetto JSON con chiavi specifiche (summary, python_code,
        key_points). Questo è fondamentale per ottenere un output strutturato dal modello.

5. Costruzione del Payload della Richiesta

Questo è il corpo principale della richiesta, contenente tutte le istruzioni per l'API.

```python
payload = {
    "model": "gpt-5",
    "messages": [
        {
            "role": "user",
            "content": [
                image_part,
                text_part
            ]
        }
    ],
    "response_format": { "type": "json_object" },
    "max_tokens": 400
}
```

- "model": "gpt-5": Specifica quale modello OpenAI utilizzare. In questo caso, è il più recente GPT-5.

- "messages": [...]: Questa è una lista di oggetti messaggio che forma la conversazione.

    o   Ogni messaggio ha un "role" (ad esempio "user", "system", "assistant") e un "content".

    o   "role": "user": Indica che questo messaggio proviene dall'utente.

    o   "content": [image_part, text_part]: Questa è la parte cruciale per l'input multimodale. Il
        content è una lista che contiene sia il nostro image_part sia il nostro text_part. Il modello
        li elaborerà insieme.

- "response_format": { "type": "json_object" }: Questo parametro dice esplicitamente all'API di
  vincolare l'output del modello a un oggetto JSON valido. È essenziale quando vuoi ricevere dati
  strutturati dal modello, come richiesto nel nostro text_part.

- "max_tokens": 400: Imposta il numero massimo di token (parole o parti di parola) che il modello può generare nella sua risposta. Questo aiuta a controllare costo e lunghezza della risposta.

6. Invio della Richiesta

```python
response = requests.post(API_URL, headers=headers, json=payload)
result = response.json()
```

- requests.post(...): Questa funzione invia una richiesta HTTP POST all'API_URL con i nostri headers e il payload (convertito in JSON da requests.post).

- response.json(): La risposta dell'API ritorna come stringa JSON. Questo metodo analizza quella stringa e la converte in un dizionario Python, rendendo facile accedere ai dati.

1. Gestione e Parsing della Risposta

La struttura della risposta dell'API è standard, ma il contenuto effettivo che abbiamo chiesto a GPT-5 di generare è annidato al suo interno come stringa.

```python
try:
    response_content = result['choices'][0]['message']['content']
    parsed_output = json.loads(response_content)

    print("Summary:", parsed_output.get("summary"))
    print("Python code:", parsed_output.get("python_code"))
    print("Key points:", parsed_output.get("key_points"))

except (KeyError, IndexError, json.JSONDecodeError) as e:
    print("Error parsing the API response:", e)
    print("Raw response:", result)
```

- try...except: Questo blocco è fondamentale per una gestione robusta degli errori. Le chiamate API possono fallire per molti motivi (problemi di rete, chiave API errata, richieste malformate, oppure il modello potrebbe non restituire JSON valido).

- result['choices'][0]['message']['content']: Questo è il percorso per estrarre il testo effettivamente generato da GPT-5.

    o result['choices']: L'API può restituire più choices (diversi possibili completamenti) in base a parametri come n. Di solito prendiamo il primo ([0]).

    o ['message']: All'interno di ogni choice, l'oggetto message contiene il role (ad esempio "assistant") e il content generato.

- json.loads(response_content): Poiché abbiamo chiesto esplicitamente al modello di formattare il proprio output come stringa JSON all'interno del campo content, dobbiamo usare json.loads() per analizzare questa stringa e convertirla in un dizionario Python.

- parsed_output.get("summary"), parsed_output.get("python_code"), parsed_output.get("key_points"): Una volta che response_content è stato convertito in un dizionario, possiamo accedere ai singoli campi che abbiamo richiesto a GPT-5. Usare .get() è più sicuro dell'accesso diretto con [], perché evita un KeyError se una chiave manca.

- Il blocco except intercetta potenziali errori durante il parsing o nel caso in cui le chiavi attese non vengano trovate, stampando sia l'errore sia la risposta grezza dell'API per facilitare il debug.

Esempio Avanzato: Workflow Multimodale pronto per la Produzione (Responses API con JSON Schema)

Un esempio robusto che dimostra le best practice per affidabilità, validazione dello schema, retry ed esecuzione sicura del codice restituito.

```python
"""
Multimodal (image + text) → structured JSON with GPT-5
- Uses the Responses API (recommended)
- Strict JSON schema for reliable structured output
- Optional: safely execute returned Matplotlib code in a subprocess to render a PNG
"""

import os
import json
import time
import base64
import requests
import tempfile
import subprocess
import sys
from textwrap import dedent
from typing import Dict, Any, List, Optional

# ===========================
# Configuration
# ===========================
API_KEY = os.getenv("OPENAI_API_KEY", "YOUR_OPENAI_API_KEY")
API_URL = "<https://api.openai.com/v1/responses>"
MODEL = "gpt-5"  # or: gpt-5-mini / gpt-5-nano

HEADERS = {
    "Authorization": f"Bearer {API_KEY}",
    "Content-Type": "application/json",
}

# Use a public image URL OR a local file encoded as a data URL (see helper below).
IMAGE_URL = "<https://cdn.example.com/chart.png>"   # <- replace for your test

# Strict JSON schema for the model's response
RESPONSE_SCHEMA: Dict[str, Any] = {
    "name": "ChartInsight",
    "schema": {
        "type": "object",
        "properties": {
            "summary": {"type": "string"},
```

```python
            "python_code": {"type": "string"},
            "key_points": {
                "type": "array",
                "items": {"type": "string"},
                "minItems": 3,
                "maxItems": 7
            }
        },
        "required": ["summary", "python_code", "key_points"],
        "additionalProperties": False
    },
    "strict": True
}

PROMPT_TEXT = (
    "You are a meticulous data analyst.\\n"
    "Tasks:\\n"
    "1) Summarize the main trend in the chart.\\n"
    "2) Generate minimal, runnable Python (matplotlib) code that recreates a similar
visualization "
    "   using inferred placeholder data. Include clear axis labels and a title.\\n"
    "3) Provide 3-7 bullet key points.\\n"
    "Return a JSON object that matches the provided JSON schema exactly."
)


# =========================
# Helpers
# =========================
def local_image_to_data_url(path: str, mime: Optional[str] = None) -> str:
    """
    Convert a local image file to a data URL usable as an image input.
    Example usage:
        IMAGE_URL = local_image_to_data_url("chart.png")
    """

    if not mime:
        # naive mime inference by extension
        ext = os.path.splitext(path)[1].lower()
        mime = "image/png" if ext in [".png"] else "image/jpeg"
    with open(path, "rb") as f:
        b64 = base64.b64encode(f.read()).decode("utf-8")
    return f"data:{mime};base64,{b64}"


def build_payload(image_url: str) -> Dict[str, Any]:
    """
    Build a Responses API payload with multimodal input and JSON schema output.
    """

    return {
        "model": MODEL,
        "input": [
            {
                "role": "user",
                "content": [
```

```python
                    {"type": "input_image", "image_url": {"url": image_url}},
                    {"type": "input_text", "text": PROMPT_TEXT}
                ]
            }
        ],
        "response_format": {
            "type": "json_schema",
            "json_schema": RESPONSE_SCHEMA
        },
        "max_output_tokens": 900,
        "temperature": 0.2
    }

def post_with_retries(
    url: str,
    headers: Dict[str, str],
    json_payload: Dict[str, Any],
    retries: int = 3,
    backoff: float = 1.5,
    timeout: int = 60
) -> Dict[str, Any]:
    """
    POST with simple exponential backoff for rate limits / transient errors.
    """

    for attempt in range(1, retries + 1):
        try:
            resp     =     requests.post(url,     headers=headers,     json=json_payload,
timeout=timeout)
            if resp.status_code == 200:
                return resp.json()
            # Retry on typical transient statuses
            if resp.status_code in (429, 500, 502, 503, 504):
                time.sleep(backoff ** attempt)
                continue
            raise RuntimeError(f"HTTP {resp.status_code}: {resp.text}")
        except requests.exceptions.Timeout as e:
            if attempt == retries:
                raise
            time.sleep(backoff ** attempt)
        except requests.exceptions.RequestException as e:
            if attempt == retries:
                raise
            time.sleep(backoff ** attempt)

    raise RuntimeError("Request failed after retries")

def parse_responses_api_json(result: Dict[str, Any]) -> Dict[str, Any]:
    """
    Extract the schema-validated JSON text and parse it to a dict.
    Responses API returns: output[0].content[0].text for text output.
    """

    try:
```

```python
        content_blocks = result["output"][0]["content"]
        # Find first text block
        for block in content_blocks:
            if block.get("type") == "output_text" or block.get("type") == "text":
                text = block.get("text", "")
                if not text:
                    continue
                # In schema mode, text should be strict JSON
                return json.loads(text)
        raise KeyError("No text block found in the response output")
    except (KeyError, IndexError, json.JSONDecodeError) as e:
        debug = json.dumps(result, indent=2)[:2000]  # truncate for readability
        raise ValueError(f"Failed to parse structured output: {e}\\nPartial payload:\\n{debug}")

def run_matplotlib_script(py_code: str) -> None:
    """
    Safely run returned Matplotlib code in a clean subprocess (not in-process exec).
    Saves 'recreated_chart.png' in the current working directory.
    """

    safe_prefix = dedent("""
        import matplotlib
        matplotlib.use('Agg')  # headless backend for servers/CI
    """)
    # Force a save at the end, even if the model code forgets to save
    force_save = dedent("""
        import os
        import matplotlib.pyplot as plt
        out = 'recreated_chart.png'
        try:
            plt.savefig(out, dpi=150, bbox_inches='tight')
        except Exception:
            # Some scripts call show() only; ensure we still save a figure if present
            try:
                plt.gcf().savefig(out, dpi=150, bbox_inches='tight')
            except Exception:
                pass
        print(f"[Saved] {os.path.abspath(out)}")
    """)

    script = safe_prefix + "\\n" + py_code + "\\n\\n" + force_save

    with tempfile.NamedTemporaryFile("w", suffix=".py", delete=False) as f:
        f.write(script)
        tmp_path = f.name

    completed = subprocess.run(
        [sys.executable, tmp_path],
        capture_output=True,
        text=True,
        timeout=60
    )
```

```python
    if completed.stdout:
        print(completed.stdout)
    if completed.returncode != 0:
        print("Script error:\\n", completed.stderr)


# ==========================
# Main flow
# ==========================
def main():
    if not API_KEY or API_KEY == "YOUR_OPENAI_API_KEY":
        raise EnvironmentError("Set OPENAI_API_KEY environment variable or hardcode
API_KEY.")

    # If you want to test with a local image:
    # IMAGE_URL = local_image_to_data_url("path/to/chart.png")

    payload = build_payload(IMAGE_URL)
    result = post_with_retries(API_URL, HEADERS, payload)

    data = parse_responses_api_json(result)

    print("\\n=== Summary ===\\n", data["summary"])
    print("\\n=== Key points ===")
    for i, kp in enumerate(data["key_points"], 1):
        print(f"{i}. {kp}")

    print("\\n=== Python code (recreate chart) ===\\n")
    print(data["python_code"])

    # Optional: render the returned chart
    user_wants_render = True  # set to False to skip rendering
    if user_wants_render:
        run_matplotlib_script(data["python_code"])

if __name__ == "__main__":
    main()
```

Scarica qui l'immagine di esempio del grafico: https://files.cuantum.tech/images/chart.png

Nota: salva l'immagine di esempio nella stessa posizione dello script Python.

Analisi del codice:

1. Configurazione

    o   API_URL = "<https://api.openai.com/v1/responses>" utilizza la **Responses API** (l'endpoint attuale pensato prima di tutto per il multimodale).

    o   MODEL = "gpt-5" seleziona il modello completo; puoi sostituirlo con gpt-5-mini / gpt-5-nano per esecuzioni più economiche e veloci.

- o IMAGE_URL: imposta un URL pubblico oppure passa a un **file locale** tramite local_image_to_data_url().

2. JSON rigoroso tramite schema

   - o RESPONSE_SCHEMA indica al modello esattamente quali chiavi e tipi deve restituire.

   - o Questo è **più affidabile** di un semplice suggerimento json_object perché il modello è vincolato a uno schema e riproverà internamente per soddisfarlo.

3. Costruzione del prompt multimodale

   - o build_payload() compone input con due blocchi:

     - {"type": "input_image", "image_url": {...}} per l'immagine,

     - {"type": "input_text", "text": PROMPT_TEXT} per le istruzioni.

   - o Il response_format richiede un **output validato tramite schema**; il modello restituisce una **singola stringa JSON** che può essere analizzata correttamente.

4. Robustezza di rete

   - o post_with_retries() aggiunge un semplice **retry/backoff** in caso di rate limit o errori transitori 5xx e un **timeout** per evitare che le chiamate restino bloccate.

   - o Gli errori non ritentabili generano un'eccezione con il messaggio del server per una diagnosi rapida.

5. Parsing della Responses API

   - o parse_responses_api_json() estrae result["output"][0]["content"][0]["text"] (il JSON validato tramite schema) e applica json.loads().

   - o Se la struttura cambia (ad esempio in versioni future), la funzione fallisce in modo esplicito con uno snippet utile.

6. Opzionale: esecuzione sicura di Matplotlib

   - o run_matplotlib_script() esegue il codice in un **processo Python separato**, non tramite exec() nel processo principale.

   - o Impone un backend headless e garantisce il salvataggio del file recreated_chart.png anche se lo script se ne dimentica.

   - o Questo approccio è abbastanza valido per demo e CI, ma in produzione potresti aggiungere ulteriori protezioni (limiti di risorse, container).

7. Flusso principale

   - o Costruisci il payload → chiama l'API con retry → analizza il JSON → stampa summary, key_points e python_code.

   - o Facoltativamente, genera il grafico tramite il sottoprocesso isolato.

Esempio di Tool Calling: "Chiedi a GPT-5 di recuperare dati con la tua funzione, poi analizzarli e tracciarli"

```python
"""
Tool-calling with GPT-5 (Chat Completions API)
- The model asks to call our tool `get_prices` with {symbol, days}
- We run the tool (here: mock data), send results back, then GPT-5 completes:
  -> JSON with 'summary', 'key_points', and 'python_code' (Matplotlib)
"""

import os
import json
import time
import math
import requests
from datetime import datetime, timedelta
from typing import Dict, Any, List

OPENAI_API_KEY = os.getenv("OPENAI_API_KEY", "YOUR_OPENAI_API_KEY")
API_URL = "<https://api.openai.com/v1/chat/completions>"
MODEL = "gpt-5"

HEADERS = {
    "Authorization": f"Bearer {OPENAI_API_KEY}",
    "Content-Type": "application/json",
}

# ---------- Tool: mock market data ----------
def get_prices(symbol: str, days: int = 30) -> Dict[str, Any]:
    """
    Return mock OHLC data for the past N days.
    Replace this with your real data source later (DB/API/cache).
    """
    end = datetime.utcnow().date()
    dates = [(end - timedelta(days=i)).isoformat() for i in range(days)][::-1]

    # Simple deterministic waveform so every run is similar
    base = 100.0
    prices = []
    for i, d in enumerate(dates):
        v = base + 10 * math.sin(i / 4.0) + (i * 0.15)
        o = round(v + math.sin(i) * 0.3, 2)
        c = round(v + math.cos(i) * 0.3, 2)
        h = round(max(o, c) + 0.6, 2)
        l = round(min(o, c) - 0.6, 2)
        prices.append({"date": d, "open": o, "high": h, "low": l, "close": c})

    return {"symbol": symbol.upper(), "series": prices}

# ---------- Tool spec for the model ----------
TOOLS = [
    {
        "type": "function",
        "function": {
```

```python
            "name": "get_prices",
            "description": "Get recent OHLC data for a ticker symbol.",
            "parameters": {
                "type": "object",
                "properties": {
                    "symbol": {"type": "string", "description": "Ticker, e.g., AAPL"},
                    "days": {"type": "integer", "minimum": 5, "maximum": 200,
"default": 30}
                },
                "required": ["symbol"]
            }
        }
    }
]

SYSTEM = (
    "You are a quantitative analyst. If needed, call tools to fetch data, "
    "then return a structured JSON with keys: summary (string), key_points (array of
strings), "
    "python_code (string that plots the series with matplotlib)."
)

USER = (
    "Analyze the recent trend for the symbol AAPL (last 60 days). "
    "If you need prices, use the tool. Then return JSON with summary, key_points,
python_code."
)

def chat(payload: Dict[str, Any]) -> Dict[str, Any]:
    r = requests.post(API_URL, headers=HEADERS, json=payload, timeout=60)
    if r.status_code != 200:
        raise RuntimeError(f"HTTP {r.status_code}: {r.text}")
    return r.json()

def main():
    # 1) Ask GPT-5; allow tool calling
    payload = {
        "model": MODEL,
        "messages": [
            {"role": "system", "content": SYSTEM},
            {"role": "user", "content": USER}
        ],
        "tools": TOOLS,
        "tool_choice": "auto",
        # Ask for JSON if model can comply directly
        "response_format": {"type": "json_object"},
        "temperature": 0.2,
        "max_tokens": 900
    }
    first = chat(payload)

    msg = first["choices"][0]["message"]
```

```python
# 2) If the model wants to call tools, run them and send results back
tool_messages = []
if "tool_calls" in msg:
    for call in msg["tool_calls"]:
        name = call["function"]["name"]
        args = json.loads(call["function"]["arguments"] or "{}")

        if name == "get_prices":
            tool_result = get_prices(symbol=args.get("symbol", "AAPL"),
                                     days=int(args.get("days", 60)))
        else:
            tool_result = {"error": f"Unknown tool {name}"}

        tool_messages.append({
            "role": "tool",
            "tool_call_id": call["id"],
            "name": name,
            "content": json.dumps(tool_result)
        })

    # 3) Send a follow-up message containing the tool outputs
    follow_payload = {
        "model": MODEL,
        "messages": [
            {"role": "system", "content": SYSTEM},
            {"role": "user", "content": USER},
            msg,  # the assistant message that requested tools
            *tool_messages
        ],
        "response_format": {"type": "json_object"},
        "temperature": 0.2,
        "max_tokens": 1200
    }
    final = chat(follow_payload)
    out = final
else:
    out = first  # Model answered without tools

# 4) Parse the final JSON
content = out["choices"][0]["message"]["content"]
try:
    data = json.loads(content)
except json.JSONDecodeError:
    print("Model did not return valid JSON. Raw content:\\n", content)
    return

print("\\n=== Summary ===\\n", data.get("summary"))
print("\\n=== Key points ===")
for i, kp in enumerate(data.get("key_points", []), 1):
    print(f"{i}. {kp}")
```

```python
    print("\\n=== Python code (plot) ===\\n")
    print(data.get("python_code"))

if __name__ == "__main__":
    if not OPENAI_API_KEY or OPENAI_API_KEY == "YOUR_OPENAI_API_KEY":
        raise SystemExit("Set OPENAI_API_KEY env var first.")
    main()
```

Analisi del codice:

Lascia che GPT-5 decida quando chiamare la tua funzione (get_prices), tu la esegui (mock o API reale), rimandi i risultati e lasci che GPT-5 concluda con analisi + codice Matplotlib in JSON.

1) Import e configurazione

- requests gestisce le chiamate HTTP verso OpenAI.

- json, time, math, datetime vengono usati per parsing, retry (se aggiunti) e generazione di dati mock.

- OPENAI_API_KEY viene letta dall'ambiente; **non** inserire mai segreti direttamente nel codice in progetti reali.

- API_URL punta all'endpoint **Chat Completions** (il più noto per il tool calling).

- MODEL = "gpt-5"; puoi sostituirlo con gpt-5-mini per esperimenti più economici.

Suggerimento: In produzione, racchiudi le chiamate di rete in un sistema di retry/backoff (429/5xx). Una semplice funzione helper può centralizzarlo facilmente (puoi riutilizzare quella del tuo esempio avanzato).

2) Lo strumento che esponi al modello

```python
def get_prices(symbol: str, days: int = 30) -> Dict[str, Any]:
    ...
```

- Questo è un generatore mock di dati OHLC. Sostituiscilo con la tua vera fonte dati:

    - Una chiamata REST (ad esempio Yahoo, Polygon, il tuo DB/API).

    - Un livello di caching (Redis) per ridurre latenza e costi.

- Struttura dell'output:

```json
{
  "symbol": "AAPL",
  "series": [
    {"date": "2025-07-01", "open": 101.2, "high": 102.0, "low": 100.6, "close": 101.8},
    ...
  ]
}
```

Mantienila coerente; l'LLM farà affidamento sulle chiavi che restituisci.

3) Dichiarazione dello strumento (specifica TOOLS)

```
TOOLS = [
  {
    "type": "function",
    "function": {
      "name": "get_prices",
      "description": "Get recent OHLC data...",
      "parameters": { ... JSON Schema ... }
    }
  }
]
```

- Definisci uno **JSON Schema** (nome, campi richiesti, tipi).

- Il modello usa questo per decidere **se** e **come** chiamare la tua funzione.

- Mantieni lo schema minimo ma preciso (ad esempio limita days a un intervallo ragionevole).

4) Messaggi di System e User

- **SYSTEM** impone il ruolo e il contratto di output:

    o "You are a quantitative analyst ... return JSON with keys: summary, key_points, python_code."

- **USER** chiede "Analyze AAPL last 60 days," spingendo il modello a usare uno strumento se ha bisogno di dati.

Suggerimento: Ribadisci sempre il **formato di output** desiderato nel SYSTEM (e/o nello USER). Questo aumenta la conformità, specialmente se non usi la modalità schema.

5) Prima richiesta: consentire il tool calling

```
payload = {
  "model": MODEL,
  "messages": [system, user],
  "tools": TOOLS,
  "tool_choice": "auto",
  "response_format": {"type": "json_object"},
  ...
}
```

- tool_choice: "auto" lascia che il modello decida se ha bisogno dello strumento.

- response_format: "json_object" richiede JSON, ma **non** in modo rigoroso quanto la modalità schema. (Qui va bene; il focus è il tool calling.)

- Una temperature bassa (0.2) aumenta il determinismo.

6) Rilevare ed eseguire le chiamate agli strumenti

```python
msg = first["choices"][0]["message"]
if "tool_calls" in msg:
    for call in msg["tool_calls"]:
        # 1) parse degli argomenti
        # 2) esecuzione della tua funzione
        # 3) costruzione di un messaggio "tool" con i risultati
```

- tool_calls rappresenta l'**intenzione dell'assistente** di chiamare la tua funzione con determinati argomenti.

- Devi **obbligatoriamente** fare il parse di call["function"]["arguments"] (JSON serializzato come stringa), eseguire la tua funzione e pubblicare i risultati **come messaggio con ruolo tool** verso OpenAI.

Note di sicurezza:

- **Non** eseguire mai direttamente codice arbitrario inviato tramite gli argomenti del tool.

- Valida gli input (simboli, intervalli). Aggiungi allowlist e rate limit per API esterne.

7) Seconda richiesta: fornire gli output del tool e chiedere a GPT-5 di completare

```python
follow_payload = {
  "messages": [
    system, user,
    msg,            # il messaggio dell'assistente che ha richiesto i tool
    *tool_messages  # i tuoi output dei tool associati agli ID delle chiamate
  ],
  "response_format": {"type":"json_object"}, ...
}
```

- Devi includere:

    o Il **messaggio originale dell'assistente** che ha richiesto i tool (così il modello mantiene il contesto).

    o I tuoi messaggi con il **risultato del tool** e il corretto tool_call_id.

- GPT-5 ora dispone di **dati reali** e completa il compito (analisi + codice).

8) Parsing del JSON finale

```python
content = out["choices"][0]["message"]["content"]
data = json.loads(content)
```

- Stampa summary, key_points, python_code.

- Se il parsing fallisce, mostra il contenuto grezzo: spesso è segno che il modello ha deviato dal formato previsto (raro con temperatura bassa, ma possibile).

9) Parametri di personalizzazione

- **Passare alla modalità schema**: Se vuoi garanzie più forti sul JSON finale, usa:

    - response_format: { "type": "json_schema", "json_schema": {…} }

- **Più strumenti**: Aggiungi altre specifiche funzione a TOOLS. GPT-5 sceglierà quello corretto.

- **Chiamate parallele**: L'API può restituire più tool_calls—eseguili tutti, poi invia tutti i messaggi tool insieme in un unico follow-up.

- **Logging**: Registra sia gli argomenti dei tool sia gli output per poter controllare i passaggi dell'agente.

10) Problemi comuni

- **Dimenticare tool_call_id** quando invii il messaggio con il risultato del tool.

- **Schemi non coerenti**: Se la struttura JSON che restituisci diverge da quella documentata, il modello potrebbe interpretarla male in seguito.

- **Rate limits**: Aggiungi retry/backoff per 429/5xx (specialmente se il tuo tool attiva API di terze parti).

11) Suggerimenti per i test

- Inizia con dati **mock** (come nell'esempio) per ottenere output deterministici.

- Aggiungi un test unitario che verifichi che il modello restituisca JSON valido con le chiavi richieste.

5.1.4 DeepSeek-VL

DeepSeek-VL è un modello multimodale open-source cinese sviluppato dal team DeepSeek, progettato per colmare il divario tra l'elaborazione della visione e del linguaggio. Rappresenta un contributo significativo della Cina al panorama dell'AI multimodale, offrendo capacità comparabili ai modelli proprietari ma con accesso aperto per ricercatori e sviluppatori. Il modello è emerso come parte del crescente ecosistema di ricerca AI in Cina, dimostrando l'impegno del paese nel far avanzare tecnologie AI all'avanguardia garantendo al contempo che rimangano accessibili alla più ampia comunità scientifica.

Il modello è specificamente ottimizzato per **efficienza** e **ragionamento visione-linguaggio**, con scelte architetturali che privilegiano le prestazioni computazionali mantenendo risultati di alta qualità. Il suo design snello lo rende particolarmente adatto al deployment in ambienti con risorse limitate, consentendo capacità multimodali avanzate anche su configurazioni hardware più modeste. DeepSeek-VL raggiunge questa efficienza attraverso un'attenzione accurata alla dimensione del modello, alle procedure di addestramento e alle ottimizzazioni in inferenza. Ad esempio, utilizza encoder visivi specializzati che estraggono caratteristiche visive ricche minimizzando il carico computazionale e sfrutta tecniche di distillazione della conoscenza per comprimere le capacità di modelli più grandi in architetture più compatte.

Nelle valutazioni delle prestazioni, DeepSeek-VL viene spesso confrontato con leader del settore come GPT-4V e Flamingo, dove dimostra risultati competitivi a una frazione del costo computazionale. Questo lo rende un'opzione interessante per implementazioni economicamente efficienti in ambienti di produzione, in particolare per organizzazioni che cercano capacità multimodali senza i costi associati all'uso di API commerciali. Studi di benchmark hanno mostrato che DeepSeek-VL raggiunge l'85–90% delle prestazioni di questi modelli più grandi nei compiti standard di visione-linguaggio, richiedendo al contempo risorse computazionali significativamente inferiori. Questo rapporto prestazioni-costo lo ha reso particolarmente popolare tra startup, istituzioni accademiche e sviluppatori nei mercati emergenti.

Il modello eccelle in compiti che richiedono una comprensione visiva dettagliata combinata con ragionamento in linguaggio naturale, come la generazione di descrizioni di immagini, il visual question answering e l'interpretazione di scene complesse. L'architettura di DeepSeek-VL incorpora meccanismi di attenzione specializzati che gli permettono di concentrarsi sugli elementi visivi rilevanti quando risponde a domande o genera descrizioni.

Questa capacità consente applicazioni che vanno dall'assistenza a utenti con disabilità visive all'automazione della moderazione dei contenuti, fino al miglioramento della scoperta di prodotti e-commerce tramite ricerca visiva. Il modello dimostra inoltre ottime prestazioni in contesti visivi interculturali, rendendolo particolarmente prezioso per applicazioni destinate a un pubblico globale diversificato.

Esempio: utilizzo di DeepSeek-VL per la comprensione delle immagini

```python
# Install dependencies first
# pip install transformers torch pillow

from transformers import AutoModel, AutoProcessor
import torch
from PIL import Image
import requests
import matplotlib.pyplot as plt

# Download and load an example image
image_url = "<https://files.cuantum.tech/images/deep-seek-descriptive.jpg>"
image = Image.open(requests.get(image_url, stream=True).raw)

# Load DeepSeek-VL model and processor
model_name = "deepseek-ai/deepseek-vl-7b-chat"
processor = AutoProcessor.from_pretrained(model_name)
model = AutoModel.from_pretrained(model_name, trust_remote_code=True)

# Create a prompt for the model
prompt = "Describe what you see in this image in detail."

# Process the inputs
inputs = processor(text=prompt, images=image, return_tensors="pt")

# Generate a response
with torch.no_grad():
    outputs = model.generate(
        **inputs,
        max_new_tokens=512,
        do_sample=False
```

```python
    )

# Decode the response
generated_text = processor.decode(outputs[0], skip_special_tokens=True)

# Display the image and response
plt.figure(figsize=(10, 8))
plt.imshow(image)
plt.axis('off')
plt.title('Input Image')
plt.show()

print("DeepSeek-VL's response:")
print(generated_text.split("ASSISTANT:")[-1].strip())
```

Analisi del codice: utilizzo di DeepSeek-VL per la comprensione delle immagini

L'esempio sopra mostra come utilizzare DeepSeek-VL per un'attività di base di comprensione delle immagini. Ecco un'analisi dettagliata di ciascuna sezione:

1. Dipendenze e setup

- **Librerie principali:** Il codice utilizza transformers per l'accesso al modello, torch per le operazioni sui tensori e PIL per la gestione delle immagini.

- **Acquisizione dell'immagine:** Recupera un'immagine di esempio da un URL usando requests e la apre con PIL.

2. Inizializzazione del modello

- **Selezione del modello:** Utilizza la versione chat-tuned da 7B parametri di DeepSeek-VL (deepseek-ai/deepseek-vl-7b-chat).

- **Caricamento del processor:** AutoProcessor gestisce sia la tokenizzazione del testo sia il preprocessing delle immagini.

- **Caricamento del modello:** trust_remote_code=True è necessario poiché DeepSeek-VL utilizza codice personalizzato per la propria implementazione.

3. Elaborazione dell'input

- **Creazione del prompt:** Un prompt semplice che chiede una descrizione dell'immagine, ma puoi usare anche prompt più specifici come "Quali oggetti ci sono in questa immagine?" oppure "Spiega cosa sta succedendo in questa scena."

- **Elaborazione multimodale:** Il processor combina sia l'input testuale (prompt) sia l'input immagine in un formato che il modello può comprendere.

- **Formato di ritorno:** return_tensors="pt" specifica i tensori PyTorch come formato di output.

4. Generazione della risposta

- **Inferenza con torch.no_grad():** Disabilita il calcolo dei gradienti per migliorare l'efficienza durante l'inferenza.

- **Parametri di generazione:**

    o   max_new_tokens=512: Limita la lunghezza della risposta a 512 token.

    o   do_sample=False: Usa il greedy decoding invece del sampling per output deterministici.

5. Elaborazione della risposta e visualizzazione

- **Decodifica:** Converte gli ID dei token in testo leggibile.

- **Estrazione della risposta:** Divide l'output per ottenere solo la parte della risposta dell'assistente.

- **Visualizzazione:** Mostra l'immagine di input insieme alla descrizione generata.

Pattern di utilizzo avanzati

Oltre a questo esempio di base, DeepSeek-VL supporta diverse capacità avanzate:

- **Ragionamento visivo:** Puoi porre domande complesse sulle relazioni tra gli oggetti nell'immagine.

- **Analisi multi-immagine:** Elabora più immagini passando una lista al processor.

- **Fine-tuning:** Adatta il modello a domini specifici usando tecniche come LoRA o QLoRA.

- **Efficienza della memoria:** Per ambienti con risorse limitate, considera l'uso della quantizzazione:

```python
# For 8-bit quantization
from transformers import BitsAndBytesConfig

quantization_config = BitsAndBytesConfig(
    load_in_8bit=True,
    llm_int8_enable_fp32_cpu_offload=True
)

model = AutoModel.from_pretrained(
    model_name,
    trust_remote_code=True,
    quantization_config=quantization_config,
    device_map="auto"
)
```

Considerazioni sull'implementazione:

- **Requisiti hardware:** DeepSeek-VL 7B richiede almeno 16GB di memoria GPU in full precision, ma può funzionare su GPU consumer con quantizzazione.

- **Velocità di inferenza:** La prima inferenza include il tempo di caricamento del modello; le chiamate successive sono più rapide.

- **Formato della risposta:** Il modello segue un formato chat con il prefisso "ASSISTANT:". Per output più puliti, rimuovi sempre questo prefisso.

- **Gestione degli errori:** In produzione, aggiungi blocchi try-except per gestire errori nel caricamento delle immagini e configurazioni di timeout per immagini di grandi dimensioni.

DeepSeek-VL rappresenta un importante progresso nel rendere l'AI multimodale accessibile agli sviluppatori, in particolare a coloro che cercano alternative open-source a modelli proprietari come GPT-4V o Gemini.

Esempio: visual question answering avanzato con DeepSeek-VL

```python
# Install required libraries
# pip install transformers torch pillow matplotlib requests

import torch
from transformers import AutoProcessor, AutoModelForCausalLM
from PIL import Image
import requests
import matplotlib.pyplot as plt
from io import BytesIO

# Function to load and display an image from a URL
def load_and_display_image(image_url, title="Input Image"):
    response = requests.get(image_url)
    image = Image.open(BytesIO(response.content))
    plt.figure(figsize=(10, 8))
    plt.imshow(image)
    plt.axis('off')
    plt.title(title)
    plt.show()
    return image

# Load DeepSeek-VL model and processor
model_id = "deepseek-ai/deepseek-vl-7b-chat"
processor = AutoProcessor.from_pretrained(model_id)
model = AutoModelForCausalLM.from_pretrained(
    model_id,
    torch_dtype=torch.float16,   # Use half precision for efficiency
    device_map="auto",           # Automatically distribute across available GPUs
    trust_remote_code=True
)

# Sample image URLs for visual reasoning tasks
image_urls = [
    "<https://storage.googleapis.com/sfr-vision-language-research/BLIP/demo.jpg>",  #
People at a table
    "<https://files.cuantum.tech/images/deep-seek-chart.jpg>"                       #
Charts/graphs
]

# Load and display the first image
```

```python
image = load_and_display_image(image_urls[0])

# Function to generate responses for a given image and prompt
def generate_vl_response(image, prompt, max_new_tokens=256):
    # Create chat message format
    messages = [
        {"role": "user", "content": prompt}
    ]

    # Process inputs
    inputs = processor(
        messages=messages,
        images=image,
        return_tensors="pt"
    ).to(model.device)

    # Generate response with customized parameters
    generated_ids = model.generate(
        **inputs,
        max_new_tokens=max_new_tokens,
        do_sample=True,            # Enable sampling for more diverse outputs
        temperature=0.7,           # Control randomness (higher = more random)
        top_p=0.9,                 # Nucleus sampling parameter
        repetition_penalty=1.1 # Discourage repetition
    )

    # Decode response
    generated_text                    =                    processor.batch_decode(generated_ids,
skip_special_tokens=True)[0]

    # Extract assistant's response
    response = generated_text.split("ASSISTANT:")[-1].strip()
    return response

# Example prompts for different visual reasoning tasks
prompts = [
    "Describe this image in detail. What are the people doing?",
    "Count how many people are in this image and describe what each person is wearing.",
    "What emotions can you detect on people's faces in this image?",
    "If you had to create a story based on this image, what would it be?"
]

# Generate and display responses
for i, prompt in enumerate(prompts):
    print(f"\\nPrompt {i+1}: {prompt}")
    print("-" * 50)
    response = generate_vl_response(image, prompt)
    print(response)
    print("=" * 80)

# Load the second image (charts/graphs) for technical analysis
technical_image = load_and_display_image(image_urls[1], "Technical Chart")
```

```python
# Technical analysis prompt
technical_prompt = "Analyze this chart. What patterns do you observe? What conclusions
can you draw from this data visualization?"

# Generate and display technical analysis
print(f"\\nTechnical Analysis Prompt: {technical_prompt}")
print("-" * 50)
response        =        generate_vl_response(technical_image,        technical_prompt,
max_new_tokens=512)
print(response)
```

Analisi completa del codice: implementazione avanzata di DeepSeek-VL

Questo esempio di codice mostra come sfruttare DeepSeek-VL per compiti sofisticati di ragionamento visivo. Analizziamo ogni componente:

1. Setup e inizializzazione del modello

- **Importazione delle librerie:** Oltre alle dipendenze di base, importiamo specificamente AutoModelForCausalLM, che fornisce un'interfaccia più flessibile per i compiti generativi rispetto al semplice AutoModel usato nell'esempio precedente.

- **Funzione helper:** load_and_display_image() incapsula la logica di caricamento delle immagini, rendendo il codice più modulare e riutilizzabile.

- **Ottimizzazione del modello:**

  o torch_dtype=torch.float16 abilita il calcolo in half-precision, riducendo l'uso della memoria di circa il 50% con un impatto minimo sulla qualità dell'output.

  o device_map="auto" distribuisce in modo intelligente i layer del modello sulle GPU disponibili oppure utilizza l'offloading su CPU quando necessario.

2. Elaborazione multi-immagine

- **Raccolta delle immagini:** Memorizza più URL di immagini per diversi scenari di analisi, dimostrando la versatilità di DeepSeek-VL.

- **Elaborazione sequenziale:** Il codice è strutturato per analizzare più immagini con prompt differenti, mostrando come il modello gestisce contesti visivi diversi.

3. Funzione di generazione della risposta

- **Formattazione in stile chat:** A differenza dell'esempio precedente, questa implementazione utilizza l'interfaccia chat di DeepSeek-VL tramite il parametro messages, che si adatta meglio alle applicazioni conversazionali.

- **Parametri di generazione:**

- do_sample=True e temperature=0.7: Abilitano una casualità controllata negli output, producendo risposte più naturali e diversificate.

- top_p=0.9: Implementa il nucleus sampling, che filtra dinamicamente la distribuzione di probabilità dei token.

- repetition_penalty=1.1: Riduce la probabilità di generare frasi ripetitive, migliorando la qualità della risposta.

4. Diversificazione dei compiti

- **Tipi multipli di prompt:** L'esempio include diversi tipi di compiti di ragionamento visivo:

- **Descrittivo:** "Descrivi questa immagine in dettaglio..."

- **Quantitativo:** "Conta quante persone..."

- **Analisi emotiva:** "Quali emozioni puoi rilevare..."

- **Creativo:** "Se dovessi creare una storia..."

- **Analisi tecnica:** "Analizza questo grafico..."

5. Considerazioni sulle prestazioni

- **Gestione della memoria:** L'esempio utilizza la half-precision (float16) e il device mapping automatico per ottimizzare l'uso della memoria.

- **Controllo della lunghezza della risposta:** max_new_tokens viene regolato in base alla complessità del compito, consentendo una risposta più lunga per l'analisi tecnica (512 token invece di 256).

- **Prompt engineering:** I prompt sono progettati con attenzione per sollecitare tipi specifici di ragionamento visivo, dimostrando come la progettazione dei prompt influenzi l'output del modello.

6. Scenari di applicazione nel mondo reale

- Questa implementazione dimostra le capacità di DeepSeek-VL in diversi casi d'uso pratici:

- **Analisi di contenuti per social media:** Comprensione del contesto e delle relazioni nelle foto.

- **Interpretazione di visualizzazioni di dati:** Estrazione di insight da grafici e diagrammi.

- **Moderazione dei contenuti:** Rilevamento di contenuti emotivi e materiale potenzialmente sensibile nelle immagini.

- **Assistenza creativa:** Supporto nella generazione di storie o contenuti basati su ispirazioni visive.

7. Possibilità di estensione

- Questo codice potrebbe essere esteso in diversi modi:

- **Batch processing:** Modificarlo per gestire più immagini simultaneamente e ottenere una maggiore throughput.

- **Applicazioni interattive:** Integrarlo in un'interfaccia web in cui gli utenti possono caricare immagini e selezionare tipi di analisi.

- **Conversazioni multi-turno:** Espandere l'array messages per includere scambi precedenti e ottenere comprensione contestuale.

- **Integrazione con altri modelli:** Combinare gli output di DeepSeek-VL con modelli specializzati per compiti come object detection o sentiment analysis.

Questa implementazione avanzata mette in evidenza la flessibilità e la potenza di DeepSeek-VL per compiti complessi di ragionamento visivo-linguistico, rendendolo adatto sia alla ricerca sia ad applicazioni di produzione in cui è fondamentale comprendere le immagini nel loro contesto.

5.1.5 Perché Text+Image è importante

Accessibilità: Aiutare gli utenti con disabilità visive a comprendere le immagini fornendo descrizioni dettagliate del contenuto visivo. Questi modelli possono identificare oggetti, persone, scene e persino interpretare relazioni spaziali, permettendo alle persone con disabilità visive di "vedere" attraverso descrizioni generate dall'AI. Possono anche assistere nella navigazione descrivendo l'ambiente circostante o identificando potenziali pericoli.

Per le persone con disabilità visive, l'AI multimodale rappresenta un ponte essenziale verso il contenuto visivo. Questi sistemi vanno oltre il semplice riconoscimento degli oggetti, offrendo descrizioni ricche di contesto che trasmettono il significato completo delle immagini. Quando una persona con disabilità visive incontra un'immagine online, in un documento o tramite un dispositivo specializzato, i modelli multimodali possono:

- Generare descrizioni complete della scena che includono non solo quali oggetti sono presenti, ma anche la loro disposizione, i colori, l'illuminazione e la composizione generale

- Identificare e descrivere le persone nelle foto, comprese le espressioni facciali, l'abbigliamento, le azioni e le relazioni apparenti tra gli individui

- Leggere e interpretare il testo all'interno delle immagini, come cartelli, menu, etichette di prodotti e istruzioni

- Riconoscere punti di riferimento e fornire consapevolezza spaziale in ambienti non familiari

Nelle applicazioni reali, queste capacità vengono integrate in app per smartphone che possono narrare il mondo visivo in tempo reale, occhiali intelligenti che forniscono descrizioni audio dell'ambiente circostante e screen reader in grado di interpretare elementi visivi complessi sui siti web. La tecnologia è particolarmente preziosa per i materiali educativi, poiché consente agli studenti con disabilità visive di accedere a diagrammi, grafici e illustrazioni che altrimenti sarebbero inaccessibili senza assistenza umana.

L'avanzamento di questi sistemi multimodali rappresenta un passo significativo avanti nell'inclusività digitale, offrendo agli utenti con disabilità visive maggiore indipendenza e accesso a informazioni che prima non erano disponibili.

Istruzione: Spiegare diagrammi, grafici o fotografie storiche per migliorare l'esperienza di apprendimento. I modelli multimodali possono scomporre visualizzazioni complesse in componenti comprensibili, chiarire diagrammi scientifici, fornire contesto storico alle fotografie e persino tradurre notazioni matematiche visive in spiegazioni. Questo rende i contenuti educativi più accessibili e comprensibili in diverse materie e per differenti stili di apprendimento.

Nel contesto educativo, l'AI multimodale funge da potente assistente didattico che collega informazioni visive e testuali:

- Per l'**educazione STEM**, questi modelli possono analizzare diagrammi scientifici complessi e:
  - Convertire concetti visivi astratti in spiegazioni chiare e passo dopo passo
  - Identificare ed etichettare i componenti di sistemi biologici, strutture chimiche o schemi ingegneristici
  - Tradurre espressioni matematiche ed equazioni in interpretazioni in linguaggio semplice

- Nella **storia e nelle scienze sociali**, i modelli multimodali migliorano l'apprendimento:
  - Fornendo un contesto dettagliato per fotografie storiche, inclusi periodo, significato culturale e rilevanza storica
  - Analizzando documenti di fonti primarie con elementi sia testuali che visivi
  - Stabilendo connessioni tra artefatti visivi e narrazioni storiche più ampie

- Per la **data literacy**, questi sistemi aiutano gli studenti:
  - Scomponendo grafici e diagrammi complessi in informazioni comprensibili
  - Spiegando visualizzazioni statistiche e tendenze dei dati in un linguaggio accessibile
  - Insegnando agli studenti come interpretare diversi tipi di rappresentazioni dei dati

Queste capacità sono particolarmente preziose per studenti con diversi stili di apprendimento, permettendo agli apprendenti visivi di ricevere spiegazioni verbali e a quelli verbali di comprendere meglio contenuti visivi. Supportano inoltre l'apprendimento personalizzato adattando le spiegazioni a diversi livelli educativi, dalla scuola primaria fino ai corsi universitari avanzati.

Lavoro creativo: Generare didascalie, storie o descrizioni che possano ispirare artisti, scrittori e creatori di contenuti. Questi modelli possono suggerire interpretazioni creative delle immagini, sviluppare narrazioni basate su scene visive, assistere nello storyboard descrivendo sequenze di immagini e aiutare i marketer a creare contenuti visivi coinvolgenti con messaggi appropriati.

Per i professionisti creativi, l'AI multimodale funge sia da musa che da collaboratore. Gli scrittori che affrontano blocchi creativi possono utilizzare questi sistemi per generare spunti narrativi a partire da ispirazioni visive. Mostrando, ad esempio, un'immagine di una foresta nebbiosa all'alba, l'AI potrebbe suggerire elementi narrativi come "un sentiero dimenticato che conduce a un antico segreto" o "il punto d'incontro tra due mondi". Questa capacità trasforma stimoli visivi casuali in punti di partenza creativi strutturati.

Artisti visivi e designer traggono beneficio da descrizioni generate dall'AI che evidenziano elementi che altrimenti potrebbero passare inosservati. Un fotografo che esamina il proprio portfolio potrebbe ottenere una nuova prospettiva quando l'AI segnala che "l'interazione tra ombra e riflesso crea una cornice naturale attorno al soggetto" o che "il contrasto cromatico inaspettato attira l'attenzione verso il centro emotivo dell'immagine".

Nel cinema e nell'animazione, questi modelli semplificano il processo di pre-produzione. Gli storyboard artist possono generare rapidamente descrizioni testuali per pannelli sequenziali, aiutando registi e produttori a visualizzare il flusso narrativo prima di impegnare risorse nella produzione. L'AI può suggerire angolazioni di camera, atmosfere luminose e transizioni di scena basate su riferimenti visivi, accelerando il ciclo di sviluppo creativo.

Per i content marketer, i modelli multimodali colmano il divario tra asset visivi e messaggi efficaci. Analizzando fotografie di prodotti, questi sistemi possono generare testi mirati che si allineano sia agli elementi visivi sia alla voce del brand, garantendo una comunicazione coerente su tutti i canali. Questa capacità è particolarmente preziosa per le campagne sui social media, dove immagini d'impatto devono essere accompagnate da testi brevi e coinvolgenti su molteplici formati e piattaforme.

Produttività: Estrarre informazioni strutturate da documenti, tabelle o screenshot, risparmiando tempo e migliorando l'efficienza nei contesti professionali. Invece di analizzare manualmente dati visivi, gli utenti possono sfruttare l'AI per convertire tabelle in fogli di calcolo, estrarre informazioni chiave da ricevute o biglietti da visita, analizzare grafici e diagrammi nei report e trasformare note scritte a mano in testo ricercabile.

Questo vantaggio in termini di produttività si manifesta in numerosi flussi di lavoro professionali:

- Nei **servizi finanziari**, l'AI multimodale può elaborare automaticamente fatture e ricevute:
    - Identificando informazioni sul fornitore, date e importi dei pagamenti
    - Classificando le spese secondo codici contabili predefiniti
    - Segnalando possibili discrepanze o addebiti insoliti

- Per **ricerca e analisi**, questi sistemi possono:
    - Estrarre dati numerici precisi da grafici e diagrammi complessi
    - Convertire visualizzazioni statistiche in dataset strutturati
    - Riassumere tendenze chiave e valori anomali identificati nei dati visivi

- Nei **flussi di lavoro amministrativi**, l'AI multimodale semplifica:
    - La digitalizzazione dei biglietti da visita per l'integrazione immediata nei database dei contatti
    - L'elaborazione dei moduli senza inserimento manuale dei dati
    - La trascrizione delle note di riunione con estrazione automatica delle azioni da intraprendere

Il risparmio di tempo è significativo: attività che richiederebbero ore di inserimento manuale dei dati possono essere completate in pochi secondi, riducendo anche gli errori umani. Per le organizzazioni che gestiscono grandi volumi di documenti visivi, questa capacità trasforma la gestione delle informazioni rendendo dati prima inaccessibili ricercabili, analizzabili e utilizzabili.

I modelli multimodali ci avvicinano a un'AI che interagisce con il mondo come fanno gli esseri umani: attraverso molteplici sensi, non solo parole. Colmando il divario tra percezione visiva e comprensione del linguaggio, queste tecnologie creano interazioni uomo-AI più intuitive e naturali, riflettendo il modo in cui elaboriamo le informazioni attraverso più canali simultaneamente.

5.2 Integrazione Audio e Voce (Whisper, SpeechLM)

Il linguaggio non è solo scritto, ma anche parlato. La capacità di **ascoltare, trascrivere e rispondere al parlato** è essenziale affinché l'AI diventi un assistente fluido nella vita quotidiana. I recenti progressi nel **riconoscimento vocale** e nel **speech-language modeling** hanno reso possibile integrare l'audio direttamente nei sistemi di linguaggio su larga scala. Questa integrazione rappresenta un importante salto in avanti nelle capacità dell'AI, poiché colma il divario tra comunicazione scritta e parlata.

Il parlato è la nostra forma di comunicazione più naturale e, permettendo all'AI di elaborare input audio, si creano interfacce più intuitive che non richiedono agli utenti di digitare o leggere. Questo è particolarmente importante per l'accessibilità, consentendo a persone con mobilità limitata, disabilità visive o difficoltà di alfabetizzazione di interagire con la tecnologia. Inoltre, il parlato trasporta informazioni aggiuntive attraverso tono, ritmo ed enfasi che il testo da solo non può trasmettere, offrendo un contesto più ricco per comprendere l'intento umano.

Esploriamo due direzioni chiave nell'AI abilitata al parlato:

Whisper – Il robusto sistema speech-to-text di OpenAI. Questo modello open-source rappresenta una svolta nella tecnologia di trascrizione grazie alla sua capacità di gestire accenti diversi, rumore di fondo e vocabolario tecnico.

A differenza dei sistemi di riconoscimento vocale precedenti, che faticavano con condizioni audio reali, Whisper dimostra un'accuratezza notevole anche con input difficili come conversazioni di podcast, registrazioni di lezioni o telefonate.

SpeechLM / SpeechGPT – modelli che estendono i transformer per gestire direttamente compiti audio-testo. Questi sistemi avanzati vanno oltre la semplice trascrizione mantenendo il collegamento tra caratteristiche acustiche e significato semantico.

Invece di trattare lo speech-to-text come una fase di preprocessing separata, incorporano la comprensione dell'audio direttamente nel processo di language modeling, consentendo risposte più sfumate che tengono conto non solo di cosa è stato detto, ma anche di come è stato detto.

5.2.1 Whisper: Riconoscimento Vocale Universale

Whisper è un modello open-source di OpenAI progettato per **riconoscimento vocale, traduzione e trascrizione** in molte lingue. Rilasciato a settembre 2022, rappresenta un significativo avanzamento nella tecnologia di elaborazione audio, offrendo prestazioni robuste in diversi ambienti acustici e stili di parlato. A differenza dei precedenti sistemi di riconoscimento vocale, che spesso faticavano con accenti, rumore di fondo o vocabolario specialistico, Whisper è stato addestrato su un ampio dataset di 680.000 ore di dati supervisionati multilingue e multitask raccolti dal web, conferendogli una notevole versatilità e precisione.

L'architettura del modello combina un encoder basato su transformer che elabora spettrogrammi audio con un decoder simile ai modelli GPT che genera output testuale. Questo design consente a Whisper di gestire le complessità del linguaggio umano, incluse variazioni di tono, timbro, ritmo e pronuncia tra diverse lingue e dialetti.

Ciò che rende Whisper particolarmente rivoluzionario sono le sue capacità zero-shot: può riconoscere e trascrivere parlato in lingue per le quali non è stato esplicitamente ottimizzato tramite fine-tuning. Inoltre, Whisper può rilevare automaticamente la lingua parlata, tradurre direttamente il parlato in inglese e gestire anche il code-switching (quando i parlanti alternano più lingue nella stessa conversazione). Questa versatilità lo rende utile in applicazioni che vanno dalla trascrizione automatica di riunioni agli strumenti di comunicazione multilingue e ai servizi di accessibilità per persone con disabilità uditive.

Caratteristiche principali:

- Addestrato su **680.000 ore di audio multilingue** provenienti dal web, includendo una grande varietà di accenti, dialetti e condizioni ambientali. Questo dataset massivo e diversificato consente a Whisper di gestire audio del mondo reale che i sistemi precedenti non riuscivano a trattare efficacemente. La scala del dataset offre un'ampia copertura delle variazioni linguistiche, accenti regionali, stili di parlato e ambienti acustici, fornendo a Whisper una capacità senza precedenti di comprendere il parlato in quasi ogni contesto. Questo addestramento estensivo si traduce direttamente nella capacità di trascrivere parlato con accenti o dialetti tradizionalmente poco rappresentati nei dati di training dell'AI.

- Gestisce audio rumorosi e reali (ad esempio telefonate, lezioni, podcast, registrazioni in strada) con notevole resilienza. A differenza dei modelli precedenti che funzionavano bene solo in condizioni da studio, Whisper mantiene accuratezza anche in presenza di rumore di fondo, parlanti sovrapposti o qualità variabile del microfono. Questa robustezza deriva dalla sua esposizione a diversi ambienti acustici durante l'addestramento, permettendogli di filtrare i suoni irrilevanti e concentrarsi sul segnale vocale. Che si tratti di una registrazione in un bar affollato, una sala conferenze con eco o un'intervista all'aperto con interferenze del vento, Whisper riesce a estrarre il contenuto parlato con sorprendente precisione.

- Supporta trascrizione, traduzione e identificazione della lingua in 99 lingue. Questa capacità multilingue gli consente di rilevare automaticamente la lingua parlata e processare contenuti provenienti da fonti globali senza richiedere una selezione manuale della lingua. Whisper può trascrivere contenuti in lingue diffuse come inglese, spagnolo e mandarino, così come lingue meno comuni come swahili, lituano e nepalese. Questa versatilità linguistica lo rende uno strumento prezioso per la comunicazione globale, la ricerca internazionale e la creazione di contenuti interculturali. Ancora più impressionante, Whisper è in grado di identificare quando i parlanti passano da una lingua all'altra durante una conversazione, fenomeno noto come code-switching.

- Presenta capacità di apprendimento zero-shot, il che significa che può eseguire compiti per i quali non è stato esplicitamente ottimizzato, adattandosi a nuovi scenari senza ulteriore addestramento. Questa notevole capacità gli consente di generalizzare le proprie conoscenze a contesti, parlanti e ambienti acustici sconosciuti. Ad esempio, senza fine-tuning specifico, può trascrivere gergo tecnico in ambiti come medicina o ingegneria, comprendere dialetti regionali mai visti prima o adattarsi a nuove condizioni di registrazione audio. Questa capacità zero-shot è particolarmente preziosa nelle applicazioni pratiche, dove la varietà del parlato reale richiederebbe altrimenti innumerevoli modelli specializzati per diversi scenari.

Alla base, Whisper combina un **encoder log-Mel spectrogram** con un **decoder simile a GPT**, permettendogli di mappare l'audio grezzo in testo in linguaggio naturale. L'encoder trasforma le forme d'onda audio in spettrogrammi—rappresentazioni visive delle frequenze sonore nel tempo—che catturano i pattern acustici del parlato. Questo processo inizia convertendo il segnale audio grezzo in uno spettrogramma tramite la Short-Time Fourier Transform (STFT), che scompone l'audio nei suoi componenti di frequenza.

Questi componenti vengono poi mappati sulla scala Mel, che approssima il modo in cui gli esseri umani percepiscono le frequenze sonore, con maggiore sensibilità alle frequenze basse rispetto a quelle alte. Lo spettrogramma log-Mel risultante fornisce una rappresentazione compatta dell'audio che enfatizza le caratteristiche più rilevanti dal punto di vista percettivo.

Questi spettrogrammi vengono quindi elaborati attraverso un encoder transformer che estrae caratteristiche significative. L'architettura transformer, grazie ai meccanismi di self-attention, consente al modello di concentrarsi simultaneamente su diverse parti dello spettrogramma, catturando sia dettagli fonetici locali sia pattern acustici più ampi. Questo è fondamentale per gestire variazioni nel parlato come accenti diversi, velocità di eloquio e rumore di fondo.

Il decoder in stile GPT converte quindi queste caratteristiche in testo, trattando la trascrizione come un compito di previsione sequenziale simile al language modeling. Questo decoder funziona in modo autoregressivo, generando ogni parola o token basandosi sia sulle caratteristiche audio codificate sia sul testo precedentemente generato. Questo approccio consente a Whisper di mantenere coerenza contestuale durante tutta la trascrizione, interpretando correttamente suoni ambigui in base al contesto circostante e producendo un testo naturale che riflette accuratamente il parlato originale.

Esempio: Trascrizione audio con Whisper

```python
# Comprehensive implementation of Whisper for audio transcription

# Install required libraries
# pip install git+https://github.com/openai/whisper.git
# pip install librosa matplotlib numpy

import whisper
import librosa
import librosa.display
import matplotlib.pyplot as plt
import numpy as np
import time
import torch
from pathlib import Path

def visualize_audio(audio_path):
    """Visualize the audio waveform and spectrogram"""
    y, sr = librosa.load(audio_path)

    # Create a figure with two subplots
    plt.figure(figsize=(12, 8))

    # Plot waveform
    plt.subplot(2, 1, 1)
```

```python
    librosa.display.waveshow(y, sr=sr)
    plt.title('Waveform')

    # Plot spectrogram
    plt.subplot(2, 1, 2)
    D = librosa.amplitude_to_db(np.abs(librosa.stft(y)), ref=np.max)
    librosa.display.specshow(D, sr=sr, x_axis='time', y_axis='log')
    plt.colorbar(format='%+2.0f dB')
    plt.title('Log-frequency power spectrogram')

    plt.tight_layout()
    plt.show()

def transcribe_audio(audio_path, model_size="base", language=None, verbose=True):
    """
    Transcribe audio using OpenAI's Whisper model

    Parameters:
    - audio_path: Path to the audio file
    - model_size: Size of the Whisper model to use (tiny, base, small, medium, large)
    - language: Language code (e.g., "en" for English) or None for auto-detection
    - verbose: Whether to print progress information

    Returns:
    - Dictionary containing transcription results
    """
    start_time = time.time()

    if verbose:
        print(f"Loading Whisper model: {model_size}")

    # Load pre-trained Whisper model
    model = whisper.load_model(model_size)

    model_load_time = time.time()
    if verbose:
        print(f"Model loaded in {model_load_time - start_time:.2f} seconds")
        print(f"Transcribing: {audio_path}")

    # Set transcription options
    options = {}
    if language:
        options["language"] = language

    # Transcribe the audio file
    result = model.transcribe(audio_path, **options)

    end_time = time.time()
    if verbose:
        print(f"Transcription completed in {end_time - model_load_time:.2f} seconds")
        print(f"Detected        language:        {result['language']}        (confidence:
{result.get('language_probability', 0):.2f})")
```

```python
        print(f"Total processing time: {end_time - start_time:.2f} seconds")

    return result

def save_transcription(result, output_file=None):
    """Save transcription results to a text file"""
    if output_file is None:
        output_file = "transcription_output.txt"

    with open(output_file, "w", encoding="utf-8") as f:
        # Write the full transcription
        f.write("FULL TRANSCRIPTION:\\n")
        f.write(result["text"])
        f.write("\\n\\n")

        # Write segment-by-segment with timestamps
        f.write("SEGMENTS WITH TIMESTAMPS:\\n")
        for segment in result["segments"]:
            start = segment["start"]
            end = segment["end"]
            text = segment["text"]
            f.write(f"[{start:.2f}s - {end:.2f}s] {text}\\n")

    return output_file

def batch_transcribe(directory, extension=".mp3", output_dir=None):
    """Transcribe all audio files with the given extension in a directory"""
    if output_dir is None:
        output_dir = Path("transcription_results")

    output_dir = Path(output_dir)
    output_dir.mkdir(exist_ok=True)

    directory = Path(directory)
    audio_files = list(directory.glob(f"*{extension}"))

    print(f"Found {len(audio_files)} {extension} files in {directory}")

    for audio_file in audio_files:
        print(f"\\nProcessing: {audio_file.name}")
        result = transcribe_audio(str(audio_file))

        output_file = output_dir / f"{audio_file.stem}_transcription.txt"
        save_transcription(result, output_file)
        print(f"Saved transcription to: {output_file}")

# Example usage
if __name__ == "__main__":
    # Set the path to your audio file
    audio_path = "speech_sample.mp3"

    # Check if CUDA is available for GPU acceleration
```

```python
cuda_available = torch.cuda.is_available()
print(f"CUDA available: {cuda_available}")

# Visualize the audio (optional)
# visualize_audio(audio_path)

# Transcribe the audio
result = transcribe_audio(audio_path, model_size="base")

# Print the transcription
print("\\nTRANSCRIPTION:")
print(result["text"])

# Save the transcription to a file
output_file = save_transcription(result)
print(f"\\nSaved transcription to: {output_file}")

# Example of batch processing
# batch_transcribe("audio_folder", extension=".wav")
```

Scarica il campione vocale qui: https://files.cuantum.tech/audio/speech_sample.mp3

Nota: salva l'audio di esempio nella stessa posizione dello script Python.

Analisi dell'implementazione di Whisper:

1. Setup e dipendenze

Il codice inizia installando le librerie necessarie: Whisper (direttamente da GitHub), librosa (per l'elaborazione e la visualizzazione audio), matplotlib (per la visualizzazione) e numpy (per le operazioni numeriche). Queste librerie costituiscono la base per l'elaborazione audio e la trascrizione.

2. Funzione di visualizzazione audio

La funzione visualize_audio() usa librosa per creare due visualizzazioni importanti:

- Una forma d'onda che mostra l'ampiezza nel tempo, rappresentando come varia il segnale audio

- Uno spettrogramma logaritmico in frequenza che mostra come l'energia è distribuita tra diverse frequenze nel tempo, utile per analizzare le caratteristiche del parlato

Queste visualizzazioni possono aiutare gli utenti a comprendere le caratteristiche dell'audio prima della trascrizione.

3. Funzione principale di trascrizione

La funzione transcribe_audio() è il cuore dell'implementazione:

- Accetta parametri per il percorso del file audio, la dimensione del modello, la lingua e il livello di verbosità

- Carica il modello Whisper specificato (da tiny a large, con i modelli più grandi più accurati ma più lenti)

- Traccia il tempo di elaborazione per fornire metriche di prestazione

- Supporta il rilevamento automatico della lingua oppure consente di specificare un codice lingua

- Restituisce un oggetto risultato completo contenente la trascrizione e i metadati

4. Elaborazione dei risultati

La funzione save_transcription() elabora i risultati di Whisper in formati intuitivi per l'utente:

- Salva il testo completo della trascrizione

- Estrae e formatta anche i singoli segmenti con i rispettivi timestamp, fondamentale per allineare la trascrizione alla tempistica dell'audio

- Questo consente applicazioni come la generazione di sottotitoli o l'analisi sincronizzata nel tempo dei contenuti

5. Capacità di elaborazione batch

La funzione batch_transcribe() estende l'utilità per gestire più file audio:

- Elabora tutti i file audio con una determinata estensione all'interno di una directory

- Organizza gli output in una struttura di directory dedicata

- Questo è utile per trascrivere podcast, serie di interviste o raccolte di lezioni

6. Esempio d'uso

Il blocco principale di esecuzione mostra come usare queste funzioni nella pratica:

- Verifica la disponibilità dell'accelerazione GPU tramite CUDA, che può migliorare significativamente le prestazioni con i modelli più grandi

- Offre opzioni per la visualizzazione audio (commentate per impostazione predefinita)

- Esegue la trascrizione e mostra i risultati

- Salva l'output in un file per riferimento futuro

- Include un esempio commentato di elaborazione batch

Funzionalità avanzate:

Questa implementazione va oltre la semplice trascrizione includendo:

- Misurazione dei tempi di elaborazione per valutare l'efficienza

- Report del rilevamento della lingua

- Trascrizione a livello di segmento con timestamp

- Rilevamento dell'accelerazione hardware

- Capacità di analisi audio

- Elaborazione batch di più file

Questa implementazione di esempio fornisce un flusso di lavoro completo per la trascrizione audio, dal preprocessing alla visualizzazione, fino alla trascrizione e alla gestione dei risultati, rendendola adatta sia a casi d'uso individuali sia a scenari di più ampia scala.

Esempio: implementazione avanzata di Whisper per la trascrizione in tempo reale con visualizzazione

```python
import whisper
import numpy as np
import pyaudio
import threading
import time
import queue
import matplotlib.pyplot as plt
from matplotlib.animation import FuncAnimation
from collections import deque
import torch
import os
from datetime import datetime

class WhisperRealtimeTranscriber:
    def __init__(self, model_size="base", language="en", energy_threshold=1000,
                 record_timeout=2, phrase_timeout=3, max_sentences=10):
        """
        Initialize the real-time transcriber with Whisper

        Parameters:
        - model_size: Size of Whisper model ("tiny", "base", "small", "medium",
"large")
        - language: Language code or None for auto-detection
        - energy_threshold: Minimum audio energy to consider for recording
        - record_timeout: Time in seconds to recheck if audio is speech
        - phrase_timeout: Time in seconds of silence to consider a phrase complete
        - max_sentences: Maximum number of sentences to display in history
        """
        self.model_name = model_size
        self.language = language
        self.energy_threshold = energy_threshold
        self.record_timeout = record_timeout
        self.phrase_timeout = phrase_timeout
        self.max_sentences = max_sentences

        # Check for GPU
        self.device = "cuda" if torch.cuda.is_available() else "cpu"
        print(f"Using device: {self.device}")

        # Load Whisper model
        print(f"Loading Whisper {model_size} model...")
        self.model = whisper.load_model(model_size).to(self.device)
        print("Model loaded!")
```

```python
        # Initialize audio processing
        self.audio_queue = queue.Queue()
        self.result_queue = queue.Queue()
        self.audio_data = np.zeros(0, dtype=np.float32)

        # For visualization
        self.audio_buffer = deque(maxlen=4000)  # ~4 seconds at 16kHz
        self.waveform_data = np.zeros(4000)
        self.spectrogram_data = np.zeros((201, 80))  # Mel spectrogram shape
        self.transcript_history = []
        self.recording = False
        self.terminated = False

        # Audio parameters
        self.sample_rate = 16000
        self.audio_format = pyaudio.paFloat32
        self.channels = 1
        self.chunk = 1024

        # Setup PyAudio
        self.p = pyaudio.PyAudio()

    def _get_audio_input_stream(self):
        """Create and return an input audio stream"""
        stream = self.p.open(
            format=self.audio_format,
            channels=self.channels,
            rate=self.sample_rate,
            input=True,
            frames_per_buffer=self.chunk
        )
        return stream

    def _audio_capture_thread(self):
        """Thread function for capturing audio"""
        stream = self._get_audio_input_stream()
        last_sample = bytes()
        phrase_time = None

        print("Listening for audio...")

        try:
            while not self.terminated:
                # Get new audio chunk
                current_sample = stream.read(self.chunk, exception_on_overflow=False)

                # Convert to numpy array
                data = np.frombuffer(current_sample, dtype=np.float32)

                # Update audio buffer for visualization
                self.audio_buffer.extend(data)
```

```python
        self.waveform_data = np.array(list(self.audio_buffer))

        # Calculate audio energy
        energy = np.sqrt(np.mean(data**2))

        # Detect if audio is speech
        if energy > self.energy_threshold:
            self.recording = True

            # Reset phrase timeout
            phrase_time = None

            # Add audio to processing queue
            self.audio_data = np.append(self.audio_data, data)

        # Handle phrase timeout
        elif self.recording:
            if phrase_time is None:
                phrase_time = time.time()

            # If enough silence, process the audio phrase
            if time.time() - phrase_time > self.phrase_timeout:
                if len(self.audio_data) > 0:
                    self.audio_queue.put(self.audio_data.copy())
                    self.audio_data = np.zeros(0, dtype=np.float32)

                self.recording = False
                phrase_time = None

        # Process fixed chunks of audio regardless of speech detection
        if len(self.audio_data) > self.sample_rate * self.record_timeout:
            self.audio_queue.put(self.audio_data.copy())
            self.audio_data    =    self.audio_data[int(self.sample_rate    *
self.record_timeout):]

            time.sleep(0.01)

    finally:
        stream.stop_stream()
        stream.close()

def _transcription_thread(self):
    """Thread function for processing audio with Whisper"""
    while not self.terminated:
        try:
            # Get audio data from queue
            if self.audio_queue.empty():
                time.sleep(0.1)
                continue

            audio_data = self.audio_queue.get()
```

```python
            # Skip processing very short audio clips
            if len(audio_data) < 0.5 * self.sample_rate:
                continue

            # Process audio with Whisper
            start_time = time.time()

            # Convert to format expected by Whisper
            audio_tensor = torch.tensor(audio_data).to(self.device)

            # Generate Mel spectrogram for visualization
            mel = whisper.log_mel_spectrogram(audio_data)
            if len(mel) > 80:
                mel = mel[:80]
            self.spectrogram_data = mel.T.numpy()  # Transpose for visualization

            # Transcribe with Whisper
            options = {"language": self.language} if self.language else {}
            result = self.model.transcribe(audio_data, **options)

            # Get transcription result
            text = result["text"].strip()
            elapsed = time.time() - start_time

            # Skip empty results
            if len(text) == 0:
                continue

            # Add timestamp and transcription to history
            timestamp = datetime.now().strftime("%H:%M:%S")
            entry = f"[{timestamp}] {text}"
            self.transcript_history.append(entry)

            # Keep only most recent entries
            if len(self.transcript_history) > self.max_sentences:
                self.transcript_history         =         self.transcript_history[-
self.max_sentences:]

            # Print result
            print(f"Transcribed ({elapsed:.2f}s): {text}")

        except Exception as e:
            print(f"Error in transcription thread: {e}")

def _update_visualization(self, frame):
    """Update function for matplotlib animation"""
    # Clear previous plots
    plt.clf()

    # Plot audio waveform
    plt.subplot(3, 1, 1)
    plt.plot(self.waveform_data)
```

```python
            plt.title("Audio Waveform")
            plt.ylim([-0.5, 0.5])

            # Plot status
            if self.recording:
                plt.gca().set_facecolor((0.9, 0.9, 1))
                plt.title("Audio Waveform - RECORDING")

            # Plot Mel spectrogram
            plt.subplot(3, 1, 2)
            plt.imshow(self.spectrogram_data, aspect='auto', origin='lower')
            plt.title("Mel Spectrogram")
            plt.tight_layout()

            # Show transcript history
            plt.subplot(3, 1, 3)
            plt.axis('off')
            history_text = "\\n".join(self.transcript_history)
            plt.text(0.05, 0.95, history_text,
                    verticalalignment='top', wrap=True, fontsize=9,
                    bbox=dict(boxstyle='round', facecolor='wheat', alpha=0.2))
            plt.title("Transcript History")

            # Adjust layout
            plt.subplots_adjust(hspace=0.5)

    def start(self, visualize=True):
        """Start the real-time transcription system"""
        # Start audio capture thread
        audio_thread = threading.Thread(target=self._audio_capture_thread)
        audio_thread.daemon = True
        audio_thread.start()

        # Start transcription thread
        transcription_thread = threading.Thread(target=self._transcription_thread)
        transcription_thread.daemon = True
        transcription_thread.start()

        try:
            if visualize:
                # Set up visualization
                plt.figure(figsize=(10, 8))
                ani     =     FuncAnimation(plt.gcf(),     self._update_visualization,
interval=100)
                plt.show()
            else:
                # Just keep the main thread alive
                while True:
                    time.sleep(1)
        except KeyboardInterrupt:
            print("Stopping...")
        finally:
```

```python
            self.terminated = True
            self.p.terminate()

    def save_transcript(self, filename=None):
        """Save the transcript history to a file"""
        if filename is None:
            timestamp = datetime.now().strftime("%Y%m%d_%H%M%S")
            filename = f"transcript_{timestamp}.txt"

        with open(filename, "w", encoding="utf-8") as f:
            for entry in self.transcript_history:
                f.write(f"{entry}\\n")

        print(f"Transcript saved to {filename}")

# Example usage
if __name__ == "__main__":
    # Create and start the transcriber
    transcriber = WhisperRealtimeTranscriber(
        model_size="base",
        language="en",
        energy_threshold=0.01,
        record_timeout=2,
        phrase_timeout=1
    )

    try:
        transcriber.start(visualize=True)
    except KeyboardInterrupt:
        pass
    finally:
        transcriber.save_transcript()
```

Nota: per usare questo esempio di codice, dovrai parlare nel microfono durante l'esecuzione del programma.

Analisi dell'implementazione di Whisper in tempo reale:

1. Architettura generale

Questa implementazione avanzata crea un sistema di trascrizione vocale in tempo reale usando Whisper. A differenza dell'esempio precedente, che elabora file già esistenti, questa versione:

- Acquisisce input audio live da un microfono

- Elabora l'audio in blocchi man mano che arriva

- Fornisce una visualizzazione in tempo reale del segnale audio e della trascrizione

- Esegue continuamente l'inferenza di Whisper su un thread separato

2. Struttura della classe e inizializzazione

La classe WhisperRealtimeTranscriber incapsula l'intero sistema:

- Gestisce più thread per l'acquisizione e l'elaborazione dell'audio

- Mantiene code per la comunicazione tra i thread

- Configura parametri come le soglie di energia per il rilevamento del parlato

- Inizializza i componenti di visualizzazione, inclusi forma d'onda e spettrogramma

- Imposta il modello Whisper con accelerazione GPU quando disponibile

3. Sistema di acquisizione audio

Il metodo _audio_capture_thread gestisce l'input audio continuo:

- Usa PyAudio per accedere allo stream del microfono

- Implementa un rilevamento dell'attività vocale basato sull'energia per identificare il parlato

- Gestisce le "frasi" rilevando le pause tra i segmenti di parlato

- Aggiorna un buffer circolare per scopi di visualizzazione

- Inserisce il parlato rilevato in coda per l'elaborazione della trascrizione

4. Motore di trascrizione Whisper

Il metodo _transcription_thread implementa la funzionalità principale speech-to-text:

- Recupera i segmenti audio dalla coda quando disponibili

- Filtra le clip audio troppo corte

- Genera spettrogrammi Mel sia per la trascrizione sia per la visualizzazione

- Esegue l'inferenza del modello Whisper per convertire il parlato in testo

- Mantiene una cronologia delle trascrizioni con timestamp

- Misura e riporta il tempo di elaborazione per il monitoraggio delle prestazioni

5. Visualizzazione in tempo reale

Il metodo _update_visualization crea una dashboard interattiva:

- Mostra la forma d'onda audio con un indicatore dello stato di registrazione

- Visualizza la rappresentazione mel spectrogram usata da Whisper

- Fornisce un pannello con la cronologia della trascrizione a scorrimento

- Si aggiorna dinamicamente usando la funzionalità di animazione di Matplotlib

6. Interfaccia utente e flusso di controllo

Il metodo start orchestra il funzionamento del sistema:

- Avvia i thread di acquisizione audio e trascrizione

- Imposta la visualizzazione, se abilitata

- Gestisce una chiusura pulita in caso di interruzione da parte dell'utente

7. Applicazioni pratiche

Questa implementazione offre diversi vantaggi rispetto all'esempio precedente:

- **Trascrizione live**: elabora il parlato mentre avviene invece che da file

- **Funzionamento continuo**: può restare in esecuzione indefinitamente per applicazioni in tempo reale

- **Feedback visivo**: consente di vedere sia il segnale audio sia la relativa trascrizione

- **Rilevamento del parlato**: identifica automaticamente quando qualcuno sta parlando

- **Monitoraggio delle prestazioni**: traccia i tempi di elaborazione per ottimizzare l'uso in tempo reale

8. Casi d'uso di Whisper in tempo reale

Questa implementazione è particolarmente utile per:

- Sottotitolazione live per presentazioni o riunioni

- Trascrizione in tempo reale per scopi di accessibilità

- Applicazioni interattive controllate dalla voce

- Sistemi di analisi e monitoraggio del parlato

- Strumenti educativi che mostrano la relazione tra il parlato e la sua trascrizione

9. Considerazioni tecniche

L'implementazione affronta diverse sfide:

- Bilanciamento tra latenza e accuratezza tramite regolazione dei parametri

- Gestione delle risorse computazionali con il threading

- Fornitura di feedback visivo senza compromettere le prestazioni

- Rilevamento di parlato vs. silenzio per un'elaborazione efficiente

- Formattazione e memorizzazione dei risultati della trascrizione

Questa implementazione in tempo reale rappresenta un miglioramento significativo rispetto all'elaborazione batch, permettendo applicazioni interattive in cui è richiesta una trascrizione immediata.

5.2.2 SpeechLM e SpeechGPT: modelli linguistici che ascoltano

Mentre Whisper eccelle nell'**ASR (Automatic Speech Recognition)**, modelli come **SpeechLM** e **SpeechGPT** fanno un passo ulteriore: integrano **parlato e testo in un unico framework transformer**. Questo rappresenta un cambiamento fondamentale rispetto agli approcci tradizionali, in cui l'elaborazione del parlato e la comprensione del testo erano gestite da sistemi completamente separati.

Questa integrazione è rivoluzionaria perché consente a questi modelli di elaborare entrambe le modalità simultaneamente invece di trattarle come pipeline di elaborazione separate. Unificando parlato e testo nella stessa architettura, questi modelli possono sfruttare informazioni contestuali tra modalità diverse, ottenendo risposte più coerenti e contestualmente appropriate. Il collegamento diretto tra pattern acustici e significato semantico permette a questi modelli di catturare sfumature come tono, enfasi e ritmo che potrebbero andare perse in un approccio a pipeline.

Per comprendere l'importanza di questo progresso, considera come funzionano i sistemi vocali tradizionali: prima, un componente ASR converte l'audio in trascrizioni testuali, poi un sistema separato di natural language processing (NLP) analizza la trascrizione. Ogni transizione tra sistemi crea un'opportunità di perdita di informazioni. Caratteristiche acustiche importanti come emozione del parlante, rilevamento del sarcasmo o enfasi su parole specifiche vengono tipicamente eliminate durante il primo passaggio di trascrizione.

SpeechLM e SpeechGPT, al contrario, mantengono una rappresentazione continua del segnale vocale lungo tutta la catena di elaborazione. Questo approccio preserva informazioni paralinguistiche cruciali—gli aspetti non verbali della comunicazione che spesso trasmettono significato importante. Per esempio, la stessa frase pronunciata con diversi schemi intonativi può comunicare intenzioni completamente differenti, dal sincero accordo al sarcasmo. Mantenendo collegati il segnale acustico e la sua interpretazione linguistica durante tutta l'elaborazione, questi modelli possono rilevare tali sottigliezze.

L'architettura tecnica che rende possibile questa integrazione coinvolge tipicamente moduli encoder specializzati che elaborano forme d'onda audio grezze o spettrogrammi in rappresentazioni vettoriali dense. Questi speech embeddings vengono poi proiettati nello stesso spazio latente dei text embeddings, permettendo ai meccanismi di attention del transformer di stabilire connessioni tra elementi corrispondenti di entrambe le modalità. Questa cross-modal attention è l'innovazione chiave che permette a questi modelli di "ascoltare" in un modo più simile a quello umano.

A differenza dei sistemi tradizionali, in cui il parlato viene prima convertito in testo e poi elaborato da un language model (creando potenziali perdite di informazione in ogni passaggio), questi modelli unificati mantengono la ricchezza del segnale vocale originale durante tutto il processo. Questo preserva importanti caratteristiche paralinguistiche come emozione, identità del parlante e dinamiche conversazionali, fondamentali per comprendere davvero il linguaggio parlato nel suo contesto.

SpeechLM (Microsoft):

Preaddestrato su dati accoppiati audio–testo, consentendo di sviluppare rappresentazioni ricche che catturano sia informazioni acustiche sia linguistiche. Questo approccio di addestramento a doppia modalità permette al modello di comprendere non solo quali parole vengono pronunciate, ma anche come vengono dette, inclusi tono, enfasi e caratteristiche del parlante. Il modello elabora forme d'onda audio grezze insieme alle relative trascrizioni, imparando ad associare specifici pattern acustici ai loro significati semantici. Ad esempio, può distinguere tra una domanda e un'affermazione basandosi sull'intonazione crescente o decrescente, anche quando le parole sono identiche.

Impara ad allineare le caratteristiche acustiche con i token linguistici attraverso innovativi meccanismi di attenzione cross-modale che mappano i pattern vocali alle loro rappresentazioni testuali. Questo processo di allineamento crea uno spazio semantico condiviso in cui parlato e testo possono interagire senza soluzione di continuità, consentendo un'interpretazione più accurata del linguaggio parlato. Questi meccanismi funzionano stabilendo connessioni bidirezionali tra segmenti audio e token testuali corrispondenti, permettendo alle informazioni di fluire liberamente tra le modalità. Durante l'elaborazione di una frase, il modello può concentrarsi simultaneamente sia sul segnale acustico sia sulla struttura linguistica, creando una rappresentazione unificata che preserva entrambi gli aspetti della comunicazione.

Supporta compiti come speech-to-text, traduzione del parlato e comprensione del parlato, con prestazioni superiori rispetto agli approcci a pipeline grazie alla sua metodologia di addestramento end-to-end. Addestrando tutti i componenti insieme, SpeechLM evita i problemi di propagazione degli errori comuni nei sistemi tradizionali a pipeline, dove gli errori nelle fasi iniziali si propagano lungo tutto il sistema. Negli approcci convenzionali, se il componente ASR riconosce erroneamente una parola, tutti i componenti successivi (come traduzione o comprensione) ereditano quell'errore. L'approccio unificato di SpeechLM consente alle fasi successive di compensare eventuali incertezze iniziali sfruttando informazioni contestuali più ampie e segnali cross-modali, in modo simile a come gli esseri umani comprendono parole leggermente pronunciate male nel contesto.

Utilizza tecniche di apprendimento self-supervised per massimizzare l'apprendimento da dati accoppiati limitati, consentendo prestazioni robuste anche con annotazioni ridotte. Queste tecniche includono masked language modeling adattato agli input vocali, apprendimento contrastivo tra rappresentazioni di parlato e testo e regolarizzazione di coerenza tra modalità. Durante l'addestramento, il modello può ricevere un segmento audio in cui alcune parti sono mascherate, dovendo prevedere l'informazione acustica mancante basandosi sul contesto circostante e su eventuale testo disponibile. Allo stesso modo, impara a minimizzare la distanza tra rappresentazioni dello stesso contenuto espresso in modalità diverse, aiutando ad allineare gli spazi di embedding di parlato e testo. Questo approccio consente a SpeechLM di sfruttare grandi quantità di dati non accoppiati di parlato o testo insieme a quantità minori di dati paralleli.

Integra una comprensione contestuale avanzata che gli permette di gestire meglio parlato ambiguo, variazioni tra parlanti e ambienti rumorosi rispetto ai sistemi ASR tradizionali. Mantenendo una rappresentazione contestuale ricca durante l'elaborazione, SpeechLM può disambiguare omofoni (parole che suonano uguali ma hanno significati diversi) basandosi sul contesto semantico più ampio, adattarsi a diversi accenti e stili di parlato riconoscendo pattern su segmenti più ampi e filtrare il rumore di fondo distinguendo i pattern vocali rilevanti da quelli irrilevanti. I meccanismi di attenzione del modello possono concentrarsi sulle parti più informative del segnale riducendo l'importanza degli elementi di disturbo, in modo simile a come gli esseri umani riescono a seguire una conversazione in una stanza affollata—spesso chiamato "effetto cocktail party".

SpeechGPT:

Estende i LLM per lavorare direttamente con il parlato come input/output, eliminando la necessità di sistemi separati ASR (Automatic Speech Recognition) e TTS (Text-to-Speech) nelle applicazioni conversazionali. I sistemi di AI conversazionale tradizionali richiedono tipicamente un approccio a pipeline in cui il parlato viene prima convertito in testo, elaborato da un language model e poi riconvertito in parlato per la risposta. Questo processo multi-fase introduce latenza in ogni punto di conversione e spesso perde importanti informazioni acustiche lungo il percorso.

SpeechGPT, invece, integra questi componenti in un'architettura unificata che elabora i segnali vocali end-to-end. Questa integrazione diretta consente un flusso conversazionale più fluido, poiché il modello elabora direttamente i segnali vocali senza convertirli in rappresentazioni testuali intermedie, riducendo la latenza e preservando sfumature acustiche che potrebbero andare perse negli approcci tradizionali. Mantenendo l'integrità del segnale vocale originale durante tutto il processo, SpeechGPT può rilevare variazioni sottili di tono, ritmo ed enfasi che trasmettono informazioni comunicative importanti oltre alle parole pronunciate.

Può trascrivere, comprendere e persino **generare dialogo parlato** in un framework unificato, mantenendo il contesto conversazionale attraverso più turni. A differenza dei sistemi tradizionali che elaborano ogni enunciato in modo indipendente, SpeechGPT mantiene una memoria continua della conversazione, consentendogli di fare riferimento a affermazioni precedenti e generare risposte contestualmente appropriate che tengono conto della storia condivisa tra i parlanti.

Questa consapevolezza contestuale significa che il modello può seguire argomenti attraverso più scambi, risolvere riferimenti ambigui e rispondere adeguatamente a domande successive senza richiedere agli utenti di ripetere le informazioni. Ad esempio, se un utente chiede com'è il tempo oggi e poi segue con "E domani?", SpeechGPT può capire che la seconda domanda riguarda ancora il meteo senza una specifica esplicita. Questa capacità di mantenere lo stato conversazionale riflette i modelli di dialogo umano, in cui il contesto è implicitamente compreso e portato avanti, creando interazioni più naturali ed efficienti.

Utile per agenti conversazionali che gestiscono naturalmente entrambe le modalità, creando interazioni più simili a quelle umane senza ritardi dovuti al cambio di modalità. Questa integrazione fluida tra elaborazione del parlato e del testo imita i modelli comunicativi umani, in cui passiamo naturalmente dall'ascolto al parlare senza un cambio di modalità consapevole, permettendo dialoghi più naturali e fluidi con sistemi AI. In pratica, questo significa che gli utenti possono parlare direttamente con il sistema e ricevere risposte vocali senza percepire alcuna traduzione intermedia.

Per applicazioni come assistenti virtuali, chatbot di servizio clienti o tutor educativi, questo crea un'esperienza utente significativamente più naturale che riduce il carico cognitivo. L'eliminazione delle transizioni percepibili tra modalità aumenta anche l'accessibilità per utenti che potrebbero avere difficoltà con le interfacce testuali, come persone con disabilità visive, difficoltà di lettura o situazioni in cui guardare uno schermo è poco pratico (ad esempio durante la guida).

Dimostra una prosodia e un'intonazione migliorate nel parlato generato sfruttando le capacità di comprensione semantica del LLM sottostante. Comprendendo il significato, l'emozione e l'intento pragmatico delle risposte, SpeechGPT può applicare pattern di enfasi, variazioni di ritmo e cambiamenti di tono appropriati che trasmettono non solo cosa viene detto, ma anche come dovrebbe essere detto per comunicare efficacemente il significato. Questo rappresenta un significativo progresso rispetto ai sistemi TTS tradizionali, che spesso producono un parlato piatto e monotono privo delle variazioni naturali che gli esseri umani usano per esprimere significato.

Ad esempio, nell'esprimere entusiasmo il sistema può aumentare tono e velocità; nel trasmettere informazioni serie può adottare un ritmo più misurato con enfasi sui punti chiave. Queste caratteristiche prosodiche sono fondamentali per una comunicazione efficace, poiché aiutano gli ascoltatori a interpretare le intenzioni del parlante, distinguere tra domande e affermazioni, identificare informazioni importanti e comprendere il contesto emotivo. La capacità di generare un parlato espressivo in modo appropriato rende le interazioni più naturali e aiuta a garantire che il significato previsto venga trasmesso correttamente agli utenti.

Come funzionano:

1. Convertono l'audio in **speech embeddings** usando un estrattore di caratteristiche (come wav2vec2), che cattura informazioni fonetiche, prosodiche e del parlante dalle forme d'onda grezze in rappresentazioni vettoriali dense. Questo processo trasforma segnali audio complessi in matrici numeriche che preservano caratteristiche linguistiche cruciali, inclusi pattern di pronuncia, ritmo del parlato, tono emotivo e caratteristiche individuali della voce. Gli embedding

risultanti creano una rappresentazione matematica del parlato che i modelli possono elaborare in modo efficiente mantenendo le ricche proprietà acustiche dell'audio originale.

2. Allineano gli embedding con i token testuali nel transformer attraverso meccanismi di cross-attention, creando uno spazio di rappresentazione congiunto in cui caratteristiche acustiche e linguistiche possono interagire liberamente. Questi meccanismi permettono al modello di stabilire connessioni tra elementi corrispondenti nelle due modalità, mappando pattern acustici specifici alle loro controparti testuali. Questo processo di allineamento crea percorsi bidirezionali che consentono alle informazioni di fluire tra rappresentazioni di parlato e testo, facilitando compiti come la spoken language understanding, in cui contano sia il contenuto sia il modo in cui il parlato viene espresso.

3. Si addestrano su compiti che richiedono sia ascolto sia comprensione, come rispondere a domande su contenuti parlati o seguire istruzioni verbali, per sviluppare solide capacità di comprensione multimodale. Questo approccio di addestramento costringe il modello a elaborare simultaneamente informazioni uditive e testuali, estraendo significato da entrambi i canali e integrandolo in una rappresentazione semantica unificata. Presentando al modello sfide di comprensione del linguaggio parlato sempre più complesse, esso impara a riconoscere non solo quali parole vengono pronunciate, ma anche come contesto, enfasi e tono ne modifichino il significato.

4. Utilizzano funzioni di loss specializzate che incoraggiano la coerenza semantica tra rappresentazioni di parlato e testo, garantendo che l'informazione venga preservata attraverso i confini tra modalità. Queste funzioni di loss confrontano le rappresentazioni interne del modello dello stesso contenuto espresso in modalità diverse e penalizzano le incoerenze, spingendo il modello a sviluppare spazi di caratteristiche allineati. Riducendo al minimo la distanza tra rappresentazioni di contenuti equivalenti nelle varie modalità, queste funzioni aiutano il modello a costruire una comprensione coesa indipendentemente dal fatto che l'informazione arrivi come testo o parlato.

5. Impiegano strategie di curriculum learning che aumentano gradualmente la complessità dei compiti, iniziando con il semplice riconoscimento vocale prima di passare a compiti più complessi di comprensione e generazione. Questo approccio graduale parte dalla trascrizione di base per stabilire le mappature fondamentali tra audio e testo, poi avanza verso compiti più sofisticati come identificare l'intento del parlante, riconoscere l'emozione e generare risposte contestualmente appropriate a richieste vocali. La difficoltà progressiva aiuta il modello a sviluppare una gerarchia di capacità di comprensione del parlato, dall'elaborazione acustica di basso livello fino all'interpretazione semantica di alto livello.

Esempio di codice: implementazione di SpeechLM

```python
from transformers import AutoProcessor, SpeechLMForSpeechToText
import torch
import soundfile as sf
import librosa

# Load pretrained SpeechLM model and processor
model_id = "microsoft/speechlm-large-960h"
processor = AutoProcessor.from_pretrained(model_id)
model = SpeechLMForSpeechToText.from_pretrained(model_id)
```

```python
# Load and preprocess audio file
audio_file = "speechlm-example.mp3"
speech, sample_rate = sf.read(audio_file)

# Resample if necessary
if sample_rate != 16000:
    speech = librosa.resample(speech, orig_sr=sample_rate, target_sr=16000)
    sample_rate = 16000

# Prepare inputs
inputs = processor(speech, sampling_rate=sample_rate, return_tensors="pt")

# Generate transcription
with torch.no_grad():
    generated_ids = model.generate(
        inputs["input_features"],
        num_beams=5,
        max_length=100
    )

# Decode the output tokens
transcription = processor.batch_decode(generated_ids, skip_special_tokens=True)[0]
print(f"Transcription: {transcription}")

# For speech understanding tasks, we can also get embeddings
with torch.no_grad():
    outputs = model(
        input_features=inputs["input_features"],
        attention_mask=inputs["attention_mask"],
        decoder_input_ids=processor.get_decoder_prompt_ids(task="asr")
    )

    # Get speech embeddings from the encoder
    speech_embeddings = outputs.encoder_last_hidden_state
    print(f"Speech embeddings shape: {speech_embeddings.shape}")

    # These embeddings can be used for downstream tasks like
    # speaker identification, emotion recognition, or semantic analysis
```

Scarica il campione vocale qui: https://files.cuantum.tech/audio/speechlm-example.mp3

Nota: salva l'audio di esempio nella stessa posizione dello script Python.

Analisi del codice: implementazione di SpeechLM

Questo esempio di codice SpeechLM dimostra come usare il modello SpeechLM di Microsoft per la trascrizione e la comprensione del parlato. Esaminiamo ogni componente:

1. **Importazioni e caricamento del modello:** Il codice importa le librerie necessarie e carica il modello SpeechLM preaddestrato e il relativo processor da Hugging Face. SpeechLM è un modello

speech-language che può elaborare forme d'onda audio grezze ed eseguire compiti come trascrizione e comprensione.

2. **Elaborazione audio:** Il file audio viene caricato usando soundfile e, se necessario, ricampionato a 16 kHz (la frequenza di campionamento standard prevista dalla maggior parte dei modelli vocali). Questo preprocessing garantisce che l'input audio corrisponda al formato atteso dal modello indipendentemente dalle condizioni della registrazione originale.

3. **Preparazione dell'input:** Il processor converte la forma d'onda audio grezza nel formato di input previsto dal modello. Questo include l'estrazione di caratteristiche acustiche (simili agli spettrogrammi) e la preparazione di attention mask per gestire input di lunghezza variabile. Queste caratteristiche catturano le informazioni fonetiche e prosodiche del segnale vocale.

4. **Generazione della trascrizione:** Il metodo model.generate() esegue il decoding tramite beam search per convertire le caratteristiche audio in testo. Questo processo usa l'architettura encoder-decoder del modello per mappare le rappresentazioni del parlato in token testuali. Il parametro num_beams controlla quante ipotesi alternative il modello considera durante il decoding, mentre max_length limita la lunghezza dell'output.

5. **Decodifica:** La funzione processor.batch_decode() converte gli ID dei token generati in testo leggibile, rimuovendo eventuali token speciali (come padding o marcatori di fine sequenza) usati internamente dal modello ma non facenti parte della trascrizione reale.

6. **Estrazione degli speech embeddings:** Oltre alla semplice trascrizione, il codice mostra come accedere alle rappresentazioni interne del parlato del modello. L'encoder_last_hidden_state contiene embedding contestuali ricchi che catturano sia proprietà acustiche sia linguistiche del parlato. Questi embedding preservano caratteristiche paralinguistiche (tono, enfasi, emozione) che potrebbero andare perse nella trascrizione testuale.

Approfondimenti tecnici sull'architettura di SpeechLM

SpeechLM rappresenta un progresso significativo nell'elaborazione del parlato per diverse ragioni:

- **Architettura encoder-decoder unificata:** A differenza degli approcci a pipeline che separano ASR e comprensione linguistica, SpeechLM elabora l'intero percorso dal parlato al significato in un unico modello, riducendo la propagazione degli errori tra i componenti.

- **Comprensione contestuale:** L'architettura transformer consente al modello di catturare dipendenze a lungo raggio nel parlato, aiutandolo a comprendere il contenuto sulla base del contesto più ampio invece che di segmenti isolati.

- **Pretraining cross-modale:** SpeechLM viene preaddestrato su dati accoppiati parlato-testo, permettendogli di sviluppare rappresentazioni allineate tra caratteristiche acustiche e linguistiche. Questo allineamento consente una trascrizione e una comprensione più accurate del linguaggio parlato.

- **Speech embeddings:** L'encoder del modello produce speech embeddings contestualizzati che preservano sia il contenuto linguistico sia le caratteristiche paralinguistiche (come identità del parlante, emozione ed enfasi). Queste ricche rappresentazioni possono essere usate per compiti downstream oltre la trascrizione di base.

Applicazioni pratiche

Gli speech embeddings estratti nell'esempio potrebbero essere usati per:

- **Riconoscimento del parlante:** identificare chi sta parlando in base alle caratteristiche vocali preservate negli embedding.

- **Rilevamento delle emozioni:** analizzare il tono emotivo del parlato a partire dai pattern acustici.

- **Classificazione dell'intento:** determinare cosa il parlante vuole ottenere (fare una domanda, avanzare una richiesta, ecc.).

- **Traduzione del parlato:** convertire parlato in una lingua in testo in un'altra collegando gli speech embeddings a un modello di traduzione.

SpeechLM rappresenta un passo importante verso modelli speech-language realmente integrati che elaborano il linguaggio parlato in modo più simile a quello umano, mantenendo la ricca informazione acustica che conferisce al parlato il suo significato sfumato oltre alle sole parole pronunciate.

Esempio di codice: implementazione di SpeechGPT

```python
import torch
import torchaudio
from transformers import AutoProcessor, AutoModelForSpeechSeq2Seq

# Load pretrained SpeechGPT model and processor
model_id = "microsoft/speech_gpt2_oaitr"  # Note: This is an example model ID
processor = AutoProcessor.from_pretrained(model_id)
model = AutoModelForSpeechSeq2Seq.from_pretrained(model_id)

# Function to handle conversational speech input and output
def speech_conversation(audio_path, conversation_history=None):
    # Load audio file
    waveform, sample_rate = torchaudio.load(audio_path)

    # Resample if necessary (SpeechGPT typically expects 16kHz audio)
    if sample_rate != 16000:
        resampler = torchaudio.transforms.Resample(sample_rate, 16000)
        waveform = resampler(waveform)
        sample_rate = 16000

    # Convert to mono if stereo
    if waveform.shape[0] > 1:
        waveform = torch.mean(waveform, dim=0, keepdim=True)

    # Process audio input
    inputs = processor(
        audio=waveform.squeeze().numpy(),
        sampling_rate=sample_rate,
        return_tensors="pt",
        conversation_history=conversation_history
    )

    # Generate response
```

```python
    with torch.no_grad():
        output = model.generate(
            input_features=inputs["input_features"],
            attention_mask=inputs.get("attention_mask"),
            max_length=100,
            num_beams=5,
            early_stopping=True,
            conversation_history=inputs.get("conversation_history")
        )

    # Process the output
    transcription = processor.decode(output[0], skip_special_tokens=True)

    # Optional: Convert response to speech
    speech_output = model.generate_speech(
        output,
        speaker_embeddings=inputs.get("speaker_embeddings")
    )

    # Save the generated speech
    torchaudio.save(
        "response.wav",
        speech_output.squeeze().unsqueeze(0),
        16000
    )

    # Update conversation history
    new_conversation_history = {
        "input_speech": waveform.squeeze().numpy(),
        "output_text": transcription,
        "output_speech": speech_output.squeeze().numpy()
    }

    if conversation_history:
        conversation_history.append(new_conversation_history)
    else:
        conversation_history = [new_conversation_history]

    return transcription, speech_output, conversation_history

# Example usage
if __name__ == "__main__":
    # Start a new conversation
    conversation_history = None

    # First interaction
    user_query = "user_question_.mp3"  # Path to audio file with user's question
    response_text, response_audio, conversation_history = speech_conversation(
        user_query, conversation_history
    )

    print(f"User (transcribed): {response_text}")
```

```python
# Second interaction (with conversation history for context)
follow_up_query = "user_follow_up.mp3"  # Path to follow-up question audio
response_text2, response_audio2, conversation_history = speech_conversation(
    follow_up_query, conversation_history
)

print(f"User follow-up (transcribed): {response_text2}")
```

Scarica qui il campione audio della domanda dell'utente:
https://files.cuantum.tech/audio/user_question_.mp3

Scarica qui il campione audio della domanda di follow-up dell'utente:
https://files.cuantum.tech/audio/user_follow_up.mp3

Nota: salva gli audio di esempio nella stessa posizione dello script Python.

Analisi del codice: implementazione di SpeechGPT

1. **Importazioni e caricamento del modello:** Il codice importa PyTorch, torchaudio e i transformer di Hugging Face per lavorare con il modello SpeechGPT. Carichiamo un modello preaddestrato e un processor in grado di gestire sia input sia output vocali in un contesto conversazionale.

2. **Funzione di conversazione:** La funzione speech_conversation funge da componente centrale, gestendo l'intero flusso conversazionale speech-to-speech. Accetta come input il percorso di un file audio e, opzionalmente, la cronologia della conversazione.

3. **Preprocessing audio:** La funzione carica il file audio usando torchaudio, verifica che sia alla frequenza di campionamento richiesta di 16 kHz (ricampionando se necessario) e converte l'audio stereo in mono se serve. Questi passaggi di preprocessing garantiscono che l'audio soddisfi i requisiti di input del modello.

4. **Elaborazione dell'input:** Il processor converte la forma d'onda audio grezza nelle rappresentazioni di caratteristiche attese da SpeechGPT. Un aspetto importante è che include il parametro della cronologia della conversazione, che consente al modello di mantenere il contesto attraverso più turni.

5. **Generazione della risposta:** Il modello genera una risposta in base all'input vocale e al contesto conversazionale. I parametri di generazione controllano qualità e lunghezza della risposta:

    o   max_length: limita la lunghezza della risposta

    o   num_beams: usa beam search con 5 beam per ottenere risposte di qualità migliore

    o   early_stopping: termina la generazione quando tutti i beam raggiungono un token di fine

    o   conversation_history: fornisce il contesto degli scambi precedenti

6. **Sintesi vocale:** A differenza dei modelli tradizionali, che richiederebbero un sistema TTS separato, SpeechGPT può generare direttamente output vocale a partire dalle sue rappresentazioni interne.

Il metodo generate_speech converte la risposta testuale in audio, mantenendo le caratteristiche del parlante se fornite.

7. **Gestione dello stato conversazionale:** La funzione tiene traccia della cronologia della conversazione memorizzando ogni scambio (input vocale, output testuale, output vocale) in un formato strutturato. Questa cronologia viene passata alle chiamate successive, consentendo al modello di fare riferimento alle informazioni precedenti.

8. **Esempio d'uso:** Il codice dimostra una conversazione a due turni, mostrando come:

   - avviare una nuova conversazione (cronologia vuota)

   - elaborare la prima richiesta dell'utente

   - mantenere il contesto conversazionale

   - gestire una domanda di follow-up preservando il contesto

Approfondimenti tecnici sull'architettura di SpeechGPT

SpeechGPT rappresenta un importante progresso nei modelli speech-language integrando diverse innovazioni architetturali chiave:

- **Framework end-to-end speech-to-speech:** A differenza degli approcci tradizionali a pipeline che separano componenti ASR, comprensione del linguaggio e TTS, SpeechGPT unifica queste capacità in un unico modello, riducendo latenza e propagazione degli errori.

- **Rappresentazione congiunta speech-text:** Il modello apprende uno spazio di embedding condiviso per parlato e testo, consentendo transizioni fluide tra le modalità senza perdita di informazione. Questa rappresentazione congiunta permette al modello di mantenere gli elementi emotivi e prosodici del parlato insieme al contenuto semantico.

- **Transformer consapevole della conversazione:** SpeechGPT estende l'architettura transformer standard con meccanismi aggiuntivi per tracciare lo stato della conversazione e mantenere coerenza lungo più turni. Questo include layer di attenzione specializzati in grado di fare riferimento agli scambi precedenti.

- **Modellazione della prosodia:** Il componente di generazione vocale preserva intonazione, ritmo ed enfasi naturali incorporando caratteristiche prosodiche nel processo di generazione. Questo produce un output vocale più simile a quello umano rispetto ai sistemi TTS tradizionali.

Vantaggi chiave rispetto ai sistemi vocali tradizionali

- **Comprensione contestuale:** SpeechGPT mantiene lo stato della conversazione attraverso più turni, consentendogli di gestire domande di follow-up, risolvere riferimenti e costruire sulle interazioni precedenti senza richiedere agli utenti di ripetere il contesto.

- **Transizioni fluide tra modalità:** L'architettura unificata elimina ritardi percepibili tra comprensione del parlato e generazione della risposta, creando un flusso conversazionale più naturale.

- **Generazione vocale espressiva:** Sfruttando le sue capacità di comprensione linguistica, SpeechGPT può applicare prosodia e intonazione appropriate che corrispondono al contenuto semantico ed emotivo delle risposte.

- **Latenza ridotta:** Il design end-to-end elimina il costo computazionale di sistemi separati ASR, NLU e TTS, consentendo tempi di risposta più rapidi nelle applicazioni interattive.

Applicazioni pratiche

Le capacità speech-language unificate di SpeechGPT lo rendono particolarmente adatto per:

- **Assistenti virtuali:** creare interfacce vocali più naturali e consapevoli del contesto per dispositivi intelligenti e applicazioni.

- **Strumenti di accessibilità:** sviluppare sistemi conversazionali per utenti con disabilità visive o per chi preferisce interfacce vocali.

- **Apprendimento delle lingue:** costruire tutor interattivi in grado di sostenere dialoghi parlati mantenendo il contesto durante una sessione di apprendimento.

- **Servizio clienti:** alimentare voice bot capaci di gestire conversazioni complesse e multi-turno con pattern vocali naturali.

L'integrazione della comprensione del parlato e del linguaggio in un unico modello rappresenta un passo significativo verso sistemi di comunicazione AI più simili a quelli umani, capaci di sostenere conversazioni naturali attraverso diverse modalità.

Esempio di codice: estrazione di caratteristiche vocali con wav2vec2 (Hugging Face)

```python
from transformers import Wav2Vec2Processor, Wav2Vec2Model, Wav2Vec2ForCTC
import torch
import soundfile as sf
import librosa
import matplotlib.pyplot as plt
import numpy as np
import IPython.display as ipd


# Function to load and preprocess audio
def load_audio(file_path, target_sr=16000):
    """
    Load audio file and resample if necessary
    """

    # Load audio using librosa (handles various formats better)
    try:
        audio, sample_rate = librosa.load(file_path, sr=None)
        # Resample if needed
        if sample_rate != target_sr:
            print(f"Resampling from {sample_rate}Hz to {target_sr}Hz")
            audio = librosa.resample(audio, orig_sr=sample_rate, target_sr=target_sr)
            sample_rate = target_sr
        return audio, sample_rate
    except Exception as e:
        print(f"Error loading audio: {e}")
```

```python
        return None, None

# Load pretrained speech model
processor = Wav2Vec2Processor.from_pretrained("facebook/wav2vec2-base-960h")
model = Wav2Vec2Model.from_pretrained("facebook/wav2vec2-base-960h")

# Also load ASR model for transcription demo
asr_model = Wav2Vec2ForCTC.from_pretrained("facebook/wav2vec2-base-960h")

# Load audio file
speech, rate = load_audio("speech_sample_w.mp3")
if speech is not None:
    # Display audio waveform
    plt.figure(figsize=(10, 4))
    plt.plot(speech)
    plt.title("Audio Waveform")
    plt.xlabel("Time (samples)")
    plt.ylabel("Amplitude")
    plt.show()

    # Display audio for listening
    ipd.display(ipd.Audio(speech, rate=rate))

    # Process audio for feature extraction
    inputs = processor(speech, sampling_rate=rate, return_tensors="pt", padding=True)

    # Extract embeddings
    with torch.no_grad():
        # Get the hidden states (embeddings)
        outputs = model(**inputs)
        embeddings = outputs.last_hidden_state

        # Also get the transcription from ASR model
        logits = asr_model(**inputs).logits
        predicted_ids = torch.argmax(logits, dim=-1)
        transcription = processor.batch_decode(predicted_ids)[0]

    print("Audio transcription:", transcription)
    print("Shape of embeddings:", embeddings.shape)  # [batch, time, hidden_dim]

    # Visualize embeddings
    # Take mean across time dimension to get a single vector per feature
    mean_embeddings = embeddings.mean(dim=1).squeeze().numpy()

    plt.figure(figsize=(12, 6))
    plt.imshow(mean_embeddings.reshape(1, -1), aspect='auto', cmap='viridis')
    plt.colorbar()
    plt.title("Speech Embeddings Visualization")
    plt.xlabel("Feature Dimensions")
    plt.ylabel("Sample")
    plt.show()
```

```
# Demonstrate feature extraction for downstream tasks
# Example: Extract global speech representation (average pooling)
global_speech_vector = embeddings.mean(dim=1)
print("Global speech vector shape:", global_speech_vector.shape)    # [batch,
hidden_dim]

    # Example: Extract frame-level features for a specific segment (middle 1 second)
    middle_frame = embeddings.shape[1] // 2
    segment_features = embeddings[0, middle_frame-25:middle_frame+25, :]  # ~1 second
at 50Hz frame rate
    print("Segment features shape:", segment_features.shape)  # [frames, hidden_dim]
else:
    print("Failed to load audio file. Please check the path and file format.")
```

Scarica il campione audio qui: https://files.cuantum.tech/audio/speech_sample_w.mp3

Nota: salva l'audio di esempio nella stessa posizione dello script Python.

Analisi completa del codice: estrazione di caratteristiche vocali con Wav2Vec2

- **1. Importazioni e setup**

    - Importiamo le librerie necessarie: Transformers per i modelli Wav2Vec2, PyTorch per le operazioni sui tensori, soundfile/librosa per l'elaborazione audio e strumenti di visualizzazione.

    - Includiamo sia il modello base Wav2Vec2Model (per gli embedding) sia Wav2Vec2ForCTC (per la trascrizione) per mostrare più casi d'uso.

- **2. Caricamento e preprocessing dell'audio**

    - La funzione load_audio gestisce vari formati audio e ricampiona automaticamente a 16 kHz se necessario (la frequenza di campionamento prevista da Wav2Vec2).

    - L'uso di librosa invece di soundfile offre un supporto migliore per vari formati audio e una gestione più robusta degli errori.

- **3. Inizializzazione del modello**

    - Carichiamo il processor e il modello Wav2Vec2 preaddestrati dall'hub dei modelli di Hugging Face.

    - Il processor gestisce la tokenizzazione dei dati audio nel formato atteso dal modello.

    - Carichiamo anche la variante ASR del modello per dimostrare le capacità di riconoscimento vocale.

- **4. Visualizzazione**

    - Tracciamo la forma d'onda audio per offrire una visione del segnale che viene elaborato.

    - Usiamo le capacità di riproduzione audio di IPython per consentire l'ascolto diretto dell'audio nei notebook.

- **5. Estrazione delle caratteristiche**
    - o Il processor converte l'audio grezzo nel formato di input richiesto dal modello.
    - o Con torch.no_grad(), ci assicuriamo che durante l'inferenza non vengano calcolati gradienti, risparmiando memoria.
    - o Estraiamo il last_hidden_state, che contiene gli embedding audio contestualizzati.

- **6. Trascrizione**
    - o Usando la variante ASR del modello, convertiamo lo stesso input audio in testo.
    - o Questo dimostra come le stesse caratteristiche audio possano essere usate per più compiti downstream.

- **7. Visualizzazione e analisi degli embedding**
    - o Visualizziamo gli embedding tramite una heatmap per offrire una comprensione dei pattern delle caratteristiche.
    - o Mostriamo due modi comuni di usare gli embedding:
    - o Rappresentazione globale: media nel tempo per ottenere un singolo vettore che rappresenti l'intero enunciato (utile per identificazione del parlante, riconoscimento delle emozioni, ecc.)
    - o Caratteristiche a livello di frame: estrazione di segmenti allineati nel tempo per analisi dettagliate (utile per allineamento, valutazione della pronuncia, ecc.)

- **8. Gestione degli errori**
    - o Il codice include una gestione di base degli errori per affrontare in modo elegante problemi come file mancanti o formati non supportati.

Approfondimenti tecnici: perché questo approccio è importante

- Wav2Vec2 è un modello self-supervised addestrato su enormi quantità di dati vocali non etichettati, il che gli consente di apprendere rappresentazioni robuste del parlato senza richiedere trascrizioni.

- Gli embedding estratti catturano contenuto fonetico, caratteristiche del parlante, tono emotivo e informazioni sull'ambiente acustico in una rappresentazione unificata.

- Questi embedding costituiscono ottime caratteristiche per compiti downstream come riconoscimento vocale, identificazione del parlante e classificazione delle emozioni.

- La natura contestuale degli embedding (ogni frame è influenzato dall'audio circostante) li rende più potenti rispetto a caratteristiche acustiche tradizionali come gli MFCC.

5.2.3 GPT-5 Realtime: interazione vocale a bassa latenza

Mentre Whisper ha dimostrato la capacità di trascrivere il parlato con alta accuratezza (speech → text) e modelli come SpeechLM e SpeechGPT hanno esteso questo approccio integrando input vocali nei large language models, **GPT-5 Realtime** rappresenta il passo evolutivo successivo: un modello che può **ascoltare**

e rispondere con voce naturale quasi istantaneamente. Questo progresso affronta il limite fondamentale dei sistemi precedenti: il ritardo percepibile tra input e risposta che faceva sembrare le interazioni meccaniche invece che naturali.

Non si tratta semplicemente di riconoscimento vocale abbinato a generazione di testo e poi a un sistema separato di text-to-speech aggiunto sopra. Gli approcci precedenti seguivano tipicamente un'architettura a pipeline in cui ogni componente operava in modo indipendente, creando colli di bottiglia e incoerenze. Al contrario, GPT-5 Realtime è **multimodale nativo**, addestrato per elaborare l'audio come input di prima classe e produrre audio come output di prima classe. Questo approccio integrato significa che il modello comprende direttamente prosodia, emozione e sfumature del linguaggio parlato, senza perdita di informazione dovuta a rappresentazioni testuali intermedie.

Il risultato è un agente conversazionale capace di **dialogo fluido e simile a quello umano** con **latenza misurata in decine di millisecondi**, rendendolo adatto a conversazioni reali, tutoraggio e servizio clienti. Questa latenza ultra-ridotta viene ottenuta tramite architetture specializzate che elaborano i flussi audio in modo incrementale invece di attendere enunciati completi, insieme a meccanismi predittivi che anticipano le risposte probabili. L'ottimizzazione end-to-end elimina i ritardi cumulativi intrinseci degli approcci a pipeline, creando interazioni sorprendentemente umane nei tempi e nel ritmo.

Architettura e capacità

GPT-5 Realtime integra più componenti in un unico sistema coerente, creando un'esperienza conversazionale fluida:

- **Input vocale**: gli utenti possono inviare audio grezzo (16-bit PCM WAV, 24 kHz mono è una scelta sicura come impostazione predefinita). Il modello trascrive e interpreta il parlato in tempo reale, convertendo i segnali acustici in comprensione semantica. A differenza dei sistemi tradizionali di riconoscimento vocale, che si limitano a trascrivere le parole, GPT-5 Realtime cattura sfumature, emozioni e segnali contestuali dall'input audio, preservando la ricchezza della comunicazione umana. (OpenAI Desarrolladores)

- **Output vocale**: il modello risponde con **voce sintetica ma naturale**, trasmessa in streaming come frame audio a bassa latenza. È possibile selezionare voci e stili di parlato diversi per adattarsi alle preferenze dell'utente o a casi d'uso specifici. Il parlato generato mantiene prosodia, enfasi e schemi di intonazione appropriati che rendono l'interazione davvero simile a quella umana, anziché robotica. (OpenAI Desarrolladores)

- **Multimodalità completa**: oltre all'audio, le sessioni GPT-5 Realtime possono accettare anche input di testo e immagini durante la conversazione, consentendo interazioni ibride (ad esempio: "Guarda questo grafico e parlami di lui" mentre si continua a parlare). Questa flessibilità permette transizioni fluide tra modalità diverse, supportando flussi di lavoro più naturali in cui gli utenti possono mostrare informazioni visive mentre continuano a parlare, in modo simile a come comunicano gli esseri umani in riunioni o contesti educativi. (OpenAI Desarrolladores)

- **Bassa latenza**: poiché il modello è ottimizzato per il flusso conversazionale, la latenza di risposta è paragonabile a una pausa umana nel parlato — generalmente inferiore a 300 ms. Questo risultato si ottiene grazie ad architetture di streaming specializzate e a un'elaborazione predittiva che inizia a generare risposte prima ancora che l'utente abbia finito di parlare. Il tempo di risposta quasi istantaneo crea un ritmo conversazionale naturale e coinvolgente, eliminando le pause imbarazzanti comuni nei sistemi di AI precedenti. (OpenAI Desarrolladores)

- **Integrazione con la telefonia**: le sessioni GPT-5 Realtime possono essere collegate a **SIP (Session Initiation Protocol)**, consentendo al modello di agire come agente telefonico. Questa integrazione permette al modello di gestire chiamate in entrata e in uscita sulle reti telefoniche standard, rendendo l'AI avanzata accessibile attraverso la tecnologia di comunicazione più diffusa al mondo, senza richiedere apparecchiature o applicazioni specializzate. (OpenAI Desarrolladores)

Insieme, queste funzionalità spingono i sistemi di AI oltre la semplice trascrizione unidirezionale o la risposta ritardata, verso una vera **intelligenza conversazionale dal vivo**. (OpenAI Desarrolladores)

Esempio pratico

Per coerenza con il nostro focus multimodale, useremo un breve file audio (user_prompt_spoken.wav) in cui l'utente chiede:

"Puoi spiegarmi i vantaggi di GPT-5 come modello multimodale?"

Quando viene inviato a GPT-5 Realtime, il modello:

1. **Trascrive** la domanda pronunciata.

2. **Ragiona** sul contenuto.

3. **Genera parlato** che spiega i vantaggi della multimodalità di GPT-5. (OpenAI Desarrolladores)

L'intero ciclo di domanda e risposta dà la sensazione di un dialogo naturale con un assistente competente.

Esempio di codice: voce in tempo reale con GPT-5

Il seguente script Python mostra come connettersi alla Realtime API usando **WebSockets**, inviare un breve file WAV come input e salvare la risposta vocale dell'assistente come un nuovo file WAV. (OpenAI Desarrolladores)

```python
"""
Realtime Voice with GPT-5 (WebSocket API)
- Sends a short WAV file (user_prompt_spoken.wav) to GPT-5 Realtime
- Receives streamed audio back and saves it to assistant_reply.wav
Requirements: pip install websockets soundfile numpy
"""

import os
import json
import base64
import asyncio
import websockets
import numpy as np
import soundfile as sf

OPENAI_API_KEY = os.getenv("OPENAI_API_KEY", "YOUR_OPENAI_API_KEY")
REALTIME_URL = "wss://api.openai.com/v1/realtime?model=gpt-5-realtime"

INPUT_WAV = "user_prompt_spoken.wav"    # spoken question
OUTPUT_WAV = "assistant_reply.wav"      # assistant's voice reply

def read_wav_as_base64(path: str) -> str:
```

```python
        """Read WAV file and return base64-encoded string."""
    with open(path, "rb") as f:
        return base64.b64encode(f.read()).decode("utf-8")

async def main():
    if not OPENAI_API_KEY or OPENAI_API_KEY == "YOUR_OPENAI_API_KEY":
        raise SystemExit("Set OPENAI_API_KEY env variable.")

    # Load spoken user prompt
    user_audio_b64 = read_wav_as_base64(INPUT_WAV)

    # Connect to Realtime WebSocket
    async with websockets.connect(
        REALTIME_URL,
        extra_headers={
            "Authorization": f"Bearer {OPENAI_API_KEY}",
            "OpenAI-Beta": "realtime=v1",
        },
        max_size=20 * 1024 * 1024,
    ) as ws:
        print("Connected to GPT-5 Realtime.")

        # 1) Configure session (input/output formats, voice)
        await ws.send(json.dumps({
            "type": "session.update",
            "session": {
                "modalities": ["text", "audio"],
                "input_audio_format": "wav",
                "output_audio_format": "wav",
                "voice": "alloy",
                "instructions": (
                    "You are a helpful voice assistant. "
                    "Answer the user's question clearly and concisely."
                )
            }
        }))

        # 2) Append user audio to input buffer
        await ws.send(json.dumps({
            "type": "input_audio_buffer.append",
            "audio": user_audio_b64
        }))
        await ws.send(json.dumps({"type": "input_audio_buffer.commit"}))

        # 3) Ask model to create a response
        await ws.send(json.dumps({"type": "response.create", "response": {}}))

        print("Waiting for GPT-5 Realtime reply...")

        # 4) Collect audio frames
        audio_bytes = bytearray()
        sample_rate = 24000  # expected sample rate
```

```python
        async for msg in ws:
            evt = json.loads(msg)

            if evt.get("type") == "response.output_text.delta":
                print(evt.get("delta"), end="", flush=True)

            elif evt.get("type") == "response.output_audio.delta":
                audio_bytes.extend(base64.b64decode(evt["delta"]))

            elif evt.get("type") == "response.completed":
                print("\\n[Response completed]")
                break

        # 5) Save assistant's reply as a WAV file
        pcm16 = np.frombuffer(bytes(audio_bytes), dtype=np.int16)
        sf.write(OUTPUT_WAV, pcm16, samplerate=sample_rate, subtype="PCM_16")
        print(f"[Saved] {OUTPUT_WAV}")

if __name__ == "__main__":
    asyncio.run(main())
```

Scarica il campione audio qui: https://files.cuantum.tech/audio/user_prompt_spoken.wav

Nota: salva l'audio di esempio nella stessa posizione dello script Python.

Spiegazione del codice:

1. **Configurazione della sessione**

   o   Il client si connette al WebSocket Realtime e invia un messaggio session.update specificando:

   - Modalità di input: audio (WAV).

   - Modalità di output: audio (WAV).

   - Voce selezionata (ad esempio, "alloy").

   o   Questo definisce le regole della conversazione.

2. **Buffering dell'input**

   o   I file audio (o i frame del microfono in tempo reale) vengono codificati in base64 e aggiunti a un **buffer di input**.

   o   Un messaggio commit segnala la fine dell'input.

3. **Creazione della risposta**

   o   Un messaggio response.create dice a GPT-5 di elaborare il buffer e generare una risposta.

4. **Output in streaming**

- o Il server restituisce in streaming due tipi di delta:
    - response.output_text.delta (trascrizione in tempo reale opzionale).
    - response.output_audio.delta (frammenti audio).
  - o I frammenti audio vengono raccolti in un array di byte fino a quando non viene ricevuto response.completed.

5. **Salvataggio del file**
   - o La risposta viene scritta come un file WAV standard **PCM16 a 24 kHz**, riproducibile in qualsiasi lettore multimediale.

Applicazioni e implicazioni

GPT-5 Realtime dimostra quanto si siano evoluti i LLM multimodali:

- **Agenti conversazionali**: assistenti naturali a bassa latenza che possono rispondere a domande dei clienti o fornire tutoraggio educativo via telefono o web.

- **Accessibilità**: interfacce vocali per utenti che non possono digitare o leggere facilmente.

- **Interazioni ibride**: combinano voce, immagini e testo nella stessa conversazione, consentendo scambi multi-turno più ricchi.

- **Integrazione con la telefonia**: distribuire agenti AI in grado di gestire chiamate SIP, instradamento e compilazione di moduli.

Codice di esempio: acquisizione dal microfono in tempo reale con GPT-5 Realtime (speech-in → speech-out)

Cosa fa:

- Registra circa 3 secondi dal microfono predefinito

- Li trasmette a **GPT-5 Realtime** tramite WebSocket

- Salva la risposta **parlata** del modello come assistant_reply.wav

- Stampa una trascrizione testuale in tempo reale (se fornita dal server)

Requisiti

```
pip install websockets sounddevice soundfile numpy
```

- **Permessi del microfono nel sistema operativo:** consenti al terminale/IDE di accedere al microfono (macOS: Impostazioni di Sistema → Privacy e Sicurezza → Microfono; Windows: Privacy → Microfono).

```
"""
Live Mic → GPT-5 Realtime → Spoken Reply
Records ~3 seconds of audio from your default microphone, streams it to GPT-5 Realtime,
and saves the assistant's spoken response to assistant_reply.wav.
```

```python
Requirements:
  pip install websockets sounddevice soundfile numpy
Set your key:
  export OPENAI_API_KEY="sk-..."    (macOS/Linux)
  setx OPENAI_API_KEY "sk-..."      (Windows, new terminal)

If you prefer MP3 I/O, see the note in your book; this example uses WAV (PCM16 @ 24
kHz).
"""

import os
import json
import base64
import asyncio
import websockets
import numpy as np
import sounddevice as sd
import soundfile as sf

OPENAI_API_KEY = os.getenv("OPENAI_API_KEY", "YOUR_OPENAI_API_KEY")
REALTIME_URL = "wss://api.openai.com/v1/realtime?model=gpt-5-realtime"

# Recording settings (safe defaults for Realtime)
SAMPLE_RATE = 24000          # 24 kHz mono PCM16
CHANNELS = 1
DURATION_SECONDS = 3.0       # keep short for quick tests
OUTPUT_WAV = "assistant_reply.wav"

SYSTEM_INSTRUCTIONS = (
    "You are a helpful voice assistant. Transcribe the user if needed, "
    "then answer clearly in one or two sentences."
)

def record_from_mic(seconds: float = DURATION_SECONDS, sr: int = SAMPLE_RATE) -> bytes:
    """Record mono PCM16 audio from the default microphone and return raw bytes."""
    print(f"🎤  Recording {seconds:.1f}s from microphone...")
    audio = sd.rec(int(sr * seconds), samplerate=sr, channels=CHANNELS, dtype="int16")
    sd.wait()
    print("✅ Done.")
    # audio is int16 numpy array; convert to raw bytes
    return audio.tobytes()

def b64encode_pcm16_wav(pcm_bytes: bytes, sr: int = SAMPLE_RATE) -> str:
    """
    Wrap raw PCM16 bytes into a WAV file in memory and return base64 string.
    Using soundfile to write to bytes buffer for simplicity.
    """
    import io
    buf = io.BytesIO()
    # convert bytes -> int16 array so soundfile can write it
```

```python
    arr = np.frombuffer(pcm_bytes, dtype=np.int16)
    sf.write(buf, arr, sr, subtype="PCM_16", format="WAV")
    return base64.b64encode(buf.getvalue()).decode("utf-8")

async def main():
    if not OPENAI_API_KEY or OPENAI_API_KEY == "YOUR_OPENAI_API_KEY":
        raise SystemExit("Set OPENAI_API_KEY environment variable first.")

    # 1) Capture short mic audio & base64-encode as WAV
    pcm = record_from_mic()
    user_audio_b64 = b64encode_pcm16_wav(pcm)

    # 2) Connect to Realtime WS
    async with websockets.connect(
        REALTIME_URL,
        extra_headers={
            "Authorization": f"Bearer {OPENAI_API_KEY}",
            "OpenAI-Beta": "realtime=v1",
        },
        max_size=20 * 1024 * 1024,  # allow large frames
    ) as ws:
        print("🔑 Connected to GPT-5 Realtime.")

        # 3) Configure session: audio in/out (WAV), pick a voice
        await ws.send(json.dumps({
            "type": "session.update",
            "session": {
                "modalities": ["text", "audio"],
                "input_audio_format": "wav",
                "output_audio_format": "wav",
                "voice": "alloy",
                "instructions": SYSTEM_INSTRUCTIONS
            }
        }))

        # 4) Send mic audio (can be multiple appends for streaming mic)
        await ws.send(json.dumps({
            "type": "input_audio_buffer.append",
            "audio": user_audio_b64
        }))
        await ws.send(json.dumps({"type": "input_audio_buffer.commit"}))

        # Optional: add a brief text nudge
        await ws.send(json.dumps({
            "type": "response.create",
            "response": {
                "instructions": "Please respond concisely in speech."
            }
        }))

        print("🕐 Waiting for streamed reply...\\n")
```

```python
        # 5) Receive streamed audio/text deltas
        audio_bytes = bytearray()
        sample_rate = SAMPLE_RATE   # server commonly uses 24k; update if session
reports different

        async for msg in ws:
            evt = json.loads(msg)

            # Live transcript (optional)
            if evt.get("type") == "response.output_text.delta":
                print(evt.get("delta"), end="", flush=True)

            # Audio chunks (base64-encoded PCM16 WAV frames)
            elif evt.get("type") == "response.output_audio.delta":
                audio_bytes.extend(base64.b64decode(evt["delta"]))

            elif evt.get("type") == "response.completed":
                print("\\n\\n✅ Response completed.")
                break

        # 6) Save assistant reply to WAV
        if audio_bytes:
            # raw bytes may already be WAV, but normalizing here is robust:
            # interpret as PCM16 stream and write as standard WAV
            pcm16 = np.frombuffer(bytes(audio_bytes), dtype=np.int16)
            sf.write(OUTPUT_WAV, pcm16, samplerate=sample_rate, subtype="PCM_16")
            print(f"💾 Saved assistant reply → {OUTPUT_WAV}")
        else:
            print("⚠ No audio received from server.")

if __name__ == "__main__":
    asyncio.run(main())
```

Ecco una spiegazione del codice:

Librerie richieste

Lo script utilizza diverse librerie Python:

- **websockets**: per la comunicazione WebSocket con l'API GPT-5 Realtime

- **sounddevice**: per registrare audio dal microfono

- **soundfile**: per gestire le operazioni sui file WAV

- **numpy**: per la manipolazione dei dati audio

- Librerie standard: os, json, base64, asyncio, io

Componenti chiave

1. Impostazioni di configurazione

Lo script definisce diverse costanti importanti:

- **OPENAI_API_KEY**: chiave di autenticazione per l'API di OpenAI

- **REALTIME_URL**: endpoint WebSocket per GPT-5 Realtime

- **Parametri di registrazione**: frequenza di campionamento (24 kHz), canali (mono), durata della registrazione (3 secondi)

- **SYSTEM_INSTRUCTIONS**: prompt che indicano a GPT-5 di comportarsi come un assistente vocale

2. Funzione di registrazione audio

La funzione record_from_mic():

- Usa sounddevice per acquisire audio alla frequenza di campionamento e durata specificate

- Registra in mono in formato PCM a 16 bit

- Restituisce i byte audio grezzi

3. Funzione di codifica WAV

La funzione b64encode_pcm16_wav():

- Prende i byte audio PCM16 grezzi

- Li inserisce in un contenitore WAV usando soundfile

- Restituisce la stringa codificata in base64 del file WAV

4. Funzione asincrona principale

La funzione asincrona main() orchestra l'intero processo:

Validazione della chiave API

- Controlla che la chiave API di OpenAI sia impostata correttamente

Registrazione e codifica audio

- Registra audio dal microfono

- Lo codifica come stringa WAV in base64

Connessione WebSocket

- Stabilisce una connessione WebSocket sicura a GPT-5 Realtime

- Imposta gli header corretti, inclusi la chiave API e il flag beta

Configurazione della sessione

- Invia un messaggio session.update per configurare:

- Modalità di input/output (testo e audio)

- Formato audio (WAV sia per input che per output)

- Selezione della voce ("alloy")

- Istruzioni di sistema per l'assistente

Gestione dell'input

- Aggiunge l'audio registrato al buffer di input

- Esegue il commit del buffer per segnalare il completamento dell'input

- Facoltativamente aggiunge istruzioni testuali per orientare la risposta

Elaborazione della risposta

- Raccoglie i dati della risposta in streaming in tempo reale:

- Delta di testo (trascrizione della risposta)

- Delta audio (frammenti audio parlati)

- Monitora il segnale di completamento

Salvataggio dell'output

- Converte i byte audio raccolti di nuovo in formato PCM16

- Li scrive in un file WAV (assistant_reply.wav)

Flusso di esecuzione

Lo script segue questa sequenza:

1. Convalidare la configurazione dell'ambiente e la chiave API

2. Registrare un breve clip audio dal microfono

3. Connettersi all'API WebSocket GPT-5 Realtime

4. Configurare i parametri della sessione (formati audio, voce)

5. Inviare l'audio registrato ed eseguire il commit dell'input

6. Richiedere al modello di elaborare l'audio e generare una risposta

7. Ricevere e visualizzare la trascrizione testuale mentre si raccolgono i frammenti audio

8. Salvare la risposta audio completa come file WAV

Gestione degli errori

Il codice include una gestione degli errori di base:

- Controlla l'assenza della chiave API

- Verifica se è stato ricevuto audio dal server

Note tecniche

- Usa il formato PCM16 mono a 24 kHz, ottimale per l'elaborazione del parlato

- Supporta il protocollo WebSocket per lo streaming in tempo reale

- Usa asyncio per le operazioni asincrone

- Implementa una corretta gestione del ciclo di vita della connessione WebSocket

Multimodalità a metà sessione: combinare audio e immagini

Una delle capacità più potenti di GPT-5 Realtime è la gestione di **più modalità all'interno di una singola conversazione in corso**. A differenza dei sistemi precedenti, che elaboravano testo, immagini o audio in isolamento, Realtime può combinarli in modo fluido man mano che arrivano. Questo consente scenari naturali in cui un utente inizia **facendo una domanda a voce** e poi **aggiunge un'immagine** per ulteriore chiarimento o analisi, tutto nella stessa sessione senza riavviare il dialogo.

Per esempio, immagina uno studente che chiede a voce *"Puoi spiegarmi i vantaggi di GPT-5 come modello multimodale?"* e subito dopo mostra un grafico di dati. GPT-5 Realtime può integrare entrambi gli input, producendo una **risposta parlata** che affronta la domanda audio originale e fa riferimento agli insight del grafico. Questo tipo di **multimodalità dinamica a metà sessione** mostra come il modello vada oltre gli schemi statici di domanda-risposta e si avvicini a una **collaborazione fluida e in tempo reale** con gli utenti umani.

Esempio: multimodalità a metà sessione (domanda audio → aggiunta immagine → risposta parlata)

Cosa fa

1. Invia una breve domanda parlata (WAV) a GPT-5 Realtime.

2. Aggiunge un'immagine di un grafico nella **stessa** sessione.

3. Richiede una **risposta parlata** che faccia riferimento sia alla domanda audio sia all'immagine.

4. Salva la risposta come assistant_multimodal_reply.wav e stampa qualsiasi testo ricevuto in streaming.

Requisiti

```
pip install websockets soundfile numpy pillow
```

- Metti il file del prompt audio (ad esempio user_prompt_spoken.wav) e un'immagine (ad esempio chart.png) nella stessa cartella.

- Oppure modifica i percorsi qui sotto.

```
"""
Multimodal Mid-Session with GPT-5 Realtime
- Step 1: Send a spoken question (WAV) to GPT-5 Realtime.
- Step 2: Append an image (PNG) in the same session.
- Step 3: Ask for a spoken reply that references BOTH inputs.
- Saves the model's voice reply to assistant_multimodal_reply.wav.
```

```
Requirements:
  pip install websockets soundfile numpy pillow
Set your key:
  export OPENAI_API_KEY="sk-..."    (macOS/Linux)
  setx OPENAI_API_KEY "sk-..."      (Windows, new terminal)
"""

import os
import io
import json
import base64
import asyncio
import websockets
import numpy as np
import soundfile as sf
from PIL import Image

OPENAI_API_KEY = os.getenv("OPENAI_API_KEY", "YOUR_OPENAI_API_KEY")
REALTIME_URL = "wss://api.openai.com/v1/realtime?model=gpt-5-realtime"

# Input files (adjust as needed)
INPUT_WAV = "user_prompt_spoken.wav"  # spoken question, e.g., "Can you explain the
advantages of GPT-5 as a multimodal model?"
INPUT_IMG = "chart.png"                    # a chart image to reference mid-session
OUTPUT_WAV = "assistant_multimodal_reply.wav"

# Session behavior
VOICE_NAME = "alloy"
SYSTEM_INSTRUCTIONS = (
    "You are a helpful voice assistant. Consider ALL inputs in this session. "
    "First, interpret the user's spoken question. Then, when an image is provided, "
    "analyze it and integrate both sources in your final spoken answer. "
    "Be concise and precise."
)

def read_wav_as_base64(path: str) -> str:
    with open(path, "rb") as f:
        return base64.b64encode(f.read()).decode("utf-8")

def read_png_as_base64(path: str) -> str:
    # Ensure we produce a clean PNG bytes payload (also validates file)
    with Image.open(path) as im:
        im = im.convert("RGBA") if im.mode not in ("RGB", "RGBA") else im
        buf = io.BytesIO()
        im.save(buf, format="PNG")
        return base64.b64encode(buf.getvalue()).decode("utf-8")

async def main():
    if not OPENAI_API_KEY or OPENAI_API_KEY == "YOUR_OPENAI_API_KEY":
        raise SystemExit("Set OPENAI_API_KEY environment variable first.")
```

```python
# Load inputs
user_audio_b64 = read_wav_as_base64(INPUT_WAV)
image_png_b64 = read_png_as_base64(INPUT_IMG)

# Connect to Realtime WebSocket
async with websockets.connect(
    REALTIME_URL,
    extra_headers={
        "Authorization": f"Bearer {OPENAI_API_KEY}",
        "OpenAI-Beta": "realtime=v1",
    },
    max_size=20 * 1024 * 1024,
) as ws:
    print(" 🔑 Connected to GPT-5 Realtime.")

    # 1) Configure session: we'll use audio in/out, and also allow image as input
    await ws.send(json.dumps({
        "type": "session.update",
        "session": {
            "modalities": ["text", "audio", "image"],
            "input_audio_format": "wav",
            "output_audio_format": "wav",
            "voice": VOICE_NAME,
            "instructions": SYSTEM_INSTRUCTIONS
        }
    }))

    # 2) Append the user's spoken question (audio buffer)
    await ws.send(json.dumps({
        "type": "input_audio_buffer.append",
        "audio": user_audio_b64
    }))
    await ws.send(json.dumps({"type": "input_audio_buffer.commit"}))

    # 3) Append the image mid-session
    #    We send the PNG as base64 along with its MIME. (You can also send a URL
if supported.)
    await ws.send(json.dumps({
        "type": "input_image.append",
        "image": image_png_b64,
        "mime_type": "image/png",
        # Optionally, add a hint for the model about why you're sending the image:
        "metadata": {
            "purpose": "chart_analysis",
            "caption": "A line chart showing a synthetic trend over time."
        }
    }))
    await ws.send(json.dumps({"type": "input_image.commit"}))

    # 4) Ask for a response that references BOTH the spoken question and the image
    await ws.send(json.dumps({
        "type": "response.create",
```

```python
        "response": {
            "instructions": (
                "Please answer in speech. "
                "Explain the advantages of GPT-5 as a multimodal model, "
                "and also summarize the main trend you observe in the provided
chart. "
                "Be concise (15-25 seconds)."
            )
        }
    }))

    print("🕐 Waiting for streamed reply...\\n")

    # 5) Receive streamed text & audio
    audio_bytes = bytearray()
    sample_rate = 24000  # common server rate; adjust if your session reports
differently

    async for msg in ws:
        evt = json.loads(msg)

        # Optional: live transcript/notes
        if evt.get("type") == "response.output_text.delta":
            print(evt.get("delta"), end="", flush=True)

        # Audio deltas (base64-encoded PCM16)
        elif evt.get("type") == "response.output_audio.delta":
            audio_bytes.extend(base64.b64decode(evt["delta"]))

        elif evt.get("type") == "response.completed":
            print("\\n\\n✅ Response completed.")
            break

    # 6) Save the final spoken reply
    if audio_bytes:
        pcm16 = np.frombuffer(bytes(audio_bytes), dtype=np.int16)
        sf.write(OUTPUT_WAV, pcm16, samplerate=sample_rate, subtype="PCM_16")
        print(f"💾 Saved assistant reply → {OUTPUT_WAV}")
    else:
        print("⚠ No audio received from server.")

if __name__ == "__main__":
    asyncio.run(main())
```

Scarica il campione audio qui: https://files.cuantum.tech/audio/user_prompt_spoken.wav

Scarica il campione dell'immagine del grafico qui: https://files.cuantum.tech/images/chart.png

Nota: salva l'audio di esempio nella stessa posizione dello script Python.

Ecco una spiegazione del codice:

Componenti chiave

1. **Import e configurazione iniziale**: lo script utilizza diverse librerie Python:

   o   Librerie standard: os, io, json, base64, asyncio

   o   websockets: per la comunicazione WebSocket con l'API GPT-5 Realtime

   o   numpy: per la manipolazione dei dati audio

   o   soundfile: per gestire le operazioni sui file WAV

   o   PIL (Pillow): per l'elaborazione delle immagini

2. **Configurazione**: lo script definisce costanti importanti:

   o   OPENAI_API_KEY: recuperata dalle variabili d'ambiente

   o   REALTIME_URL: endpoint WebSocket per l'API GPT-5 Realtime

   o   Percorsi dei file di input/output: posizioni dell'audio in input (WAV), dell'immagine in input (PNG) e dell'audio in output

   o   VOICE_NAME: seleziona "alloy" come voce per la risposta dell'assistente

   o   SYSTEM_INSTRUCTIONS: definisce il comportamento dell'assistente

3. **Funzioni di supporto**: due funzioni di utilità per la gestione dei file:

   o   read_wav_as_base64(): legge un file WAV e lo converte in codifica base64

   o   read_png_as_base64(): legge un'immagine PNG, verifica che sia nel formato corretto e la converte in base64

4. **Funzione asincrona principale**: il cuore dello script con questi passaggi principali:

   o   **Validazione dell'input**: controlla che la chiave API sia impostata correttamente

   o   **Caricamento dei file**: carica e codifica i file audio e immagine

   o   **Connessione WebSocket**: stabilisce una connessione a GPT-5 Realtime con gli header corretti

   o   **Configurazione della sessione**: imposta una sessione con modalità testo, audio e immagine

   o   **Input audio**: invia la domanda parlata (WAV) ed esegue il commit del buffer audio

   o   **Input immagine**: aggiunge l'immagine del grafico a metà sessione con metadati sul suo scopo

   o   **Richiesta di risposta**: richiede una risposta parlata che tenga conto di entrambi gli input

   o   **Elaborazione della risposta**: raccoglie testo e frammenti audio in streaming dal server

   o   **Salvataggio dell'output**: converte i byte audio ricevuti in formato PCM16 e li salva come WAV

Flusso di comunicazione WebSocket

Lo script segue un protocollo specifico per comunicare con l'API GPT-5 Realtime:

1. Invia un messaggio session.update per configurare modalità e comportamento

2. Invia i dati audio usando input_audio_buffer.append ed esegue il commit

3. Aggiunge l'immagine usando input_image.append con metadati ed esegue il commit

4. Crea una richiesta di risposta con istruzioni specifiche

5. Elabora gli eventi in arrivo in tempo reale:

   o Delta di testo (trascrizione)

   o Delta audio (frammenti della risposta parlata)

   o Segnale di completamento

Gestione degli errori

Lo script include controlli di base:

- Valida la chiave API

- Verifica se è stato ricevuto audio dal server

Aspetti tecnici principali

L'implementazione mostra diversi concetti importanti:

- Programmazione asincrona con asyncio per I/O non bloccante

- Codifica base64 per trasmettere dati binari tramite WebSocket

- Streaming in tempo reale di risposte sia testuali che audio

- Multimodalità a metà sessione combinando diversi tipi di input in una sola conversazione

- Corretta gestione del ciclo di vita della connessione WebSocket

Questo esempio di codice dimostra la potenza di GPT-5 Realtime nel gestire più modalità all'interno di una singola conversazione in corso, consentendo interazioni più naturali e fluide.

5.2.4 Perché l'integrazione audio è importante

Accessibilità: trascrizione automatica per persone con disabilità uditive. Questa tecnologia consente la conversione in tempo reale dei contenuti vocali in testo, rendendo i media digitali, le riunioni e le risorse educative accessibili alle persone sorde o con problemi di udito. I moderni sistemi di trascrizione possono operare in tempo reale con elevata precisione, fornendo sottotitoli per eventi live, lezioni e conversazioni, eliminando le barriere alla partecipazione in molti aspetti della vita quotidiana e professionale.

Integrando l'elaborazione audio con i modelli linguistici, questi sistemi possono catturare con precisione sfumature, diversi accenti e persino distinguere tra più parlanti. Questa integrazione consente una comprensione più contestuale, permettendo alla trascrizione di includere importanti segnali audio non verbali, punteggiatura corretta e identificazione dei parlanti. I sistemi avanzati possono anche adattarsi a terminologia specialistica, dialetti regionali e ambienti acustici complessi, rendendo le informazioni più accessibili in contesti diversi, dalle visite mediche ai contenuti di intrattenimento.

Educazione: traduzione e sottotitoli in tempo reale nelle aule. Questa applicazione trasforma il modo in cui gli studenti internazionali seguono le lezioni, fornendo traduzioni immediate dei contenuti parlati. Aiuta anche tutti gli studenti generando sottotitoli accurati per le lezioni registrate, rendendo la revisione più efficiente e permettendo di cercare contenuti parlati tramite parole chiave o concetti.

I sistemi multimodali avanzati possono rilevare il contesto delle lezioni e la terminologia tecnica, traducendo accuratamente il vocabolario specialistico mantenendo l'integrità accademica. Questi sistemi possono distinguere tra diversi parlanti nelle discussioni in aula, attribuendo correttamente domande e risposte nella trascrizione.

Inoltre, queste tecnologie consentono l'apprendimento asincrono creando archivi di lezioni consultabili che gli studenti possono esplorare per concetto anziché per timestamp. Per gli studenti con difficoltà di apprendimento come ADHD o dislessia, le informazioni visive e uditive sincronizzate migliorano comprensione e memorizzazione.

L'integrazione dell'AI con i contenuti educativi consente anche percorsi di apprendimento personalizzati, in cui il sistema può identificare i concetti con cui gli studenti hanno più difficoltà in base ai loro schemi di interazione e fornire materiale supplementare mirato. Questo approccio multimodale colma le lacune di accessibilità migliorando al contempo l'esperienza di apprendimento per tutti gli studenti.

Assistenti: chatbot vocali, smart speaker e tutor AI. Questi sistemi creano flussi di conversazione naturali comprendendo le richieste vocali e generando risposte vocali contestualmente appropriate. Gli assistenti multimodali avanzati possono mantenere il contesto conversazionale per interazioni prolungate, comprendere diversi schemi vocali e rispondere con intonazione ed enfasi adeguate al contenuto.

Comunicazione cross-lingua: abbattere le barriere con la traduzione speech-to-speech. Questa tecnologia consente conversazioni tra persone che parlano lingue diverse, acquisendo il parlato in una lingua, comprendendone il significato e generando un parlato naturale in un'altra lingua. I sistemi moderni preservano caratteristiche del parlante come tono, ritmo ed emozione, rendendo lo scambio più personale e autentico.

Questi sistemi rappresentano un significativo avanzamento rispetto agli strumenti di traduzione tradizionali, offrendo comunicazione in tempo reale senza richiedere interfacce testuali. Il processo coinvolge tre passaggi sofisticati: riconoscimento vocale per convertire il parlato in testo, traduzione automatica per convertire quel testo in un'altra lingua e sintesi vocale per fornire la traduzione con una voce naturale.

I più recenti modelli di traduzione neurale comprendono sfumature culturali e modi di dire che le traduzioni letterali spesso non colgono. Per esempio, quando un parlante giapponese usa onorifici che non esistono in inglese, il sistema può adattare l'output per trasmettere il rispetto appropriato tramite tono e scelta delle parole invece di una traduzione diretta.

Inoltre, queste tecnologie possono adattarsi a diversi contesti — dalle negoziazioni aziendali, dove la precisione è fondamentale, alle conversazioni informali, dove conta di più la fluidità. Alcuni sistemi avanzati mantengono persino profili vocali coerenti tra le lingue, permettendo alle caratteristiche vocali uniche di un parlante spagnolo di essere presenti nella traduzione in inglese, creando un'esperienza comunicativa più fluida e personalizzata.

A differenza dei sistemi precedenti, in cui il riconoscimento vocale e i modelli linguistici erano componenti **separati** collegati tra loro con potenziali perdite di informazione a ogni passaggio, gli approcci multimodali moderni li **fondono** in architetture unificate che elaborano simultaneamente informazioni acustiche e linguistiche. Questa integrazione crea un'AI che ascolta e risponde in modo più naturale, comprendendo il contesto tra modalità e gestendo le ambiguità tipiche della comunicazione umana.

5.3 Video e Direzioni della Ricerca Cross-Modale

Finora abbiamo visto come i modelli multimodali possano leggere testo, interpretare immagini e persino ascoltare audio. Ma il mondo reale si svolge nel **tempo**. Comprendere un video non significa solo riconoscere oggetti nei fotogrammi, ma anche ragionare su **movimento, causalità ed eventi nel tempo**. Questa dimensione temporale aggiunge un'enorme complessità perché richiede ai modelli di tracciare le entità mentre si muovono, cambiano, appaiono e scompaiono lungo una sequenza.

Ad esempio, comprendere un video di cucina richiede di seguire gli ingredienti mentre si trasformano nelle varie fasi di preparazione. Allo stesso modo, capire filmati sportivi richiede di seguire i giocatori mentre si muovono sul campo e interagiscono tra loro e con la palla. Queste capacità vanno ben oltre il semplice riconoscimento di immagini statiche, richiedendo al modello di mantenere una comprensione coerente delle identità e delle relazioni degli oggetti mentre evolvono nel tempo.

Allo stesso tempo, molte attività del mondo reale richiedono più di un senso contemporaneamente. Un insegnante può parlare mentre mostra delle slide, oppure una persona può gesticolare mentre dà istruzioni. È qui che il **ragionamento cross-modale** diventa essenziale — collegare più flussi di input in un'unica interpretazione coerente. Gli esseri umani integrano naturalmente informazioni provenienti da più sensi, permettendoci di collegare la voce di chi parla ai movimenti del volto, associare i suoni alle loro fonti visive e comprendere dimostrazioni che combinano spiegazioni verbali con esempi visivi.

Creare sistemi di IA con queste capacità richiede architetture sofisticate che non solo elaborino efficacemente ogni modalità, ma che siano anche in grado di allineare e integrare le informazioni tra di esse. Ad esempio, durante la visione di un video istruttivo, il sistema deve sincronizzare la narrazione parlata con le dimostrazioni visive corrispondenti, comprendendo quali parole si riferiscono a quali oggetti o azioni sullo schermo. Questa forma di grounding cross-modale è fondamentale per creare assistenti davvero utili, capaci di comprendere e interagire con il mondo come fanno gli esseri umani.

5.3.1 Comprensione Video con i Transformers

A differenza delle immagini, il video è una sequenza di fotogrammi — e le sequenze sono esattamente ciò in cui i transformer eccellono. Il problema è che le sequenze video sono spesso **enormi**: una clip di 10 secondi a 30 FPS contiene 300 fotogrammi. Inserire tutto ciò direttamente in un transformer sarebbe computazionalmente impossibile con i limiti hardware attuali.

Per dare un contesto, molti transformer basati su immagini fanno fatica a elaborare anche solo poche immagini ad alta risoluzione contemporaneamente, quindi gestire centinaia di fotogrammi sequenziali richiederebbe una quantità esponenzialmente maggiore di memoria e potenza di calcolo. La complessità computazionale cresce quadraticamente con la lunghezza della sequenza a causa del meccanismo di self-attention, in cui ogni token deve attendere a tutti gli altri token. Con il video, questo problema viene amplificato drasticamente.

Per illustrare la scala di questa sfida: se un singolo fotogramma ad alta risoluzione richiede l'elaborazione di 1.024 token (una stima moderata), allora un video di 10 secondi a 30 FPS richiederebbe l'elaborazione simultanea di 307.200 token. Il calcolo della self-attention comporterebbe circa 94 miliardi di confronti tra token. Anche con GPU e TPU moderne, questo è proibitivo sia in termini di memoria che di tempo di calcolo.

Questo carico computazionale diventa ancora più significativo se consideriamo le applicazioni reali. Ad esempio, l'analisi video per la sorveglianza di sicurezza può implicare l'elaborazione di ore di filmati, generando potenzialmente milioni di fotogrammi. Allo stesso modo, i sistemi di moderazione dei contenuti per le piattaforme social devono analizzare migliaia di video caricati ogni minuto. L'enorme volume di dati rende impraticabili approcci naïve alla gestione del video con transformer.

Anche i requisiti di memoria rappresentano una barriera sostanziale. Le matrici di self-attention crescono quadraticamente con la lunghezza dell'input, quindi un video con il doppio dei fotogrammi richiede quattro volte la memoria. Le GPU moderne hanno tipicamente tra 16 e 80GB di VRAM, che verrebbero rapidamente esauriti anche da video di lunghezza modesta elaborati a piena risoluzione. Questo vincolo ha spinto i ricercatori a sviluppare architetture specializzate e tecniche di ottimizzazione specifiche per la comprensione dei video.

Inoltre, i dati video presentano dipendenze temporali uniche che si estendono tra i fotogrammi. Sebbene un transformer possa teoricamente catturare queste relazioni, l'enorme quantità di connessioni tra fotogrammi crea un collo di bottiglia computazionale che richiede soluzioni architetturali innovative, oltre al semplice aumento di scala dei modelli transformer per immagini.

Tecniche per Gestire il Video

Frame sampling

Selezionare solo i fotogrammi chiave oppure utilizzare una finestra mobile. Questo approccio riduce il carico computazionale scegliendo fotogrammi rappresentativi a intervalli regolari (ad esempio ogni 5° frame) oppure concentrandosi sui fotogrammi con cambiamenti visivi significativi. Sebbene si perda parte del dettaglio temporale, si cattura il contenuto essenziale rendendo l'elaborazione fattibile.

Il frame sampling è particolarmente efficace quando i video contengono informazioni ridondanti tra fotogrammi consecutivi. Ad esempio, in un video di sorveglianza dove la scena rimane per lo più statica, elaborare ogni frame sarebbe inefficiente. Selezionando i fotogrammi in modo intelligente, i modelli possono mantenere un'elevata accuratezza riducendo drasticamente i requisiti computazionali.

Il processo di selezione può utilizzare diverse strategie oltre al semplice campionamento a intervalli fissi. Tecniche di campionamento adattivo possono analizzare vettori di movimento o differenze tra pixel per determinare quando si verificano cambiamenti importanti. Questo consente di campionare più fotogrammi durante sequenze ad alta azione e meno durante scene statiche, ottimizzando il rapporto tra informazione e computazione.

Inoltre, gli approcci a finestra mobile mantengono la continuità temporale elaborando insiemi sovrapposti di fotogrammi. Invece di trattare ogni frame in modo isolato, questi metodi analizzano brevi sequenze (ad esempio 8–16 frame) alla volta, facendo avanzare la finestra lungo il video. Ciò preserva le relazioni temporali a breve termine mantenendo il calcolo gestibile.

Più nel dettaglio, il frame sampling funziona selezionando strategicamente un sottoinsieme di fotogrammi dalla sequenza completa del video. Esistono diversi metodi per questa selezione, ognuno con vantaggi specifici a seconda dello scenario di analisi:

- Campionamento uniforme: prelevare fotogrammi a intervalli fissi (ad esempio un frame al secondo) per ottenere una rappresentazione uniforme dell'intero video. Questo approccio è efficiente dal punto di vista computazionale e funziona bene per video con azione costante o cambiamenti graduali. Il campionamento uniforme riduce il carico computazionale elaborando solo una frazione dei fotogrammi totali mantenendo comunque una copertura temporale completa. Durante l'implementazione, i ricercatori definiscono generalmente un tasso di campionamento in base alla durata del video, al tipo di contenuto e alle risorse disponibili.

Ad esempio, video ricchi di azione possono richiedere tassi più elevati (2–3 frame al secondo) per catturare movimenti rapidi, mentre scene lente possono richiedere un frame ogni pochi secondi. Il principale vantaggio è la semplicità e la prevedibilità. Poiché i fotogrammi sono selezionati a intervalli regolari, il modello riceve una distribuzione temporale coerente senza bias verso segmenti specifici. Questo aiuta a evitare l'overfitting su specifiche porzioni temporali e garantisce una migliore generalizzazione.

Ad esempio, in un documentario naturalistico che segue una migrazione animale, catturare un frame ogni pochi secondi può rappresentare adeguatamente i pattern di movimento riducendo drasticamente i requisiti computazionali. Il tasso di campionamento può essere adattato in base alla velocità della migrazione.

- Campionamento consapevole del contenuto: utilizzo di algoritmi per rilevare cambiamenti visivi significativi e selezionare fotogrammi solo quando avvengono transizioni rilevanti. Questo è particolarmente utile per video con scene statiche interrotte da eventi importanti. Questi metodi analizzano differenze tra fotogrammi in termini di istogrammi di colore, pattern di bordi o vettori di movimento per identificare momenti rilevanti.

Ad esempio, in filmati di sorveglianza, il sistema può catturare fotogrammi solo quando una persona entra nella scena, ignorando lunghi periodi statici. Questo approccio stabilisce metriche di base e monitora deviazioni significative rispetto a soglie definite.

Implementazioni più avanzate utilizzano tecniche di computer vision come rilevamento e tracciamento degli oggetti per identificare cambiamenti semanticamente rilevanti. Invece di misurare solo differenze tra pixel, il sistema riconosce quando appare una nuova persona, quando un oggetto si muove o quando cambia la composizione della scena.

L'efficienza computazionale può essere enorme: in un video di sorveglianza di 24 ore con solo 30 minuti di attività, il carico può ridursi del 97% mantenendo tutti gli eventi rilevanti. Questo rende possibile l'analisi in tempo reale anche con risorse limitate.

Oltre alla sorveglianza, è utile nella guida autonoma (cambiamenti nel traffico), nel monitoraggio medico (movimenti del paziente) e nell'analisi sportiva (momenti chiave).

- Estrazione di keyframe: identificazione dei fotogrammi più rappresentativi o informativi, spesso basata su caratteristiche visive o confini di scena. Questi algoritmi utilizzano tecniche come il clustering, in cui i frame vengono raggruppati per similarità visiva, e viene selezionato il frame più rappresentativo di ogni gruppo.

Il processo prevede la conversione dei frame in vettori di caratteristiche tramite CNN e l'applicazione di algoritmi come k-means o clustering gerarchico. Il frame più vicino al centro del cluster viene scelto come keyframe.

Ad esempio, in un documentario di 30 minuti, possono bastare 20–30 frame per rappresentare tutte le scene principali, riducendo drasticamente i costi computazionali.

Metodi avanzati includono comprensione semantica per identificare momenti narrativi importanti, come azioni chiave nello sport o momenti emotivi in un film. Questi approcci considerano interazioni tra oggetti, espressioni facciali e composizione della scena.

I sistemi moderni utilizzano modelli di deep learning addestrati su milioni di video annotati per identificare momenti rilevanti. Ad esempio, in un'intervista, possono selezionare gesti o reazioni importanti invece di semplici variazioni visive.

Alcuni sistemi integrano anche segnali contestuali come picchi audio, cambi nei sottotitoli o transizioni di scena per migliorare la selezione dei momenti chiave.

I benefici computazionali sono significativi. Ad esempio, elaborare solo il 10% dei fotogrammi può ridurre i requisiti di memoria del 90% e il tempo di calcolo in modo simile. Questo rende gestibili compiti prima impossibili con l'hardware attuale.

Tuttavia, esistono compromessi. Oggetti che si muovono rapidamente possono sembrare "teletrasportarsi" tra i fotogrammi campionati, e movimenti sottili possono andare persi. I ricercatori mitigano questi problemi combinando il frame sampling con tecniche come l'optical flow o metodi di interpolazione che ricostruiscono le informazioni dei fotogrammi saltati.

Embedding temporali

Aggiungono codifiche di posizione sia per il tempo che per lo spazio. Questa tecnica estende le position embeddings dei transformer per includere informazioni temporali, permettendo al modello di comprendere sia dove si trovano gli oggetti all'interno dei fotogrammi sia come si muovono tra i fotogrammi. Queste codifiche aiutano il modello a distinguere tra fotogrammi identici che compaiono in momenti diversi della sequenza.

Le embedding temporali sono fondamentali per la comprensione dei video perché forniscono un contesto essenziale su quando avvengono gli eventi all'interno di una sequenza. Così come le embedding spaziali aiutano i transformer a comprendere la disposizione degli elementi in un'immagine, le embedding temporali codificano l'ordine cronologico e la distanza temporale tra i fotogrammi. Questa consapevolezza temporale è particolarmente importante nell'analisi di attività che si sviluppano nel tempo, come una persona che lancia una palla o un'auto che svolta a un incrocio.

Senza questo contesto temporale, un modello faticherebbe a distinguere tra fotogrammi simili che appaiono in momenti diversi del video. Ad esempio, in un video di cucina in cui gli ingredienti vengono aggiunti più volte a una pentola, il modello deve comprendere la sequenza delle aggiunte per interpretare correttamente i passaggi della ricetta. Le embedding temporali forniscono questa informazione cruciale sull'ordine.

Queste embedding possono essere implementate in diversi modi. Un approccio utilizza funzioni sinusoidali simili a quelle dell'architettura transformer originale, ma con una dimensione aggiuntiva per il tempo. Un altro metodo impiega embedding apprendibili addestrate specificamente per catturare relazioni temporali. Alcuni sistemi avanzati combinano la posizione temporale assoluta (la posizione del frame nella sequenza completa) con informazioni temporali relative (quanto distano tra loro i frame).

L'approccio sinusoidale ha il vantaggio di generalizzare a lunghezze di sequenza non viste durante l'addestramento, mentre le embedding apprendibili spesso catturano pattern temporali più complessi ma possono avere difficoltà con sequenze molto lunghe. I ricercatori sperimentano spesso entrambi gli approcci per trovare la soluzione ottimale per compiti specifici di video understanding.

Alcune implementazioni avanzate incorporano embedding temporali su più scale. Ad esempio, possono codificare la posizione di un frame all'interno di un secondo, di un minuto e dell'intero video. Questo approccio multi-scala aiuta i modelli a comprendere sia azioni dettagliate sia archi narrativi più lunghi.

Ad esempio, in un video di una partita di basket, le embedding temporali aiutano il modello a riconoscere che un giocatore che salta, poi rilascia la palla, seguita dalla palla che entra nel canestro, rappresenta una sequenza di tiro. Senza embedding temporali, questi fotogrammi potrebbero essere interpretati come eventi scollegati invece che come un'azione coerente. Le embedding forniscono il contesto temporale che collega i frame in una sequenza significativa.

Allo stesso modo, in un video di sorveglianza, le embedding temporali permettono al modello di tracciare gli individui tra i fotogrammi e comprendere la progressione delle attività. Questa capacità è essenziale per applicazioni come il riconoscimento delle attività, dove l'ordine delle azioni definisce l'attività stessa (ad esempio entrare in un edificio rispetto a uscirne implica gli stessi fotogrammi in ordine inverso).

Modellazione gerarchica

Prima elaborare i fotogrammi localmente, poi ragionare globalmente tra segmenti. Questo approccio multilivello tratta inizialmente piccoli blocchi di fotogrammi consecutivi come unità per l'elaborazione locale, estraendo caratteristiche su movimento e cambiamenti. Questa struttura gerarchica rispecchia il modo in cui gli esseri umani comprendono i video: prima capiamo azioni brevi e poi le colleghiamo in narrazioni più ampie. L'approccio è ispirato anche dalla ricerca in scienze cognitive, che mostra come la percezione umana operi su più scale temporali simultaneamente, da reazioni in millisecondi alla comprensione di scene complesse su scala di minuti.

A livello locale, i modelli elaborano tipicamente 8–16 fotogrammi consecutivi utilizzando meccanismi di attenzione leggeri. Questo permette di catturare dinamiche a breve termine come il movimento degli oggetti, le espressioni facciali o i cambiamenti di scena senza richiedere risorse computazionali elevate. Questi processori locali estraggono rappresentazioni ricche che riassumono ciò che accade in ogni piccolo segmento video. Il campo recettivo temporale a questo livello è bilanciato con attenzione: pochi frame perderebbero informazioni importanti sul movimento, troppi aumenterebbero il costo computazionale in modo esponenziale. Studi hanno dimostrato che 8–16 frame offrono un buon compromesso tra contesto e fattibilità.

Questi processori locali utilizzano architetture specializzate come attention fattorizzata o convoluzioni 3D per modellare in modo efficiente le relazioni spazio-temporali. Alcune implementazioni utilizzano mascheramento causale per consentire al modello di attendere solo ai frame presenti e passati, permettendo elaborazione in tempo reale per applicazioni come guida autonoma o sorveglianza. Altre utilizzano elaborazione bidirezionale per massimizzare l'estrazione di informazioni in analisi offline.

Successivamente, un transformer di livello superiore elabora queste rappresentazioni compresse per comprendere pattern a lungo termine e relazioni sull'intero video, comprimendo la dimensione temporale pur preservando le informazioni critiche. Questo processore globale riceve le feature locali come input e applica l'attenzione tra di esse, consentendo al modello di riconoscere pattern complessi come relazioni causa-effetto, motivi ricorrenti o archi narrativi che si estendono su minuti anziché secondi. Il design di questo livello spesso include meccanismi specifici per gestire la distanza temporale, come codifiche di posizione relative.

Questo approccio multi-risoluzione affronta anche la sfida della densità informativa variabile nei video. Segmenti ricchi di azione possono richiedere un'analisi più dettagliata, mentre scene statiche necessitano meno elaborazione. Le implementazioni avanzate allocano dinamicamente le risorse computazionali in base alla complessità del contenuto, concentrando più calcolo sui segmenti informativi.

Ad esempio, in un video di cucina, l'elaborazione locale può identificare azioni come "tagliare le verdure" o "mescolare la pentola", mentre l'elaborazione globale collega queste azioni nella sequenza completa della ricetta e comprende la relazione tra le fasi iniziali e il piatto finale. Questo approccio a due livelli riduce drasticamente la complessità computazionale rispetto all'elaborazione simultanea di tutti i frame, mantenendo la capacità di catturare sia movimenti dettagliati sia dipendenze a lungo raggio. In termini pratici, questo design gerarchico può ridurre i requisiti di memoria dell'80–90% rispetto a un'attenzione piatta su tutti i fotogrammi, rendendo possibile analizzare video più lunghi su hardware standard.

5.3.2 VideoGPT

VideoGPT è un modello generativo per video basato sull'architettura transformer, che va oltre la generazione di immagini statiche incorporando aspetti temporali. Questo modello adatta le potenti capacità dei modelli linguistici basati su transformer al dominio video, permettendogli di comprendere e generare sequenze visive complesse nel tempo. Estendendo i principi fondamentali della generazione di testo al video, VideoGPT dimostra come il paradigma dei transformer possa essere applicato efficacemente tra diverse modalità.

VideoGPT tratta il video come una sequenza di token di immagini, convertendo ogni fotogramma in una rappresentazione discreta che può essere elaborata sequenzialmente. Questo processo di tokenizzazione utilizza tipicamente un VQ-VAE (Vector Quantized Variational Autoencoder) per comprimere i fotogrammi video in una rappresentazione più gestibile. I token risultanti formano un vocabolario di elementi visivi che il modello può manipolare, in modo simile a come i modelli linguistici lavorano con i token delle parole. Questo passaggio di compressione è cruciale perché riduce la dimensionalità dei dati video grezzi da milioni di valori di pixel a migliaia di token discreti, rendendo il compito di modellazione computazionalmente fattibile pur preservando le informazioni visive essenziali.

Il processo di tokenizzazione funziona addestrando il VQ-VAE a codificare i fotogrammi in uno spazio latente e poi quantizzando queste rappresentazioni continue in un insieme finito di codici discreti provenienti da un codebook appreso. Questo codebook diventa di fatto il "vocabolario visivo" del modello. Il componente transformer di VideoGPT impara quindi a prevedere il token successivo nella sequenza, catturando sia le transizioni a breve termine tra fotogrammi sia le narrazioni visive a lungo termine.

Il modello apprende sia le dinamiche spaziali che temporali, permettendo la previsione dei fotogrammi e la sintesi video. Questa doppia capacità consente a VideoGPT di comprendere non solo quali oggetti appaiono in una scena (comprensione spaziale), ma anche come si muovono e interagiscono nel tempo (comprensione temporale). La componente spaziale gestisce la composizione all'interno dei singoli fotogrammi—elementi come l'aspetto degli oggetti, l'illuminazione e la disposizione della scena. La componente temporale cattura pattern di movimento, persistenza degli oggetti e relazioni causali tra eventi nei vari fotogrammi.

Questa architettura utilizza tecniche di masked modeling simili a quelle impiegate nei modelli linguistici, in cui alcuni token vengono nascosti durante l'addestramento e il modello deve prevederli. Nel caso di VideoGPT, ciò può comportare il mascheramento di fotogrammi futuri e l'addestramento del modello a predirli in base ai fotogrammi passati, imparando essenzialmente a prevedere come evolveranno le scene.

Ad esempio, può prevedere come una palla rimbalzante continuerà la sua traiettoria o come l'acqua scorrerà in un ruscello. Questo rende VideoGPT utile per applicazioni come il completamento video, la previsione di fotogrammi futuri e persino la sintesi video completamente generativa a partire da prompt testuali. Oltre a queste applicazioni creative, la comprensione delle dinamiche visive del modello può essere utile in ambiti come la robotica (previsione delle interazioni fisiche), la guida autonoma (anticipazione dei movimenti del traffico) e la realtà virtuale (generazione di risposte ambientali realistiche).

Esempio: Implementazione di VideoGPT: Generazione Video con Transformer

```python
import torch
import torch.nn as nn
import torch.nn.functional as F
from torch.utils.data import Dataset, DataLoader
from torchvision import transforms
import numpy as np
import os
from tqdm import tqdm


# 1. VQ-VAE for Video Frame Tokenization
class VQVAE(nn.Module):
    def __init__(self, input_dim=3, hidden_dim=128, num_embeddings=1024, embedding_dim=64):
        super().__init__()
        # Encoder: Convert raw frames to continuous latent space
        self.encoder = nn.Sequential(
            nn.Conv2d(input_dim, hidden_dim, kernel_size=4, stride=2, padding=1),
            nn.ReLU(),
            nn.Conv2d(hidden_dim, hidden_dim, kernel_size=4, stride=2, padding=1),
            nn.ReLU(),
            nn.Conv2d(hidden_dim, embedding_dim, kernel_size=3, stride=1, padding=1)
        )

        # Vector Quantization: Map continuous vectors to discrete codebook entries
        self.codebook = nn.Embedding(num_embeddings, embedding_dim)
        self.codebook.weight.data.uniform_(-1.0 / num_embeddings, 1.0 / num_embeddings)

        # Decoder: Reconstruct frames from quantized tokens
        self.decoder = nn.Sequential(
            nn.Conv2d(embedding_dim, hidden_dim, kernel_size=3, stride=1, padding=1),
            nn.ReLU(),
            nn.ConvTranspose2d(hidden_dim, hidden_dim, kernel_size=4, stride=2, padding=1),
            nn.ReLU(),
            nn.ConvTranspose2d(hidden_dim, input_dim, kernel_size=4, stride=2, padding=1),
            nn.Tanh()
        )

    def encode(self, x):
        z = self.encoder(x)
```

```python
        return z

    def quantize(self, z):
        # Reshape z for quantization
        z_flattened = z.permute(0, 2, 3, 1).contiguous().view(-1, z.shape[1])

        # Calculate distances to codebook vectors
        d = torch.sum(z_flattened**2, dim=1, keepdim=True) + \\
            torch.sum(self.codebook.weight**2, dim=1) - \\
            2 * torch.matmul(z_flattened, self.codebook.weight.t())

        # Find nearest codebook vector
        min_encoding_indices = torch.argmin(d, dim=1)
        z_q = self.codebook(min_encoding_indices).view(z.shape[0], z.shape[2],
z.shape[3], z.shape[1])
        z_q = z_q.permute(0, 3, 1, 2).contiguous()

        # Straight-through estimator for gradients
        z_q_sg = z + (z_q - z).detach()
        return z_q_sg, min_encoding_indices.view(z.shape[0], z.shape[2], z.shape[3])

    def decode(self, z_q):
        return self.decoder(z_q)

    def forward(self, x):
        z = self.encode(x)
        z_q_sg, indices = self.quantize(z)
        x_recon = self.decode(z_q_sg)
        return x_recon, z, z_q_sg, indices

# 2. Transformer for Video Prediction
class VideoGPTTransformer(nn.Module):
    def __init__(self, vocab_size, d_model=512, nhead=8, num_layers=6,
                 dim_feedforward=2048, max_seq_length=256):
        super().__init__()
        self.d_model = d_model

        # Token embedding: Convert discrete tokens to continuous vectors
        self.token_embedding = nn.Embedding(vocab_size, d_model)

        # Position encoding: Add information about token position in sequence
        self.pos_encoder = nn.Parameter(torch.zeros(1, max_seq_length, d_model))

        # Transformer encoder layers
        encoder_layers = nn.TransformerEncoderLayer(
            d_model=d_model,
            nhead=nhead,
            dim_feedforward=dim_feedforward,
            batch_first=True
        )
        self.transformer_encoder = nn.TransformerEncoder(encoder_layers, num_layers)
```

```python
        # Output head: Project to token probabilities
        self.output_head = nn.Linear(d_model, vocab_size)

    def forward(self, src, src_mask=None):
        # src shape: [batch_size, seq_len]
        batch_size, seq_len = src.shape

        # Embed tokens and add positional encoding
        src = self.token_embedding(src) * np.sqrt(self.d_model)
        src = src + self.pos_encoder[:, :seq_len, :]

        # Pass through transformer
        output = self.transformer_encoder(src, src_mask)

        # Project to vocabulary space
        output = self.output_head(output)
        return output

# 3. Dataset for processing video frames
class VideoDataset(Dataset):
    def __init__(self, video_dir, frame_size=(64, 64), frames_per_clip=16,
transform=None):
        self.video_paths = [os.path.join(video_dir, f) for f in os.listdir(video_dir)
                    if f.endswith(('.mp4', '.avi'))]
        self.frame_size = frame_size
        self.frames_per_clip = frames_per_clip
        self.transform = transform or transforms.Compose([
            transforms.Resize(frame_size),
            transforms.ToTensor(),
            transforms.Normalize((0.5, 0.5, 0.5), (0.5, 0.5, 0.5))
        ])

    def __len__(self):
        return len(self.video_paths)

    def __getitem__(self, idx):
        import cv2

        video_path = self.video_paths[idx]
        cap = cv2.VideoCapture(video_path)

        # Calculate frame sampling
        total_frames = int(cap.get(cv2.CAP_PROP_FRAME_COUNT))
        frame_indices = np.linspace(0, total_frames-1, self.frames_per_clip,
dtype=int)

        # Extract frames
        frames = []
        for frame_idx in frame_indices:
            cap.set(cv2.CAP_PROP_POS_FRAMES, frame_idx)
            ret, frame = cap.read()
            if ret:
```

```python
            # Convert BGR to RGB
            frame = cv2.cvtColor(frame, cv2.COLOR_BGR2RGB)
            # Apply transforms
            if self.transform:
                frame = self.transform(frame)
            frames.append(frame)

        cap.release()
        # Stack frames along a new dimension
        return torch.stack(frames)   # Shape: [frames_per_clip, channels, height,
width]

# 4. Training Functions
def train_vqvae(vqvae, dataloader, optimizer, epochs=10, device='cuda'):
    vqvae.to(device)

    for epoch in range(epochs):
        total_loss = 0

        for batch_idx, frames in enumerate(tqdm(dataloader)):
            frames = frames.to(device)  # [B, T, C, H, W]
            batch_size, time_steps = frames.shape[:2]

            # Reshape to process all frames at once
            frames_flat = frames.view(-1, *frames.shape[2:])  # [B*T, C, H, W]

            optimizer.zero_grad()

            # Forward pass through VQ-VAE
            x_recon, z, z_q, indices = vqvae(frames_flat)

            # Calculate losses
            recon_loss = F.mse_loss(x_recon, frames_flat)

            # VQ-VAE commitment loss
            vq_loss = F.mse_loss(z_q, z.detach())
            commitment_loss = F.mse_loss(z, z_q.detach())

            # Combined loss
            loss = recon_loss + vq_loss + 0.25 * commitment_loss

            # Backward pass
            loss.backward()
            optimizer.step()

            total_loss += loss.item()

        print(f"Epoch {epoch+1}/{epochs}, Loss: {total_loss / len(dataloader):.4f}")

    return vqvae
```

```python
def  train_transformer(transformer,   vqvae,   dataloader,   optimizer,   epochs=10,
device='cuda'):
    transformer.to(device)
    vqvae.to(device).eval()

    for epoch in range(epochs):
        total_loss = 0

        for batch_idx, frames in enumerate(tqdm(dataloader)):
            frames = frames.to(device)  # [B, T, C, H, W]
            batch_size, time_steps = frames.shape[:2]

            # Reshape to process all frames at once
            frames_flat = frames.view(-1, *frames.shape[2:])  # [B*T, C, H, W]

            # Get token indices from VQ-VAE
            with torch.no_grad():
                z = vqvae.encode(frames_flat)
                _, indices = vqvae.quantize(z)

            # Reshape indices back to [batch_size, time_steps, height, width]
            indices = indices.view(batch_size, time_steps, *indices.shape[1:])

            # Flatten spatial dimensions to get sequence of tokens per frame
            # [batch_size, time_steps, height*width]
            token_sequences = indices.reshape(batch_size, time_steps, -1)

            # For transformer training, we predict next tokens
            src = token_sequences[:, :-1].reshape(batch_size, -1)  # Input sequence
            tgt = token_sequences[:, 1:].reshape(batch_size, -1)  # Target sequence

            optimizer.zero_grad()

            # Create attention mask (optional for training efficiency)
            seq_len = src.shape[1]
            attn_mask  =  torch.triu(torch.ones(seq_len,  seq_len)  *  float('-inf'),
diagonal=1).to(device)

            # Forward pass
            output = transformer(src, attn_mask)

            # Calculate loss
            loss = F.cross_entropy(output.reshape(-1, output.size(-1)), tgt.reshape(-
1))

            # Backward pass
            loss.backward()
            optimizer.step()

            total_loss += loss.item()

        print(f"Epoch {epoch+1}/{epochs}, Loss: {total_loss / len(dataloader):.4f}")
```

```python
    return transformer

# 5. Main: Putting it all together
def main():
    # Hyperparameters
    batch_size = 8
    frames_per_clip = 16
    frame_size = (64, 64)
    device = torch.device('cuda' if torch.cuda.is_available() else 'cpu')

    # Create dataset and dataloader
    dataset = VideoDataset(
        video_dir="path/to/videos",
        frame_size=frame_size,
        frames_per_clip=frames_per_clip
    )
    dataloader     =     DataLoader(dataset,     batch_size=batch_size,     shuffle=True,
num_workers=4)

    # Step 1: Train VQ-VAE
    vqvae = VQVAE(input_dim=3, hidden_dim=128, num_embeddings=1024, embedding_dim=64)
    vqvae_optimizer = torch.optim.Adam(vqvae.parameters(), lr=3e-4)
    vqvae = train_vqvae(vqvae, dataloader, vqvae_optimizer, epochs=10, device=device)

    # Save VQ-VAE model
    torch.save(vqvae.state_dict(), "vqvae_model.pth")

    # Step 2: Train Transformer
    # Number of tokens = codebook size (from VQ-VAE)
    vocab_size = 1024 + 1  # +1 for padding token
    transformer  =  VideoGPTTransformer(vocab_size=vocab_size,  d_model=512,  nhead=8,
num_layers=6)
    transformer_optimizer = torch.optim.Adam(transformer.parameters(), lr=1e-4)
    transformer      =      train_transformer(transformer,      vqvae,      dataloader,
transformer_optimizer, epochs=20, device=device)

    # Save Transformer model
    torch.save(transformer.state_dict(), "transformer_model.pth")

# 6. Video Generation Function
def  generate_video(vqvae,  transformer,  seed_frames,  num_frames_to_generate=16,
device='cuda'):
    vqvae.to(device).eval()
    transformer.to(device).eval()

    # Process seed frames through VQ-VAE to get tokens
    with torch.no_grad():
        seed_frames = seed_frames.to(device)
        z = vqvae.encode(seed_frames)
        _, indices = vqvae.quantize(z)
```

```python
    # Flatten spatial dimensions to get sequence of tokens
    token_sequence = indices.reshape(1, -1)  # [1, time*height*width]

    # Generate new frames one by one
    generated_tokens = token_sequence.clone()

    for _ in range(num_frames_to_generate):
        # Predict next tokens
        with torch.no_grad():
            output = transformer(generated_tokens)
            next_token_logits = output[:, -1, :]
            next_tokens = torch.argmax(next_token_logits, dim=-1, keepdim=True)
            generated_tokens = torch.cat([generated_tokens, next_tokens], dim=1)

    # Extract only the newly generated tokens
    new_tokens = generated_tokens[:, token_sequence.shape[1]:]

    # Reshape tokens to match expected input for VQ-VAE decoder
    h, w = indices.shape[1], indices.shape[2]
    new_tokens = new_tokens.reshape(-1, h, w)   # [num_frames_to_generate, height,
width]

    # Decode tokens to frames
    generated_frames = []
    with torch.no_grad():
        for tokens in new_tokens:
            tokens = tokens.unsqueeze(0)  # Add batch dimension
            z_q             =             vqvae.codebook(tokens.view(-1)).view(1,        -1,
vqvae.codebook.embedding_dim)
            z_q = z_q.permute(0, 2, 1).view(1, vqvae.codebook.embedding_dim, h, w)
            frame = vqvae.decode(z_q)
            generated_frames.append(frame)

    # Stack frames along time dimension
    return torch.cat(generated_frames, dim=0)  # [num_frames_to_generate, C, H, W]

if __name__ == "__main__":
    main()
```

Spiegazione Dettagliata dell'Implementazione di VideoGPT

Questo esempio dimostra un approccio completo alla generazione video utilizzando l'architettura VideoGPT. Analizziamo i componenti principali:

1. Vector Quantized Variational Autoencoder (VQ-VAE)

Il VQ-VAE costituisce la base di VideoGPT convertendo i fotogrammi video grezzi in token discreti:

- **Encoder:** comprime i fotogrammi video in uno spazio latente continuo a dimensionalità ridotta utilizzando layer convoluzionali.

- **Quantizzazione vettoriale:** mappa questi vettori continui ai vettori più vicini in un "codebook" appreso, discretizzando di fatto la rappresentazione.

- **Decoder:** ricostruisce i fotogrammi originali a partire dalle rappresentazioni quantizzate.

- **Straight-through estimator:** tecnica utilizzata durante l'addestramento per permettere ai gradienti di fluire attraverso il passaggio di quantizzazione non differenziabile.

Questo processo di tokenizzazione è fondamentale perché riduce la dimensionalità dei dati video da milioni di valori di pixel a un insieme più gestibile di token discreti, rendendo il compito di modellazione computazionalmente fattibile.

2. Architettura Transformer

Una volta che i fotogrammi video sono tokenizzati, un modello transformer prevede i token successivi nella sequenza:

- **Token Embedding:** converte i token discreti in rappresentazioni vettoriali continue.

- **Positional Encoding:** aggiunge informazioni sulla posizione di ciascun token nella sequenza.

- **Transformer Encoder:** elabora le embedding dei token tramite meccanismi di self-attention per catturare le dipendenze tra i token.

- **Output Head:** proietta l'output del transformer in probabilità sui token per la previsione.

L'architettura transformer consente al modello di comprendere pattern spazio-temporali complessi nei video, catturando sia le transizioni a breve termine tra fotogrammi sia narrazioni visive a lungo termine.

3. Gestione del Dataset

La classe personalizzata VideoDataset gestisce l'elaborazione dei video:

- Estrae i fotogrammi dai file video a intervalli regolari.

- Applica trasformazioni (resize, normalizzazione) per preparare i fotogrammi al modello.

- Organizza i fotogrammi in clip di lunghezza specificata.

4. Processo di Addestramento

L'addestramento avviene in due fasi distinte:

- **Addestramento VQ-VAE:** ottimizza encoder, codebook e decoder per comprimere e ricostruire efficacemente i fotogrammi video, costruendo una rappresentazione discreta significativa.

- **Addestramento Transformer:** dopo l'addestramento del VQ-VAE, i fotogrammi vengono tokenizzati e forniti al transformer, che impara a prevedere i token futuri a partire da quelli passati.

5. Generazione Video

Il processo di generazione inverte la pipeline di addestramento:

- I fotogrammi iniziali vengono tokenizzati tramite encoder e quantizzatore del VQ-VAE.

- Il transformer genera autoregressivamente nuovi token uno alla volta.

- Questi token vengono poi decodificati in fotogrammi video tramite il decoder del VQ-VAE.

Principali Intuizioni Tecniche

- **Architettura a due fasi:** separare l'apprendimento della rappresentazione (VQ-VAE) dalla modellazione della sequenza (transformer) rende l'addestramento più stabile ed efficiente.

- **Modellazione spazio-temporale:** il modello deve catturare sia le relazioni spaziali all'interno dei fotogrammi sia le dipendenze temporali tra i fotogrammi.

- **Generazione autoregressiva:** i video vengono generati un token alla volta, con ogni nuovo token condizionato da tutti i precedenti.

- **Efficienza computazionale:** lavorare con token discreti invece che con pixel grezzi riduce drasticamente i requisiti computazionali.

Questa implementazione dimostra come le architetture transformer, originariamente progettate per il linguaggio, possano essere adattate con successo alla generazione video incorporando strategie di tokenizzazione adeguate e gestendo la complessità aggiuntiva dei dati temporali.

5.3.3 Gemini (DeepMind)

Gemini (DeepMind) è un sofisticato modello multimodale che integra senza soluzione di continuità testo, visione e in alcuni casi video all'interno di un'architettura unificata. A differenza dei modelli precedenti che trattavano i diversi tipi di dati in modo isolato, Gemini elabora e ragiona simultaneamente su più formati di input. Questo rappresenta un significativo avanzamento rispetto agli approcci precedenti, in cui testo, immagini e video venivano spesso elaborati da modelli specializzati separati e poi combinati successivamente. Questo approccio unificato consente a Gemini di comprendere le relazioni contestuali tra le diverse modalità fin dall'inizio, invece di tentare di unire informazioni elaborate separatamente.

Il modello utilizza meccanismi avanzati di cross-attention che gli permettono di scalare efficacemente tra le modalità. Questi meccanismi consentono al modello di identificare relazioni tra elementi in formati diversi— ad esempio collegare una descrizione testuale alle parti rilevanti di un'immagine o associare il dialogo agli eventi visivi in una sequenza video. Questa architettura permette un flusso bidirezionale di informazioni tra le modalità, creando una comprensione più olistica. A differenza della semplice concatenazione delle embedding, il sistema di cross-attention di Gemini consente una ponderazione dinamica delle informazioni in base al contesto e alla rilevanza, in modo simile a come gli esseri umani spostano naturalmente l'attenzione tra ciò che vedono e ciò che ascoltano. Questo sistema aiuta il modello a determinare quali aspetti di un'immagine siano più rilevanti per una domanda testuale, o viceversa quali parti di un testo influenzino l'interpretazione del contenuto visivo.

Gemini dimostra capacità di ragionamento impressionanti su un'ampia gamma di input multimodali, inclusi diagrammi complessi (come illustrazioni scientifiche o schemi tecnici), contenuti video (con comprensione temporale) e prompt articolati che combinano più tipi di input. Il modello può elaborare immagini ad alta risoluzione, riconoscendo dettagli fini in fotografie, grafici e documenti.

Per l'analisi video, Gemini è in grado di tracciare oggetti nel tempo, comprendere la progressione narrativa e persino anticipare sviluppi futuri probabili basandosi sulle dinamiche visive. Questa capacità è particolarmente utile in scenari che richiedono analisi visive dettagliate, come l'interpretazione di immagini mediche, la comprensione di schemi ingegneristici o l'analisi di filmati sportivi per estrarre informazioni tattiche.

Questo ragionamento va oltre il semplice riconoscimento, includendo comprensione causale, relazioni spaziali e sequenze temporali—consentendo al modello di rispondere a domande come "Cosa accadrà dopo in questo sistema fisico?" o "Come funziona questo meccanismo?" facendo riferimento al materiale visivo. La comprensione temporale del modello è fondamentale per compiti che coinvolgono processi che si sviluppano nel tempo, come spiegare reazioni chimiche, analizzare sistemi meccanici o monitorare cambiamenti in campioni biologici. Questa capacità ricorda quella degli esperti umani di "leggere" sistemi dinamici a partire da diagrammi statici o input video limitati.

Le capacità multimodali di Gemini gli permettono di risolvere compiti complessi che richiedono sintesi tra diverse modalità, come interpretare un grafico considerando il contesto testuale, spiegare i passaggi di un processo visivo o identificare incongruenze tra narrazione parlata e contenuto visivo. Questo approccio integrato rispecchia più da vicino la cognizione umana rispetto ai sistemi di IA precedenti, poiché è in grado di creare connessioni tra concetti in diversi formati rappresentativi.

Questa integrazione facilita un'interazione più naturale tra esseri umani e IA, permettendo agli utenti di comunicare con il sistema utilizzando qualsiasi combinazione di testo, immagini o video più adatta alle loro esigenze, invece di essere limitati a una singola modalità. Ad esempio, un utente può chiedere a Gemini di analizzare un grafico, confrontarlo con dati storici menzionati in un testo associato e spiegare eventuali discrepanze—un compito che richiede un'integrazione fluida tra informazioni visive e testuali.

Esempio: Implementazione di Gemini

```python
import google.generativeai as genai
import PIL.Image
import os
from IPython.display import display, HTML

# Configure API key
genai.configure(api_key=os.environ['GOOGLE_API_KEY'])

# List available models
for m in genai.list_models():
    if 'generateContent' in m.supported_generation_methods:
        print(m.name)

# Select Gemini Pro Vision model
model = genai.GenerativeModel('gemini-pro-vision')

# Function to analyze an image with text prompt
def analyze_image(image_path, prompt):
    img = PIL.Image.open(image_path)
    response = model.generate_content([prompt, img])
    return response.text

# Function for multimodal reasoning with multiple images
def compare_images(image_path1, image_path2, prompt):
    img1 = PIL.Image.open(image_path1)
    img2 = PIL.Image.open(image_path2)
```

```python
    response = model.generate_content([prompt, img1, img2])
    return response.text

# Example usage: Image analysis
image_analysis = analyze_image("chart.jpg",
                               "Analyze this chart in detail. What trends do you
observe?")
print(image_analysis)

# Example usage: Image comparison
comparison = compare_images("design_v1.jpg", "design_v2.jpg",
                            "Compare these two design versions and explain the key
differences.")
print(comparison)

# Example: Complex reasoning with image and specific instructions
reasoning = analyze_image("scientific_diagram.jpg",
                          "Explain how this biological process works. Focus on:
                          1. The starting materials
                          2. The transformation steps
                          3. The end products
                          4. The energy changes involved")
print(reasoning)

# Example: Video frame analysis
def analyze_video_frames(frame_paths, prompt):
    frames = [PIL.Image.open(path) for path in frame_paths]
    response = model.generate_content([prompt] + frames)
    return response.text

frame_paths = ["video_frame1.jpg", "video_frame2.jpg", "video_frame3.jpg"]
video_analysis = analyze_video_frames(frame_paths,
                                      "Analyze the motion sequence shown in these
frames. What's happening?")
print(video_analysis)

# Safety settings example (optional)
safety_settings = [
    {
        "category": "HARM_CATEGORY_HARASSMENT",
        "threshold": "BLOCK_MEDIUM_AND_ABOVE"
    },
    {
        "category": "HARM_CATEGORY_HATE_SPEECH",
        "threshold": "BLOCK_ONLY_HIGH"
    }
]

model_with_safety = genai.GenerativeModel(
    model_name='gemini-pro-vision',
    safety_settings=safety_settings
)
```

Comprendere l'Implementazione di Gemini

L'esempio di codice sopra dimostra come lavorare con il modello multimodale Gemini di Google, fornendo un framework pratico per integrare visione e comprensione del linguaggio. Analizziamo i componenti principali e le capacità:

Configurazione API e Selezione del Modello

L'implementazione inizia importando le librerie necessarie e configurando l'API con una chiave di autenticazione. Il codice elenca quindi i modelli disponibili con capacità di generazione di contenuti prima di selezionare il modello Gemini Pro Vision, progettato specificamente per compiti multimodali che combinano testo e immagini.

Funzionalità Principali

L'implementazione offre diverse funzioni che mostrano le capacità multimodali di Gemini:

- **Analisi di una singola immagine:** la funzione analyze_image() accetta un percorso immagine e un prompt testuale, quindi restituisce l'interpretazione dell'immagine da parte di Gemini nel contesto del prompt. Questo consente attività come analisi di grafici, identificazione di oggetti o descrizione di scene.

- **Analisi comparativa di immagini:** con compare_images(), il modello può ragionare sulle relazioni tra più immagini, identificando somiglianze, differenze e pattern nel contenuto visivo. È utile per confronti prima/dopo, iterazioni di design o monitoraggio dei cambiamenti.

- **Analisi di frame video:** sebbene Gemini non elabori direttamente video in questa implementazione, la funzione analyze_video_frames() dimostra come analizzare sequenze temporali fornendo più fotogrammi con un prompt contestuale. Questo permette un'analisi di base del movimento e la comprensione degli eventi nel tempo.

Prompt Engineering per Compiti Multimodali

L'esempio mostra diverse strutture di prompt che permettono differenti tipi di ragionamento visivo:

- **Analisi aperta:** "Analyze this chart in detail. What trends do you observe?" consente al modello di identificare e descrivere pattern con pochi vincoli.

- **Analisi comparativa:** "Compare these two design versions and explain the key differences" indirizza il modello a concentrarsi sugli elementi visivi contrastanti.

- **Ragionamento strutturato:** il prompt per diagrammi scientifici utilizza un elenco numerato per guidare il modello in un'analisi sistematica, garantendo una copertura completa.

- **Comprensione temporale:** "Analyze the motion sequence shown in these frames" incoraggia il modello a considerare le immagini come parte di un processo continuo invece che elementi isolati.

Considerazioni sulla Sicurezza

L'implementazione include impostazioni di sicurezza opzionali configurabili per controllare gli output del modello in base a diverse categorie di rischio e soglie. Questo dimostra come applicare pratiche di IA responsabile nei sistemi multimodali.

Significato Tecnico

Ciò che rende questa implementazione particolarmente potente è la sua semplicità rispetto alla complessità del modello sottostante. L'architettura Gemini gestisce internamente i complessi meccanismi di cross-attention che allineano informazioni visive e testuali, permettendo agli sviluppatori di interagire tramite un'API semplice.

A differenza degli approcci precedenti che richiedevano modelli separati per visione e linguaggio, l'architettura unificata di Gemini consente l'elaborazione congiunta delle modalità, catturando le interazioni tra di esse. Questo è evidente nel fatto che una singola chiamata può passare testo e immagini al modello e ottenere risposte coerenti e contestualmente rilevanti.

Applicazioni Pratiche

Questa implementazione abilita numerose applicazioni reali:

- **Interpretazione di visualizzazioni dati:** generazione automatica di insight da grafici e rappresentazioni visive.

- **Comprensione documentale:** analisi di documenti che combinano testo e immagini, come manuali tecnici o articoli accademici.

- **Analisi di contenuti educativi:** elaborazione di materiali didattici che usano diagrammi e spiegazioni testuali.

- **Feedback sul design:** analisi strutturata di design visivi con suggerimenti di miglioramento.

- **Valutazione preliminare di immagini mediche:** supporto ai professionisti sanitari con osservazioni iniziali su immagini cliniche.

L'esempio dimostra come Gemini colmi il divario tra computer vision e NLP, offrendo un approccio integrato alla comprensione del mondo visivo attraverso il linguaggio e viceversa.

5.3.4 Kosmos-2 (Microsoft)

Si concentra sul **grounding del linguaggio nella visione**, ovvero creare connessioni esplicite tra descrizioni linguistiche ed elementi visivi specifici. Questa tecnica consente al modello di comprendere non solo quali oggetti sono presenti in un'immagine, ma anche dove si trovano esattamente e come si relazionano ai riferimenti linguistici. Il modello crea essenzialmente una mappa spaziale dettagliata dell'immagine, collegando i token linguistici direttamente a regioni di pixel. Questa capacità rappresenta un cambiamento fondamentale: da una comprensione generica della scena a una localizzazione precisa degli oggetti—simile a come gli esseri umani indicano oggetti mentre li descrivono.

Può collegare parole a oggetti in un'immagine o in un frame video, permettendo compiti come "indica il gatto nel video". Questo rappresenta un progresso significativo rispetto ai modelli precedenti che potevano solo descrivere immagini senza identificare regioni specifiche. Ad esempio, alla domanda "Cosa indossa la persona a sinistra?", Kosmos-2 può comprendere il riferimento spaziale e collegare la risposta alla persona corretta. Può generare bounding box o maschere di segmentazione che evidenziano esattamente quali pixel corrispondono alla descrizione.

Questo richiede un ragionamento visivo sofisticato che combina rilevamento oggetti, consapevolezza spaziale e comprensione del linguaggio naturale in un unico framework. Il modello deve simultaneamente analizzare il linguaggio, riconoscere oggetti, comprendere relazioni spaziali e mantenere le connessioni tra questi elementi.

È un passo verso il **grounding cross-modale**, dove i modelli collegano descrizioni astratte a elementi visivi concreti. Questa connessione imita il modo in cui gli esseri umani comunicano informazioni visive, permettendo un ragionamento più preciso, una migliore interazione uomo-IA e le basi per sistemi di IA incarnata.

Questa capacità è particolarmente utile per applicazioni come visual question answering, editing di immagini tramite linguaggio naturale e tecnologie assistive per non vedenti. Ad esempio, un utente non vedente può chiedere "C'è una tazza sul tavolo?" e ricevere non solo una risposta, ma anche informazioni sulla posizione della tazza rispetto ad altri oggetti.

Stabilendo collegamenti diretti tra parole e regioni visive, Kosmos-2 crea una base per compiti più avanzati che richiedono comprensione semantica e configurazione spaziale delle scene. Questo è fondamentale per robot che navigano ambienti fisici, sistemi AR/VR che rispondono a comandi naturali e strumenti di accessibilità.

Il meccanismo di grounding consente anche interazioni multi-turno su parti specifiche di un'immagine. Ad esempio: "Cosa c'è nell'angolo?" seguito da "Di che colore è?", mantenendo correttamente il contesto dell'oggetto. L'allineamento tra linguaggio e visione rappresenta un elemento chiave per sistemi di IA che operano nel mondo reale.

Esempio: Implementazione di Kosmos-2

```python
import torch
from transformers import AutoProcessor, AutoModelForVision2Seq
from PIL import Image
import requests
import matplotlib.pyplot as plt
import matplotlib.patches as patches

# Load Kosmos-2 model and processor
processor = AutoProcessor.from_pretrained("microsoft/kosmos-2-patch14-224")
model = AutoModelForVision2Seq.from_pretrained("microsoft/kosmos-2-patch14-224")

# Function to get image from URL
def get_image(url):
    image = Image.open(requests.get(url, stream=True).raw)
    return image

# Function to process image and generate caption with bounding boxes
def analyze_with_grounding(image, prompt="<grounding>Describe this image in detail:"):
    # Process the image and text
    inputs = processor(text=prompt, images=image, return_tensors="pt")

    # Generate output from model
```

```python
    with torch.no_grad():
        outputs = model.generate(
            **inputs,
            max_length=512,
            num_beams=5,
            early_stopping=True
        )

    # Decode the generated text with grounding tokens
    generated_text = processor.batch_decode(outputs, skip_special_tokens=False)[0]

    # Extract bounding boxes from the generated output
    phrase_bboxes = []
    for phrase, bbox in processor.parse_bbox(generated_text):
        if bbox is not None:
            phrase_bboxes.append((phrase, bbox))

    return generated_text, phrase_bboxes

# Function to visualize the image with bounding boxes
def visualize_with_bboxes(image, phrase_bboxes):
    plt.figure(figsize=(16, 10))
    plt.imshow(image)
    ax = plt.gca()

    # Add bounding boxes with labels
    for phrase, bbox in phrase_bboxes:
        x, y, width, height = bbox
        rect = patches.Rectangle(
            (x * image.width, y * image.height),
            width * image.width,
            height * image.height,
            linewidth=2,
            edgecolor='r',
            facecolor='none'
        )
        ax.add_patch(rect)
        plt.text(
            x * image.width,
            y * image.height - 5,
            phrase,
            color='white',
            backgroundcolor='red',
            fontsize=10
        )

    plt.axis('off')
    plt.tight_layout()
    plt.show()

# Function for comparing objects in an image
def compare_objects(image, prompt="<grounding>Compare the objects in this image:"):
```

```python
    generated_text, phrase_bboxes = analyze_with_grounding(image, prompt)
    print("Generated Text:", generated_text)
    visualize_with_bboxes(image, phrase_bboxes)
    return generated_text, phrase_bboxes

# Function for referring expression comprehension
def find_specific_object(image, object_description):
    prompt = f"<grounding>Point to the {object_description} in this image."
    generated_text, phrase_bboxes = analyze_with_grounding(image, prompt)
    print(f"Looking for: {object_description}")
    print("Generated Text:", generated_text)
    visualize_with_bboxes(image, phrase_bboxes)
    return generated_text, phrase_bboxes

# Example usage
image_url                =              "<https://huggingface.co/microsoft/kosmos-2-patch14-
224/resolve/main/living_room.jpg>"
image = get_image(image_url)

# Basic image description with grounding
description, bboxes = analyze_with_grounding(image)
print("Description with grounding:")
print(description)
visualize_with_bboxes(image, bboxes)

# Find a specific object
find_specific_object(image, "red couch")

# Compare objects
compare_objects(image, "<grounding>Compare the furniture items in this image.")

# Spatial reasoning example
spatial_reasoning = find_specific_object(image, "lamp next to the couch")
```

Comprendere l'Implementazione di Kosmos-2

L'esempio di codice sopra dimostra come lavorare con il modello multimodale Kosmos-2 di Microsoft, evidenziando la sua capacità unica di visual grounding. Analizziamo i componenti e le funzionalità principali:

Setup e Inizializzazione

L'implementazione inizia importando le librerie necessarie e inizializzando il modello Kosmos-2 e il relativo processor dalla libreria Hugging Face Transformers. Kosmos-2 viene utilizzato tramite la classe AutoModelForVision2Seq, che gestisce modelli in grado di elaborare sia visione che linguaggio.

Funzionalità Principale di Grounding

La funzione centrale analyze_with_grounding() dimostra l'innovazione chiave di Kosmos-2: la capacità di collegare descrizioni linguistiche a specifici elementi visivi tramite il grounding. La funzione:

elabora un'immagine insieme a un prompt che include il token speciale `` per attivare le capacità di grounding del modello

- Genera una risposta descrittiva sull'immagine

- Estrae le coordinate delle bounding box per gli oggetti identificati e menzionati dal modello

- Restituisce sia il testo generato sia una lista di coppie frase–bounding box

Visual Grounding in Azione

La funzione visualize_with_bboxes() fornisce una capacità di visualizzazione che sovrappone gli oggetti rilevati dal modello sull'immagine originale. Questa rappresentazione visiva mostra come Kosmos-2 collega la comprensione linguistica a posizioni spaziali precise nell'immagine, dimostrando di fatto la capacità del modello di "indicare" gli oggetti che descrive.

Capacità Avanzate di Ragionamento Visivo

L'implementazione include funzioni specializzate che mostrano diversi aspetti delle capacità di ragionamento visivo di Kosmos-2:

- **Confronto di oggetti:** la funzione compare_objects() spinge il modello a identificare e confrontare più oggetti in un'immagine, evidenziandoli con bounding box. Questo dimostra la capacità del modello di ragionare sulle relazioni tra elementi visivi.

- **Comprensione di espressioni referenziali:** con find_specific_object(), il modello individua oggetti specifici basandosi su descrizioni in linguaggio naturale. Questa capacità è fondamentale per compiti che richiedono localizzazione precisa basata su istruzioni verbali.

- **Ragionamento spaziale:** l'esempio mostra come Kosmos-2 possa comprendere relazioni spaziali tra oggetti (es. "lampada accanto al divano"), combinando riconoscimento degli oggetti e consapevolezza della posizione.

Prompt Engineering per il Grounding

L'esempio evidenzia l'importanza del token ` ` nei prompt, che funge da istruzione speciale per attivare le capacità di grounding visivo del modello. Diverse strategie di prompting mostrano differenti tipi di ragionamento visivo:

- "Describe this image in detail" attiva una comprensione completa della scena con localizzazione degli oggetti

- "Point to the [object]" focalizza il modello sulla localizzazione di un elemento specifico

- "Compare the objects" incoraggia il modello a identificare più entità e confrontarle

Significato Tecnico

Ciò che rende Kosmos-2 particolarmente innovativo è la sua capacità di creare connessioni esplicite tra descrizioni in linguaggio naturale e regioni specifiche dell'immagine. A differenza dei modelli precedenti che potevano descrivere un'immagine in modo generale ma non individuare oggetti specifici, il meccanismo di grounding di Kosmos-2 consente:

- Localizzazione precisa degli oggetti in risposta a query in linguaggio naturale

- Comprensione fine delle relazioni spaziali tra oggetti

- Capacità di rispondere a domande su parti specifiche dell'immagine

- Interazione uomo-IA più naturale, simulando il modo in cui gli esseri umani indicano mentre descrivono

Applicazioni Pratiche

Questa implementazione di Kosmos-2 abilita numerose applicazioni reali:

- **Tecnologie assistive:** aiutare utenti non vedenti a comprendere l'ambiente descrivendo oggetti e posizioni

- **Ricerca visiva:** trovare oggetti nelle immagini tramite descrizioni in linguaggio naturale

- **Interazione uomo-robot:** permettere ai robot di comprendere riferimenti agli oggetti nell'ambiente

- **Visual question answering:** fornire risposte dettagliate su elementi specifici di un'immagine

- **Strumenti educativi:** creare esperienze di apprendimento interattive che collegano concetti visivi e linguaggio

Kosmos-2 rappresenta un passo importante verso sistemi di IA capaci di percepire e ragionare sul mondo visivo in modo più simile alla comprensione umana, colmando il divario tra vedere e descrivere ciò che si vede.

Esempio: Estrazione di Feature da Video con Hugging Face

Non possiamo ancora eseguire completamente Gemini o Kosmos in open-source, ma possiamo usare modelli pre-addestrati come **VideoMAE** per ottenere embedding video.

```python
from transformers import VideoMAEFeatureExtractor, VideoMAEModel
import torch
import av  # pip install av
import numpy as np
import matplotlib.pyplot as plt
from PIL import Image
import os
import time

def load_video_mae_model():
    """Load the pretrained VideoMAE model and feature extractor"""
    print("Loading VideoMAE model...")
    feature_extractor = VideoMAEFeatureExtractor.from_pretrained("MCG-NJU/videomae-base")
    model = VideoMAEModel.from_pretrained("MCG-NJU/videomae-base")
    return feature_extractor, model

def extract_frames(video_path, num_frames=8, sample_rate=30):
    """Extract frames from a video file at a specific sample rate

    Args:
        video_path: Path to the video file
```

```python
        num_frames: Maximum number of frames to extract
        sample_rate: Extract every nth frame

    Returns:
        List of frames as numpy arrays in RGB format
    """
    print(f"Extracting frames from {video_path}...")
    if not os.path.exists(video_path):
        raise FileNotFoundError(f"Video file not found: {video_path}")

    container = av.open(video_path)
    frames = []

    # Get video info
    video_stream = container.streams.video[0]
    fps = video_stream.average_rate
    duration = container.duration / 1000000  # in seconds
    total_frames = video_stream.frames

    print(f"Video info: {fps} fps, {duration:.2f}s duration, {total_frames} total
frames")

    start_time = time.time()
    for i, frame in enumerate(container.decode(video=0)):
        if i % sample_rate == 0:
            frames.append(frame.to_ndarray(format="rgb24"))
            print(f"Extracted frame {len(frames)}/{num_frames} (video position:
{i})")

        if len(frames) == num_frames:
            break

    process_time = time.time() - start_time
    print(f"Frame extraction complete. Extracted {len(frames)} frames in
{process_time:.2f}s")
    return frames

def get_video_embeddings(feature_extractor, model, frames):
    """Process frames and extract embeddings using VideoMAE

    Args:
        feature_extractor: VideoMAE feature extractor
        model: VideoMAE model
        frames: List of video frames as numpy arrays

    Returns:
        Video embeddings tensor and raw model outputs
    """
    if len(frames) == 0:
        raise ValueError("No frames were extracted from the video")

    print(f"Processing {len(frames)} frames with VideoMAE...")
```

```python
    # Preprocess frames
    inputs = feature_extractor(frames, return_tensors="pt")

    # Extract embeddings
    with torch.no_grad():
        outputs = model(**inputs)
        video_embeddings = outputs.last_hidden_state

    return video_embeddings, outputs

def visualize_frames_and_embeddings(frames, embeddings):
    """Visualize extracted frames and a 2D PCA projection of their embeddings"""
    # Visualize frames
    num_frames = len(frames)
    fig, axes = plt.subplots(1, num_frames, figsize=(16, 4))

    for i, (frame, ax) in enumerate(zip(frames, axes)):
        ax.imshow(frame)
        ax.set_title(f"Frame {i}")
        ax.axis('off')

    plt.tight_layout()
    plt.savefig("video_frames.png")
    plt.show()

    # Visualize embedding patterns (simple 2D visualization)
    # Take mean over tokens dimension to get per-frame representations
    frame_embeddings = embeddings.mean(dim=1).squeeze(0)

    # PCA-like dimensionality reduction (simplified)
    from sklearn.decomposition import PCA
    pca = PCA(n_components=2)
    reduced_embeddings = pca.fit_transform(frame_embeddings.numpy())

    plt.figure(figsize=(8, 6))
    plt.scatter(reduced_embeddings[:, 0], reduced_embeddings[:, 1])

    # Add frame numbers
    for i, (x, y) in enumerate(reduced_embeddings):
        plt.annotate(str(i), (x, y), fontsize=12)

    plt.title("2D projection of frame embeddings")
    plt.xlabel("Component 1")
    plt.ylabel("Component 2")
    plt.grid(True, linestyle='--', alpha=0.7)
    plt.savefig("embedding_visualization.png")
    plt.show()

def compute_frame_similarity(embeddings):
    """Compute cosine similarity between frame embeddings"""
    # Mean over token dimension to get per-frame embeddings
```

```python
        frame_embeddings = embeddings.mean(dim=1).squeeze(0)

        # Normalize embeddings
        norm = frame_embeddings.norm(dim=1, keepdim=True)
        normalized_embeddings = frame_embeddings / norm

        # Compute similarity matrix
        similarity = torch.mm(normalized_embeddings, normalized_embeddings.t())

        # Visualize similarity matrix
        plt.figure(figsize=(8, 6))
        plt.imshow(similarity.numpy(), cmap='viridis')
        plt.colorbar(label='Cosine Similarity')
        plt.title("Frame-to-Frame Similarity")
        plt.xlabel("Frame Index")
        plt.ylabel("Frame Index")
        plt.savefig("frame_similarity.png")
        plt.show()

        return similarity

def detect_scene_changes(similarity_matrix, threshold=0.8):
    """Simple scene change detection based on frame similarity"""
    # Check if adjacent frames are below similarity threshold
    scene_changes = []
    sim_np = similarity_matrix.numpy()

    for i in range(len(sim_np) - 1):
        if sim_np[i, i+1] < threshold:
            scene_changes.append(i+1)

    print(f"Detected {len(scene_changes)} potential scene changes at frames: {scene_changes}")
    return scene_changes

def main():
    # Load model
    feature_extractor, model = load_video_mae_model()

    # Process video
    video_path = "sample_video.mp4"
    frames = extract_frames(video_path, num_frames=8, sample_rate=30)

    # Get embeddings
    video_embeddings, outputs = get_video_embeddings(feature_extractor, model, frames)
    print("Video embeddings shape:", video_embeddings.shape)  # [batch, frames, hidden_dim]

    # Visualize frames and embeddings
    visualize_frames_and_embeddings(frames, video_embeddings)
```

```python
    # Compute and visualize frame similarity
    similarity = compute_frame_similarity(video_embeddings)

    # Detect scene changes
    scene_changes = detect_scene_changes(similarity, threshold=0.8)

    print("Processing complete!")

if __name__ == "__main__":
    main()
```

L'esempio sopra dimostra un approccio completo all'utilizzo dei video in contesti di machine learning tramite il modello VideoMAE (Video Masked Autoencoder). VideoMAE è un framework di apprendimento auto-supervisionato per la comprensione dei video che funziona ricostruendo parti mascherate dei fotogrammi. Analizziamo i componenti principali:

Estrazione dei fotogrammi video: il codice utilizza la libreria PyAV per decodificare ed estrarre in modo efficiente i fotogrammi dai file video a intervalli specifici. Questo è fondamentale perché lavorare con ogni singolo frame sarebbe computazionalmente costoso e spesso ridondante, dato che i frame adiacenti contengono informazioni simili.

Estrazione delle feature con VideoMAE: i fotogrammi estratti vengono elaborati da VideoMAE, che trasforma i dati pixel grezzi in vettori di feature ad alta dimensionalità (embedding). Questi embedding catturano informazioni semantiche su oggetti, azioni e scene presenti nel video.

Componenti di visualizzazione: il codice include diverse funzioni di visualizzazione che aiutano a comprendere sia il contenuto video grezzo (mostrando i fotogrammi estratti) sia le rappresentazioni codificate (visualizzazione degli embedding). Questo è utile per il debugging e per capire come il modello "vede" il video.

Analisi della similarità tra fotogrammi: calcolando la similarità coseno tra gli embedding dei frame, il codice può identificare quanto siano simili o diversi i fotogrammi consecutivi. Questo ha applicazioni pratiche come il rilevamento dei cambi di scena, la sintesi dei contenuti e l'estrazione di keyframe.

Rilevamento dei cambi di scena: viene implementato un approccio semplice basato su soglia per individuare potenziali cambi di scena, utile per indicizzazione video, riassunti o creazione di capitoli.

Il codice rappresenta una base per compiti più complessi di video understanding come riconoscimento delle azioni, video captioning o video question answering. Queste capacità sono fondamentali per applicazioni che vanno dalla moderazione dei contenuti alla ricerca video fino alle tecnologie assistive.

Quando si lavora con VideoMAE, è importante considerare che:

- Il preprocessing dell'input è specifico e richiede fotogrammi in formato e dimensioni precise.

- Gli embedding in output sono gerarchici e catturano diversi livelli di informazione spazio-temporale.

- La dimensione dei token nell'output rappresenta la suddivisione spaziale dell'immagine.

- Per compiti downstream, è spesso necessario ulteriore processamento o fine-tuning per adattare gli embedding a scopi specifici.

Questo esempio fornisce un ottimo punto di partenza per esplorare capacità multimodali che collegano computer vision e NLP, sempre più rilevanti per sistemi di IA che devono comprendere il mondo in modo simile agli esseri umani.

5.3.5 Ragionamento Cross-Modale

Il ragionamento cross-modale va oltre l'elaborazione isolata delle modalità. Riguarda l'**integrazione** — la capacità di sintetizzare e analizzare informazioni attraverso diversi canali percettivi simultaneamente. Questo rappresenta un progresso significativo rispetto ai sistemi che elaborano un solo tipo di input, avvicinandosi al modo in cui gli esseri umani percepiscono il mondo.

A differenza dei sistemi tradizionali, i modelli cross-modali creano una comprensione unificata stabilendo connessioni tra diversi tipi di informazione, permettendo analisi più complete e contestuali. Questa integrazione avviene a livello rappresentazionale profondo, dove il modello impara a mappare concetti in uno spazio semantico condiviso.

Ad esempio, quando un sistema elabora sia un'immagine di un cane sia la parola "cane", non li tratta come input separati, ma riconosce che rappresentano lo stesso concetto attraverso canali diversi. Questa capacità è fondamentale per avvicinarsi alla cognizione umana.

L'implementazione tecnica coinvolge architetture neurali complesse con embedding condivisi, meccanismi di cross-attention e tecniche di fusione che preservano le caratteristiche di ogni modalità permettendo lo scambio di informazioni. Il sistema deve imparare a distinguere correlazioni significative da coincidenze.

Audio + Video:

Lettura labiale e allineamento vocale, in cui i modelli associano parole pronunciate ai movimenti della bocca per migliorare il riconoscimento vocale in ambienti rumorosi o per utenti con problemi uditivi. Questa integrazione consente una comprensione più robusta.

Il sistema analizza sia i movimenti facciali e le forme della bocca associate ai fonemi, sia le caratteristiche acustiche del segnale vocale. Combinando queste informazioni, può distinguere suoni simili con rappresentazioni visive diverse (come "ba" e "fa") o chiarire audio poco chiaro tramite il canale visivo.

Modelli avanzati utilizzano meccanismi di attenzione che regolano dinamicamente l'importanza dei segnali visivi e audio in base alla loro affidabilità. Ad esempio, in presenza di rumore ambientale elevato, il sistema privilegia le informazioni visive; in condizioni di scarsa illuminazione, dà più peso all'audio.

Questa tecnologia è particolarmente utile in ambienti affollati o rumorosi, oppure in applicazioni assistive per persone con difficoltà uditive. Nelle videochiamate, può migliorare la qualità della comunicazione ricostruendo parti mancanti del messaggio.

Esempio: Ragionamento Cross-Modale: Integrazione Audio + Video

```python
import torch
import torchaudio
import torch.nn as nn
import torch.nn.functional as F
import av
import numpy as np
import matplotlib.pyplot as plt
from transformers import Wav2Vec2Processor, Wav2Vec2Model
from transformers import VideoMAEFeatureExtractor, VideoMAEModel
```

```python
from sklearn.metrics.pairwise import cosine_similarity
from PIL import Image
import librosa
import librosa.display

class AudioVideoSyncModel(nn.Module):
    """
    A model for audio-video synchronization and cross-modal reasoning
    """
    def __init__(self, audio_dim=768, video_dim=768, joint_dim=512):
        super().__init__()
        self.audio_projection = nn.Linear(audio_dim, joint_dim)
        self.video_projection = nn.Linear(video_dim, joint_dim)
        self.cross_attention = nn.MultiheadAttention(
            embed_dim=joint_dim,
            num_heads=8,
            batch_first=True
        )
        self.classifier = nn.Sequential(
            nn.Linear(joint_dim, 256),
            nn.ReLU(),
            nn.Dropout(0.2),
            nn.Linear(256, 1),
            nn.Sigmoid()
        )

    def forward(self, audio_features, video_features):
        """
        Process audio and video features and compute synchronization score

        Args:
            audio_features: Tensor of shape [batch_size, seq_len_audio, audio_dim]
            video_features: Tensor of shape [batch_size, seq_len_video, video_dim]

        Returns:
            sync_score: Synchronization probability between 0-1
            joint_features: Cross-modal features after attention
        """
        # Project to common space
        audio_proj = self.audio_projection(audio_features)
        video_proj = self.video_projection(video_features)

        # Apply cross-attention from video to audio
        joint_features, _ = self.cross_attention(
            query=video_proj,
            key=audio_proj,
            value=audio_proj
        )

        # Get global representation by mean pooling
        global_joint = torch.mean(joint_features, dim=1)
```

```python
        # Predict synchronization score
        sync_score = self.classifier(global_joint)

        return sync_score, joint_features

def extract_video_frames(video_path, sample_rate=5):
    """
    Extract frames from a video at regular intervals

    Args:
        video_path: Path to video file
        sample_rate: Sample every nth frame

    Returns:
        List of frames as numpy arrays in RGB format
    """
    frames = []
    try:
        container = av.open(video_path)
        stream = container.streams.video[0]
        total_frames = stream.frames
        fps = float(stream.average_rate)

        print(f"Video: {total_frames} frames, {fps} fps")

        for i, frame in enumerate(container.decode(video=0)):
            if i % sample_rate == 0:
                # Convert to RGB numpy array
                img = frame.to_ndarray(format='rgb24')
                frames.append(img)

        print(f"Extracted {len(frames)} frames")
        container.close()

    except Exception as e:
        print(f"Error extracting video frames: {e}")

    return frames

def extract_audio_from_video(video_path, target_sr=16000):
    """
    Extract audio from a video file

    Args:
        video_path: Path to video file
        target_sr: Target sampling rate

    Returns:
        Audio waveform and sample rate
    """
    try:
        container = av.open(video_path)
```

```python
        audio_stream = container.streams.audio[0]

        # Initialize an empty numpy array to store audio samples
        audio_data = []

        # Decode audio
        for frame in container.decode(audio=0):
            # Convert PyAV AudioFrame to numpy array
            frame_data = frame.to_ndarray()
            audio_data.append(frame_data)

        # Concatenate audio frames
        if audio_data:
            audio_array = np.concatenate(audio_data)

            # Convert to mono if stereo
            if len(audio_array.shape) > 1 and audio_array.shape[1] > 1:
                audio_array = np.mean(audio_array, axis=1)

            # Resample if needed
            original_sr = audio_stream.rate
            if original_sr != target_sr:
                audio_resampled = librosa.resample(
                    audio_array,
                    orig_sr=original_sr,
                    target_sr=target_sr
                )
                return audio_resampled, target_sr

            return audio_array, original_sr
        else:
            raise ValueError("No audio frames found")

    except Exception as e:
        print(f"Error extracting audio: {e}")
        return None, None

def process_video(video_path, video_model, video_processor, sample_rate=5):
    """
    Extract and process video frames

    Args:
        video_path: Path to video file
        video_model: VideoMAE model
        video_processor: VideoMAE feature extractor
        sample_rate: Sample every nth frame

    Returns:
        Video features tensor
    """
    # Extract frames
    frames = extract_video_frames(video_path, sample_rate)
```

```python
    if not frames:
        raise ValueError("No frames were extracted")

    # Process frames with VideoMAE
    inputs = video_processor(frames, return_tensors="pt")

    with torch.no_grad():
        outputs = video_model(**inputs)
        video_features = outputs.last_hidden_state

    return video_features, frames

def process_audio(audio_array, sr, audio_model, audio_processor):
    """
    Process audio with Wav2Vec2

    Args:
        audio_array: Audio samples as numpy array
        sr: Sample rate
        audio_model: Wav2Vec2 model
        audio_processor: Wav2Vec2 processor

    Returns:
        Audio features tensor
    """
    # Prepare audio for Wav2Vec2
    inputs = audio_processor(
        audio_array,
        sampling_rate=sr,
        return_tensors="pt"
    )

    with torch.no_grad():
        outputs = audio_model(**inputs)
        audio_features = outputs.last_hidden_state

    return audio_features

def detect_audiovisual_sync(sync_scores, threshold=0.5):
    """
    Analyze synchronization scores to detect in-sync vs out-of-sync segments

    Args:
        sync_scores: List of synchronization scores
        threshold: Threshold for considering audio-video in sync

    Returns:
        List of in-sync and out-of-sync segments
    """
    segments = []
```

```python
    current_segment = {"start": 0, "status": "sync" if sync_scores[0] >= threshold
else "out-of-sync"}

    for i in range(1, len(sync_scores)):
        current_status = "sync" if sync_scores[i] >= threshold else "out-of-sync"
        previous_status = "sync" if sync_scores[i-1] >= threshold else "out-of-sync"

        if current_status != previous_status:
            # End the previous segment
            current_segment["end"] = i - 1
            segments.append(current_segment)
            # Start a new segment
            current_segment = {"start": i, "status": current_status}

    # Add the final segment
    current_segment["end"] = len(sync_scores) - 1
    segments.append(current_segment)

    return segments

def visualize_sync_analysis(frames, audio_waveform, sr, sync_scores, segments):
    """
    Visualize audio, video frames, and synchronization analysis

    Args:
        frames: List of video frames
        audio_waveform: Audio samples
        sr: Audio sample rate
        sync_scores: Synchronization scores
        segments: Detected sync/out-of-sync segments
    """
    fig, axes = plt.subplots(3, 1, figsize=(15, 10), gridspec_kw={'height_ratios': [1,
1, 2]})

    # Plot synchronization scores
    axes[0].plot(sync_scores)
    axes[0].set_ylim(0, 1)
    axes[0].set_ylabel('Sync Score')
    axes[0].set_xlabel('Frame')
    axes[0].axhline(y=0.5, color='r', linestyle='--')

    # Highlight sync/out-of-sync segments
    for segment in segments:
        color = 'green' if segment['status'] == 'sync' else 'red'
        axes[0].axvspan(segment['start'], segment['end'], alpha=0.2, color=color)

    # Plot audio waveform
    librosa.display.waveshow(audio_waveform, sr=sr, ax=axes[1])
    axes[1].set_ylabel('Amplitude')

    # Display frames at key points
    n_frames = min(8, len(frames))
```

```python
    indices = np.linspace(0, len(frames)-1, n_frames, dtype=int)

    for i, idx in enumerate(indices):
        ax = plt.subplot(3, n_frames, i + 2*n_frames + 1)
        ax.imshow(frames[idx])
        ax.set_title(f"Frame {idx}")
        ax.axis('off')

    plt.tight_layout()
    plt.savefig('av_sync_analysis.png')
    plt.show()

def demonstrate_lip_reading(sync_model, audio_features, video_features, frames):
    """
    Demonstrate lip-reading by finding the most relevant audio for each video frame
    using the cross-attention mechanism

    Args:
        sync_model: Trained AudioVideoSyncModel
        audio_features: Audio features tensor
        video_features: Video features tensor
        frames: List of video frames

    Returns:
        Attention weights showing audio-visual connections
    """
    # Project features to common space
    audio_proj = sync_model.audio_projection(audio_features)
    video_proj = sync_model.video_projection(video_features)

    # Compute raw attention scores
    attn_weights = torch.matmul(video_proj, audio_proj.transpose(-2, -1)) / np.sqrt(audio_proj.size(-1))

    # Convert to probabilities
    attn_probs = F.softmax(attn_weights, dim=-1)

    # Visualize attention for selected frames
    n_frames = min(4, len(frames))
    indices = np.linspace(0, len(frames)-1, n_frames, dtype=int)

    fig, axes = plt.subplots(2, n_frames, figsize=(15, 6))

    for i, idx in enumerate(indices):
        # Show the frame
        axes[0, i].imshow(frames[idx])
        axes[0, i].set_title(f"Frame {idx}")
        axes[0, i].axis('off')

        # Show attention weights (which audio segments this frame attends to)
        if idx < attn_probs.shape[1]:  # Ensure index is valid
            axes[1, i].plot(attn_probs[0, idx].detach().numpy())
```

```python
        axes[1, i].set_title("Audio Attention")
        axes[1, i].set_xlabel("Audio Frames")
        axes[1, i].set_ylabel("Attention Weight")

    plt.tight_layout()
    plt.savefig('lip_reading_attention.png')
    plt.show()

    return attn_probs

def main():
    # Initialize models
    print("Loading models...")

    # Audio model (Wav2Vec2)
    audio_processor    =    Wav2Vec2Processor.from_pretrained("facebook/wav2vec2-base-
960h")
    audio_model = Wav2Vec2Model.from_pretrained("facebook/wav2vec2-base-960h")

    # Video model (VideoMAE)
    video_processor   =   VideoMAEFeatureExtractor.from_pretrained("MCG-NJU/videomae-
base")
    video_model = VideoMAEModel.from_pretrained("MCG-NJU/videomae-base")

    # Cross-modal synchronization model
    sync_model = AudioVideoSyncModel(
        audio_dim=768,  # Wav2Vec2 feature dimension
        video_dim=768,  # VideoMAE feature dimension
        joint_dim=512   # Joint embedding dimension
    )

    # Process video with speaking person
    video_path = "speaking_person.mp4"
    print(f"Processing video: {video_path}")

    # Extract audio from video
    audio_array, sr = extract_audio_from_video(video_path)

    if audio_array is None:
        print("Failed to extract audio")
        return

    print(f"Audio: {len(audio_array)} samples, {sr} Hz")

    # Process video frames
    video_features, frames = process_video(
        video_path,
        video_model,
        video_processor,
        sample_rate=5
    )
```

```python
    # Process audio
    audio_features = process_audio(
        audio_array,
        sr,
        audio_model,
        audio_processor
    )

    print("Audio features shape:", audio_features.shape)
    print("Video features shape:", video_features.shape)

    # Simulate training the sync model (in practice, this requires proper training)
    # Here we're just demonstrating the forward pass
    sync_scores = []
    step_size = max(1, audio_features.shape[1] // video_features.shape[1])

    for i in range(video_features.shape[1]):
        # Get corresponding audio chunk
        start_idx = i * step_size
        end_idx = min((i + 1) * step_size, audio_features.shape[1])

        audio_chunk = audio_features[:, start_idx:end_idx, :]
        video_frame_feat = video_features[:, i:i+1, :]

        # Mean pool audio chunk
        audio_chunk_pooled = torch.mean(audio_chunk, dim=1, keepdim=True)

        # Get sync score
        score, _ = sync_model(audio_chunk_pooled, video_frame_feat)
        sync_scores.append(score.item())

    # Analyze synchronization
    segments = detect_audiovisual_sync(sync_scores)
    print("Detected segments:")
    for segment in segments:
        print(f"Frames {segment['start']}-{segment['end']}: {segment['status']}")

    # Visualize results
    visualize_sync_analysis(frames, audio_array, sr, sync_scores, segments)

    # Demonstrate lip reading capabilities
    print("Generating lip reading visualization...")
    attn_weights = demonstrate_lip_reading(sync_model, audio_features,
video_features, frames)

    print("Analysis complete!")

if __name__ == "__main__":
    main()
```

Questo esempio di codice dimostra un approccio completo al ragionamento cross-modale con audio e video, concentrandosi sulla lettura labiale e sull'analisi della sincronizzazione tra parlato e video. Analizziamo i componenti principali:

La classe **AudioVideoSyncModel** implementa un'architettura di rete neurale che elabora sia le caratteristiche audio sia quelle video e impara ad allinearle in uno spazio di rappresentazione condiviso. Utilizza diversi meccanismi importanti:

- Strati di proiezione specifici per modalità che mappano le caratteristiche audio e video in uno spazio semantico comune

- Meccanismi di cross-attention che permettono al modello di determinare quali parti dell'audio corrispondono a quali frame visivi

- Una testa di classificazione che predice se audio e video sono sincronizzati

La funzione **extract_video_frames** estrae frame da un video a intervalli regolari usando PyAV, che fornisce un binding Pythonico alle librerie FFmpeg. Questo approccio di campionamento è essenziale per l'efficienza, poiché elaborare ogni frame sarebbe computazionalmente costoso e spesso ridondante per la comprensione semantica.

Allo stesso modo, **extract_audio_from_video** estrae la traccia audio da un file video e la elabora in un formato adatto ai modelli di deep learning, includendo la conversione a una frequenza di campionamento coerente e la gestione dell'audio multi-canale.

Le funzioni **process_video** e **process_audio** utilizzano modelli pre-addestrati della libreria Transformers per convertire frame video grezzi e segnali audio in rappresentazioni di caratteristiche ad alta dimensionalità:

- VideoMAE (Video Masked Autoencoder) elabora i frame video, estraendo caratteristiche che catturano oggetti, azioni e contesto visivo

- Wav2Vec2 elabora l'audio, catturando informazioni fonetiche e linguistiche

La funzione **detect_audiovisual_sync** analizza i punteggi di sincronizzazione per identificare segmenti in cui audio e video sono ben allineati rispetto a segmenti in cui potrebbero essere fuori sincrono. Questo è utile per applicazioni come la correzione automatica dei problemi di sincronizzazione audio-video nei contenuti registrati.

La funzione **visualize_sync_analysis** crea una visualizzazione completa che mostra:

- I punteggi di sincronizzazione nel tempo

- Segmenti codificati a colori che indicano le porzioni sincronizzate e non sincronizzate

- La forma d'onda audio

- Frame video chiave lungo tutta la sequenza

La funzione **demonstrate_lip_reading** mostra come il meccanismo di cross-attention implementi efficacemente una forma di lettura labiale collegando i movimenti della bocca nei frame video con i segmenti audio corrispondenti. Visualizza i pesi di attenzione, mostrando quali parti dell'audio sono più fortemente associate a ciascun frame video.

Nella funzione **main**, vediamo l'intera pipeline in azione:

- I modelli vengono caricati e inizializzati

- Video e audio vengono estratti ed elaborati

- Il modello di sincronizzazione viene applicato per analizzare l'allineamento tra le modalità

- I risultati vengono visualizzati per l'interpretazione

Questa implementazione ha numerose applicazioni pratiche:

- Tecnologie assistive per utenti con disabilità uditive per migliorare la comprensione del parlato tramite segnali visivi

- Strumenti di produzione video che rilevano e correggono automaticamente problemi di sincronizzazione audio-video

- Riconoscimento vocale migliorato in ambienti rumorosi sfruttando informazioni visive

- Applicazioni di sicurezza per rilevare contenuti manipolati in cui audio e video non sono naturalmente allineati

- Strumenti educativi che garantiscono contenuti correttamente sincronizzati per esperienze di apprendimento ottimali

L'esempio rappresenta una base che può essere estesa con procedure di addestramento più sofisticate e miglioramenti architetturali. In un ambiente di produzione, questo sistema richiederebbe dati di addestramento adeguati costituiti da esempi audio-video accoppiati, sia sincronizzati sia deliberatamente disallineati.

Testo + Immagine

Rispondere a domande su un grafico o una foto richiede la comprensione sia degli elementi visivi (colori, forme, relazioni spaziali) sia del contesto testuale per fornire risposte significative. Questa capacità consente un'esplorazione dei dati più intuitiva e un recupero delle informazioni visive più efficace. Il modello deve riconoscere schemi visivi, comprendere le disposizioni spaziali e interpretare le codifiche cromatiche mentre elabora simultaneamente etichette testuali e informazioni contestuali associate all'immagine. Questa integrazione visivo-testuale richiede architetture neurali sofisticate in grado di mantenere rappresentazioni di entrambe le modalità e di ragionare efficacemente tra di esse.

Ad esempio, nell'analisi di un grafico finanziario, il sistema deve comprendere non solo la rappresentazione visiva delle tendenze dei dati, ma anche interpretare etichette, legende e assi per fornire insight accurati. Deve riconoscere diversi tipi di grafico (grafici a barre, grafici a linee, grafici a torta), capire cosa rappresenta ogni elemento visivo (tendenze in crescita, segmenti di mercato, dati comparativi) e interpretare correttamente scale numeriche e periodi temporali. Il sistema deve anche distinguere il significato della codifica dei colori (ad esempio, rosso per perdite, verde per guadagni) e delle variazioni di pattern (ad esempio, linee tratteggiate per proiezioni rispetto a linee continue per dati storici), collegando questi segnali visivi alla terminologia e ai concetti finanziari presenti nel testo associato.

Allo stesso modo, nell'imaging medico, un sistema cross-modale può correlare schemi visivi nelle scansioni con i registri clinici testuali per supportare diagnosi o pianificazione dei trattamenti. Ciò richiede l'identificazione di anomalie visive sottili in radiografie, risonanze magnetiche o TAC, considerando contemporaneamente la storia del paziente, i sintomi e altre note cliniche per fornire un'analisi medica contestualmente rilevante. Il sistema deve riconoscere strutture anatomiche, rilevare anomalie come fratture, tumori o infiammazioni e comprendere come questi riscontri visivi si collegano ai sintomi descritti nei documenti testuali. Questa integrazione consente un supporto decisionale clinico più completo collegando ciò che si vede nell'immagine con ciò che si conosce della condizione del paziente.

Questa integrazione di informazioni visive e testuali si estende anche ad altri domini come l'analisi geospaziale (interpretazione di mappe insieme a descrizioni di luoghi), la comprensione dei documenti (elaborazione di diagrammi con testo esplicativo) e i contenuti educativi (connessione tra supporti visivi e spiegazioni testuali). Nelle applicazioni geospaziali, i modelli devono comprendere caratteristiche geografiche, elementi topografici e rappresentazioni simboliche sulle mappe, collegandoli a descrizioni testuali di località, indicazioni o dati demografici. Per la comprensione dei documenti, il sistema deve analizzare layout complessi con testo e elementi visivi misti, comprendendo come i diagrammi illustrano concetti spiegati nel testo associato.

Il vero potere dei sistemi multimodali emerge quando riescono a integrare perfettamente questi diversi flussi informativi in una comprensione unificata, consentendo un'interazione uomo-AI più naturale in diverse applicazioni. Questa comprensione unificata permette ai sistemi di fornire risposte più contestualmente appropriate che tengono conto dell'intera gamma di informazioni disponibili, in modo simile a come gli esseri umani integrano più input sensoriali per comprendere l'ambiente. Attraverso tecniche come la cross-attention e spazi di embedding condivisi, questi modelli creano rappresentazioni ricche che catturano le relazioni tra parole ed elementi visivi, permettendo un ragionamento più sofisticato che rispecchia i processi cognitivi umani.

Testo + Video

Spiegare un evento in una clip o riassumere un documentario richiede un ragionamento temporale tra i frame, collegando al contempo gli elementi visivi alla struttura narrativa. Questa integrazione supporta un'analisi dei contenuti a un livello semantico molto più profondo rispetto alla comprensione di immagini statiche, poiché richiede l'elaborazione di informazioni sequenziali e la comprensione di come le scene evolvono nel tempo. L'AI deve analizzare simultaneamente più dimensioni — composizione visiva, pattern di movimento, transizioni temporali, segnali audio e progressione narrativa — per costruire una comprensione coerente del contenuto.

Il sistema deve tracciare oggetti e attori nel tempo, comprendere la causalità tra eventi e collegare sequenze visive con informazioni contestuali. Questo tracciamento implica algoritmi avanzati di visione artificiale in grado di mantenere l'identità degli oggetti nonostante cambiamenti di aspetto, illuminazione, angolazione della telecamera o occlusioni parziali. Ad esempio, nell'analisi di un documentario naturalistico, il modello deve non solo riconoscere singoli animali, ma seguirne i movimenti tra diverse scene, comprendere l'arco narrativo (come un predatore che caccia la preda) e collegare queste sequenze visive ai temi educativi del documentario. Il sistema deve interpretare sia le informazioni visive esplicite (ciò che viene mostrato direttamente) sia i contenuti impliciti (ciò che è suggerito attraverso tecniche di montaggio, movimenti di camera o giustapposizione delle scene).

Il ragionamento temporale richiede anche la comprensione del linguaggio cinematografico — come tagli, transizioni, inquadrature di apertura, primi piani e montaggi contribuiscono alla narrazione. Il modello deve riconoscere quando si verifica un flashback, quando vengono presentate linee narrative parallele o quando un montaggio comprime il tempo. Allo stesso modo, per i filmati di notizie, il sistema deve riconoscere figure chiave, comprendere la cronologia degli eventi e collocarli nel contesto più ampio fornito da narrazione o interviste. Ciò implica correlare le informazioni parlate con le evidenze visive, distinguere tra filmati originali e materiale d'archivio e riconoscere quando lo stesso evento viene mostrato da più prospettive.

Questo ragionamento multimodale consente applicazioni come la generazione automatica di riassunti video dettagliati che catturano sia il contenuto visivo sia la struttura narrativa, la creazione di descrizioni accessibili per utenti non vedenti che trasmettono elementi emotivi e narrativi, oppure l'analisi di filmati di sorveglianza insieme a report testuali per identificare incidenti specifici abbinando pattern visivi a descrizioni testuali degli eventi. Queste applicazioni richiedono non solo il riconoscimento degli oggetti, ma anche la comprensione delle scene — cioè delle relazioni tra oggetti, delle loro interazioni e di come questi elementi si combinano per creare significato.

Sistemi avanzati possono persino identificare archi emotivi nei film correlando tecniche cinematografiche visive con dialoghi e musica per comprendere come i registi trasmettono significato attraverso più canali simultaneamente. Ciò include l'analisi della color grading (come toni caldi o freddi evocano emozioni diverse), del movimento della camera (stabile vs. a mano per trasmettere stabilità o tensione), delle tecniche di illuminazione (high-key vs. low-key per diversi stati d'animo) e di come questi elementi visivi si sincronizzano con musica, effetti sonori e dialoghi per creare un'esperienza emotiva unificata.

L'obiettivo finale è sviluppare sistemi AI in grado di "guardare" e "comprendere" contenuti video con un livello di comprensione vicino a quello degli esseri umani, interpretando sia il contenuto denotativo (ciò che viene mostrato letteralmente) sia il significato connotativo (ciò che è trasmesso simbolicamente o emotivamente).

Esempi di utilizzo:

- Accessibilità: **sottotitolazione automatica delle lezioni** che combina la trascrizione audio con le descrizioni delle slide, rendendo i contenuti educativi più accessibili alle persone con disabilità uditive o a chi apprende in ambienti rumorosi. Il sistema deve sincronizzare la spiegazione verbale con i contenuti visivi rilevanti.

  Ciò richiede un riconoscimento vocale sofisticato in grado di gestire terminologia tecnica e diversi accenti, identificando allo stesso tempo il contesto di ciò che viene discusso analizzando le slide visive. La tecnologia deve marcare con precisione i tempi del parlato per allinearlo agli elementi visivi corrispondenti, creando un'esperienza fluida che imita il modo in cui i partecipanti in presenza elaborano la lezione.

- Istruzione: sistemi di tutoring che possono spiegare un diagramma mentre narrano, creando esperienze di apprendimento più coinvolgenti e complete collegando concetti visivi con spiegazioni verbali. Questi sistemi possono adattarsi a diversi stili di apprendimento e fornire un rinforzo multimodale dei concetti complessi.

  Ad esempio, nell'insegnamento della biologia molecolare, il sistema potrebbe evidenziare parti specifiche di un diagramma cellulare mentre ne spiega verbalmente le funzioni, adattando poi dinamicamente il proprio approccio didattico in base ai segnali di comprensione dello studente. Questo approccio multimodale aiuta gli studenti a costruire modelli mentali più solidi collegando concetti astratti a rappresentazioni visive, migliorando significativamente la memorizzazione rispetto a un'istruzione a singola modalità.

- Robotica: interpretazione simultanea di **segnali visivi** e **istruzioni verbali**, permettendo un'interazione uomo-robot più naturale in ambienti collaborativi. Ciò consente ai robot di comprendere comandi contestuali come "prendi la tazza rossa a sinistra" combinando elaborazione visiva e comprensione del linguaggio.

Questa integrazione è fondamentale per robot assistivi in ambito sanitario, manifatturiero e domestico, dove devono muoversi in ambienti complessi e dinamici rispondendo a istruzioni umane che fanno riferimento a oggetti nello spazio fisico. I sistemi avanzati possono anche interpretare gesti umani, espressioni facciali e segnali ambientali insieme ai comandi verbali, creando una collaborazione uomo-robot più intuitiva ed efficiente senza richiedere agli esseri umani di adattare il proprio stile comunicativo naturale.

5.3.6 Perché è importante

Il **video** aggiunge la **dimensione del tempo**, permettendo all'AI di modellare causa ed effetto. Questa dimensione temporale consente ai sistemi di comprendere sequenze di eventi, tracciare oggetti nello spazio e riconoscere pattern che si sviluppano nel tempo. A differenza delle immagini statiche, il video fornisce contesto su come le azioni portano a conseguenze, su come gli oggetti interagiscono e su come le scene si trasformano. Elaborando video, l'AI può analizzare traiettorie di movimento, correlazioni temporali e cambiamenti dinamici che rivelano insight più profondi sui fenomeni fisici e sui comportamenti.

Questa capacità è cruciale per applicazioni come la guida autonoma (previsione dei movimenti dei pedoni basata sull'andatura e sulla traiettoria storica), i sistemi di sicurezza (rilevamento di comportamenti anomali confrontando le attività correnti con modelli consolidati) e la sanità (analisi dei movimenti dei pazienti durante la fisioterapia per valutare i progressi e fornire feedback in tempo reale). Il ragionamento temporale reso possibile dal video permette all'AI di comprendere non solo ciò che accade in un singolo istante, ma anche come gli eventi si sviluppano nel tempo, offrendo una comprensione più completa di scenari complessi.

Elaborando più frame in sequenza, l'AI può imparare ad anticipare ciò che potrebbe accadere in seguito sulla base di ciò che ha osservato, in modo simile a come gli esseri umani sviluppano una fisica intuitiva. Questa capacità predittiva deriva dall'abilità del modello di estrarre dipendenze temporali tra frame consecutivi, identificando relazioni causa-effetto e pattern ricorrenti.

Ad esempio, nell'analisi sportiva, l'AI può prevedere i movimenti dei giocatori in base al comportamento passato, mentre nelle previsioni meteorologiche può identificare evoluzioni delle formazioni nuvolose che indicano cambiamenti climatici. Questa comprensione temporale è fondamentale per creare sistemi AI in grado di interagire in modo significativo con il nostro mondo dinamico.

Il **ragionamento cross-modale** permette all'AI di integrare più sensi, rispecchiando la percezione umana. Così come gli esseri umani elaborano simultaneamente ciò che vedono, sentono e leggono per costruire una comprensione completa dell'ambiente, i sistemi AI multimodali possono correlare informazioni provenienti da diversi tipi di input. Questa integrazione consente una comprensione più robusta: quando una modalità fornisce informazioni poco chiare, le altre possono compensare. Questa capacità rappresenta un cambiamento fondamentale rispetto ai sistemi AI tradizionali che elaborano ogni input sensoriale separatamente, passando a un approccio più olistico che considera le relazioni e le interdipendenze tra diverse forme di informazione.

La potenza del ragionamento cross-modale risiede nella sua capacità di sfruttare informazioni complementari provenienti da diverse fonti, analogamente a come gli esseri umani combinano istintivamente più input sensoriali per orientarsi in ambienti complessi. Stabilendo correlazioni tra pattern visivi, segnali uditivi e descrizioni testuali, i sistemi AI possono sviluppare una comprensione più sfumata del mondo che supera i limiti di una singola modalità. Questo approccio rende il sistema più resiliente al rumore o all'ambiguità in singoli canali, sfruttando i punti di forza degli altri input disponibili.

Ad esempio, in ambienti rumorosi, la lettura labiale visiva può migliorare il riconoscimento vocale, mentre in scene visivamente complesse, i segnali audio possono aiutare a identificare elementi importanti. In ambito clinico, i sistemi AI possono correlare immagini mediche con la storia clinica scritta e le descrizioni verbali dei professionisti sanitari per ottenere valutazioni diagnostiche più complete. Nell'analisi delle videoconferenze, il sistema può integrare espressioni facciali, tono della voce e chat testuale per comprendere meglio il coinvolgimento e lo stato emotivo dei partecipanti.

Questo ragionamento cross-modale consente anche all'AI di comprendere i concetti più profondamente collegando descrizioni astratte (testo) con esperienze sensoriali concrete (immagini, suoni), creando rappresentazioni mentali più ricche che si avvicinano alla comprensione umana. Quando un sistema AI può collegare la descrizione testuale di "foglie fruscianti" sia all'immagine visiva del fogliame in movimento sia al suono corrispondente, sviluppa una comprensione concettuale più completa rispetto a una singola modalità. Questa rappresentazione multidimensionale consente un ragionamento più sofisticato su scenari reali e un'interazione più intuitiva con gli utenti.

Insieme, queste direzioni avvicinano i LLM a essere **assistenti AI generali**, non solo predittori di testo. Espandendosi oltre l'elaborazione del solo testo, questi sistemi possono interagire con il mondo in modo più naturale e completo. Possono analizzare e discutere contenuti visivi, elaborare informazioni che si sviluppano nel tempo, comprendere il parlato nel contesto e integrare questi input diversi in risposte coerenti.

Questa percezione più ampia consente agli assistenti AI di gestire compiti che richiedono la comprensione del mondo fisico — dall'aiutare persone non vedenti a orientarsi negli ambienti fino ad assistere professionisti nell'analisi di dati multimodali complessi come scansioni mediche con storie cliniche. L'evoluzione verso una vera comprensione multimodale rappresenta un passo significativo verso sistemi AI in grado di percepire e ragionare sul mondo in modo più vicino alle capacità cognitive umane.

5.3.7 Guardando al futuro

La frontiera dell'AI multimodale si sta muovendo verso una **vera integrazione**: modelli che fondono senza soluzione di continuità testo, visione, audio e video in un unico framework. Questo rappresenta un'evoluzione significativa rispetto agli approcci attuali in cui modelli separati gestiscono diverse modalità o si specializzano in combinazioni specifiche come testo-immagine o audio-testo. Una vera integrazione significa sviluppare architetture neurali che elaborano tutte le modalità simultaneamente attraverso meccanismi di attenzione condivisi e spazi di embedding unificati, consentendo alle informazioni di fluire liberamente tra diversi canali sensoriali.

Questi modelli integrati possono elaborare più flussi di input in parallelo mantenendo la consapevolezza di come si relazionano tra loro a livello contestuale. Ad esempio, comprendere che i gesti di un relatore in un video corrispondono a concetti specifici menzionati nel suo discorso, o che un diagramma mostrato in una presentazione illustra direttamente una spiegazione verbale. Questa attenzione cross-modale consente una comprensione molto più ricca rispetto all'elaborazione indipendente di ciascun flusso.

Invece di passare da sistemi specializzati, un unico modello unificato potrebbe elaborare e analizzare senza interruzioni più forme di contenuto simultaneamente, fornendo una comprensione davvero integrata:

- Guardare una lezione video, tracciando dimostrazioni visive, espressioni facciali e lavoro alla lavagna. Questa elaborazione visiva includerebbe il riconoscimento dei gesti dell'insegnante che enfatizzano punti chiave, l'identificazione dei momenti in cui dirige l'attenzione su aree specifiche e la comprensione delle dimostrazioni visive che illustrano concetti complessi. Il modello seguirebbe anche i cambiamenti su lavagne o schermi, comprendendo come il contenuto scritto evolve nel tempo.

- Ascoltare la narrazione, includendo enfasi tonali, pause e segnali verbali che indicano concetti importanti. Questa elaborazione audio rileverebbe variazioni di tono e volume che indicano enfasi, distinguerebbe tra domande retoriche e letterali, comprenderebbe quando le pause indicano transizioni tra argomenti e identificherebbe indicatori verbali come "importante" o "ricorda questo" che evidenziano informazioni cruciali.

- Leggere le slide, elaborando contenuti testuali, diagrammi, grafici e le loro relazioni spaziali. Ciò implica comprendere la gerarchia dei punti elenco, interpretare visualizzazioni complesse come diagrammi di flusso o grafici, riconoscere quando le etichette testuali corrispondono agli elementi visivi e comprendere come la disposizione spaziale delle informazioni trasmette relazioni strutturali tra i concetti.

- Riassumere tutto in linguaggio semplice, integrando gli insight provenienti da tutte le modalità in una narrazione coerente. Questo comporta combinare le informazioni da tutte le fonti, risolvere eventuali conflitti tra modalità, dare priorità ai contenuti in base all'enfasi e presentare una comprensione unificata che catturi le conoscenze essenziali in modo leggibile per gli esseri umani.

Queste capacità vanno ben oltre la semplice estrazione di caratteristiche da diverse modalità. Rappresentano un cambiamento fondamentale nel modo in cui i sistemi AI elaborano e integrano le informazioni tra i canali sensoriali. Mentre i sistemi multimodali tradizionali potrebbero elaborare separatamente testo, immagini e audio prima di combinare i risultati, i modelli multimodali realmente integrati utilizzano meccanismi sofisticati di cross-attention che consentono un flusso bidirezionale di informazioni tra le modalità durante l'intero processo di elaborazione.

Questi meccanismi di cross-attention abilitano diverse funzioni critiche: possono allineare dinamicamente elementi corrispondenti tra le modalità (abbinando parole pronunciate a oggetti visivi rilevanti), stabilire connessioni semantiche tra diverse rappresentazioni dello stesso concetto (collegando la parola "dog" sia al suo aspetto visivo sia al suono dell'abbaiare) e rilevare discrepanze quando le informazioni provenienti da modalità diverse appaiono contraddittorie (riconoscendo quando istruzioni verbali entrano in conflitto con dimostrazioni visive).

La risoluzione di queste relazioni complesse in una comprensione unificata richiede che i modelli sviluppino rappresentazioni astratte che catturino il significato indipendentemente dalla modalità di origine. Questo consente al sistema di identificare quando l'informazione in una modalità completa, rafforza o contraddice quella presente in un'altra, e di formulare giudizi ragionati su come integrare questi diversi input.

Per esempio, quando un relatore dice "come potete vedere in questo grafico" mentre indica un diagramma, il modello deve eseguire una serie complessa di operazioni: deve elaborare l'audio per estrarre il riferimento verbale, seguire il gesto fisico tramite elaborazione visiva, identificare il grafico come oggetto a cui si fa riferimento, analizzarne il contenuto e poi integrare tutte queste informazioni in una rappresentazione semantica coerente che colleghi la spiegazione verbale ai dati visivi. Questo richiede allineamento temporale (abbinare il momento in cui le parole vengono pronunciate a quello in cui avvengono i gesti), allineamento spaziale (collegare il gesto all'area specifica del grafico) e allineamento semantico (comprendere in che modo la spiegazione verbale si relaziona alle informazioni visive).

Queste sono le tipologie di capacità sofisticate che oggi vengono sviluppate nei laboratori di ricerca attraverso diversi approcci innovativi:

Multiway transformers che elaborano diverse modalità in parallelo consentendo all'attenzione di fluire tra di esse, permettendo a ciascuna modalità di influenzare il modo in cui le altre vengono elaborate. Queste architetture estendono il design tradizionale dei transformer implementando percorsi di encoding specializzati per ciascuna modalità (testo, immagine, audio, video), mantenendo al contempo meccanismi di attenzione cross-modale. Ad esempio, nell'elaborazione di una videolezione, il percorso visivo potrebbe concentrarsi su elementi importanti della scena mentre riceve simultaneamente segnali di attenzione dal percorso audio che elabora la voce del relatore, creando un ciclo dinamico di feedback tra le modalità.

Shared embedding spaces che mappano input provenienti da diverse modalità in un formato rappresentazionale comune, in cui le relazioni tra concetti possono essere confrontate direttamente indipendentemente dalla loro origine. Questi spazi semantici unificati permettono al modello di riconoscere che la parola "apple", l'immagine di una mela e il suono di qualcuno che morde una mela si riferiscono tutti allo stesso concetto sottostante. Questo approccio crea una rappresentazione indipendente dal linguaggio che cattura il significato oltre le caratteristiche superficiali di una particolare modalità, consentendo al modello di trasferire conoscenza tra modalità e di ragionare sui concetti a un livello astratto.

Contrastive learning techniques che insegnano ai modelli a riconoscere quando rappresentazioni provenienti da modalità diverse si riferiscono allo stesso concetto sottostante, avvicinando i loro embedding nello spazio condiviso. Questi metodi funzionano addestrando il modello a minimizzare la distanza tra rappresentazioni di input semanticamente correlati (come l'immagine di un cane e il testo "un golden retriever che gioca") e a massimizzare la distanza tra input non correlati. Le implementazioni avanzate utilizzano tecniche come CLIP (Contrastive Language-Image Pre-training), che apprende potenti rappresentazioni visive addestrandosi su milioni di coppie immagine-testo, consentendo il riconoscimento zero-shot di concetti visivi a partire dalle loro descrizioni testuali.

Questi approcci sono ulteriormente potenziati da tecniche come il cross-modal attention masking (focalizzazione selettiva sulle parti rilevanti di ciascuna modalità), i modality-specific preprocessing layers (gestione delle caratteristiche uniche di ciascun tipo di input) e sofisticate strategie di allineamento che sincronizzano le informazioni temporali tra modalità con frequenze di campionamento differenti.

Nel complesso, queste avanzate innovazioni architetturali lasciano intravedere il futuro della **cross-sensory intelligence**: sistemi AI in grado di percepire ed elaborare informazioni in modi più vicini alla cognizione umana, in cui la nostra comprensione del mondo emerge dall'integrazione di tutti i sensi che operano in concerto. Questa elaborazione olistica consente una comprensione più robusta che sfrutta informazioni complementari tra modalità, permette un'interazione uomo-AI più naturale senza richiedere agli esseri umani di adattare il proprio stile comunicativo al sistema e supporta un ragionamento più sofisticato su situazioni reali che coinvolgono intrinsecamente più dimensioni sensoriali.

Esercizi pratici – Capitolo 5

Questi esercizi ti aiutano a mettere in pratica **l'allineamento testo+immagine (stile CLIP/LLaVA), il captioning (BLIP), la trascrizione vocale (Whisper), gli embedding vocali (wav2vec2), le feature video (VideoMAE) e semplici pipeline cross-modali**.

Note:

- Ti serviranno Python 3.9+, transformers, torch e librerie specifiche per i task (ad esempio sentencepiece, soundfile, openai-whisper, av, Pillow).

- Il download dei modelli avviene automaticamente la prima volta che esegui ogni snippet.

Esercizio 1 — Matching testo+immagine con CLIP

Task: Dato un'immagine (dog.jpg) e due didascalie candidate, calcola quale descrizione corrisponde meglio all'immagine.

Soluzione:

```python
from transformers import CLIPProcessor, CLIPModel
from PIL import Image
import torch

model = CLIPModel.from_pretrained("openai/clip-vit-base-patch32")
processor = CLIPProcessor.from_pretrained("openai/clip-vit-base-patch32")

image = Image.open("dog.jpg")  # replace with your image path
texts = ["a photo of a dog", "a photo of a cat"]

inputs = processor(text=texts, images=image, return_tensors="pt", padding=True)
with torch.no_grad():
    out = model(**inputs)
probs = out.logits_per_image.softmax(dim=1).squeeze(0)

for t, p in zip(texts, probs.tolist()):
    print(f"{t} -> {p:.4f}")

print("Prediction:", texts[int(probs.argmax())])
```

Esercizio 2 — Classificazione zero-shot di immagini con CLIP

Task: Usa CLIP per scegliere un'etichetta per bird.jpg tra ["sparrow", "eagle", "penguin"].

Soluzione:

```python
from transformers import CLIPProcessor, CLIPModel
from PIL import Image
import torch

labels = ["a photo of a sparrow", "a photo of an eagle", "a photo of a penguin"]
image = Image.open("bird.jpg")

model = CLIPModel.from_pretrained("openai/clip-vit-base-patch32")
processor = CLIPProcessor.from_pretrained("openai/clip-vit-base-patch32")

inputs = processor(text=labels, images=image, return_tensors="pt", padding=True)
with torch.no_grad():
    out = model(**inputs)
probs = out.logits_per_image.softmax(dim=1).squeeze(0)
```

```python
for lab, p in zip(labels, probs.tolist()):
    print(f"{lab} -> {p:.4f}")
print("Predicted label:", labels[int(probs.argmax())])
```

Esercizio 3 — Image captioning con BLIP

Task: Genera una descrizione per scene.jpg usando BLIP.

Soluzione:

```python
from transformers import BlipProcessor, BlipForConditionalGeneration
from PIL import Image
import torch

processor = BlipProcessor.from_pretrained("Salesforce/blip-image-captioning-base")
model      =      BlipForConditionalGeneration.from_pretrained("Salesforce/blip-image-
captioning-base")

image = Image.open("scene.jpg").convert("RGB")
inputs = processor(images=image, return_tensors="pt")

with torch.no_grad():
    out = model.generate(**inputs, max_new_tokens=30)
caption = processor.decode(out[0], skip_special_tokens=True)
print("Caption:", caption)
```

Esercizio 4 — Trascrizione con Whisper (Speech → Text)

Task: Trascrivi speech_sample.mp3.

Soluzione:

```python
# pip install git+https://github.com/openai/whisper.git
import whisper

model = whisper.load_model("base")  # "tiny", "small", "medium", "large" also available
result = model.transcribe("speech_sample.mp3")
print("Transcription:", result["text"])
```

Esercizio 5 — Embedding vocali con wav2vec2

Task: Estrai embedding a livello di frame da speech_sample.wav.

Soluzione:

```python
from transformers import Wav2Vec2Processor, Wav2Vec2Model
import soundfile as sf
import torch

processor = Wav2Vec2Processor.from_pretrained("facebook/wav2vec2-base-960h")
```

```python
model = Wav2Vec2Model.from_pretrained("facebook/wav2vec2-base-960h")

wave, sr = sf.read("speech_sample.wav")
inputs = processor(wave, sampling_rate=sr, return_tensors="pt")

with torch.no_grad():
    hidden = model(**inputs).last_hidden_state  # [batch, time, hidden_dim]
print("Embeddings:", hidden.shape)
```

Esercizio 6 — Campionamento frame video & feature (VideoMAE)

Task: Campiona ~8 frame da clip.mp4 ed estrai embedding con VideoMAE.

Soluzione:

```python
# pip install av
from transformers import VideoMAEFeatureExtractor, VideoMAEModel
import av, torch

feature_extractor = VideoMAEFeatureExtractor.from_pretrained("MCG-NJU/videomae-base")
model = VideoMAEModel.from_pretrained("MCG-NJU/videomae-base")

container = av.open("clip.mp4")
frames = []
for i, frame in enumerate(container.decode(video=0)):
    if i % 30 == 0:  # sample 1 frame per second if 30fps
        frames.append(frame.to_ndarray(format="rgb24"))
    if len(frames) == 8:
        break

inputs = feature_extractor(frames, return_tensors="pt")
with torch.no_grad():
    out = model(**inputs)
video_emb = out.last_hidden_state  # [batch=1, tokens, hidden_dim]
print("Video embeddings:", video_emb.shape)
```

Esercizio 7 — Mini-pipeline cross-modale (ASR → Caption → Summary)

Task:

1. Trascrivi l'audio (lecture.mp3) con Whisper.

2. Genera una descrizione di un'immagine (slide.png) con BLIP.

3. Concatena entrambi i testi e produci un breve riassunto con un piccolo modello di testo (ad esempio DistilGPT-2).

Soluzione:

```python
# ASR
import whisper
```

```python
from transformers import BlipProcessor, BlipForConditionalGeneration, AutoTokenizer,
AutoModelForCausalLM
from PIL import Image
import torch

# 1) Whisper transcription
whisper_model = whisper.load_model("small")
asr = whisper_model.transcribe("lecture.mp3")["text"]

# 2) BLIP caption
blip_proc = BlipProcessor.from_pretrained("Salesforce/blip-image-captioning-base")
blip       =        BlipForConditionalGeneration.from_pretrained("Salesforce/blip-image-
captioning-base")
cap     =       blip.generate(**blip_proc(images=Image.open("slide.png").convert("RGB"),
return_tensors="pt"), max_new_tokens=40)
caption = blip_proc.decode(cap[0], skip_special_tokens=True)

# 3) Summarize with a tiny LM (toy)
tok = AutoTokenizer.from_pretrained("distilgpt2")
lm = AutoModelForCausalLM.from_pretrained("distilgpt2")
prompt = f"Lecture transcript: {asr}\\nSlide: {caption}\\n\\nTL;DR summary:"
ids = tok.encode(prompt, return_tensors="pt")
with torch.no_grad():
    out = lm.generate(ids, max_new_tokens=80, do_sample=True, top_p=0.9)
print(tok.decode(out[0], skip_special_tokens=True))
```

(Per una qualità di sintesi superiore, sostituisci con un modello seq2seq più potente come facebook/bart-large-cnn.)

Esercizio 8 — Visual Question Answering (VQA) con interfaccia stile LLaVA (Demo)

Task: Usa un checkpoint VQA della community per rispondere a una domanda su chart.png (ad esempio "Quale trend aumenta dopo il 2020?").

Nota: I pesi completi di LLaVA sono grandi; lo snippet mostra il pattern di interfaccia usando un modello VQA più leggero (dandelin/vilt-b32-finetuned-vqa).

Soluzione:

```python
from transformers import ViltProcessor, ViltForQuestionAnswering
from PIL import Image
import torch

processor = ViltProcessor.from_pretrained("dandelin/vilt-b32-finetuned-vqa")
model = ViltForQuestionAnswering.from_pretrained("dandelin/vilt-b32-finetuned-vqa")

image = Image.open("chart.png").convert("RGB")
question = "What trend is increasing after 2020?"
inputs = processor(image, question, return_tensors="pt")
```

```python
with torch.no_grad():
    logits = model(**inputs).logits
answer_idx = logits.argmax(-1).item()
print("Answer:", model.config.id2label[answer_idx])
```

Esercizio 9 — Test di robustezza: aggiungere rumore all'audio prima dell'ASR

Task: Aggiungi rumore bianco a speech_clean.wav e confronta le trascrizioni di Whisper (pulito vs rumoroso).

Soluzione:

```python
import numpy as np, soundfile as sf, whisper

# Load clean audio
wave, sr = sf.read("speech_clean.wav")
rng = np.random.default_rng(0)
noise = rng.normal(scale=0.02, size=len(wave))  # mild noise
noisy = (wave + noise).astype(np.float32)
sf.write("speech_noisy.wav", noisy, sr)

model = whisper.load_model("base")
clean_txt = model.transcribe("speech_clean.wav")["text"]
noisy_txt = model.transcribe("speech_noisy.wav")["text"]
print("CLEAN:", clean_txt)
print("NOISY:", noisy_txt)
```

Esercizio 10 — Captioning batch & reranking con CLIP

Task: Genera descrizioni per un insieme di immagini, poi riordina le descrizioni candidate con CLIP per scegliere quella più pertinente.

Soluzione:

from transformers import BlipProcessor, BlipForConditionalGeneration, CLIPProcessor, CLIPModel

```python
from PIL import Image
import torch, glob

# Load models
blip_proc = BlipProcessor.from_pretrained("Salesforce/blip-image-captioning-base")
blip      =           BlipForConditionalGeneration.from_pretrained("Salesforce/blip-image-
captioning-base")
clip_model = CLIPModel.from_pretrained("openai/clip-vit-base-patch32")
clip_proc = CLIPProcessor.from_pretrained("openai/clip-vit-base-patch32")

images = [Image.open(p).convert("RGB") for p in glob.glob("imgs/*.jpg")]

for img in images:
    # Generate a few variants by sampling
    caps = []
```

```python
for _ in range(3):
    with torch.no_grad():
        out = blip.generate(**blip_proc(images=img, return_tensors="pt"),
                            max_new_tokens=30, do_sample=True, top_p=0.9)
    caps.append(blip_proc.decode(out[0], skip_special_tokens=True))

# Rerank with CLIP
inputs = clip_proc(text=caps, images=img, return_tensors="pt", padding=True)
with torch.no_grad():
    logits = clip_model(**inputs).logits_per_image
best = caps[int(logits.softmax(dim=1).argmax())]
print("Chosen caption:", best)
```

Cosa hai praticato

- **Allineamento testo+immagine** (CLIP), **captioning** (BLIP) e pattern **VQA**.

- **Trascrizione vocale** (Whisper) e **embedding vocali** (wav2vec2).

- **Estrazione di feature video** (VideoMAE) e **pipeline cross-modali** che combinano ASR e visione.

- Semplici **test di robustezza** (rumore) e strategie di **reranking** per migliorare la qualità.

Riepilogo Capitolo 5 – Oltre il testo: LLM multimodali

In questo capitolo abbiamo ampliato la nostra prospettiva oltre i sistemi basati solo sul testo ed esplorato come i large language models stiano diventando **multimodali**, integrando visione, parlato e video nel loro ragionamento. Proprio come gli esseri umani utilizzano più sensi per comprendere il mondo, gli LLM stanno imparando a collegare diverse modalità, avvicinandoci a un'AI più naturale e utile.

Abbiamo iniziato con i modelli **testo+immagine** come **LLaVA**, **Flamingo**, **DeepSeek-VL** e **GPT-4o**. Questi modelli combinano encoder visivi con transformer testuali, permettendo loro di interpretare immagini insieme a prompt scritti. Proiettando gli embedding delle immagini nello stesso spazio dei token testuali, possono descrivere immagini, rispondere a domande visive e persino collegare il testo a scene visive. Il nostro esempio con CLIP ha mostrato come gli embedding allineano descrizioni testuali e caratteristiche visive, dimostrando la potenza della fusione visione-linguaggio.

Successivamente abbiamo esplorato l'integrazione di **audio e parlato**. Con **Whisper** abbiamo visto come sistemi di trascrizione robusti possano convertire il parlato in testo in molte lingue, anche in condizioni rumorose. Andando oltre, **SpeechLM** e **SpeechGPT** hanno illustrato come le caratteristiche del parlato possano essere integrate direttamente nei transformer, consentendo sistemi in grado di ascoltare, comprendere e rispondere tramite dialogo vocale. Attraverso gli embedding di wav2vec2 abbiamo intravisto come le forme d'onda grezze diventino input strutturati per il ragionamento linguistico.

Da lì ci siamo spostati nel **dominio temporale del video**. A differenza delle immagini, il video introduce la dimensione del tempo, richiedendo ai modelli di ragionare su sequenze di frame ed eventi. Abbiamo analizzato **VideoGPT**, **Gemini** e **Kosmos-2**, che affrontano sfide come il campionamento dei frame, gli embedding temporali e il grounding cross-modale. Utilizzando VideoMAE abbiamo mostrato come i frame possano essere trasformati in embedding per il ragionamento successivo. La comprensione del video è essenziale per applicazioni reali come il riassunto di lezioni, l'analisi di filmati di sicurezza o il supporto alla robotica.

Infine, abbiamo discusso le **direzioni di ricerca cross-modale**. Le interazioni nella vita reale raramente coinvolgono una sola modalità: una persona può parlare mentre mostra delle slide o gesticolare durante una conversazione. Il vero ragionamento cross-modale significa fondere questi segnali in un insieme coerente. Combinando trascrizione ASR, captioning di immagini e sintesi in una piccola pipeline, abbiamo mostrato come anche gli strumenti attuali possano avvicinarsi a questa integrazione.

La lezione centrale di questo capitolo è che **la multimodalità non è un'aggiunta — è il futuro dell'AI**. Man mano che i modelli imparano a gestire insieme parole, immagini, suoni e video, passano dall'essere semplici predittori di linguaggio a diventare **sistemi generali di percezione e ragionamento**. Questi progressi ampliano la loro utilità in ambiti come accessibilità, istruzione, creatività e collaborazione uomo–AI.

Quiz

Domande

Capitolo 1: Cosa sono gli LLM? Dai Transformers ai Titani

Q1. Quale delle seguenti descrizioni rappresenta meglio la differenza tra i transformers *decoder-only* e *encoder-decoder*?

> a) I modelli decoder-only generano testo in modo autoregressivo, mentre i modelli encoder-decoder sono progettati per compiti sequence-to-sequence.

> b) I modelli encoder-decoder possono gestire solo la classificazione, mentre i modelli decoder-only sono usati per tutti i compiti.

> c) I modelli decoder-only richiedono dati etichettati, quelli encoder-decoder no.

> d) Entrambi sono identici, ma usano tokenizer diversi.

Q2. Cosa ci dicono le **scaling laws (Kaplan, Chinchilla)** sulla relazione tra dimensione del modello, dati e compute?

Capitolo 2: Tokenizzazione ed Embeddings

Q3. Byte Pair Encoding (BPE), WordPiece e SentencePiece sono esempi di:

> a) Meccanismi di attenzione

> b) Metodi di tokenizzazione

> c) Funzioni di attivazione

> d) Ottimizzatori

Q4. Perché la **deduplicazione** è importante nei corpora di addestramento per gli embeddings?

Q5. Supponiamo che un tokenizer suddivida *"hyperparameterization"* in ["hyper", "parameter", "ization"]. Che tipo di strategia di tokenizzazione è questa?

Capitolo 3: Anatomia di un LLM

Q6. Qual è il ruolo della **multi-head attention** nei transformers?

> a) Normalizza gli stati nascosti.

> b) Permette al modello di prestare attenzione a diverse parti della sequenza di input simultaneamente.

c) Riduce il costo di addestramento.

d) Codifica le posizioni delle parole.

Q7. Qual è la principale differenza tra **LayerNorm** e **RMSNorm**?

Q8. Nella grouped-query attention (GQA), come sono correlate le query e le proiezioni key/value?

Capitolo 4: Addestrare LLM da zero

Q9. Perché è essenziale filtrare dati di bassa qualità o tossici prima dell'addestramento?

Q10. In PyTorch Distributed Data Parallel (DDP), cosa succede dopo che ogni GPU calcola i propri gradienti su un mini-batch?

Q11. Quale di queste tecniche riduce l'uso della memoria GPU ricalcolando le attivazioni durante la backpropagation?

a) Mixed precision training

b) Gradient checkpointing

c) Curriculum learning

d) Early stopping

Q12. Stima l'energia utilizzata da 4 GPU che funzionano a 350 W ciascuna per 10 ore. Mostra la formula.

Capitolo 5: Oltre il Testo: LLM Multimodali

Q13. Nei modelli come CLIP, come vengono allineate le rappresentazioni di testo e immagini?

Q14. Qual è il principale vantaggio di **Whisper** rispetto ai sistemi ASR precedenti?

Q15. Perché la comprensione video è più complessa della comprensione delle immagini nei transformers?

Q16. (Code) Cosa calcola il seguente snippet di codice (usando CLIP)?

```python
inputs = processor(text=["a photo of a dog", "a photo of a cat"], images=image,
return_tensors="pt")
outputs = model(**inputs)
probs = outputs.logits_per_image.softmax(dim=1)
```

Risposte

Q1. a) I modelli decoder-only generano testo in modo autoregressivo, mentre i modelli encoder-decoder sono progettati per compiti sequence-to-sequence.

Q2. Le scaling laws mostrano trade-off prevedibili: Kaplan ha evidenziato che modelli più grandi richiedono più compute, mentre Chinchilla ha dimostrato che **la scalabilità dei dati è tanto importante quanto quella dei parametri** (un equilibrio ottimale evita sotto-addestramento o capacità sprecata).

Q3. b) Metodi di tokenizzazione.

Q4. La deduplicazione impedisce ai modelli di memorizzare documenti ripetuti, riduce l'overfitting e migliora la generalizzazione.

Q5. Tokenizzazione a sottoparole.

Q6. b) Permette al modello di prestare attenzione a diverse parti dell'input simultaneamente.

Q7. LayerNorm normalizza tra le feature includendo media e varianza; RMSNorm normalizza solo tramite la root mean square, risultando più leggero e talvolta più stabile.

Q8. Più teste di query condividono un numero ridotto di proiezioni key/value, riducendo memoria e costo computazionale.

Q9. Per evitare output dannosi, bias o senza senso e garantire sicurezza e affidabilità del modello.

Q10. I gradienti vengono mediati tra tutte le GPU per sincronizzare gli aggiornamenti del modello.

Q11. b) Gradient checkpointing.

Q12. Energia (kWh) = Potenza (W) × GPU × Ore ÷ 1000 = 350 × 4 × 10 ÷ 1000 = **14 kWh**.

Q13. Proiettando entrambe le modalità in uno **spazio di embedding condiviso** e ottimizzando la similarità tra coppie corrispondenti.

Q14. Whisper è stato addestrato su **680k ore di dati rumorosi multilingue**, rendendolo robusto tra lingue e condizioni reali.

Q15. Perché il video aggiunge una **dimensione temporale**, richiedendo ragionamento su movimento ed eventi tra frame, non solo oggetti statici.

Q16. Calcola la probabilità che l'immagine fornita corrisponda a ciascuna descrizione testuale ("cane" vs "gatto").

Progetto 1: Costruire un Toy Transformer da zero in PyTorch

Cosa costruirai

Un Transformer **decoder-only** compatto (in stile GPT) che esegue task di language modeling. A differenza delle architetture encoder-decoder usate in modelli come BERT, questo segue l'architettura GPT che utilizza solo il componente decoder:

Tokenizza il testo (inizieremo con un semplice tokenizer **a livello di carattere** per mantenere l'attenzione sul modello). Questo converte il testo grezzo in token numerici che il modello può elaborare, con ogni carattere mappato a un ID univoco.

Esegue l'embedding dei token e aggiunge **informazione posizionale**. Gli embedding dei token convertono gli ID in vettori densi, mentre gli encoding posizionali indicano al modello dove appare ogni token nella sequenza — cosa fondamentale, poiché l'attenzione non ha una nozione intrinseca dell'ordine.

Usa **multi-head self-attention + feedforward (SwiGLU opzionale)** all'interno di un TransformerBlock. La self-attention permette ai token di prestare attenzione a tutti i token precedenti nella sequenza, mentre le teste multiple consentono al modello di concentrarsi su aspetti diversi dell'input. La rete feedforward elabora ogni posizione in modo indipendente.

Si addestra con **causal language modeling** (predizione del token successivo). Questo significa che il modello può vedere solo i token precedenti quando predice il successivo, mantenendo la proprietà autoregressiva necessaria per la generazione di testo.

Genera testo con campionamento temperature/top-k. La temperature controlla la casualità (valori più alti = output più diversificati), mentre il campionamento top-k limita il modello a scegliere solo tra i k token successivi più probabili.

Puoi eseguirlo su CPU o su una singola GPU. L'implementazione è flessibile rispetto all'hardware e non richiede attrezzature specializzate. Il codice è organizzato per essere leggibile, così potrai sostituire facilmente delle parti in seguito (ad esempio provare RoPE per una migliore gestione delle sequenze più lunghe, aggiungere LayerNorm→RMSNorm per un training più rapido, oppure integrare un tokenizer subword come BPE per un uso più efficiente del vocabolario).

0. Setup

```
# pip install torch --upgrade
import math, torch, torch.nn as nn, torch.nn.functional as F
```

```
device = "cuda" if torch.cuda.is_available() else "cpu"
torch.manual_seed(42)
```

Spiegazione del codice:

Riga 1: Commento per l'installazione del pacchetto

```
# pip install torch --upgrade
```

Questo è un commento che indica come installare o aggiornare PyTorch usando pip. Non è codice eseguito, ma serve come promemoria per configurare l'ambiente.

Riga 2: Importazioni

```
import math, torch, torch.nn as nn, torch.nn.functional as F
```

Questa riga importa diverse librerie necessarie:

- math: la libreria matematica standard di Python per operazioni matematiche

- torch: la libreria principale di PyTorch per il deep learning

- torch.nn as nn: i moduli di rete neurale di PyTorch

- torch.nn.functional as F: l'interfaccia funzionale per le operazioni delle reti neurali

Riga 3: Configurazione del device

```
device = "cuda" if torch.cuda.is_available() else "cpu"
```

Questa riga determina se usare la GPU (CUDA) o la CPU per i calcoli:

- Controlla se CUDA è disponibile usando torch.cuda.is_available()

- Se è disponibile una GPU con supporto CUDA, imposta device = "cuda"

- Altrimenti, imposta device = "cpu"

- Questo permette al codice di funzionare in modo ottimale su diverse configurazioni hardware

Riga 4: Impostazione del seed casuale

```
torch.manual_seed(42)
```

Questa riga imposta un seed casuale fisso (42) per i generatori di numeri casuali di PyTorch:

- Impostare un seed garantisce la riproducibilità dei risultati

- Ogni volta che questo codice viene eseguito, le operazioni casuali (come l'inizializzazione dei pesi) produrranno gli stessi valori

- Questo è fondamentale per il debugging e per esperimenti coerenti nel machine learning

Nel complesso, questo è un blocco di setup standard per un progetto di deep learning in PyTorch, che prepara l'ambiente per costruire e addestrare reti neurali, in particolare un modello Transformer come indicato dal contenuto della pagina.

1. Tiny Dataset & Tokenizer a livello di carattere

Per scopi didattici, un tokenizer **a livello di carattere** mantiene la logica del modello al centro dell'attenzione. La tokenizzazione a livello di carattere assegna un token univoco a ciascun carattere del testo, creando un vocabolario semplice e trasparente.

Sebbene questo approccio sia meno efficiente dei tokenizer subword (come BPE o WordPiece) nelle applicazioni pratiche, offre importanti vantaggi educativi: elimina la complessità degli algoritmi di tokenizzazione più sofisticati, permette agli studenti di concentrarsi sull'architettura di base del Transformer e crea una mappatura diretta tra il testo grezzo e gli input del modello, facile da visualizzare e da debug.

Questo approccio diretto assicura che chi apprende possa concentrarsi sulla comprensione dei meccanismi di attenzione e del training del modello senza essere distratto dai dettagli della tokenizzazione.

```python
corpus = (
    "In the beginning, there were tokens. "
    "A small transformer can still learn patterns."
)

# Build vocab
chars = sorted(list(set(corpus)))
stoi = {ch:i for i,ch in enumerate(chars)}
itos = {i:ch for ch,i in stoi.items()}
vocab_size = len(chars)

def encode(s): return torch.tensor([stoi[c] for c in s], dtype=torch.long)
def decode(ids): return "".join([itos[int(i)] for i in ids])

data = encode(corpus).to(device)

# Train/val split
n = int(0.9 * len(data))
train_data, val_data = data[:n], data[n:]
```

Ecco la spiegazione del codice:

1. Definizione del corpus

```python
corpus = (
    "In the beginning, there were tokens. "
    "A small transformer can still learn patterns."
)
```

Questo definisce il testo di addestramento (corpus) per il modello: una semplice stringa di due frasi che verrà usata per addestrare il toy transformer. In Python, le stringhe letterali adiacenti vengono concatenate automaticamente.

2. Creazione del vocabolario

```python
# Build vocab
chars = sorted(list(set(corpus)))
stoi = {ch:i for i,ch in enumerate(chars)}
itos = {i:ch for ch,i in stoi.items()}
vocab_size = len(chars)
```

Questa sezione crea un vocabolario a livello di carattere:

- o   chars: crea una lista ordinata di caratteri unici presenti nel corpus usando la conversione in set e l'ordinamento

- o   stoi (string-to-index): un dizionario che associa ogni carattere a un ID intero univoco

- o   itos (index-to-string): la mappatura inversa dagli ID ai caratteri

- o   vocab_size: il numero totale di caratteri unici nel corpus

3. Funzioni di encoding e decoding

```python
def encode(s): return torch.tensor([stoi[c] for c in s], dtype=torch.long)
def decode(ids): return "".join([itos[int(i)] for i in ids])
```

Queste sono funzioni di utilità per convertire tra testo e ID dei token:

- o   encode(): converte una stringa in un tensore di ID dei token usando la mappatura stoi

- o   decode(): converte un tensore di ID dei token di nuovo in una stringa usando la mappatura itos

4. Preparazione dei dati

```python
data = encode(corpus).to(device)
```

Questa riga codifica l'intero corpus in un tensore di ID dei token e lo sposta sul device appropriato (CPU o GPU).

5. Suddivisione train/validation

```python
# Train/val split
n = int(0.9 * len(data))
train_data, val_data = data[:n], data[n:]
```

Questa esegue una semplice suddivisione tra training e validation:

- o   calcola il punto di divisione (n) al 90% della lunghezza dei dati

- o   assegna il primo 90% a train_data e il restante 10% a val_data
- o   questa divisione permette di valutare il modello su dati non visti durante l'addestramento

Creeremo i campioni di training come sliding windows.

```python
def get_batch(split, block_size=64, batch_size=32):
    src = train_data if split=="train" else val_data
    ix = torch.randint(0, len(src) - block_size - 1, (batch_size,))
    x = torch.stack([src[i:i+block_size] for i in ix])
    y = torch.stack([src[i+1:i+block_size+1] for i in ix])
    return x.to(device), y.to(device)
```

Ecco una spiegazione completa della funzione get_batch:

La funzione get_batch crea batch di training o validation per il modello transformer. Genera coppie input-output in cui ogni input è una sequenza di token, e l'output corrispondente è la stessa sequenza spostata di una posizione (per la predizione del token successivo).

Firma della funzione e parametri:

- def get_batch(split, block_size=64, batch_size=32): questa funzione accetta tre parametri:
    - o   split: una stringa che indica se usare i dati di training ("train") o di validation ("val")
    - o   block_size: la lunghezza della sequenza di ogni esempio (default: 64 token)
    - o   batch_size: il numero di sequenze in ogni batch (default: 32)

Corpo della funzione e logica:

- src = train_data if split=="train" else val_data: seleziona il dataset appropriato in base al parametro split

- ix = torch.randint(0, len(src) - block_size - 1, (batch_size,)): genera batch_size indici iniziali casuali all'interno dei dati sorgente
    - o   il limite superiore len(src) - block_size - 1 garantisce che ci sia abbastanza spazio sia per le sequenze di input (x) sia per quelle target (y)
    - o   questo crea un tensore di forma [batch_size] contenente indici casuali

- x = torch.stack([src[i:i+block_size] for i in ix]): crea le sequenze di input
    - o   per ogni indice casuale i, estrae una sequenza di lunghezza block_size
    - o   la list comprehension crea batch_size sequenze, che vengono impilate in un tensore
    - o   il tensore risultante ha forma [batch_size, block_size]

- y = torch.stack([src[i+1:i+block_size+1] for i in ix]): crea le sequenze target
    - o   simile alla riga precedente, ma sposta ogni sequenza di una posizione

- o   il target per la posizione j è il token alla posizione j+1 nei dati sorgente

- o   questo implementa il causal language modeling: predire il token successivo dati i token precedenti

- return x.to(device), y.to(device): restituisce entrambi i tensori spostati sul device appropriato (CPU o GPU)

2. Componenti del modello

2.1 Positional Encoding (sinusoidale; semplice ed efficace)

Il positional encoding sinusoidale è una tecnica fondamentale nei transformers che introduce nel modello informazioni sulla posizione dei token. Senza positional encoding, i transformers sarebbero invarianti alla posizione e incapaci di distinguere l'ordine della sequenza.

L'approccio sinusoidale usa funzioni seno e coseno a frequenze diverse per creare vettori di posizione unici. Ogni posizione viene codificata come un pattern distinto attraverso le dimensioni dell'embedding, permettendo al modello di apprendere sia posizioni assolute sia relative.

Principali vantaggi dell'encoding sinusoidale:

- non richiede parametri aggiuntivi da apprendere

- teoricamente consente l'extrapolation a sequenze più lunghe di quelle viste durante l'addestramento

- crea transizioni fluide tra le posizioni

In seguito puoi sostituirlo con **RoPE** (Rotary Position Embedding), che codifica direttamente l'informazione di posizione relativa nel calcolo dell'attenzione tramite matrici di rotazione, mostrando spesso prestazioni migliori su sequenze più lunghe e un'extrapolation più efficiente oltre le lunghezze viste in training.

```python
class SinusoidalPositionalEncoding(nn.Module):
    def __init__(self, d_model, max_len=4096):
        super().__init__()
        pe = torch.zeros(max_len, d_model)
        pos = torch.arange(0, max_len, dtype=torch.float).unsqueeze(1)
        div     =      torch.exp(torch.arange(0,      d_model,     2).float()     *     (-
math.log(10000.0)/d_model))
        pe[:, 0::2] = torch.sin(pos * div)
        pe[:, 1::2] = torch.cos(pos * div)
        self.register_buffer("pe", pe)  # [max_len, d_model]

    def forward(self, x):  # x: [B,T,C]
        T = x.size(1)
        return x + self.pe[:T]
```

Questa parte del codice implementa il positional encoding sinusoidale, una tecnica essenziale nei modelli transformer per fornire informazioni sulla posizione dei token. Analizziamola nel dettaglio:

La classe eredita da nn.Module di PyTorch e fornisce due metodi principali:

Metodo di inizializzazione: Il costruttore accetta due parametri — d_model (dimensione dell'embedding) e max_len (lunghezza massima della sequenza, con valore predefinito 4096). Crea le codifiche posizionali come segue:

- Crea un tensore vuoto pe di forma [max_len, d_model] riempito di zeri

- Genera indici di posizione da 0 a max_len-1 come vettore colonna (pos)

- Calcola i divisori di frequenza (div) usando la formula 10000^(-2i/d_model) per gli indici delle dimensioni

- Applica la funzione seno agli indici pari (0, 2, 4...) della dimensione dell'embedding

- Applica la funzione coseno agli indici dispari (1, 3, 5...) della dimensione dell'embedding

- Registra le codifiche come buffer chiamato "pe" (cioè fa parte del modello ma non è un parametro addestrabile)

Metodo forward: Questo metodo aggiunge informazioni posizionali agli embedding in input:

- Riceve un tensore x con forma [Batch, Time, Channels]

- Estrae la lunghezza della sequenza T dalla seconda dimensione dell'input

- Aggiunge le codifiche posizionali pre-calcolate agli embedding di input

- Restituisce la combinazione embedding + positional encoding

L'intuizione matematica alla base di questo approccio è che ogni posizione viene codificata come un pattern unico di onde seno e coseno a diverse frequenze, permettendo al modello di apprendere le posizioni relative.

2.2 Multi-Head Self-Attention (causale)

Questo componente è il cuore dell'architettura transformer. La Multi-Head Self-Attention consente al modello di concentrarsi simultaneamente su diverse parti della sequenza di input, creando rappresentazioni ricche che catturano relazioni complesse tra i token. L'aspetto "causale" garantisce che le predizioni per ogni posizione dipendano solo dai token già noti (quelli precedenti).

Caratteristiche principali di questa implementazione:

- Suddivide la dimensione dell'embedding tra più teste di attenzione, permettendo a ciascuna testa di concentrarsi su aspetti diversi della sequenza

- Implementa il meccanismo di attenzione scaled dot-product (dividendo per $\sqrt{d\_k}$ per stabilizzare i gradienti)

- Usa una causal mask per imporre il comportamento autoregressivo, evitando la fuga di informazioni dai token futuri

- Include dropout come tecnica di regolarizzazione per migliorare la generalizzazione

L'implementazione seguente trasforma l'input attraverso proiezioni query (Q), key (K) e value (V) prima di calcolare gli score di attenzione e applicare la mask per garantire la causalità.

```python
class MultiHeadSelfAttention(nn.Module):
    def __init__(self, d_model, n_heads, dropout=0.0):
        super().__init__()
        assert d_model % n_heads == 0
        self.h = n_heads
        self.dh = d_model // n_heads
        self.q = nn.Linear(d_model, d_model)
        self.k = nn.Linear(d_model, d_model)
        self.v = nn.Linear(d_model, d_model)
        self.out = nn.Linear(d_model, d_model)
        self.drop = nn.Dropout(dropout)

    def forward(self, x):
        B, T, C = x.shape
        q = self.q(x).view(B, T, self.h, self.dh).transpose(1,2)   # [B,h,T,dh]
        k = self.k(x).view(B, T, self.h, self.dh).transpose(1,2)
        v = self.v(x).view(B, T, self.h, self.dh).transpose(1,2)

        att = (q @ k.transpose(-2,-1)) / math.sqrt(self.dh)        # [B,h,T,T]
        # Causal mask
        mask = torch.triu(torch.ones(T, T, device=x.device), diagonal=1).bool()
        att = att.masked_fill(mask, float("-inf"))
        w = F.softmax(att, dim=-1)
        w = self.drop(w)

        y = w @ v                                                  # [B,h,T,dh]
        y = y.transpose(1,2).contiguous().view(B, T, C)           # [B,T,C]
        return self.out(y)
```

Ecco una spiegazione della classe MultiHeadSelfAttention:

Definizione della classe e inizializzazione:

La classe eredita da nn.Module di PyTorch e implementa la multi-head self-attention, che è un componente chiave delle architetture transformer. Il metodo di inizializzazione accetta tre parametri:

- d_model: la dimensionalità degli embedding di input

- n_heads: il numero di teste di attenzione

- dropout: probabilità di dropout per la regolarizzazione (default: 0.0)

L'asserzione assert d_model % n_heads == 0 garantisce che la dimensione dell'embedding sia divisibile per il numero di teste, cosa necessaria per suddividere l'embedding in parti uguali tra le teste.

La classe inizializza diversi componenti:

- self.h: memorizza il numero di teste di attenzione

- self.dh: calcola la dimensione per testa (d_model diviso n_heads)

- Proiezioni lineari per le trasformazioni query (q), key (k) e value (v)

- Livello di proiezione in output (out) per combinare le uscite multi-head

- Livello di dropout per la regolarizzazione

Metodo forward:

Il metodo forward implementa il meccanismo di attenzione:

1. **Estrazione input e proiezioni:**

   - Estrae la dimensione del batch (B), la lunghezza della sequenza (T) e la dimensione del canale/embedding (C) dalla forma dell'input

   - Proietta l'input attraverso i layer lineari query, key e value

   - Ridimensiona e trasforma (transpose) le proiezioni per separare la dimensione delle teste, ottenendo tensori di forma [B, h, T, dh]

2. **Calcolo degli score di attenzione:**

   - Calcola la scaled dot-product attention: (q @ k.transpose(-2,-1)) / math.sqrt(self.dh)

   - Il fattore di scala (1/√dh) stabilizza i gradienti durante il training

   - Il risultato è una matrice di attenzione di forma [B, h, T, T] in cui ogni elemento rappresenta lo score di attenzione tra due posizioni

3. **Mascheramento causale:**

   - Crea una maschera triangolare superiore usando torch.triu con diagonal=1

   - Questa maschera garantisce la causalità — ogni posizione può attendere solo sé stessa e le posizioni precedenti

   - Imposta le posizioni mascherate a meno infinito (float("-inf")), che diventerà zero dopo la softmax

4. **Pesi di attenzione e applicazione:**

   - Applica la softmax per convertire gli score di attenzione in probabilità (lungo l'ultima dimensione)

   - Applica il dropout ai pesi di attenzione per la regolarizzazione

   - Calcola la somma pesata dei valori: w @ v, ottenendo [B, h, T, dh]

5. **Trasformazione dell'output:**

   - Trasforma nuovamente (transpose) il risultato in [B, T, h, dh]

   - Ridimensiona in [B, T, C] concatenando le teste

- Applica la proiezione di output per ottenere il risultato finale

Questa implementazione impone la proprietà autoregressiva fondamentale per i modelli di language modeling generativi, garantendo che ogni token possa attendere solo ai token precedenti nella sequenza, grazie alla causal mask.

2.3 Feedforward (GELU per ora; prova SwiGLU dopo)

La Feedforward Network (FFN) è un componente fondamentale nelle architetture transformer che elabora l'output del meccanismo di self-attention. Introduce non-linearità e aumenta la capacità rappresentativa del modello proiettando gli input in una dimensione più alta prima di riportarli indietro.

In questa implementazione, la classe FeedForward:

- Riceve input con dimensione d_model e li proietta in una dimensione più alta d_ff

- Applica la funzione di attivazione GELU (Gaussian Error Linear Unit), un'alternativa più fluida rispetto a ReLU

- Applica il dropout per la regolarizzazione

- Proietta nuovamente alla dimensione originale d_model

- Applica un ulteriore livello di dropout finale

La struttura segue uno schema comune nei transformer, in cui la dimensione nascosta (d_ff) è tipicamente 4 volte la dimensione del modello, permettendo alla rete di apprendere pattern più complessi.

Il miglioramento suggerito con SwiGLU rappresenta una funzione di attivazione più avanzata che combina elementi di SwiSH e GLU (Gated Linear Unit). La forma matematica silu(W1x) * W2x → proj consente un flusso di informazione più efficace grazie a un meccanismo di gating, che ha dimostrato di migliorare le prestazioni nei modelli di linguaggio più grandi.

```python
class FeedForward(nn.Module):
    def __init__(self, d_model, d_ff, dropout=0.0):
        super().__init__()
        self.net = nn.Sequential(
            nn.Linear(d_model, d_ff),
            nn.GELU(),
            nn.Dropout(dropout),
            nn.Linear(d_ff, d_model),
            nn.Dropout(dropout),
        )
    def forward(self, x): return self.net(x)
```

Ecco una spiegazione della classe FeedForward nel codice:

Definizione della classe e inizializzazione:

Il costruttore accetta tre parametri:

- d_model: la dimensione di input/output (uguale alla dimensione degli embedding del modello)

- d_ff: la dimensione interna della rete feed-forward, tipicamente 4 volte più grande di d_model

- dropout: un parametro di regolarizzazione che controlla la probabilità di dropout (default: 0.0)

Architettura della rete:

La rete feed-forward è implementata come un contenitore sequenziale con i seguenti layer:

1. Una proiezione lineare da d_model alla dimensione più grande d_ff

2. Una funzione di attivazione GELU (Gaussian Error Linear Unit), che è un'alternativa più fluida a ReLU

3. Un layer di dropout per la regolarizzazione

4. Una proiezione lineare da d_ff di nuovo a d_model

5. Un layer finale di dropout

Metodo forward:

Il metodo forward è implementato in modo conciso come una singola riga che passa l'input x attraverso la rete sequenziale e restituisce il risultato:

```
def forward(self, x): return self.net(x)
```

Scopo nel Transformer:

Questa rete feed-forward svolge diverse funzioni importanti:

- Aggiunge non-linearità al modello, permettendogli di apprendere pattern complessi

- Aumenta la capacità rappresentativa del modello proiettando a una dimensione più alta prima di tornare alla dimensione del modello

- Elabora ogni posizione in modo indipendente, completando il meccanismo di self-attention che modella le relazioni tra posizioni

Le note nel codice suggeriscono di migliorare questa implementazione con SwiGLU (una combinazione di SwiSH e Gated Linear Unit) per ottenere un migliore comportamento di scaling. SwiGLU sostituirebbe l'attuale attivazione GELU con un meccanismo di gating della forma silu(W1x) * W2x → proj, che ha dimostrato di migliorare le prestazioni nei modelli di linguaggio più grandi.

Idea di upgrade: Sostituiscilo con SwiGLU:

silu(W1x) * W2x → proj per un migliore comportamento di scaling.

2.4 Transformer Block (Pre-Norm)

Il Transformer Block è un elemento fondamentale nelle moderne architetture transformer, poiché implementa l'unità di elaborazione principale che combina operazioni di self-attention e feed-forward. Questa implementazione usa un approccio "Pre-Norm", che applica la layer normalization prima di ogni sotto-layer invece che dopo (come nel design transformer originale "Post-Norm").

Definizione della classe e inizializzazione:

La classe TransformerBlock accetta diversi parametri:

- d_model: la dimensione dell'embedding in tutto il modello

- n_heads: numero di teste di attenzione per la multi-head attention

- d_ff: dimensione del layer nascosto della rete feed-forward

- dropout: probabilità di dropout per la regolarizzazione

Componenti dell'architettura:

- Due layer di Layer Normalization (ln1, ln2) — normalizzano gli input all'attenzione e alla feed-forward

- Layer di Multi-Head Self-Attention (attn) — elabora le relazioni tra token

- Feed-Forward Network (ff) — aggiunge non-linearità e trasforma le rappresentazioni

Flusso del forward pass:

Il metodo forward implementa due sotto-layer sequenziali, ciascuno con una residual connection:

1. **Sotto-layer di Self-Attention:** x = x + self.attn(self.ln1(x))

   - Prima normalizza l'input usando layer norm

   - Passa l'input normalizzato attraverso la multi-head attention

   - Aggiunge l'output dell'attenzione all'input originale (residual connection)

2. **Sotto-layer Feed-Forward:** x = x + self.ff(self.ln2(x))

   - Normalizza l'output del blocco di attenzione

   - Lo passa attraverso la rete feed-forward

   - Aggiunge il risultato all'input di questo sotto-layer (residual connection)

Pre-Norm vs. Post-Norm:

Questa implementazione usa la variante Pre-Norm, che applica la normalizzazione prima di ogni sotto-layer invece che dopo. La ricerca ha mostrato che Pre-Norm porta a un training più stabile, soprattutto nelle reti più profonde, perché garantisce che il percorso residuale resti libero per il flusso dei gradienti.

Le residual connections (somma dell'input all'output del sotto-layer) sono cruciali nelle reti transformer profonde, perché aiutano a mitigare il problema del vanishing gradient e consentono un training efficace di architetture più profonde.

```python
class TransformerBlock(nn.Module):
    def __init__(self, d_model, n_heads, d_ff, dropout=0.0):
        super().__init__()
        self.ln1 = nn.LayerNorm(d_model)
        self.attn = MultiHeadSelfAttention(d_model, n_heads, dropout)
        self.ln2 = nn.LayerNorm(d_model)
        self.ff = FeedForward(d_model, d_ff, dropout)
```

```
def forward(self, x):
    x = x + self.attn(self.ln1(x))   # residual
    x = x + self.ff(self.ln2(x))     # residual
    return x
```

Ecco una spiegazione completa della classe TransformerBlock:

La classe TransformerBlock implementa uno dei blocchi fondamentali delle moderne architetture transformer utilizzando un approccio "Pre-Norm". Questa classe combina self-attention e operazioni feed-forward con residual connections e layer normalization.

Struttura della classe:

La classe eredita da nn.Module di PyTorch e accetta quattro parametri:

- d_model: la dimensione dell'embedding usata in tutto il modello

- n_heads: numero di teste di attenzione per la multi-head self-attention

- d_ff: dimensione del layer nascosto della rete feed-forward

- dropout: probabilità di dropout per la regolarizzazione (default: 0.0)

Componenti:

La classe inizializza quattro componenti principali:

- self.ln1: primo LayerNorm che normalizza gli input al layer di attenzione

- self.attn: layer MultiHeadSelfAttention che elabora le relazioni tra token

- self.ln2: secondo LayerNorm che normalizza gli input al layer feed-forward

- self.ff: rete FeedForward che aggiunge non-linearità e trasforma le rappresentazioni

Metodo forward:

Il metodo forward implementa due sotto-layer sequenziali, ciascuno con una residual connection:

1. Sotto-layer di Self-Attention:

    x = x + self.attn(self.ln1(x)) # residual

    - Prima normalizza l'input usando la layer normalization

    - Passa l'input normalizzato attraverso la multi-head attention

    - Aggiunge l'output dell'attenzione all'input originale (residual connection)

2. Sotto-layer Feed-Forward:

    x = x + self.ff(self.ln2(x)) # residual

    - Normalizza l'output del blocco di attenzione

- Lo passa attraverso la rete feed-forward

- Aggiunge il risultato all'input di questo sotto-layer (residual connection)

Scelte progettuali chiave:

Questa implementazione utilizza un'architettura Pre-Norm, in cui la normalizzazione viene applicata prima di ogni sotto-layer invece che dopo. La ricerca mostra che il Pre-Norm porta a un training più stabile, specialmente nelle reti più profonde, garantendo che il percorso residuale rimanga libero per il flusso dei gradienti.

Le residual connections (somma dell'input con l'output del sotto-layer) sono fondamentali perché aiutano a mitigare il problema del vanishing gradient e permettono un addestramento efficace di reti più profonde.

3. Il modello Tiny GPT-Style

Ora arriviamo all'assemblaggio finale del nostro modello TinyGPT: un transformer decoder-only compatto che combina tutti i componenti costruiti finora. Questa classe unisce embedding dei token, positional encoding, blocchi transformer e layer di proiezione in output in un modello di linguaggio completo.

La classe TinyGPT rappresenta un'architettura minimale ma funzionale in stile GPT con queste caratteristiche principali:

- **Design modulare:** combina embedding, positional encoding, blocchi transformer e proiezione in output

- **Architettura configurabile:** parametri personalizzabili per dimensioni del modello, numero di layer, teste, ecc.

- **Weight tying:** condivide i pesi tra embedding di input e proiezione in output per maggiore efficienza

- **Approccio decoder-only:** utilizza solo la parte decoder dell'architettura transformer (stile GPT)

Il metodo forward mostra il flusso completo dei dati nel modello:

1. Converte gli ID dei token in embedding

2. Aggiunge le informazioni posizionali

3. Elabora attraverso una serie di blocchi transformer

4. Applica una layer normalization finale

5. Proietta sui logits del vocabolario per la predizione del token successivo

Questa architettura segue gli stessi principi di modelli molto più grandi come GPT-2/3/4, ma su una scala più gestibile per scopi educativi.

```python
class TinyGPT(nn.Module):
    def __init__(self, vocab_size, d_model=256, n_layers=4, n_heads=4, d_ff=1024,
max_len=512, dropout=0.1):
        super().__init__()
```

```python
        self.tok_embed = nn.Embedding(vocab_size, d_model)
        self.pos = SinusoidalPositionalEncoding(d_model, max_len)
        self.blocks = nn.ModuleList([
            TransformerBlock(d_model, n_heads, d_ff, dropout) for _ in range(n_layers)
        ])
        self.ln_f = nn.LayerNorm(d_model)
        self.lm_head = nn.Linear(d_model, vocab_size, bias=False)

        # Weight tying helps a bit on tiny setups
        self.tok_embed.weight = self.lm_head.weight

    def forward(self, idx):
        x = self.tok_embed(idx)              # [B,T,C]
        x = self.pos(x)
        for blk in self.blocks:
            x = blk(x)
        x = self.ln_f(x)
        logits = self.lm_head(x)             # [B,T,V]
        return logits
```

Ecco una panoramica completa della classe TinyGPT:

Definizione della Classe:

TinyGPT è un modulo di rete neurale in PyTorch che implementa un'architettura transformer compatta di tipo decoder-only (simile ai modelli stile GPT). Eredita dalla classe base nn.Module di PyTorch, che fornisce le fondamenta per tutti i moduli di rete neurale in PyTorch.

Parametri del Costruttore:

- vocab_size: Dimensione del vocabolario (numero di token unici)

- d_model: Dimensione dei vettori di embedding (default: 256)

- n_layers: Numero di blocchi transformer (default: 4)

- n_heads: Numero di teste di attenzione in ogni blocco transformer (default: 4)

- d_ff: Dimensione della rete feed-forward all'interno dei blocchi transformer (default: 1024)

- max_len: Lunghezza massima della sequenza supportata (default: 512)

- dropout: Probabilità di dropout per la regolarizzazione (default: 0.1)

Inizializzazione dei Componenti:

- tok_embed: Un layer di embedding che converte gli ID dei token in vettori densi di dimensione d_model

- pos: Un layer SinusoidalPositionalEncoding che aggiunge informazioni posizionali agli embedding

- blocks: Una ModuleList contenente n_layers istanze di TransformerBlock, ognuna con i parametri specificati

- ln_f: Un LayerNorm finale applicato dopo tutti i blocchi transformer

- lm_head: Un layer lineare che proietta da d_model a vocab_size, producendo i logits per la previsione del token successivo

Weight Tying:

Il codice collega i pesi dell'embedding dei token (tok_embed) e della proiezione in output (lm_head) con la riga: self.tok_embed.weight = self.lm_head.weight. Questa tecnica di condivisione dei parametri riduce il numero totale di parametri ed è stato dimostrato che migliora le prestazioni nei modelli di linguaggio.

Metodo Forward:

Il metodo forward definisce il flusso dei dati attraverso il modello:

1. Prende gli indici dei token (idx) come input

2. Li converte in embedding usando tok_embed - la forma risultante è [Batch, Time, Channels]

3. Aggiunge informazioni posizionali usando l'encoder pos

4. Processa sequenzialmente gli embedding attraverso ogni blocco transformer

5. Applica la normalizzazione finale (ln_f)

6. Proietta ai logits del vocabolario usando lm_head - la forma risultante è [Batch, Time, Vocabulary]

7. Restituisce i logits per ulteriori elaborazioni (tipicamente calcolo della loss o generazione di predizioni)

Significato dell'Architettura:

Questa implementazione di TinyGPT rappresenta una versione ridotta delle moderne architetture transformer decoder-only come GPT-2/3/4. Nonostante la sua semplicità, contiene tutti i componenti essenziali: embedding dei token, codifiche posizionali, meccanismi di self-attention (tramite TransformerBlock) e il layer finale di proiezione per la previsione del token successivo.

L'architettura segue un approccio decoder-only, il che significa che è progettata per compiti autoregressivi come la generazione di testo, dove ogni previsione del token dipende solo dai token precedenti, non da quelli futuri.

4. Training Loop (Causal LM)

Il training loop è un componente fondamentale di qualsiasi implementazione di un modello di linguaggio. In questa sezione, impostiamo il processo per addestrare il nostro modello TinyGPT per il causal language modeling — ovvero prevedere il token successivo dato il contesto precedente.

Componenti Chiave del Training Loop:

- **Funzione di Loss:** Utilizza la cross-entropy loss, che misura la differenza tra le probabilità dei token predetti e i token successivi reali

- **Inizializzazione del Modello:** Crea il modello TinyGPT e lo sposta sul dispositivo specificato (CPU/GPU)

- **Ottimizzatore:** Utilizza AdamW con learning rate 3e-4 e weight decay 0.01 per la regolarizzazione

- **Parametri di Training:** Usa una finestra di contesto (block_size) di 64 token e una batch size di 32

Il Processo di Training:

1. Ottiene un batch di dati di training (x = token di input, y = token target)

2. Esegue il forward pass attraverso il modello per ottenere i logits (punteggi di predizione grezzi)

3. Calcola la loss confrontando le predizioni con i token successivi reali

4. Azzera i gradienti, esegue la backpropagation e applica il gradient clipping per prevenire esplosioni

5. Aggiorna i parametri del modello usando l'ottimizzatore

6. Valuta periodicamente sui dati di validazione per monitorare i progressi

Il gradient clipping (impostato a 1.0) previene aggiornamenti instabili limitando la magnitudine dei gradienti, il che è particolarmente importante nei transformer che possono soffrire di instabilità durante il training.

Questo training loop di base può essere esteso con scheduling del learning rate, metriche di valutazione più sofisticate o early stopping basato sulle prestazioni sul set di validazione.

```python
def loss_fn(logits, targets):
    # Flatten time+batch for cross-entropy
    return F.cross_entropy(logits.view(-1, logits.size(-1)), targets.view(-1))

model = TinyGPT(vocab_size).to(device)
optimizer = torch.optim.AdamW(model.parameters(), lr=3e-4, weight_decay=0.01)

block_size = 64
for step in range(500):  # small demo; increase for better quality
    model.train()
    x, y = get_batch("train", block_size=block_size, batch_size=32)
    logits = model(x)
    loss = loss_fn(logits, y)

    optimizer.zero_grad(set_to_none=True)
    loss.backward()
    torch.nn.utils.clip_grad_norm_(model.parameters(), 1.0)
    optimizer.step()

    if step % 50 == 0:
        model.eval()
        with torch.no_grad():
            vx, vy = get_batch("val", block_size=block_size, batch_size=32)
            vloss = loss_fn(model(vx), vy).item()
        print(f"step {step:04d} | train loss {loss.item():.3f} | val loss {vloss:.3f}")
```

Ecco una panoramica completa del codice del training loop per il modello TinyGPT:

Definizione della Funzione di Loss

Il codice inizia definendo una funzione di loss che calcola la cross-entropy tra le predizioni del modello (logits) e i token target:

```python
def loss_fn(logits, targets):
    # Flatten time+batch for cross-entropy
    return F.cross_entropy(logits.view(-1, logits.size(-1)), targets.view(-1))
```

Questa funzione:

- Rimodella i logits da [batch_size, sequence_length, vocab_size] a [batch_size*sequence_length, vocab_size]

- Rimodella i targets da [batch_size, sequence_length] a [batch_size*sequence_length]

- Calcola la cross-entropy loss, che misura quanto bene il modello predice il token successivo nella sequenza

Configurazione del Modello e dell'Ottimizzatore

Successivamente, il codice inizializza il modello TinyGPT e lo sposta sul dispositivo specificato (CPU/GPU), quindi configura l'ottimizzatore AdamW:

```python
model = TinyGPT(vocab_size).to(device)
optimizer = torch.optim.AdamW(model.parameters(), lr=3e-4, weight_decay=0.01)
```

L'ottimizzatore utilizza:

- Un learning rate di 3e-4 (0.0003), che è un valore comune per i modelli transformer

- Un weight decay di 0.01 per la regolarizzazione, utile a prevenire l'overfitting

Configurazione del Training

Il codice imposta i parametri di training:

```python
block_size = 64
```

Il block_size (64) determina la finestra di contesto — quanti token precedenti il modello può vedere quando predice il successivo.

Training Loop

Il training loop principale viene eseguito per 500 iterazioni (anche se il commento suggerisce che si tratta solo di una piccola demo):

```python
for step in range(500):  # small demo; increase for better quality
```

Ogni iterazione di training segue questi passaggi:

1. Preparazione al training

```python
model.train()
    x, y = get_batch("train", block_size=block_size, batch_size=32)
```

- Imposta il modello in modalità training (abilita dropout, batch normalization, ecc.)

- Ottiene un batch di dati di training con lunghezza di contesto 64 e batch size 32

- 'x' contiene i token di input, 'y' contiene i token target (il prossimo token da predire)

2. Forward pass

```python
logits = model(x)
    loss = loss_fn(logits, y)
```

- Passa i token di input attraverso il modello per ottenere i logits

- Calcola la loss confrontando le predizioni con i token successivi reali

3. Backward pass e ottimizzazione

```python
optimizer.zero_grad(set_to_none=True)
    loss.backward()
    torch.nn.utils.clip_grad_norm_(model.parameters(), 1.0)
    optimizer.step()
```

- Pulisce i gradienti precedenti con optimizer.zero_grad()

- Calcola i gradienti con loss.backward()

- Applica il gradient clipping per evitare gradienti esplosivi (norma massima di 1.0)

- Aggiorna i parametri del modello con optimizer.step()

4. Valutazione

```python
if step % 50 == 0:
        model.eval()
        with torch.no_grad():
            vx, vy = get_batch("val", block_size=block_size, batch_size=32)
            vloss = loss_fn(model(vx), vy).item()
        print(f"step {step:04d} | train loss {loss.item():.3f} | val loss
{vloss:.3f}")
```

- Ogni 50 step, valuta le prestazioni del modello sui dati di validazione

- Imposta il modello in modalità evaluation (disabilita dropout, ecc.)

- Usa torch.no_grad() per disabilitare il calcolo dei gradienti durante la valutazione (risparmia memoria)

- Ottiene un batch di validazione e calcola la validation loss

- Stampa i progressi del training con numero di step, training loss e validation loss

Questo training loop implementa pratiche fondamentali del deep learning, inclusi split tra training e validation, gradient clipping e valutazione periodica per monitorare l'overfitting.

5. Generazione di Testo

Ora che abbiamo configurato l'architettura del modello e il training loop, è il momento di implementare la generazione di testo. Questa funzione consente al modello di produrre nuovo testo prevedendo i token uno alla volta.

Analisi della Funzione di Generazione del Testo:

La funzione generate() prende un modello addestrato e produce nuovo testo a partire da un prompt iniziale. È decorata con @torch.no_grad() per disabilitare il calcolo dei gradienti, poiché stiamo eseguendo solo inferenza, non training.

- **Parametri:** La funzione accetta un modello, un prompt iniziale, la lunghezza desiderata della generazione, la temperature per controllare la casualità e top_k per filtrare solo i token più probabili.

- **Processo:** La funzione codifica il prompt iniziale, quindi ripete:

  1. Prende il contesto più recente (fino a block_size token)

  2. Lo passa attraverso il modello per ottenere le probabilità del token successivo

  3. Applica temperature scaling e top-k filtering

  4. Campiona il token successivo in base alla distribuzione risultante

  5. Aggiunge il nuovo token alla sequenza

- **Controllo della Temperature:** Il parametro temperature (impostato a 0.9 di default) controlla la casualità nella generazione. Valori più bassi (es. 0.5) rendono il modello più conservativo e deterministico, mentre valori più alti (es. 1.5) aumentano la diversità ma possono ridurre la coerenza.

- **Top-k Sampling:** Questa tecnica limita la selezione dei token ai soli k token più probabili (50 di default). Questo evita che il modello selezioni token estremamente improbabili mantenendo comunque una certa variabilità creativa.

Dopo aver generato il numero richiesto di token, la funzione decodifica l'intera sequenza in testo e la restituisce. L'esempio di codice mostra quindi la generazione di 160 nuovi token a partire dal prompt "In the".

```
@torch.no_grad()
```

```python
def generate(model, prompt="In the", max_new_tokens=120, temperature=0.9, top_k=50):
    model.eval()
    idx = encode(prompt).unsqueeze(0).to(device)  # [1,T]
    for _ in range(max_new_tokens):
        idx_cond = idx[:, -block_size:]  # crop context
        logits = model(idx_cond)[:, -1, :] / max(1e-6, temperature)
        # top-k
        if top_k is not None:
            v, _ = torch.topk(logits, min(top_k, logits.size(-1)))
            logits[logits < v[:, [-1]]] = -float("inf")
        probs = F.softmax(logits, dim=-1)
        next_id = torch.multinomial(probs, num_samples=1)  # [1,1]
        idx = torch.cat([idx, next_id], dim=1)
    return decode(idx[0])

print(generate(model, "In the", 160))
```

Analizziamo questa funzione di generazione del testo riga per riga:

Il decoratore @torch.no_grad() indica a PyTorch di non tracciare i gradienti durante l'esecuzione di questa funzione. Questo è importante per l'inferenza, poiché non è necessario calcolare i gradienti, permettendo di risparmiare memoria e velocizzare il calcolo.

La funzione generate() accetta diversi parametri:

- model: Il modello TinyGPT addestrato

- prompt: Testo iniziale per avviare la generazione (default "In the")

- max_new_tokens: Numero di nuovi token da generare (default 120)

- temperature: Controlla la casualità nella generazione (default 0.9)

- top_k: Limita la selezione ai k token più probabili (default 50)

model.eval() imposta il modello in modalità evaluation, disabilitando dropout e altri comportamenti specifici del training.

idx = encode(prompt).unsqueeze(0).to(device) converte il prompt testuale in ID di token, aggiunge una dimensione batch con unsqueeze(0) e sposta il tensore sul dispositivo appropriato (CPU/GPU).

Il loop principale di generazione viene eseguito max_new_tokens volte, producendo un nuovo token a ogni iterazione:

idx_cond = idx[:, -block_size:] limita il contesto ai più recenti block_size token, necessario perché il modello ha una finestra di contesto limitata.

logits = model(idx_cond)[:, -1, :] / max(1e-6, temperature) ottiene le predizioni per il token successivo:

- Eseguendo il contesto nel modello

- Selezionando solo i logits dell'ultima posizione con [:, -1, :]

- Applicando il temperature scaling dividendo per temperature (con minimo 1e-6 per evitare divisioni per zero)

La sezione di top-k filtering limita la selezione dei token ai candidati più probabili:

- v, _ = torch.topk(logits, min(top_k, logits.size(-1))) trova i valori dei k logits più alti

- logits[logits < v[:, [-1]]] = -float("inf") imposta a meno infinito tutti i logits inferiori al k-esimo più grande, escludendoli dalla selezione

probs = F.softmax(logits, dim=-1) converte i logits modificati in una distribuzione di probabilità tramite softmax.

next_id = torch.multinomial(probs, num_samples=1) campiona casualmente il prossimo ID di token in base alle probabilità calcolate. Usare il campionamento multinomiale invece di scegliere sempre il massimo introduce creatività nella generazione.

idx = torch.cat([idx, next_id], dim=1) aggiunge il nuovo token generato alla sequenza.

Dopo aver generato tutti i token, return decode(idx[0]) converte l'intera sequenza di ID in testo e la restituisce.

Infine, print(generate(model, "In the", 160)) mostra l'utilizzo della funzione generando 160 nuovi token a partire dal prompt "In the" e stampando il risultato.

Questa implementazione mostra diverse tecniche importanti nella generazione di testo:

- Generazione autoregressiva (un token alla volta)

- Gestione del contesto nei modelli transformer

- Temperature scaling per controllare la casualità

- Top-k sampling per filtrare token improbabili

- Campionamento basato su probabilità per output più vari

6. Dove andare dopo (i tuoi esperimenti)

- **Tokenizer:** sostituire il livello carattere con BPE/SentencePiece — La tokenizzazione a livello di carattere assegna un token per ogni carattere, il che è semplice ma inefficiente. I tokenizer BPE (Byte Pair Encoding) o SentencePiece creano unità subword che catturano meglio il significato semantico mantenendo un vocabolario gestibile. Questo può migliorare notevolmente le prestazioni riducendo la lunghezza delle sequenze e catturando pattern comuni.

- **Posizioni:** sostituire il sinusoidale con **RoPE** per una maggiore robustezza su contesti lunghi — Rotary Position Embedding (RoPE) integra le informazioni di posizione direttamente nei calcoli di attenzione invece di aggiungerle agli embedding. Questo aiuta i modelli a gestire sequenze più lunghe e generalizzare meglio a lunghezze non viste durante il training.

- **Norm:** provare **RMSNorm** (spesso usato nei modelli della famiglia LLaMA) — Root Mean Square Normalization semplifica LayerNorm rimuovendo il centraggio della media. Riduce la complessità computazionale mantenendo benefici simili, portando a training più veloce senza perdita di performance.

- **FFN:** sostituire GELU con **SwiGLU** — SwiGLU combina un meccanismo di gating con la funzione di attivazione Swish. Offre un miglior flusso dei gradienti e spesso migliora le prestazioni, specialmente nei modelli più grandi.

- **Regolarizzazione:** scheduling del dropout, tuning del weight decay — Invece di tassi fissi, utilizzare schedule dinamiche e ottimizzare il weight decay per bilanciare capacità e generalizzazione.

- **Scaling:** aumentare d_model, n_layers — attenzione a overfitting e tempo di training — Modelli più grandi catturano pattern più complessi ma richiedono più dati e risorse. Monitorare attentamente la validation loss.

- **Dati:** utilizzare un corpus più ampio; salvare/caricare checkpoint — Più dati migliorano drasticamente i modelli di linguaggio. Implementare checkpoint per riprendere training e sperimentare strategie progressive.

Risultati di apprendimento

- Hai costruito un **Transformer decoder-only** funzionante partendo dai principi base.

- Comprendi il flusso completo **token→embedding→attention→FFN→logits**.

- Ora puoi iterare: aggiungere funzionalità, misurare gli effetti e migliorare continuamente.

Progetto 2: Addestrare un Tokenizer Personalizzato Specifico per Dominio (ad esempio per testi legali o medici)

Cosa costruirai

Creerai, valuterai e confezionerai un **tokenizer ottimizzato per dominio** in due varianti, progettato specificamente per testi specializzati come documenti legali, letteratura medica o articoli scientifici:

1. **BPE (Byte-Pair Encoding)** usando 🤗 tokenizers - Questo algoritmo identifica e unisce le coppie più frequenti di byte o caratteri nel testo, creando un vocabolario che rappresenta in modo efficiente il contenuto specifico del dominio

2. **SentencePiece** (BPE o Unigram) per testi multilingue / senza spazi - Questo approccio tratta l'input come un flusso grezzo di caratteri Unicode, risultando particolarmente efficace per lingue senza chiari confini tra parole (come giapponese o cinese) o sistemi di notazione specializzati

Imparerai a:

- Preparare un **corpus rappresentativo** (piccola demo qui; poi scalare) - Raccoglierai esempi di testo che riflettano accuratamente i pattern linguistici del dominio target

- Scegliere una **dimensione del vocabolario** e regole di normalizzazione - Deciderai quanti token includere e come standardizzare il testo (maiuscole/minuscole, punteggiatura, caratteri speciali)

- Addestrare un tokenizer e **salvare gli artifact** - Eseguirai il training e salverai tutti i file necessari per riutilizzarlo in produzione

- **Valutare** l'efficienza (media di token per campione, rapporto di compressione, comportamento OOV)

- Caricarlo tramite PreTrainedTokenizerFast e usarlo con un piccolo modello

Suggerimento: Inizia in piccolo, verifica il comportamento su stringhe chiave del dominio, poi scala al corpus completo.

0. Setup

```
# pip install tokenizers transformers sentencepiece datasets
import os, json, statistics, re
```

```
from pathlib import Path
```

Questo primo step imposta gli import necessari per un progetto di training di tokenizer personalizzati.

Riga 1: Commento che indica i pacchetti da installare con pip:

- tokenizers - Libreria Hugging Face per tokenizer veloci

- transformers - Libreria Hugging Face per integrazione con modelli

- sentencepiece - Libreria per tokenizer senza separazione esplicita delle parole

- datasets - Libreria Hugging Face per gestione dati

Righe 2-3: Import di librerie Python standard:

- os - Funzionalità del sistema operativo

- json - Gestione dati JSON

- statistics - Calcoli statistici

- re - Espressioni regolari

- Path da pathlib - Gestione dei percorsi file cross-platform

Questo codice prepara la base per addestrare tokenizer specifici di dominio.

1. Raccolta di un Mini-Corpus Rappresentativo

In pratica, dovresti usare una cartella con documenti specifici del dominio (.txt) che rappresentino davvero il linguaggio target.

Questo corpus dovrebbe includere:

- Terminologia specializzata

- Costruzioni sintattiche tipiche

- Pattern linguistici del dominio

Per questa demo, creiamo un piccolo esempio di testo **legale** che include:

- Terminologia formale (plaintiff, defendant, pursuant)

- Riferimenti legali (Rule 12(b), Section 2.3)

- Strutture tipiche (WHEREAS)

- Linguaggio contrattuale

In un caso reale, useresti migliaia di documenti.

```python
corpus = [
    "The plaintiff hereby files a motion to dismiss under Rule 12(b).",
    "The defendant shall pay damages as determined by the court.",
    "Pursuant to Section 2.3, the agreement remains in full force and effect.",
    "WHEREAS, the Parties desire to amend the Master Services Agreement (MSA)."
]

Path("data").mkdir(exist_ok=True)
with open("data/legal_demo.txt", "w", encoding="utf-8") as f:
    for line in corpus:
        f.write(line + "\\n")
```

Analizziamo questo frammento di codice che crea un piccolo corpus di testi legali e lo salva su file:

1. Creazione di un corpus di esempi legali:

```python
corpus = [
    "The plaintiff hereby files a motion to dismiss under Rule 12(b).",
    "The defendant shall pay damages as determined by the court.",
    "Pursuant to Section 2.3, the agreement remains in full force and effect.",
    "WHEREAS, the Parties desire to amend the Master Services Agreement (MSA)."
]
```

Questa parte definisce una lista Python chiamata corpus che contiene quattro frasi di esempio che mostrano pattern tipici del linguaggio legale. Ogni stringa rappresenta un campione con terminologia legale (plaintiff, defendant, pursuant), riferimenti legali (Rule 12(b), Section 2.3), elementi strutturali del documento (WHEREAS) e linguaggio contrattuale ("remains in full force and effect").

2. Creazione di una directory e salvataggio del corpus in un file:

```python
Path("data").mkdir(exist_ok=True)
with open("data/legal_demo.txt", "w", encoding="utf-8") as f:
    for line in corpus:
        f.write(line + "\\n")
```

Questa sezione gestisce le operazioni sui file:

- Per prima cosa, crea una directory chiamata "data" usando Path("data").mkdir(exist_ok=True). Il parametro exist_ok=True assicura che il codice non generi un errore se la directory esiste già.

- Poi apre un file chiamato "legal_demo.txt" all'interno della directory "data" in modalità scrittura ('w') con codifica UTF-8.

- Itera su ogni riga della lista corpus e la scrive nel file, aggiungendo un carattere di nuova riga ('\\n') dopo ogni riga per garantire che ogni campione appaia su una riga separata.

Per un progetto reale, usa lo streaming di file di testo di grandi dimensioni: contratti, statuti, atti giudiziari, wiki di dominio, ecc. La chiave è la copertura: includi i simboli e le strutture che il tuo modello vedrà in produzione.

2. Addestrare un Tokenizer BPE (tokenizers)

Addestreremo un piccolo tokenizer Byte-Pair Encoding (BPE) usando la pre-tokenizzazione basata sugli spazi. Il BPE funziona unendo iterativamente le coppie più frequenti di caratteri o subword nel corpus, costruendo un vocabolario di token che rappresenta il testo in modo efficiente. Il parametro vocab_size è cruciale: determina quanti token unici il tokenizer imparerà. Dovresti regolare attentamente questo parametro:

- Troppo piccolo: termini importanti del dominio verranno suddivisi in più token subword (ad esempio, "plaintiff" diventa "plain" + "tiff")

- Troppo grande: avrai molti token rari e rischierai l'overfitting sui dati di training

La dimensione ideale permette ai termini più importanti e specifici del dominio (come "plaintiff", "pursuant" o "Rule 12(b)") di essere rappresentati come token singoli, migliorando l'efficienza del modello quando elabora questi termini comuni. Inizia con una dimensione moderata e aumentala gradualmente monitorando come vengono tokenizzati i tuoi termini legali chiave.

```python
from tokenizers import Tokenizer, models, trainers, pre_tokenizers, normalizers
from tokenizers.processors import TemplateProcessing

# Build a BPE tokenizer
bpe_tok = Tokenizer(models.BPE(unk_token="[UNK]"))
bpe_tok.normalizer = normalizers.Sequence([
    normalizers.NFKC(),  # canonical unicode normalization
])
bpe_tok.pre_tokenizer = pre_tokenizers.Whitespace()

trainer = trainers.BpeTrainer(
    vocab_size=800,                 # start modest; tune later (e.g., 8k-32k for real
corpora)
    min_frequency=1,
    special_tokens=["[PAD]", "[UNK]", "[BOS]", "[EOS]"]
)

def line_iter(fn):
    with open(fn, "r", encoding="utf-8") as f:
        for line in f:
            yield line.strip()

bpe_tok.train_from_iterator(line_iter("data/legal_demo.txt"), trainer)

# Post-processing to add BOS/EOS if desired
bpe_tok.post_processor = TemplateProcessing(
    single="[BOS] $A [EOS]",
    pair="[BOS] $A [EOS] $B:1 [EOS]:1",
    special_tokens=[("[BOS]", bpe_tok.token_to_id("[BOS]")),
                    ("[EOS]", bpe_tok.token_to_id("[EOS]"))]
)
```

```python
# Save
Path("artifacts").mkdir(exist_ok=True)
bpe_tok.save("artifacts/legal_bpe.json")
```

Questo passaggio implementa un tokenizer Byte-Pair Encoding (BPE) usando la libreria 🤗 tokenizers. Ecco una spiegazione completa di ciò che fa:

Per prima cosa, il codice importa i moduli necessari:

- Dalla libreria tokenizers: Tokenizer, models, trainers, pre_tokenizers, normalizers

- TemplateProcessing da tokenizers.processors per gestire i token speciali

Poi inizializza un tokenizer BPE:

- Crea un tokenizer con modello BPE, specificando "[UNK]" come token sconosciuto

- Imposta la normalizzazione NFKC, che esegue una normalizzazione Unicode canonica per standardizzare la rappresentazione dei caratteri

- Configura un pre-tokenizer basato sugli spazi, che divide il testo sugli spazi prima di applicare BPE

Successivamente, configura il trainer per l'algoritmo BPE:

- Imposta la dimensione del vocabolario a 800 token (un punto di partenza moderato che può essere aumentato per corpus reali)

- Imposta la frequenza minima a 1, il che significa che qualsiasi token che appare almeno una volta verrà considerato

- Definisce i token speciali: "[PAD]", "[UNK]", "[BOS]", "[EOS]" per padding, token sconosciuti, inizio sequenza e fine sequenza rispettivamente

Il codice definisce una funzione di supporto line_iter che:

- Prende come input un nome file

- Apre il file e restituisce ogni riga con gli spazi rimossi ai bordi

- Questo crea un iteratore sul corpus di testo per un'elaborazione efficiente

Poi addestra il tokenizer:

- Usa train_from_iterator con l'iteratore di righe che punta a "data/legal_demo.txt"

- Applica la configurazione del trainer BPE definita in precedenza

Dopo il training, imposta il post-processing:

- Configura un template per aggiungere token speciali alle sequenze

- Per sequenze singole: aggiunge "[BOS]" all'inizio e "[EOS]" alla fine

- Per coppie di sequenze: aggiunge i marker appropriati a entrambe le sequenze

- Associa le stringhe dei token speciali ai loro ID nel vocabolario

Infine, salva il tokenizer:

- Crea una directory "artifacts" se non esiste

- Salva il tokenizer in "artifacts/legal_bpe.json"

Controllo rapido di validità:

```
test = "The plaintiff moves under Rule 12(b)(6) to dismiss."
enc = bpe_tok.encode(test)
print(enc.tokens)    # inspect splits on "plaintiff", "Rule", "12(b)(6)"
print(len(enc.ids))  # token count
```

Questo blocco di codice esegue il rapido test di validazione del tokenizer BPE appena creato. Analizziamolo riga per riga:

Per prima cosa, definisce una frase di test contenente terminologia legale: "The plaintiff moves under Rule 12(b)(6) to dismiss." Questo esempio è stato scelto con attenzione perché contiene termini specifici del dominio che vogliamo che il tokenizer gestisca correttamente.

Successivamente, codifica questa frase di test usando il nostro tokenizer BPE con enc = bpe_tok.encode(test). Questo converte il testo grezzo in token secondo l'algoritmo BPE e il vocabolario che abbiamo addestrato.

La riga print(enc.tokens) mostra i token effettivi risultanti dal processo di encoding. È particolarmente utile per verificare come il tokenizer gestisce termini legali importanti come "plaintiff", "Rule" e il formato di citazione "12(b)(6)". Idealmente, questi termini specifici del dominio dovrebbero essere codificati come token singoli invece di essere suddivisi in subword più piccole.

Infine, print(len(enc.ids)) mostra il numero totale di token generati dalla frase di test. Questo aiuta a valutare l'efficienza del tokenizer: in generale, meno token significano una rappresentazione più efficiente per i modelli downstream.

Questo passaggio di validazione è fondamentale per capire se il tokenizer sta catturando efficacemente i pattern linguistici specifici del testo legale. Se termini legali importanti vengono suddivisi in più token, potremmo dover aumentare la dimensione del vocabolario o usare tecniche come il vocabolario utente descritto più avanti nel documento.

3. Addestrare un Tokenizer SentencePiece (Unigram o BPE)

SentencePiece è un algoritmo di tokenizzazione particolarmente robusto per gestire dati multilingue e lingue senza chiari confini tra le parole (come giapponese, cinese o thai). A differenza del tokenizer BPE che abbiamo appena creato, SentencePiece tratta l'input come un flusso grezzo di caratteri Unicode senza fare affidamento su pre-processing specifici per lingua.

Vantaggi principali di SentencePiece:

1. Funziona direttamente su testo grezzo senza richiedere segmentazione specifica per lingua

2. Tratta gli spazi come normali caratteri, rendendolo adatto a lingue senza spazi

3. Mantiene la reversibilità, permettendo la ricostruzione perfetta del testo originale

4. Supporta sia algoritmi Unigram che BPE nello stesso framework

Per questo progetto useremo il modello Unigram, che si differenzia da BPE perché usa un approccio probabilistico alla tokenizzazione invece di regole di merging deterministiche. Il modello Unigram parte da un grande vocabolario e lo riduce iterativamente per ottimizzare una funzione di likelihood, risultando particolarmente efficace nel catturare le sfumature della terminologia specializzata.

```python
import sentencepiece as spm

with open("data/legal_sp.txt", "w", encoding="utf-8") as f:
    for line in corpus:
        f.write(line + "\\n")

spm.SentencePieceTrainer.train(
    input="data/legal_sp.txt",
    model_prefix="artifacts/legal_sp",
    vocab_size=800,
    character_coverage=1.0,      # lower for non-Latin heavy corpora (e.g., 0.9995 for CJK)
    model_type="unigram",        # or "bpe"
    bos_id=1, eos_id=2, unk_id=0, pad_id=3
)
```

Questo passaggio implementa un processo di addestramento di un tokenizer SentencePiece per il testo legale. Analizziamolo in modo completo:

Per prima cosa, il codice importa la libreria SentencePiece:

import sentencepiece as spm

Successivamente, crea un file di testo per memorizzare i dati del corpus per l'addestramento:

- Apre un file chiamato "data/legal_sp.txt" in modalità scrittura con codifica UTF-8

- Itera su ogni riga del corpus (una raccolta di campioni di testo legale definita in precedenza)

- Ogni riga viene scritta nel file con un carattere di nuova riga aggiunto

Poi arriva il cuore del codice: l'addestramento del tokenizer SentencePiece:

- Il metodo SentencePieceTrainer.train() viene chiamato con diversi parametri

- input="data/legal_sp.txt": specifica il file di testo di input contenente il corpus

- model_prefix="artifacts/legal_sp": imposta il prefisso per i file del modello in output (verranno creati file .model e .vocab)

- vocab_size=800: limita il vocabolario a 800 token — una dimensione modesta adatta a questa demo

- character_coverage=1.0: garantisce che tutti i caratteri del corpus siano coperti

- Un commento indica che questo valore dovrebbe essere più basso (ad esempio 0.9995) per script non latini come cinese, giapponese, coreano

- model_type="unigram": utilizza l'algoritmo Unigram (approccio probabilistico) invece di BPE

- Un commento indica che "bpe" è un'opzione alternativa

- Vengono definiti gli ID dei token speciali: inizio sequenza (1), fine sequenza (2), sconosciuto (0) e padding (3)

Questo codice è particolarmente utile per l'elaborazione del testo legale perché SentencePiece:

- Tratta il testo come un flusso grezzo di caratteri Unicode senza pre-elaborazione specifica per lingua

- Gestisce gli spazi come un carattere normale

- Mantiene la reversibilità per una ricostruzione perfetta del testo originale

- Usa un approccio probabilistico (modello Unigram) che può catturare efficacemente la terminologia specializzata

Il risultato sarà un tokenizer SentencePiece addestrato che può tokenizzare in modo efficiente il testo legale preservando i termini specifici del dominio.

Verifica delle suddivisioni:

```python
sp = spm.SentencePieceProcessor(model_file="artifacts/legal_sp.model")
print(sp.encode("WHEREAS, the Parties amend the MSA.", out_type=str))
```

Ecco un'analisi dettagliata:

Per prima cosa, il codice crea un oggetto SentencePiece processor caricando un modello precedentemente addestrato:

```python
sp = spm.SentencePieceProcessor(model_file="artifacts/legal_sp.model")
```

Il SentencePieceProcessor viene inizializzato con il file modello "artifacts/legal_sp.model" creato durante il processo di addestramento. Questo modello contiene tutto il vocabolario e le regole necessarie per la tokenizzazione.

Successivamente, il codice codifica un testo legale di esempio e stampa il risultato:

```python
print(sp.encode("WHEREAS, the Parties amend the MSA.", out_type=str))
```

Questa riga esegue diverse operazioni:

- Prende una frase legale "WHEREAS, the Parties amend the MSA." che contiene terminologia specifica del dominio (come "WHEREAS" e "MSA", comuni nei documenti legali)

- Il metodo encode() converte questo testo in token secondo il modello SentencePiece

- Il parametro out_type=str specifica che l'output deve essere una lista di token stringa anziché i loro ID numerici

- Il risultato viene stampato per consentire un'ispezione visiva di come il tokenizer suddivide il testo legale

Questo è un passaggio di validazione cruciale per verificare se il tokenizer gestisce correttamente la terminologia specifica del dominio. Ad esempio, idealmente termini come "MSA" (che probabilmente significa Master Service Agreement in questo contesto) dovrebbero essere mantenuti come singoli token invece di essere suddivisi in lettere individuali.

Il codice funge da "rapido controllo di coerenza" per valutare quanto bene il modello SentencePiece addestrato gestisce la terminologia e la formattazione legale, come parte del più ampio processo di valutazione della qualità del tokenizer.

4. Integra il tuo tokenizer con Transformers

Questo consente di integrare il tuo tokenizer personalizzato con i modelli basati su transformer di Hugging Face, racchiudendolo in un'interfaccia standardizzata. La classe PreTrainedTokenizerFast fornisce un'API coerente che i modelli transformer si aspettano, gestendo tutte le operazioni necessarie di encoding, decoding, padding e gestione dei token speciali.

Questo livello di compatibilità significa che puoi utilizzare senza problemi il tuo tokenizer specifico del dominio con modelli pre-addestrati per fine-tuning o inferenza, senza dover modificare l'architettura del modello. Garantisce inoltre che il tokenizer supporti batching, padding, truncation e altre funzionalità necessarie per un addestramento e un'inferenza efficienti del modello.

```python
from transformers import PreTrainedTokenizerFast

fast_bpe = PreTrainedTokenizerFast(tokenizer_file="artifacts/legal_bpe.json")
fast_bpe.pad_token = "[PAD]"
fast_bpe.bos_token = "[BOS]"
fast_bpe.eos_token = "[EOS]"
fast_bpe.unk_token = "[UNK]"

sample_ids = fast_bpe("This agreement remains in full force.", return_tensors="pt")
print(sample_ids["input_ids"], sample_ids["attention_mask"])
```

Questo passaggio mostra come racchiudere un tokenizer BPE personalizzato per utilizzarlo con Hugging Face Transformers. Il processo prevede:

1. Importazione della classe necessaria:

   - Il codice importa PreTrainedTokenizerFast dalla libreria transformers, che fornisce un'interfaccia standardizzata per i tokenizer

2. Caricamento del tokenizer personalizzato:

- Inizializza un'istanza di PreTrainedTokenizerFast caricando un file tokenizer precedentemente salvato ("artifacts/legal_bpe.json")

- Questo file contiene il vocabolario e le merge apprese durante il processo di addestramento BPE

3. Impostazione dei token speciali:

- Il codice assegna token specifici per padding, inizio sequenza, fine sequenza e token sconosciuto

- Questi token speciali sono necessari affinché i modelli transformer possano gestire correttamente le sequenze

4. Test del tokenizer con un testo di esempio:

- Tokenizza la frase "This agreement remains in full force."

- Il parametro return_tensors="pt" converte l'output in tensori PyTorch, che è il formato richiesto dai modelli transformer

- Il risultato include sia input_ids (ID dei token) sia attention_mask (indica quali posizioni contengono token reali rispetto al padding)

5. Stampa dei risultati:

- L'ultima riga stampa sia il tensore input_ids sia il tensore attention_mask

- Questo consente una verifica visiva del corretto funzionamento del tokenizer

Per SentencePiece, usa AutoTokenizer.from_pretrained se impacchetti un tokenizer.json oppure specifica .model con gli stili T5Tokenizer/XLNetTokenizer. Per un utilizzo rapido:

```python
from transformers import T5Tokenizer
sp_tok = T5Tokenizer(vocab_file="artifacts/legal_sp.model")
print(sp_tok("Pursuant to Section 2.3"))
```

5. Valuta la qualità del tokenizer

Un buon tokenizer riduce la lunghezza della sequenza e rispetta i termini del dominio. La qualità del tuo tokenizer influenzerà direttamente l'efficienza con cui il modello elabora il testo e quanto bene comprende i concetti specifici del dominio.

Metriche da controllare:

- **Media dei token per campione** (più basso è meglio) - Misura quanto efficientemente il tokenizer comprime il testo. Meno token significano meno calcolo durante l'addestramento e l'inferenza del modello, con conseguente elaborazione più veloce e requisiti di memoria ridotti.

- **Rapporto di compressione** = (caratteri per campione) / (token per campione) - Questo rapporto aiuta a quantificare l'efficienza della tokenizzazione. Valori più alti indicano una migliore compressione, in cui più caratteri sono rappresentati da meno token. Per testi specifici di dominio, dovresti puntare a rapporti superiori a quelli dei tokenizer generalisti.

- **Integrità dei termini**: le frasi chiave sono token singoli? ("plaintiff", "MSA", "Section 2.3") - L'expertise di dominio è spesso codificata in una terminologia specializzata. Quando questi termini vengono preservati come token singoli, i modelli possono apprenderne il significato semantico in modo più efficace. Verifica se i termini importanti specifici del dominio rimangono intatti invece di essere suddivisi in più sottotoken.

- **Gestione dei simboli**: parentesi, simboli di sezione, citazioni, pattern simili a codice - I domini specializzati usano spesso convenzioni di formattazione uniche (come "§2.1.3" nel testo legale o "C3H8O3" in chimica). Un buon tokenizer specifico del dominio dovrebbe gestire questi pattern in modo appropriato, preservandoli come token singoli oppure suddividendoli in modo coerente che ne mantenga il significato semantico.

```python
def eval_stats(tokenize, samples):
    tok_lens = []
    char_lens = []
    for s in samples:
        ids = tokenize(s)
        tok_lens.append(len(ids))
        char_lens.append(len(s))
    return {
        "avg_tokens": statistics.mean(tok_lens),
        "avg_chars": statistics.mean(char_lens),
        "compression":            statistics.mean(char_lens)         /         max(1e-6,
statistics.mean(tok_lens))
    }

def tokenize_bpe(s): return bpe_tok.encode(s).ids
def tokenize_sp(s):  return sp.encode(s, out_type=int)

samples = [
    "Pursuant to Section 2.3, the agreement is extended.",
    "WHEREAS, the Parties desire to amend the MSA.",
    "Rule 12(b)(6) permits dismissal for failure to state a claim."
]

print("BPE:", eval_stats(tokenize_bpe, samples))
print("SP :", eval_stats(tokenize_sp, samples))
```

Questo passaggio definisce un framework per valutare e confrontare le prestazioni dei tokenizer per domini testuali specializzati (come i documenti legali). Ecco un'analisi completa:

Funzione: eval_stats

Questa funzione calcola statistiche chiave per valutare l'efficienza del tokenizer:

- Accetta due parametri: una funzione di tokenizzazione e una lista di campioni di testo

- Per ogni campione, tiene traccia sia della lunghezza in token (dopo la tokenizzazione) sia della lunghezza in caratteri (testo originale)

- Restituisce un dizionario con tre metriche:

  - "avg_tokens": numero medio di token per campione

  - "avg_chars": numero medio di caratteri per campione

  - "compression": il rapporto tra caratteri e token (valori più alti indicano una migliore compressione)

- Usa il modulo statistics (implicito nel codice) per calcolare le medie

- Include un meccanismo di sicurezza (max(1e-6, statistics.mean(tok_lens))) per evitare la divisione per zero

Funzioni di supporto

Due piccole funzioni wrapper che standardizzano il modo in cui vengono chiamati tokenizer diversi:

- tokenize_bpe(s): tokenizza il testo usando un tokenizer BPE e restituisce gli ID dei token

- tokenize_sp(s): tokenizza il testo usando un tokenizer SentencePiece e restituisce gli ID dei token

Dati di test

Il codice definisce una lista di campioni di testo legale per valutare le prestazioni del tokenizer:

- Tre frasi legali rappresentative contenenti terminologia e formattazione specifiche del dominio:

- "Pursuant to Section 2.3, the agreement is extended."

- "WHEREAS, the Parties desire to amend the MSA."

- "Rule 12(b)(6) permits dismissal for failure to state a claim."

- Questi campioni includono intenzionalmente gergo legale (WHEREAS, Pursuant), riferimenti (Section 2.3), acronimi (MSA) e citazioni complesse (Rule 12(b)(6))

Valutazione e output

Infine, il codice valuta entrambi i tokenizer sui campioni di test e stampa i risultati:

- Chiama eval_stats con ciascuna funzione di tokenizzazione e i testi di esempio

- Stampa i risultati con le etichette "BPE:" e "SP:" (per SentencePiece)

- Questo consente un confronto diretto su quanto efficientemente ciascun tokenizer gestisce i campioni di testo legale

Questa valutazione è cruciale per i tokenizer specifici del dominio perché quantifica quanto bene comprimono il testo preservando unità semantiche significative. Un tokenizer legale efficace dovrebbe idealmente mantenere termini come "MSA" o "Rule 12(b)(6)" come token singoli, ottenendo al contempo una buona compressione complessiva.

Se i termini chiave vengono suddivisi in molti sottotoken, prova ad aumentare vocab_size, modificare la normalizzazione (ad esempio mantenendo le maiuscole) oppure aggiungere una lista di vocabolario utente per forzare le merge delle stringhe di dominio più frequenti.

6. Aggiungi un vocabolario utente (opzionale ma potente)

Forza il tokenizer a trattare determinate stringhe come token singoli (comune in codice, chimica, identificatori finanziari). Questa tecnica è particolarmente preziosa nei contesti specifici di dominio, dove preservare l'integrità della terminologia tecnica è fondamentale. Per esempio:

- Nel testo legale: termini come "plaintiff", "defendant" o formati di citazione come "Rule 12(b)(6)" dovrebbero rimanere intatti

- In chimica: formule chimiche come "C6H12O6" o "NH4Cl" dovrebbero essere riconosciute come unità singole significative

- Nella programmazione: nomi di funzioni, chiamate API o convenzioni di naming delle variabili dovrebbero essere preservati

- Nella finanza: ticker azionari, metriche finanziarie o codici contabili traggono vantaggio dall'essere trattati come unità atomiche

Specificando un vocabolario utente, impedisci al tokenizer di spezzare questi termini critici del dominio in sottoparti, contribuendo così a mantenerne il significato semantico e migliorando la comprensione del modello dei concetti specifici del dominio. Questo è particolarmente importante quando questi termini hanno un significato che va oltre la somma delle loro parti costitutive.

```python
user_vocab = ["plaintiff", "defendant", "MSA", "Rule", "Section", "12(b)(6)"]

# For 🤗 tokenizers you can bake merges indirectly by seeding corpus or post-filtering:
# A practical trick: augment the training corpus with many occurrences of user_vocab.
with open("data/legal_aug.txt", "w", encoding="utf-8") as f:
    for _ in range(200):
        f.write(" ".join(user_vocab) + "\\n")
    for line in corpus:
        f.write(line + "\\n")

# Retrain quickly with augmented freq (same code as Section 2)
bpe_tok2 = Tokenizer(models.BPE(unk_token="[UNK]"))
bpe_tok2.pre_tokenizer = pre_tokenizers.Whitespace()
bpe_tok2.normalizer = normalizers.NFKC()
trainer2 = trainers.BpeTrainer(
    vocab_size=900,
    min_frequency=1,
    special_tokens=["[PAD]", "[UNK]", "[BOS]", "[EOS]"]
)
bpe_tok2.train_from_iterator(line_iter("data/legal_aug.txt"), trainer2)
print(bpe_tok2.encode("The MSA and Section 2.3 apply under Rule 12(b)(6).").tokens)
```

Questo passaggio mostra come creare un tokenizer specifico per dominio con un vocabolario utente per il testo legale utilizzando la libreria Hugging Face tokenizers. Ecco un'analisi dettagliata:

Definizione del vocabolario utente

Il codice inizia definendo una lista di termini legali che dovrebbero essere trattati come token singoli invece di essere suddivisi in sottoparti:

```
user_vocab = ["plaintiff", "defendant", "MSA", "Rule", "Section", "12(b)(6)"]
```

Aumento dei dati di addestramento

Il codice utilizza una tecnica intelligente per garantire che questi termini speciali vengano preservati come token singoli:

- Crea un nuovo file di addestramento aumentato ("data/legal_aug.txt")

- Scrive 200 righe contenenti solo i termini del vocabolario utente

- Aggiunge il corpus originale a questo file aumentato

Questa tecnica aumenta effettivamente la frequenza di questi termini nei dati di addestramento, rendendo più probabile che l'algoritmo BPE li mantenga come token singoli.

Configurazione e addestramento del tokenizer

Il codice crea quindi e configura un nuovo tokenizer BPE:

- Inizializza un tokenizer BPE con un token sconosciuto "[UNK]"

- Imposta un pre-tokenizer basato sugli spazi che divide il testo in base agli spazi

- Imposta la normalizzazione NFKC per la normalizzazione dei caratteri Unicode

- Configura un trainer BPE con:

  - vocab_size=900 (limita il vocabolario a 900 token)

  - min_frequency=1 (include i token che compaiono almeno una volta)

  - special_tokens=["[PAD]", "[UNK]", "[BOS]", "[EOS]"] (aggiunge token speciali per padding, sconosciuto, inizio sequenza e fine sequenza)

- Addestra il tokenizer sul corpus aumentato utilizzando la funzione line_iter

Test del tokenizer

Infine, il codice verifica se i termini del vocabolario utente vengono preservati come token singoli codificando una frase di test e stampando i token risultanti:

print(bpe_tok2.encode("The MSA and Section 2.3 apply under Rule 12(b)(6).").tokens)

Questa tecnica è particolarmente utile per tokenizer specifici del dominio, dove preservare la terminologia specializzata migliora la comprensione del contenuto da parte del modello.

Se hai bisogno di un controllo rigoroso, SentencePiece supporta **user defined symbols** tramite --user_defined_symbols= durante l'addestramento.

7. Salva, carica e versiona

Versiona sempre i tuoi artifact in modo che gli esperimenti siano riproducibili. Questo significa:

- Assegnare numeri di versione o identificatori univoci a ogni tokenizer creato

- Documentare i parametri di addestramento, le statistiche del corpus e i passaggi di preprocessing utilizzati

- Salvare sia il modello del tokenizer sia i suoi metadati in una posizione coerente

- Utilizzare sistemi di version control (come Git) per tracciare le modifiche al codice e alla configurazione del tokenizer

- Creare changelog completi che spieghino le modifiche tra le versioni

Questa pratica garantisce che tu possa ricreare esattamente le condizioni sperimentali in futuro, confrontare i risultati in modo equo tra diverse versioni del tokenizer e condividere il tuo lavoro in modo che altri possano riutilizzarlo in maniera affidabile.

```python
bpe_tok2.save("artifacts/legal_bpe_v2.json")
meta = {
    "vocab_size": 900,
    "normalization": "NFKC",
    "pretokenizer": "Whitespace",
    "domain": "legal",
    "notes": "Augmented with user vocab to protect key terms."
}
with open("artifacts/legal_bpe_v2.meta.json", "w") as f:
    json.dump(meta, f, indent=2)
```

Questo passaggio mostra come salvare un tokenizer BPE addestrato e i suoi metadati per un utilizzo futuro. Ecco un'analisi dettagliata:

Salvataggio del modello del tokenizer

La prima riga salva il tokenizer BPE addestrato (bpe_tok2) in un file JSON:

```python
bpe_tok2.save("artifacts/legal_bpe_v2.json")
```

Questo crea un file contenente tutte le informazioni necessarie per ricostruire il tokenizer, inclusi vocabolario, merge e configurazione.

Creazione dei metadati

Il codice crea poi un dizionario Python contenente metadati importanti sul tokenizer:

- vocab_size: 900 - La dimensione del vocabolario utilizzata durante l'addestramento

- normalization: "NFKC" - Il metodo di normalizzazione Unicode applicato

- pretokenizer: "Whitespace" - La strategia di pre-tokenizzazione utilizzata

- domain: "legal" - Il dominio specifico per cui il tokenizer è stato addestrato

- notes: "Augmented with user vocab to protect key terms" - Informazioni aggiuntive su come è stato addestrato il tokenizer

Salvataggio dei metadati

Infine, il codice salva questi metadati in un file JSON separato:

```python
with open("artifacts/legal_bpe_v2.meta.json", "w") as f:
    json.dump(meta, f, indent=2)
```

Questo utilizza il modulo json di Python per scrivere il dizionario dei metadati in un file con una formattazione leggibile (indent=2).

Scopo e importanza

Questo approccio di versioning è fondamentale per:

- Riproducibilità: chiunque può ricreare esattamente lo stesso tokenizer con gli stessi parametri

- Documentazione: i metadati forniscono contesto su come è stato creato il tokenizer

- Tracciabilità: la presenza di "v2" nel nome del file suggerisce che si tratta della seconda versione, facilitando un corretto versioning

- Provenienza: il campo notes spiega che questo tokenizer è stato appositamente aumentato con un vocabolario utente

Questa pratica è in linea con la raccomandazione di "Versionare sempre i tuoi artifact per rendere gli esperimenti riproducibili" menzionata nella sezione 7 del documento.

8. Integra con un piccolo modello (sanity run)

Usa il tuo tokenizer con un modello molto piccolo (ad esempio DistilGPT-2) per assicurarti che l'encoding e il decoding round-trip funzionino correttamente. Questo passaggio rappresenta una verifica cruciale del fatto che il tokenizer funzioni correttamente in un contesto reale di modello. Il test round-trip consiste nel codificare il testo in token, far passare quei token attraverso la pipeline del modello e poi decodificarli nuovamente in testo, confermando che le informazioni fluiscano correttamente attraverso il processo di tokenizzazione.

Per un vero addestramento da zero con un tokenizer personalizzato, dovresti allineare le dimensioni del layer di embedding del modello alla dimensione del vocabolario del tuo tokenizer. Questo significa inizializzare il modello con una matrice di embedding di forma [vocab_size, embedding_dimension], dove vocab_size corrisponde al numero di token nel tuo tokenizer personalizzato. Senza questo allineamento, il modello si aspetterebbe una dimensione di vocabolario diversa da quella fornita dal tokenizer, causando errori di indice o comportamenti indefiniti durante l'addestramento o l'inferenza.

```python
from transformers import AutoModelForCausalLM, AutoTokenizer

# Using our fast BPE in a transformers-friendly wrapper:
from transformers import PreTrainedTokenizerFast
tok = PreTrainedTokenizerFast(tokenizer_file="artifacts/legal_bpe_v2.json")
tok.pad_token = "[PAD]"; tok.bos_token = "[BOS]"; tok.eos_token = "[EOS]";
tok.unk_token = "[UNK]"

# Quick encode/decode round trip
ex = tok("WHEREAS, the Parties amend the MSA.", return_tensors="pt")
print(ex["input_ids"])
print(tok.decode(ex["input_ids"][0]))
```

Ecco un'analisi di questo passaggio, che mostra come usare un tokenizer BPE personalizzato con la libreria Hugging Face transformers:

Il codice inizia importando le librerie necessarie dal pacchetto transformers:

from transformers import AutoModelForCausalLM, AutoTokenizer

Sebbene AutoModelForCausalLM venga importato, in realtà non viene utilizzato in questo frammento. Questo import verrebbe tipicamente usato per caricare un modello di linguaggio che potrebbe lavorare con il tokenizer.

Il codice importa poi la classe PreTrainedTokenizerFast, che funge da wrapper per rendere i tokenizer personalizzati compatibili con la libreria transformers:

from transformers import PreTrainedTokenizerFast

Successivamente, carica il tokenizer BPE legale personalizzato precedentemente salvato specificando il percorso del file del tokenizer salvato:

```python
tok = PreTrainedTokenizerFast(tokenizer_file="artifacts/legal_bpe_v2.json")
```

Il codice imposta poi i token speciali per il tokenizer, fondamentali per il corretto funzionamento con i modelli transformer:

```python
tok.pad_token = "[PAD]"; tok.bos_token = "[BOS]"; tok.eos_token = "[EOS]";
tok.unk_token = "[UNK]"
```

Questi token speciali hanno scopi specifici:

- [PAD]: usato per il padding delle sequenze fino a una lunghezza uniforme

- [BOS]: segna l'inizio di una sequenza

- [EOS]: segna la fine di una sequenza

- [UNK]: rappresenta i token sconosciuti non presenti nel vocabolario

Infine, il codice esegue un test round-trip del tokenizer con un campione di testo legale:

```python
ex = tok("WHEREAS, the Parties amend the MSA.", return_tensors="pt")
print(ex["input_ids"])
print(tok.decode(ex["input_ids"][0]))
```

Questo test:

- Codifica il testo legale "WHEREAS, the Parties amend the MSA." in ID di token, restituendo tensori PyTorch (return_tensors="pt")

- Stampa gli input_ids risultanti (la rappresentazione numerica dei token)

- Decodifica di nuovo in testo la prima sequenza di input_ids per verificare che il round-trip funzioni correttamente

Questo "sanity check" assicura che il tokenizer elabori correttamente la terminologia legale specifica del dominio (come "MSA") e possa essere integrato con modelli transformer per ulteriori attività di fine-tuning o inferenza.

Quando addestri da zero, inizializza gli embedding con len(tok) e assicurati che gli ID dei token speciali siano allineati. Durante il fine-tuning, di solito si mantiene il tokenizer del modello base, a meno che il tuo dominio non richieda davvero uno personalizzato.

Insidie e suggerimenti

- **La rappresentatività** conta più della dimensione: un corpus più piccolo ma ben mirato è meglio di un'enorme raccolta generica. Quando crei un tokenizer specifico per dominio, è molto più efficace usare un dataset più piccolo che rappresenti accuratamente il tuo dominio specifico (come contratti legali o letteratura medica) piuttosto che un enorme dataset di testo generico. Questo assicura che il tokenizer apprenda i pattern di vocabolario specifici che contano nel tuo dominio invece di essere diluito da pattern linguistici irrilevanti.

- **Sensibilità alle maiuscole/minuscole:** il testo legale e biomedico spesso richiede di **preservare le maiuscole**. Prova a disabilitare il lowercasing. In domini come il diritto e la medicina, la capitalizzazione spesso porta con sé un significato importante (ad esempio "Section" vs. "section" nei documenti legali, oppure "CD4" vs. "cd4" nei testi medici). Per impostazione predefinita, molti algoritmi di tokenizzazione convertono tutto il testo in minuscolo, ma ciò può distruggere queste distinzioni importanti. Configura il tokenizer in modo da mantenere le maiuscole quando lavori con questi domini specializzati.

- **Numeri e simboli:** decidi se dividere "12(b)(6)" oppure mantenerlo intero. La coerenza aiuta. Le citazioni legali, le formule chimiche e i codici specializzati spesso combinano numeri e simboli in modi che hanno significato come unità complete. Decidi presto nella tua strategia di tokenizzazione se trattarli come token singoli o dividerli in componenti. Qualunque scelta tu faccia, applicala in modo coerente in tutto il processo di tokenizzazione per evitare di confondere i modelli.

- **Ottimizzazione della dimensione del vocabolario:** troppo piccolo → frammentazione; troppo grande → maggiore occupazione di memoria. Inizia con 8k–32k per corpus di medie dimensioni. Trovare la giusta dimensione del vocabolario è fondamentale: se è troppo piccolo, i termini comuni del dominio verranno suddivisi in più token (frammentazione), riducendo l'efficienza e forse perdendo significato semantico; se è troppo grande, avrai un modello più grande che richiede più memoria e potrebbe overfittare su termini rari. Per dataset specifici di dominio di dimensioni medie, partire da 8.000–32.000 token offre spesso un buon equilibrio.

- **Misura prima e dopo:** monitora il numero di token su **campioni reali** che ti interessano (contratti, filing, file di codice). Valuta sempre il tokenizer su esempi rappresentativi del tuo caso d'uso reale. Conta quanti token servono per rappresentare i documenti chiave prima e dopo l'addestramento del tokenizer personalizzato. Un tokenizer specifico di dominio riuscito dovrebbe rappresentare il testo del dominio in modo più efficiente (meno token) rispetto a un tokenizer generalista, mantenendo o migliorando al contempo la rappresentazione dei concetti chiave del dominio.

Risultati di apprendimento

- Hai addestrato e valutato tokenizer **BPE** e **SentencePiece** per un dominio di nicchia.

- Hai misurato l'efficienza (token medi, compressione) e **protetto i termini chiave**.

- Hai impacchettato gli artifact e li hai integrati con **Transformers**.

Conclusione

Arrivare alla fine di questo primo volume significa aver intrapreso un lungo e ambizioso viaggio attraverso le fondamenta dei large language models. Quello che è iniziato come curiosità su come funzionano realmente questi sistemi si è ora trasformato in una profonda comprensione della loro architettura, del loro addestramento e del loro potenziale multimodale. Se hai seguito i capitoli, i progetti e il quiz, ora possiedi qualcosa di raro: un **modello mentale funzionante degli LLM**.

Nel corso di questo libro, abbiamo smontato la complessità strato dopo strato. Nel **Capitolo 1**, abbiamo inquadrato il panorama degli LLM, mostrando come modelli come GPT, Claude, Gemini, LLaMA e Mistral affrontino la stessa sfida di base in modi leggermente diversi. Abbiamo discusso le architetture decoder-only rispetto a encoder-decoder, i design mixture-of-experts e le scaling laws che guidano l'equilibrio tra dimensione del modello, dimensione del dataset e budget computazionale. Questo ti ha fornito il contesto storico per vedere gli LLM non come meraviglie isolate, ma come il risultato di un'innovazione costante e sistematica.

Il **Capitolo 2** ci ha portato nei mattoni fondamentali del linguaggio: token ed embedding. Hai visto come strategie di tokenizzazione come Byte Pair Encoding, WordPiece e SentencePiece suddividano il testo in parti gestibili, e come gli embedding trasformino questi token in vettori continui ricchi che catturano il significato. Hai anche imparato a addestrare il tuo tokenizer per domini specializzati, una competenza preziosa per adattare i modelli a campi specifici come medicina, diritto o finanza.

Nel **Capitolo 3**, siamo entrati nel transformer block, esplorando multi-head attention, strategie di normalizzazione, rotary embeddings, attivazioni SwiGLU e grouped-query attention. Hai acquisito non solo una spiegazione concettuale, ma anche esempi funzionanti in PyTorch per vedere questi meccanismi in azione. Alla fine di questo capitolo, hai compreso come l'attenzione permetta a un modello di intrecciare contesto e significato lungo sequenze di testo estese.

Il **Capitolo 4** ha spostato l'attenzione sull'addestramento: pipeline dei dati, infrastrutture distribuite e strategie di ottimizzazione che rendono possibile l'addestramento su larga scala. Abbiamo esplorato come pulire e deduplicare corpora massivi, come curriculum learning e generazione di dati sintetici migliorino l'efficienza, e come GPU, TPU e acceleratori vengano orchestrati in parallelo. Abbiamo anche analizzato l'ottimizzazione dei costi e la sostenibilità, sottolineando che costruire un'AI potente deve anche essere responsabile e consapevole delle risorse.

Infine, il **Capitolo 5** ci ha portato oltre il testo, nella frontiera multimodale. Qui abbiamo visto come modelli come LLaVA, Whisper, VideoGPT e GPT-4o estendano le loro capacità a immagini, audio e video. Integrando più modalità, gli LLM si avvicinano sempre di più a una percezione e a un ragionamento simili a quelli umani, abilitando applicazioni nell'accessibilità, nell'educazione e nell'assistenza nel mondo reale.

Accanto a questi capitoli, i **due progetti pratici** hanno radicato il tuo apprendimento: costruire un Transformer da zero e addestrare un tokenizer personalizzato. Queste esperienze ti hanno dato più di una conoscenza astratta; ti hanno fornito una *intuizione operativa*. Ora sai leggere, scrivere e sperimentare con i componenti che guidano l'AI più avanzata di oggi.

Qual è il significato più ampio di questo percorso? Comprendere gli LLM non è solo un esercizio accademico. Questi modelli stanno rapidamente diventando un'infrastruttura per la conoscenza, la creatività e la produttività. Per lavorarci in modo responsabile, non basta chiamare un'API: devi capire come funzionano, dove possono fallire e come adattarli alle tue esigenze. Con le conoscenze acquisite in questo volume, sei meglio preparato a valutare criticamente i modelli, distinguere tra hype e sostanza e iniziare a costruire i tuoi contributi in questo campo.

Ma questo è solo l'inizio. Il prossimo volume di questa serie, *Customization and Fine-Tuning*, ti mostrerà come applicare ciò che ora comprendi. Invece di limitarti a usare un LLM generico, imparerai a fare fine-tuning sui tuoi dati, ad allinearli alle preferenze umane e a valutarne la sicurezza. È qui che le basi che hai costruito daranno davvero i loro frutti, mentre passi dalla comprensione alla **padronanza** dei tuoi modelli.

Nel terzo volume, *Scaling, Optimization, and Real-World Deployment*, imparerai a portare i modelli in produzione su larga scala. Tratteremo quantization, ottimizzazione dell'inferenza, retrieval-augmented generation (RAG) e l'infrastruttura necessaria per distribuire sistemi di AI affidabili ed efficienti. Questo completerà il percorso: dalla comprensione, all'adattamento, fino all'impatto reale.

Mentre chiudi questo libro, ricorda: la conoscenza che ora possiedi non è statica. Il campo dei large language models evolve quasi ogni settimana, con nuove architetture, benchmark e applicazioni. Ma poiché ne comprendi le fondamenta, puoi adattarti. Non hai imparato solo il "cosa" degli LLM—hai imparato il "perché". Questo ti rende resiliente di fronte al cambiamento.

Congratulazioni per aver completato questo libro. Il mondo dell'AI è vasto, ma con queste basi non sei più solo un passeggero—sei ai comandi.

0

Dove continuare?

Se hai completato questo libro e desideri approfondire ulteriormente le tue conoscenze di programmazione, ci piacerebbe consigliarti alcuni altri libri della nostra azienda di software che potrebbero risultarti utili. Questi libri coprono un'ampia gamma di argomenti e sono progettati per aiutarti a continuare ad ampliare le tue competenze di programmazione.

"ChatGPT API Bible: Mastering Python Programming for Conversational AI": offre una guida pratica e passo dopo passo per utilizzare ChatGPT, coprendo tutto, dall'integrazione dell'API alla messa a punto del modello per attività o settori specifici.

"Natural Language Processing with Python: Building your Own Customer Service ChatBot": questo libro completo offre un'esplorazione approfondita del Natural Language Processing. Presenta concetti complessi in modo chiaro attraverso spiegazioni coinvolgenti ed esempi intuitivi.

"Data Analysis with Python": Python è un linguaggio potente per l'analisi dei dati, e questo libro ti aiuterà a sfruttarne al massimo il potenziale. Copre argomenti come la pulizia dei dati, la manipolazione dei dati e la visualizzazione dei dati, offrendo anche esercizi pratici per applicare ciò che hai imparato.

"Machine Learning with Python": il machine learning è uno dei campi più entusiasmanti dell'informatica, e questo libro ti aiuterà a iniziare a costruire i tuoi modelli di apprendimento automatico utilizzando Python. Copre argomenti come regressione lineare, regressione logistica e alberi decisionali.

"Mastering ChatGPT and Prompt Engineering": in questo libro ti accompagneremo in un viaggio completo nel mondo del prompt engineering, coprendo tutto, dalle basi dei modelli linguistici di IA fino a strategie avanzate e applicazioni nel mondo reale.

Tutti questi libri sono progettati per aiutarti a continuare ad ampliare le tue competenze di programmazione e ad approfondire la tua comprensione del linguaggio Python. Crediamo che la programmazione sia una competenza che può essere sviluppata nel tempo e siamo impegnati a fornire risorse che possano aiutarti a raggiungere i tuoi obiettivi.

Cogliamo inoltre questa opportunità per ringraziarti per aver scelto la nostra azienda di software come guida nel tuo percorso di apprendimento della programmazione. Speriamo che tu abbia trovato questo libro una risorsa utile e ci auguriamo di continuare a offrirti materiali di programmazione di alta qualità in futuro. Se hai commenti o suggerimenti per libri o risorse future, non esitare a contattarci. Saremo felici di ricevere il tuo feedback!

Scopri di più su di noi

In **Cuantum Technologies**, siamo specializzati nello sviluppo di applicazioni web che offrono esperienze creative e risolvono problemi del mondo reale. I nostri sviluppatori hanno esperienza in una vasta gamma di linguaggi di programmazione e framework, tra cui **Python, Django, React, Three.js e Vue.js**, tra gli altri. Esploriamo costantemente nuove tecnologie e tecniche per rimanere all'avanguardia nel settore e siamo orgogliosi della nostra capacità di creare soluzioni che soddisfino le esigenze dei nostri clienti.

Se desideri saperne di più su **Cuantum Technologies** e sui servizi che offriamo, visita il nostro sito web: **books.cuantum.tech**

Saremo lieti di rispondere a qualsiasi domanda tu possa avere e di discutere come possiamo aiutarti con le tue esigenze di sviluppo software.

www.cuantum.tech